COLLECTION TEL

Pierre-André Taguieff

La force du préjugé

Essai sur le racisme et ses doubles

Éditions La Découverte

A LA MÉMOIRE DE

Pierre-Paul Grassé,
Victor Nguyen,
Michel Pêcheux,
Mitsou Ronat

Introduction

Doutes sur l'antiracisme

LES MÉTAMORPHOSES DU CHAMP IDÉOLOGIQUE

> « Agir ! Agir, c'est l'appel qui retentit de bien des côtés ; mais ceux qui le lancent avec le plus de force sont précisément ceux chez qui le savoir est le moins avancé [1]. »
>
> Friedrich W.J. SCHELLING

Notre objectif peut se définir, selon une allégorie qu'affectionnait Carnap, comme la tentative de réparer un bateau qu'on ne peut jamais ramener en cale sèche et qu'il faut donc reconstruire tandis qu'il flotte sur l'océan. Ajoutons que l'océan est agité par une tempête, et que le bateau donne des signes inquiétants de précarité. Le bateau de l'antiracisme est en effet aujourd'hui bien fragile et vogue tant bien que mal, depuis la défaite du national-socialisme. De ce que le robuste navire des années cinquante est devenu un fragile esquif gonflé par le spectacle médiatique et la rhétorique politique, certains prônent le sabordement. C'est aller trop vite, et appliquer un traitement à la cartésienne — détruire jusqu'aux fondements pour tout reconstruire — à une réalité évolutive qu'il s'agit plutôt d'infléchir. Il est temps d'entendre à nouveau le contre-appel de Schelling : suspendre enfin l'obligation d'agir à tout prix, qu'importe que ce fût avec précipitation, pourvu qu'on agisse.

Dans le bouillonnement activiste contemporain, nous proposons d'opérer une pause : en négligeant volontairement d'obéir aux impératifs de l'urgence, se déprendre des normes manichéennes suscitées par l'idéologie. Car la fin des idéologies n'est pas la mort de l'idéologie : le terrorisme pseudo-éthique de l'action d'abord et au-dessus de tout est ce qui vient combler le vide laissé par la défection des grandes doctrines.

1. Les débats autour du racisme définissent une situation d'*exacerbation idéologique* due à une rupture de consensus sur les termes mêmes du problème, ainsi qu'à la nouveauté, objet d'une perception de plus en plus aiguë, des enjeux. L'apaisement idéologique des années soixante-dix, lié à la concentration (voire au confinement) et à la stabilisation des débats dans le domaine des sciences biologiques, où l'argument d'autorité (que dit la science, à travers tel ou tel de ses représentants autorisés ?) pouvait trancher et instituer une majorité d'idée (régie par l'antiracisme des généticiens : Albert Jacquard, André Lwoff, François Jacob, Jacques Ruffié), cette période de relatif apaisement idéologique a laissé la place, depuis 1983-1984, à une montée symétrique aux extrêmes. La chaleur rhétorique a augmenté fortement, en même temps que les acteurs du débat se transformaient : les *politiques* et *journalistes* engagés tendent à se substituer aux *scientifiques* interventionnistes. La problématique dominante des années soixante-dix se résume par la question de ses titres de scientificité posée à ce qui est perçu comme « racisme ». La conclusion antiraciste était alors simple : le racisme, en tant que parasitage idéologique des sciences bio-anthropologiques (sciences « dures »), n'a aucune validité scientifique. Le débat ne pouvait dès lors que cesser, faute d'une légitimité théorique des positions dites « racistes » : l'antiracisme se posait face au racisme comme l'autorité de la science face aux délires pervers et archaïques. Mais l'assomption et la revendication du « racisme » (autodésignation) étaient dans le même temps devenues choses rares et marginales. L'antiracisme, composante du consensus démocratique de base héritée des Lumières, pouvait prétendre s'épanouir sur les terres de la Raison vivante, rejetant dans les ténèbres de l'irrationnel ou de l'irrationalisme son sujet d'inquiétude, son ennemi clairement désigné. Le présupposé fondamental d'un tel optimisme idéologique réside dans la croyance que le racisme est essentiellement une *théorie des races, distinctes* et *inégales*, définies en *termes biologiques*, et en *conflit* éternel pour la domination du monde. Conception aussi inavouable publiquement que réfutée par la science. Or, l'évidence sereine transmise par une telle définition ordinaire a été ébranlée par les récentes offensives du national-populisme, mettant en œuvre, à l'instar de la nouvelle droite (GRECE), des argumentations ne répondant pas aux attentes de l'antiraciste ordinaire, fondées sur le modèle reçu du « racisme » depuis les années trente.

2. Les premières failles sont apparues lorsque la communauté scientifique a rendu publiques ses divisions internes : les partisans du déterminisme héréditariste, scientifiques reconnus et prix Nobel, se sont regroupés et constitués en groupe de pression rival de celui des scientifiques antiracistes déclarés. Le public non scientifique en a été fort troublé, au moins au premier abord : si les savants ne pouvaient se mettre d'accord entre eux, comment pouvait-il lui-même se faire une idée claire et distincte de la question ? La période de l'antiracisme hégémonique d'après 1945 semblait ainsi prendre fin. Cette rupture de consensus scientifique pouvait elle-même être diversement interprétée :
— le problème pouvait être *plus complexe* qu'on ne le pensait, donc non encore tranché ;
— le problème était peut-être scientifiquement *mal posé*, d'où le clivage au sein de la communauté ;
— le problème *n'existait pas* vraiment, n'était qu'un faux problème, dû au parasitage idéologico-politique de certaines recherches scientifiques. Ce qui permettait de choisir une position de troisième voie, neutre, au-delà des oppositions idéologiques, et de revenir aux convictions idéologiques d'avant la crise : l'installation dans la vraie science. La majorité idéologique s'est peu à peu fixée sur un tel terrain, non sans conserver quelques traces de ses ébranlements passés : choisir le camp des bons scientifiques, c'était choisir le parti de la vraie science, c'était au surplus satisfaire aux exigences humanitaires (qui ne coûtent rien et n'engagent à rien : « Moi, monsieur, je suis antiraciste », etc.).

C'est ainsi que s'est terminé le débat autour de la nouvelle droite (1979-1980), elle-même vecteur principal en France de la thèse héréditariste : par une exclusion de ce qui était assimilé à la tradition diabolique par excellence, le *nazisme* (donc le *racisme*). Mais le mal était fait : les incertitudes et les ébranlements devaient persister.

3. L'apparition de formes inédites de « racisme » s'est opérée en deux temps, et sur deux registres de discours différents, dans l'espace idéologique français.

• La constitution et la diffusion de l'idéologie *différentialiste* par le GRECE et le Club de l'Horloge dans le champ *métapolitique*, au cours des années soixante-dix. Première source de confusions, dues au fait que la nouvelle droite avait simultanément constitué une doctrine de l'inégalité (interindividuelle), élaboré une théorie élitiste, et pris parti en faveur des psychologues héréditaristes dans la controverse sur l'hérédité et le milieu. Les observateurs pressés ont donc cru qu'il ne s'agissait là que d'une nouvelle version du *racisme inégalitaire*, fondé sur un scientisme *biologique*, alors que se constituait tout autre chose, un racisme *différentialiste*, sur des bases *culturalistes*.

• La constitution et la diffusion dans le champ *politique*, depuis 1983, de l'idéologie *identitariste* par le national-populisme, autour du Front national. Ici encore, la confusion et l'amalgame ont masqué la nouveauté des modes de racisation : il ne s'agissait plus seulement, dans le national-racisme du FN, d'une réactivation du racisme colonial, autoritaire et paternaliste, mais de l'intégration dans un discours populiste de la thématique, jusque-là réservée aux discours savants (néo-droitiers), de la défense du *droit à l'identité des peuples* (cf. chap. 8).

Pour simplifier la question, on peut distinguer trois opérations fondamentales, trois grands déplacements de concepts de base, d'arguments ou d'attitudes dominantes dans l'idéologie racisante depuis le début des années soixante-dix :
— race → ethnie/culture ;
— inégalité → différence ;
— hétérophobie → hétérophilie.

Ces trois opérations idéologiques et rhétoriques, caractérisant la nouveauté des discours racistes de langue française (mais le phénomène est d'extension européenne) depuis près de deux décennies, ont des conséquences importantes pour la conduite des controverses autour du racisme et de l'antiracisme.

1. La « racialisation » des lexiques de la culture, de la religion, des traditions et des mentalités, voire des imaginaires spécifiques, a produit le surgissement d'une grande diversité de reformulations non expressément biologisantes du racisme. Le discours raciste s'est pour ainsi dire « culturalisé » ou « mentalisé », en abandonnant (parfois de façon ostentatoire) le vocabulaire explicite de la « race » et du « sang », en délaissant donc les rituelles métaphores biologiques et zoologiques. Mais, en se substituant à la notion zoologique de « race », la notion de « culture » implique un déplacement de problématique et une refonte complète de l'argumentation anti-universaliste. L'anthropologie culturelle et/ou l'ethnologie sont ainsi conviées à légitimer les prescriptions néo-racistes d'évitement de contact interculturel, de développement séparé (en toute « égalité dans la différence », bien entendu), de rejet phobique de tout « croisement des cultures ». Le plus souvent, un sujet antiraciste « classique », formé à la lutte contre la variante bio-zoologique du racisme (sur le modèle nazi), demeure sans voix face aux reformulations « culturalistes » du racisme. Non seulement il risque de ne pas les reconnaître comme « racistes » (les indicateurs biologisants étant absents), mais son argumentation de tradition « antifasciste » (c'est-à-dire antiraciste visant l'idéologie nazie), étant décalée par rapport à la problématique ethno-pluraliste, est totalement inopérante. L'antiracisme commémoratif joue dès lors le rôle d'écran et d'obstacle face au néo-racisme « culturaliste »[2].

2. La reformulation implicite du « racisme » dans le vocabulaire de la différence, qui tend à chasser celui de l'inégalité et de la hiérarchie, et le déplacement corrélatif, sur le plan rhétorique, de l'argument inégalitaire (indicateur classique de « racisme » dans la vulgate antiraciste) à l'argument différentialiste — soit l'affirmation exclusive des « différences » — ont provoqué une recentration de l'imaginaire racisant sur la hantise du métissage (croisement inter-ethnique et « métissage culturel »), et fait surgir la norme d'une préservation inconditionnelle des entités communautaires telles qu'elles sont (ou auraient dû rester, et devraient être à nouveau) avec toutes leurs caractéristiques particulières, norme dont l'envers est une angoisse centrée sur la vision d'une destruction finale des identités collectives. Retour de l'imaginaire catastrophal : les discours néo-racistes se nourrissent de la représentation commune d'un effacement de la diversité du monde humain, d'un passage insensible et irréversible de la bonne hétérogénéité culturelle et ethnique à la crépusculaire homogénéité des individus et des cultures. Vision culturaliste et différentialiste de la « fin du monde ». Nous proposons de nommer « mixo-phobie », hantise sans réserve du mélange (cf. chap. 9), la forme désormais dominante du racisme intégré au nationalisme, dans toutes ses variantes contemporaines correspondant aux trois niveaux : infra-étatique (ethnismes : régionalisme, autonomisme, indépendantisme), étatique (nationalisme au sens strict), supra-étatique (européanisme, par exemple). Une sorte de division du travail de formulation et de diffusion est discernable, en particulier en France : la vulgate d'un tel national-racisme est propagée par le discours national-populiste du Front national [3] tandis que la légitimation savante en est fournie par la doctrine différentialiste constituée dans les années soixante-dix par les deux écoles de la nouvelle droite (les antilibéraux du GRECE et les « libéraux » du Club de l'Horloge). Mais le noyau dur du « racisme », ou plutôt la présupposition de tout acte de racisation, persiste sous ses formulations neuves : l'absolutisation des héritages spécifiques ou des hérédités différentielles. Le pluralisme culturel radical est aujourd'hui au principe des modes les plus acceptables, parce que clandestins, du racisme. Le polylogisme a remplacé le polygénisme dans les légitimations savantes du racisme. Il faudrait bien sûr replacer l'idéologie de la différence dans son double cadre de surgissement : les formes contemporaines, hégémoniques, d'individualisme (centration « narcissique » et hédoniste sur « soi » : le moi, le corps propre, la vie privée), les réactions périodiques d'ethno-pluralisme, douces (régionalisme) ou violentes (terrorisme indépendantiste). Les formes post-modernistes d'individualisme et les réactions ethnistes ont pour postulat commun de récuser absolument l'universel. Toute position ou exigence universaliste est, dans un tel espace idéologique, dévaluée en tant qu'expression présumée d'un impérialisme dévastateur, destructeur des identités communautaires, terroriste, ethnocidaire. Au nom de la lutte contre l'abstraction dévorante de l'universel se met ainsi en place un *intégrisme de la différence*. Ce double fonctionnement de l'intégrisme différentialiste permet d'en comprendre l'hégémonie actuelle : les jeux d'analogie, les interactions, les croisements des niveaux interindividuel et intergroupal autorisent à considérer le motif différentialiste comme l'un des aspects de l'individualisme interprété en tant que phénomène social total [4]. L'hypervalorisation de la différence ainsi que le thème, central dans les franges « politiques » de l'imaginaire post-moderne, de la différence « contre » la hiérarchie témoignent de la convergence de fait des arguments et des évidences de base. Relevons ici simplement, à la suite de Louis Dumont, le caractère illusoire de la prescription, reçue sans critique, de « l'égalité dans la différence » : car il n'est pas de différence qui, dans les cadres culturels d'une société humaine quelconque, ne s'interprète comme différence de valeur, donc comme hiérarchie, explicite (sociétés traditionnelles) ou implicite (sociétés modernes, vivant sous un ciel de valeurs individualistes et égalitaristes) [5].

3. L'usage systématique de la stratégie de « rétorsion » vis-à-vis des mots et des valeurs de l'antiracisme, dont l'idéologie s'était fixée sur le motif de l'éloge de la différence, a contribué à rendre méconnaissable et partant insaisissable le nouveau racisme de la différence. Nous définissons l'opération rhétorique de rétorsion comme une procédure triple de reprise-appropriation, de détournement et de retournement d'un argument adverse (mis en œuvre par un adversaire), opération susceptible d'engendrer un double effet d'autolégitimation et de délégitimation de l'adversaire — celui-ci étant notamment dépossédé de son argumentation propre, déterritorialisé de sa problématique et de son lexique ordinaire. La racisation du « droit à la différence » et de la thématique ethno-pluraliste aura représenté la première réalisation idéologique d'importance de la stratégie de rétorsion mise en œuvre par les « nouvelles droites » en France. Deux modes de formulation du racisme apparaissent dès lors en concurrence, modes aptes à se renverser l'un dans l'autre : éloge de la différence (hétérophilie) et rejet de la différence (hétérophobie). Les énoncés racisants se déplacent indéfiniment à l'intérieur du genre de discours qu'Aristote nommait épidictique (celui qui porte sur l'éloge et le blâme) ; ils oscillent d'un pôle à l'autre, de l'exaltation à l'abaissement, de la célébration à l'exclusion de la différence — celle-ci étant comprise soit comme le terme différent soit comme la relation différentielle pure (cf. chap. 1).

Les débats et controverses se sont donc recentrés sur les questions croisées des identités collectives et de leur défense, des droits des peuples (le droit d'être soi-même étant le premier de tous), du mélange et/ou du croisement des cultures, de l'interculturel et du transculturel. Discours à intention racisante et discours antiracistes militants se sont trouvés usant des mêmes jeux de langage, recourant aux mêmes évidences fondatrices, et visant la réalisation des mêmes valeurs. Situation éminemment paradoxale, où les dialogues de sourds surgissaient (et surgissent toujours) d'un singulier accord sur les mots, d'un consensus étrange sur les valeurs et les normes (autour de « l'égalité dans la différence »), du partage enfin de la même problématique différentialiste. C'est alors qu'apparaît, dans le camp antiraciste, une contradiction fondamentale dans le dispositif des exigences et prescriptions : les antiracistes demandent *à la fois* le respect absolu des différences collectives, revendiquant donc le droit à la différence, et le passage à l'acte du goût du mélange interethnique et interculturel, réclamant ainsi le droit à l'indifférence communautaire, et parfois affirmant le devoir impératif d'effacer les différences, supposées sources de racisme. On notera que depuis le milieu des années quatre-vingt, l'impératif idéologique de « métissage » tend à minoriser celui de « différence » : avec l'éloge nouveau du « métissage » (vite inscrit dans le discours « jeune » à la mode) est revenue l'exigence d'égalité, sous la forme de l'égalité des droits — apport des militants « beurs ». Étrangement, l'hétérogénéité, voire la contradiction logique des deux séries d'exigences sont demeurées inaperçues dans la communauté antiraciste, toute à son exaltation du pluriel, du divers, du multiple, mariée à l'éloge du mélange, de la confusion, du croisement, du métissage (cf. chap. 10). Confusion hégémonique de la confusion avec la distinction, trop grossière peut-être pour être visible [6].

Cette antinomie fondamentale de l'antiracisme contemporain vient du heurt, du choc de deux logiques antiracistes dont nous supposons l'incommensurabilité, logiques fondées respectivement sur deux anthropologies distinctes et vraisemblablement inconciliables dans leurs systèmes de valeurs. J'appellerai la première *individuo-universalisme*, qu'illustrent la revendication des droits de l'homme, la dénonciation des valeurs propres aux communautés « closes » en tant que racistes, l'idéal d'abolition des identités communautaires et des traditions « particularistes » en tant qu'obstacles au « progrès », la prescription du mélange universel des individus par-delà les frontières nationales et ethnoculturelles. J'appellerai la seconde *traditio-communautarisme*, qu'illustrent le droit à la différence (culturelle, ethnique, voire raciale : la « négritude », la « judéité », etc.), les droits des peuples à persévérer dans leurs traditions propres, l'idéal de préservation des identités de groupe (jusqu'au devoir des peuples de rester eux-mêmes), la dénonciation du « racisme » comme se confondant avec l'universalisme exterminateur des différences, ethnocidaire et génocidaire. On aura compris que s'il y a deux racismes distincts — le racisme universaliste-inégalitaire et le racisme communautariste-différentialiste —, il y a symétriquement deux antiracismes aux valeurs et normes contradictoires — l'antiracisme individuo-universaliste et l'antiracisme traditio-communautariste (cf. chap. 11).

Une grande partie des difficultés contemporaines de l'antiracisme provient de la méconnaissance de sa propre hétérogénéité argumentative, liée au fait que son discours de fondation et de dénonciation s'est constitué au cours d'une lutte historique contre un adversaire avançant à visage relativement découvert — le national-socialisme —, et professant un racisme idéologique explicite (une « doctrine » ou une « conception du monde »), relevant du matérialisme biologique « mystique ». Il faut aujourd'hui reconnaître, sans avoir peur de désespérer le Billancourt des antiracistes, que ce dispositif antiraciste a subi un arrêt de développement en s'institutionnalisant (ligues antiracistes), en s'intégrant dans le sens commun et en se diluant dans les valeurs et les normes consensuelles.

L'adaptation de l'antiracisme aux nouvelles formes de racisation, recentrées sur la double thématique de l'identité et de la différence, et procédant du discours indirect, de la référence oblique et de l'implicitation généralisée, ne s'est pas encore faite. Il y a un retard des dispositifs antiracistes par rapport aux nouvelles pratiques de racisation, redoublé par celui des modes d'analyse théorique face aux procédures inédites de légitimation. Mais la tâche préalable est de donner au rejet inconditionnel du racisme, de tous les racismes, un fondement philosophique (cf. chap. 12 à 15).

Polémique et obscurité fonctionnelle

Deux évidences simples parcourent ce livre qui s'efforce d'en élucider les conditions d'apparition et les fonctions idéologiques. Évidences qui ne sont ni point de départ ni conclusion, mais qui se sont peu à peu imposées au cours d'analyses parfois laborieuses. Ces deux évidences sont les suivantes : l'antiracisme est d'abord et essentiellement une *machine de guerre* dans le ciel quotidien des idéologies ; le racisme est une *notion obscure*, terme mal construit pour schématiser sans précision une réalité indéterminée.

Or, la machine polémique de l'antiracisme fonctionne pour

autant qu'elle laisse croire que le racisme est chose bien définie, ou du moins fort bien définissable. Aussi l'antiracisme ne peut-il qu'éviter et masquer les questions suscitées par l'obscurité de la notion qu'il présuppose fonctionnellement. Une tentative d'élucidation de ce qu'on nomme « racisme » se heurte fatalement au verrouillage mis en place depuis près d'un siècle en Europe par la vulgate antiraciste.

En Europe, mais par la France : l'affaire Dreyfus constitue la première cristallisation des idées « antiracistes », l'établissement d'une « majorité d'idée » ralliée autour de l'« antiracisme », avant même l'apparition d'un camp, trust de partis politiques et faisceau de familles idéologiques. Alors l'idée antiraciste prend corps, s'institutionnalise, se professionnalise même. La classe intellectuelle française tend depuis la fin du XIXᵉ à s'y reconnaître comme en son image idéale.

C'est que l'intelligence française a été historiquement formée à partir du grand rationalisme cartésien, du rationalisme militant et « progressiste » des Lumières et de l'idéologie, des positivismes saint-simonien et comtien, de la synthèse républicaine enfin. L'esprit français, s'il ne se confond pas avec lui, s'identifie idéalement avec le rationalisme critique, destructeur d'idoles, briseur de préjugés, éradicateur d'illusions. L'antiracisme tient sa permanence et sa puissance, sa force d'évidence autant que son élan incoercible, de ce qu'il s'enracine dans cette tradition rationaliste, vit de cette paradoxale tradition de l'antitradition : l'esprit de libre examen illimité, le règne de la raison critique immodérée. Mais il en a fait le décor d'un nouveau dogmatisme à prétention hégémonique, l'alibi spirituel d'une doctrine aussi close que sommaire : *un nouvel obscurantisme*.

C'est pourquoi, n'ayant pu que nous heurter à la « misère de l'antiracisme [7] », nous avons dû en commencer l'analyse. Ce n'est qu'un début. Car il faudrait aussi considérer la surprenante impuissance de l'antiracisme, son omnipotence idéologique et son insolence médiatique saisies par une impotence sociale et politique avérée, en analyser les conditions, voire les raisons. Entre les camps ennemis, racisme et antiracisme, l'on peut observer une fois encore ce que Prévost-Paradol décrivait des singuliers rapports d'hostilité entre Restauration et Révolution : celle-là « aima mieux déclarer à la Révolution une guerre impuissante, guerre de mots, car il n'était pas en son pouvoir de revenir sur les choses, et elle ne pouvait qu'alarmer et irriter ses ennemis sans les détruire[8] ». L'antiracisme dominant a bien déclaré au racisme introuvable (parce que indéclaré) une guerre aussi absolue qu'impuissante, car il ne vit que de supposer l'existence de son ennemi désigné, et, n'ayant nul intérêt à la disparition de ce dernier, ne peut qu'éviter d'agir sur les causes réelles de ce qu'il prétend combattre. Simulacre de guerre paré des prestiges du « combat pour l'homme[9] ».

Ce livre n'échappe pas à l'ombre portée par la modernité : il est né d'un exercice de la raison critique. Rien n'est plus dérisoire que la dernière prétention contemporaine à se situer par-delà le principe de l'examen critique, qui fait corps avec la pensée, même si celle-ci ne peut s'y réduire. Nos post-critiques ne sont jamais que d'ex-critiques devenus hyper-critiques de leurs rôles passés, parce que passés de mode. Nous ne nous soucions nullement de celle-ci, comme on le verra peut-être. La raison critique à l'œuvre est engagement d'une lutte contre ce que les classiques appelaient « préjugés ». Face à ces derniers, notre position est à la fois dedans et dehors, compréhensive autant que critique. Car, si nous nous proposons assurément de débusquer et de réduire certains ensembles de préjugés dits « racistes », nous n'en analysons pas moins l'idée programmatique d'un monde sans préjugés comme une fiction engendrant de néfastes utopies.

L'idée de « préjugé » nous paraît donc à la fois indispensable pour aborder la question du « racisme », et suffisamment obscure pour être soumise elle-même à une interrogation critique. Aussi nous sommes-nous permis certains détours exploratoires à travers la grande tradition rationaliste moderne, dont l'objectif a été de lutter contre les préjugés jusqu'à les détruire, au moyen de l'analyse critique qui permet seule de les connaître (cf. chap. 5 à 7).

Le racisme en tant qu'idéologie

L'une des singularités du *racisme*, en tant qu'idéologie susceptible d'apparaître sous diverses formes doctrinales, tient à ce qu'il semble rivaliser avec les grandes idéologies telles que socialisme, libéralisme, anarchisme et nationalisme, sans pour autant être saisissable sur le même plan qu'elles. Les grandes idéologies mères sont tout d'abord des identifications doctrinales et partisanes de soi : leurs noms désignent des conceptions du monde et des programmes de reconstruction sociale qu'assument des groupes sociaux ou des acteurs plus ou moins isolés — tels les « auteurs ». Le *racisme* désigne au contraire, dès l'apparition du mot dans la langue française (1925), un ensemble doctrinal stigmatisé, une somme de positions et de propositions présumées blâmables, attribuées en propre à l'ennemi héréditaire, l'Allemand (cf. chap. 3). Le *racisme* est l'un des noms de ce qui est communément et violemment rejeté, dans l'inventaire des idéologies possibles. Le mot *racisme* désigne l'idéologie de l'adversaire, d'un adversaire, en tout cas d'un acteur individuel ou collectif opposé au sujet qui, en tant que locuteur, l'emploie. Le racisme, objectera-t-on, est bien, témoins les dictionnaires, défini de façon formelle à la manière d'une grande idéologie : d'une part, il est supposé être un système d'explication ou d'interprétation du monde historico-social (la « théorie des races »); d'autre part, il est décrit, pour reprendre les formules de Durkheim sur le socialisme, comme « un plan de reconstruction des sociétés actuelles, un programme d'une vie collective qui n'existe pas encore ou qui n'existe pas telle qu'elle est rêvée, et qu'on propose aux hommes comme digne de leurs préférences [10] ».

Le racisme-idéologie se décompose essentiellement en deux aspects. En premier lieu, donné pour une conception du monde ou une métaphysique de l'histoire prétendant dire la vérité de ce qui est (ou importe à l'homme), il peut se définir en tant que *théorie raciale*. En second lieu, posé comme idéal, orienté vers le futur, projet d'une refonte sociale sur une base raciale, le racisme est un système de valeurs, de normes et d'impératifs, il se confond alors avec une morale et une politique. Mais c'est à ce point que cesse le parallélisme avec les grandes idéologies matrices. Car, outre le fait que le racisme est une caractérisation stigmatisante des positions d'un adversaire — il est donc une notion polémique —, toutes ses variantes doctrinales supposées ne présentent pas le second aspect, axiologique, normatif et prescriptif, que nous avons relevé. La métaphysique raciale de l'histoire telle que l'incarne l'*Essai* de Gobineau, par exemple, ne s'occupe nullement de ce qui doit être, mais bien de ce qui a été (l'âge d'or de l'aryanisme) et de ce qui est (le déclin irréversible) : il n'y a littéralement rien à faire, parce qu'il n'y a plus rien à espérer, dans l'espace ouvert et clos par la narration gobinienne de la disparition progressive des éléments créateurs de civilisation. Le « racisme » pessimiste et nostalgique de Gobineau peut certes être considéré, à l'instar du socialisme, comme « un cri de douleur et, parfois, de colère, poussé par les hommes qui sentent le plus vivement notre malaise collectif [11] ». Mais, poussé par le désespoir aristocratique du vieux romantique, le cri de douleur n'est pas accompagné d'une méthode de salut ou d'une prescription de remèdes : il n'y a rien au-delà des gémissements du malade que la résignation devant l'inévitable fin. Ni l'attitude constructiviste, ni la disposition programmatique, ni l'idéal de démiurgie ou de chirurgie politique et sociale [12] ne se retrouvent dans les conceptions « racistes » relevant du romantisme nostalgique. Or, le « racisme » est le plus souvent illustré par la théorie gobinienne [13], utopie rétrospective de la sublimité raciale à jamais perdue, précisément dépourvue de la composante projective et prescriptive accordée au racisme en général. La théorie classique des races, censée incarner le type idéal du racisme, ne débouche donc pas sur des énoncés à l'impératif : elle ne recommande ni ne prescrit nulle conduite « raciste », elle se contente de diagnostiquer le mal, d'en décrire l'infaillible genèse et l'extension universelle, et prêche l'attente de la mort. Mais cette ultime version de l'*amor fati* n'est nullement joyeuse, moins encore dionysiaque : la résignation n'est ici que l'accompagnement dégrisé de la tristesse absolue. La passion dominante du système gobinien est bien la tristesse illimitée, fondatrice d'un non-agir troublé de nostalgie : nous sommes aux antipodes de l'activisme des « racistes » militants, doctrinaires ou politiciens se proposant de changer la vie ou de transformer le monde à leur manière, voire à leur image.

Mais l'on objectera que le racisme, comme les autres idéologies matricielles, est « avant tout une passion qui s'affirme, quoiqu'il puisse éventuellement demander à la raison des raisons pour se justifier [14] ». Le couple de la passion et de la rationalisation y opère en effet, comme partout dans les imaginaires sociaux. Et l'un des instruments polémiques communs à tous les antiracismes consiste précisément à dénoncer le racisme comme un système pseudo-scientifique, à le délégitimer en exhibant la passion (négative) qui l'inspirerait, laquelle s'entourerait d'arguments d'apparence scientifique pour mieux asseoir son autorité sur l'opinion — supposée sensible au décorum scientiste. La polémique antiraciste se concentre sur le dévoilement de la fonction strictement polémique de l'appareil scientifique éventuellement mis en œuvre par les auteurs « racistes ». L'antiracisme de combat postule que les théoriciens « racistes », lorsqu'ils font appel à des faits, des observations ou des lois d'aspect scientifique, ne font ainsi qu'« établir la doctrine dont ils avaient eu antérieurement l'idée[15] », celle-ci dérivant d'un fonds affectif souvent présenté comme pathologique. Telle est la méthode réfutative dominante de la croisade antiraciste : la critique démystificatrice opère essentiellement une réduction du racisme à une rationalisation de passions négatives (haine, mépris, envie, ressentiment, etc.), lesquelles auraient des origines sociales et économiques « réelles », corps de symptômes prenant volontiers, dans ses formulations publiques, le masque trompeur d'une théorie scientifique. La raison ne saurait donc intervenir dans les parages du « racisme » qu'en tant que façade légitimatoire d'une poussée ou d'une flambée d'« irrationnel ».

Ces caractérisations de combat sont méconnues parce que « bien connues », si bien intériorisées qu'elles ne sont pas connues pour elles-mêmes, et résistent à l'analyse objectivante. C'est que l'antiracisme tient essentiellement son efficacité symbolique de ce qu'il présente et traite son adversaire, le « racisme », comme un fait social et idéologique, doté d'une nature de symptôme : il objective son adversaire en le caractérisant comme pathologique. Par là même il s'excepte du champ d'objets qu'il prétend décrire et analyser, voire expliquer, et monopolise ce faisant la fonction légitime par excellence de regard neutre et distancé sur les phénomènes. L'antiracisme remplit ainsi une fonction d'exclusion absolue sous la forme et par l'effet d'une dénonciation absolue de l'exclusion attribuée au racisme. C'est pourquoi il doit réserver sa nature, soustraire à la critique les raisons de sa propre position critique, se garder ainsi du regard analytique, qui risquerait de le prendre à son tour pour objet. La manière la plus efficace de se soustraire à la critique est de monopoliser la fonction critique.

Ces considérations nous conduisent à une évidence irrécusable : c'est l'*antiracisme* qui présente le plus de similitudes structurales et fonctionnelles avec les idéologies mères — l'anti-étatisme libéral ou anarchiste, l'anticapitalisme socialiste, l'anticosmopolitisme nationaliste. Comme toutes les grandes idéologies, l'antiracisme est un dispositif double : système de représentation du monde, voire d'explication de son être et de son devenir ; système de normes et d'impératifs. Dès lors, l'antiracisme tombe mieux que le racisme, son invention continuée et sa condition d'existence, sous la définition générale qu'il donne de son ennemi désigné. Car l'antiracisme, au contraire de l'inassumable, de l'indéclarable « racisme », se déclare, s'assume, se revendique, s'érige en exclusive conception légitime du monde et en méthode universelle de salut, face aux autres solutions idéologico-politiques finales qui entrent dès lors avec lui en concurrence (libéralisme, socialisme, nationalisme, anarchisme). Aussi les grandes idéologies mères s'efforcent-elles d'assimiler l'antiracisme, ce nouveau venu qui dérange le système trans-idéologique, d'en incorporer les passions dominantes et les argumentations typiques, d'en intégrer les motifs les plus « rassembleurs ». Une lutte pour l'appropriation exclusive de l'exclusivisme antiraciste s'est déclenchée dans le champ politique, lutte dont l'enjeu est le monopole du droit de dénonciation antiraciste de l'adversaire. N'en donnons qu'un exemple : la rhétorique en usage dans les milieux socialistes et communistes comporte la dénonciation d'une parenté ou d'une complicité (« objective » ou consciente), voire d'une identité profonde, entre le racisme et le nationalisme d'une part (essentiellement par la médiation de l'anti-individualisme et de l'anti-universalisme qui leur seraient communs, ainsi que par la tendance à « biologiser » leurs conceptions du collectif), entre le racisme et le libéralisme d'autre part (essentiellement par la médiation du « darwinisme social »). On sait que les théoriciens libéraux n'ont guère de mal à rétorquer que le « classisme » (centré sur les haines de classe) inhérent au socialisme présente de troublantes similitudes avec le « racisme » (centré sur la lutte et la haine des races entre elles), et que le socialisme peut à bien des égards être considéré comme une réaction communautariste (ou « holiste ») symétrique du racisme dans l'espace de l'idéologie moderne, foncièrement individualiste et égalitaire [16]. De leur côté, les doctrinaires nationalistes intelligents peuvent toujours dénoncer en retour la volonté « raciste » de détruire les identités nationales « naturelles » (ou naturalisées par l'histoire, seconde nature), partagée par les impérialismes tant « libéraux » que « socialistes », les frères ennemis de l'universalisme ethnocidaire.

Depuis 1945, la lutte pour le monopole de la dénonciation antiraciste de l'adversaire s'est planétarisée en même temps qu'intensifiée. En s'étendant et se diversifiant, par mimétisme et retournement, l'antiracisme est devenu un champ complexe de thèmes et d'arguments, où se croisent et se heurtent la plupart des grandes idéologies et traditions doctrinales. Pour les acteurs politiques, une méthode aussi efficace de délégitimation de l'adversaire ne pouvait être abandonnée au tout-venant du militantisme antiraciste organisé (et le plus souvent instrumentalisé politiquement), moins encore aux adversaires potentiels ou aux concurrents éventuels. L'antiracisme est ainsi devenu un enjeu d'importance dans les luttes idéologico-politiques.

L'hypothèse dont nous avons voulu justifier l'énoncé est fort simple : l'*antiracisme* est une grande idéologie en cours de formation, qui postule l'existence d'un ennemi absolu nommé *racisme*, mais l'*antiracisme* est aussi, dans l'actuelle conjoncture, un enjeu transidéologique, entraînant des conflits de légitimité. De sorte que, loin de provoquer un quelconque apaisement des guerres culturelles et idéologiques, l'antiracisme les ranime et les attise, faisant ainsi mentir ses déclarations d'intention par ses réels effets.

I

Critique de la raison antiraciste

1

Hétérophobie, hétérophilie : l'antinomie définitionnelle

« Personnellement, je suis d'avis qu'aucun moyen au monde n'est trop "pédant" pour ne pas être à sa place lorsqu'il s'agit d'éviter des confusions. »

Max WEBER.

L'ANTINOMIE FONDAMENTALE

Allons à l'essentiel. Notre objet, c'est le « racisme » tel qu'on le définit, ou plutôt tel qu'on ne peut que le définir à partir des postulats incorporés à l'esprit du temps, qui enveloppe quelque chose comme un *basic antiracism*. L'antinomie fondamentale du racisme tel que l'antiracisme le pense surgit du choc de deux positions, également tenues et défendues par les porte-parole autorisés, les militants et les sympathisants. Ces positions contraires également attribuées au « racisme » caractérisent indistinctement (ou successivement) les attitudes ou dispositions, les représentations et les évaluations non moins que les comportements. C'est suffisamment suggérer que l'alternance courante et indéfinie entre *hétérophobie et hétérophilie* se dresse comme un obstacle devant toute tentative d'analyse froide et fine. De telles caractérisations holistes du « racisme » ne sont ni vraies ni fausses : le couple « rejet de la différence/éloge de la différence », s'il n'a guère de valeur de connaissance, a un visage idéologique déterminant. Il engendre l'indétermination conceptuelle necessitée par la poursuite indéfinie des débats et controverses : conflits de légitimité, combats pour la légitimation.

1. Le racisme est négation absolue de la différence, il se définit fondamentalement en tant qu'*hétérophobie* [1], laquelle présuppose une évaluation négative de toute différence, impliquant un idéal (explicite ou non) d'homogénéité. L'élément inquiétant est représenté par ce qui diffère, le fait de la différence-relation (entre Soi et l'Autre) ou celui de la différence-attribut (de l'Autre). Car l'hétérophobie est une idée confuse, la phobie portant aussi bien sur la relation différentielle entre groupes que sur la différence (ou telle différence) attribuée en propre à l'Autre. Dans le premier cas, l'hétérophobie signifie le désir d'abolir la différence entre Nous et Eux, soit par un dialogue régi par la finalité du consensus (communiquer rend commun, engendre une communauté des esprits ou des cœurs), soit par assimilation des représentants du collectif « Eux », préalablement réduits à des individus sans marques d'appartenance, aux modèles du Nous, soit par extermination de tous les représentants du collectif « Eux ».

Dans le second cas, l'hétérophobie vise soit à effacer le trait différentiel dont on suppose que le collectif racisé est porteur (solution eugénique ou éducationnelle), soit à effacer l'existence de l'Autre, par séparation rigoureuse (le rendre invisible ou se faire aveugle à son existence) du type *apartheid*. Le concept d'hétérophobie amalgame ainsi divers modes de traitement « racisant » des groupes autres : racisation douce de l'englobement d'autrui dans et par le dialogue persuasif (l'anthropophagie dialogique), racisation répressive de l'assimilation des autres à soi (l'anthrophagie digestive), racisation terroriste de la destruction des autres (l'anthropoémie génocidaire), racisation propre du développement séparé (anthropoémie tolérantielle) — pour user systématiquement de la distinction métaphorique entre anthropophagie et anthropoémie, introduite naguère par Claude Lévi-Strauss [2].

A considérer du dehors les coutumes judiciaires et pénitentiaires, avance Lévi-Strauss, deux types de sociétés peuvent être distingués : « Celles qui pratiquent l'anthropophagie, c'est-à-dire qui voient dans l'absorption de certains individus détenteurs de forces redoutables, le seul moyen de neutraliser celles-ci et même de les mettre à profit ; et celles qui, comme la nôtre, adoptent ce qu'on pourrait appeler l'*anthropoémie* (du grec *émein*, vomir) ; placées devant le même problème, elles ont choisi la solution inverse, consistant à expulser ces êtres redoutables hors du corps social en les tenant temporairement ou définitivement isolés, sans contact avec l'humanité, dans des établissements destinés à cet usage. A la plupart des sociétés que nous appelons primitives, cette coutume inspirerait une horreur profonde ; elle nous marquerait à leurs yeux de la même barbarie que nous serions tentés de leur imputer en raison de leurs coutumes symétriques [3]. » Appliquée au racisme, la schématisation permet de distinguer entre le racisme impérialiste/colonialiste ou d'assimilation (« anthropophagie »), et le racisme différentialiste/mixophobe ou d'exclusion (« anthropoémie »). Le premier vise à rendre semblable à soi, le second à préserver le fait de la différence par le rejet de ce qui diffère. Deux stratégies distinctes de résolution des conflits dits ethniques ou raciaux. Distinction dont la base physiologique est susceptible de variations infinies dans les imaginaires collectifs : absorber/éliminer, ingérer-digérer/rejeter. Distinction formelle entre inclure et exclure. Il faut relever la double corrélation entre l'opération d'assimilation/inclusion et le culte de la puissance universelle, la mythologie impériale, d'une part, entre l'opération d'élimination/exclusion et la sacralisation des racines, la mythologie rhizophile, d'autre part.

Une modélisation philosophique de la distinction pourrait être trouvée dans l'opposition classique entre logique dialectique (au sens hégélien de la réconciliation des contraires) et logique formelle, celle-ci fondée sur le principe du tiers exclu, celle-là fondée sur le principe du tiers inclus par l'opération synthétique du « dépassement » (selon le double sens de l'*Aufhebung* : *tollere* et *conservare*). De ces deux logiques inconciliables l'on peut déduire les deux modes de racisation que nous avons schématisés : racisme d'exclusion, analytique et formaliste (disjonction exclusive : « ou bien l'un ou bien l'autre »), et racisme d'inclusion, synthétique et dialectique (conjonction positive, voire fusion des opposés : « et l'un et l'autre »).

2. Le racisme est affirmation absolue de la différence, il se définit par l'absolutisation de la différence [4], la naturalisation ou l'essentialisation des différences [5], soit perceptibles soit imaginées. Ces tentatives de conceptualisations philosophiques n'étant pas, à quelques exceptions près (Raymond Aron en figurant la plus notable), dues à des philosophes, elles recourent généralement à des termes employés sans rigueur. La « pensée essentialiste » apparaît comme un mode de perception et de catégorisation à la fois sommaire et éternitaire des groupes humains : elle condense et durcit les caractères attribués, elle éternise ces derniers en les figeant en stéréotypes (« caractères de race »).

Le racisme, en tant qu'essentialisme, surgirait dès lors

qu'interviendrait le vocabulaire de la race emprunté à la zoologie par la médiation de l'anthropologie physique : les « races » sont autant d'« essences » distinctes permettant de classer les groupes humains, en consonance avec les classifications pratiques, et redoublant les évidences de la perception sociale spontanée. Cet essentialisme implique une disposition « naturaliste », en ce que l'idée de nature synthétise les attributs de la « race » : ceux-ci relèvent du donné, de l'involontaire, du fixe, de l'éternel, de l'insurmontable.

Dans le champ des sciences sociales, l'« essentialisme » est donc la caractérisation savante du racisme qui, depuis deux décennies, semble aller de soi ; il en définit l'évidence définitionnelle première, comme le trait conceptuel commun, et peut-être le seul, de toutes les approches particulières. Ainsi l'ethnologue Michel Adam croit-il pouvoir saisir « l'unité proprement ontologique du racisme », contrastant avec sa diversité phénoménale[6]. Mais, reconnaît l'auteur, « si le racisme [...] peut être globalement compris comme un "essentialisme", s'il témoigne partout d'un comportement d'exclusion et d'objectivation d'un "autrui" collectif, ses manifestations sont si diverses qu'elles semblent relever chacune d'un ordre particulier[7] ». Telle est en effet la difficulté de base : il n'y a guère de médiations conceptuelles satisfaisantes entre l'habit trop large de la définition globale par l'« essentialisme » et les multiples pratiques sociales (attitudes, comportements) qualifiables de « racistes ». Pour faire bref, il se pourrait que la détermination du racisme par le trait d'« essentialisme » relevât elle-même dudit « essentialisme » : « le racisme » risquerait d'être conçu comme une essence idéologique et comportementale éternelle, attribuée à un type humain invariable, incarnant une nature spécifique immuable. On ne saurait dès lors s'étonner de ce qu'un tel type substantiel ne rejoigne jamais le domaine de l'observable, et semble planer à jamais au-dessus de la diversité empirique.

Afin d'approfondir la théorie « essentialiste » du racisme, procédons à un détour par quelques textes récents dus à des sociologues. Dans son « Essai sur la controverse entre Max Weber et Werner Sombart » : *Judaïsme et capitalisme*, Freddy Raphaël applique le modèle critique de l'« essentialisme » à la théorie sociologique de Sombart : « L'approche de W. Sombart est strictement "essentialiste", puisqu'elle enferme les groupements humains dans une spécificité, dont aucun membre ne saurait s'évader, qui légitime leur aliénation [8]. » Or l'essentialisme conçu comme méthode première de racisation, en tant qu'appel exclusif (ou dominant) à l'essence du groupe d'appartenance à des fins pseudo-explicatives, absolutise l'altérité : « Elle n'est désormais plus éliminable, car constituée en noyau irréductible [9]. » Si le racisme est le système idéologique qui fait de la race, selon C. Guillaumin, « une catégorie intellectuelle et perceptive prioritaire », il présente cette particularité fonctionnelle de permettre la fondation en nature de l'inclusion totale des individus dans des classes biologiques fermées et irréductibles à la fois, non moins que de la domination et de l'exploitation des races supposées inférieures. L'essentialisme, lorsqu'il fait appel à une légitimation de type scientifique, devient un naturalisme ou un biologisme intégral : les groupes humains sont statués en tant que *groupes naturels* [10].

Il faut cependant noter que, dans l'argumentation racisante, la « naturalisation » ne vaut elle-même qu'en tant que moyen pour une fin, qui est la « fatalisation », pour ainsi dire, des caractères psychosomatiques de race : tout se passe comme si le raciste posait (ou présupposait) plusieurs *natures humaines* distinctes, abolissant ainsi la *coupure* nature/culture (il n'y a que du naturel) en même temps qu'il supprimerait la nature humaine *commune* (qu'elle soit interprétée comme substance anthropologique universelle, comme exigence éthique ou comme idée régulatrice). Le lien entre l'opération de naturalisation/fatalisation des groupes sociaux de fait et la légitimation de la division sociale telle qu'elle est a été souvent aperçu. Jean-Claude Passeron note ainsi : « C'est bien la notion de nature humaine, avec tous ses effets idéologiques, qu'ils [les concepts psychologiques et biologiques introduits sans examen dans l'analyse sociologique] réintroduisent dans l'argumentation, puisque, en rattachant, fût-ce au travers de médiations multiples, les différences sociales à un fondement autre que social, ils réactivent le pouvoir de légitimation de l'ordre établi que recèle toujours l'oubli de l'arbitraire social au profit de la "nature des choses" et, corrélativement, la transmutation de la nécessité historique en destin échappant à l'histoire des hommes [11]. » Ce bref détour par le discours sociologique confirme notre hypothèse sur l'actuelle structuration de ce qu'il conviendrait d'appeler la vulgate antiraciste savante par l'idée directrice d'« essentialisme », catégorie critico-démystificatrice centrale. Ce qui est donc couramment reproché aux théories racistes (aux « sociologies biologiques » en général : anthroposociologie de Vacher de Lapouge et d'Ammon, par excellence) par la tradition sociologique dominante (en tant que tradition savante, qu'elle soit d'obédience durkheimienne ou individualiste-méthodologique), c'est d'opérer à la fois une *naturalisation* du culturel et/ou du social, traités comme des réalités biologiques, et une *fatalisation* du cours de l'histoire humaine, la contingence étant travestie/convertie en nécessité, et la nécessité transformée en destin.

On retrouve le concept critique d'essentialisme dans l'analyse sociologique que fait Pierre Bourdieu du racisme en général. L'essentialisme y apparaît comme caractéristique fondamentale du racisme, celui-ci étant abordé à partir des positions de classe et des stratégies de légitimation. L'essentialisme joue dans la théorie le rôle d'un modèle à la fois descriptif et fonctionnel. « Tout racisme est un essentialisme », postule P. Bourdieu. L'essentialisme définit dès lors le noyau idéologique commun à tous les racismes, s'il est vrai qu'il y a « autant de racismes qu'il y a de groupes qui ont besoin de se justifier d'exister comme ils existent [12] ». Mais l'essentialisme ne caractérise qu'un mode invariant de légitimation d'une position dominante, il est inséparable de la fonction légitimatoire qu'il remplit : l'essentialisme, en toute forme de racisme, est le fondement « métaphysique » de la sociodicée dont ne saurait se passer une domination de classe, quelle qu'elle soit. L'essentialisme peut ainsi apparaître au fondement d'une rhétorique centrée sur l'autoracisation positive des diverses fractions de la classe dominante (« Nous sommes les meilleurs »), traduite éventuellement dans la langue savante des tests psychométriques (l'élite formée par les QI de plus de 120) : « Le racisme de l'intelligence [...] est ce qui fait que les dominants se sentent justifiés d'exister comme dominants ; qu'ils se sentent d'*une essence supérieure* [13]. »

On peut aller plus loin et, plutôt que de s'en tenir à la catégorie statique d'essentialisme, faire l'hypothèse d'une essentialisation éternitaire comme acte accompagnant toute désignation d'une victime émissaire. Un ensemble désignable d'humains incarne la victime essentialisée, traitée par inversion autolégitimatoire comme sujet agresseur [14] sur lequel peut se concentrer toute la haine du groupe au nom duquel on parle, et qu'on prétend défendre. Dans certains cas apparaît la haine pure, sans raison pratique et sans intérêts pragmatiques, haine visant l'essence du racisé, portant sur ce qu'il est censé *être.* L'invention d'une entité collective absolument mauvaise définit l'objet sur lequel peut s'appliquer une haine pure ou ontologique, non pragmatique. C'est un tel modèle que Vladimir Jankélévitch présentait dans un texte publié en 1942, où il montrait bien la spécificité de l'antisémitisme : « Entre toutes les impostures fascistes, l'antisémitisme n'est pas celle qui atteint le plus grand nombre de victimes [écrit en 1942 !], mais elle est la plus monstrueuse. Pour la première fois peut-être des hommes sont traqués officiellement *non pas pour ce qu'ils font, mais pour ce qu'ils sont* ; ils expient leur "être" et non leur "avoir" : non pas des actes, une opinion politique ou une profession de foi comme les cathares, les francs-maçons et les nihilistes, mais la fatalité d'une naissance. Ceci donne tout son sens au mythe immémorial du peuple maudit, du peuple émissaire, condamné à errer parmi les nations et à endosser leurs péchés [15]. » La haine antijuive des nazis (« fascistes ») vise l'*être* même des Juifs, quoi qu'ils puissent *faire*, soit en tant que peuple, soit en tant qu'individus. Ce que le sujet antijuif pur met ici en lumière, c'est son absolu rejet d'une possible similitude de son être propre avec l'être du Juif. La haine pure se déploie le mieux dans la relation de rivalité, c'est-à-dire dans un espace représentable comme égalitaire et concurrentiel : le sujet antijuif se donne pour tâche impérative de détruire cet être rival, mais intrinsèquement mauvais, ce double inversé qui menace son identité propre. Il s'agit de rendre impossible la ressemblance, que l'égalitarisme concurrentiel fait toujours resurgir comme une possibilité, menace suprême d'indifférenciation avec l'élément corrompu et corrupteur.

L'ambivalence affective n'est pas ici à négliger : la rivalité mimétique qui suit la schismogenèse égalitaire ne peut être abolie que par la suppression de l'adversaire, précisément parce que celui-ci tend à être reconnu comme partenaire dans l'interaction. Seule l'extermination de l'Autre-rival peut mettre fin à la lutte, car il n'y a pas dans ce cas de stabilisation possible à des places définies sur une échelle de valeurs. La destruction du Même-rival est le prix général à payer dans l'espace polémique de type égalitaire, interdisant par principe toute hiérarchisation considérée comme légitime, relançant ainsi, indéfiniment, la rivalité et la haine mimétiques. Jankélévitch notait : « Les rapports du "Juif" et de l'"Aryen" sont des rapports passionnels et ambivalents qui exigeraient une description très minutieuse : nous croyons que sans cette description le sadisme extraordinaire de la persécution antijuive, ses raffinements inouïs, son inventivité diabolique, ne peuvent se comprendre [16]. »

La racisation pure vise l'individu racisé en tant que représentant quelconque d'un groupe censé lui conférer son être substantiel, son « identité » essentielle. Cette déréalisation de l'individu comme tel suppose l'existence d'un espace sociopolitique dans lequel ont émergé et l'individu moderne comme sujet doté de droits et de devoirs dans un État de droit, et l'idéologie individualiste. Car la déréalisation raciste s'applique au sujet de droit (la personne, le citoyen) et à sa fondation idéologique. Les personnes singulières (ce Juif, cet Arabe, etc.) sont racisées en tant qu'incarnant leurs types collectifs respectifs : ce Juif en tant que le Juif, cet Arabe en tant que l'Arabe, etc. L'opération se constate sur d'autres types d'entités collectives : « Tuez les Juifs ! », cet impératif explicite est susceptible de variations et d'implicitations, par exemple dans les crimes dits « sexistes ». Dans un texte développant l'analogie, « Sexisme et racisme », Emmanuèle de Lesseps commentait l'assassinat d'une femme, après viol et torture : « Cette femme avait été tuée *parce que femme*, était morte d'appartenir à un groupe humain spécifique [...]. Des hommes ne sont pas moins souvent assassinés que des femmes mais ils ne sont pas assassinés "sans raison" (comme on dit pour une femme), c'est-à-dire en tant que mâles ! Leur mâlitude ne leur fait courir aucun danger [17]. » Il reste que le meurtre ontologique, dans ce cas, est mêlé à un meurtre pragmatique, lié à l'intérêt érotique du viol. Telle femme est certes tuée en tant que femme, mais le meurtre suit et accomplit, « signe » le viol, portant sur un objet de désir. L'analogie ne vaut qu'entre la femme féminisée (selon la norme d'un intérêt érotique) qui est « sexisée » et le groupe racialisé (selon la norme d'un intérêt économique) qui est « racisé ». Dans le cadre défini par une telle clause restrictive, tout représentant d'une catégorie de « victimisables » : nègres, Juifs, Arabes, femmes, peut être dit destructible en tant que tel.

Mais revenons à l'éloge inconditionnel et hyperbolique de la différence, en tant que pivot rhétorique commun à un certain antiracisme et à un certain racisme.

L'*hétérophilie* [18] présuppose que les différences sont, en tant que telles, positives. Le racisme se fonde dès lors sur la sacralisation de la différence, il implique une « religiosité seconde » de la différence. L'élément inquiétant, ici, c'est l'absence de différence, la menace d'indifférenciation. Le racisme hétérophile est fondamentalement anti-universaliste : l'universel est réduit à n'être qu'une machine à homogénéiser, unifier, standardiser ; et dénoncé comme imposture consistant à ériger un particularisme en norme universelle [19] : ethnocentrisme travesti, impérialisme à visage humaniste. L'exigence d'universalité est condamnée comme instrument privilégié (car masqué par sa sublimité) d'une entreprise d'éradication des bonnes différences, lesquelles symbolisent la vie même. L'antiracisme niveleur est dès lors stigmatisé comme un meurtre culturel de masse, ethnocide auquel conduirait un ethnocentrisme d'autant plus dangereux qu'il est paré d'universel. L'antiracisme universaliste serait le vrai racisme, le seul racisme. La dénonciation de l'ethnocide et de l'imposture de l'universalisme en général se greffe spontanément sur une vision catastrophiste de l'évolution vers l'homogène. Empruntons une description d'un tel tableau du monde gris, conçu en tant qu'effet pervers de l'idéal d'assimilation, à l'éthologiste Irenaüs Eibl-Eibesfeldt, concluant une « étude de cinq tribus dites primitives » : « Dans la plupart des cas on assiste à une assimilation d'où n'émerge rien de plus que la caricature du modèle. A la perte de la civilisation extérieure succède rapidement celle de la civilisation spirituelle et tous ceux qui favorisent sans scrupules cette évolution se rendent coupables d'ethnocide, même s'ils agissent avec de bonnes intentions. On avance souvent l'argument que seule une civilisation mondiale unitaire, avec le mélange total de toutes les races, résoudrait les tensions et les conflits entre les groupes. Cela ne me paraît ni nécessaire ni souhaitable. Si l'on apprend à l'homme à être tolérant, c'est-à-dire à être prêt à comprendre et à accepter d'autres styles de vie aussi bien à l'intérieur des civilisations qu'entre les peuples, alors l'ethnocentrisme se trouvera désamorcé sans qu'il soit nécessaire que les groupes abandonnent leurs particularités culturelles et la fierté de leur civilisation. La pacification de l'humanité ne devrait pas passer sur les cadavres des civilisations et des races [20]. » La formule différentialiste de l'antiracisme est simple : droit à la différence communautaire et tolérance active entre les cultures (interconnaissance, intérêt réciproque, dialogue). On reconnaît là les deux principes de base de l'éthique professionnelle « spontanée » des ethnologues.

L'antiracisme qui suit la trace du racisme hétérophobe se définit donc par ce qu'il croit devoir dénoncer et combattre essentiellement, à savoir l'universalisme impérial qui vise l'assimilation de tous les autres à soi. Quant à l'antiracisme qui pose le racisme hétérophile comme son ennemi, il ne peut que réaffirmer la valeur de l'exigence d'universalité, en dénonçant ce substitut trompeur de transcendance qu'est la différence érigée en absolu. D'une part, un antiracisme anti-universaliste et différentialiste ; d'autre part, un antiracisme universaliste et anti-différentialiste. Chassé-croisé des antiracismes qui fait écho au chiasme de leurs racismes respectifs. Il s'agit bien là d'une antinomie, contradiction insurmontable qui se reproduit nécessairement, à partir des mêmes présupposés, sur deux niveaux : celui du racisme tel qu'on *le* définit, celui de l'antiracisme tel qu'il *se* définit, tel qu'il s'esquisse à l'horizon des évidences premières sur « le racisme », qui sont les siennes.

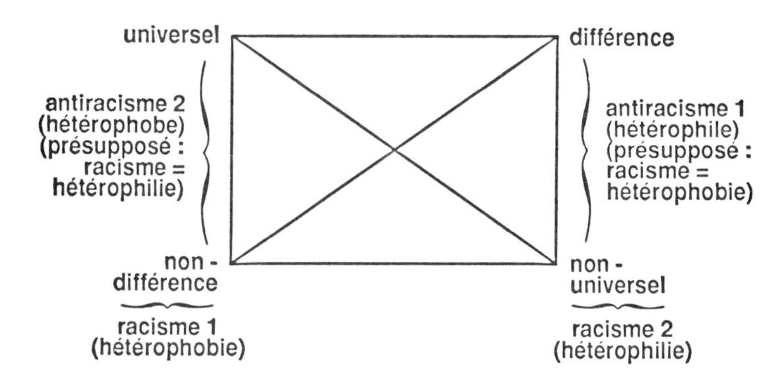

Principes et hypothèses

• Chaque antiracisme a son racisme propre : AR1 → R1 ; AR2 → R2. Chaque racisme a un double antiraciste.

• Les positions sont déterminées par le double jeu d'oppositions des anti- et des philies/phobies.

• Le discours antiraciste dominant est une formation de compromis (instable, voire « explosive ») entre l'antiracisme 1 et l'antiracisme 2, qu'on peut considérer comme des types idéaux (qu'illustrent néanmoins des positions perçues comme « extrémistes »).

Axiomes et définitions

1. Si le racisme est défini par l'hétérophobie, alors l'antiracisme se définit par l'hétérophilie[21]. Le thème fondateur des slogans antiracistes est que différence signifie richesse : la diversité ethnique et culturelle de l'humanité est présentée comme le capital naturel de l'espèce entière, un trésor inaliénable qu'il faut défendre à tout prix. La différence, c'est l'homme, et son capital le plus précieux. L'éloge de la différence est le premier élément du discours antiraciste dominant et majoritaire, depuis les années soixante. L'antiracisme de type 1 est fondé sur la conviction que les différences sont bonnes, don de la nature ou de Dieu. Telle est en général l'option différentialiste.

2. Si le racisme est défini par l'hétérophilie, alors l'antiracisme se définit par l'hétérophobie, laquelle se présente ordinairement à travers l'affirmation de l'exigence universaliste. Cette hétérophobie, méfiance de principe vis-à-vis des différences, présuppose deux amalgames par dérivation supposée, qu'on retrouve à la base des slogans antiracistes de type 2 : les différences engendrent des inégalités, qui instaurent des injustices ; les différences engendrent de l'hostilité, qui alimente la pulsion d'agression, laquelle se manifeste par des guerres. Les deux thèmes tendent à apparaître ensemble dans les lieux communs militants : lutte contre les inégalités ou les injustices : thèmes égalitaristes ; lutte contre la guerre et la « course aux armements » : thème pacifiste. Certains auteurs, souvent des scientifiques dotés de mauvaise conscience, laissent entendre que différencier conduit à discriminer[22]. D'autres auteurs, radicalisant l'inspiration antiscientifique qu'ils ont retenue de la vulgate chrétienne, conseillent de ne point juger, car juger c'est différencier, donc évaluer, donc hiérarchiser en valeur. L'égalitarisme radical et le pacifisme intégral sont l'apanage de groupes minoritaires, soit de sectes d'idéologie millénariste, soit d'organisations-façades manipulées à des fins politiques (elles constituent des armées idéologiques de réserve et des instruments de provocation). L'égalitarisme pacifiste constitue le second élément du discours antiraciste dominant, en dépit du fait qu'il relève, pris à l'état isolé et « pur », du discours antiraciste dominé et minoritaire[23].

3. La vulgate antiraciste est produite par la synthèse de la thématique différentialiste et de la thématique égalitariste/pacifiste : son slogan idéaltypique est « l'égalité dans la différence ». Le pacifisme y apparaît comme un présupposé : pour qu'il y ait égalité entre groupes différents, on (l'antiraciste) dit qu'il suffit que la différence soit seulement constatée, avant d'être objet d'éloge, occasion d'enrichissement mutuel, source de dialogue apaisant, fondement d'amitiés solides, provocation aux échanges bénéfiques. Se contenter de constater les différences, est-ce possible ? La question revient à se demander si l'on peut ne pas juger, s'abstenir d'évaluer en différenciant, se retenir absolument de se référer à une quelconque échelle de valeurs [24]. L'idéal qui s'esquisse dans de telles prescriptions est bien celui qu'indique l'impossible synthèse de l'égalité et de la différence [25], qui demande à la fois qu'on reconnaisse ou salue les différences et qu'on les mette soigneusement à plat, qu'on les célèbre mais toutes en même temps et indifféremment, en bref qu'on distingue sans juger les distinctions. Cet enchaînement de phobies : du vertical, du degré, du conflit et de l'indifférencié, définit le noyau de la vulgate antiraciste. Le slogan type doit donc se réécrire, à l'état développé : « Égalité dans la différence, pour réaliser la paix universelle : amitié entre les peuples, dialogue entre les cultures, échanges entre les nations. » On reconnaît les formules de base de la rhétorique des fonctionnaires internationaux : la forme idéologique dominante est aussi un jargon de métier. Mais celui-ci n'est pas moins langue de bois et instrument de propagande, et de propagandes adverses. Sa valeur instrumentale dans la guerre idéologique explique partiellement l'étonnant aveuglement de l'*intelligentsia* antiraciste devant une telle exigence paradoxale, impossible à satisfaire : apprécier sans préférer. On comprend qu'elle doive engendrer une mauvaise conscience spécifique, celle de l'antiraciste fatalement malheureux.

Le slogan nucléaire ou la synthèse illusoire

Pour servir de transition entre la formulation de l'antinomie fondamentale (des deux types de racismes/antiracismes) et l'analyse du discours antiraciste instable, produit par conjonctions diverses des valeurs-normes d'égalité et de différence, schématisons le système de valeurs et de normes impliqué par un texte antiraciste exemplaire (1986), caractérisé par une condensation maximale des thématiques figées en cours[26]. La plupart des stéréotypes en usage de l'ennemi démoniaque ou bestial y sont présents — autour des deux figures insaisissables du « racisme » et du « fascisme » — ; la vision manichéenne et catastrophiste qui s'y déploie, structurant l'argumentation, n'a rien à envier à celle qu'on stigmatise habituellement chez l'adversaire « raciste » ou « fasciste » ; le verbiage humanitariste y fonctionne comme supplément d'âme, ersatz d'une réflexion éthique qu'écrase à l'évidence la masse des clichés et slogans commémoratifs, motifs surannés hérités de la propagande anti-hitlérienne ; la norme-valeur centrale laisse apparaître l'impossible synthèse sloganisée de l'égalité et de la différence, le tout baignant dans la bonne conscience absolue de celui qui sait être installé à demeure dans le parti du Bien, lequel se confond avec la défense immodérée et indistincte de « la démocratie ». Bel exemple des discours politiques édifiants tenus aujourd'hui, dans le ressassement et l'inefficacité totale (cf. tableau, p. 42).

Le couplage de l'égalitarisme (qui suppose un choix en faveur de l'individualisme et de l'universalisme) et du différentialisme (qui suppose un choix en faveur du particularisme) est l'opération qui engendre la forme type du slogan antiraciste dominant. Celui-ci apparaît comme le fruit de la réconciliation illusoire, portée par le bon sentiment d'une paix finale entre les hommes, des deux axiologies hétérogènes qui se partagent le champ idéologico-politique : individuo-universalisme et traditio-communautarisme (différentialisme, particularisme)[27]. Rêve de fusion des incompatibles, désir d'abolition des conflits entre les valeurs et les normes, que matérialise le slogan antiraciste nucléaire. Nous postulons qu'en toute tentative, nécessairement infructueuse, de fusion des axiologies hétérogènes une axiologie fonctionne comme fondatrice et rectrice : dans le texte ici analysé, c'est l'individuo-universalisme — avec ses corrélats idéologiques : égalité des droits individuels et défense de la démocratie comme régime garantissant les droits de l'individu —, qui joue ce rôle, face à toute interprétation particulariste ou communautariste des droits (les droits des peuples n'ont de légitimité que sur fond universaliste, sinon ils sombrent dans le nationalisme et la xénophobie). Avant d'entrer dans l'analyse, donnons-nous une illustration

	AUTOREPRÉSENTATION : valeurs et normes positives (« Nous »).	HÉTÉROREPRÉSENTATION : valeurs et normes négatives (« Eux »).
Sujets	Nos démocraties. Les démocrates. L'Europe unie, la Communauté.	Le fascisme et le racisme. L'extrémisme politique. Les dictatures.
Attributs	Ceux pour qui les hommes sont tous égaux en droit et constituent une même communauté universelle dans laquelle la diversité des races et des cultures doit être reconnue comme une richesse et non comme une source de discrimination [égalitarisme, universalisme, différentialisme].	Violence. Terrorisme (international). Nationalisme (sentiment exacerbé). Régimes autoritaires. Préjugés raciaux. Xénophobie latente. Discrimination raciale. Souvenirs proches et terribles qu'il [le racisme] évoque, fascisme et racisme rampants.
Objectifs	Prévenir le racisme [28]. Combattre le racisme (répression). Appel à la vigilance.	Déstabiliser nos démocraties.

supplémentaire de cette impossible synthèse : « Pour le parti communiste, le droit à l'égalité dans tous les domaines pour les immigrés, c'est aussi le droit à la différence [29]. »

« *L'égalité dans la différence* » : voilà le slogan antiraciste nucléaire. Il comporte la présupposition que la différence est première, que la relation différentielle est la matière première sur laquelle va s'appliquer le principe d'égalité. En réclamant l'« égalité dans la différence », on demande que soient d'abord reconnues les différences *de fait*, puis que l'on s'abstienne de les classer selon une échelle de valeurs. Reconnaître donc les différences, apprécier les différences comme telles sans les juger par comparaison les unes avec les autres, respecter la règle de l'égalité formelle entre les différences.

Il convient ici de rappeler la double origine de la suspension du jugement de valeur, posée comme idéal. L'idéal de neutralité axiologique trouve sa première origine dans la prescription chrétienne « ne pas juger », suivie de ses diverses laïcisations modernes. Si l'on en part en effet du principe de l'unité fraternelle du genre humain, tous les hommes (morts, vivants, à naître) étant conçus comme des enfants d'un même Père, principe ensuite légitimé par le fait biologique de l'interfécondité universelle, voire par celui des universaux de culture (langage articulé, prohibition de l'inceste, rites funéraires, etc.), alors la conclusion risque de s'imposer que tous les hommes étant également des hommes, ils sont tous identiques derrière leurs apparents traits distinctifs. Plus simplement : de ce que tous les hommes participent de l'essence « homme », l'on infère que tous les hommes sont identiques. L'unitarisme identitaire est l'illusion produite par une mauvaise compréhension de l'enseignement biblique que tous les hommes ont un même Père.

La seconde origine du principe de neutralité axiologique absolue se repère dans cette caractéristique propre de la modernité, liée à l'apparition d'un savoir ethnologique : le relativisme ou le pluralisme culturel absolu. Sa première expression hégémonique, dans le monde savant européen, fut l'historicisme, destructeur du droit naturel. Le pluralisme ethnoculturel, idéologie professionnelle des ethnologues, se formule volontiers depuis plusieurs décennies (correspondant *grosso modo* à l'établissement du structuralisme comme paradigme dominant dans les sciences de l'homme et de la société) dans le cadre du différentialisme égalitaire. Le présupposé de base en est que toutes les cultures sont d'égale valeur : cette pétition de principe, qui est une absurdité axiologique (il n'est en effet de valeur que par différence de valeur, qui s'exprime comme hiérarchie entre valeurs), joue le rôle d'un véritable dogme (dogme 1). Un second présupposé se dévoile à l'analyse : si tous les hommes, appartenant à des cultures différentes, sont différents, se constituent en groupes incommensurables à bien des égards, le sujet scientifique doit se garder de classer les groupes identifiés, car classer c'est juger, et il n'y a pas d'échelle d'excellence universelle, de paradigme hiérarchisant à la fois transculturel et suprahistorique qui permette de classer hiérarchiquement les cultures [30]. On doit dès lors s'interdire de classer parce que classer est censé être un acte impossible (dogme 2). Le sujet qui énonce le différentialisme égalitaire demeure cependant aveugle à un fait : c'est qu'il est lui-même situé et daté, et appartient nécessairement à l'un des ultimes avatars de la haute culture occidentale, incarnant un point de vue à la fois cosmopolite et respectueux des diversités culturelles, point de vue post-impérial dans l'histoire de l'universalisme propre à l'esprit européen (on n'oubliera pas que l'idée d'universalité a une genèse historique inséparable du fait de la formation des empires : un universalisme post-impérial peut apparaître dès lors comme une conséquence séparée de ses prémisses, un fragment culturel détaché du tout qui lui donnait son premier sens, et peut-être son seul véritable sens). En bref, le sujet énonçant le différentialisme égalitaire se contredit lui-même pour autant qu'il suppose, pour énoncer ce qu'il énonce, une hiérarchie des perspectives culturelles, le sommet s'identifiant avec son lieu propre d'énonciation. On ne peut affirmer l'égalité axiologique sans postuler que celle-ci est meilleure que l'inégalité, donc sans présupposer une classification hiérarchique entre la classe des énonciateurs de la thèse égalitaire (dont le sujet fait partie), identifiés comme les meilleurs d'entre les hommes, et la classe des énonciateurs de la thèse inégalitaire, stigmatisés comme des êtres de qualité humaine inférieure. Dans un texte récent, Alain de Benoist reprend à son compte l'argument relativiste classique, auquel le savoir ethnologique a conféré ses lettres de noblesse : la hiérarchisation des races suppose un paradigme socioculturel universel, indépendant de toute culture particulière. Or, un tel paradigme n'est qu'une vue de l'esprit [31]. L'égalitarisme différentialiste s'est, on le sait, substitué à l'évolutionnisme dans le rôle de la métaphysique spontanée des professionnels de l'ethnologie. Talcott Parsons, ironisant sur les illusions égalitaristes d'un certain relativisme culturel (hégémonique dans les milieux d'obédience culturaliste ou structuraliste), caractérise bien la conception évolutionniste courante par un jugement du type « X est *plus avancé* que Y », le critère de l'« avancement », emprunté à la biologie, étant la *capacité d'adaptation* plus grande [32]. Le néo-évolutionnisme parsonien a au moins le mérite de la clarté et de la franchise lorsqu'il assume les implications hiérarchisantes de son rejet du relativisme culturel absolu : « Pour se dire évolutionniste, on doit avoir une vue générale de l'évolution — il n'est pas possible d'être un *relativiste si absolu* en matière de culture que l'on arrive à considérer les Arunta australiens et une société moderne, celle de l'Union soviétique par exemple, comme étant l'une et l'autre des "cultures" également authentiques qui doivent être tenues pour *égales* dans tous les aspects essentiels [33]. » On a vu en revanche qu'un certain évolutionnisme inégalitaire, non conscient de soi et parfois honteux, était impliqué par l'affirmation type de l'égalitarisme différentialiste. Le savoir anthropologique se projette un idéal égalitarien que ses propres énoncés ne laissent de réfuter.

Mais l'objection revient toujours : peut-on, sauf à être des dieux, ne point juger ? Peut-on reconnaître l'altérité comme telle sans l'évaluer ? L'évaluation zéro est-elle possible, pour des êtres existant dans un monde où connaître et reconnaître sont des formes de vie ? On remarque en outre que l'égalité mise en œuvre ne peut être que l'égalité *en droits*. La différence est « matérielle » et factuelle, alors que l'égalité est formelle et idéale : la dissymétrie est frappante. Le slogan risque de ne réaliser, en résumé, que l'idéologie différentialiste, centrée sur le respect, voire le culte, des différences interindividuelles et interethniques de fait sans apercevoir l'antinomie entre les normes individualistes et ethnistes, marquée par l'appel à la miraculeuse synthèse (conciliation/réconciliation, etc.). L'exigence égalitaire, dès lors, n'interviendrait qu'en tant qu'alibi et décor. Enfin, le point aveugle de l'axiologie impliquée par le slogan concerne la relation entre l'interindividuel et l'interethnique. Le principe normatif de l'« égalité dans la différence » est un élément de l'idéologie individualiste qui a été généralisé par transfert : traiter les groupes (peuples, races, ethnies, cultures) comme le droit, dans les modernes États de droit, traite les individus, citoyens ou étrangers. L'idéal de l'individualisme démocratique intransigeant, tel qu'il s'accomplit dans les systèmes libéraux-pluralistes, est érigé en absolu. Mais, précisément, il exclut toute possibilité soit d'un équilibre soit d'une réconciliation entre principe d'égalité et principe de différence, du fait qu'il dévalorise par principe les différences autres qu'interindividuelles. Le transfert analogique n'est jamais entièrement crédible : le poids des valeurs premières de l'individualisme radical fait pencher la balance au détriment des valeurs dérivées de l'ethnisme. C'est que l'égalitarisme, l'universalisme et l'individualisme font système, constituent ensemble le système idéologique hégémonique dans la modernité culturelle. Le différentialisme supra-individualiste est voué à n'être que le parent pauvre du différentialisme individualiste intransigeant — dans toutes ses variantes : bio-épistémologique (affirmation de l'unicité de chaque individu), rationaliste (éloge de l'usage « universel-singulier » de la raison) [34], personnaliste, etc.

De l'abaissement de la différence supra-individuelle dérive la fuite en avant caractéristique de la rhétorique illuministe au XXe siècle (néo-illuministe, devrait-on dire), qui prescrit d'impossibles synthèses axiologiques : « concilier la fidélité à soi et l'ouverture aux autres », favoriser simultanément « l'affirmation créatrice de chaque identité et le rapprochement entre toutes les cultures [35] ». L'hétérogénéité des systèmes de valeurs mis en jeu engendre inévitablement l'équivocité de telles exigences, et leur caractère désespérant : car nul ne peut vouloir y satisfaire sans irrémédiablement échouer. L'équivoque de l'exigence se schématise par une contradiction interne que souvent dévoilent et déclinent les débats politiques : les droits de l'individu, en effet, peuvent entrer en conflit avec les droits de la communauté. Tant il est avéré que le droit de désappartenir n'est pas reconnu (et ne saurait l'être) au même titre que le droit d'appartenir. Conflit irréductible, différend insurmontable, contradiction indialectisable : toute reprise des normes hétérologiques en vue d'une maîtrise est ici vouée à l'échec, ou à la production d'illusions nuisibles. En prétendant défendre indistinctement, ou de concert, les droits de l'individu comme tel et ceux du groupe, on masque l'antinomie qui travaille l'individualisme moderne. La bonne volonté concordataire n'est ici qu'illusion pieuse. De deux choses l'une : ou bien l'on respecte inconditionnellement l'individu jusque dans son « droit » de détachement, son désir de désappartenance, sa volonté de rompre les liens communautaires — toutes formes subjectives de l'absolue déréalisation du passé et des « héritages » par laquelle s'accomplit la modernité comme processus critique/destructeur — : la différence individuelle (ou la puissance individuelle de différenciation) est alors une valeur absolue autant que la maîtrise accordée à l'individualité souveraine ; ou bien l'on respecte inconditionnellement la communauté, les valeurs d'appartenance et la précellence de l'identité communautaire, donc l'emprise de celle-ci sur l'identité individuelle. On ne peut sans contradiction prescrire en même temps la défense absolue de l'individu détaché et celle de la communauté d'attachement, réclamer à la fois le respect de la différence individuelle (respecter également toutes les variations individuelles) et le respect de la différence communautaire (respecter, sans les hiérarchiser, toutes les entités collectives : ethnies, cultures, etc.). Ceux qui prescrivent la maîtrise de son monde de valeurs par l'Ego souverain tout en célébrant l'emprise de celui-là sur celui-ci se comportent soit en aveugles, soit en imposteurs [36].

« *La différence dans l'égalité* » : la réciproque du slogan antiraciste nucléaire revient-elle à poser les mêmes exigences ? Dans ce cas, l'égalité est présupposée première, encadrante ou englobante, et le principe de différence est un opérateur social de différenciation s'appliquant sur des individus ou des groupes présumés égaux en droits. Mais, bien que la différence soit ici seconde, venant comme modérer et nuancer l'affirmation d'égalité, elle relève non moins du domaine des faits, s'opposant ainsi à l'exigence d'égalité. Il y a hétérogénéité des registres de discours : on affirme l'égalité dans un autre monde discursif que celui où l'on affirme la différence. De cette hétérologie, un paradoxe commun à la structure des deux slogans surgit, qui peut être ainsi formulé : si l'égalité est formelle (juridico-éthique) et si la différence est factuelle (biologique, politico-sociale), se définissant comme non-égalité entre individus aussi bien qu'entre communautés, alors on affirme en même temps l'*égalité* (formelle) et la *non-égalité* (factuelle) entre les individus aussi bien qu'entre les communautés.

L'antiraciste est un sujet qui célèbre l'égalité dans un monde idéal et reconnaît la non-égalité dans le monde réel. Mais qui va plus loin : l'antiraciste croit pouvoir surmonter l'hétérogénéité des mondes impliqués par les systèmes de valeurs incompatibles, et s'applique à instaurer un troisième monde où les synthèses semblent aller de soi. Celles-ci ont pour caractère commun de supposer commensurables des univers incommensurables. Ce monde de synthèses est le monde illusoire construit par les slogans en chaîne : égalité dans la différence, droit à la différence, égalité des droits, différence dans l'égalité. Motifs qui peuplent les cieux polythéistes que se donnent les convictions démocratiques modernes. L'utopie antiraciste se concentre ainsi dans la projection d'un monde de réconciliation [37], de dépassement des contraires, de résolution fraternelle des conflits, monde fictif à l'horizon de deux ensembles de prescriptions : d'une part, la disparition des disparités, l'effacement des différences hiérarchisantes et des inégalités, en bref l'égalité (monde égalitaire idéal-formel) ; d'autre part, l'affirmation et la défense des différences, l'érection en norme absolue de la différence, c'est-à-dire de la non-égalité (monde identitaire ou différentiel réel) — car toute relation différentielle, dans un univers idéologico-social donné, est immédiatement interprétée comme relation d'inégalité. Le sommeil agité de la raison antiraciste semble avoir enfanté un tel monstre. La monstruosité cachée du thème égalitaire sloganisé par l'antiracisme se révèle, apparent paradoxe, à travers certaines formulations du racisme, dont le slogan nord-américain : « Égaux, mais séparés [38] » donne le type.

Que le « racisme » et l'« antiracisme » échangent leurs mots, leurs valeurs et normes, voire leurs arguments, cela indique leur commun statut d'indéfinissables, voire d'inconceptibles, dans les cadres idéologiques qui, pour l'intellectuel occidental contemporain, vont désormais de soi [39]. Le triple éloge de l'individualité (transposable à l'ethnie, la nation ou la race), de l'égalité et de la différence constitue le noyau que ne cessent de développer, dans une seule et même langue commune, ceux qui se déclarent « antiracistes » et ceux qui sont déclarés « racistes » par les précédents. Le détour infini de l'anthropologie permettra-t-il un jour de résoudre les paradoxes dans lesquels s'enlise le débat racisme/anti-racisme, donnera-t-il les moyens de sortir du cercle vicieux auquel nous renvoient les antinomies et les ambiguïtés incessamment rencontrées ? Mais l'histoire de l'ethnologie ne montre-t-elle pas elle-même une oscillation permanente entre relativisme intégral et universalisme dogmatique ? Cette oscillation signe l'incertitude fondamentale de l'esprit humain entre pluralisme empiriste, caractérisant la tendance du sujet à se résigner au relevé et à l'analyse d'infinies variations — métaphysique spontanée du travail sur le terrain —, et monisme universaliste, lequel caractérise la tendance à attribuer à l'unicité et à l'unité d'une nature humaine, comme dotée d'une faculté d'autodifférenciation, les différences (individuelles et supra-individuelles) rencontrées « sur le terrain » — métaphysique spontanée du cabinet de travail. L'antinomie de l'universalisme et du différentialisme traverse et travaille également l'expérience et le savoir des anthropologues.

2

« Racisme » : usages ordinaires et usages savants. Du mot à la notion

> « Un vocabulaire, ce sont des mots, mais ce sont aussi des pensées, une logique, une philosophie, voire une métaphysique, et celui qui l'accepte, même pour les combattre, est déjà investi, attaqué par le dedans. »
>
> Henri MASSIS [1].

Que pense-t-on du « racisme », lorsqu'on se pose hors du champ supposé du racisme, et contre lui ? Quels sont les éléments de la représentation antiraciste du « racisme » ? Permettent-ils de connaître de façon adéquate le phénomène ainsi nommé, et de le combattre avec l'efficacité souhaitée ? C'est à la fois pour des visées d'ordre théorique et des objectifs pratiques de lutte idéologique qu'il convient de faire un détour par l'exploration des représentations antiracistes du « racisme ». Celles-ci sont à reconstruire à partir des mots, des jeux de langage, des usages stratégiques du discours, et renvoient à une instance première, principe de légitimation et matrice d'évidences, que nous proposerons d'appeler la *raison antiraciste*. Notre hypothèse est simple : la connaissance de l'antiracisme, comme système de représentations et réserve d'arguments préconstitués, est l'une des conditions de la connaissance du racisme, si quelque chose de tel, d'ainsi catégorisable, est doté d'un mode d'existence déterminable. L'autoconnaissance de l'antiracisme, comme volonté et comme tâche, est la bonne foi en acte de l'humaniste qui s'efforce d'être un antiraciste conséquent, et positif. Car lutter contre le racisme suppose une certaine idée de ce qui n'est pas le racisme, de ce qui lui échappe absolument, et autorise à repérer des frontières, seraient-elles instables et à toujours redéfinir. C'est pourquoi l'optimisme de l'humaniste qui croit pouvoir « lutter contre le racisme » doit être soumis à un examen critique sans complaisance. Nous ne saurions faire l'économie d'une critique de la raison antiraciste, d'une exploration froide de ses évidences premières et de ses arguments spontanés, d'une dissection de cette raison *polémique* telle qu'elle s'est constituée historiquement depuis environ un siècle, par sédimentation, à travers crises, débats, combats, guerres totales.

« Racisme » : étranges modes d'emploi

Nous nous proposons donc de contribuer à une analyse des représentations que les non-racistes supposés et les « antiracistes » (autodésignation courante) se font de l'objet de leur désapprobation ou de leur lutte : *le racisme, les racistes*. Par le producteur de discours qualifié d'*antiraciste* (non-raciste par présupposition), il faut entendre, plus extensivement que dans l'usage courant — à savoir le militant engagé dans la lutte contre le racisme au sein d'une organisation spécifique, ou en rapport avec elle —, tout énonciateur qui, prenant distance lexicologique ou encyclopédique vis-à-vis de ce qu'il nomme *racisme*, soit se contente de refuser d'assumer les thèses qu'il décrit, soit se pose en réprobateur du *racisme*, soit encore, stigmatisant les acteurs et les conduites *racistes*, se déclare ennemi du *racisme*. Les images de l'Autre raciste sont construites, véhiculées, reproduites, déplacées et transformées par des mots en position de discours de blâme. Ces mots désignent l'objet du blâme : l'ennemi, l'abusé, le manipulé, l'ignorant, le délirant, le bourreau potentiel ou réel, la victime d'une illusion. Ces images sont supposées par les arguments constitutifs de la « lutte contre le racisme », elles font elles-mêmes partie d'actes d'institution sociale dans un champ symbolique où racisme et antiracisme entrent en relation polémique. Des mots à la pensée, des arguments à l'idéologie, des discours aux systèmes de représentations : trajets qu'il s'agit de suivre, d'objectiver, de conceptualiser.

Nos analyses ne sont pas dénuées de tout souci de préparation à l'action : il n'est point de lutte efficace contre le racisme dès lors qu'on se fait de celui-ci une représentation fictive, que l'antiracisme se constitue en image spéculaire du mythe raciste. Raciser en retour ceux dont on stigmatise les conduites racisantes est cependant un paradoxe faisant partie du quotidien de l'antiracisme, et l'un de ses travers.

Quelques exemples discursifs d'antiracisme racistoïde (et de ses simulacres polémiques) nous permettront de prendre la mesure du phénomène idéologique. Un graffiti datant de juin 1986 (Paris, café Le Rostand) illustre un retournement polémique spontané (selon toute vraisemblance) du racisme impliqué dans le nationalisme xénophobe sélectif (antimaghrébin) des années quatre-vingt en France. La formule d'un tel argument de rétorsion est la suivante : « Le Pen, sale enculé de Breton, même pas français. » De nombreux graffitis apparaissent, dans la même période, qui illustrent l'argument type du racisme à rebours, racisme « antiraciste » : ils mettent en jeu les formules injurieuses « sale raciste » (ou « sale race », de raciste/d'antiraciste — réciprocité des étiquettes injurieuses), « sale Français » ou « sale fasciste ». Cette obscénisation de l'ennemi ne peut être dissociée du très ordinaire procédé de retournement des métaphores polémiques, soit bestialisantes, soit criminalisantes, soit pathologisantes : le raciste animalisé comme « bête sauvage » ou « furieuse », le racisme traité comme une maladie (plutôt de type viral : « le virus raciste »), le raciste dénoncé comme un exemplaire du type criminel (voué à perpétrer ou favoriser des crimes dits « racistes »)[2]. Il faut également tenir compte des formules d'explicitation de l'antiracisme racisant, par détournement polémique. Une parodie rétorsive d'énoncé antiraciste racisant, en illustrant la variante méritocratique, est donnée par le graffiti suivant : « Sales Français dehors. La France à ceux qui la méritent » (École polytechnique, décembre 1986). L'intention anti-antiraciste d'un tel détournement parodique est ici fort claire, ce qui n'est pas le cas de tous les énoncés usant des marqueurs discursifs de l'antiracisme (le simulacre pouvant paraître plus « vrai » que l'original). Le présupposé scandaleux mis au compte de l'antiraciste dont on produit un énoncé type radical est que les Français « de souche » ne méritent pas la France, en ne réalisant pas ses idéaux. Le simulacre polémique permet ainsi de dévoiler et de dénoncer une arrière-pensée de l'adversaire antiraciste, présenté comme souhaitant le remplacement des « mauvais Français » (de souche) par des étrangers plus conformes aux valeurs présumées françaises (par exemple, celles de la République). La dénonciation des arrière-pensées imputées à l'adversaire est un mode ordinaire de délégitimation. Un énoncé anti-antiraciste du même type, le simulacre polémique comprenant un motif antijuif, est donné par cet autre graffiti : « Indigènes français dehors. La France aux Juifs qui la rendent prospère et fière » (École polytechnique, décembre 1986). Le détournement permet ici de mettre au compte des Juifs l'arrière-pensée de domination exclusive, voire l'absurde volonté de colonisation de peuplement allant jusqu'à la substitution de population. Le sous-entendu de l'énoncé est conforme à l'un des stéréotypes antijuifs ritualisés : les Juifs, peuple fier et dominateur, sont des racistes antifrançais qui rêvent de chasser les Français (non juifs) de la France. Une suggestion moins radicale apparaît également : le racisme antifrançais, dont on postule qu'il existe et incarne le véritable racisme, est soit favorable aux Juifs, soit leur profite, soit les satisfait en quelque manière.

Ces interactions conflictuelles, dans le champ idéologique, montrent combien la question du racisme reste prisonnière des mythologisations et contre-mythologisations : dans un tel espace mytho-polémique, tous les arguments peuvent être retournés, tous les thèmes circulent, tous les stéréotypes sont réversibles. Le discours antiraciste fonctionne précisément sous la condition de méconnaître les paradoxes liés à la rivalité mimétique du racisme et de l'antiracisme. Celui-ci ne peut déployer ses effets sociaux (limités à l'interdiction de parole explicite des « racistes ») qu'en demeurant aveugle aux présupposés et aux constructions racistoïdes de son discours de dénonciation. Voilà une première limitation de l'antiracisme, qui autorise un certain pessimisme sur les possibilités qu'il a d'évoluer vers une réforme radicale de ses méthodes. Mais il faut relever une seconde limitation, concernant les conditions épistémiques d'efficacité de l'antiracisme. Car, à se contenter de fictionner l'Autre, fût-il *raciste*, l'on se condamne à le manquer : à ne point le connaître, à ne jamais l'atteindre que sous des formes filtrées par des préconceptions non critiquées.

Si le plus court chemin du racisme à l'antiracisme est bien représenté par le mythe, continué et inversé, il n'est certainement pas le meilleur chemin. L'un de nos objectifs a été de prendre distance vis-à-vis des descriptions, narrations et caractérisations du racisme acceptables dans le « camp » qui est le nôtre (« antiracisme »), de désimpliquer le discours critique de la mythologie reçue qui en tient lieu, de démarquer le discours sur et contre le racisme d'une certaine vulgate antiraciste, double involontaire et abusé du racisme ordinaire. Avant de passer à l'étude des discours racistes assumés — distribués eux-mêmes dans un champ hétérogène —, il nous a donc semblé nécessaire d'interroger les procédures discursives et argumentatives par lesquelles se construit le système de nos représentations du *racisme* et du *raciste* (des *racistes*). « Nos » représentations : ce « nous » impliqué dans et par l'analyse, je l'assume et le revendique. Pour nous, en effet, qui n'acceptons pas le racisme, qui prétendons même le combattre, le discours sur le racisme ne peut qu'être un discours contre le racisme. Encore faut-il savoir de quoi l'on parle, si l'on parle bien de quelque chose, et de la même chose, et si ce qu'on en dit est observable, vérifiable ou réfutable. D'incontournables questions de sens, de référence, de communication et d'efficience du discours critique surgissent, qu'il s'agit d'aborder de front. Il nous a paru impératif de faire sortir le discours critique visant *le racisme* du cercle formé par la répétition de formules incantatoires et conjuratoires[3]... Aussi faut-il commencer par l'auto-analyse, s'appliquer à débusquer l'élément mythique au sein même des discours que « nous » tenons, nous qui nous voulons, non sans quelque présomption et naïveté, les « Autres » du racisme, ses étrangers et ses ennemis sans faille. S'employer d'abord à la déconstruction et à la critique du discours propre, araciste et antiraciste, c'est accepter la part inévitable, vraisemblablement nécessaire, de polémicité d'un parcours de textes où *le racisme* est nommé, décrit, défini. Ce parcours analytique se veut aussi bien une fouille, visant à repérer les argumentations sous-jacentes aux énoncés référant au racisme. Nous supposons que l'analyse des structures rhétoriques (argumentatives), si elle peut nous renseigner sur les modes de fonctionnement idéologique, ne saurait se conduire avec profit que rapportée à une perspective herméneutique, laquelle se caractérise par l'effort en vue de comprendre les débats et combats intellectuels inscrits dans le politique dans leurs contextes socio-historiques, sans que l'herméneute s'excepte du champ qu'il veut comprendre. Il ne le peut qu'à la condition d'avancer dans la compréhension de ses propres « préjugés », de prendre conscience de ses prénotions et préconceptions, de placer devant, en pleine lumière, ses « pensées de derrière ». Esquisser une géographie politique, une histoire rhétorique et une archéologie des discours (non « racistes » ou déclarés tels), de langue française (restriction toute provisoire et méthodologique), qui portent sur le « racisme » avant et après l'apparition lexicographique du vocable (1932), tel est l'horizon théorique de l'étude ici présentée. L'antiracisme manque d'une connaissance de soi, requise pour constituer la connaissance de son autre, « le racisme ». Ici encore, nous rencontrerons le cercle herméneutique : il n'est pas de compréhension sans autocompréhension, et réciproquement. Il nous est apparu qu'il fallait enfin prendre au sérieux, sur la question du racisme, ces remarques de Pierre Bourdieu : « On finit toujours par payer toutes les simplifications, tous les simplismes, ou par les faire payer aux autres [...]. Le slogan et l'anathème conduisent à toutes les formes de terrorisme [4]. »

Le mot en usage

Racisme est un mot-problème, un mot où s'accrochent et se nouent un grand nombre de questions.

Dans les années soixante-dix sont apparues diverses formes dérivées, indicatrices de l'extension des emplois du terme *racisme*. A partir d'une définition de facture classique par genre prochain *(racisme)* et différence spécifique (introduite par le préfixe « anti- » suivi d'un nom collectif anthropomorphe : *juif, noir, arabe*), se sont formées des lexies illustrant le paradigme : les racismes « anti-jeunes », « anti-vieux » « anti-femmes », « anti-immigrés (anti-Maghrébins) », « anti-roux », « anti-chauves », « anti-bourgeois », « anti-ouvriers », « anti-patrons », « anti-chômeurs », « anti-flics », « anti-homosexuels », etc. La dénomination *racisme*, dans l'usage normal de telles dérivations lexicales, ne fait que renforcer (en la récupérant) la connotation d'hostilité évoquée par *anti-*, et, en l'ancrant dans une mémoire maudite (celle du nazisme), dont l'image magico-polémique est celle du massacre de masse, réalise une opération de délégitimation des sujets auxquels est imputée telle ou telle variante du « racisme anti-X ». Dénoncer le « racisme anti-patrons », c'est ainsi délégitimer les attaques contre le patronat en les assimilant au mal absolu qu'est censé être le racisme, c'est corrélativement réhabiliter les patrons supposés avoir été les victimes (par définition innocentes) du racisme. Il faut tenir compte de l'apparition d'un second modèle de dérivation : « le racisme de l'"X" ». Ainsi se sont imposées des formes figées telles que « le racisme de l'intelligence [5] », ou « le racisme de l'âge [6] ». Dans les deux cas, il s'agit de dénoncer un privilège, une prétention, une dictature, une forme abusive de pouvoir, bref un droit illégitime.

De telles lexies comportent la présupposition qu'existe un ensemble ouvert de groupes d'Autres, posés comme globalement différents et soumis à une quelconque dévaluation ou exclusion par le représentant du racisme « anti- » considéré, chaque collection d'Autres étant traitée « comme » une « race » (métaphore biologique) et soumise à une catégorisation analogue à — ou du même type que — l'opération raciste (insistance sur la différence et sur l'incommensurabilité des « spécificités » ou des « essences »). Un quelconque groupe différencié en nature du groupe d'appartenance de l'énonciateur « raciste », puis dévalué, exclu et/ou dominé dans et par le discours de celui-ci, pourrait être ainsi dit « racisé ». L'extension par analogie et métaphorisation du *racisme*, à travers la constitution de paradigmes de dérivation, trouve en quelque sorte son répondant théorique dans le concept de « racisation ». Celui-ci devrait permettre de substituer un modèle construit de l'acte de « raciser » et des modes de « racisation » aux usages polémiques buissonnants du mot *racisme*, qui tendent à lui interdire toute valeur de connaissance. Dès lors, la connotation morale (disons moralisante) du *racisme* serait neutralisée au profit d'une valeur d'éclairage accompagnée d'une force critique, dont ferait preuve le modèle de la *racisation*. Les jeunes, les vieux, les chômeurs, les homosexuels, les femmes, les patrons, les Juifs [7] et les « flics » seraient catégorisables « comme » des « races », ou « comme » des équivalents de « races », telles des « espèces ». Le problème du racisme est par là replacé sur un terrain observable avec quelque rigueur : les modes sociaux de perception et de construction d'autrui. Dans cette perspective, l'on suppose qu'il y a bien des quasi-races sociologiques, qu'engendrent des processus de pseudo-spéciation. *Racisme* comme *race* sont certes des éponymes, mais permettent par construction de schématiser des opérations mentales liées à des classifications sociales dont l'importance ne saurait être sous-estimée. En donnant un nom à l'objet de connaissance, ils l'appellent à l'être, c'est-à-dire à l'attention scientifique. Mais la schématisation, oubliant son intention critique ordonnée à la connaissance, est exposée à être limitée ou parasitée par des visées polémiques : on parle ainsi de tel « racisme anti-X » non pas pour connaître tel processus de racisation dans un contexte défini, mais pour disqualifier radicalement le porteur désigné dudit « racisme ».

L'acte de racisation implique une opération de « racialisation » des entités collectives racisées : référer aux « jeunes » comme si les jeunes formaient une race, c'est-à-dire un groupement humain

« naturel » caractérisé par la possession en commun de traits physiques (distribués statistiquement, et ayant des effets psychologiques) transmissibles par l'hérédité. L'absurdité d'une application littérale du concept de race à l'ensemble des « jeunes » saute aux yeux. Et pourtant, cette absurdité logique n'équivaut pas à une absurdité sociologique. Il s'agit dès lors de déterminer le sens de l'opération : « traiter comme une race ». Ce qui suppose un certain savoir de ce qu'est une race [8].

A un autre égard, le problème revient à poser celui des frontières, c'est-à-dire celui de la ligne de rupture entre le sens propre du terme descriptif et classificatoire (les *races* de l'anthropologie physique, concepts scientifiquement autorisés au moins dans les limites de la discipline en question, et groupements humains référentiels supposés factuellement observables) et les effets dus à l'imagination symbolique bricolant sur ce supposé socle naturel (engendrement de « races » métaphoriques, dans la mise en discours de l'imaginaire social et politique). Bref, en visant à légitimer l'emploi polémique du mot *racisme* hors des limites préconstituées par l'anthropologie raciale, on légitime par présupposition le découpage racial de l'humanité, on autorise la différenciation du genre humain en *races* présumées naturelles (origine) et scientifiquement distinctes (fait, fonctionnement).

Si l'on accorde en effet que *les jeunes* constituent une catégorie spécifique de « racisés », on ne voit pas comment l'on pourrait, *a fortiori*, refuser que *les Juifs* ou *les Noirs* forment respectivement une catégorie raciale, une *race* au sens propre et par excellence. Autrement dit, le paradoxe qu'implique l'usage d'expressions censées désigner péjorativement un groupe caractérisé par un comportement collectif (racisme anti-jeunes, etc.) est de fonder, par argument *a fortiori*, le bon usage du mot *race* dans les discours expressément bio-anthropologiques (« sérieux », « scientifiques », « neutres »). La stéréotypisation de groupes sociaux (« jeunes », « chômeurs »...) renforce l'assignation stéréotypique des individus à des groupes raciaux, supposés naturels.

Un autre mode de mise en acceptabilité de l'extension indéfinie du mot *racisme* pour désigner tout acte ou conduite (discursifs ou non, le non-discursif n'étant que du discursif possible) faisant l'objet, chez l'énonciateur, d'un désaveu, consiste à recourir à l'idée d'une biologisation implicite en toute opération de différenciation qui débouche sur un acte d'exclusion ou de domination : « Tout discours qui vise à rejeter hors de l'espèce humaine une fraction de celle-ci recouvre bien une biologie implicite, aussi confuse soit-elle[9]. » Les difficultés qu'un tel postulat fait surgir semblent insurmontables. Dès lors qu'il y aurait biologie implicite, il y aurait racisme non moins implicite. Rien n'empêche plus d'affirmer la connaturalité du « racisme implicite » et de l'humain, si « la biologie » et « le racisme » implicites suivent comme leur ombre tous les actes humains de discrimination, rejet, agression, domination, classification hiérarchisante. L'hostilité de groupe est par là même « naturalisée » comme acte de biologisation de l'Autre (l'inconnu, le différent, l'étranger), censé être un propre de l'homme.

En 1977, Georges Mauco remarquait à juste titre : « Le mot racisme tend à prendre une telle extension qu'il est appliqué à toute situation conflictuelle. On en arrive à parler de racisme anti-jeunes ou anti-vieux, de racisme entre bourgeois et prolétaires, entre sectes religieuses, et entre partis politiques. De sorte que *le mot racisme aujourd'hui exprime moins la réalité d'une race que l'intolérance contre l'étranger*, contre celui qui est différent, inférieur ou menaçant la spécificité du groupe ou même l'égoïsme de l'individu[10]. » Le mot *racisme*, dans la vulgate antiraciste en acte, a été ainsi désémantisé et resémantisé par généralisation abusive, opération institutionnalisée par la loi du 1er juillet 1972 votée à l'unanimité par l'Assemblée nationale et le Sénat. Le racisme y apparaît comme désignant « toute discrimination, haine ou violence à l'égard d'une personne ou d'un groupe de personnes en raison de leur origine ou de leur appartenance ou non-appartenance à une ethnie, une race ou une religion[11] ». Il ne semble guère nécessaire d'insister sur l'indétermination du terme ainsi défini. L'usage généralisé du mot *racisme*, dans la vulgate antiraciste, produit une dissolution de sa valeur de concept, d'instrument de connaissance, en lui faisant désigner toute conduite ou attitude d'agression ou d'hostilité envers un individu perçu exclusivement en tant que membre d'un groupe défini.

Une enquête sur « la jeunesse intellectuelle des deux sexes », parue en 1962 sous le titre significatif *La Nouvelle Race*[12], nous fournira un bon exemple de *racialisation* positive d'une catégorie sociale : les jeunes (on n'oubliera pas que « les jeunes » peuvent non moins faire l'objet d'une racialisation négative, par exemple lorsqu'ils sont accusés, en tant que sujet collectif, de faire du « racisme anti-vieux » ou « anti-flics »). Cette métaphorisation positive des jeunes est due à la plume de Michel de Saint-Pierre, essayiste célèbre dans les milieux catholiques traditionalistes. Le dernier chapitre du livre, également intitulé « La nouvelle race », présente une caractérisation de celle-ci qui met en œuvre deux traits distincts : un trait produit par la biologisation de la catégorie des jeunes (« des mutants »), un autre engendré par la métaphore de l'extranéité radicale (« des étrangers sur la terre »). Métaphore biologique : « On peut se demander si les jeunes d'aujourd'hui ne forment pas en quelque manière une espèce biologique nouvelle. Ce sont peut-être des mutants. » Métaphore politico-culturelle de l'étranger absolu (extra-terrestre) : « Nos jeunes [...] sont des mutants [...]. Un bond vient-il d'être fait dans l'espèce humaine ? [...] un tel bond expliquerait sans doute pourquoi les jeunes d'aujourd'hui sont des étrangers sur la terre. » Il y aurait « nouvelle race » en raison du double « fait » que la classe des individus « jeunes » serait irréductible à une quelconque autre classe d'individus. Cette irréductibilité est légitimée par un couplage de métaphores : celle de la « nouveauté » absolue impliquée par l'analogie de l'apparition d'une « espèce » inconnue, celle de la non-ressemblance radicale suggérée par l'assignation d'une origine lointaine, voire inconnue (ils viennent d'ailleurs). Il reste que ces mutants et étrangers sont de bonne race, que la nouvelle race semble à l'observateur séduit meilleure que la sienne : « Je préfère de beaucoup la nouvelle race à la nôtre [13]. »

En 1977, Christian Delacampagne pouvait diagnostiquer et déplorer une « extension abusive du soupçon de racisme [14] ». Un domaine particulièrement investi par cette idéologie du soupçon, dans les années 1970-1980, est celui des conflits entre catégories ou groupes sociaux. Ces derniers sont soumis à une racialisation qui fonctionne comme instrument de légitimation/illégitimation. Dans la production discursive accompagnant et instrumentant les conflits sociaux, il est courant de rencontrer l'accusation de « racisme » ou la dénonciation d'un adversaire comme « raciste ». La stigmatisation « antiraciste » de l'adversaire comme « raciste » vise des conduites, des attitudes ou des dispositions envers certaines catégories sociales, lesquelles se distribuent selon trois types : bio-social, socioprofessionnel, religieux. Les âges extrêmes de la vie sont particulièrement visés (jeunes et vieux). Mais les catégories les plus exposées sont les femmes, les homosexuels, les immigrés (surtout extra-européens), les infirmes (voire les malades mentaux), les marginaux (vagabonds, drogués, chômeurs), les adeptes de « sectes » (« intégristes » compris), les communistes, les policiers

(« flics »), sans oublier les ouvriers (la « populace »). Il faut tenir compte des catégories de synthèse : tel le type composite qu'incarne le jeune immigré (ou fils d'immigré porteur de « stigmates » le marquant socialement) ouvrier et chômeur soupçonné d'être délinquant et drogué (on aura reconnu l'ethnotype négatif du « Beur »). Il est possible ici d'avancer que « racisme » est le nom donné à l'exclusion en tant qu'elle traite comme un groupement naturel, c'est-à-dire « biologise », un ensemble d'individus censés appartenir à une même catégorie sociale. Cette hypothèse provisoire peut être suivie d'une seconde : il y a autant de racismes que de types de légitimation requis par les passions spécifiques (haine, rivalité, mépris, peur, etc.) dont les groupes sociaux en conflit sont porteurs. Ces deux hypothèses se transforment en postulats des emplois extensifs du mot *racisme* :
— il existe autant de racismes que d'attitudes d'*exclusion* ou d'altérisation hostile visant des groupes spécifiques, sous la réserve qu'il existe des catégories sociales d'exclus [15]. Le sens commun et l'usage ordinaire sont sur ce point rejoints par les analyses savantes (C. Guillaumin ou P. Bourdieu) [16] ;
— les catégories sociales sont racisées lorsqu'elles sont porteuses, sont déclarées ou supposées porteuses d'une *marque biologique,* d'un stigmate corporel. La racisation s'applique aux « catégories institutionnelles revêtues de la marque biologique [17] ».

Tout se passe donc comme si l'usage idéologique généralisé, à des fins d'illégitimation, du mot *racisme* se trouvait repris en écho et théorisé par le discours des sciences sociales, dans une perspective de critique sociale. On retiendra le paradoxe d'un tel consensus sur certaines caractéristiques de la vulgate antiraciste (autorisant l'extension indéfinie de l'emploi du terme) entre utilisateurs ordinaires du terme polémique et analystes appartenant à la communauté scientifique. La définition consensuelle paraît donc pouvoir s'énoncer comme suit : il y a racisme ou racisation toutes les fois que, dans l'interaction conflictuelle de catégories sociales différentes, il y a *mode d'exclusion* et *marquage biologique* (ou « naturaliste ») s'appliquant à une catégorie (à ce qui est censé en constituer une). Une approche fonctionnelle, débouchant sur une critique de la société (quelle qu'en soit la référence théorique), distingue trois éléments fondamentaux dans le racisme : l'*altérisation* des catégories racisées (mais la racisation commencerait avec la catégorisation), la *biologisation* (attribution de stigmates « biologiques »), l'*oppression* vécue par les victimes jusqu'à l'intériorisation des formes mentales racistoïdes [18]. Le requisit d'une telle approche peut être considéré comme peu satisfaisant : il tient dans l'identité de traitement des diverses catégories d'exclus-biologisés-opprimés, identifiés également, voire indistinctement, comme *victimes* du racisme (ou de racisations spécifiques). Il est difficile dès lors d'éviter d'engendrer ce qui peut apparaître comme un amalgame emprunté aux fonctionnements idéologiques qu'on se propose pourtant de démonter : l'effet d'indistinction entre les divers objets de haine, entre les diverses catégories victimaires. Comme si toutes les catégories d'exclus, en tant qu'exclus, relevaient d'un même genre : classes = sexes = races = catégories socio-professionnelles = catégories de marginaux = groupes minoritaires (religieux, politiques, etc.) = classes d'âge = nations ou ethnies opprimées, etc.

Il faut ensuite relever les deux présuppositions d'une telle approche, dont le simplisme manichéen réinscrit l'analyse scientifique dans le champ des débats idéologiques :

— les racisants sont les dominateurs, les oppresseurs, voire les exploiteurs ou les « génocideurs » ; de telles analyses travaillent avec des couples d'opposés qui fonctionnent eux-mêmes dans la vie idéologique : dominant (groupe dominant, classe dominante, etc.)/dominé, majoritaire/minoritaire ;

— les racisés (opprimés et exclus) sont des victimes innocentes ; du moins la responsabilité de l'exclusion ne saurait en aucune manière (ni à quelque degré) leur incomber. Le racisé est par définition non responsable, ce qui risque de laisser entendre qu'il est irresponsable. La disposition affective que de telles analyses à la fois présupposent et confirment, ou renforcent, est la compassion, que celle-ci se fasse sympathie et pitié active, ou empathie mue par la culpabilité vis-à-vis des victimes. La compassion peut se traduire par des conduites de solidarité, des actions de défense des droits (ou d'acquisition de droits nouveaux), elle peut aller jusqu'à la légitimation de conduites d'autodéfense des groupes racisés (perçus comme tels).

Ce travail de théorisation critique engendre ainsi une conversion des valeurs : le groupe racisé, en tant que tel, fait l'objet d'une valorisation positive inconditionnelle, il tend à être idéalisé et sublimé (la pureté de l'innocence absolue). L'explication esquissée par C. Delacampagne, suivi sur ce point par de nombreux autres auteurs dans les années quatre-vingt [19], est fondée sur l'existence du sentiment de culpabilité de l'Occident. Si ce qui apparaît comme « le péché capital [20] » depuis 1945 est un propre de l'Occident, si le racisme est le « mal absolu » des Occidentaux contemporains, et si notre mauvaise conscience en postule l'existence partout et en chacun, alors l'on ne s'étonnera plus devant l'indéfinie fuite en avant dans le processus de dénonciation, de démasquage, de débusquage. La philosophie du soupçon (Nietzsche, Marx, Freud) n'est que la pointe spéculative de l'idéologie du soupçon, laquelle est régie par l'impératif catégorique amoral de pister et dépister, chasser, dévoiler, dénoncer, démystifier, surprendre, repérer et identifier le plus caché. Le racisme même est supposé mener une existence obscure, et dérouler ses condamnables effets à partir de lieux occultes. D'où l'apparition de l'intellectuel spécialisé dans la chasse aux racistes. Pour ce mercenaire idéologique, la philosophie du soupçon est la seule philosophie possible : nihiliste achevé, ce chasseur de primes idéologiques se donne pour fin de percer les secrets, de mettre en pleine lumière, devant les yeux de tous, le racisme latent, voilé, l'implicite du racisme. Postulat de conviction antiraciste du militant décrypteur : le racisme est d'autant plus réel et nuisible qu'il est imperceptible, qu'il relève du non-dit, qu'il se niche dans les profondeurs de l'inavouable, unique raison présumée de l'indicible. Ainsi les « racistes », dans le monde marqué par Auschwitz, jouent-ils le rôle de nouvelles sorcières : ils incarnent le nouveau type d'hérétiques absolument haïssables que requiert le consensus démocratique. Il faut qu'un ennemi incarnant le mal absolu soit posé hors du cercle consensuel pour que celui-ci puisse se légitimer. Les seuls concurrents sérieux du « racisme », dans l'imaginaire politique des années quatre-vingt, sont le « totalitarisme » (ou le « communisme») et, dernier venu, le « terrorisme »[21].

La description savante

Distinctions théoriques de base

A considérer les énoncés rapportés et normalisés tant par les dictionnaires et encyclopédies que par les livres et articles portant, à divers titres, sur « le racisme », en nous limitant aux textes de langue française, une première distinction s'impose : d'une part, les énoncés descriptifs qui portent sur les états de choses de l'ordre humain et les caractérisent en leur attribuant telle ou telle propriété ; d'autre part, les énoncés modaux, qui se présentent le plus souvent comme indiquant ce qu'il faut être et ce qu'il faut faire, se schématisant donc par un devoir-être et un devoir-faire, qui présupposent un pouvoir-faire. Les reformulations non racistes du *racisme* se présentent à la fois comme explicatives du racisme, disant ce qu'il est, lui assignant une origine (ou plusieurs) de divers ordres : historique, psychologique, ou sociologique, non sans en décrire le(s) fonctionnement(s), et comme normatives, indiquant ce qu'il faut faire pour réaliser le meilleur programme de sa disparition. Les énoncés de type assertif sur la réalité supposée du phénomène « racisme » sont impliqués logiquement par les énoncés modaux, représentables notamment par des formes impératives : la question « qu'est-ce que ? » précède la question « que pouvons-nous faire », elle-même présupposée par la question « que dois-je faire ? » (« que devons-nous faire ? »), inséparablement éthique et politique. Une analyse ultérieure, où l'on traitera tant des éléments posés que des présupposés et des sous-entendus, portera sur les énoncés mis en jeu par les définitions lexicologiques contemporaines du mot *racisme* ; elle en proposera un inventaire systématique et ordonné, par reconstruction de l'ordre logique idéal des présuppositions (cf. chap. 4, p. 152 *sq.*). Le modèle qui sera présenté plus loin n'est donc qu'un artefact, la chaîne d'énoncés présentés en ordre sériel n'étant jamais manifestée phrastiquement comme telle, ni dans les entrées de dictionnaires ni même dans les expositions historico-encyclopédiques du *racisme*. La démarche suivie est donc la suivante : déterminer les conditions de pensabilité du racisme à partir de ses conditions d'exprimabilité.

Notre hypothèse a été qu'une telle schématisation idéaltypique de ce qui est pensable sur le racisme, qu'une telle modélisation des conditions de représentation du racisme, offrait l'avantage d'être une voie d'accès privilégiée à l'analyse des représentations contemporaines de l'Autre en général. Encore qu'apparemment paradoxale : étudier les manières de construire la figure du rejet de l'Autre (le racisme) en la rejetant comme autre.

Une analyse des conditions de cohérence des définitions relevées permet d'évaluer la relative consistance argumentative d'une idéologie et conduit à une distinction dont la valeur opératoire semble de grande importance, pour l'historiographie moderne et la politologie autant que pour l'analyse des discours « racistes » : la distinction entre *autoracisation* et *hétéroracisation*, ou entre racisme *autoréférentiel* (ordonné au Moi = Nous) et racisme *altéro-référentiel* (ordonné à l'Autre), que l'on doit à Colette Guillaumin[22]. Cette distinction permettra de conceptualiser deux phénomènes observables, souvent confondus, relevant de logiques radicalement différentes : le racisme d'exploitation (racisme 1) et le racisme d'extermination (racisme 2), le premier centré sur la relation inégalitaire assumée et légitimée, le second fondé sur la précellence de l'identité propre, dont dérive l'impératif de sa préservation à tout prix. Les traitements respectifs de la différence et de la victime (du racisé), dans le racisme 1 et le racisme 2, sont opposables terme à terme : soit le racisant vise à hiérarchiser les différents (soi/les autres-inférieurs), en domestiquant pour ainsi dire la relation différentielle (il faut la conserver car elle est d'un bon « rapport »), soit il vise à éliminer l'Autre par excellence (exemple : « le Juif »), c'est-à-dire à refuser la relation différentielle en tant que menaçante par elle-même. D'une part, la différence est relativisée par la position d'une référence commune (une échelle de valeurs) entre les instances différentes — la différence est exploitée en même temps que la victime ; d'autre part, la différence tend à être abolie en tant que relation, ou absolutisée, par élimination de l'instance autre — la mort de la victime est une condition de santé du racisant (cf. chap. 4, p. 163 *sq.*).

La théorie des trois niveaux de l'hétérophobie

Il n'est pas sans bénéfice théorique de distinguer, en outre, à suivre certaines études contemporaines, trois niveaux d'emploi du terme catégorisant *racisme*. On isole ainsi trois registres où se déploie le discours dit raciste et qui correspondent à trois modes de racisation. Une exposition synthétique de ces diverses tentatives de clarification montrera combien les difficultés définitionnelles de départ tendent à se reproduire dans les métadiscours critiques qui se proposent de les surmonter. La seule identification des paradoxes récurrents, comme s'ils étaient non éliminables en ce qu'ils seraient engendrés par la problématique ordinaire du « racisme », nous semble un objectif théorique suffisant de notre étude. Une échelle de préjugés hétérophobiques est ainsi élaborable, eu égard au degré d'éloignement des références empiriquement vérifiables — du « réalisme » malveillant au « délire » accusateur, de la croyance de « sens commun » à la « folie meurtrière ».

« *Racisme primaire* » *et antiracisme éthique*

Le *racisme primaire*[23], ou « autrisme », fondement supposé de l'« hétérophobie[24] », encore dénommé « panekhthrisme[25] » — du grec *ekhthros*, « ennemi » —, désignerait un phénomène psychosocial très général, et peut-être une réaction universelle : le sentiment de méfiance envers l'Autre ou l'étranger quelconque, la perception « spontanée » de l'Autre inconnu comme ennemi, déclenchant fuite ou agression[26]. Cette description de type encyclopédique, portant sur des états de choses du monde — ici la sous-classe des vivants réagissant d'une certaine manière, ce que l'éthologie est censée établir scientifiquement —, apporte des informations sur des comportements susceptibles de se manifester discursivement par des énoncés qu'on dira les plus « spontanés » ou « immédiats » parmi ceux qui péjorent l'Autre comme tel. Certains exposés expressément « antiracistes » thématisent cette prime phobie hypothétique, espèce de « conjecture » rousseauiste sur les origines, comme un fondement instinctuel, une « base », une « réaction primitive » de « haine », mélodie naturelle sur laquelle l'histoire et ses avatars viendraient improviser diverses variations, plus ou moins élaborées. Un militant antiraciste, écrivain « engagé », Pierre Paraf, n'hésite pas à présenter l'esquisse d'une théorie naturaliste du racisme comme hostilité spontanée, universelle et immémoriale : « L'histoire nous a révélé la complexité du problème. *A la base, la haine instinctive* de l'homme du clan pour le proche ou le lointain qui se trouvent différents de lui et plus faibles que lui. Cette réaction s'affirme à travers les millénaires contre l'étranger[27]. »

L'argumentation se développe par la définition d'un critère concernant la réception des dits du « racisme primaire », par référence à une échelle de vraisemblance. Dans la terminologie proposée par G.I. Langmuir, les affirmations sur « les Juifs » sont dites « réalistes » ou « empiriquement bien fondées » pour ce qu'elles « attirent l'attention sur certains aspects de la conduite réelle des Juifs[28] ». Il serait moins équivoque de caractériser de telles affirmations par le degré élevé de *vraisemblance* qu'elles représentent. Car, dès lors qu'on isole un niveau « réaliste » de l'énonciation racisante, on lui accorde une certaine légitimité, on distingue des degrés d'acceptabilité parallèles aux paliers de réalisme discernés — en parlant d'énoncés « plus ou moins » réalistes, par exemple. Ainsi M. Rodinson peut-il affirmer que, dans l'antisémitisme européen, « le mythe antisémite se fonde soit sur des accusations sans l'ombre d'un fondement, soit sur les résultats d'une situation qui a été *imposée* aux Juifs [29] ». Ce qui risque d'être ainsi paraphrasé : l'antisémitisme est soit infondé (dans la réalité historique alléguée), soit relativement fondé. Concession essentielle... C'est ainsi qu'à une telle classe d'énoncés « réalistes » (selon Langmuir), référent discursif de la désignation conceptualisante « racisme primaire », correspondrait un degré élevé de vraisemblance dû à un effet de fondement empirique, à une possible référence observationnelle. Exemple classique, où opère déjà la généralisation abusive : « Les Juifs sont le plus souvent commerçants ou intellectuels [30]. » Les énoncés de ce type ne sont pas nécessairement perceptibles comme blâmant un groupe humain défini. Mais, en raison même de leur effet de neutralité descriptive, ils constituent les meilleurs conducteurs de racisation implicite.

On peut noter que le repérage de ce premier niveau est scientifiquement autorisé par un discours de tradition darwinienne, laquelle conduit à reconnaître une base instinctuelle (ou génétique) au couple : autodéfense préférentielle et entraide réservée aux membres du groupe d'appartenance/rejet de l'individu étranger au groupe propre. La légitimation scientifique de ce couple, outre qu'elle dérive du paradigme sélectionniste, fait partie de l'idéologie professionnelle des naturalistes de stricte obédience darwinienne [31] — l'éthologie de K. Lorenz, la sociobiologie d'E.O. Wilson [32]. Dès lors, le « préjugé racial » — xénophobie et discrimination raciale — peut être présenté comme un universal bio-anthropologique. Ainsi le sociobiologiste W.D. Hamilton (« précurseur » de Wilson) pose-t-il l'hypothèse suivante : « J'espère démontrer que certains traits souvent considérés comme purement culturels chez l'homme — par exemple la discrimination raciale — ont de profondes racines dans notre passé animal et reposent donc très probablement sur des fondements nettement génétiques. Pour être plus précis, il semblerait que la facilité et la précision avec lesquelles une idée telle que la xénophobie imprime sa propre réplique dans le moule de la mémoire humaine dépendent de prédispositions sélectionnées à cet effet — la sélection opérant en définitive au niveau de la réplication moléculaire [33]. »

Mais l'idée que les individus appartenant à un groupe culturel donné procèdent à des choix selon une échelle de valeurs autocentrée, cette idée est partagée par des auteurs dont les problématiques sont fort hétérogènes, allant des doctrines nationalistes xénophobes[34] à des perspectives universalistes nuancées par un certain relativisme de « bon sens »[35], en passant par la biopolitique éthologiste[36]. L'éloge du sociocentrisme, comme tendance « naturelle » d'un groupe à s'identifier à l'humanité même, se fait indifféremment dans le lexique de la race, dans celui de la nation, dans celui de la culture[37].

Chacune des propositions terminologiques inventoriées présente ses propres difficultés théoriques. Aussi Albert Memmi propose-t-il de réserver l'usage du mot *racisme* à « l'exclusion biologique » et de recourir au mot d'*hétérophobie* pour désigner toute forme de phobie de l'autre dans *ses* différences, phobie « qui se transforme en refus de l'autre et mène à l'agressivité[38] ». Mais la confusion terminologique n'est pas pour autant surmontée : le racisme d'exploitation coloniale, par exemple, n'est nullement fondé sur le « refus de l'autre », ou sur son « exclusion », mais sur son assujettissement en vue d'un profit au nom de rationalisations diverses, variations sur le devoir de « civiliser » les inférieurs ou primitifs. La racisation impliquée par la forme coloniale de tel ou tel impérialisme ne relève pas de l'hostilité agressive, mais d'un système d'exploitation spécifique.

Le concept de « panekhthrisme » n'est pas non plus dépourvu d'ambiguïté. Maxime Rodinson l'introduisait ainsi : « On suppose une unité d'intention et de direction à toutes les formes concrètes d'hostilité. [...] C'est un processus parallèle à celui que représente la paranoïa dans la psychologie individuelle[39]. » Une telle définition du « panekhthrisme », référant à une certaine élaboration idéologique de l'hostilité perçue (mythe d'une conspiration universelle), chevauche les deux niveaux extrêmes, inférieur et supérieur, du racisme (« primaire » et « tertiaire »). C'est dire les difficultés théoriques transparaissant dans les paradoxes terminologiques. Revenons sur l'énoncé : « Les Juifs sont le plus souvent commerçants ou intellectuels. » Comment nous assurer qu'il relève du racisme primaire ? L'un des critères du repérage taxinomique est que l'énoncé puisse être proféré et/ou assumé par un énonciateur quelconque du groupe référencé (un Juif sur « les Juifs »). Une telle condition est assurément discutable, renvoyant à des problèmes épineux de réflexivité et de frontières. On sait que le problème a été posé, pour l'antisémitisme moderne, dans les termes trop simples de la « haine de soi(-même) » *(Selbsthass)* : un racisé peut à la perfection tenir le langage du racisant, et le discours antijuif, par exemple, n'exclut nullement sa prise en charge par un énonciateur supposé « juif » — qu'il se méconnaisse comme tel, qu'il rejette son affiliation religieuse, qu'il se présente et s'assume comme d'origine ou d'appartenance juive sans allégeance religieuse, ou qu'il adhère expressément au judaïsme comme religion[40]. Il s'ensuit que le critère d'acceptabilité, pour un représentant du groupe visé par l'acte de référence identifiante-péjorante, n'est guère probant.

Peut-on lutter, et comment ?

Si l'on postule que la problématique darwinienne est théoriquement satisfaisante, deux positions distinctes apparaissent, face au racisme « primaire » : d'une part, un certain pessimisme antiraciste, que manifeste la conscience malheureuse de l'idéologue persuadé de l'existence d'une culpabilité « raciste » universelle ; d'autre part, l'optimisme antiraciste de ceux qui croient lire dans la conceptualité darwinienne, sinon dans les écrits visibles à l'œil vulgaire, les fondements d'un dépassement de la doctrine de lutte et de « sélection par la mort ». Les pessimistes, convaincus de l'insurmontabilité des pulsions de combat et d'exclusion, en appellent à un rejet radical de la nature humaine, celle-ci étant « darwinienne » ; les optimistes, quant à eux, ne voient nulle rupture nécessaire dans les processus naturels, ceux-ci ayant en eux-mêmes de quoi se convertir en conduites morales. Nous commencerons par examiner quelques implications supposées de la théorie darwinienne dans les ordres éthique et politique, avant de présenter les deux positions antiracistes dominantes : éthique antinaturaliste des pessimistes, éthique naturaliste des optimistes pro-darwiniens.

Partons de l'hypothèse simple que les conditions de la lutte antiraciste sont déterminées, au moins partiellement, par la conception antiraciste du racisme. « Toutes ces manifestations de racisme et d'antisémitisme exigent de notre part une vigilance permanente et une information systématique afin de débusquer *"la bête" qui sommeille en chacun de nous* et d'apprendre ensemble à la combattre[41]. » Ainsi parle ordinairement l'antiraciste pessimiste, celui qui postule que « nous sommes tous racistes », que ce racisme faisant partie de la nature humaine relève d'un noyau génétique inné (acquis ou non phylogénétiquement) ou de l'héritage d'une faute originelle — version théologique chrétienne, ou néo-religieuse de type psychanalytique : « Le racisme est ancré dans l'inconscient [42]. » Ce pessimisme, lié à une conception du racisme comme attitude ou conduite fatale, aboutit à la corruption du principe d'éveil ou de vigilance antiraciste en culpabilité permanente, en suspicion généralisée, tant vis-à-vis de soi-même qu'à l'égard d'autrui. Le prochain, c'est d'abord le raciste potentiel : le soupçon établit un monde de cauchemar, en faisant du racisme un destin qui, dans le meilleur des cas, relève de la thérapeutique individuelle (il faut que les victimes irresponsables, ces malades incapables de contrôler leurs pulsions racistes comme le font les sujets normaux, aillent consulter).

Ce serait une illusion liée à la démonisation de l'adversaire idéologique que d'attribuer la thèse de l'universalité ou de la « primarité » du racisme aux seuls racistes ou, par exemple, aux sociobiologistes dont la théorie contiendrait, à l'état virtuel ou latent, une légitimation génétique du racisme. La sociobiologie « conduit à », « aboutit à » des conséquences jugées absolument indésirables, résumées et caractérisées par « le racisme » : telle est la manière polémique ordinaire de délégitimer la sociobiologie, en la criminalisant — l'imputation de « racisme » sous-entendant celle de « génocide ». Ainsi Pierre Thuillier déclare-t-il sans nuances sur le fond, malgré certaines précautions rhétoriques : « Wilson, c'est certain, n'est pas un partisan du racisme ; ses idées sont "libérales". Mais il a élaboré une théorie qui peut favoriser et légitimer certaines formes de racisme. Si la vie a pour but d'assurer la propagation des gènes, il pourrait bien arriver que les porteurs de certains gènes décident d'éliminer les populations qui portent d'autres gènes [...] On retrouve ici le thème darwinien de la "lutte pour la vie". Au XIXe siècle, il a servi à justifier la guerre, la compétition à outrance. Dans la logique de la sociobiologie, des idées du même genre risquent d'apparaître. C'est d'autant plus vrai que Wilson suggère fortement que la xénophobie a une base génétique. En deux mots, que le racisme est "normal" [43]. » Selon la même logique de l'amalgame, par réduction du sens d'une théorie à d'indésirables effets qu'on lui impute en tant qu'inéluctables, tel journaliste croyait pouvoir déclarer en automne 1979 : « Tout a été dit ou presque sur le racisme ségrégationniste *auquel aboutit la sociobiologie de la nouvelle droite* [44]. » Passons sur la rituelle illusion journalistique quant au traitement définitif du problème : une campagne de presse prolongée, ou un prétendu « dossier complet sur », engendre la conviction toute professionnelle d'avoir « tout dit ou presque » sur la question abordée. Ce qu'il faut surtout noter, c'est que J. Brunn, en une phrase, condense une pétition de principe et une erreur factuelle. Il faudrait en effet montrer tout d'abord, précisément, en quoi la sociobiologie — et laquelle ! — doit nécessairement (logiquement, voire fatalement) « aboutir » au « racisme ségrégationniste [45] », ce qui n'est nullement fait. Il faudrait ensuite éviter d'attribuer à « la nouvelle droite », en général, prise comme une entité idéologico-institutionnelle homogène (première confusion, principe d'amalgames polémiques), une théorie ou une doctrine que, par exemple, le maître à penser du GRECE [46], Alain de Benoist, a expressément critiquée et récusée à bien des égards [47]. Plutôt que de reconduire stéréotypes et assimilations hâtives, il s'agirait de reconnaître diverses tendances et positions, au sein même du GRECE, sur la question de la sociobiologie : une telle analyse différenciante montrerait l'hétérogénéité idéologique de la matrice historique des « nouvelles droites » en France (à savoir le GRECE) à l'exception d'un seul thème, l'antilibéralisme absolu (ou l'anti-économisme). Yves Christen, par exemple, est non seulement un bon vulgarisateur de la sociobiologie wilsonienne, mais encore l'un de ses chauds partisans [48] : ses positions ne sauraient être assimilées à celles d'Alain de Benoist. Les divergences sur la sociobiologie se retrouvent dans le champ élargi des « nouvelles droites », néo-libérales (Club de l'Horloge) ou antilibérales (GRECE) : le fil conducteur, et le critère différenciateur, pourrait être la proximité, voire la parenté, entre les conceptions du libéralisme économique radical et les analyses sociobiologiques (compétition, maximalisation des gains, l'intérêt individuel identifié à l'intérêt génétique, etc.). C'est pourquoi le libéralisme économique du Club de l'Horloge s'est fort bien accommodé de fondements biopolitiques, biosociaux et bioéthiques empruntés à l'éthologie lorenzienne ou à la sociobiologie wilsonienne [49].

Mais le même postulat d'universalité s'articule aussi, trop souvent, à des propositions antiracistes aussi vagues que fades. Lors du colloque organisé par l'Unesco à Athènes, du 30 mars au 3 avril 1981, Habib Tawa n'hésite pas à affirmer que « l'existence de préjugés racistes est une donnée universelle et [que], d'une civilisation à l'autre, voire d'un pays ou d'une région à l'autre, les dictons populaires se renvoient les mêmes reproches [...]. C'est sur ce fond de xénophobie primaire que prend force ou dépérit le racisme, collectif ou individuel, des peuples ou des particuliers [50] ». H. Tawa postule d'une part l'universalité du racisme primaire, qu'il identifie à la xénophobie ; d'autre part, l'existence d'une continuité entre xénophobie et racisme élaboré [51]. Il s'ensuit selon lui que l'antiracisme doit s'opposer au racisme sur une base pulsionnelle identique, de façon quelque peu surprenante : « C'est sur un fond analogue de solidarité humaine qu'un bon sens, tout aussi populaire, invite à la tolérance et à la fraternité. De Kong Fu Tseu (Confucius) à Jésus-Christ de grands esprits l'ont proclamé. » Il ne reste plus qu'à opposer rituellement « l'humanisme universaliste de la science » à « l'égoïsme sacré de quelques-uns », d'ériger en modèle normatif l'« absence de préjugés intellectuels » propre à l'analyse scientifique, pour stigmatiser les « sociétés racistes à l'aspect étriqué et renforcé », et célébrer « la société progressive et pluraliste [52] ». Qui ne serait pas d'accord ? Le caractère aussi confus que plat de telles propositions donne une certaine idée de l'antiracisme « diplomatique » des colloques internationaux tenus sur la question du racisme.

Il nous suffisait de noter l'apparition de l'évidence que le racisme est une disposition universelle. Il semble que l'origine intellectuelle principale d'une telle évidence idéologique soit repérable dans la vulgarisation du darwinisme : sur la base d'une hypothèse, de style darwinien, qu'une valeur de survie est attachée à la peur de l'inconnu ou au rejet du différent, on tend à ériger en mécanisme fonctionnel universel l'hostilité face à l'autre, à l'inconnu, à l'étranger, dont l'apparition entraînerait nécessairement fuite ou agression. Nombreux sont les auteurs antiracistes reconnus qui fondent leurs analyses sur cet axiome, devenu un thème sloganisé : « La différence fait peur [53] » ; « la vérité est que l'on a peur de ce qu'on ne comprend pas, de l'inconnu, donc des différences... Je suppose que cela vient de l'histoire de l'espèce, l'inconnu peut être la source du danger [54]. » Par là les demi-vérités du sens commun deviennent des vérités tout court, les explications passe-partout se convertissent, par l'écho complaisant du texte, en vérités scientifiques.

A la suite de Gordon W. Allport [55], l'on peut distinguer cinq types de comportement de rejet des « exogroupes », permettant de définir cinq degrés de la « discrimination raciale » au sens large, de la moins intense à la plus violente :

1. Le *rejet verbal*, ou l'antilocution : il s'agit de l'hostilité manifestée par l'injure ou la plaisanterie, inscrite dans les modes de verbalisation des « préjugés ». « La plupart des gens qui ont des préjugés en parlent. Avec des amis du même avis, parfois avec des étrangers, ils peuvent librement exprimer leur hostilité. Mais beaucoup de personnes ne vont jamais au-delà de ce degré modéré d'action hostile. »

2. L'*évitement (avoidance)* : « Si le préjugé est plus intense, il conduit l'individu à éviter les membres du groupe qu'il a pris en aversion, peut-être même au prix d'inconvénients sensibles. Dans ce cas, le porteur du préjugé ne nuit pas directement au groupe pour lequel il éprouve de l'aversion. Il prend le parti de s'en accommoder et se renferme complètement sur lui-même. »

3. La *discrimination* au sens strict : son acte premier est le refus d'accorder à une personne ou à un groupe de personnes, en raison de leur appartenance ethnique, l'égalité de traitement avec le ou les groupes dominants. « La personne porteuse de préjugés procède ici à des distinctions préjudiciables d'une espèce active. Elle entreprend d'exclure tous les membres du groupe en question de certains types d'emplois, de logements, des droits politiques, de moyens d'éducation ou de divertissement, de les priver de lieux de culte, d'hôpitaux, ou de certains autres privilèges sociaux. La ségrégation est une forme institutionnalisée de discrimination, établie légalement ou par l'habitude commune. » L'*apartheid* en est le type extrême.

4. L'*agression physique (physical attack)* : toutes les formes de violence contre les personnes et les biens, pour autant qu'elles s'exercent en raison de l'appartenance ethnique des individus. « Dans des situations d'émotion intense le préjugé peut conduire à des actes de violence ou de semi-violence. Une famille de Noirs indésirables peut être expulsée de force d'un quartier, ou si gravement menacée qu'elle le quitte, poussée par la peur. Les pierres tombales des cimetières juifs peuvent être profanées. »

5. L'*extermination* : « Les lynchages, les pogromes, les massacres, et le programme hitlérien de génocide marquent le degré ultime de l'expression violente du préjugé. »

Cette échelle d'intensité est ensuite simplifiée par Allport, qui réduit les cinq degrés d'exclusion ou de rejet à trois :

1. Le rejet verbal.

2. La discrimination, laquelle inclut la ségrégation. Allport croit devoir préciser : « Nous nous éloignons souvent des gens que nous trouvons antipathiques. Ce n'est pas là de la discrimination, pour autant que c'est nous qui nous en éloignons. *La discrimination se produit seulement lorsque nous refusons aux individus ou aux groupes humains l'égalité de traitement qu'ils sont en droit d'espérer.* » Quant à la ségrégation, on doit la définir comme « une forme de discrimination qui fixe des frontières spatiales d'une certaine sorte pour accentuer le désavantage des membres d'un exogroupe *[out-group]* ».

3. L'agression physique, selon tous les degrés d'intensité, de la « ratonnade » au génocide.

La théorisation d'Allport possède une indéniable valeur descriptive, et présente de nombreuses difficultés théoriques que nous ne pouvons pas aborder ici. Nous nous contenterons de relever l'un de ses postulats, qui prend place dans une conception naturaliste du préjugé liée à une vision continuiste ou moniste des cinq (ou trois) degrés d'intensité du rejet. D'une part, Allport avance que « l'homme a une propension au préjugé », et que cette propension « réside dans sa tendance normale et naturelle à former des généralisations, des concepts et des catégories dont le contenu représente une simplification abusive de son monde d'expérience ». D'autre part, il suppose que « les mots qui trahissent un antagonisme viennent facilement », et surtout que le rejet verbal et les pratiques discriminatoires sont des conditions nécessaires de toute agression raciste, postulant par là un lien entre les opinions ou attitudes hostiles (les trois premiers degrés) et les formes de passage à l'acte (les deux derniers degrés) : « La violence est toujours une explosion d'états d'esprit plus tièdes. Bien que l'aboiement hostile ne mène pas forcément à la morsure, il n'est pas de morsure sans aboiement préalable[56]. » Traduisons en langue vulgaire : la tendance au meurtre raciste est présente en chacun de nous, la pulsion génocidaire est naturelle chez l'homme, étant déjà à l'œuvre dans le préjugé (les préjugés de haine : *hate-prejudices*), lequel surgit spontanément dans le monde de l'expérience commune de l'homme.

Nous avons brièvement caractérisé la variante pessimiste, néo-chrétienne (« Nous sommes tous coupables de racisme ») ou para-freudienne (« Nous avons tous un inconscient raciste, des pulsions racistes »), ainsi que la variante humanitariste ou velléitaire. L'antiracisme dualiste se constitue autour de l'idée qu'être un homme digne de ce nom implique de lutter contre soi-même, d'entrer en combat singulier, à chaque instant, avec la « bête immonde » tapie en chacun de nous. Être antiraciste, c'est être vraiment homme, c'est refuser l'animalité qui représente une composante naturelle de la nature humaine. Mais cette solution éthique prônant la dénaturation de l'homme n'est pas la seule. Elle voisine avec une solution naturaliste, fondée sur certaines notations de Darwin. C'est Patrick Tort qui, récemment, l'a formulée le plus fortement, à partir de ce qu'il a nommé « l'effet réversif de l'évolution », moteur de cette extension antiraciste de la morale darwinienne de la sympathie. Dans *La Descendance de l'homme* (1871), Darwin pose ainsi le problème d'une morale qui ne se distinguerait pas de l'évolution, et, par suite, ne s'opposerait pas à elle :

« A mesure que l'homme avance en civilisation et que les petites tribus se réunissent en communautés plus nombreuses, la simple raison indique à chaque individu qu'il doit étendre ses instincts sociaux et sa sympathie à tous les membres de la même nation, bien qu'ils ne lui soient pas personnellement connus. Ce point atteint, une barrière artificielle seule peut empêcher ses sympathies de s'étendre à tous les hommes de toutes les nations et de toutes les races [...]. La sympathie étendue en dehors des bornes de l'humanité, c'est-à-dire la compassion envers les animaux, paraît être une des dernières acquisitions morales [...]. Cette qualité, une des plus nobles dont l'homme soit doué, semble provenir incidemment de ce que nos sympathies, devenant plus délicates à mesure qu'elles s'étendent davantage, finissent par s'appliquer à tous les êtres vivants. Cette vertu, une fois honorée et cultivée par quelques hommes, se répand chez les jeunes gens par l'instruction et par l'exemple, et finit par faire partie de l'opinion publique [57]. »

P. Tort remarque à juste titre que « l'élargissement de la *sympathie*, conséquence de l'*avancement de la civilisation*, lui-même conséquence de l'évolution, c'est-à-dire de la sélection des comportements *utiles*, est un *fait de raison, donc de nature* [58] ». Le sentiment moral est donc un effet de l'évolution sélective qui semble contredire la loi de la sélection naturelle : « Nous ne saurions restreindre notre sympathie, en admettant même que l'inflexible raison nous en fît une loi, sans porter préjudice à la plus noble partie de notre nature [59]. » De cette étrange inversion de la loi de sélection naturelle dans et par l'extension universelle de la sympathie, P. Tort fournit une conceptualisation éclairante : « *L'effet réversif* produit par la civilisation — laquelle, conséquence de la sélection, en vient à contredire les lois de cette dernière dans le champ de la nature[60]. » En favorisant l'accroissement indéfini des instincts sociaux, dont la sympathie donne le type, la sélection naturelle a ainsi sélectionné progressivement son contraire, la civilisation, laquelle repose « sur la *sélection de comportements anti-sélectifs*[61] ». Par un tel effet réversif, « la *civilisation* apparaît *naturellement* comme l'état au sein duquel la sélection démontre qu'elle s'est, sans avoir un instant cessé d'agir sélectivement, *renversée progressivement en elle-même*, pour favoriser, au lieu de l'extermination des faibles, des comportements d'aide et d'assistance envers les moins aptes, au lieu du dépérissement des moins armés pour la lutte, leur réhabilitation par des technologies compensatoires [...], au lieu de l'éternisation des hiérarchies naturelles, l'assimilation sympathique, et, au lieu de l'égoïsme, la solidarité[62] ». En privilégiant de la sorte certaines notations de Darwin, en les traitant en principes d'une morale universaliste de la sympathie, P. Tort triomphe d'innocenter l'auteur de *L'Origine des espèces* des péchés capitaux de « racisme », de « darwinisme social » ou d'« eugénisme », voire de position droitière[63]. Darwin aurait été le partisan d'une espèce d'éthique de la fraternelle solidarité universelle, et les « darwiniens sociaux », ces partisans de la concurrence acharnée, de la loi « du bec et des ongles », des faux disciples du maître. Il faut certes reconnaître que l'on peut trouver dans le texte darwinien les bases théoriques d'un antiracisme naturaliste, faisant l'économie de tout rapport à une transcendance, à un fondement sur- ou supranaturel du rejet du racisme. Mais il faut aussi reconnaître qu'il ne s'agit là que d'une morale possible parmi toutes celles qui sont susceptibles de se réclamer des conceptions darwiniennes[64]. La voie de l'extension de la sympathie n'est ni plus ni moins orthodoxe que la voie de l'amélioration de la qualité biologique de la population, et de la lutte contre toutes les formes de dégénérescence[65]. La théorie de l'évolution par sélection naturelle autorise aussi bien une morale humanitariste de l'effet réversif qu'une morale de la poursuite indéfinie de la lutte pour la vie (la « théorie gladiatoriale de l'existence », comme la qualifiait T.H. Huxley[66]) ou qu'une bioéthique d'obédience eugénique, se proposant d'inventer et d'appliquer politiquement des substituts de la sélection naturelle en société (substituer les sélections sociales dirigées et maîtrisées, eugéniques, aux contre-sélections sociales aveugles, engendrant une évolution dysgénique[67]). Telle est l'ambiguïté du « progrès moral » tel qu'il est susceptible d'être interprété selon *La Descendance de l'homme*, texte équivoque dessinant trois orientations possibles au moins : sympathie et fraternité croissantes, concurrence interindividuelle et lutte pour la vie (darwinisme social), sélections sociales volontaires (eugénisme). Étendre l'entraide et la solidarité, prôner le laisser-faire et faire jouer la compétition, maîtriser l'évolution humaine : trois directions qui divergent radicalement, mais qui sont coprésentes dans le texte darwinien.

Il reste qu'une autre considération critique peut être appliquée à la morale « darwinienne » de la sympathie extensive et de la prédominance des « instincts sociaux ». C'est dans la force d'une telle autonomie vis-à-vis d'un principe transcendant que la morale évolutionniste rencontre ses limites, et sa faiblesse centrale : elle se fonde en effet sur le postulat que ce qui est donné dans et par l'évolution (ou la sélection naturelle, y compris l'effet réversif) est moralement « bon », sans pouvoir justifier une telle évaluation [68] autrement que par un raisonnement circulaire (le produit de l'évolution est moralement bon parce qu'il est un produit de l'évolution) ou par un appel au sens commun et à ses « vérités » (l'extension de la sympathie et de l'altruisme vaut mieux que la poursuite de la lutte pour l'existence et la sélection par la mort). La morale biologique intégrale de Konrad Lorenz présente les mêmes caractères : immanentisme rationaliste quant aux fondements, loi universelle d'amour et d'amitié quant aux maximes pratiques. C'est le passage du système inné des « grands instincts » (faim, peur, amour, territoire), indissociable de la loi de sélection, à une éthique universaliste de l'amour fraternel qui fait problème [69]. En termes plus généraux : toute morale naturaliste prétend se constituer par déduction d'énoncés scientifiques, portant sur le réel ; elle présuppose que le système des connaissances suffit à fonder le système des valeurs et des normes. Ce qui n'empêche pas qu'un tel scientisme tourne en prophétisme : les biologistes occidentaux, depuis Darwin, transforment insensiblement leur tendance impériale à résorber le champ entier des sciences humaines et sociales en pouvoir de révéler le vrai, de dire le sens, de prédire l'avenir (tel qu'il sera et tel qu'il doit être).

L'antiracisme éthique

Nous pouvons maintenant directement aborder la position des antiracistes pessimistes, dont la conviction de base est qu'on ne peut et ne pourra jamais faire confiance à la nature humaine.

La lutte antiraciste, dans cette problématique naturaliste et pessimiste, ne peut se définir qu'en tant que mouvement éthique contre la nature humaine — une nature supposée fixe et éternelle —, réaction contre nature. La perspective dogmatiquement naturaliste se renverse ainsi en position antinaturaliste, dès lors qu'elle s'efforce de fonder le rejet du racisme, comme tendance inscrite dans un fonds pulsionnel présumé. Interrogé sur le « grand sursaut antiraciste » unanimiste qui a suivi l'attentat de la rue Copernic (octobre 1980), Vercors se refusait à toute manifestation d'optimisme qui ne fût pas fondée sur l'héroïsme de la volonté : « Le racisme est profondément inscrit dans les espèces vivantes et c'est l'antiracisme qui n'est pas naturel. Le dauphin à bec poursuit le dauphin à bosse. L'homme n'échappe pas à cet instinct profondément inscrit dans ses gènes, et c'est seulement par la pensée, la volonté qu'il le surmonte [...]. C'est une lutte permanente. [...] Mais c'est la noblesse de l'espèce humaine de mener ce combat et de le mener sans espoir, je veux dire avec des victoires successives mais aussi des rechutes successives [70]. » La naturalisation du racisme débouche logiquement sur l'impératif d'une lutte infinie de l'esprit contre la nature en nous et hors de nous : l'inchoativité de l'antiracisme, tâche infinie, répond à l'infernale répétitivité naturelle.

Tel se présente l'antiracisme éthique, selon ses trois moments constitutifs : naturalisation du racisme, pessimisme de l'intelligence, héroïsme de la volonté. L'antiracisme s'oppose dès lors au racisme comme la norme au fait, comme le devoir-être à l'être, comme le devoir-faire au penchant spontané. De telle sorte que l'homme, pour se faire humain, doit se dénaturer, s'efforcer de se déprendre du règne animal qui lui lègue sa première nature raciste. Vercors propose par exemple de montrer aux enfants, à l'école, que « le racisme est la contradiction même de ce qui doit être humain [71] ». Mais si l'on doit toujours lutter contre le racisme, c'est qu'il constitue une détermination *a priori* de la nature humaine, en tant que tendance universelle et nécessaire qu'on ne saurait détruire une fois pour toutes sans abolir l'humanité même : « Le racisme est spécifique de cette recherche du bouc émissaire. Et c'est malheureusement un phénomène universel. En verra-t-on la fin ? A la longue, très à la longue, le racisme finira par disparaître. Peut-être [72]. » Donnons une traduction kantienne de cette perspective éthique : le monde humain sans racisme est une Idée régulatrice, de sorte qu'on ne saurait vouloir la réaliser intégralement dans les sociétés humaines existantes sans mettre en œuvre une utopie terroriste. Le rêve de purification risquerait de provoquer le cauchemar d'une épuration. Le maximalisme antiraciste ne peut qu'engendrer l'effet pervers minimal d'une « chasse aux sorcières ». Si la noblesse de l'esprit oblige à refuser tout penchant raciste, en nous et en autrui, la modestie de la raison critique doit nous garder de l'extravagance de l'antiracisme dogmatique, lequel fait comme s'il était possible et désirable d'extirper du monde social et humain — ici et maintenant, et une fois pour toutes — toute « trace » de racisme.

L'antiracisme éthique définit sa tâche spécifique comme une longue et difficile marche, la présente comme une conquête authentifiant l'humanité de l'homme dans sa lutte contre son animalité persistante, toujours susceptible de renaître. L'antiracisme éthique oscille entre l'obsession de la renaissance de la Bête en l'homme — le « racisme » — et la phobie du naturel en l'homme, puisque le racisme est supposé dériver de la nature, que l'antiracisme s'efforce de réduire, voire d'éliminer. Le rêve antiraciste par excellence est celui d'un monde humain absolument « dénaturé », dé-naturalisé, un monde de pure culture duquel auraient disparu pulsions, tendances, désirs et passions « antipathiques » ou polémiques, laissant toute la place aux formes pacifiques du lien social : entraide et solidarité, dialogue et compréhension mutuelle, amitié entre tous.

La dialectique pathétique du naturel raciste et de l'humain antiraciste est ainsi formulée par Albert Memmi, en conclusion d'un article où il résume son modèle : « C'est le racisme qui est naturel et l'antiracisme qui ne l'est pas : ce dernier ne peut être qu'une conquête, fruit d'une lutte longue et difficile, et toujours menacée, comme l'est tout acquis culturel [73]. » L'alliance d'un pessimisme radical de l'intelligence et d'un optimisme modéré [74] de la volonté distingue la variante savante éthique de l'antiracisme de sa variante politique. L'intellectuel légitime ne saurait tenir le même discours que le responsable d'un dispositif d'agit-prop, dont la mythologie activiste s'appuie sur un optimisme pédagogique sans failles allié à un catastrophisme permanent (diagnostic du « retour de ce qu'on a connu pendant la période x ou y ») destiné à fonder l'appel à la « vigilance ».

On ne s'étonnera pas de constater que l'interprétation du

racisme comme phénomène naturel se retrouve dans la tradition de la théorie naturaliste des races. Ainsi Georges Vacher de Lapouge déclare-t-il, dans la préface de *L'Aryen* : « Le conflit des races commence ouvertement dans les nations et entre les nations, et l'on se demande si les idées de fraternité, d'égalité des hommes n'allaient point contre des lois de nature. On commence à se douter que les sentiments ont juste une valeur sentimentale, que l'évolution des peuples est régie par des lois inflexibles. » Aux impératifs de l'antiracisme éthique répondent par avance les prescriptions du racisme scientifique : « La politique sentimentale idéaliste du christianisme a vécu. Aux fictions de Justice, d'Égalité, de Fraternité, la politique scientifique prèfère la réalité des Forces, des Lois, des Races, de l'Évolution. Malheur aux peuples qui s'attarderont dans les rêves [75] ! »

A partir d'un axiome commun portant sur la nature mixte de l'homme, mi-ange mi-bête, être naturel et être supranaturel (voire antinaturel), le racisme scientifique et l'antiracisme éthique se constituent comme deux systèmes de valeurs et de normes logiquement inverses l'un de l'autre. Pour le racisme scientifique, la prescription éthique se réduit à suivre la voie qu'indique l'évolution, fait de nature. Dans la perspective lapougienne d'un monisme sélectionniste, il s'agit soit de prolonger la sélection naturelle soit d'en corriger les « conséquences fâcheuses ». La vraie morale et la vraie politique doivent concourir à réaliser une seule et même fin positive : « Multiplier les types admis comme les plus beaux et les meilleurs [76] », favoriser la multiplication des eugéniques. Ce qui implique une tâche négative : favoriser la disparition des éléments inférieurs, l'élimination des dysgéniques. Les hommes doivent cesser de se prendre pour des anges. Ils ne sont que des êtres vivants, parmi d'autres, soumis comme tels aux lois naturelles : déterminisme de race, loi de la lutte, règne de la force, principe de la puissance [77].

Pour l'antiracisme éthique, la prescription centrale est de favoriser en l'homme la dominance de la partie angélique sur la partie bestiale. Albert Memmi fonde la morale antiraciste sur une conception manichéenne de la nature humaine : « L'homme étant ce qu'il est, la tâche peut et doit être entreprise : l'homme est à la fois ange et bête, il faut aider l'ange à l'emporter sur la bête [78]. » Angéliser l'homme, et/ou le dénaturer : voilà la tâche antiraciste. Car le racisme est postulé comme étant la conduite la plus naturelle et spontanée du monde humain [79] en même temps que la moins humaine des conduites humaines. Et pour les mêmes raisons : le racisme est la conduite à la fois la plus naturelle et la moins humaine parce qu'il est la voie de la facilité, de la plus grande commodité[80] ; en bref, la conduite « à la portée de tous ». Être antiraciste, c'est au contraire opter pour la voie difficile, c'est choisir le respect d'autrui, qui est « l'essence de la morale ». Il y va de « notre honneur d'homme[81] ». Tel est l'aristocratisme éthique enveloppé dans l'antiracisme réfléchi : si le raciste est le premier venu, le tout-venant de l'humanité à peine humaine, l'antiraciste est la noblesse de l'humanité, le sel de la terre humaine. La conclusion implicite d'une telle argumentation autofondatrice n'est jamais énoncée, et pour cause : car l'antiracisme présuppose une conception hiérarchique du monde humain, les êtres supérieurs (les individus dotés d'un plus haut degré d'humanité) étant représentés par les antiracistes, les êtres inférieurs par les racistes, dotés d'une moindre humanité, proches du règne animal. L'antiracisme implique ainsi une contradiction interne : il présuppose une doctrine inégalitaire de l'homme, qui vient contredire les idéaux égalitaires proclamés.

Mais pourquoi parier sur la nature plutôt que sur l'antinature, et inversement ? Pourquoi prendre, avec l'antiracisme, le parti de l'ange contre la bête, si nous sommes anges et bêtes, et si le mufle de la bête guette qui veut trop faire l'ange ? Antinomie des systèmes de valeurs : le choix d'une axiologie contre l'autre ne peut se justifier qu'à l'intérieur même de l'axiologie choisie. Il y a une circularité indépassable des valeurs disposant au choix d'un système de valeurs et de celui-ci. Il n'y a pas de troisième terme, qui pourrait prendre la forme d'une axiologie universelle, rationnellement fondée, susceptible de guider notre faculté de choisir en toute sécurité, et de façon exclusive.

« Racisme secondaire » et antiracisme rationaliste

Le « racisme secondaire » supposerait un bricolage idéologique portant sur les matériaux (affectifs, discursifs, notionnels) donnés par l'« autrisme ». André Langaney le définit comme suit : « Une rationalisation du racisme primaire au nom d'arguments tenant à la compétition économique ou politique entre des groupes humains [...], un moyen commode de réorientation de l'agressivité[82]. » Cette première élaboration de la réaction hétérophobique, explicitée dans le discours notamment comme rationalisation des « résidus » (au sens de Pareto : manifestations des sentiments ou des instincts), correspond à ce que l'on désigne, dans le langage ordinaire, par les termes de *xénophobie* ou de chauvinisme, et, dans la métalangue savante, par le terme d'*ethnocentrisme*. Mais le phénomène psychosocial désigné n'est correctement caractérisable que par le couple ethnocentrisme/xénophobie, renvoyant aux deux faces d'un même processus : fermeture sur soi/exclusion des autres. Un tel processus est analysé comme supposant un acte de référence historique (fictive ou vérifiable) accompagné du sophisme dit de généralisation abusive impliqué par les énoncés du type : « Les Juifs se tiennent tous », « Les Juifs sont avares »[83]. Le sophisme de généralisation abusive apparaît bien souvent sous la forme du sophisme de l'accident, lequel, notamment, consiste à passer de ce qui est vrai relativement à ce qui est vrai absolument pour former la conclusion. Ainsi, de l'énoncé : « Des Juifs sont avares », on passe à l'énoncé : « Les Juifs sont avares », c'est-à-dire d'une détermination accidentelle à une détermination essentielle[84]. Les exemples d'énoncés que nous avons mentionnés illustrent ce qu'on pourrait nommer la judéophobie ordinaire, ensemble d'attitudes verbalisées ou d'opinions fixées par des stéréotypes discursifs formant une sous-catégorie du « racisme ordinaire », lequel se manifeste sans recours explicite à une autolégitimation au sein d'une idéologie déterminée et assumée. C'est que de telles convictions réalisent par elles-mêmes des justifications de pratiques passées, présentes ou futures. Un énoncé d'aspect constatif, du type : « Les Juifs ont tué le Christ », à travers la typisation généralisante (« les Juifs ») et l'effet de réalisme engendré par la référence historique présupposée, accomplit par sa force propre une justification de tout acte dirigé contre les Juifs pris comme groupe, qu'il s'agisse d'autoriser une agression ou de la rationaliser après coup[85]. Ce qui n'implique nullement l'hypothèse trop forte que l'acte dérive nécessairement de l'opinion exprimée (cf. chap. 6, p. 252 *sq.*).

L'ethnocentrisme est le plus souvent présenté comme une « attitude universelle », coextensive à l'humanité entière, en tant que tendance propre à tout groupe social à se croire meilleur que les autres : les seuls humains véritables, les excellents, les parfaits[86]. Cette valorisation de soi est en général comprise, dans une perspective fonctionnaliste, comme une condition d'autoconservation du groupe : la cohésion et la permanence du groupe, supposant dans cette perspective une relative fermeture aux autres (individus et groupes), auraient pour condition une certaine imperméabilité aux systèmes de valeurs et de croyances des groupes extérieurs.

Les dernières formulations synthétiques de Claude Lévi-Strauss sont ici à citer pour leur exemplarité, et le minimum d'équivoque qu'elles enveloppent. La question de départ concerne la frontière entre racisme et attitudes ethnocentriques : « On en vient à confondre le racisme défini au sens strict et des attitudes normales, légitimes même, et en tout cas inévitables. Le racisme est une doctrine qui prétend voir dans les caractères intellectuels et moraux attribués à un ensemble d'individus, de quelque façon qu'on le définisse, l'effet nécessaire d'un commun patrimoine génétique. On ne saurait ranger sous la même rubrique ou imputer automatiquement au même préjugé l'attitude d'individus ou de groupes que leur fidélité à certaines valeurs rend partiellement ou totalement insensibles à d'autres valeurs [...]. Cette incommunicabilité relative [...] peut même représenter le prix à payer pour que les systèmes de valeurs de chaque famille spirituelle ou de chaque communauté se conservent, et trouvent dans leur propre fonds les ressources nécessaires à leur renouvellement [87]. » La condition de la diversité culturelle est donc la relative clôture sur soi de chaque culture, sociocentrisme qui implique une certaine dose de xénophobie : « Cette diversité résulte pour une grande part du désir de chaque culture de s'opposer à celles qui l'environnent, de se distinguer d'elles, en un mot d'être soi [88]. » Si donc une certaine « intolérance », une certaine « surdité » mutuelle [89] ou « une certaine imperméabilité » représentent le prix à payer pour que se maintiennent les différences interculturelles, il faut dénoncer la confusion courante entre racisme, « théorie fausse, mais explicite », et ce que l'ethnologue caractérise comme « des inclinations et des attitudes communes dont il serait illusoire d'imaginer que l'humanité puisse un jour s'affranchir ni même qu'il faille le lui souhaiter [90] ». Bref, la légitimation lévi-straussienne des attitudes ethnocentriques-xénophobes se présente à la fois comme une naturalisation de l'hétérophobie au plan cognitif, et une particularisation de l'éthique, réduite à un système de valeurs et de normes centré sur l'autoconservation du groupe. Il s'ensuit que Lévi-Strauss ne peut penser les formes de la haine interethnique — de l'attitude affective à la guerre — qu'en tant que corruption de l'attitude autopréférentielle légitime de chaque groupe, déviation par excès ou exacerbation d'un système naturel d'attitudes et d'inclinations : « Parce que ces inclinations et ces attitudes sont, en quelque sorte, consubstantielles à notre espèce, nous n'avons pas le droit de nous dissimuler qu'elles jouent un rôle dans l'histoire : toujours inévitables, souvent fécondes, et en même temps grosses de dangers quand elles s'exacerbent [91]. »

L'argument consistant à recourir à l'universalité de fait de l'attitude sociocentrique/xénophobe pour légitimer celle-ci caractérise la philosophie politique spontanée des écoles culturalistes et structuralistes en ethnologie, dont l'idéologie professionnelle comporte la norme du respect absolu pour les façons d'être, de penser et de faire des cultures étudiées. Le conservatisme différentialiste des ethnologues tend à interpréter l'universalité factuelle comme une nécessité : un « préjugé » universel, tel le préjugé ethnocentrique, est digne de respect du fait qu'étant universel il ne peut qu'avoir la fonction de rendre possible la survie des formes culturelles distinctes. Et le nécessaire est à son tour interprété comme désirable ou souhaitable. Si toute entité culturelle tend à persévérer dans son être, et doit persévérer dans son être différentiel, et si le préjugé ethnocentrique/xénophobe est la ceinture de sécurité minimale de chaque identité culturelle, alors il faut réhabiliter le préjugé contre l'hypercritique des modernes. Car celle-ci vise à détruire les systèmes d'autoreprésentation de toute société, c'est-à-dire à en supprimer les conditions premières d'autoconservation.

Mais l'on peut bien reconnaître l'universalité ou la naturalité du préjugé ethnocentrique/xénophobe sans pour autant en affirmer la nécessité ou, *a fortiori,* le caractère souhaitable. Ainsi, en 1894, Bernard Lazare remarque-t-il à propos de l'antisémitisme et du philosémitisme : « Le préjugé ethnologique est un préjugé universel, et ceux-là mêmes qui en souffrent en sont les conservateurs les plus tenaces. Antisémites et philosémites s'unissent pour défendre les mêmes doctrines, ils ne se séparent que lorsqu'il faut attribuer la suprématie [92]. » Dans la perspective historiciste, mêlée de foi progressiste et révolutionnaire, qui était la sienne, Bernard Lazare accorde par hypothèse une valeur fonctionnelle, historiquement située, à l'« exclusivisme » ou à « l'égoïsme national » : « Arrivées à un certain stade de développement, les sociétés primitives furent pour l'isolement, pour l'exclusivisme, pour la haine mutuelle ; les caractères nationaux étant en formation évitèrent tout choc, toute altération, et l'exclusivisme fut peut-être nécessaire pendant un certain temps pour constituer des types [93]. »

Mais Bernard Lazare ne pense pas selon les normes du relativisme culturel des ethnologues du XXe siècle. S'il y a, comme il le croit, progrès dans l'histoire, alors l'exclusivisme et le « préjugé ethnologique », qui ont eu leur heure de nécessité, doivent désormais disparaître. Qu'ils se maintiennent, et ce sera là un fait de survivance ou de régression passagère, une nuisance qui ne peut qu'être provisoire : « Aujourd'hui encore, l'exclusivisme, ou l'égoïsme national, se manifeste de la même façon, il est encore aussi vivace que l'égoïsme familial dont il n'est qu'une extension ; on peut même constater que, par une sorte de régression, il s'affirme actuellement [en 1894] avec plus de force. Tout peuple semble vouloir élever autour de lui une muraille de Chine, on parle de conserver le patrimoine national, l'âme nationale, l'esprit national [...]. On s'oppose aux immigrations, on expulse même les étrangers lorsque leur nombre devient par trop considérable, on les regarde comme un danger pour la culture nationale, qu'ils modifient ; on ne se rend pas compte que c'est là une condition de vie pour cette culture même [94]. » Ainsi, à partir de la même reconnaissance de l'universalité du préjugé ethnocentrique/xénophobe, le partisan de l'évolution progressive optera pour la suppression nécessaire et souhaitable des « exclusivismes », tandis que le partisan du relativisme ou du différentialisme culturel prônera la préservation des « imperméabilités » interculturelles.

L'ethnocentrisme, fondé pour certains auteurs « sur un refus des différences et sur un sentiment de méfiance envers l'autre [95] », implique la xénophobie en ce que « l'autre » est perçu comme étranger, voire comme « ennemi potentiel [96] ». Le sociocentrisme xénophobe apparaît comme une variante du panekhthrisme. La frontière entre racisme primaire et racisme secondaire tend dès lors à s'effacer.

On présente volontiers l'ethnocentrisme comme conduisant au mépris ou à la désignation de victimes émissaires, sur fond de déterminisme en dernière instance (d'un marxisme plus ou moins explicite) par des facteurs socio-économiques. L'anthropobiologiste Jean Hiernaux déclare ainsi : « Il existe chez l'homme une tendance générale à l'ethnocentrisme, qui se transforme facilement en une sorte de sentiment de supériorité. Cela peut aller jusqu'au point où les sociétés recherchent des boucs émissaires parmi tous ceux qui présentent une certaine forme d'altérité, politique, religieuse ou sociale, afin de rejeter sur eux les causes de tout ce qui ne va pas. La haine des étrangers est un bon exutoire à toutes les tensions sociales qui peuvent exister dans un pays [97]. » Dans la problématique de la lutte des classes, le « préjugé racial » apparaît à la fois comme un symptôme et comme un moyen de diversion, il se définit en tant que voile idéologique et instrument de légitimation auquel recourt la classe dominante et exploiteuse [98]. Telle est la représentation la plus ordinairement reçue de l'ethnocentrisme dans les milieux de l'antiracisme des biologistes militants.

Ce bref parcours des représentations du « préjugé racial », et l'exploration des raisons avancées pour fonder la distinction des deux niveaux du racisme pré-idéologique montrent une hésitation entre deux systèmes explicatifs :
— le « préjugé racial » est fondé dans « une tendance générale » de la nature humaine, et forme comme un *a priori* instinctuel, objet d'une anthropologie générale ;
— le « préjugé racial » est engendré dans l'histoire par un mécanisme de domination et d'exploitation économique. La plupart des auteurs (tel J. Hiernaux) proposent des versions syncrétiques, mêlant la théorie anthropologique et la théorie socio-économique ou « exploitationnelle » du « préjugé racial ».

On remarquera en outre que la conclusion pratique de l'ethnocentrisme ainsi défini n'est pas nécessairement l'agression, la persécution, l'exclusion ou la guerre : elle peut être une réaction d'évitement [99], bien connue des éthologistes. Le critère sûr du passage de l'ethnocentrisme au racisme reste l'interprétation biologique explicite des différences somatiques et culturelles factuelles, et la fiction corrélative de l'existence de races bien distinctes entre lesquelles les frontières sont infranchissables. A la biologisation raciale, les discours savants sur le racisme accordent donc le statut d'opérateur de la racisation. Ce qui ne semble guère dépasser la pétition de principe, tant l'on ne fait que dire tautologiquement : le racisme, qui se définit par la biologisation des différences « objectives » (en fait d'origine sociale) rapportées à la différence raciale, commence dès lors qu'il y a biologisation raciale des différences « objectives ».

Les raisons de l'antiracisme rationaliste

> « Il suffit de quelques phrases bien placées pour introduire la peur du chaos dans les esprits les plus éclairés, susciter chez eux un ardent désir de règles et de dogmes simples qu'ils pourront suivre sans avoir à reconsidérer les choses à chaque tournant [100]. »
>
> Paul FEYERABEND.

Le rationalisme a longtemps représenté la doctrine dominante parmi celles qu'invoquait l'antiracisme, avant d'être minorisé, voire supplanté par l'individualisme, l'humanitarisme (néo-christianisme éthique, cosmopolitisme esthétique, etc.) ou le révolutionnarisme. Les postulats de l'idéologie rationaliste l'amènent à caractériser négativement son adversaire, « le racisme », par certains traits :
— propension à fonder un système explicatif sur des erreurs réfutées par la science : le racisme est une pseudo-science ;
— tendance à l'irrationalisme, c'est-à-dire soit à limiter *a priori* le champ de la raison hypothético-déductive et expérimentale, soit à substituer aux méthodes rationnelles d'investigation l'intuition, le sentiment, la faculté de divination, etc. ;
— penchant à s'abandonner aux systèmes d'illusions, à dogmatiser des délires, à fuir dans le mythe, à épouser des mystiques ;
— disposition au pessimisme ou au catastrophisme, rejet de la foi dans le progrès par les Lumières, attente de l'homme providentiel qui en tient lieu ;
— appel à la violence pour résoudre les conflits [101].

L'antiracisme rationaliste se définit par sa foi dans les effets politiques et éthiques de la raison telle qu'elle est mise en œuvre par les sciences, tend corrélativement à restreindre la vérité aux vérités scientifiques provisoires ; il se méfie du sentiment et de l'imagination et a horreur du mythe qui fascine et engendre des « régressions » ; il s'affirme enfin comme un optimisme progressiste — les avancées et l'extension de la raison, à travers le progrès des sciences, sont créditées du pouvoir de sauver le monde. La conviction profonde de l'humanisme rationaliste est que les hommes « sont victimes, non d'un excès, mais d'une insuffisance de rationalité, dans l'organisation de leur existence sociale et de leur vie quotidienne [102] ». L'amalgame central du discours « rationaliste » de propagande engendre un adversaire singulièrement composite : il est irrationnel en pensée et en action, il se fonde sur des pseudo-vérités révélées (tous les esprits adhérant à telle ou telle religion révélée sont donc dans l'erreur), il se réfugie dans des systèmes d'illusions, il recourt parfois aux paradis artificiels, il s'adonne à la violence. Le rationaliste militant se propose de « combattre tous les fanatismes et les dogmatismes, les superstitions, les mythes et les diverses manifestations de l'obscurantisme [103] ». Être rationaliste, c'est donc choisir d'être du côté de la vérité, de la liberté et de la paix, contre toutes les manifestations de l'irrationalisme, allant des esprits religieux aux caractères bellicistes. Alternative manichéenne : toutes les figures du bien sont en effet du côté du rationalisme.

Jacqueline Marchand, présentant un entretien avec Albert Jacquard sur le racisme, définissait ainsi les « raisons » de l'antiracisme rationaliste : « A l'Union rationaliste, nous pensons que l'usage de la raison permet de chasser les mythes les plus dangereux et de dénoncer les prétentions pseudo-scientifiques. [...] Les conséquences du racisme pèsent lourdement sur l'humanité. Au nom de la supériorité raciale on exclut, on discrimine, réprime, insulte, on attaque, détruit, blesse, assassine jusqu'au génocide. Il n'est plus question, quand le racisme s'en mêle, de respect des autres, de considération pour le talent, l'intelligence, l'habileté ou même la beauté. Le seul mot d'ordre est : "Tue !" On aurait tort de croire que ces choses appartiennent au passé. Des faits récents [...] prouvent à quel point le mépris, voire la haine de l'autre, à cause de la forme de son nez ou de la couleur de sa peau, sont encore enracinés dans l'esprit de nos contemporains. Qu'y a-t-il de moins rationnel que ce conditionnement des esprits par des chants, des slogans, l'autorité du chef ? Et quand ces doctrines aboutissent au massacre ou condamnent des hommes à une condition misérable, nous ne pouvons que nous indigner [104]. » Ce texte est une synthèse exemplaire des représentations courantes du racisme dans l'idéologie antiraciste en général : la vulgate rationaliste ne s'y reconnaît qu'à l'insistance sur le caractère « pseudo-scientifique » du racisme. Le terme de *racisme* y apparaît comme cet aimant idéologique qui attire, dans le cadre d'une vision catastrophiste, les attributs négatifs suivants :

— position d'une supériorité raciale (autoqualification d'un groupe comme racialement supérieur) ;
— haine et mépris ;
— pratiques d'exclusion, de discrimination, de répression ;

— logique du meurtre, du massacre, jusqu'au génocide ;
— usage des techniques de conditionnement ;
— pseudo-scientificité et/ou recours à l'irrationnel.

On notera que n'apparaît pas ici le trait d'exploitation, en dépit d'une allusion (ambiguë) à la « condition misérable » des victimes du racisme. Celui-ci est présenté comme une élaboration doctrinale (« ces doctrines ») proche du *mythe,* et rapportée à une mentalité archaïque, une survivance de paléo-représentations (« *encore* enracinée dans l'esprit... »). Mais cette doctrine a pour fonction de *légitimer* le meurtre, cette pseudo-science vient au secours des massacres pour les justifier. Telle est la représentation donnée du racisme par un porte-parole reconnu du rationalisme militant contemporain. Elle se résume à deux griefs condensés en une accusation : une construction irrationnelle qui tue ou permet de tuer [105]. Aussi la tâche de l'antiraciste s'impose-t-elle clairement : il doit s'appliquer à délégitimer les légitimations abusives représentées par les théorisations pseudo-scientifiques du racisme. Et cette tâche critique apparaît comme une pédagogie de masse : « Répandre dans le public les connaissances scientifiques et l'esprit critique [106] » dont la finalité est de conduire l'humanité de l'état d'enfance à l'état adulte, état pleinement rationnel, par-delà les survivances de l'« obscurantisme » qui la retiennent encore sur la voie de la vérité. Concluant une étude significativement intitulée « Le racisme devant la biologie », dans l'une des revues théoriques du Parti communiste français, *La Pensée* (« revue du rationalisme moderne »), Pierre Boiteau déclarait : « La condamnation désormais générale des mythes racistes par les biologistes et les anthropologistes est un incontestable pas en avant, une victoire du rationalisme que nous devons contribuer à faire connaître [107]. » Ce rationalisme content de soi, conquérant et passablement méprisant à l'égard des formes culturelles qu'il rejette ou dénonce, est au rationalisme ouvert ce que le dogmatisme est à l'esprit critique. La raison satisfaite et professorale du rationalisme donneur de leçons est un simple homonyme de la raison inquiète, de la « pensée anxieuse [108] », celle qui est au principe de la science [109]. Contre la raison assoupie par le sentiment d'avoir raison, endormie sur ses lauriers, Bachelard affirmait qu'il faut « *inquiéter* la raison [110] ». Mais il devient fort difficile de s'inquiéter de soi lorsqu'on est assuré de représenter l'état dernier, le stade suprême de l'évolution : l'optimisme du rationalisme professoral parachève la philosophie dogmatique reposant sur cette conviction [111].

L'optimisme du rationalisme militant est en outre doté d'une finalité suprême, qu'on peut définir par l'idée d'une unification de l'humanité par la raison. C'est l'internationale des « travailleurs de la preuve [112] », qui préfigure l'unification de l'humanité : la société des esprits scientifiques esquisse la communauté universelle, la Cité scientifique anticipe la Cité planétaire.

Le problème est ainsi posé par Georges Mauco : « L'évolution de la vie peut en un sens aider à cette réduction des pulsions irrationnelles d'intolérance réciproque. Cette évolution qui s'accélère tend à une unification du monde. Les prodigieux progrès scientifiques, dus à la compréhension rationnelle des lois de la nature, s'étendent progressivement à toute l'humanité. On constate déjà une unité qui se réalise dans la pensée scientifique où les hommes de toutes origines obéissent à la même discipline rationnelle et tendent à parler le même langage. Cette unification par la logique de la pensée scientifique contribue déjà à une unification des genres de vie [113]. »

Le grand espoir d'un dépassement définitif des exclusivismes, cet héritage des Lumières, est le noyau de l'utopie humanitaire moderne. L'au-delà des égoïsmes nationaux était représenté de façon paradigmatique, au XIXᵉ siècle, comme engendré par le progrès indéfini des ressemblances, faisant prévaloir le fond commun sur les différences qui séparent. Bernard Lazare, en 1894, donnait un résumé frappant de cette attente utopique : « A côté de ces tendances nationalistes, des tendances contraires, opposées, existent. Au-dessus des nationalités il y a l'humanité ; or, cette humanité si fragmentée au début, composée de milliers de tribus ennemies se dévorant l'une l'autre, cette humanité devient très homogène. Les divers peuples, malgré leurs différences, possèdent un fond commun ; au-dessus de toutes les consciences nationales, une conscience générale se forme ; il y avait jadis des civilisations, nous marchons maintenant vers *une civilisation* [...] ; désormais, si les dissemblances de nation à nation persistent, les ressemblances s'accentuent [...]. La science, l'art, la littérature deviennent de plus en plus cosmopolites. A côté du patriotisme se place l'humanitarisme, à côté du nationalisme se place l'internationalisme, et la notion d'humanité acquerra bientôt plus de force que la notion de patrie [114]. »

C'est toujours dans le cadre de la conception nécessitariste du progrès que se pense une telle utopie de la fin des haines raciales et nationales. Si les « racistes scientifiques » tendent à interpréter l'évolution comme différenciation progressive (à la manière de Spencer), les premiers « antiracistes » scientistes la pensent comme assimilation croissante (à la manière de Lalande). Mais les évidences premières demeurent les mêmes, celles de l'interprétation évolutionniste du progrès nécessaire, qui se formule comme le grand récit de la modernité.

L'optimisme rationaliste se fonde donc sur la conviction que « les particularismes locaux s'estompent au profit de la ressemblance [115] », ce qui définirait le sens de l'histoire. Sur cette conviction idéologique de type universaliste concernant la marche de l'histoire humaine, l'antiraciste greffe une utopie éducationnelle, réalisant une psychologisation du problème. Au fait de l'unification progressive de l'humanité par la diffusion universelle des attitudes rationnelles s'ajoute une éthique psychologique dont les valeurs et normes principales sont :

— la prise de conscience de l'irrationnel dans les structures socio-économiques comme dans les structures psychiques inconscientes. Par exemple : « Prendre conscience de notre tendance naturelle à projeter sur des boucs émissaires nos peurs et difficultés personnelles [116] » ;

— la diffusion de l'information dans l'opinion : instruire l'opinion publique de « l'irrationalité des réactions racistes ». Rappeler notamment qu'« aucune réalité raciale ne peut justifier scientifiquement le racisme [117] » ;

— la connaissance et la reconnaissance de soi et de l'autre : « Ainsi la différence de l'étranger pourra être ressentie comme valeur propre et non comme infériorité [118] » ;

— par une « plus grande compréhension mutuelle », s'appliquer à substituer progressivement la tolérance à « l'intolérance irrationnelle des orgueils ethniques, religieux ou politiques [119] ».

L'objectif n'est certes pas d'éliminer l'intolérance, mais de l'atténuer : s'il ne s'agit pas de réaliser la tolérance universelle, il est du moins possible de limiter universellement l'intolérance. Cet optimisme rationaliste est fondé sur une quadruple opposition de valeurs et de normes :

— connaissance *vs* ignorance ;
— réalité *vs* délire ;
— rationnel *vs* irrationnel ;
— tolérance *vs* intolérance.

On reconnaît là encore l'idéologie de l'émancipation, le récit universaliste de l'*Aufklärung* et son culte de la tolérance : « La raison commune à tous les hommes est le fondement du sentiment d'humanité [...]. Cette mise en valeur de ce qui est humain et qui est fondé sur la raison engendre l'idéal et l'exigence de tolérance[120]. » H. Arendt désigne au centre de cet humanisme « l'idée selon laquelle chez tous les hommes on retrouvera toujours le même homme, simplement dissimulé sous la diversité des convictions dogmatiques, des mœurs et des comportements, ce respect devant tout ce qui a visage humain ». Si « l'homme qui cherche la vérité devient plus important qu'elle », si « l'homme prend le pas sur la vérité », alors celle-ci est « relativisée au profit de ce qui fait la "valeur de l'humain" et qui se révèle dans la tolérance ». La dimension religieuse est soumise à une humanisation radicale : la révélation s'y réduit à « la découverte de ce qui est purement humain ». Ainsi « la toute-puissance de la raison est en fait la toute-puissance de l'humain, de l'*humanitas* », et « si l'essentiel est désormais dans la quête perpétuelle de la vérité [...], aux yeux de l'homme tolérant — l'homme authentiquement humain —, toutes les confessions ne sont en fin de compte qu'autant de désignations différentes d'une même humanité dans l'homme[121] ». Éducation et tolérance : voilà les deux grands mots d'ordre des Lumières réinvestis dans l'idéologie antiraciste dominante au XXe siècle.

« Racisme tertiaire » et antiracisme critique-démystificateur

Dès lors qu'intervient, de façon constitutive, dans le discours et l'argumentation, le vocabulaire « biologique » de la race (marqué par des emprunts et références à l'anthropologie physique ou à la raciologie), et que s'y investissent les modes scientistes de légitimation (recours à des catégorisations et classifications renvoyant à un ordre supposé naturel), un *racisme tertiaire* apparaîtrait, qui présupposerait les deux premiers niveaux ou degrés en ce qu'il les intégrerait. La notion de racisme tertiaire semble renvoyer à toutes les formes élaborées du couple ethnocentrisme/xénophobie, impliquant des modes de théorisation empruntés aux sciences biologiques. Mais, à l'analyse, le racisme tertiaire s'avère désigner deux ensembles de phénomènes de valeurs-croyances distincts. D'une part, il permet de bien marquer la spécificité, par rapport aux deux premiers niveaux, des idéologies racistes explicites, c'est-à-dire des théories ou des doctrines se présentant comme telles, se donnant pour cohérentes et complètes, dotées d'une puissance d'explication (de l'histoire, du social), s'attribuant le titre de « scientifiques[122] », prétendant parfois même à l'autorisation expérimentale. D'autre part, dans la terminologie de G.I. Langmuir, le scientisme raciste moderne correspondrait, non sans poser de nombreux problèmes, au niveau des énoncés catégorisés comme chimériques, consistant en affirmations sur l'Autre relevant de projections fantasmatiques, sans référence à une quelconque observation empirique[123]. On peut rappeler cet exemple classique d'énoncé chimérique, se présentant comme certitude historico-anthropologique : « Les Juifs se rendent coupables de meurtre rituel[124]. » Ou encore cet énoncé médiéval remis en circulation par la propagande nazie, avant de l'être à nouveau par un certain « antisionisme » : « Les Juifs empoisonnent les puits[125]. » Mais cette classe d'énoncés ne peut se clôturer selon le critère du recours moderne (depuis la fin du XVIIIᵉ siècle) au paradigme biologique, sous l'autorité scientifique duquel la différence de « race » a été interprétée comme cause déterminante de la diversité culturelle, et principe d'une échelle hiérarchique ordonnatrice des différences. Dès lors qu'on accepte, en dépit de l'emprise du scientisme[126] sur nos esprits, d'élargir la classe des affirmations théorico-« chimériques » en y incluant celles qui relèvent du principe traditionnel de l'autorité (la dimension théologico-religieuse), le discours biologico-scientiste moderne n'apparaît pas comme différant en nature, fonctionnement et fonction, des discours traditionnels d'exclusion disqualificatoire. Dans tous les cas, c'est l'adhésion absolue à une conception générale du monde (d'ordre religieux, idéologique ou scientifique), la croyance inconditionnelle (foi religieuse, conviction idéologique ou évidence scientifique) à la valeur de vérité de la Théorie qui a pouvoir d'autoriser l'opération dite, au sens large, *raciste*[127]. L'extension du concept de racisme est en ce cas maximale. Tout acte de racisation s'adossant à une construction spéculative générale explicitable peut ainsi être situé à ce troisième niveau, celui du racisme élaboré, dont l'argumentation auto-justificatoire est renforcée et cohérée par intégration dans une conception du monde. S'il est vrai que le systématisme extrême et le délire paranoïde entretiennent des relations intimes, alors les énoncés chimériques de racisation ne réalisent jamais tant leur concept que sur le mode biologico-scientiste contemporain, décrivant un monde naturel autosuffisant, clos sur lui-même et régi par des lois immanentes supposées éternelles. Il suffit de faire l'hypothèse d'un changement du paradigme de la transcendance :

de l'infini mathématique au miracle du vivant, c'est-à-dire au fait empirique et transcendantal de la différence (variation, diversité individuelle, polymorphisme génétique). En témoigne l'émergence de la différence, dans les genres discursifs les plus éloignés (discours biologique et publicitaire, quotidien et politico-médiatique, ethnologique et philosophique), en nouvel objet commun d'éloge, en valeur des valeurs admises, en motif célébré comme tel.

Nous rencontrons l'aporie suivante : le racisme tertiaire est repérable, soit comme bricolage idéologique caractéristique de la modernité (milieu du XVIIIe siècle-milieu du XXe siècle), soit comme élaboration spécifique de la « xénophobie » en général, apparaissant lorsque cette conduite de « phobie » de l'Autre est intégrée dans une conception globalisante qui lui donne son sens et ses titres d'habilitation symbolique (biologisation). Que cet hypothétique troisième niveau, ce monde raciste du troisième genre, renvoie à un troisième état historique du racisme — par une « loi des trois états » revue et adaptée — ou qualifie le degré supérieur d'une élaboration conceptuelle, cela reste indécidable. Le critère le plus opératoire qui puisse être retenu pour « sauver » le tiers racisme nous semble être double : d'abord, une *sophistication* de l'argumentation xénophobe, c'est-à-dire la poursuite du processus dit de « racisme secondaire » ; ensuite, la mise en œuvre du schème de la *causalité diabolique* [128], qui marque un point de rupture avec l'hétérophobie bien tempérée par les critères d'acceptabilité en cours, spécifiant le second niveau. Dans ce dernier cas, les énoncés de racisation sont hyperboliques, et caractérisent le racisé par sa mise en équivalence avec une abstraction personnifiée — tel individu catégorisé Juif est ainsi identifié comme représentant de l'abstrait singulier « le Mal » ; tout exemplaire du type nègre est identifié comme représentatif de l'« Animalité », voire du « Bestial » [129].

Les trois niveaux du racisme distingués par l'antiracisme savant définissent en fait trois niveaux de ce qu'il convient de nommer *xénophobie*, selon une échelle allant du plus simple, du plus « naturel » et du mieux déterminé (réactions élémentaires) au plus complexe, au plus « culturel » et à l'indéterminé (oscillation entre dogmatisme scientiste et délire paranoïde). Il reste qu'une telle typologie hiérarchique des modes d'exclusion de l'Autre/étranger risque d'engendrer un effet pervers : légitimer, en le naturalisant, le mécanisme xénophobique ainsi analysé.

Cette théorisation des niveaux est fondée sur un postulat de continuité des « racismes » distingués, impliquant qu'il n'y ait entre eux qu'une différence de degré. Or, c'est précisément l'un des points théoriques en question, que nous aborderons plus loin, selon diverses problématiques (Lévi-Strauss, par exemple, refuse de catégoriser unitairement ethnocentrisme et racisme). En outre, plusieurs hypothèses interprétatives peuvent être avancées face à cette théorie des niveaux. La première hypothèse, centrée sur le premier niveau, pourrait être que le racisme est partout dans les attitudes et les conduites humaines : le racisme, catégorie englobante, fait le lien entre les tendances élémentaires et les systèmes de représentations élaborés. La seconde hypothèse, centrée sur l'hétérogénéité des racismes dits primaire et tertiaire, pourrait être que le racisme n'apparaît nulle part de façon claire et distincte, et que l'on appelle paresseusement racisme des phénomènes dont la connaissance gagnerait à ce qu'ils soient modélisés différentiellement. La troisième hypothèse pourrait être que seul le troisième niveau distingué permet de repérer, puis de définir le racisme par opposition aux réactions défensives élémentaires, au sentiment d'appartenance communautaire, à la désignation d'un ou plusieurs ennemis (acte impliqué par l'essence du politique), au sociocentrisme en général. Dans cette dernière perspective, on ne saurait parler de racismes primaire et secondaire. Mais, si le racisme au sens strict se situe au niveau du « racisme tertiaire », on se trouve devant l'aporie : on appelle racisme à la fois une construction doctrinale explicite et un ensemble vague d'énoncés qui, selon les auteurs, relèvent de la chimère ou de la fiction délirante, de l'invérifiable ou du faux, du mensonge et de la falsification volontaire. Pour surmonter l'aporie, la voie la plus simple consiste en un constat d'analogie avec le comportement paranoïaque : le racisme, comme système de représentations cohérent, fermé et « explicatif » en même temps que somme incohérente de chimères, d'erreurs et de mensonges, se présente comme un tableau paranoïaque du monde. Il faut alors avouer que le gain scientifique est maigre.

La « théorie » des niveaux permet une problématisation des représentations courantes du racisme, relevant aussi bien du discours ordinaire que du discours savant : c'est là son aspect positif. L'illusion qu'elle fournirait un modèle théorique satisfaisant du racisme définit son aspect négatif. La hiérarchie des niveaux, en se présentant comme une théorie englobante, ne fait que donner une pseudo-cohérence à l'hétérogénéité des emplois du mot « racisme ». Bricolage idéologique, la « théorie » des niveaux ne permet pas de clarifier les débats idéologiques car elle fait partie de ces derniers, elle n'apporte et ne peut apporter aucune autre clarté conceptuelle dans les discussions théoriques que celle qui est impliquée dans les actes de langage ordinaires. C'est ainsi qu'elle reproduit, sur le plan du discours sur-légitime de la science, la vieille confusion entre agressivité de groupe, ethnocentrisme, xénophobie, nationalisme et racisme, que celui-ci caractérise des attitudes, des comportements ou des systèmes de croyances et de valeurs.

Le discours antiraciste théorique. Ses genres et ses limites

La « théorie » des niveaux précédemment esquissée se proposait de répondre à la question : qu'est-ce que le racisme ? On peut chercher les raisons de son caractère insatisfaisant par l'analyse des différentes constructions théoriques au moyen desquelles les spécialistes antiracistes du racisme fondent leur antiracisme en produisant types idéaux et modèles du racisme. Après l'inventaire des définitions descriptives du racisme, nous continuons celui des définitions stipulatives du racisme, commencé avec la « théorie » des niveaux [130]. De nombreux auteurs ont bien distingué, dans le champ de l'antiracisme savant à prétention explicative, deux attitudes vis-à-vis du concept de « race » dans les recherches de biologie humaine :

— les modérés proposent de *limiter* l'usage scientifique du terme de « race », en fournissant des critères explicites de ce qui est ainsi désignable ;

— les radicaux n'hésitent pas à *nier* toute utilité scientifique du terme, et, en en prescrivant l'abandon définitif, dénoncent comme pseudo-scientifique tout usage de la notion de race dans l'étude de l'homme [131].

Ces deux attitudes épistémologiques correspondent, dans notre typologie, aux genres (1) et (2) de l'antiracisme savant. Mais, dès lors qu'on prend en considération les élaborations théoriques des spécialistes des sciences sociales, d'autres types d'attitudes apparaissent, et peuvent se définir différentiellement. De façon plus précise et plus systématique, la multiplicité des argumentations antiracistes savantes peut être réduite à six genres de discours dénonciatif :

• dénonciation des usages illégitimes du concept scientifique de race (genre 1) ;

• dénonciation de l'illégitimité scientifique de la notion commune de race (genre 2) ;

• dénonciation de l'interprétation naïvement (ou stratégiquement) raciale ou raciologique du racisme, tant par les racistes que par les antiracistes, position dont on peut distinguer deux variantes, la première repérable dès la fin du XIXe siècle, la seconde apparue dans les années soixante/soixante-dix :

— la détermination sociologique des facteurs ethniques, impliquant la dénonciation du primat du déterminisme de l'hérédité de groupe dans les sciences sociales (genre 3) ;

— le déplacement psychosociologique de la question, vers les sens sociaux de la « race », qu'il s'agit de décrypter (genre 4) ;

• dénonciation de la trompeuse unicité postulée par l'expression « le racisme » et réduction du pseudo-biologisme à des modes d'autolégitimation de groupes sociaux, toujours pris dans une structure de domination, réelle et symbolique (genre 5) ;

• dénonciation des modèles biologiques et sociologiques des racismes, dont on vise à réduire la diversité par une mise en corrélation avec une typologie des familles universelle, au sein d'une anthropologie politico-culturelle générale (genre 6).

Ces six genres du discours antiraciste théorique se présentent comme des discours explicatifs qui, après analyse, prescrivent le rejet du racisme au nom de telle ou telle science, voire au nom de la science. Ils prétendent répondre, chacun ayant son argumentation réfutative et autolégitimante, à la question : pourquoi, en quoi et comment combattre le racisme dans le champ du savoir ? Ce qui suppose d'avoir une certaine idée de ce que l'on prétend combattre, et de s'appliquer à l'élaborer au sein de telle ou telle problématique scientifique. Or, les définitions stipulatives du racisme varient d'abord avec les spécialités disciplinaires des antiracistes savants :

1) *l'anthropologie physique*, telle qu'elle est conçue par ses représentants modérés, ne prétendant pas réduire les sciences de l'homme à l'étude des races humaines. Mais les anthropologues argumentent en postulant un réalisme de la race : les races existent dans le champ de l'expérience, il faut les observer, les décrire et les classer selon des critères liés à des mesures comparatives ;

2) *la génétique*, et en particulier la génétique des populations : sur les races humaines, les généticiens contemporains sont plutôt nominalistes et tendent à considérer que, si la race n'est qu'un terme classificatoire, celui-ci est mal formé en tant que concept et dénué de référence objectivable — un mot vide et inutile qu'il faut abandonner, pour en finir avec le racisme ;

3) *les problématiques sociologiques* récusant le recours à la race en tant que concept explicatif et postulant que la race est un produit social à expliquer ;

4) *la psychosociologie interprétative*, l'herméneutique critique et démystificatrice inspirée par la psychanalyse : l'hypothèse du sens social latent fonde la tâche d'en déchiffrer les indices, légitime l'interprétation indéfinie des signes ambigus de « racisation », le racisme renvoyant d'abord au non-dit en toute conduite sociale observable, verbale et non verbale ;

5) *une sociologie critique* qui, intégrant dans une conception déterministe de type « sociologiste » l'hypothèse marxiste d'une réduction des pratiques racisantes à des comportements de classe, s'applique à une analyse des modes de légitimation/illégitimation, tels qu'ils sont réalisés ou présupposés par ce qu'on appelle racisme ;

6) *une anthropologie familiale* qui, fondant une typologie des racismes sur une typologie des familles, esquisse une carte anthropologique des variantes idéologiques du « racisme » (un relativisme culturel et idéologico-politique dans un universalisme anthropo-familial).

Ces divers types idéaux et modèles d'intelligibilité peuvent être mis en relation avec les différents types de publics, ou les diverses classes de destinataires, qu'ils visent spécifiquement : l'efficacité de leurs argumentations respectives, leur force persuasive, est limitée par les domaines de recevabilité et d'acceptabilité que découpent les valeurs et les croyances admises par leurs auditoires (on peut faire l'hypothèse que chaque genre de discours antiraciste savant a son auditoire idéal, et qui n'est pas lui-même nécessairement savant) [132].

La désimplication de la science légitime des « races » et du racisme

Le racisme est tout d'abord dénoncé en tant que fausse science, ce qui suppose l'existence d'une science normale et légitime par rapport à laquelle le diagnostic de fausseté est prononcé.

L'énonciateur antiraciste désimplique le problème de l'existence des races humaines de celui du racisme, acceptant la facticité anthropologique de la différenciation raciale qu'il oppose à l'inscription de la diversité des groupes « naturels » sur une échelle hiérarchique [133]. C'est un tel acte d'assignation hiérarchisante qui caractériserait seul le racisme. La catégorisation impliquée, quant à elle, resterait neutre, située en deçà de la disjonction racisme/antiracisme. Le destinataire de ce discours antiraciste, que j'appellerai « raisonnable », est représentable par un sujet qualifié par son savoir, soit empirique (l'homme de la rue) soit scientifique (l'expert) [134]. Il s'agit de persuader ce sujet épistémique de ne pas dépasser le niveau de l'observable, de le convaincre de s'en tenir à ce qu'il sait vraiment, sans aller au-delà. L'objectif de l'argumentation est de fixer des limites précises au-delà desquelles le discours racial légitime devient discours raciste illégitime — et, dans la plupart des sociétés démocratiques, illégal. En premier lieu, le point de rupture racial/raciste est le symétrique inverse, l'image spéculaire de la désormais classique coupure épistémologique, interprétée selon le modèle positiviste de la préhistoire idéologique (erreurs, illusions, délires, mythes) à laquelle l'histoire de la science bien fondée met fin. D'où l'analogie de proportionnalité sous-jacente : le savoir des races est au racisme ce que la science est à l'idéologie ou à la fausse science, à sa préhistoire toujours menaçante. L'énonciateur assume ainsi la position du scientisme ambiant, pièce maîtresse de la normalité idéologique moderne. En second lieu, ce qui fait surgir les plus grosses difficultés, c'est que le savoir scientifique, celui de l'anthropologie physique (essentiellement classificatoire), est mis sur un pied d'égalité avec le bon sens du sujet qui voit (bien) les différences (d'abord et surtout, les variations de couleur des épidermes). Ce discours d'exhortation antiraciste, comportant un blâme continué d'un sujet stigmatisé : « le raciste », et d'un objet double, récusé comme tel : le racisme-théorie et le racisme-comportement [135], s'adresse donc à un destinataire ressemblant fort à cet homme moyen doté d'un bon sens infaillible, susceptible de raisonner et de « s'élever » culturellement en recevant les leçons des spécialistes autorisés en la matière. Antiracisme naïf et bien-pensant, en ce qu'il commence par accepter les représentations et valeurs en cours dans sa société de référence (les respects, voire les cultes contigus du *fait* et de la *science*, qui se renforcent l'un l'autre).

Lorsqu'il apparaît chez les sociologues, le genre discursif (1) se fonde souvent sur la distinction, classique depuis Max Weber, entre jugements de fait et jugements de valeur : « Nous venons de voir à quel point les théories raciales sont critiquables. Cela ne veut pas dire évidemment qu'il n'y ait pas de races. Mais ces théories ont le grave défaut de mêler des jugements de valeur hasardeux à la constatation des faits dont les uns sont indiscutables et les autres contradictoires. Elles opèrent un choix arbitraire parmi ces faits, rejetant sans raison ceux qui ne leur conviennent pas [136]. » Depuis les usages nazis de l'étude des races humaines, les anthropologues physiques sont devenus à la fois plus conscients des dérives idéologiques possibles de leur savoir et plus prudents face aux énoncés susceptibles d'être interprétés comme racistes. Le noyau de leur rejet explicite du racisme contient de ce dernier une définition correspondant à la définition reçue : ils s'appliquent en effet à récuser, au nom de la prudence scientifique, l'hypothèse d'une échelle universelle, unique et globale des aptitudes déterminées par la race. L'évidence définitionnelle est que le racisme est essentiellement une doctrine inégalitaire des races. Il nous suffira de citer Henri-V. Vallois : « Certains auteurs ont cru devoir distinguer des races "supérieures" et des races "inférieures", les premières, plus évoluées du point de vue somatique comme du point de vue psychique, étant par là même toutes désignées pour diriger et commander les autres. *C'est cette notion qui est à la base du racisme.* Mais elle ne repose sur aucune preuve. Du point de vue somatique, chaque race a des caractères plus évolués, d'autres plus primitifs, les Australoïdes eux-mêmes, où certains caractères primitifs sont particulièrement visibles, sont très évolués pour une série d'autres. Du point de vue psychique d'autre part, on a vu [...] l'impossibilité où nous sommes, pour le moment au moins, de différencier ce qui, dans l'intelligence d'un individu ou d'un groupe, revient à l'éducation ou au milieu de ce qui pourrait revenir à la race. La notion de races supérieures et de races inférieures doit disparaître (voir la publication de l'Unesco, 1960) [137]. »

L'impossible neutralité de la différenciation

Un exemple moins récent de légitimation du concept de race, dans un contexte marqué par la prudence scientifique et sous une signature autorisée, permettra d'indiquer comment la discrimination des races, aussi neutre qu'elle se puisse vouloir, engage des effets métaphoriques non dominés, et peut-être non maîtrisables par principe. A la fin de l'« Avertissement » précédant son fort volume de synthèse encyclopédique, *Les Races et l'histoire*[138], Eugène Pittard prévenait obligeamment le lecteur : « J'emploie, sans byzantinisme aucun, le mot race, dans le sens où l'emploie le vulgaire : la réunion d'individus semblables, issus de parents du même sang[139]. » Refusant toute « discussion » sur les questions taxinomiques posées par les emplois du mot race, ce professeur d'anthropologie à l'université de Genève s'accordait en 1924 une définition d'emprunt : « Voici une définition de la race, donnée par Boule[140] qui convient parfaitement à ce volume : "On doit entendre par race la continuité d'un type physique traduisant les affinités de sang, représentant un groupement essentiellement naturel, pouvant n'avoir, et n'ayant généralement rien de commun avec le peuple, la nationalité, la langue, les mœurs qui répondent à des groupements purement artificiels, nullement anthropologiques et ne relevant que de l'histoire dont ils sont les produits"[141]. » Nulle tentative d'explication ne s'ensuit des expressions définissantes : « continuité », « type physique », « affinités de sang », division des groupements en « essentiellement naturel(s) » et « purement artificiels », dont les effets métaphoriques sont rejetés dans l'évidence de ce qui est admissible sans discussion. La clarté, dans le propos définitoire, n'apparaît guère que par l'affirmation de l'opposition nature/histoire — le « naturel » (le donné biologique) s'opposant à l'« artificiel » (le construit humain) — où elle semble s'être réfugiée. Mais encore à titre d'évidence première. Nous sommes ainsi devant une analogie implicite : la « race » est à l'ensemble « peuple-nationalité-langue-mœurs » ce que la « nature » est à l'« histoire ». Pétition de principe, puisque la distinction nature/histoire, source unique de classification, n'étant qu'affirmée, demeure elle-même obscure, au moins problématique. La « race » est, par une telle définition, naturalisée, inscrite dans l'élément naturel qui précède l'élément anthropologique, et par cet acte définitionnel légitimée comme concept scientifique. La science rejoint ainsi le sens commun, et la promotion de celui-ci : le bon sens, car, n'est-il pas vrai, « la nature, c'est la nature[142] ».

La délégitimation scientifique du concept de race

> « Et nous pensons, avec Jean Hiernaux, que le terme de "race" est, pour l'humanité présente, dépourvu de signification [143]. »
>
> Jacques RUFFIÉ.

L'énonciateur refuse d'accorder au concept de « race » la moindre légitimité scientifique et, supposant la fondation du racisme sur la division de l'espèce humaine en races distinctes, pense ainsi éliminer la base argumentative du racisme. Puisque le terme de « race » est désormais dépourvu d'usage scientifique, qu'il appartient au lexique des idéologies politiques et des mythes modernes, on croit pouvoir conclure qu'éliminer le mot constitue une thérapeutique antiraciste efficace. Le noyau de l'argumentation est simple : le scientisme du siècle dernier ayant crédité l'idée de « race » d'une valeur scientifique dont les idéologies racistes ont bénéficié, il suffit aujourd'hui de discréditer, au nom de la science, l'idée de « race » pour délégitimer le racisme. C'est la position défendue par le généticien Albert Jacquard, à partir d'une analyse des actes corrélatifs, appartenant certes à la logique naturelle des humains, de classification catégorisante (définir des « races » distinctes) et de hiérarchisation (établir entre les « races » une échelle de valeurs), dans lesquels il repère la fondation cognitive de tout racisme [144]. Il ne lui est pas difficile de conclure, dès lors que « la distance [génétique] entre deux personnes d'une même race est en moyenne inférieure de 7 % à la distance entre deux hommes pris au hasard dans l'ensemble de l'humanité [145] », que pour le généticien des populations « le mot "race" n'a pratiquement pas de contenu [146] ». D'où une proposition relevant d'une hygiène et d'une chirurgie du langage, visant à en extirper les vocables chargés d'excroissances idéologiques potentielles : « Compte tenu des implications biologiques que tant d'écrits, de doctrines et de politiques ont accrochées, de façon indélébile, au mot "race", ne serait-il pas prudent de l'éliminer, comme on fait d'un outil inutile et dangereux [147] ? » La solution du problème semble ainsi se réduire à une purification lexicale et sémantique. Son destinataire privilégié, et peut-être exclusif, est identifiable par la figure du chercheur scientifique qui, armé de prudence épistémologique et d'une faculté d'autocritique, est engagé de façon militante dans le camp d'un humanisme « éclairé » dont l'universalisme tient ses arguments d'un certain état de la science. Le risque est ici de ne s'adresser guère de façon convaincante qu'à des collègues, et à des esprits déjà convaincus par l'éthique antiraciste. La force d'une telle argumentation se réduit à sa valeur de confirmation. Elle n'a guère de force persuasive face à un auditoire n'admettant pas le même système de valeurs — disons : celui de l'humanisme « scientifique ».

Dans une brève mise au point sur « Biologie-Racisme-Hiérarchie [148] », François Jacob commence par rappeler que tout organisme vivant, tout individu, est « l'aboutissement d'une interaction constante entre son programme [génétique] et le milieu dans lequel il vit ». En outre, chaque individu diffère de tous les autres, « à la fois par le programme qu'il a reçu et par l'aventure qu'il a vécue ». La « réaction normale du scientifique » est de « chercher à tenir compte de ces différences de façon à classer les membres d'une même espèce en groupes suffisamment homogènes pour être considérés comme des entités définissables et distinctes [149] », ne serait-ce qu'à partir de la fréquence plus ou moins grande de certains traits physiques dans tel ou tel groupe. Cette activité classificatoire suppose l'existence de types, de concepts typologiques ou essentialistes des groupes ainsi classés (espèces, races, etc.). Or ce mode de pensée essentialiste a été « totalement rejeté par la biologie moderne [150] ». Les individus d'un ensemble donné ou posé ne peuvent plus être scientifiquement considérés comme des expressions d'un même type, des exemplaires d'une idée archétypique [151]. Le platonisme vague postulé par un tel système théorique n'a plus de valeur opératoire : la fixité stéréotypique manque désormais de référents scientifiquement repérables. F. Jacob rappelle que « la distance biologique entre deux personnes d'un même groupe, d'un même village, est si grande qu'elle rend insignifiante la distance entre les moyennes de deux groupes, *ce qui enlève tout contenu au concept de race* [152] ». Autrement dit, la pensée essentialiste est incapable de rendre compte de la « variabilité extraordinaire [...] des caractères que nous pouvons spécifier [153] ».

Quant à la prétention raciste de hiérarchiser les races, elle est dénuée de toute légitimité scientifique : d'abord du fait que « le concept de race a *perdu toute valeur opératoire*, et ne peut que figer notre vision d'une réalité sans cesse mouvante [154] », d'où le manque des éléments mêmes de l'entreprise hiérarchisante ; ensuite du fait que la prédestination génétique, présupposée par la racisation hiérarchique, n'est qu'une « légende », de même statut que la fiction empiriste de la table rase.

La biologie ne permet donc que d'affirmer l'unicité absolue de chaque individu, ce qui empêche d'entrée de jeu toute tentative de hiérarchisation des individus entre eux comme des prétendues races entre elles. « La seule richesse est collective : elle est faite de la diversité. Tout le reste est idéologie [155] », conclut F. Jacob. Science et idéologie s'opposent, ainsi, très classiquement, comme la raison et les passions : « ... Ce ne sont pas les idées de la science qui engendrent les passions. Ce sont les passions qui utilisent la science pour soutenir leur cause. La science ne conduit pas au racisme et à la haine. C'est la haine qui en appelle à la science pour justifier son racisme [156]. » A partir de cette mise hors jeu de la science, supposée neutre par rapport au champ des passions générales et dominantes constitutives de l'idéologie, deux types extrêmes de positions sont possibles, où science et racisme sont articulés : soit l'on récuse le racisme au nom de la science qui, par exemple, ne conférerait plus de valeur conceptuelle au mot « race » (J. Ruffié, A. Jacquard, F. Jacob), soit l'on autorise le racisme au nom de la science, en reformulant selon les normes en cours du discours scientifique les thèses dites racistes, centrées aujourd'hui sur l'inégalité intellectuelle entre Blancs et Noirs (C. Burt, H.J. Eysenck, A.R. Jensen). Mais qui tranchera, et autorisera tel ou tel mode, raciste ou antiraciste, de légitimation scientifique du discours sur l'homme ?

La race comme produit social

Le principe de la critique sociologique classique de la théorie des races est simple : la différence raciale ne saurait être un principe d'explication du fait qu'elle n'est qu'un effet socialement produit, donc explicable sociologiquement. La thèse générale de la race-résultat est commune à la psychologie sociale de G. Tarde et aux disciples de F. Le Play. Chez Tarde, la race est définie comme une construction sociale, un produit historico-culturel : « Chaque civilisation donnée [...] se fait à la longue sa race ou ses races où elle s'incarne pour un temps ; et il n'est pas vrai, à l'inverse, que chaque race se fasse sa civilisation [157]. »

Il s'ensuit une inversion du postulat déterministe de la « philosophie des races » : c'est le type culturel qui engendre le type racial. L'explication déterministe n'est donc pas mise en question : le psychologue social se contente de mettre la force modelante du milieu culturel à la place tenue par les facteurs de race dans la « théorie des races ». La position de Tarde est d'ailleurs modérée : il ne s'agit pas, en mettant la race à sa place d'effet social, d'en récuser la réalité ou d'en négliger l'efficace. « On voudra bien ne pas me prêter l'idée absurde de nier [...] l'influence de la race sur les faits sociaux. Mais je crois que, par nombre de ses traits acquis, la race est fille et non mère de ces faits, et c'est par cet aspect oublié seulement qu'elle me paraît rentrer dans le domaine propre du sociologiste [158]. »

Dans son « Essai de géographie sociale » : *Comment la route crée le type social* [159], Edmond Demolins, disciple de Le Play, énonce d'entrée de jeu son refus de principe de toute explication de la diversité humaine par les facteurs raciaux, et avance ce qu'il estime être la solution correcte du problème ainsi posé :

« Il existe à la surface du globe terrestre une infinie variété de population.

« Quelle est la cause qui a créé cette variété ?

« En général, on répond : c'est la race.

« Mais la race n'explique rien, car il reste encore à rechercher ce qui a produit la diversité des races. La race n'est pas une cause, c'est une conséquence.

« La cause première et décisive de la diversité des peuples et de la diversité des races, *c'est la route que les peuples ont suivie.*

« C'est la route qui crée la race et qui crée le type social.

« Les routes du globe ont été en quelque sorte des alambics puissants, qui ont transformé, de telle manière ou de telle autre, les peuples qui s'y sont engagés. »

L'inversion de l'ordre causal, dans le sens d'un mésologisme socio-géographique, permet ainsi d'esquisser une théorie de la race-effet : la différence raciale est un produit de la diversité des milieux. Au déterminisme biologique strict répond un déterminisme socio-géographique non moins strict. La force modelante et différenciante de la « route » doit s'entendre comme l'efficacité non seulement des « régions parcourues par les migrations des peuples », mais encore du « lieu où ces peuples se sont établis ». Prenons l'Europe occidentale : « Les types scandinave, anglo-saxon, français, allemand, grec, italien, espagnol sont, eux aussi, le produit des routes sur lesquelles nos ancêtres se sont dispersés pour arriver dans leur habitat actuel. La diversité de ces routes explique seule la diversité des peuples de l'Occident et ce que l'on appelle trop commodément le génie national de chacun d'eux. » Si la géographie, cessant de n'être qu'une nomenclature de noms ou un tableau du relief du sol, « explique la nature et le rôle social de ces diverses routes et par conséquent l'origine des diverses races », « elle devient aussi le facteur primordial de la constitution des sociétés humaines ». La science sociale peut dès lors formuler des « lois sociales » à la rigueur desquelles l'homme ne saurait se soustraire, mais auxquelles il peut, en les connaissant, s'accommoder, qu'il peut même « mettre à son service ». L'histoire, de son côté, « cesse d'être le récit d'événements souvent inexpliqués et inexplicables », « elle se coordonne, elle s'élève, elle aboutit à la plus haute et à la plus exacte des philosophies ». Demolins propose ainsi une expérimentation fictive : « Modifiez l'une ou l'autre de ces routes, élevez-la, ou abaissez-la, faites-y pousser telle production au lieu de telle autre, transformez ainsi dans tel sens ou dans tel autre la forme et la nature du travail, aussitôt le type social est modifié et vous obtenez une autre race. »

Mais si la science sociale a découvert des lois, alors on peut aller « plus loin : si l'histoire de l'humanité recommençait sans que la surface du globe ait été transformée, cette histoire se répéterait dans ses grandes lignes ».

Il reste que l'argumentation socio-géographique tire sa force explicative de ce qu'elle ne prend en considération que les « races historiques », et non pas les « races zoologiques ». Or, les « races historiques », étant des types sociaux façonnés par les milieux dans leurs histoires spécifiques, s'expliquent plus facilement par la diversité de ces derniers que les « races zoologiques » de l'anthropologie physique. Bref, Demolins tend à confondre, en les mettant sur le même plan, les grandes races avec les peuples, nations ou ethnies : dans sa typologie sociale, il parle indifféremment du « type nègre » et du « type arabe », du « type indien » et du « type français », du « Phénicien », du « Romain » ou du « Germain ». Ces types semblent ne différer que par le degré de complexité : « J'avance en allant, comme il convient, des types les plus simples aux types les plus compliqués, par conséquent de l'Europe orientale à l'Europe occidentale [160]. »

On notera enfin que Tarde, sévère pour les tenants du déterminisme racial strict [161], ne l'était pas moins pour le parti pris dogmatique inverse, à savoir l'explication passe-partout par

« le milieu » : « Il y a un fétiche, un *deus ex machina*, dont les nouveaux sociologues font usage comme d'un *Sésame ouvre-toi*, chaque fois qu'ils sont embarrassés, et il est temps de signaler cet abus qui réellement devient inquiétant. Ce talisman explicatif, c'est le *milieu*. Quand ce mot est lâché, tout est dit. Le *milieu*, c'est la formule à toutes fins dont l'illusoire profondeur sert à recouvrir le vide de l'idée [162]. » L'histoire des débats et controverses au XXe siècle semble justifier *a posteriori* la méfiance méthodique de Tarde vis-à-vis des explications dogmatiques. Qu'elles soient héréditaristes/racistes ou environnementalistes.

La thèse de la racisation avec ou sans « race »

L'analyse critique du racisme se présente ici comme impliquant le décryptage d'une présupposition réciproque de la « race » et de l'acte racisant. Telle est l'hypothèse première de la méthode mise en œuvre par Colette Guillaumin, dès le milieu des années soixante.

Les trois premières positions théoriques que nous avons présentées développent une argumentation antiraciste sur la base d'une conception rationaliste et réaliste de la science, présumée neutre vis-à-vis des valeurs et des passions idéologico-politiques, ou devant s'en garder par une ascèse toujours recommencée, à laquelle vient se greffer un supplément d'humanisme, sous la forme d'une éthique universaliste reçue sans réflexion critique. L'obstacle insurmontable que rencontre inévitablement une telle conception, liant racisme et connaissance impertinente ou fausse de la race, qu'elle admette ou non par ailleurs la scientificité du concept de race, tient dans la *réalité socialement fonctionnelle* de l'idée-force de race, ou du racisme sans « race(s) ». C'est que le racisme pourrait exister d'abord comme attitudes et pratiques racisantes qui, bien que susceptibles de recourir au mot « race », s'en passent fort bien, autant que des légitimations scientistes du racisme qui s'appuient sur l'anthropologie physique ou la génétique. Il s'ensuit que le mot « race » ne peut plus être pris pour l'indicateur exclusif (ou par excellence) des modes de racisation. S'il y a du racisme dans les discours sur les races et hors d'eux, s'il y a du racisme avec ou sans invocation de la race, c'est qu'il y a un sens social complexe de ce qu'on appelle racisme, et derrière ce qu'on désigne ordinairement comme tel — à savoir les marques extérieures de racisme (de l'injure publique au meurtre revendiqué).

« Le racisme n'est pas un concept biologique », remarquait un jour Emmanuel Lévinas qui ajoutait : « L'antisémitisme est l'archétype de tout internement. L'oppression sociale, elle-même, ne fait qu'imiter ce modèle. Elle cloître dans une classe, prive d'expression et condamne aux "signifiants sans signifiés" et, dès lors, aux violences et aux combats[163]. » Voilà socialisée la question du racisme en général. Que le racisme soit le modèle de tout « classisme », ou l'inverse, la question fait et fera l'objet de débats et controverses. Mais le fait est que la plupart des mécanismes de base sont analogues. Aussi peut-on faire l'hypothèse que l'exclusion raciste est la *ratio cognoscendi* de l'exclusion classiste, à condition de supposer la possibilité de la réciproque. Mais il importe de rappeler que ce qui est nommé « racisme » ne tient ce nom récent que d'un incident de parcours, voire d'une rencontre aussi accidentelle que productrice de malentendus, à savoir une incursion sur les terres des sciences anthropologiques à peine nées, un peu trop fières de leurs méthodes d'objectivation du donné humain. Cette rencontre paraît aujourd'hui avoir fait surgir une histoire chaotique qui pourrait bien n'être qu'une parenthèse, désormais presque fermée. C'est laisser entendre que le racisme doit aujourd'hui être observé ailleurs que dans les discours théoriques explicites prétendant le légitimer. Un anthropobiologiste tel que Jean Hiernaux laisse également entendre que la genèse des « préjugés raciaux » est strictement sociale : « Il est clair que les préjugés raciaux comme les pratiques de discrimination raciale n'ont aucun fondement biologique[164]. » Certes, mais d'où vient l'efficacité symbolique des catégorisations raciales ? Les biologistes n'ont rien de biologique à dire sur la question.

C'est dans la perspective d'une sociologie critique de la science que s'impose une problématisation des positions rationalistes/humanistes caractérisées ci-dessus : soit l'on sauve la race pour mieux récuser le racisme ; soit l'on condamne également race et racisme en supposant leur continuité ; soit l'on renverse le déterminisme de la culture par la race. Car en finir avec le concept scientifique de race ou avec son primat méthodologique, cela n'équivaut nullement à éradiquer l'efficacité symbolique de la racisation. Non seulement on peut relever l'indépendance fonctionnelle du racisme par rapport à l'évaluation scientifique du terme de « race », mais on est en droit de supposer qu'importe ici, en premier lieu, « l'organisation perceptive inconsciente [165] ». Or, de ce que les processus inconscients ne connaissent pas la négation, il est aisé de faire l'hypothèse qu'« un fait affirmé ou un fait nié ont [...] exactement le même degré d'existence [166] ». La remarque porte loin : dès lors que nier ou affirmer la valeur scientifique de la catégorie de « race » revient, pour les processus primaires, au même, toute tentative visant à « montrer l'inconsistance d'une telle catégorie dans le domaine scientifique est insuffisante pour la faire disparaître des catégories mentales [167] ». C'est que la réalité de la « race » est sociale et politique : elle est « une catégorie *sociale* d'exclusion, et de meurtre [168] ». Plus précisément, n'existent socialement que des actes de racisation, et ceux-ci relèvent d'autres modes d'autorisation que de la seule acceptabilité scientifique d'un terme. C'est encore à C. Guillaumin que nous emprunterons le relevé d'un paradoxe où s'indique la bévue majeure de la vulgate antiraciste, qui s'applique aujourd'hui à faire l'éloge de la différence comme telle : alors que le néo-racisme de la nouvelle droite se constitue, sans l'aide du mot « race » et en intégrant même la dénonciation du « racisme », autour de la sacralisation de la différence, les antiracistes croient pouvoir s'y opposer en tenant un discours non moins différentialiste, ne se distinguant guère que par une certaine insistance sur « l'enrichissement » représenté par les différences [169].

En bref, racisme et antiracisme risquent de qualifier des positions de discours devenues aujourd'hui indiscernables, admettant la même valeur première et positive de différence, et la sacralisant mimétiquement. Lutter par l'éloge de la différence contre le néo-racisme qui fait l'éloge de la différence : tel est le paradoxe, lourd de conséquences, qui demande à être interrogé sérieusement. Si l'idéologie réside dans ce qui est perçu comme l'évidence même [170], alors l'éloge contemporain de la différence manifeste l'un des noyaux communs, peut-être le plus imperceptible, des fonctionnements idéologiques qui pensent en nous, à notre insu. Une telle analyse iconoclaste et intempestive (au sens nietzschéen) nous semble toujours en attente d'un auditoire qui déborderait la classe restreinte des spécialistes. Elle indique un au-delà de la rivalité mimétique du racisme et d'un certain antiracisme, qui reste encore à inventer.

Du racisme aux racismes

La métaphorisation du mot « racisme » est susceptible de se produire comme conceptualisation d'un nouvel objet sociologique. C'est le cas lorsque Pierre Bourdieu traite du phénomène problématique qu'il nomme « le racisme de l'intelligence[171] », caractérisant ainsi la reconstitution d'une idéologie élitiste dont le mode de légitimation s'opère par recours au discours d'aspect scientifique. Le scientisme biologique permet de sacraliser les différences intellectuelles mesurables comme inégalités par projection sur une échelle unique. Cette autolégitimation par « la scientifisation apparente du discours » représente aujourd'hui un genre idéologico-littéraire courant. Il est frappant de constater que Pierre Bourdieu oscille, dès les premières lignes de son texte, entre deux thèses extrêmes qui, coexistant dans la plupart des définitions du « racisme », sont à l'origine de bien des difficultés rencontrées par les analystes visant une conceptualisation rigoureuse. La première thèse consiste à présenter « le racisme », au singulier, comme le concept d'un phénomène (discursif, idéologique, comportemental) isolable et unitaire, définissable à partir d'un ensemble de traits distinctifs, constituant un champ homogène de discours, de représentations, de pratiques sociales. La seconde thèse consiste à ne parler qu'au pluriel, « des racismes », ce qui revient à distinguer autant de racisations que de groupes racisants. Le racisme ou les racismes : la limite entre la sous-catégorisation du racisme (« les formes du racisme ») et l'irréductible multiplicité des racismes demeure indéterminée. La première thèse était réaliste et essentialiste, la seconde est nominaliste et relativiste. Par ailleurs, à suivre P. Bourdieu, il s'agit d'« avoir à l'esprit qu'il n'y a pas un racisme, mais *des racismes* : il y a autant de racismes qu'il y a de groupes qui ont besoin de se justifier d'exister comme ils existent, ce qui constitue la fonction invariante des racismes ». C'est d'abord tenir que la fonction générale des opérations racisantes réside dans l'*autojustification* d'un groupe déterminé, soit dans le racisme autoréférentiel — tel groupe dominant s'autorise à dominer en s'identifiant comme supérieur, d'origine et/ou de nature. C'est ensuite renvoyer l'analyse des racismes au terrain : chaque racisme se constitue par rapport à une situation définie d'interaction sociale qu'il s'agit d'étudier comme telle. Ce qui engage à pratiquer une méthode d'inspiration nominaliste, abordant des objets selon l'hypothèse qu'ils réalisent une logique propre, dans une situation singulière. D'autre part, P. Bourdieu semble supposer l'existence d'une essence commune aux « racismes » dont il vient d'asserter fortement la pluralité : « Il me semble très important de porter l'analyse sur *les formes du racisme* qui sont sans doute les plus subtiles, les plus méconnaissables, donc les plus rarement dénoncées, peut-être parce que les dénonciateurs ordinaires du racisme possèdent certaines des propriétés qui inclinent à *cette forme de racisme.* » Des « racismes » aux « formes du racisme », on saute du pluriel affirmé au singulier postulé. Sans lever pour autant l'imprécision conceptuelle et terminologique, P. Bourdieu introduit une distinction de base entre le « racisme de l'intelligence » et « le racisme petit-bourgeois ». Le premier, s'exprimant « sous des formes hautement euphémisées et sous le masque de la dénégation », est un racisme de classe dominante qui, visant à déjouer les censures portant sur les manifestations claires et distinctes du racisme, devient « quasi méconnaissable » du fait de la très forte euphémisation de son discours. Il exprime plus qu'il ne dit, et nie exprimer ce qu'il sous-entend. Le second, le « racisme petit-bourgeois », est « ce que l'on désigne habituellement comme racisme » et correspond aux « formes d'expression grossières et brutales du racisme [172] » : disant ce qu'il dit, il exprime selon ce qu'il dit. Une telle distinction semble aujourd'hui élémentaire, en ce qu'elle tient compte du phénomène général d'*implicitation* des visées racisantes dans les discours publiquement proférés. Le « racisme de l'intelligence », dont le discours du GRECE [173] est une mise en œuvre exemplaire, use massivement des formes de l'implicite : présupposés, sous-entendus, allusions plus ou moins ritualisées. Par cette implicitation de sa visée raciste, un tel discours arrive à éviter les rigueurs de la loi, ce que le discours ostensiblement reconnaissable du « racisme petit-bourgeois », genre d'expression libre, ne saurait faire pour sa part, s'indiquant par là même comme « racisme déclaré ». En bref, dans les actuelles conditions de la communication raciste recevable et acceptable, un locuteur a le choix entre dire peu et faire passer son message, et dire beaucoup en risquant d'être empêché de dire [174].

L'hypothèse familiale : une perspective anthropologique sur le racisme

Posons le plus simplement l'hypothèse familiale, telle qu'Emmanuel Todd en illustre la fécondité dans un livre important trop peu lu et médité, *La Troisième Planète*[175] : le fond anthropologique, c'est-à-dire le système familial, détermine la sphère idéologique. L'énoncé du déterminisme familial n'exclut pas celui d'une limitation de tout déterminisme anthropologique : « A l'origine des alignements idéologiques qui déterminent l'histoire du XXe siècle, il y a la famille. Mais sous ce fond anthropologique, il y a le hasard qui fait de l'histoire idéologique de la planète une agitation dépourvue de but. » Il faut distinguer ici « idéologie » et « doctrine » : « Une idéologie correspond à un système d'attitudes profond ; elle renvoie à l'inconscient et aux structures familiales ; une doctrine est, par opposition, un ensemble intellectuellement articulé mais situé uniquement sur le plan verbal ; et qui renvoie au conscient. » Mais le déterminisme anthropologique joue tout autant sur les deux plans : « Chaque doctrine — socialisme, catholicisme, protestantisme — est localement déformée par le tissu familial, nucléaire ou autoritaire selon le lieu. » Voilà donc plus précisément énoncé le nouveau principe d'explication des différences idéologiques : l'anthropologie sociale distingue plusieurs types de familles qui coïncident avec des structures mentales spécifiques exprimées par des idéologies. La typologie idéologique est prédécoupée et préconçue par la typologie familiale. D'où l'énoncé d'une hypothèse déterministe générale de grande valeur heuristique, dont le caractère réductionniste est peut-être le prix à payer : « Partout, la sphère idéologique est une mise en forme intellectuelle du système familial, une transposition au niveau social des valeurs fondamentales qui régissent les rapports humains élémentaires : liberté, égalité, et leur négation par exemple. A chaque type familial correspond un type idéologique et un seul. » Nous ne sommes pas loin d'une théorie des infra-/superstructures et du « reflet ».

E. Todd énonce par exemple : « La famille joue dans cette interprétation le rôle d'infrastructure : elle détermine, au niveau des masses statistiques que sont les sociétés humaines sédentaires, les tempéraments et systèmes idéologiques. » Mais, précise l'anthropologue, « l'hypothèse familiale, qui fait des idéologies politiques et religieuses les reflets de valeurs anthropologiques latentes, n'est que superficiellement déterministe », car elle « ne débouche sur aucun modèle historiciste, prétendant dévoiler le sens du devenir humain [...]. Elle conduit, au contraire, en dernière analyse, à affirmer que l'histoire humaine n'a pas de sens, idéologique du moins ». L'autoréflexion de l'anthropologie familiale débouche sur une philosophie du hasard et de la nécessité, sur une théorie de la reproduction aveugle à l'identique de la structure familiale et de la production nécessaire, par tel type familial, de tel type idéologique. Il y a en quelque sorte une dialectique de l'autoreproduction de la structure anthropologique (familiale), qui transmet les valeurs de base, et de l'apprentissage idéologique, fondé sur l'intériorisation des règles d'une grammaire de valeurs et de normes opérée dans et par la vie familiale. Todd présente ainsi le processus d'autoreproduction de la famille : « La structure anthropologique, au contraire du système idéologique, se perpétue automatiquement. La famille est, par définition, un mécanisme reproducteur des hommes et des valeurs. Inconsciemment mais inexorablement, chaque génération intériorise les valeurs parentales, qui définissent les rapports humains élémentaires : parents/enfants, frère/frère, frère/sœur, sœur/sœur, mari/femme. La puissance du mécanisme reproducteur vient de ce qu'il peut se passer de toute formalisation consciente et verbale : il est automatique, infralogique. L'idéologie, elle, pour se maintenir d'une génération à l'autre, doit passer par un processus complexe d'apprentissage intellectuel, hautement formalisé, de type scolaire en fait. Il est plus difficile d'apprendre la République, le communisme, le racisme, l'antisémitisme, l'existence de Dieu ou des castes, la métempsycose, que d'assimiler, par instinct et imitation, les conduites stéréotypées régissant les rapports entre individus appartenant à la même cellule élémentaire, à la famille de procréation. » L'effet d'évidence des préconceptions intériorisées, une fois réapprises et verbalisées au cours de l'apprentissage intellectuel, s'explique dès lors fort bien : « Dans la pratique, chaque génération, dont les valeurs de base sont modelées dans le creuset familial, peut réinventer, lorsque vient l'adolescence, l'idéologie dominante de son univers social, sans contrainte et sans endoctrinement. Elle lui paraît alors juste et surtout naturelle. » Si la carte de l'anthropologie familiale ne coïncide ni avec la carte des groupes linguistiques ni avec celle que dessinent les frontières ethniques, elle coïncide de façon vérifiable avec la carte des configurations idéologico-politiques : « La seule coïncidence évidente et vérifiable est celle de la famille et de l'idéologie qui représentent chaque fois deux niveaux d'expression différents d'un même système de valeurs, définissant et organisant les idées de liberté et de symétrie dans les rapports humains et sociaux respectivement. » Si donc l'hypothèse familiale peut prouver sa double valeur descriptive et explicative, elle exclut l'hypothèse raciale autant que l'hypothèse linguistique, et réfute le racisme comme théorie pseudo-explicative en le ramenant à ses conditions anthropo-familiales d'apparition : la famille autoritaire d'une part (Allemagne, Autriche, Japon ; Juifs, Gitans, etc.), la famille communautaire asymétrique, d'autre part (Inde du Sud). Ce qui contribue à le relativiser considérablement, si l'on tient compte de la répartition des masses anthropologiques dans le monde (en pourcentage de la population mondiale) : 8 % pour la famille autoritaire (26 % en Europe) et 7 % pour la famille communautaire asymétrique (type familial inexistant en Europe). Les deux grandes assises « scientifiques » de la théorie moderne des races, anthropologie physique et philologie comparée, sont ainsi écartées par la seule puissance d'explication de l'hypothèse familiale qui disloque littéralement les systèmes de classification philologico-raciologiques : « Reportées sur un planisphère, les sept familles dessinent une carte éminemment politique, mais sans rapport avec les frontières linguistiques ou ethniques traditionnelles. [...] car l'anthropologie sociale ne reconnaît pas l'existence de blancs, de jaunes, de rouges, de noirs ou de bleus. Elle est aveugle aux couleurs et indifférente aux classifications raciales. Elle veut atteindre les structures mentales, non l'apparence physique, et démontre en effet que les deux ne coïncident pas. Les structures familiales ne coïncident pas non plus avec les groupes linguistiques. On aurait du mal à distinguer sur ce planisphère le célèbre rameau indo-européen de l'humanité, enfant chéri des théories racistes qui voulaient identifier races, langues et structures mentales. »

L'hypothèse familiale s'applique donc au fait de la coïncidence, au moins en Europe, des systèmes politiques (ou des grandes configurations idéologiques) et du fond anthropologique, c'est-à-dire du système familial. La diversité idéologico-politique apparaît dès lors comme relative à la diversité des structures familiales : chacune des grandes nations européennes, incarnant une possibilité typologique, apparaît « bâtie sur un fond anthropologique spécifique », par où elle « met en forme idéologique des valeurs familiales propres [176] ». Si l'on fait se croiser deux axes, respectivement « égalité/inégalité » et « liberté/autorité », on obtient un damier à quatre cases, où chaque carré représente un type familial, et qui fournit un modèle d'intelligibilité [177] :

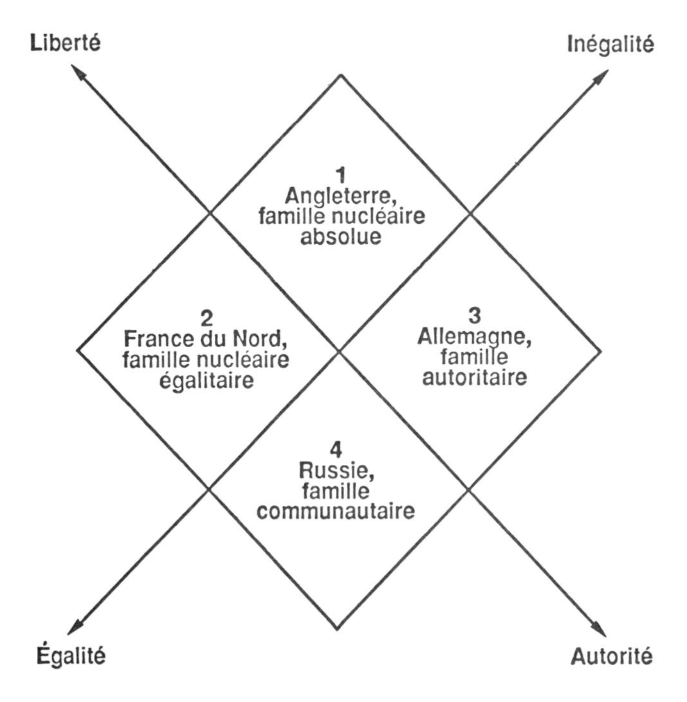

On notera que la famille nucléaire égalitaire et la famille autoritaire se font face, comme la famille nucléaire absolue et la famille communautaire [178].

L'hypothèse de « la détermination de l'idéologie par les structures familiales » permet, par exemple, de jeter un nouvel éclairage sur la provenance du couple des valeurs « liberté/égalité » : « Les grandes idées — liberté, égalité — des philosophes et révolutionnaires français du XVIIIe siècle, qui leur apparaissent comme naturelles, expression pure et directe de la raison, ne sont que la transcription élégante d'une structure anthropologique latente. Celle-ci existait depuis le Moyen Age au moins. Liberté et égalité sont en effet les traits caractéristiques du modèle familial occupant traditionnellement le nord de la France. La famille nucléaire égalitaire (type 2) occupe le Bassin parisien et ses marges : au nord de la ligne Saint-Malo-Genève, seule l'Alsace et une partie de la région Nord-Pas-de-Calais et de la Normandie font exception. De la même manière, le déterminisme familial montre que « la famille anglaise, nucléaire absolue, exige l'indépendance des enfants mais non leur égalité », que « la famille allemande, de type autoritaire, reposant sur la soumission des enfants au père et l'indivisibilité du patrimoine, apprécie la discipline mais se moque de l'égalité », qu'enfin « la famille russe, communautaire, combine égalité et discipline, équivalence des frères et obéissance au père ». La famille communautaire exogame, autoritaire et égalitaire (Russie, Yougoslavie, Chine, Vietnam, Cuba, etc.), qui représente 41 % de la population mondiale (37 % de la population européenne), « favorise l'apparition de mouvements communistes puissants ». Le type familial libéral et inégalitaire s'incarne dans la famille nucléaire « lorsqu'elle reconnaît la possibilité de déshériter, un droit absolu des générations à s'ignorer [179] » : c'est l'aire de la « famille nucléaire absolue » (monde anglo-saxon, Hollande, Danemark), coïncidant avec celle du libéralisme et du type d'individualisme qui lui est lié, dont la morale « repose sur une idée mal formulée mais simple, vivre et laisser vivre, en ne cherchant ni à détruire ni à intégrer les autres cultures [180] ». Si l'on tient compte d'un aspect supplémentaire, négligé par la typologie de Le Play, et pourtant essentiel, du système familial, à savoir le caractère exo- ou endogamique du mariage, c'est-à-dire l'existence de normes plus ou moins fortes concernant le choix du conjoint (qui peut se faire à l'extérieur ou à l'intérieur du groupe familial), on obtient trois autres types familiaux : la famille communautaire endogame (10 % de la population mondiale : monde arabe, Turquie, Iran, etc. ; inexistante en Europe) [181], la famille communautaire asymétrique (Inde du Sud) incarnée dans le système des castes [182], et la famille anomique (type nucléaire déréglé : 8 % de la population mondiale ; Birmanie, Cambodge, Laos, Indonésie, Madagascar, etc.), caractérisée notamment par la possibilité des mariages consanguins [183].

En prenant en considération le tabou de l'inceste, on est amené à distinguer quatre degrés de liberté (ou quatre attitudes vis-à-vis de la liberté), correspondant à quatre types de choix matrimonial :

ATTITUDE VIS-À-VIS DE LA LIBERTÉ définie par le type de choix matrimonial	ATTITUDE VIS-À-VIS DE LA SYMÉTRIE définie par le type de choix matrimonial et d'héritage		
	Symétrie	*Indifférence*	*Asymétrie*
Coutume	Famille communautaire endogame		Famille communautaire asymétrique
Parents	Famille communautaire exogame		Famille autoritaire
Libre avec contrainte *Exogame*	Famille nucléaire égalitaire	Famille nucléaire absolue	
Libre sans contrainte *Exogame*		Famille anomique	

choix réglé soit par la coutume, soit par les parents, soit par les individus avec une contrainte exogamique forte, soit par les individus avec une contrainte exogamique faible, et trois attitudes vis-à-vis de la symétrie (qui englobe l'idée d'égalité) des rapports familiaux et sociaux : symétrie, indifférence, asymétrie. D'où le tableau général reproduit ci-dessus [184].

L'analyse anthropologique repère dans la « famille autoritaire » à la fois le domaine d'inscription privilégié et la matière des idéologies particularistes et ethnocentriques dont dériverait le racisme. Les principales caractéristiques de la famille autoritaire sont : l'inégalité des frères définie par des règles successorales, d'où la transmission intégrale du patrimoine à l'un des enfants ; la cohabitation de l'héritier marié et de ses parents ; le fait qu'il y ait peu ou pas de mariages entre les enfants de deux frères. Les principales régions et les principaux peuples concernés sont : *Allemagne*, Autriche, Suède, Norvège, Belgique, Bohême, Écosse, Irlande, France de la périphérie, Espagne du Nord, Portugal du Nord, *Japon*, Corée, *Juifs*, Gitans. Todd érige le meurtre du frère par le frère en figure symbolique de la famille autoritaire, saisie dans le rapport de fraternité. Si « Caïn ne rate pas Abel », c'est que « l'un est élu, l'autre exclu ». Car « le mécanisme de primogéniture, d'ultimogéniture ou de toute autre méthode de transmission en bloc du patrimoine maternel, est rejet autant que succession. » Ce fonctionnement normal de la famille autoritaire, autour d'un centre à double foyer : meurtre du frère et inégalité simple, détermine les bases d'une configuration idéologique. De même que l'inégalité des frères implique « une vision asymétrique de l'espace social », ou que « tous les individus n'ont pas dans la famille une place et une valeur équivalentes », de même « tous les hommes ne seront pas considérés comme égaux ». Mais l'axiome inégalitaire n'échappe pas à sa transposition analogique : « Tous les peuples ne seront pas considérés comme égaux. » De la liste des groupes humains pratiquant un idéal de famille autoritaire, Todd croit pouvoir dire qu'elle est « un condensé de tous les particularismes, de tous les ethnocentrismes, de tous les refus de l'universel [185] ».

Si le refus de l'universel est le trait d'attitude fondamental que présuppose l'idéologie raciste, alors le racisme doit se définir comme une élaboration spécifique, dans la modernité, de la pensée traditio-communautariste. Telle est l'orientation qui se dégage à ce point de notre lecture de l'ouvrage de Todd. La défense de la famille autoritaire, impliquant donc l'inégalité entre les hommes (individuels) et les peuples, y apparaît fortement corrélée avec le culte de la différence collective — laquelle est recherchée, voire inventée [186], jusqu'à manifester la tendance « à percevoir des différences qui n'existent pas [187] » —, avec l'obsession du temps et de la continuité du groupe [188], avec un idéal d'enracinement stable [189], avec enfin la biologisation de l'appartenance nationale et/ou sociale, de telle sorte que le sociocentrisme, par le parasitage idéologique des sciences bio-anthropologiques, devient ethnocentrisme à légitimation raciale [190]. Le couplage des principes d'inégalité et de rejet de l'autre en tant que tel définit le noyau des variantes idéologiques dérivées de la structure familiale autoritaire : « L'univers du racisme [...] se contente de mettre en forme idéologique une structure familiale latente, parfaitement définie », celle qui repose sur « un mécanisme aristocratique d'exclusion de tous les frères sauf un ». L'autocentration communautaire a pour présupposition première le refus de l'universel, oscillant de l'indifférence à l'hostilité [191]. Or, l'idéal de fraternité et celui d'égalité sont des composantes immédiates de l'exigence d'universalité, des remplissements de cette forme vide qu'est la conformité pure à la loi universelle : « Tous les hommes sont frères », « tous les hommes sont égaux ». L'hypothèse familiale permet d'en repérer certaines conditions anthropologiques, qui éclairent singulièrement les « raisons » profondes de la grande disjonction entre conceptions universalistes et conceptions particularistes, irréductible autant à un modèle ethnique de distribution qu'à un modèle linguistique. Si « la plupart des idéologies universalistes s'appuient dans leur formulation sur le concept de fraternité », d'où l'association récurrente de l'égalité des frères et de l'universalisme idéologique (christianisme, islam, internationalisme, impérialismes assimilateurs), l'inégalité des frères s'articule tendanciellement à l'ethnocentrisme et au particularisme exclusiviste ainsi qu'à la vision inégalitaire du monde humain, dont l'inégalité juridico-politique est une manifestation parmi d'autres. Le contraste est saisissant entre Athènes et Rome, incarnant respectivement la vision ethnocentrique et la vision universaliste : « Athènes, où domine le principe de primogéniture, donne une définition restrictive de la citoyenneté, qu'elle ne veut pas accorder à ses *métèques* — c'est-à-dire les étrangers dans la cité — ou à ses alliés. Rome, égalitaire par les règles d'héritage, étend sa citoyenneté à l'ensemble de l'empire. » Les familles nucléaire égalitaire (France du Nord, etc.) et communautaire endogame (monde arabe, etc.), qui reposent sur un *a priori* anthropologique égalitaire, peuvent ainsi être respectivement illustrées idéologiquement par la Révolution française et l'islam [192], phénomènes historiques universalistes.

La « loi » empirique de corrélation anthropologico-idéologique est ainsi énoncée, abruptement : « Toujours, la famille autoritaire engendre un culte de la différence. » Si la célébration de la différence est un noyau idéologique produit par la famille autoritaire, celle-ci engendre aussi bien un rejet de toute extension par assimilation : dans la langue de notre problématique, nous dirons que le racisme différentialiste est strictement exclusif du racisme assimilationniste. On comprendra aisément pourquoi le discours d'autolégitimation la plus acceptable du racisme différentialiste est de type pluraliste. Le nazisme n'échappe pas à la règle argumentative : « Pour se justifier, le nazisme invente des différences. » Les convictions particularistes se subliment en doctrines pluralistes, en apologies de la « tolérance », du respect absolu des différences, celles-ci seraient-elles à inventer ou à décrypter à l'infini. L'analyse anthropologique, sur ce point qui nous apparaît central, fournit une base de réduction constituant un modèle d'intelligibilité singulièrement éclairant : « Si les systèmes égalitaires excellent à nier les différences réelles, les modèles inégalitaires brillent, eux, dans la perception de différences inexistantes. Les régions de famille autoritaire s'efforcent d'inventer des traits ethniques. Leur culture fragmente des nations objectivement uniformes. Le pouvoir assimilateur des systèmes égalitaires s'inverse et devient propension à la désintégration [193]. » A la suite de telles remarques, il devient plus facile de comprendre pourquoi, si le nationalisme peut se trouver des assises dans une théorie des races, celle-ci peut aussi valoir pour arme idéologique absolue dirigée contre un certain nationalisme, celui qui accompagne la conception française, ou universaliste, de l'État-nation, chargé d'une mission supranationale. Il s'est en outre avéré qu'une analyse raciologique du peuple français, telle qu'on la pouvait conduire à la fin du XIXe siècle, aboutit à en nier l'unité et l'identité « nationales [194] ».

Le grand intérêt de l'hypothèse familiale est qu'elle permet d'ancrer l'idéologie différentialiste dans un socle anthropologique. Le racisme différentialiste, dans cette problématique, y apparaît doté d'une grande visibilité théorique : la famille autoritaire projette des modèles inégalitaires qui se manifestent par la quête et l'absolutisation des différences, au nom desquelles l'assimilation est présentée comme impossible ou, plus ordinairement, dangereuse (phobie du contact), engendrant par là un particularisme racisant, un racisme d'exclusion, « différentialiste ». Mais le racisme différentialiste n'est pas tout le racisme, son type idéal ne coïncide pas avec celui du racisme en général. Telle est la limite que nous croyons pouvoir attribuer aux fécondes analyses de Todd. Car la famille nucléaire égalitaire [195] apparaît non moins comme la matrice d'aspirations et de sentiments susceptibles de servir de bases et de ferments pour des idéologies racistes de type universaliste, se présentant sous les couleurs de la volonté « égalitaire » d'assimilation et de la « libération » de l'humanité.

L'anthropologie familiale met en outre en évidence le racisme spécifique lié à la famille communautaire asymétrique, telle qu'elle apparaît dans le système des castes de l'Inde du Sud [196]. Ici encore, E. Todd croit pouvoir dériver l'idéologie de la parenté (qu'est le système des castes) d'un noyau familial spécifique : « Le simple (la famille) engendre le complexe (l'idéologie). » Les caractéristiques de ce type familial sont : l'égalité des frères définie par les règles successorales ; la cohabitation des fils mariés et de leurs parents ; l'interdit sur le mariage entre les enfants de deux frères, mais la préférence pour le mariage des enfants d'un frère et d'une sœur. Cette caractéristique est fondamentale : le mariage préférentiel asymétrique engendre une perception asymétrique de l'espace social, selon laquelle « tous les individus n'occupent pas des positions équivalentes, tous ne sont pas épousables, tous ne sont pas égaux ». L'anti-universalisme est ici une évidence première : « Dans un tel environnement anthropologique et mental, l'idée d'égalité des hommes ou d'équivalence des peuples paraît singulièrement abstraite. » Dès lors l'on peut remarquer que, « comme la famille autoritaire, dont la structure est asymétrique (sans être endogame), *le mariage asymétrique* travaille contre l'unité du genre humain ».

L'analyse des structures familiales permet ainsi de distinguer « les deux familles du racisme » constituant vraisemblablement deux racismes ou deux types de racisme : d'une part, le racisme lié à la famille autoritaire, tel que l'incarna le national-socialisme ; d'autre part, le racisme lié à la famille communautaire asymétrique, qu'implique le système des castes. Telles seraient les « deux idéologies racistes les plus spectaculaires de l'histoire de la planète ». Nous avons déjà formulé notre réserve devant une telle présentation des modes de racisation, pour ce qu'elle tend à oublier les racismes de type universaliste, racismes colonial et impérial, racismes d'assimilation et de destruction des traditions culturelles. Les deux racismes distingués par Todd sont des variantes de la conception de type traditio-communautariste, même s'il est à peu près vrai que « l'idéal de séparation des hommes est à la base de deux grands systèmes idéologiques qui incarnent deux versions extrêmes de ce que l'on appelle en langage courant le racisme : le système des castes et le nazisme », pour autant que « dans l'un et l'autre cas, l'inéquivalence des hommes devient le principe fondamental de l'organisation sociale ». Mais il faut ajouter cette précision capitale que le modèle indien se caractérise par une haute capacité d'absorption des éléments étrangers (à commencer par les croyances et les dieux), ce qui autorise à lui attribuer un « penchant à l'universel ». La norme de séparation, dans ce cas, n'est donc pas exclusive d'une faculté d'absorption, qu'illustre le syncrétisme hindou : « Le trait central de ce "système" religieux [l'hindouisme] est le polythéisme, complément indispensable du système des castes, et qui exprime comme lui une aptitude certaine à tolérer la différence et la diversité [197]. » La reconnaissance d'une aptitude à la tolérance de la différence, à l'accueil effectif de la diversité, permet de refuser de voir dans le système des castes l'illustration du « racisme absolu », qu'il faut bien attribuer en propre à l'Europe moderne. Car c'est à partir des valeurs et normes de la famille autoritaire, aux XIXe et XXe siècles occidentaux, que s'est élaborée l'idéologie du racisme d'extermination, que sont apparues les légitimations savantes de l'abolition totale de « l'autre », contrastant avec les racisations strictes mais modérées impliquées par la famille communautaire asymétrique. E. Todd marque fortement la distinction, issue d'une nuance essentielle dans le rapport à l'étranger : « La famille autoritaire ne définit pas un statut pour l'autre, pour l'étranger. Elle est un mécanisme pur et simple d'exclusion qui ne correspond pas à une volonté d'agression, s'il s'agit de petits peuples comme les Gitans, les Juifs, les Irlandais, les Suédois ou les Basques, mais peut mener à une volonté de destruction de l'autre si le vecteur anthropologique est un groupe démographiquement puissant comme l'Allemagne. L'expérience nazie rappelle que c'est en Europe et non dans le tiers monde que fut inventé et pratiqué le racisme absolu [198]. »

Repartons de l'opposition centrale : « Une culture égalitaire veut l'équivalence des peuples. Une culture inégalitaire tend à les décréter supérieurs ou inférieurs [199]. » Or, la famille nucléaire absolue (monde anglo-saxon, Hollande, Danemark) est ici « vague dans ses choix, hypothèse que vérifie l'histoire du monde anglo-saxon, qui ne s'est jamais aligné ni sur les universalismes russe et français ni sur le culte allemand de la différence ». C'est ce qu'illustre ce que fut longtemps le style diplomatique favori des États-Unis et de la Grande-Bretagne, « splendide isolement des Anglais, isolationnisme américain ». On en trouve aussi l'expression dans les prescriptions « libérales » de base, auxquelles nous avons déjà fait allusion : « Vivre et laisser vivre, en ne cherchant ni à détruire ni à intégrer les autres cultures. » Il y a pourtant un racisme spécifique engendré par les normes de la famille nucléaire absolue : le racisme anglo-saxon a pour type idéal l'*apartheid*, comme respect de la distance raciale (des « barrières de race ») et « solution » du « développement séparé ». Todd laisse peut-être transparaître dans cette caractérisation ses préférences propres : « Le racisme anglo-saxon est sans agressivité : il est une conscience aiguë de la différence qui ne mène pas à l'envie de meurtre. » C'est qu'à la différence du racisme engendré par la famille autoritaire, qui tend à l'absolu du racisme, il est « capable d'évolution », étant « entraîné, à partir de 1850, dans un processus de dérive qui le mène à une découverte de valeurs universalistes ». L'option « abolitionniste » ayant vaincu aux États-Unis, le système idéologique a évolué « en un anti-racisme de plus en plus militant », renforcé par le choix britannique du camp des systèmes universalistes français et russe, contre le racisme et l'antisémitisme de l'Allemagne nazie. Il faut cependant rappeler que « l'universalisme anglo-saxon n'est pas naturel comme ceux de la France ou de la Russie, déterminés par une structure anthropologique nette. Il est le résultat d'un effort conscient pour reconnaître l'égalité de l'autre ». Trajet laborieux, et toujours en droit révisable, de la séparation des races à l'intégration.

Si donc l'on répare l'oubli du racisme universaliste d'assimilation, lié à la famille nucléaire égalitaire [200], l'analyse anthropologique comparative des structures familiales permet de distinguer quatre types idéaux du racisme [201] :

1) famille autoritaire (Allemagne) → racisme d'exclusion et d'extermination (génocide) ;

2) famille communautaire asymétrique (Inde du Sud) → système des castes ;

3) famille nucléaire absolue (États-Unis, Grande-Bretagne) → développement séparé *(apartheid)* ;

4) famille nucléaire égalitaire (France, Portugal central, Espagne centrale et méridionale) → racisme impérialiste de domination et d'assimilation (colonialisme, ethnocide).

L'intérêt théorique des recherches d'anthropologie familiale appliquées aux idéologies racistes illustre la fécondité du retour à Le Play qui s'esquisse depuis quelques années, tant chez les historiens des idées que chez les sociologues. En donnant « la clef d'une différenciation non biologique de l'humanité [202] » par sa typologie des modes d'organisation familiale, Le Play a jeté les bases d'une *approche non raciale du racisme*, permettant de comprendre l'articulation des types familiaux, des traditions idéologiques, des tendances politiques, des orientations religieuses.

3

Naissances, fonctionnements et avatars du mot « racisme »

« Le dictionnaire est gros d'une mythologie politique[1]. »

Pierre BOURDIEU.

Il s'agit maintenant d'aborder la question des conditions d'engendrement de l'amalgame situé au centre du discours polémique qui stigmatise le « racisme ». Cet amalgame peut se représenter par l'enchaînement des noms péjoratifs suivants : racisme/antisémitisme/(pan-)germanisme/nazisme/fascisme/extrême droite/droite, série à laquelle se greffe la suite : eugénisme, génocide, crimes contre l'humanité. Notre hypothèse de départ est que le « racisme » est une partie d'un tout idéologique fonctionnel, doté d'un espace géopolitique de distribution, et d'un développement temporel relativement saisissable.

Nous nous proposons dans cette perspective de reconstruire l'enchaînement des propositions constitutives de la *métadéfinition* du « racisme » (cf. chap. 4), dont nous faisons l'hypothèse qu'elle fournit un modèle analogique de la conception générale et implicite du « racisme », supposée par les reformulations définitionnelles observables dans les discours « a- » ou « antiracistes » depuis l'apparition du mot en langue française. Le contexte idéologique et politique en est bien défini : celui des premiers échos européens de la campagne populiste-raciste *(völkisch)* conduite par les organisations nationalistes d'extrême droite, dont les nationaux-socialistes et les groupes fondés par le général Ludendorff, dans l'Allemagne des années 1919-1933. Le modèle de création lexicale par référence à l'émergence d'un phénomène socio-politique nouveau en Allemagne, dont l'autodésignation qualifiante *(völkisch)* est transposée en langue française, se trouve confirmé par les entrées « racisme » et « raciste » du *Larousse du xxe siècle*, publié en 1932. Si le désignant « racisme » y est lexicologiquement défini comme « parti, doctrine des racistes », « raciste » est encyclopédiquement défini comme « le nom donné aux nationaux-socialistes allemands... [2] ». En bref, la classe des « racistes » est présuppositionnellement définie comme une classe ne comprenant qu'un élément, celui-ci étant une collectivité bien définie (« les nationaux-socialistes allemands »). Dans les textes de langue française, le qualifiant « raciste » se rencontre le plus souvent en mention (guillemets, italiques) vers le milieu des années vingt, dans des contextes définis par la référence aux groupes « racistes » actifs sous la République de Weimar.

LES DEUX APPARITIONS INCOMMENSURABLES DU MOT « RACISME » (1895-1897, 1925)

Qu'il s'agisse d'une attitude ou d'une disposition susceptible d'être verbalisée (laquelle est stigmatisée par l'expression « préjugé des races » : le racisme-*attitude*), de comportements discriminatoires (le racisme-*conduite*) ou de doctrines élaborées (les « théories » ou « philosophie des races », conceptions du monde explicites nombreuses dans la seconde moitié du XIXe siècle : le racisme-*idéologie*), le racisme préexistait assurément à l'apparition du mot racisme [3]. La tendance, l'idée, la conception ou le comportement empirique, contrairement à l'illusion commune à tous les matérialismes historicistes de l'indice lexical [4], n'ont nul besoin du mot qui, les désignant, en fixe le concept, pour surgir dans une formation sociale. Mais l'institution d'un terme conceptualisant, tel le *racisme*, est susceptible, par un effet rétrospectif, de réaliser l'intégrale des sens multiples jusque-là effectués par des termes distincts. Une telle récollection sémantique ne va pas sans produire certaines confusions, liées à l'effet d'assimilation, voire d'identification rétrospective de phénomènes tenus pour différents avant la synthèse accomplie par la dénomination doctrinale (« le racisme »). L'usage ordinaire d'un nom de doctrine laisse en effet entendre qu'elle réfère à un champ de notions relativement homogènes et cohérentes entre elles, ainsi qu'à une continuité, une permanence dans le temps à travers les variations conjoncturelles. Dire « le racisme » (est né..., a pour origines intellectuelles..., etc.), c'est se donner un ensemble d'éléments de divers ordres (discursif, sociopolitique, etc.) dont on postule en quelque manière l'unité et la persistance : le modèle descriptif d'intelligibilité risque dès lors d'être pris pour la réalité substantielle qu'il est censé éclairer. Si l'on considère « le racisme » comme le nom d'un modèle descriptif permettant de simplifier la représentation d'un réel à la fois idéologique et pratique, l'illusion commence avec l'identification « réaliste » de l'instrument schématisant qu'est le modèle avec la morphologie empirique (historico-anthropologique) à laquelle il réfère. Le moyen d'améliorer la description est assimilé à l'objet décrit [5]. Confusion classique, certes, mais qui, pour « le racisme », engendre des effets d'autant plus regrettables que le terme est doté de deux fonctions principales qui interfèrent : fonction de repérage dans le langage des sciences sociales et humaines (fonction de *connaissance*), fonction *polémique* dans le champ des grands discours idéologiques contradictoires et adverses (libéralisme, socialisme, nationalisme, anarchisme, racisme, etc.). Or, depuis la fin de la Seconde Guerre mondiale, l'étiquette *raciste* est un instrument puissant de délégitimation de tout adversaire dans la guerre idéologique. La fonction de connaissance, liée à la construction de types idéaux ou de modèles descriptifs d'intelligibilité, tend dès lors à être évacuée au profit de la fonction polémique : il ne s'agit plus de savoir et faire savoir, il s'agit de faire croire et de laisser entendre afin de vaincre un adversaire dans un combat. *Racisme* est, avec *totalitarisme* [6], qu'il a précédé de plusieurs décennies dans un tel usage, un opérateur *consensuel* de disqualification d'un adversaire, quel qu'il soit — c'est pourquoi, alors même que les antiracistes vont au combat drapeau flottant, les « racistes » sont des êtres rares, toujours dissimulés, donc à décrypter, dénicher, débusquer. Le racisme est toujours attribué en propre à celui dont on parle (l'absent de la relation interlocutive, l'exclu du dialogue) et auquel on ne veut pas parler.

Ce qui nous intéresse plus particulièrement, c'est ce que peut nous apprendre l'étude de la relation d'antériorité du racisme-idéologie au mot *racisme*. Le passage de la factualité idéologique des « théories », « doctrines » ou « philosophies » des races à la caractérisation polémique par le terme *racisme* en tant qu'opérateur de critique et de délégitimation de l'adversaire, ce passage des faits idéologiques divers à l'unité présumée d'une conception du monde, laquelle se définit par un choix partisan non-équivoque, marque une rupture qui est un point de non retour. De la « philosophie (doctrine, théorie, etc.) des races » au « racisme », le XIXe siècle idéologico-politique se termine et le XXe siècle se profile. L'évolution du vocabulaire est ici témoin et reflet aussi bien que facteur et acteur de l'évolution idéologique générale. Notre hypothèse, fondée sur une exploration des textes et documents aussi poussée que possible, est que le sens descriptif-polémique du mot *racisme* ne s'est fixé que dans la seconde moitié des années vingt, pour des raisons qui relèvent de l'histoire politique (le préalable de la Première Guerre mondiale, et le nationalisme anti-allemand inscrit dans un discours de propagande), de l'histoire des idées (l'apparition d'auteurs et de courants « racistes »), de l'histoire des sciences biologiques et sociales (la constitution, et dans certains cas — en Allemagne notamment — l'institutionnalisation, d'écoles professant la « théorie des races »). L'amalgame entre les racismes homonymes : le racisme comme doctrine politique attribuée à l'adversaire (l'Allemand, le pangermaniste, etc.), le racisme comme orientation commune à certains milieux littéraires et à certaines tendances idéologiques, le racisme comme modèle scientifique de base revendiqué par diverses écoles de tradition savante — reconnues comme telles —, cet amalgame n'a pu (et ne pouvait) s'opérer que dans le discours polémique tenu par les vainqueurs (français) sur les vaincus (allemands). Voilà donc l'essentiel : cet événement lexical, l'institution du mot *racisme* au cours des années 1922-1930, réalise une mutation à la fois sémantique et idéologico-politique. Car le *racisme* dès lors ne désigne plus seulement une philosophie de l'histoire fondée sur le primat ou la dominance des facteurs ethniques (la métaphysique ethno-historique de Gobineau en fournissant le modèle approché), ni les assises dans les sciences biologiques que prétend se donner une école de sociologie ou de science politique (l'« anthroposociologie » ou le « monisme sélectionniste » d'O. Ammon et de G. Vacher de Lapouge[7]), ni encore un système d'opinions préconçues et de préventions reçues (le « préjugé des races », stigmatisé dès la seconde moitié du XIXe siècle par les ancêtres des antiracistes universalistes contemporains), il désigne une conception du monde exclusiviste, élémentaire (niveau du slogan incorporé : « réactions racistes ») ou élaborée (niveau des « théories [supposées] racistes »), laquelle conception du monde est jugée aussi fausse que nuisible ou dangereuse, voire scandaleuse ou monstrueuse, et attribuée à un ennemi déclaré comme tel. Dans la configuration idéologique d'apparition du *racisme*-terme, le peuple étranger/ennemi auquel celui-ci a été rapporté par excellence, nous y avons insisté, aura été l'*Allemagne,* prise dans un réseau complexe de connotations péjoratives.

Pour passer au stade post-polémique de l'histoire des doctrines raciales, il faut considérer que *la guerre franco-allemande est depuis longtemps terminée*, et qu'elle ne se poursuit que dans la frange de l'imaginaire politique dominée par le ressentiment. Alors seulement les études savantes ne seront plus interdites de séjour éditorial par le ressassement des haines mises au goût du jour, et auront quelque chance de n'être plus parasitées par les restes accommodés des discours de propagande datant de plus d'un siècle. L'ère germanophobe ouverte par la défaite de 1870 sera enfin close.

La prénotion du racisme (1895-1897, 1902) : être raciste, être français

La contre-épreuve de notre hypothèse sur les conditions de cristallisation du sens contemporain du *racisme* est fournie par une brève analyse de l'apparition préalable du néologisme *raciste*, dans un tout autre contexte idéologico-politique, montrant la rupture de signification accomplie de la fin du XIXe siècle aux années vingt du XXe siècle. On rencontre ainsi l'adjectif *raciste* sous la plume de Gaston Méry dans la livraison du 18 novembre 1897 de *La Libre Parole*, fondée et dirigée par Édouard Drumont : « Il est vraiment temps que, dans les réunions populaires, des voix vraiment françaises, vraiment *racistes*, opposent leur éloquence à la rhétorique des hâbleries internationalistes [8]. » Dans un tel emploi, l'adjectif *raciste* opère une caractérisation positive de l'être authentiquement français, par opposition aux cosmopolites [9] ou internationalistes : les « voix » françaises sont celles de la « race » française, le vrai Français est l'être enraciné dans la substance permanente de la France, lieu d'ancrage de la « race » française. Le mot *raciste* intervient ici comme un adjectif anaphorique et renforçateur de « français », et accomplit à ce titre un redoublement hyperbolique. Le contexte idéologique présupposé est représentable par la rencontre des controverses autour de l'affaire Dreyfus (nationalistes antisémites contre cosmopolites juifs ou « enjuivés », dans la perspective antidreyfusarde) et des débats sur la théorie « scientifique » des races, laquelle fournit alors un support et un décor légitimatoires aux pamphlétaires nationalistes-antisémites [10]. Nous sommes encore, dans les années qui terminent le XIXe siècle mais dont les orientations idéologiques se prolongeront jusqu'à la Première Guerre mondiale, dans l'espace notionnel et politique précédant celui qui voit l'apparition du *racisme*-terme au sens contemporain, proprement « vingtiémiste », dans les années vingt-trente. Un témoignage de Maurras autorise à situer avant 1895 l'apparition du mot *raciste*, doté de la même signification : est « raciste » celui qui croit à l'existence de la « race française », et veut en préserver l'intégrité. Le contexte idéologique en est le nationalisme antisémite des années 1890 : la position dite alors « raciste » ne renvoie pas à la théorie « scientifique » des races zoologiques mais à la conception traditio-nationaliste de la « race historique ». Dans son compte rendu d'une conférence organisée le 25 mars 1895 à la Sorbonne, « Société d'ethnographie nationale » (*La Gazette de France*, 26 mars 1895, p. 1-2), Maurras note : « La race au sens physique est un grand sujet de sourires. Je crois qu'on lui donne une importance démesurée. Et toutefois je suis "raciste", moi aussi ! J'ai eu ailleurs l'occasion d'en informer mon distingué confrère M. Gaston Méry qui s'est fait autrefois chevalier de la race et qui a inventé cette épithète de "raciste". Je crois comme lui qu'il y a une race française » (p. 1 ; Maurras reprendra partiellement ce texte dans son *Dictionnaire politique et critique*, établi par les soins de Pierre Chardon, Paris, A la Cité des Livres, 1933, t. IV, fasc. 19, p. 304 ; cf. Jeannine Verdès-Leroux, *Scandale financier et antisémitisme catholique. Le krach de l'Union Générale*, Paris, Le Centurion, 1969, p. 111 [et n. 50], p. 234).

La prénotion du « racisme » réapparaît en 1902, la forme *racisme* étant clairement introduite en tant que substitut nominal de « l'idée de race », et créée par analogie sur le modèle de dérivation : « l'idée de tradition » → « le traditionalisme ». Il s'agit d'un texte polémique d'A. Maybon publié dans la *Revue blanche* : « Sur quoi, en effet, repose le *Félibrige d'action* ? sur quelles théories générales échafaude-t-il le monument de son ignorance ? Ce félibrige met à son origine les grandes idées de race et de tradition. Ces mots reviennent dans tous les discours de ces puérils théoriciens. Faire refleurir la beauté de la race, travailler à l'épanouissement de la race, voilà les expressions les plus simples (car ils sont d'ordinaire plus emphatiques) qui leur viennent sans cesse à la bouche [...]. Et, par ces traits, ne ressemblent-ils pas aux théoriciens du nationalisme ? Est-ce que les écrivains de *L'Action française*, jaloux de fonder philosophiquement leur misérable doctrine purement politique, ne regardent pas les idées de race et de tradition comme le *substratum* du nationalisme et du monarchisme ? [...] Il ne m'appartient pas de refaire ici le procès du *racisme* et du traditionalisme [11]. »

C'est encore en 1902 que l'on peut relever un emploi de l'adjectif *raciste* pour qualifier le programme d'un retour à l'origine attribué à une certaine forme de nationalisme : « L'idée raciste enchérit sur l'idée nationaliste et serait, mise en action, un retour à la sauvagerie. — Où finissent les Latins et où commencent les Germains, et où est la ligne de démarcation exacte entre Germains et Slaves [12] ? »

La notion de racisme

Nous passons maintenant de la « préhistoire » idéologique du racisme à son « histoire » telle que nous la vivons encore. Celle-ci peut être définie comme la *période hégémoniquement antiraciste*, en France, de l'histoire générale des théories des races. Cette singularité éclaire considérablement le champ des débats et controverses autour du « racisme » dans la première moitié du XXe siècle en Occident.

La « théorie racique » en 1921

Avant la rupture sémantique et idéologique de 1922-1925, marquée lexicalement, nous nous trouvons donc dans la « préhistoire » du *racisme*. Une contre-épreuve peut en être aisément fournie : avant la dénonciation française explicite des « racistes » allemands, l'adjectif *racique*, employé concurremment avec « ethnique », semble ne pas être exclusivement saisi par l'intention polémique de délégitimer l'adversaire — l'ennemi héréditaire ainsi qualifié. En témoigne un texte exemplaire de Louis Le Fur, publié en 1921 (texte qui eut son importance idéologique), qui proposait de substituer le terme « racique », présenté comme un néologisme relevant du domaine strict de la race (au sens « propre » : zoologique), au terme « ethnique », suspecté d'être équivoque pour ce qu'il renverrait à un domaine intermédiaire entre race et peuple/nation, situé entre la bio-anthropologie et l'histoire.

Dans son étude critique de 1921, « Race et nationalité [13] », L. Le Fur récuse ce qu'il nomme « la théorie racique [14] » pour ce qu'elle serait « antiscientifique », constituerait en outre « une doctrine de régression sociale », et représenterait même « une régression pour l'humanité [15] ». La double thématique récurrente dans la tradition antiraciste française de haute culture est bien présente : la théorie des races est stigmatisée, d'une part, pour son caractère non scientifique, voire pour sa nature d'imposture pseudo-savante, d'autre part, en raison de ses effets jugés nuisibles, censés provoquer un retour en arrière, une « régression », le mouvement contraire du progrès. Mais ce qui nous intéresse ici plus particulièrement, c'est le mode de dénomination utilisé et glosé par L. Le Fur — soulignons la date — en 1921. L'expression « la théorie des races » y apparaît en concurrence avec l'expression « la théorie *racique* », ce qualificatif étant présenté comme un néologisme rendu nécessaire pour éviter certaines ambiguïtés. Louis Le Fur pose ainsi le problème des rapports entre « race » et « nationalité » : « Bien loin que l'unité de race (au sens propre du mot) et l'unité nationale soient une seule et même chose, ce sont bien plutôt des théories opposées qui s'affrontent : *la théorie racique*, qui se place sur le terrain des sciences physiques et naturelles, et la théorie nationalitaire, qui se place sur celui des sciences politiques et sociales [16]. » Le recours à la néologie est ainsi justifié dans une note : « J'emploie ce néologisme ["racique"], car le terme "ethnique", qui vient de *ethnos* (peuple), est ambigu, la notion de peuple se rapprochant plus de celle de nation que de celle de race [17]. » La « théorie racique » n'en demeure pas moins, ainsi désignée, fort ambiguë au regard rétrospectif qui bénéficie de deux expressions relativement distinctes, autorisant certaines nuances : « théorie raciale » (théorie des races), « théorie raciste » (racisme) [18].

Mais l'on pourra encore relever, dans les années cinquante, certains emplois euphémisants du mot *racique*, permettant d'éviter les connotations de blâme attachées au qualificatif *raciste*, voire à *racial* : « Attribuer aux troubles de Léopoldville un caractère politique ou *racique,* c'est confondre cause et conséquence [19]. »

En 1950, après avoir rappelé que « les antagonismes qui se manifestent si fréquemment entre certaines races opposent à la constitution de l'humanité en société intégrale un obstacle des plus sérieux [20] », Théodore Ruyssen, l'un des pionniers d'une société cosmopolitique, note : « Le sentiment religieux peut parfois atténuer *les animosités raciques*, principalement chez les chrétiens, mais les propagandes politiques peuvent aussi les exploiter et les exacerber ; l'antisémitisme a été peut-être le ressort le plus puissant du national-socialisme hitlérien [21]. »

Premières apparitions de la notion : « raciste » (1922) et racisme (1925)

Dans un livre paru à la fin de l'année 1922, *L'Allemagne d'aujourd'hui dans ses relations avec la France* [22], le germaniste historien Henri Lichtenberger introduisait l'adjectif « raciste » pour caractériser les éléments « extrémistes », « activistes » et « fanatiques » des milieux de la droite nationale et nationaliste allemande, tels qu'ils s'étaient récemment encore manifestés par l'assassinat à Berlin, le 24 juin 1922, de W. Rathenau : « Les milieux de droite ont condamné avec indignation l'assassinat de Rathenau et répudié toute solidarité avec les meurtriers. Une campagne a même été ébauchée pour éliminer du parti national les activistes d'extrême droite connus sous le nom de *groupe "germaniste" ou "raciste" [deutschvölkisch]*, dont les chefs les plus en vue sont Wulle, Henning, von Graefe, et dont Ludendorff passe pour être l'inspirateur secret. Henning a même été exclu du parti, à la fin de juillet, par un vote de la fraction parlementaire. Mais on eut soin d'avertir le public que cette exclusion n'avait pas pour motif la participation de ce député au *mouvement "raciste"* mais son activité politique personnelle. La direction du parti a cherché visiblement à éviter une rupture avec les extrémistes qui disposaient évidemment d'une influence assez étendue sur l'organisation du parti [...]. Dans quelle mesure ses adversaires sauront-ils tirer parti de l'indignation générale causée par le meurtre de Rathenau pour sévir avec plus de décision contre les menées subversives des fanatiques de droite et pour consolider le régime républicain [23] ? »

Le contexte d'apparition du terme est significatif : la description du comportement des « nationaux allemands », et plus précisément de la fraction « activiste » d'« extrême droite ». L'adjectif

« raciste » est clairement présenté comme un équivalent français du mot allemand *völkisch*, et toujours mis entre guillemets. Il surgit en outre pour conclure (et comme pour en exhiber la « raison ») la narration d'une longue série de meurtres commis par la droite nationale allemande, dont il est dit qu'elle excelle dans l'art d'exploiter, en particulier, « la peur du bolchevisme » et « les passions antisémites [24] ». Le terme, à peine apparu, est déjà chargé de connotations criminalisantes.

En 1925, dans son livre de référence sur *L'Allemagne contemporaine* [25], Edmond Vermeil réintroduisait expressément l'adjectif *raciste* pour traduire « l'intraduisible » terme allemand *völkisch*, et suggérait l'identification, devenue triviale dans les années trente, du racisme (allemand) à l'antisémitisme nationaliste, ou aux tendances antijuives du mouvement nationaliste dans l'Allemagne des années vingt : « C'est ainsi que le parti national-allemand s'est peu à peu scindé en deux camps. *L'extrême droite "raciste" (völkisch)* s'est séparée du parti. *Le racisme* prétend renforcer le nationalisme, lutter à l'intérieur contre tout ce qui n'est pas allemand et à l'extérieur pour tous ceux qui portent le nom d'Allemands. Sa doctrine s'est doublée de celle de Hitler en Bavière. Il fleurit aujourd'hui dans tous les États allemands où il est partout en lutte ouverte avec les éléments plus modérés du nationalisme [...]. Le Parti populiste [...] se croit aussi patriote, aussi allemand que les nationaux-allemands ou *les racistes* [26]. »

Parallèlement, au cours d'un reportage sur l'Allemagne paru dans la livraison du 15 février 1925 de *La Revue universelle*, René Johannet qualifiait de *racistes* les militants et partisans de certaines organisations politiques allemandes : « Les *racistes* de Ludendorff » (en italiques dans le texte) [27]. La notion apparaît plus souvent en tant qu'adjectif (« être raciste », « le N raciste », etc.), mais l'emploi du nom collectif au pluriel (« les racistes [de N] ») commence à être attesté. Ce qui est significatif, en 1925-1927, c'est la rareté de la forme « le racisme », du recours au nom de doctrine. L'amalgame polémique entre la théorie des races en général et les positions « racistes » allemandes était en cours de formation, la désignation péjorative n'était pas encore ritualisée. C'est ce que confirme l'analyse d'une étude anonyme publiée dans la même revue, deux ans plus tard, sur « Les associations patriotiques et militaires en Allemagne [28] ». Celle-ci étendait l'usage du qualifiant « raciste » sans pour autant user du désignant « racisme ». Le terme est désormais appliqué pour caractériser un parti, tel « le parti raciste » du même général Ludendorff, non moins que ses membres ou ses sympathisants (« les racistes »), ainsi que certaines attitudes ou certains comportements (telle ligne de conduite étant dite « raciste et antisémite ») : « Le général Ludendorff, en fondant *le parti raciste* [je souligne], se posa en violent antijuif et anticatholique, et beaucoup d'anciens combattants, ses admirateurs aveugles, adoptèrent l'insigne antisémite de la croix gammée ou *Hakenkreuz* (卐). » La forme « le N raciste » apparaît en même temps que la forme « les racistes » : « La direction du Stahlhelm [Casque d'acier], soutenue par la majorité des membres, refusa de suivre *les racistes* [je souligne] dans cette voie. » L'adjectif continue d'apparaître selon divers emplois (« est raciste », « GN raciste »), en co-occurrence avec le nom collectif au pluriel (« les racistes ») : du Fronting *[Frontkämpferbung]* fondé par Ludendorff, il est dit que « sa ligne de conduite politique est officiellement *raciste* et antisémite (les juifs en sont exclus), sans qu'il y ait soumission directe à un des partis *racistes* (*Nationalsozialistische Freiheitsbewegung* ou bien *Deutsch-Völkische Freiheitspartei*) » ; « nous avons vu l'échec des *racistes* du Stahlhelm, dont la majorité maintint son ancienne ligne de conduite, *la minorité raciste* faisant scission pour former le Fronting. Le contraire se produisit au Wehrwolf [Loup-garou], dont la grande majorité passa au *camp raciste* » ; « comme autres associations réactionnaires d'une certaine importance, on peut citer les organisations Rossbach et Ehrardt, l'association Wiking [...], la ligne Oberland, le Bund der Frontsoldaten [Ligue des soldats du front], le Ludendorffbund, *union ultra-raciste*[29] ».

La désignation politique *les racistes* apparaît sans guillemets, de la même manière, dans une étude sur « les partis politiques en Allemagne » publiée par *Revue d'Allemagne* en avril 1928. Après avoir énuméré les sept « principaux partis allemands », l'auteur, Ludwig Bergstraesser, membre du Reichstag, précise : « Nous négligeons à dessein quelques petits partis politiques qui ou bien ne sont pas représentés au Reichstag ou n'ont pas d'importance véritable. Parmi ceux-ci figure aussi un parti auquel on a, à l'étranger et surtout en France, attaché une importance qu'il n'a nullement, nous voulons parler *des racistes*. Ils se sont manifestés d'une manière marquante aux seules élections de mai 1924 [...]. Mais [...] depuis ce parti non seulement a fondu, mais encore s'est scindé en deux fractions. La décadence de ce parti n'a rien de surprenant. La seule partie de son programme qui avait retenu l'attention et formé un certain lien entre ses adhérents fut *un antisémitisme très prononcé*[30]. » La co-occurrence des mots « (les) racistes » et « antisémitisme » a ici encore valeur indicative pour une analyse des représentations idéologiques : l'attribut principal du « raciste » est l'« antisémitisme », étant entendu que le « raciste » est un « nationaliste » allemand, dit d'« extrême droite » le plus souvent. La séquence identificatoire est donc la suivante : allemand, d'extrême droite, nationaliste, antisémite (antijuif), raciste/racisme. Dans la même étude, à propos des « nationalistes » du « parti national-allemand », qualifié « d'extrême droite », et caractérisé comme « réactionnaire et légitimiste », l'auteur met l'accent sur la rivalité mimétique entre « nationalistes » et « racistes », directement liée à l'existence d'une zone frontière commune, et à la visée d'électorats se chevauchant : « Les nationalistes ont d'autant moins renoncé à leurs discours véhéments qu'ils ont eux aussi pour voisins *un parti d'extrême droite, les racistes*, et qu'ils croient ne pouvoir retenir que par de tels discours ceux de leurs électeurs qui se sentent attirés par ce parti[31]. »

Le « nationalisme » français contre le « racisme » germanique (1927, 1937)

> « Il est vrai que la nationalité n'est pas un phénomène de race. Il ne s'ensuit pas qu'elle soit le résultat artificiel d'un acte de volonté contractante[32]. »
>
> Charles MAURRAS.

Dans le « Discours préliminaire (1900-1924) » de l'*Enquête sur la monarchie*[33], Maurras aborde la question des races avec une certaine prudence : « Pratiquement, comme scientifiquement, la Race apparaît un facteur général qu'il faut considérer. Il est trop mal connu pour servir à fonder une loi quelconque, mais il fournit le thème d'observations physiques et morales que la politique utilise. Le type d'une race d'hommes exercée et dévouée au commandement n'est pas plus négligeable que le type d'une race de chevaux coureurs ou de chiens chasseurs. Il a fallu de longues expériences sur des souris [...] pour faire admettre qu'il y a transmission héréditaire de certaines sensations intellectuelles [...] ; cela a permis d'avouer qu'il y a des dynasties naturelles d'artisans, de savants, d'artistes. La sagesse spontanée du genre humain a reconnu depuis longtemps [...] que, selon la forte expression mistralienne, le sang tire les hommes bien plus fort que les câbles et qu'enfin il existe des dynasties de chefs. Que l'influence soit complexe, mal déterminée encore, nous n'en sommes pas réduits à fermer les yeux ni à refuser l'attention à ces majestés nées [...] [34]. »

La position de Maurras est claire : si nous ne savons pas dire *ce qu'est* la transmission héréditaire des caractères de race (question *quid sit*), nous savons *qu'elle est*, qu'elle a lieu (question *an sit*). Il faut donc en tenir compte. Mais l'on ne saurait fonder les lois de la politique sur cette réalité mal définie des races [35], c'est-à-dire sur l'hérédité physiologique. C'est pourquoi Maurras a eu des mots si durs sur Gobineau, en tant que théoricien d'une histoire politique fondée sur la race physiologique : « L'inepte Gobineau, ce Rousseau gentillâtre [36]. » Pour Maurras, la théorie « physiologique » des races est chose allemande, trop allemande pour être recevable. En 1927, M. de Roux pose bien le problème, non sans une certaine propension à l'hagiographie : « Le *racisme*, dont il n'y a pas trace chez Maurras, est la forme la plus aiguë de ce *nationalisme subjectif* qui ne se pose qu'en s'opposant et devient la justification des excès qui semblent le contredire. Le *pangermanisme* intellectuel est détestable parce que, au lieu de vouloir accorder ce que l'esprit germain a de propre au trésor de la culture universelle, il s'attache au contraire à opposer à celle-ci les propres défauts et les lacunes de celui-là, comme ses biens les plus précieux [37]. » Le nationalisme subjectif se caractérise par le fait qu'il est « attaché à cultiver les façons d'être qui le distinguent et qui l'opposent au reste du monde ». Il s'oppose au nationalisme intégral qui est le patriotisme pensé par la raison : « Tout homme doit aimer sa patrie comme sa mère ; mais il ne devra imiter celle-ci que pour ses vertus. Ainsi s'ajoute au patriotisme une reconnaissance particulière et raisonnée qui n'est due que dans la mesure où la civilisation nationale nous fait participer à la plus haute humanité. » La civilisation latine permet précisément, selon Maurras, cette belle alliance du nationalisme et de l'universalité, à travers l'œuvre de la raison. Et le commentateur est fondé à conclure : « Un nationalisme si raisonnable ne peut guère fleurir en *xénophobie*, s'il s'agit de défendre la culture française, ni en *impérialisme* et *bellicisme*, s'il s'agit de politique étrangère. » D'où l'opposition sloganisée entre barbarie allemande et civilisation française : « Le fruit sauvage préféré au fruit de l'arbre enté, l'instinct brut à la culture, sous prétexte que le sauvageon est plus lui-même, plus original, c'est la philosophie du *pangermanisme.* »

En 1927, donc, un écrivain d'*Action française* procède à une mise en équivalence des termes *racisme, nationalisme subjectif, pangermanisme* (intellectuel), *xénophobie, bellicisme, impérialisme* : ce faisant, il construit idéologiquement le type allemand, l'installe sur les terres sauvages de l'excès et de l'absence de mesure (ou de raison), invente la figure mythique absolument négative de son ennemi collectif. L'amalgame polémique, plus tard installé en stéréotype et distribué en clichés divers, est constitutif de ce qu'il convient de qualifier d'*antiracisme français*, lequel est indiscernablement doctrine anti-allemande — et le discours d'*Action française* ne fait ici que rendre plus visibles, en les ramassant en une synthèse de propagande où se reflète une tendance générale, une multitude d'amalgames dispersés et partiels visant à délégitimer la figure de l'ennemi allemand. La caractérisation différentielle des esprits nationaux antagonistes est posée : *nationalisme français contre racisme allemand.* Le « racisme » est un nom attribué en propre à l'ennemi, et supposé inapplicable, par définition, à la tradition française. Si donc le nationalisme français est radicalement distinct du racisme allemand, identifié au pangermanisme, c'est aussi que le nationalisme allemand est un pseudo-nationalisme, un nationalisme corrompu par l'excès d'instinct ou de subjectivité, et par l'absence de raison.

Dix ans plus tard, en 1937, M. de Roux publie une brochure sur « Le nationalisme français [38] », dans laquelle il reprend la question, intégrant de nouvelles références identifiantes (au dogme aryen, à l'hitlérisme, au national-socialisme, à la mystique de la race élue) au même dispositif de stigmatisation de l'ennemi. Si le racisme, spécificité doctrinale allemande, consiste à ériger des caractéristiques particulières en normes universelles et à se gonfler en mystique impérialiste et belliciste, le nationalisme français se caractérise par un sens de la mesure qui est aussi bien celui de l'universel, et se confond avec une force de paix. Si l'attachement aux caractéristiques nationales propres ou la « préférence déterminée pour ce qui est propre à la nation à laquelle on appartient » définissent le fondement de tout nationalisme, il y a « deux façons de concevoir l'attachement aux caractéristiques ». Nous privilégierons la description du racisme : « On peut leur [aux caractéristiques nationales] prêter un tel prix qu'on en fait la mesure des valeurs humaines, le canon d'après lequel on juge toutes choses, même celles dont la nature est d'être universelles. Le peuple qui a cet orgueil, qui croit être la race élue (la mystique de la race achève celle de la langue), arrive par une déduction logique à croire qu'il a le droit d'imposer par la force, au reste de l'humanité, la forme humaine supérieure dont il est l'exemplaire. Les meilleurs éléments seront assimilés, les autres seront assujettis. C'est le racisme. » Mais « la théorie raciste allemande » a ceci de spécifique qu'elle « a construit un dogme aryen d'après lequel elle juge le monde » : « Le national-socialisme est l'aboutissement de cette mystique [...]. Le sentiment de la race allemande devient ainsi expressément l'étalon, la mesure des valeurs morales universelles[39]. » Or, c'est « un désordre de vouloir les soumettre au sentiment particulier d'un peuple[40] ». Le racisme est le manque de mesure qui aboutit à la volonté impérialiste d'imposer une vérité particulière comme un absolu. Vu d'*Action française*, le raciste dit : « La façon de penser particulière à mon pays, la façon de sentir qui lui est propre, c'est la vérité absolue, la vérité universelle et je n'aurai pas de paix ni de cesse que je n'aie rangé le monde sous la loi qui est celle du canton de la naissance. » Or, insiste M. de Roux, *« le racisme est tout à fait étranger au nationalisme français »*, lequel met en œuvre « la notion directement contraire : pour aimer une femme il n'est pas nécessaire de croire qu'elle est la plus belle de l'univers et notre bonheur peut être attaché à ses regards sans que nous prétendions imposer à tous les yeux la nuance de ses yeux ». C'est que le nationalisme français *« sous sa forme la plus aiguë, la plus exigeante [...] est pénétré du sens de l'universel et c'est la raison intime qui en fait une force de paix »*.

Dans ses *Lectures*, recueil posthume d'articles publié en 1937, Jacques Bainville réduit la doctrine du national-socialisme à ses deux composantes essentielles, « racisme » et « naturisme » nostalgique, auxquelles il croit pouvoir dénier toute spécificité germanique, au moins quant à la provenance intellectuelle. Son interprétation du « germanisme » diffère donc apparemment, sur ce point, de celle de Maurras qui insistait sur les origines fichtéennes du « racisme ». A propos d'un numéro de la *Nouvelle Revue française* consacré aux doctrines national-socialistes, J. Bainville écrit en 1933 : « Les éléments de la doctrine hitlérienne, à l'analyse, sont pourtant pauvres. Il n'y a rien chez elle qui ne soit connu et même que des livres français n'aient fourni. Gobineau est à la source du racisme. Le ministre hitlérien de l'Instruction publique a cité l'autre jour comme une bible le livre d'un professeur d'anthropologie à la faculté de Rennes, Vacher de Lapouge. Je me rappelle très bien que ce livre, *L'Aryen, son rôle social*, avait paru dans les environs de l'année 1900 [en 1899] et que Charles Maurras avait mis le très jeune lecteur que j'étais en garde contre les rêveries de race pure [41]. Un autre élément du national-socialisme c'est une sorte de naturisme, d'âge d'or agricole, d'artisanat élevé sur les débris des machines. C'est même en cela et par le refus d'accepter la conception matérialiste de l'histoire que ce socialisme est antimarxiste [42]. »

La doctrine des races imputée à Gobineau joue ainsi, de façon récurrente, le rôle d'un mythe répulsif, identifié au parti allemand en France : « Nous sommes également avec Fustel contre Renan, comme aussi contre Gobineau, devant la folle admiration que ceux-ci montrent à l'Allemagne », déclare Maurras [43]. Le penseur du nationalisme intégral refuse avec vigueur d'être mis « à l'école d'un visionnaire envers lequel nous n'avons jamais éprouvé qu'une indifférence tempérée çà et là par une juste horreur [44] ». La différence tient en un point essentiel : l'hérédité et la tradition politique ne se réduisent pas à l'hérédité physiologique [45]. Penser autrement, comme Gobineau et le racisme germanique, c'est sombrer dans l'idôlatrie la plus pernicieuse : « La qualité, la naissance, la race, le privilège, ainsi conçus, ainsi séparés de la profession de servir l'État, deviennent des anachronismes ridicules et incompréhensibles : on en fait de petites divinités aussi strictement personnelles, aussi fausses, aussi menteuses chez un Gobineau, par exemple, que put être chez Kant l'idée du devoir ou chez Rousseau l'idée du droit [46]. »

Nous avons analysé les deux apparitions, en langue française, du mot *racisme* dans leurs contextes respectifs, lexicaux et idéologiques. On a pu voir au passage combien l'histoire du vocabulaire, surdéterminée par l'histoire intellectuelle générale et par l'histoire politique, participait à ces histoires. Les analyses présentées nous semblent justifier la distinction introduite entre « prénotion » (1895-1897, 1902 et suivantes) et « notion » du racisme (1922-1925 et suivantes). Ces deux configurations idéologiques et sémantiques correspondent à deux époques ou deux régimes de l'évolution du terme *racisme*. Elles s'inscrivent dans deux espaces idéologico-discursifs successifs qui peuvent être considérés comme *incommensurables*, en dépit des apparences suscitées par la présence continuée du lexème *racisme/raciste*. Mais le même signifiant est articulé à deux systèmes de signification eux-mêmes incommensurables : de l'équivalence simple des qualités de « français » et de « racistes » (1897) au nœud des traits « pangermanistes »/« antisémites »/« allemands » (ennemis de la France)/« extrême droite »/« nazisme », etc. dans les années vingt et trente, on passe du sens pré-raciste du terme (l'adjectif *raciste* pouvant être considéré en 1895-1897 comme une singularité, sinon un hapax) à son sens fixé dans le vocabulaire général, comprenant lui-même une oscillation entre deux pôles : théorie des races (modèle explicatif de l'évolution historique sur la base d'un déterminisme racial, dans une perspective soit inégalitariste/universaliste soit différentialiste/particulariste) et rapports de rivalité/haine entre les « races » (comme entités collectives soit zoologiques soit historiques : peuples, nations, ethnies, etc.)[47]. Pôle gobinien et pôle « darwiniste social », mais dont les amalgames de propagande « antifasciste » effaceront la distinction : le « racisme nazi » est indistinctement situé dans la filiation gobinienne ou dans celle du « darwinisme social », régulièrement confondu avec l'eugénisme ou le sélectionnisme (les interférences des deux traditions posent divers problèmes d'interprétation que l'amalgame, voire l'identification, supprime magiquement, interdisant toute autre approche que celle dictée par la dénonciation et la condamnation). Le discours propagandiste ne faisait à vrai dire que refléter la confusion des héritages idéologiques réalisée par la doctrine national-socialiste officielle, mélange d'individualisme élitiste et concurrentiel, de racisme communautariste et de racisme universaliste/inégalitaire (impérialisme), de scientisme eugénique et de populisme néo-romantique « organique ».

Universalisme ou barbarie allemande
(une polémique d'*Action française*, 1915)

> « La Grèce ancienne n'a jamais réussi à se former en un État et, dans ce coin privilégié du monde, la question des races, dès les premiers témoignages, était aussi complexe que dans l'Europe moderne ; pourtant les intéressés définissaient bien tout ce par quoi un Hellène s'opposait aux "balbutiants", aux *barbaroi*, et nous croyons nous-mêmes ressentir encore quelque chose de l'immense trésor que représentait pour ces hommes "l'hellénisme", c'est-à-dire la langue avec la pensée qu'elle favorisait et véhiculait [48]. »
>
> Georges DUMÉZIL.

L'appel des intellectuels allemands, *Appel au monde civilisé (Aufruf an die Kulturwelt)* [49], portant la date du 3 octobre 1914, comporte dans son point n° 5 (« *Il n'est pas vrai* que nous fassions la guerre au mépris du droit des gens ») les propos suivants : « Ceux qui s'allient aux Russes et aux Serbes, et qui ne craignent pas d'exciter des Mongols et des nègres contre la race blanche, offrant ainsi au monde civilisé le spectacle le plus honteux qu'on puisse imaginer, sont certainement les derniers qui aient le droit de prétendre au rôle de défenseurs de la civilisation européenne [50]. »

Louis Dimier, commentant ce texte, en récuse un par un les arguments, avant de retourner contre l'adversaire l'accusation de barbarie : « L'accusation de barbarie pour une nation n'a rien à faire avec le plus ou moins de civilisation de ses alliés, pas davantage (ce qui est une autre chose encore) de la race et de la couleur à laquelle ils appartiennent. [...] Ce qui classe une nation comme barbare, ce sont ses actes. A qui dénonce des attentats, des massacres et des pillages, il est ridicule de répondre qu'il a des alliés qui sont barbares. Cette réponse seule accuse la barbarie de celui qui la fait, puisque la barbarie essentielle consiste à être incapable de conduire sa pensée, à ne pas comprendre ce qu'on dit [51]. » Outre qu'il recourt de façon sophistique à l'étymologie du mot barbare pour qualifier en retour de barbare son adversaire (ce qui se conçoit mal s'énonce confusément), l'historien d'*Action française* invoque les preuves factuelles (les actes réels) contre les préjugés de race : la barbarie n'est pas une propriété enveloppée par l'essence de tel ou tel peuple, mais un trait révélé par son mode d'existence et sa manière de penser ou de parler. Face à un peuple, il ne faut pas demander qui il est, mais ce qu'il fait : dans la terminologie de Parsons, Dimier argumente selon la variable de la performance, contre celle de la qualité. Une telle reformulation du problème, comportant une redéfinition de la barbarie [52], permet au polémiste de reprendre l'offensive dans l'accusation. Il lui suffit dès lors d'apporter les preuves de ce que les Allemands pillent et massacrent pour que la barbarie soit inférée des faits qui la révèlent, la visibilité de ces derniers confirmant l'évidence de la « barbarie » de la pensée et du langage.

L'historien polémiste procède à un autre type d'argumentation sur la question spécifique des « nègres », distinguée de celle des « Mongols », lesquels sont dévoilés comme référant en réalité à « une nation comme les Japonais, organisée dans le genre de celles d'Europe », ce qui détruit l'objection de style européanocentrique. Mais les « nègres » font problème : Dimier va dès lors contourner l'argument adverse, ne pas traiter du thème « nègre » comme tel, déplacer la question sur le terrain de la direction et de la maîtrise de ces « troupes » d'appoint. « Il n'est pas moins vain d'objecter qu'il y a des nègres dans l'armée française. [...] qui *dirige* ces nègres ? qui leur *commande* ? à quelle discipline sont-ils *soumis* ? Est-ce que la France n'est pas présente dans cette discipline et dans ce commandement ? Eux-mêmes ne sont-ils pas *dressés* de longue main à recevoir cette direction ? » Voilà le contenu de la réponse à l'objection : les « nègres dressés » ne présentent aucun danger, ils ne sont que des instruments de guerre dont il serait stupide de se priver. De sorte que Dimier peut conclure, mettant en jeu la logique de la guerre totale : « On ne voit pas quelle raison obligerait la France à se priver de l'appoint de troupes qui sont à elles, dans une guerre qui réclame la mise en ligne de toutes ses forces [53]. »

Le point suivant de l'*Appel* va permettre à son commentateur et adversaire de conduire une argumentation universaliste contre l'un des thèmes du texte de propagande allemande : l'invocation de la menace pesant sur la « civilisation allemande » *(deutsche Kultur)* [54]. Le point 6 de l'*Appel* développe ainsi le thème particulariste, inscrit dans l'argument de la légitime défense : « *Il n'est pas vrai* que la lutte contre ce qu'on appelle notre militarisme ne soit pas dirigée contre notre culture *[unsere Kultur]*, comme le prétendent nos hypocrites ennemis. Sans notre militarisme, notre civilisation *[die deutsche Kultur]* serait anéantie depuis longtemps. C'est pour la protéger que ce militarisme est né dans notre pays, exposé comme nul autre à des invasions qui se sont renouvelées de siècle en siècle. L'armée allemande et le peuple allemand ne font qu'un. [...] A vous qui nous connaissez et qui avez été, comme nous, les gardiens des biens les plus précieux de l'humanité, nous crions : Croyez-nous ! Croyez que dans cette lutte nous irons jusqu'au bout en peuple civilisé *[als ein Kulturvolk]*, en peuple auquel l'héritage d'un Goethe, d'un Beethoven et d'un Kant est aussi sacré que son sol et son foyer[55]. » L'argumentation de Dimier opère en deux temps : il met tout d'abord en doute la valeur de la « culture allemande » comme telle, il récuse ensuite l'idée même d'une culture-civilisation allemande. Sur le premier point, Dimier est formel : « La "culture allemande" prise en soi, mis à part les hommes de mérite qui ont pu naître en Allemagne, est aussi détestable que la puissance allemande, que le militarisme allemand. [...] Il est vrai que nos Allemands ont peine à comprendre cela. L'idée ne leur vient pas qu'on puisse seulement médire de quelque chose d'aussi beau que leur civilisation. » Mais comment justifier absolument une telle évaluation négative ? Car il ne s'agit pas seulement de rétorquer que la culture-civilisation allemande n'a pas la valeur dont l'*Appel* la gratifie, mais bien plus radicalement de lui dénier toute valeur. C'est le second point du commentaire critique, dont l'argumentation consiste à rapporter la prétendue « civilisation allemande » aux intérêts supérieurs du genre humain. Le polémiste d'*Action française* se situe sur le plan le plus « élevé » : celui de « la civilisation », impliquant une perspective universaliste ou « catholique » expressément opposée à tout point de vue particulariste — ici toute détermination particulière est négation de l'essence du genre humain. « Car en quoi le genre humain aurait-il intérêt à ce que la civilisation allemande soit conservée ? Comment au contraire son intérêt ne demanderait-il pas qu'elle soit effacée *[getilgt]* de la terre ? Est-ce que les intellectuels ne voient pas que ces mots seuls : civilisation allemande, *deutsche Kultur*, expriment une usurpation ? » Voilà isolé de façon négative le foyer de l'argumentation : s'il y a usurpation, si l'invocation d'une « civilisation allemande » n'est qu'une imposture fondée sur une idée obscure, c'est que la civilisation est une et universelle. « La civilisation » : l'expression doit rester au singulier, car elle réfère à un attribut unique et unitaire du genre humain, susceptible de participation (chaque homme ou chaque peuple peut prétendre participer de la civilisation) mais non point de fragmentation en unités spécifiques, aussi « originales » qu'hétérogènes. Le passage au pluriel ne peut être en ce sens que mystification, nourrie de préjugés. L'argumentation strictement universaliste de Dimier est la suivante : « Ou la civilisation n'est rien, ou elle est quelque chose de commun entre les nations. Elle ne saurait donc, en tant que telle, avoir de marque nationale. Elle ne peut consister que dans la découverte, l'application, la mise en pratique et en habitude de principes qui valent pour tous les hommes. Les préjugés locaux, les humeurs particulières, les déterminations ethniques n'en font pas partie. Il n'y a donc, il ne saurait donc y avoir de civilisation allemande *[deutsche Kultur]*, pas plus que de civilisation française ou anglaise, ou italienne, pas plus que de civilisation boschimane ou turque. » Le germanisme a érigé en absolu son nationalisme culturel : voilà la faute contre l'esprit universaliste que dénonce Dimier. Ce que l'Allemagne a baptisé « culture » ou « civilisation allemande » n'est qu'un ensemble de particularités relevant des « goûts », des « fantaisies », des « humeurs » mêmes, qu'il eût fallu précisément « redresser [...] sur le modèle commun du juste, du proportionné, du raisonnable », pour rendre possible l'accès à la civilisation. Mais l'Allemagne a visé l'impossible, et réalisé une monstruosité : elle a « voulu avoir une civilisation qui ne fût qu'à elle ».

Cette réfutation suppose une conception de l'histoire universelle de la civilisation qui lui donne son sens. S'il y a en effet une histoire unique de la civilisation, celle-ci s'est incarnée successivement dans ces ensembles qu'on baptise ordinairement du nom de « civilisation » (grecque, latine, de la Renaissance, etc.). Il faut correctement comprendre le phénomène : la civilisation est l'éponyme des « civilisations », c'est d'elle que celles-ci tiennent leur nom commun. Les « civilisations » ne sont dites telles qu'en ce qu'elles illustrent plus parfaitement, à telle époque historique, la civilisation en général : « Entre les nations modernes, si quelqu'une a quelquefois donné son nom à une époque de la civilisation, ce fut [...] parce que celle-là portait plus haut que les autres ces traits de la civilisation commune. Ainsi on a pu dire que la civilisation de la Renaissance était italienne, que la civilisation du XVIIIe siècle était française. » Les diverses « civilisations » n'ont de sens qu'à désigner les différentes époques de la civilisation. Par là, Dimier tente d'esquisser une philosophie de l'histoire où l'universalité de la nature humaine et de son attribut principal (« la civilisation ») se projette en époques diverses, selon le degré de participation que manifestent ces époques « civilisationnelles ». Si donc il faut récuser l'exorbitante prétention des partisans de la « civilisation allemande », « cela ne veut pas dire qu'une nation ne puisse vanter comme son ouvrage, soit tout entière, soit en partie, la civilisation dont jouit le genre humain : rien n'empêchant que ce qui convient à tous soit la découverte, le résultat des efforts d'un seul. » Le caractère « civilisationnel » des « civilisations » leur vient de la qualité de leurs respectifs « apports » à la civilisation : « Ainsi d'immenses apports de civilisation ont été fournis par Rome et par la Grèce, et c'est ainsi qu'on a pu parler de civilisation grecque, de civilisation latine. » Il reste que l'institution de tels peuples en modèles de civilisation a supposé un travail de ces peuples sur eux-mêmes, par lequel ils se sont réformés, épurés, élevés au statut d'images les plus fidèles de la civilisation. Parler de civilisation grecque ou de civilisation latine, « cela ne signifie pas que les préjugés grecs ou latins, les humeurs grecques ou latines soient devenus tout à coup les règles de la raison ». C'est « au contraire [...] en corrigeant ces préjugés, en subordonnant ces humeurs [...] qu'ils ont mérité de devenir les instituteurs du genre humain ».

Les civilisations institutrices sont donc celles qui prêchent par l'exemple, en s'érigeant en types universels par la vertu de l'effort d'humanisation dont elles ont témoigné sur elles-mêmes. Les modèles « civilisationnels » s'imitent pour autant qu'ils sont en eux-mêmes des imitations de la civilisation comme forme idéale et une. Il faut donc demeurer des classiques, imiter les Grecs et les Latins : « La compréhension de leur doctrine, la majesté et l'ampleur de leurs exemples, l'air naturel de leur imagination, leur a soumis les hommes, qui, en les *imitant*, n'ont pas eu le sentiment de se transformer en Latins ou en Grecs, mais d'entrer en *participation* du bien commun de l'humanité [56]. » De sorte que la véritable alternative est celle-ci : ou bien la civilisation, dont la nature est d'être universelle (donc participable), ou bien la barbarie allemande, fondée sur la fiction d'une civilisation qui ne serait qu'allemande, accompagnée de la prétention de l'imposer au monde, et portée par la volonté de conquête [57]. Ce développement de Dimier illustre la variante classiciste de l'universalisme moderne, tout en montrant combien celui-ci s'est constitué dans et par la polémique engagée contre toutes les formes du particularisme culturel ou « civilisationnel » (nationalisme, racisme). Aussi bien faut-il rappeler que le nationalisme d'*Action française* se pense dans l'horizon de l'universalité : le nationalisme intégral n'est pour lui-même qu'une époque de la catholicité, saisie dans son image historique. Car, s'il est vrai que la nation désigne la réalité suprême dans l'ordre des idées politiques [58], « les biens spirituels sont indivisibles et communs à l'esprit humain [59] ». D'où l'alternative suggérée : ou bien on est homme, ou bien on est allemand. Formule de l'exclusion universaliste.

L'« idéologie nationaliste allemande » dans l'optique de l'idéologie antiraciste française (une conférence d'E. Vermeil, 19 décembre 1936)

Dans une conférence prononcée le 19 décembre 1936 [60], le germaniste Edmond Vermeil commence par caractériser « l'idéologie nationaliste allemande d'après-guerre » par le fait que celle-ci « prétend être, en général, à la fois *révolutionnaire* et *conservatrice*, révolutionnaire en ce sens qu'elle veut balayer les influences que l'Occident démocratique ou la Russie communiste et marxiste ont exercées sur l'Allemagne, conservatrice parce qu'elle entend revenir aux saines traditions allemandes ». E. Vermeil s'applique ensuite à définir « l'idéologie nationaliste d'après-guerre » selon les « trois phases » de son développement, l'objectif commun à tous ses courants étant la quête d'un ordre nouveau. « Mécontente de la pseudo-révolution de 1918, elle se propose invariablement de définir la Révolution vraie [...], celle qui va transformer l'Allemagne et lui permettre d'accomplir sa mission en Europe. » Cette révolution vraie, vraiment allemande, Vermeil en donne la recherche pour le trait d'union des « révolutionnaires-conservateurs » et des nationaux-socialistes : « Ses premiers prophètes ou annonciateurs, tels que W. Rathenau et O. Spengler, puis le groupe assez cohérent que forment Moeller Van den Bruck et les rédacteurs de la *Tat* : C. Schmitt, H. Zehrer, F. Fried, G. Wirsing et d'autres, enfin les chefs hitlériens eux-mêmes, tous sont à la recherche d'un ordre nouveau. » Telle est l'assimilation première sur laquelle repose l'argumentation critique de Vermeil, et qui, par l'autorité de sa personnalité scientifique, deviendra vite une évidence idéologique de base dans l'étude du national-socialisme, de ses sources intellectuelles et de son contexte culturel. La vulgate est ici saisie au moment de sa formulation savante inaugurale en France. Vermeil continue, ajoutant à la thèse de la similitude celle de la continuité, voire de l'identité doctrinale : « Le schéma est toujours le même. C'est, du point de vue critique : 1°) la protestation anti-occidentale ; 2°) la protestation anti-marxiste et anticommuniste ; 3°) la protestation contre les influences que l'Allemagne a subies ; et, du point de vue positif : 1°) une définition du "socialisme" allemand et national ; 2°) une définition de l'État qui va lui servir d'instrument ; 3°) enfin une définition des buts qui doivent être ceux de la politique extérieure du Reich. » Le diagnostic porté par E. Vermeil est que « le nationalisme allemand est le résultat d'une tragédie », laquelle présente trois aspects : « Tragédie économique et sociale, tragédie constitutionnelle et politique, tragédie intellectuelle et morale, ces trois tragédies n'en font qu'une. » Aussi l'étude de « la réalité et [de] la notion du *Volk*, du peuple toujours en quête de lui-même et de son propre destin », s'articulera-t-elle autour de trois thèses : « 1°) que l'État dit "totalitaire" existait déjà virtuellement en Allemagne vers 1930 ; 2°) que sa présence plus ou moins cachée rendait ici le jeu parlementaire absolument impossible ; 3°) qu'une bourgeoisie et une paysannerie moyennes, dépourvues de traditions et d'éducation politiques, se sont trouvées comme acculées par leur propre détresse à *un racisme élémentaire et brutal* qui, les dispensant de penser, leur a apporté, avec les solutions simples dont elles avaient besoin, une sorte de "décisionnisme" dictatorial propre à les galvaniser en vue de la militarisation à venir [61] ». C'est là ce que Vermeil croit pouvoir caractériser comme « l'avènement du biologisme dictatorial [62] », c'est-à-dire d'un racisme d'État dont les origines se confondent avec l'histoire de la notion de *Volk* : « Le *Volk*, le *Volkstum*, la race, le socialisme national, c'est l'éternel *Ersatz* que l'Allemagne s'invente à elle-même en face des idées qui, à côté d'elle et en face d'elle, se sont épanouies en civilisations homogènes et réussies, par là même stables, qu'il s'agisse, pour l'Occident, de l'idée catholique romaine, de l'idée française laïque et démocratique, de l'idée calvinienne et anglo-saxonne, ou, pour l'Est russe, de l'idée marxiste et communiste [63]. » L'opposition polémique est mise en place : d'un côté, le mauvais principe allemand, instable et indéfinissable, de la race, porteur de toutes les convulsions à venir ; de l'autre, les bons principes, stables et fondateurs de « civilisations homogènes et réussies ».

Ainsi l'Allemagne apparaît-elle comme un cas particulier, en résonance avec sa propre affirmation hyperbolique de particularisme national. Vermeil oppose le nationalisme allemand, avec ses attributs principaux : relativisme, nihilisme, biologisme, racisme, césarisme, à « l'humanisme éternel », dont il postule l'existence dans la vision métahistorique d'une scène où s'affrontent valeurs positives et valeurs négatives. Le présupposé de l'interprétation est que la bourgeoisie allemande est « dépourvue de traditions », ce qui expliquerait ses instabilités palinodiques : « La pensée bourgeoise d'Allemagne [...] se retourne férocement contre les valeurs auxquelles elle doit d'exister. Elle anéantit toutes les valeurs par lesquelles l'homme essaie de s'inscrire dans la durée et d'établir une société des peuples, tout ce qui relève de l'humanisme éternel [64]. » De celui-ci, Vermeil énumère les traits définitionnels suivants : « Critères historiques, transcendance du salut chrétien, progrès des Lumières, espérance messianique de Marx. » Voilà l'ensemble d'idées-forces qui, dans et par le nationalisme allemand, « s'abîme dans un relativisme sans nom, dans un nihilisme terrible dont Nietzsche [...] a su le secret et toute l'amertume [65] ». La démarche globalisante de l'historien germaniste est à l'évidence une composante du genre polémique dont relèvent ses analyses. Le postulat de continuité, l'évidence d'une filiation directe entre Nietzsche et Hitler, en passant par Sombart et quelques autres, dévoile le parti pris de l'érudit engagé dans la propagande antifasciste de l'époque. Il y aurait progression continue, donc, du « nihilisme » nietzschéen au pangermanisme et au racisme hitlérien : « Que viennent l'approche de la guerre, la guerre elle-même, puis la défaite et les épreuves subséquentes, et l'on verra triompher alors le biologisme le plus élémentaire et le racisme le plus brutal. Cette fois, on traitera d'"idéologies" toutes les valeurs du passé. On ne croira plus qu'aux instincts et à l'inconscient. On utilisera tout pour cette démonstration, et la dernière philosophie de Nietzsche, et le freudisme, voire le bergsonisme *(sic)*. Et ce grossier objectivisme, réduit à la dimension du simplisme vitaliste, se retournera contre l'Occident avec plus de fureur que jamais [66]. »

La logique de l'amalgame conduit l'historien scrupuleux à de tels excès qui, figés en évidences premières et schèmes basiques d'interprétation, ont fait tradition. Ainsi l'historien politiste Zeev Sternhell, pour ne citer qu'un auteur parmi tant d'autres, part-il dans les années soixante-dix/quatre-vingt des mêmes présupposés, qui sont ceux d'un discours de propagande dont les circonstances particulières ont disparu depuis quarante ans[67]. L'axiome conclusif d'un tel schéma interprétatif est qu'une fois déterminé, par l'histoire de ses origines, « le "climat" psychologique et intellectuel dans lequel devait triompher le racisme[68] », l'historien est à même de prévoir, non sans prophétiser quelque peu, l'avenir de l'Allemagne, lequel ne peut qu'être fort sombre. Explication prévisionnelle par les causes « atmosphériques », c'est-à-dire par le milieu idéologique-culturel : « Tout sera prêt pour le césarisme. L'atmosphère est créée, où le racisme fructifiera à son aise. Que nous importent, de ce point de vue, les distinctions subtiles qu'un Sombart, dans son *Socialisme allemand*[69], établit entre nation et *Volk*, ou l'énumération de tous les sens que ce terme peut prendre, ou l'étude patiente de termes tels que *Volkstum, Völkheit, völkisch*, etc. ? Qu'il nous suffise d'avoir déterminé avec quelque précision l'ambiance dans laquelle s'est formé et développé le racisme allemand. Ses origines historiques, intellectuelles et religieuses étant connues, le reste va de soi[70]. »

Ce qui caractérise l'analyse ici présentée par E. Vermeil, c'est qu'elle fait fusionner la tradition universitaire de l'historien germaniste érudit et la disposition polémique, noue l'étude des origines et des causes avec l'intervention critique destinée à combattre l'ennemi confondu avec l'objet d'analyse. C'est pourquoi la démarche généalogique patiente et prudente de l'historien des idées se dégrade en explication sommaire par l'« atmosphère », le « climat », l'« ambiance », rapportés à leurs « origines historiques, intellectuelles et religieuses » considérées comme causes suffisantes (« le reste va de soi »), tandis que, corrélativement, l'idéal scientifique de distinction s'abolit dans la pratique polémique d'amalgame. Pour paraphraser Vermeil, nous dirons qu'alors tout est prêt pour assimiler, sans vaines nuances, un Sombart à un Hitler, voire un Fichte à un Rosenberg... Mais Vermeil avait en son temps une excuse de taille : le national-socialisme apparaissait comme l'ennemi réel qu'il était, l'apparence du nazisme coïncidait alors avec son essence. Le nazisme n'était pas encore cet object fictif peuplant presque à lui seul le cauchemar collectif permanent des démocraties libérales, avant de s'y trouver en concurrence avec le communisme, voire détrôné par lui. Mais jamais complètement, tant la hantise du nazisme (néo-nazisme, résurgence de la « bête immonde ») est idéologiquement entretenue par la propagande communiste internationale. Avec les interventions de Vermeil s'est mise en place la variante savante de la vulgate antiraciste française, de gauche et anti-allemande. En 1936-1937, l'idéologie antiraciste de tradition française, couvrant un champ allant de la gauche communiste à *L'Action française* (dissidents non compris), était définitivement constituée et formulée.

Spengler nazifié (1933-1936)

Prenons un autre exemple de traitement par amalgame. Dans une étude publiée en 1936, Lucien Febvre aborde le « cas » Spengler sous l'intitulé : « Oswald Spengler : grandeur et décadence d'un prophète national-socialiste [71]. » L'auteur du *Déclin de l'Occident* est dès lors définitivement fixé à son étiquette infamante, autorisant mépris et ironie quant aux « idées du prophète, [...] celui qui n'hésitait point à se proclamer lui-même le "Copernic de l'histoire" ». La classique méthode du genre polémique, la réduction téléologique d'une pensée, peut intervenir dès l'annonce du programme d'analyse : « Essayons de le comprendre, simplement, ce qui veut dire, en l'espèce, de mettre son livre, et son succès, en rapport avec les besoins d'une Allemagne dès lors en gestation de ce qui allait devenir le national-socialisme hitlérien. » La pensée philosophique de Spengler est stigmatisée ensuite de n'être qu'une « histoire totalitaire », manière de filer la métaphore identifiante : Spengler/hitlérisme. Déjà, en 1933, Henri Massis avait frappé la formule dans son étude sur « Spengler précurseur du national-socialisme [72] » : « Les Romains, pour Spengler, sont des barbares sans âme, sans philosophie, sans art, *racistes* jusqu'à la brutalité [73]. » Dans son *Entretien avec Mussolini* de septembre 1933, Massis reprendra le motif de la barbarie raciste dans une remarque ironique : « Ne voient-ils [les historiens allemands, qui, en 1933, avancent l'analogie entre Prussiens et Romains] pas dans les Romains des *barbares, racistes* jusqu'à la brutalité, attachés sans vergogne aux succès pratiques [74] ? » La brutalité et le bas matérialisme pragmatique sont ainsi imputés au type prussien du barbare raciste. Le recours spenglérien à l'analogie prouve, selon L. Febvre, le caractère non scientifique de la pensée du philosophe, qui se réduit à l'usage séducteur d'« imageries vivement colorées [75] » ou de « ces beaux mots, ces métaphores vitalistes : naissance, épanouissement, mort des cultures ? Du vieux neuf ». Le succès de Spengler serait ainsi dû à l'usage du vieil arsenal « vitaliste » au service d'une pseudo-histoire analogique. Certes L. Febvre ne peut-il que relever les violentes critiques national-socialistes des conceptions et positions de Spengler. Qu'importe ! Ce « petit-bourgeois prussien ou saxon », « se muant en prophète », n'est pas différenciable des « nazis de stricte obédience » : il suffit de mentionner les « programmes politiques d'un homme qui compta, dit-on, parmi les tout premiers adhérents du national-socialisme [76] ». Si, à partir de 1930, Spengler « a perdu [...] l'estime générale des milieux nazis [77] », ce n'est nullement du fait d'un changement de son attitude : c'est au contraire « parce que ses prophéties tenaces ont cessé de s'accorder avec l'idéologie du parti triomphant », donnant dans l'optimisme actif. Mais le prophète, ridicule suprême, « continuait de s'offrir aux nazis comme leur véritable chef — ou, tout au moins, comme leur vrai conseiller ». L'exécution se voulait définitive, elle l'aura été au moins jusqu'en cette fin des années quatre-vingt. Mais les nazifications hâtives appellent les dénazifications sans scrupules.

Les deux noyaux de la définition : pureté, inégalité

Dans l'article du *Larousse* de 1932, la référence mentionnée du désignant « raciste » marque une restriction de son extension aux « nationaux-socialistes allemands », déterminés par l'attribution d'une visée ainsi caractérisée : ils « prétendent représenter la pure race allemande, en excluant les Juifs, etc. [78] ». L'un des deux noyaux métaphoriques constitutifs des définitions du racisme apparaît ainsi en 1932, à propos d'une référence identifiante au national-socialisme avant son institution comme régime : la *pureté de race*. Dans le *Supplément* de 1953, le second noyau métaphorique, la *supériorité de race*, apparaîtra en contiguïté avec le premier, dans la même formule définitionnelle du « racisme » : « Théorie qui a pour but de protéger la pureté de la race dans une nation et qui lui attribue une supériorité sur les autres [79]. » L'auto-attribution de la pureté et de la supériorité raciales est ainsi l'acte décrit comme fondateur du racisme des nationaux-socialistes. Cette double qualification d'un racisme spécifié dans l'histoire politique du XXᵉ siècle sera généralisée et normalisée pour devenir les deux pôles, utilisés en conjonction ou non, de toutes les définitions du racisme. Celles-ci présupposent donc le système d'évaluation, normé par les racistes autodésignés, référant à la race dite « pure » et « supérieure ». Aux deux pivots coprésents dans la définition de 1953 s'articulent deux caractérisations complémentaires du racisme : l'auto-attribution d'une supériorité fondatrice d'un droit absolu de conquête [80], l'autoqualification comme race pure fondatrice d'un impératif catégorique de préservation de l'identité à soi. La « pureté du sang » est la propriété de l'identité propre, menacée par tout contact avec l'extérieur, supposé source d'impureté parce que impur. Cette autodéfense du sang représente le premier devoir et définit le plus légitime des sacrifices dans l'espace idéologique stigmatisé. Préserver la pureté de la race propre et fortifier la supériorité d'origine : « Les dirigeants nationaux-socialistes allemands n'ont reculé devant aucun sacrifice pour imposer aux regards du peuple allemand l'image obsédante du type biologique idéal de la race allemande. Préserver son corps et son sang de toute souillure, fortifier ce corps par le sport pour en faire l'instrument d'une volonté virile et d'une maternité nombreuse, tels sont les devoirs qu'une propagande inlassable inculquait dès l'école [81]. » En 1953, le *Supplément* du *Larousse du XXe siècle* élargit en outre le champ des ancrages historiques du racisme, synthétisant divers éléments de présentation encyclopédique du phénomène en un modèle qui, en 1988, semble toujours en usage dans la vulgate antiraciste : l'*Essai sur l'inégalité des races humaines* (1853-1855) de Gobineau posé en fondateur de tradition — le gobinisme étant réduit à l'assertion de la supériorité absolue de « la seule race blanche pure, la race aryenne » ; l'Allemagne d'après 1870 dénoncée comme terrain d'accueil privilégié du racisme gobinien, fécondé par « la théorie du surhomme de Nietzsche » et par le wagnérisme pour légitimer les prétentions du pangermanisme, puis du national-socialisme ; la relation supposée naturelle entre le racisme aryaniste, l'eugénisme (ou l'hygiène raciale) et l'antisémitisme [82] ; l'extension du concept de racisme au panslavisme, au fascisme mussolinien, aux soucis eugéniques des pays anglo-saxons [83]. Ce qui apparaît enfin dans cet article, c'est la normalisation du mode de *réfutation scientifique* du racisme, dont les propos suivants résument excellemment les deux axes argumentatifs, visant respectivement l'idée de pureté et celle de supériorité, présentées dès l'abord comme s'impliquant naturellement : « Imbus de l'idée qu'ils doivent leur suprématie à leur pureté raciale, certains peuples s'arrogent le droit d'imposer aux autres leurs conceptions. Or, cette théorie ne paraît pas défendable du point de vue scientifique, car les races pures ont disparu de notre planète depuis longtemps et, d'autre part, il n'est pas possible de parler de supériorité d'une race, fût-elle blonde et dolichocéphale ; chacune a ses qualités propres et ce sont des peuples d'origine fort composite qui ont le plus contribué au progrès de la civilisation[84]. » Le paradoxe, et l'ironie de l'histoire idéologique, tient ici à ce que, sur le premier point (disparition des races pures), Gobineau était parfaitement d'accord, et au fait que, quant au second point (l'irréductibilité de différences incomparables), le néo-racisme contemporain[85] le place au principe de ses développements apologétiques sur l'ethnopluralisme, où « la différence » est présentée comme une « idée antitotalitaire », donc antiégalitaire[86]. Avatars de l'usage légitimatoire de la science : avant le passage à l'acte génocidaire du nazisme, la balance scientiste semblait à certains égards pencher en faveur de la théorie des races, sinon du « racisme » ; aujourd'hui, le nazisme faisant l'objet d'une récusation universelle, et bien que les locuteurs qualifiés comme scientifiques soient divisés sur la question, la masse des discours produits sur la théorie des races, assimilée au racisme, semble définir une position antiraciste majoritaire de la société scientifique[87]. Changement des normes de la conformité idéologique ou rupture décisive dans l'histoire des sciences du vivant, répercutée dans le champ des sciences anthropologiques ?

4

Un idéaltype : « Le racisme », construction idéologique

Le racisme de l'antiracisme

On peut représenter par une suite de propositions, explicitées et illustrées, l'enchaînement des opérations mises en jeu dans le corpus d'énoncés définitionnels considéré (1932-1987) [1] qui, du « simple » au « complexe », du présupposé au présupposant, construisent le sens commun du « racisme ». Les quatorze traits caractéristiques relevés, comportant les représentations, les croyances et les jugements présupposés (ou expressément posés) par l'usage antiraciste standard du mot racisme, permettent la construction d'un type idéal du « racisme » en tant qu'évidence fondamentale de l'idéologie antiraciste.

1. Le racisme est décrit comme prenant la forme d'une affirmation, qui peut s'expliciter comme celle d'une « croyance [2] », d'une « admission [3] ». Il y a croyance, au principe du racisme. Le doute n'est pas raciste. Le racisme est de l'ordre du croire.

2. On repère ensuite l'existence d'une mise en forme conceptuelle de la croyance affirmée : « théorie [4] », « doctrine [5] », « système [6] », « idéologie [7] », « mythe [8] ». Il y a théorisation, bricolage notionnel qui, à partir d'une conviction absolue, fait s'élever un édifice d'aspect cohérent.

3. L'élaboration conceptuelle raciste est parfois qualifiée de « politique [9] ». Le plus souvent, le caractère politique de la

« théorie » demeure dans le sous-entendu. La nature engagée ou intéressée de la « théorie » est souvent péjorée par sa désignation comme ensemble de « préjugés [10] ». Il y a, dans le racisme, argumentation portant sur une matière première, héritage de mots et d'idées, qu'il s'agit de justifier par de « bonnes raisons ». Le racisme apparaît comme une construction dogmatique, assise sur un socle de rationalisations.

4. Le racisme est souvent stigmatisé comme une « maladie de l'esprit [11] », un ensemble de théories « perverses [12] », une « réaction paranoïaque [13] ». Le discours militant l'imagine et le dénonce volontiers à travers la métaphore de la « lèpre » : « C'est une maladie récurrente des temps modernes, mieux : une *épidémie* », déclarait en 1964 Léopold Sédar Senghor [14]. Certains auteurs filent la métaphore pathologique en proposant de distinguer dans le racisme, « comme dans une maladie, plusieurs degrés d'évolution », de la simple généralisation abusive (préjugés, stéréotypes) à l'extermination (génocide), en passant par la ségrégation *(apartheid)* [15] : les images et métaphores polémiques permettent ainsi de construire une représentation cohérente du racisme, ses figures supposées (désignées par les stéréotypes antiracistes) apparaissant dans un même continuum. De façon non moins générale, le racisme est présenté comme un « fléau » : on dénonce le « fléau raciste [16] » au même titre que la drogue ou le terrorisme (plus récemment : vers le milieu des années quatre-vingt). Cette co-inscription dans la classe métaphorique des « fléaux » est fort intéressante. Un fléau est, dit le *Robert*, une « calamité qui s'abat sur un peuple » : fléaux naturels (tel un raz de marée), ou culturels (telles la peste ou la guerre). Le racisme est ainsi présenté comme un phénomène foncièrement nuisible, funeste, redoutable, quelque chose d'analogue à un cataclysme ou à une catastrophe. L'argumentation antiraciste reprend souvent le schème classique de la corruption des gouvernements, selon une cascade de « fléaux » : le racisme serait, par exemple, une corruption du nationalisme, ou une perversion de l'ethnocentrisme. En 1868, Prévost-Paradol affirmait ainsi que le gouvernement démocratique est enclin à « glisser d'abord vers le fléau de l'anarchie, puis aussitôt après, vers la honte et le fléau du despotisme [17] ». Folie générale ou fléau naturel/culturel, le racisme n'en est pas moins une figure de la « barbarie », comme le terrorisme, aveugle ou ciblé. L'association SOS-Racisme s'accorde dès lors le droit de condamner au même titre racisme et terrorisme, ces deux visages de la barbarie moderne : « cette barbarie meurtrière et sanglante » (caractérisation) ; « le péril qui pèse sur notre liberté de vivre dans une société démocratique et souveraine » (définition du danger) ; « les soussignés appellent à l'unité et à la cohésion de tous ceux qui vivent en France, quelle que soit leur origine, pour vaincre le fléau du terrorisme [18] ». De telles assimilations se fondent sur un postulat en forme d'alternative : démocratie ou barbarie. La difficulté d'une telle vision, c'est que les figures désignées de la barbarie sont aussi des produits de la société démocratique moderne. De la démocratie a-barbare dérive la barbarie à laquelle s'oppose absolument la démocratie.

Les conduites et représentations dites racistes sont donc volontiers décrites selon des métaphores empruntées à la pathologie mentale [19]. Le racisme est rejeté dans l'irrationnel, l'erroné, le délirant, le démentiel. Trois traitements métaphoriques préférentiels sont repérables : le raciste est soit psychiatrisé, soit criminalisé, soit démonisé. Le raciste est l'anormal qui scandalise. A travers sa représentation composite de l'adversaire raciste, projeté dans l'univers inquiétant de la folie, du démoniaque et de l'anomique, le discours se présuppose tenu dans un monde sûr et normal par un sujet mentalement sain, qui est en même temps un citoyen honnête et un être vertueux.

5. L'existence de groupes humains séparables par sommation de traits distinctifs au moins observables est objet de croyance. Il y a des différences entre les groupes humains qu'on nomme ordinairement « races [20] ». Il arrive de rencontrer des analyses critiques présentant comme évidence la thèse d'une relation nécessaire et directe entre la catégorisation raciale et la pensée raciste. Les statuts du Groupement d'étude et d'information « Races et Racisme » comportaient en 1937 cette description du premier objectif de l'association : « [...] étudier scientifiquement la notion de race et les doctrines qui en procèdent [21]. » Dans la perspective de la sociologie de la science, on insiste volontiers aujourd'hui sur l'acte constructif, et non pas seulement descriptif, représenté par le découpage de l'humanité en « races » : ce faisant, les scientifiques « suggèrent une vision du monde, une conception de l'homme — et donc une éthique et une politique [22] ». L'assertion de la différence est le plus souvent présupposée par celle d'une inégalité, d'une « hiérarchie [23] », d'une « supériorité [24] », d'une

« suprématie[25] ». Il reste que la position d'une différence est logiquement distincte de celle d'une inégalité, et la précède en toute argumentation explicitée.

6. L'affirmation que ces différences sont inséparablement physiques, morales (valeurs, intérêts, croyances), intellectuelles (pouvoir savoir, comprendre, expliquer...). En bref, qu'elles jouent à tous les niveaux de l'humain, qu'elles s'étendent à toutes les dimensions du champ anthropologique.

7. La conviction qu'existe une correspondance stable entre le physique et le mental. La relation entre la composante corporelle de l'homme et sa composante psychique est soit posée soit présupposée. Cette relation somato-psychique peut être désignée comme condition physiognomonique de la pensée raciste[26]. C'est l'affirmation d'une coïncidence, d'un parallélisme, d'une analogie ou d'une similitude entre l'apparence physique de l'homme et son organisation mentale qui n'est perceptible qu'en ses effets[27]. La stabilité de la correspondance somato-psychique suppose la fixité des termes mis en relation, la permanence des « races » ou des « types » distingués. Le signe de la différence, la race, est dans le racisme « le signe de la permanence[28] ».

8. La pratique du regard herméneute et/ou du déchiffrage des indices : les facultés du dedans sont supposées lisibles sur les apparences visibles, le spirituel se dévoilant d'une certaine façon dans le corporel. Plus précisément : les formes et les forces de l'esprit se révèlent dans les formes perceptibles du corps. Le corps est la figure généralisée de l'esprit : son indice métonymique, sa métaphore, son image ressemblante, son allégorie. On reconnaît ici ce que Carlo Ginsburg a nommé le « paradigme de l'indice », modèle épistémologique dont il a montré l'émergence dans le champ des sciences de l'homme et de la société au cours des trente dernières années du XXe siècle : les stigmates de la dégénérescence identifiés par les aliénistes, les symptômes morbides de la sémiotique médicale, les indices policiers (le criminel se trahit par ses empreintes digitales), les actes manqués décryptés par la méthode d'interprétation psychanalytique, la méthode d'attribution des œuvres picturales mise au point par Morelli (repérage des détails significatifs), etc., illustrent la large distribution du paradigme de l'indice. La perception raciste des humains, outre le fait qu'elle remplit une fonction de catégorisation sociale, met elle-même en jeu la technique de cette « intuition basse » qu'est le déchiffrement des indices [29].

9. La transmission héréditaire des différences physiques est postulée. Les différences observables sont ainsi rapportées à une filiation strictement naturelle. C'est la vie elle-même qui est dite porter le pouvoir de reproduire les différences en dessinant des continuités discontinues — l'hérédité différentielle des lignées, ou des races. Chaque groupe est supposé transmettre ses différences propres, persévérant ainsi dans son être. L'hérédité est dès lors posée en cause productrice et reproductrice de l'organisation somatique humaine.

L'individu n'est perçu qu'en tant que représentant quelconque du type, qui seul existe réellement. Il s'ensuit que le racisme est anti-individualiste. Tout d'abord, l'individu n'étant qu'un exposant de la race, l'individuel est traité comme spécimen d'un type racial, et par là même nié comme tel. « Quand on en a vu un, on les a tous vus », dit une formule ayant beaucoup circulé avant l'apparition du mot *racisme,* dont elle explicite pourtant l'un des traits de contenu [30] : illusion d'uniformité. Ensuite, ce ne sont pas les individus qui sont dits inégaux, du moins prioritairement, ce sont les classes fixes d'humains dénommées races. Il y a une égalité spécifique de ceux d'en haut, une égalité des individus pris en tant que représentants de la race présumée supérieure. C'est là une différence fondamentale du racisme d'avec l'élitisme, individualiste par définition — l'élitisme définissant l'inégalité légitime dans les strictes limites de la raison démocratique, impliquant l'égalité des chances de chacun au départ de la course. Le racisme se situe dès lors à égale distance d'un nominalisme radical, celui qu'implique le modèle sociopolitique du libéralisme, pour qui seuls existent réellement les individus entrant en interaction, et d'un universalisme selon lequel l'humanité, comme espèce une et idée morale (à réaliser), possède un mode d'existence propre. Ni nominalisme individualiste ni « catholicisme » religieux ou profane (l'internationalisme socialiste). La négation de l'individuel comme dimension anthropologique a pour corollaire éthique l'absence de dignité des personnes tant qu'elles ne sont pas rapportées à leur appartenance raciale. Julien Benda, aux lendemains de la Seconde Guerre mondiale, dénonçait ainsi « la violation de la personne dans le racisme, en tant qu'il invalide un être humain pour la la nature de son sang, c'est-à-dire pour un fait où la volonté de sa personne n'entre pour rien [...][31] ». Le fixisme et le déterminisme exclusif de l'hérédité constituent deux postulats corrélatifs du racisme : « Le sophisme raciste consiste [...] à admettre que le sort d'un être est fixé dès que sa constitution héréditaire l'est[32]. » Le « crime » d'un individu reconnu pour être de telle ou telle « race » est d'être ce qu'il est : « Le crime d'Isaac Tarrab ? Il était juif[33] », note Marc Kravetz rapportant les faits relatifs à l'assassinat à Beyrouth, le 31 décembre 1985, d'un vieil homme de soixante-dix ans, professeur à la retraite. Crime « essentialiste », supposant que l'individu n'existe qu'en tant qu'exemplaire quelconque de son groupe d'appartenance, haï par son assassin, lequel croit meurtrir le corps du groupe. Une réflexion de Max Horkheimer met en évidence le postulat essentialiste commun à l'éloge et au blâme du Juif : « Je trouve à peine moins suspect celui qui déclare aimer "les Juifs" quoi qu'ils fassent que celui qui les rejette pour de fausses raisons[34]. » La racisation consiste à prendre l'être pour le faire, la généralité de l'appartenance raciale pour la singularité de la personne.

10. La réinterprétation de la relation physiognomonique (coïncidence, parallélisme, analogie, similitude) en termes de causalité productrice. Si le somatique renvoie au psychique, c'est parce qu'il entretient avec celui-ci un rapport nécessaire de cause à effet. Chaque organisation somato-biologique correspond fixement à une organisation mentale spécifique qu'elle engendre. On peut ainsi parler, au niveau de la métalangue historico-épistémologique, de « naturalisation » des différences anthropologiques, et plus précisément de « biologisation ». Le fondement de la différence anthropologique comme tel est désormais d'ordre « biologique » — avant d'être d'ordre « génétique », au début du XXe siècle. Du postulat physiognomonique au causalisme biologique où commence le racisme comme théorisation, on passe d'une phénoménologie des différences à une ontologie réductionniste. L'opération peut être décrite en termes d'attitude « totalitaire et syncrétique », dans le cadre de la psychologie génétique d'Henri Wallon, postulant que « le syncrétisme tend tout naturellement au mythe ». D'où l'énoncé définitionnel : « Le racisme, c'est le syncrétisme du biologique, du psychologique, du social[35]. » L'explication raciste se réduit à un déterminisme biologique absolu : « Il [le racisme] tend à expliquer l'individu tout entier par le sang qui coule dans ses veines. Plus de conscience ni de pensée individuelles, mais un amalgame où tous les éléments sont confondus et où ce sont, en définitive, les éléments les plus reculés, où c'est l'anthropologie qui devient directement déterminante sur chaque individu [36]. » Le racisme est défini comme déterminisme et réductionnisme, jusqu'à être récusé comme « matérialiste » dans la perspective d'une métaphysique chrétienne [37]. Un esprit catholique le stigmatise volontiers en tant que « religion du sang », qu'il définit comme « un biologisme abaissant certaines races humaines presque au rang de la bête, et faisant du sang une entité auguste érigée en "fondement de la société" [38] ». Une définition transversale s'est mise en place, à propos du nationalisme raciste nazi, l'un des rares objets de blâme sur lequel ait pu surgir un consensus traversant les divisions politiques et religieuses. Ce qui est réprouvé absolument dans l'idéologie du national-socialisme, c'est le matérialisme biologique ou zoologique [39], en ce qu'il s'oppose directement et au matérialisme historique et au spiritualisme chrétien.

11. Si les différences des facultés mentales sont reproduites par la reproduction des différences somato-biologiques, elles correspondent elles-mêmes à des différences dans le mode d'existence social et politique des humains, considérés en groupes distincts, catégorisables et classables. Le support commun des différences « psychologiques » et « sociologiques [40] » est ainsi défini comme biologique, et placé en position de causation. Ce qui se résume par l'affirmation que l'ordre social « dépend [41] » de l'ordre racial, que race et société sont en relation de cause à effet, que la doctrine des races donne la clef de la science sociale, qu'elle éclaire même l'histoire universelle [42]. Le « système de Gobineau » est ordinairement mentionné comme exemple doctrinal par excellence [43]. En métalangue épistémologique, on pourra parler de déterminisme biologique (ou génétique) de toutes les productions et réalisations humaines (scientifiques, artistiques, techniques, religieuses, politiques, morales, guerrières, etc.). C'est le postulat fondamental de la « sociobiologie » contemporaine au sens strict [44] et, plus largement, de la pensée bio-anthropologique depuis le début du XIXe siècle. Jusqu'ici, notons-le, la conceptualisation n'a opéré synthétiquement que sur les idées de *différence* et de *transmission héréditaire*. C'est le premier volet spéculatif du racisme élaboré en doctrine, dont l'application nationaliste est ainsi résumable : un peuple ou une nation ne tient sa différence et le principe de son devenir que de sa composition raciale (ethnique...).

12. La projection des différences (bio-psycho-sociales) sur une échelle hiérarchique. Les différences interraciales sont ainsi interprétées selon le modèle d'inégalités mesurables en ce qu'elles se rapportent à des places sur une échelle de valeurs unique, structurée par la bipolarité du haut (supérieur) et du bas (inférieur). Cette interprétation est donc une évaluation : on assigne à chaque groupe supposé différent une valeur fixe censée synthétiser les aptitudes naturelles dont il est doté. Elle est par définition comparative : il n'est d'inégalité d'un groupe que par rapport à un autre (ou plus d'un autre) groupe, auquel il est mesuré. Les énoncés reconstruits et sériellement énumérés jusqu'ici sont des *constatifs* et des *évaluatifs* explicites. Mais le discours raciste ne se réduit pas à la réalisation phrastique des fonctions référentielle et expressive — l'énonciateur disant quelque chose de lui-même, sur un mode mélioratif, en affirmant quelque chose sur ce qui, dans le monde humain, est représenté par lui comme autre que lui. L'application nationaliste de la hiérarchisation des différences sommées et quantifiées peut se ramener à ce lieu commun : tant valent les races, tant valent les peuples [45].

13. La composante théorique du racisme implique une représentation de la pratique qu'elle fonde. Cette idéologie pratique se présente à la fois comme une éthique, une politique et une stratégie (culturelle, militaire). Les énoncés de la composante pratique sont de type programmatique, schématisables par des formes modales telles que le *devoir-être* et le *devoir-faire*. Les formules définitionnelles des dictionnaires traitent discursivement le devoir-être par les métaphores militaires et médicales : celle de la *défense* de l'identité propre par séparation d'avec les autres [46], celle de la *préservation* de l'unité [47] singulière du « nous » (menacé par l'action des autres), celle de la préservation de la race supérieure de tout croisement [48], de sa protection de tout mélange, c'est-à-dire du métissage toujours pensé comme abaissement du supérieur par sa (con)fusion avec l'inférieur. La race autovalorisée, dans une telle perspective, se donne pour impératif premier le devoir de conserver son identité propre, ce qui suppose l'existence d'une homogénéité et d'une pureté naturelles du soi (« nous ») qui est à préserver de l'impureté de tout autre que soi (« eux »). La race de celui qui parle au nom de sa race est dite devoir être elle-même, et rien qu'elle-même — le demeurer, le redevenir, voir le devenir [49]. L'impératif de séparation est l'analogue pratique du constat positiviste (puis scientiste) de la séparation réelle des races (au sens zoologique), dont s'autorise l'axiome de séparabilité. Il s'ensuit un effet de légitimation : il est « normal » ou « naturel » de vouloir séparer dans l'état social les « races » factuellement séparées dans l'état de nature.

La thèse de la différence réelle est liée, d'une part, au postulat d'une relation causale entre diversité raciale et diversité culturelle, d'autre part, à la détermination dû métissage, et par excellence du métissage entre Blancs et Noirs, comme faute suprême contre la race, dont l'essence est l'identité à soi : la pureté sans tache — ce qui joue dans la doctrine national-socialiste le rôle d'une définition primitive. Alfred Rosenberg excipe ainsi de la diversité culturelle pour affirmer la diversité des « sangs », c'est-à-dire des races conçues en tant que quasi-espèces, et en infère l'identité ontologique du « sang » et du « caractère », deux traductions également légitimes d'une même « réalité » *(Wesen)* profonde, deux manifestations d'une même substance primordiale : « Nous croyons que la plus grande découverte de notre temps se trouve dans l'expérience et dans la démonstration rigoureusement scientifique qui nous amènent à penser que, s'il y a sur la planète des hommes de diverses espèces *[verschiedener Art]*, si tant de conditions spéciales engendrent la diversité des États, des cultures *[Kulturen]* et des formes de vie *[Lebensformen]*, ce n'est pas là un hasard. Donc le sang et le caractère *[Blut und Charakter]* ne sont que deux termes différents pour une seule et même réalité *[Wesen]* [50]. » Ainsi la diversité des races est-elle inférée de la diversité des cultures, par usage du principe de raison suffisante : la différence de la race doit être cause productrice de la différence culturelle, parce que le principe scientifique du déterminisme absolu (rien ne se fait par hasard, ou sans cause assignable ; les mêmes causes engendrent les mêmes effets, dans les mêmes conditions), auquel se joint le postulat d'hérédité, exclut les explications faisant intervenir l'aléatoire. En outre, l'effet supposé est identifié à la cause présumée, de sorte qu'il n'y a qu'une seule réalité, vue sous deux aspects différents — unicité de la langue ontologique primordiale. Le monocausalisme consonne avec le monisme : accord de la théorie de la connaissance avec la théorie de l'être. Le racisme apparaît ici comme un monisme bioculturel, ou sociozoologique.

Mais il faut insister sur l'érection du métissage Blancs/Noirs en transgression maximale du système des valeurs et des normes racistes (cf. chap. 9, p. 338 *sq.*). Dans *Mein Kampf*, Hitler décrit ce « péché héréditaire de l'humanité », en l'attribuant à la fois à l'esprit de vengeance des Français et à un complot ourdi par les Juifs : « La contamination provoquée par l'afflux de sang nègre sur le Rhin, au cœur de l'Europe, répond aussi bien à la soif de vengeance sadique et perverse de cet ennemi héréditaire de notre peuple qu'au froid calcul du Juif, qui y voit le moyen de commencer le métissage du continent européen en son centre et, en infectant la race blanche avec le sang d'une basse humanité, d'établir les fondations de sa propre domination [...]. *Le rôle que la France, aiguillonnée par sa soif de vengeance et systématiquement guidée par les Juifs, joue aujourd'hui en Europe, est un péché contre l'existence de l'humanité blanche et déchaînera un jour contre ce peuple tous les esprits vengeurs d'une génération qui aura reconnu dans la pollution des races le péché héréditaire de l'humanité*[51]. »

Le discours national-socialiste le plus officiel croise ainsi, dans sa présentation de la théorie des races, l'énoncé d'un monisme naturaliste, la vision typologique des races et espèces, le principe du déterminisme et le postulat de l'hérédité différentielle des facultés (donc celui de leur distribution inégale). L'argument classique mis en jeu est celui de l'adéquation à la nature ou à ses articulations profondes, que vient renforcer l'argument moderne de la garantie positiviste/scientiste (les faits sont tels que..., le savoir scientifique enseigne que...). Une telle argumentation relève de la classe des « arguments basés sur la structure du réel », tels que Chaïm Perelman les a définis dans leur mécanisme spécifique : se servir de la structure du réel pour établir une solidarité entre des jugements admis et d'autres que l'on cherche à promouvoir[52]. D'une part est mis en jeu le lien causal, celui qui rattache l'individu de race X à celle-ci, comme l'effet à sa cause originellement productrice[53]. D'autre part intervient la liaison de coexistence entre la race érigée en essence et ses manifestations individuelles, sur le modèle des rapports entre une personne et ses actes[54].

14. L'impératif raciste fondamental peut aussi se formuler comme un devoir-faire portant sur la relation entre soi et les autres, co-inscrits sur une échelle hiérarchique. L'énonciateur raciste, parlant au nom de sa race, la dit supérieure et fonde sur cette supériorité de soi son droit, puis son devoir, de « dominer les autres [55] », de « se subordonner les autres [56] ». Le racisme est par là souvent présenté comme un mécanisme de légitimation du droit de conquête, et plus récemment, de « l'impérialisme ». Ainsi, la politique engagée au début des années soixante contre le PCUS par le Parti communiste chinois, se défendant des accusations de « racisme » portées contre lui, comportait une définition instrumentale du racisme : « Ayant usé toutes leurs armes magiques dans leur opposition au mouvement de libération nationale, les dirigeants du PCUS en sont réduits à rechercher l'aide du racisme, la plus réactionnaire des théories impérialistes. Ils ont qualifié la juste position du PCC de soutien résolu au mouvement de libération nationale comme "créant des barrières de couleurs, de races et géographiques", "remplaçant le point de vue de classe par le point de vue de la race", et comme "spéculant sur les préjugés nationaux, et même raciaux, des peuples d'Asie et d'Afrique". [...] Lorsqu'ils colportent la "théorie du racisme" et font passer le mouvement de libération nationale d'Asie, d'Afrique et d'Amérique latine pour un mouvement des races de couleur contre la race blanche, ils visent clairement à susciter la haine raciale au cœur des Blancs d'Europe et d'Amérique du Nord, à détourner les peuples du monde des objectifs de la lutte contre l'impérialisme et à faire s'écarter le mouvement ouvrier international de la lutte contre le révisionnisme moderne [57]. »

Le devoir-faire « raciste » peut être sous-entendu dans un énoncé descriptif de la « théorie » suivi d'une allusion à la conduite (non qualifiée expressément) qui en dérive [58]. La classe des autodésignés comme « supérieurs » dit de soi qu'elle a le droit et le devoir de manifester sa supériorité naturelle par une conduite de domination (oppression, exploitation) des membres de la classe des hétéro-désignés comme naturellement « inférieurs ». Il faut préciser que toute différence hiérarchisante dite naturelle est reprise dans une argumentation scientiste de légitimation : la science est dite garantir la naturalité des inégalités, et ce, en les nommant, en les mesurant, en les quantifiant, en les comparant, en les ordonnant sur une échelle supposée universelle. « De notre point de vue, on n'exclut pas, *on classe* », affirmait Maurras [59], croyant penser hors du champ des théories de la race, alors même qu'il en affirmait, et mettait en œuvre, l'un des schèmes de base. Ces quatorze traits nous paraissent constituer la métadéfinition du racisme selon la vulgate antiraciste.

Inégalité et différence : les deux logiques de racisation

> « Le centre de tout racisme se trouve dans la croyance en une différence naturelle, et dans le postulat que la nature détermine les traits culturels[60]. »
>
> Colette Guillaumin.
>
> « Les hommes ont peur du Même, et là est la source du racisme[61]. »
>
> Jean-Pierre Dupuy.

La précédente reconstruction ne fait pas apparaître une distinction qui nous semble fondamentale, et nous permettra de clarifier nombre de questions au prix d'un éclatement de la représentation unitaire du « racisme ». Nous poserons la distinction entre deux logiques de racisation. La première s'explicite par la série : autoracisation/différence/purification-épuration/extermination ; la seconde par la série : hétéroracisation/inégalité/domination/exploitation. Tel est le trait manquant de la représentation ordinaire du racisme, telle est la distinction conceptuelle dont l'absence engendre la plupart des confusions et obscurités perceptibles dans les débats publics (ou les conversations spontanées).

La valorisation de la différence peut s'opérer de deux manières : soit par *autoracisation*, affirmation de l'identité raciale propre et (secondairement) de la supériorité de soi, soit par *hétéroracisation*, affirmation de la différence raciale centrée sur l'infériorité ou la malfaisance de l'autre. Alors que l'hétéroracisation est finalisée par la relation de *domination*, elle-même renforcée par celles d'oppression et d'exploitation — logique de l'intérêt et du profit[62] —, l'autoracisation est finalisée par la relation d'*exclusion* qui, par un cours logique paradoxal, s'achève dans l'extermination de l'instance « autre », c'est-à-dire par la destruction de la relation différentielle comme telle.

Notre hypothèse est la suivante : le régime normal du racisme, tel qu'il s'est incarné dans l'idéologie inégalitaire de la colonisation et de l'esclavage moderne, est fondé sur le processus

d'*hétéroracisation*, lequel présente deux aspects, ou s'analyse en deux évidences liées, représentables par deux propositions :
— « Nous sommes les meilleurs » ; c'est-à-dire : le fait de notre race (notre identité collective) se confond avec sa valeur supérieure[63]. L'attribution de la qualité inférieure aux autres que nous suppose une relation de domination entre eux (dominés) et nous (dominants). *Axiome d'inégalité.* Ce sont les autres qui sont racisés en tant qu'infériorisés ;
— « Nous sommes l'humanité » ; c'est-à-dire : nous (l'ensemble de ceux qui nous ressemblent) et nous seuls, nous incarnons l'humanité même, nous représentons l'essence de l'humanité. C'est sur ce point que l'hétéro-racisation justifie le mieux son nom : le « nous » s'oublie comme tel, il s'élève spontanément et s'égale naïvement au genre humain. *Axiome d'universalité.*

Les « meilleurs », ceux qui ont le pouvoir, détiennent les moyens de domination (contrôle social, monopole de la violence légitime), se perçoivent comme *racialement non marqués* : ce ne sont pas eux qui sont d'une race particulière, ce sont les autres. Jeanne Hersch décrivait excellemment cette évidence première : « Ceux qui détiennent le pouvoir n'ont pas vraiment le sentiment d'appartenir à une "race" particulière, fût-elle supérieure. Ils appartiennent au genre humain. Ce sont les autres qui présentent cette particularité, partiellement ou totalement négatrice de leur humanité, d'avoir les caractères propres à une certaine race affichés par leur corps sous tous les regards[64]. » L'hétéroracisation implique donc deux attributions corrélatives : de la qualité d'universalité aux représentants du « nous », et de la qualité raciale (particularité) aux représentants des autres. Le point de vue universaliste sur lequel se fonde un tel racisme est ainsi résumable : « En somme, les autres ont le tort d'appartenir à une race alors qu'ils sont, eux, l'universel[65]. » A l'*inégalité* entre les races s'ajoute l'*objectivité* de la classe d'appartenance nommée « race », et qu'il faut concevoir comme « un caractère essentiel de la race : elle est objective, elle concerne l'autre, l'homme objectivé, l'homme objet. Pas "moi"[66] ». La « race », avant d'être dite inférieure, est celle de l'autre, est attribuée à l'autre, se définit même comme le propre de l'autre. La Race, c'est l'Autre.

On voit la différence d'un tel processus avec l'*autoracisation*, qui s'élabore non pas sur l'attribution des qualités raciales (marques d'infériorité) aux autres (« non-nous »), mais sur la définition de soi comme étant la Race même. La racisation de soi (des représentants du « nous ») implique la mise au premier plan de la *différence* entre ceux qui sont la Race (et/ou ont de la « race ») et ceux qui sont extérieurs au groupe « racé » : l'inégalité peut certes venir appuyer, étayer le principe de différence, c'est celui-ci qui est premier. Les « nous » ne prétendent nullement s'égaler à l'universel humain : tout au contraire, ils se définissent *contre* l'ensemble de l'humanité, par exemple divisée en sous-hommes (animalité totale) et en Juifs (rivaux monstrueux, dont l'essence se détermine par l'absence radicale de naturalité). L'autoracisation postule la négation de l'universel anthropologique. Le « nous » s'affirme non pas comme identique à l'essence de l'Humanité (nous les Humains), mais comme exprimant une espèce différente, soit résistant à l'érosion (dont le métissage est le principal facteur), soit en voie de formation par différenciation évolutive ou sélection volontaire et systématique (eugénique). La valeur des valeurs est ici la communauté de sang, réfléchie par une identité culturelle/spirituelle spécifique, des « nous ». L'auto-identification collective ne se fait pas par expansion (nous = le genre humain même), mais par contraction, par isolement d'une essence particulière.

Quant au *principe d'objectivité,* il s'applique par excellence à la race propre : les vrais Aryens se définissent comme des Aryens réels — face aux faux ou inauthentiques prétendants à l'appartenance raciale aryenne. Mais la présomption d'objectivité de la race est une conviction commune aux deux modes de racisation. La race est supposée être un bloc réellement existant, un être réel doté d'une identité quasi personnelle et d'une permanence dans le temps.

Nous pouvons préciser certaines implications de la distinction entre hétéroracisation et autoracisation. Dans l'espace axiologique institué par l'hétéroracisation, la faute suprême est la révolte des inférieurs contre la situation qui leur est faite en raison même de l'infériorité qu'on leur impute : de la revendication de droits égaux (politiques, économiques, sociaux, « culturels ») à des comportements anomiques (refus de travailler ou d'obéir, désertion, etc.). Dans l'espace axiologique de l'autoracisation, la faute suprême est incarnée par le métissage, le mélange du pur (nous, la Race) avec l'impur (eux, les « sans-race ») définit le péché capital.

Au couple inégalité/universalité, qui caractérise l'hétéroracisation par ses présuppositions, s'oppose le couple différence/communauté (particulière). Ces deux couples constituent les noyaux respectifs des deux « racismes » idéaltypiques que nous qualifions respectivement d'individuo-universaliste et de traditio-communautariste.

Logique de l'exterminabilité

L'autoracisation puise son énergie dans une passion spécifique : la peur inconditionnelle de l'Autre[67], l'angoisse identifiable au sentiment d'insécurité absolue. Elle constitue la thérapie accordée à la menace infinie projetée sur l'Autre : elle réassure l'identité à soi, réalisant la fonction d'autosécurisation par survalorisation de l'identité propre. En focalisant d'abord l'argumentation sur la défense de la pureté propre, en la centrant sur l'impératif de conservation de la différence absolue, en refusant ensuite tout repérage inégalitaire de Soi et de l'Autre sur une échelle commune, en identifiant le mauvais Autre (l'Autre en tant qu'intrinsèquement mauvais) comme un représentant de la contre-nature ou de l'esprit pervers[68] absolument dangereux, principe de mort dirigé contre Soi, l'idéologie d'autoracisation développe une logique argumentative dont l'ultime conclusion ne peut qu'être la *destruction totale* de l'Autre.

Reprenons l'exemple de la racisation du Juif, en nous intéressant à la référence identifiante comme telle. « Le Juif », désignant qui fonctionne comme un terme catégorématique absolu, est analysable comme un concret générique sur lequel s'applique une personnification, ce qui permet de le décrire comme un simulacre de nom propre, un « nom propre de la parole », défini par Bally : « Tout concept actualisé, c'est-à-dire individualisé occasionnellement et qui peut, d'un cas à l'autre, désigner un individu différent[69]. » Si individualiser un concept, « c'est en même temps le localiser et le quantifier[70] », l'actualisation faisant « d'un concept de chose un nom propre de la parole[71] », la lexie « le Juif » s'analyse sémantiquement selon deux composantes : quant à la localisation, l'image typique « le Juif » tend à l'image d'espèce — pour parler comme G. Guillaume[72] — et présente les sèmes de spatio-temporalisation « partout » et « toujours » (cf. « le Juif éternel ») ; quant à la quantification, la lexie « le Juif » est le syncrétisme de « tous les Juifs » (analyse en extension) et de « tout Juif » (analyse en compréhension), elle opère donc par référence à tous les représentants du type (quantification totale), mais, par l'emploi générique du substantif dans la personnification

« présentation du genre comme une entité personnifiée[73] » —, présente en outre une entité existant à un seul exemplaire : d'une classe singulaire son unique représentant ayant valeur universelle ; « le Juif » comme universel singulier, ou le type en personne.

L'élimination des autres ne parvient au statut d'évidence conclusive qu'au sein d'un espace de compétition où luttent à mort deux instances rivales, l'une bonne, l'autre démoniaque[74], reliées par la relative égalité des conduites spéculaires. La schismogenèse symétrique[75], type d'interaction se déployant au sein d'un tel espace, suppose la représentation d'une disjonction exclusive, fondatrice d'une pratique de guerre totale, où tout est permis, selon le principe normatif : « Ou bien Nous ou bien Eux » — ces « Eux » qui sont des Mêmes, d'insupportables semblables ; disjonction homologuée à l'alternative : « Ou la vie ou la mort. » Dès lors, l'unique voie de stabilisation, paradoxale, de la relation entre Soi (le Même légitime) et l'Autre (le Même rival, le Double inutile, incertain, dangereux) est représentée par l'abolition de toute relation. L'issue logiquement restante est le génocide[76], l'extermination systématique et totale du Rival-Pervers, type du double inversé, contretype absolument maléficiant. Le génocide se présente ainsi comme un droit, mais plus profondément comme un devoir[77]. Il est la conclusion logique d'un certain mode de construction de l'altérité, dont le Juif démonisé par l'hitlérisme demeure le paradigme : « Les fascistes [entendre : « les nazis »] ne considèrent pas les Juifs comme une minorité, mais comme l'autre race, l'incarnation du principe négatif absolu ; le bonheur du monde dépend de leur extermination[78]. » Le mécanisme spéculaire engendre le Juif comme le symétrique négatif du bon principe incarné (l'Aryen) : en tant que puissance pure du négatif, les Juifs sont traités en peuple élu[79]. C'est le même être référentiel qui constitue l'objet indéterminé du blâme et de l'éloge. Le blâme absolu peut dès lors inclure et se soumettre l'éloge, et celui-ci devenir l'instrument même du blâme.

Dans la plupart des notices de dictionnaires, on notera l'absence de la distinction, pourtant centrale dans le racisme hitlérien, entre le traitement d'esclavagisation appliqué aux Slaves (et aux Russes en particulier) et celui d'extermination réservé aux Juifs. Dans un propos ultime, Hitler reconnaît, tout en usant de l'euphémisation, la singularité du traitement antijuif dans l'idéologie raciste assumée comme telle : « Notre racisme n'est agressif qu'à l'égard de la race juive[80]. » La singularité du racisme antijuif est conforme à l'incomparable nature de la pseudo-« race juive » selon l'idéologie nazie dans sa présentation hitlérienne : « Nous parlons de race juive par commodité de langage, car il n'y a pas, à proprement parler, et du point de vue de la génétique, une race juive. [...] La race juive est avant tout une race mentale [81]. » La reformulation hitlérienne se poursuit et s'achève par assignation d'un contenu essentiel à cette race paradoxale, à ce type qui ne ressemble qu'à lui-même : « Une race mentale, c'est quelque chose de plus solide, de plus durable, qu'une race tout court. [...] Le Juif, où qu'il aille, demeure un Juif. C'est un être par nature inassimilable. Et c'est ce caractère même, qui le rend impropre à l'assimilation, qui définit sa race [82]. » L'irréductible et inquiétante différence de l'Autre est ainsi intériorisée, spiritualisée, pour être identifiable comme absolument singulière, et absolument intolérable. L'Autre qui n'est *pas infériorisable*, c'est-à-dire acceptable dans la stricte mesure de son affectation à une place inférieure sur une échelle commune, il ne peut qu'être défini comme *exterminable*. La logique génocidaire s'impose à partir de la non-inscriptibilité de l'Autre sur une échelle hiérarchique. Elle constitue la dérive nécessaire de la perception de l'Autre comme incatégorisable (inclassable, a-nomique), posé dans sa Différence pure, menaçant l'identité propre.

Faisons un bref détour par un auteur bien oublié aujourd'hui, mais dont la mise au point sur les relations entre science et question raciale, en 1919, présente l'intérêt d'articuler la position de la frontière Nous/Eux avec la distinction différence/inégalité. Jules Sageret, abordant la « Question des races » au sortir de la Grande Guerre, note qu'elle « n'est brûlante qu'à cause des races européennes [83] », car peu de gens oseraient contester l'évidence, à savoir « qu'il y ait une véritable différence de race entre un Fuégien et un Belge par exemple [84] ». Il faut donc demander à « la science de ces races [85] », l'anthropologie, de nous éclairer sur la prétendue « question des races [86] », ce qui revient à « nous instruire sur leurs "âmes" [87] ». La réponse venue de la science anthropologique est simple, presque un truisme : « Les êtres collectifs diffèrent. Quand ils se disent l'un à l'autre : — Je ne suis pas de ta race —, cela n'est qu'une manière entre mille d'exprimer qu'ils sentent cette différence. Voilà tout le sens réel de la Race [88]. » Le secret de la question raciale tient dans le fait de la différence perçue ou vécue entre groupes humains, et dans celui de son affirmation naturelle — nous *ne sommes pas* vous/eux, vous *n'êtes pas* nous/ils *ne sont pas* nous. Mais une telle solution différentialiste vaut « pour les seules populations européennes, ou d'origine européenne[89] », à l'intérieur donc du cercle tracé par un même « nous ». Au-delà des différences horizontales entre groupes européens apparaissent les différences verticales, hiérarchiques, entre Européens et non-Européens. Différences entre nous, inégalité entre nous et les autres. Si donc la différence n'est pas absolutisée, si au contraire elle peut se réduire à la distinction entre autoperception collective et alloperception d'un autrui collectif, à l'intérieur de cette communauté des pairs qu'est la race blanche, c'est que l'inégalité, réservée à la relation entre Blancs et non-Blancs, tend à être supposée absolue (concernant toutes les facultés, et insurmontable, tel un destin). Nous sommes bien ici dans l'univers idéologique du racisme ordonné à la légitimation de la colonisation (Nous-supérieurs *vs* Eux-inférieurs).

Autoracisations paradoxales

Nous voudrions ouvrir une parenthèse sur un phénomène paradoxal qui, à notre connaissance, n'a pas été abordé sous l'angle qui nous intéresse ici : les *autoracisations antiracistes.* L'autoracisation de type national-socialiste (la race propre se confondant avec l'idéal *völkisch* de l'enracinement maximal du paysan-guerrier dans sa race pure) a son symétrique inverse dans l'autoracisation des « intellectuels sans attaches », lesquels sont précisément définis par négation des traits du type enraciné — ils sont décrits comme étant dénués d'« âme de la race », donc déliés des perspectives particularistes, « bornées », dérivant de celle-ci, et partant comme pouvant prétendre échapper aux déterminismes ethniques et/ou culturels de la connaissance. Le salut épistémique s'obtiendrait dès lors par le déracinement : la désappartenance culturelle, l'indépendance vis-à-vis des conditions socioculturelles du savoir, voilà qui serait la condition expresse de la lucidité scientifique dans les sciences sociales. Or, cette auto-attribution d'une puissance épistémique supérieure s'est opérée de façon parallèle à l'autoracisation antiraciste, dont on peut ainsi traduire la conviction première : la « race » supérieure *(Nous)* se détermine par l'absence de clôture dans telle ou telle « race ». Au type de l'intellectuel sans attaches dans l'ordre du connaître correspond la « race » des esprits sans race dans l'ordre de l'action, le type du militant sans racines. Le bon révolutionnaire, dans une telle perspective, est le sujet déraciné, dé-communautarisé : telle s'imagine elle-même ce qu'il faut bien nommer la « race » intellectuelle « supérieure », dotée d'une puissance de vision sociologique hors de pair.

Le postulat du racisme antiraciste absolu est que l'universel ne s'atteint que par le détachement radical d'avec toute communauté particulière. La vulgate correspondante est bien connue dans ses slogans, fondés sur l'éloge du dépouillement des appartenances « lourdes » ou « aveuglantes », sur l'éloge de la décentration et de déplacement, bref du déracinement. Tandis que certains auteurs contemporains, en écho tardif d'une illusion polémique caractéristique des années trente (et « justifiée » en cette conjoncture singulière), érigent les intellectuels aux racines-zéro en porteurs par nature de vérité et en décrypteurs souverains du social [90], un certain militantisme antiraciste prône l'homme sans qualités ni appartenances définies, le projette en idéal. A la célébration néo-droitière de l'enracinement répond la sublimation « gauchienne » du déracinement. Le sociologue déraciné devient le « sans-patrie » fier de l'être dans son fief, les sciences sociales : censé n'appartenir à nul système socioculturel particulier, il est supposé pouvoir les connaître tous dans leur vérité. L'idéalisation des « sans-patrie [91] » ou la sublimation de l'intellectuel *heimatlos* [92], tel est le schème symbolique le plus approché du type idéal de l'intellectuel en tant que figure culturelle moderne, caractéristique du système des valeurs individuo-universalistes. Les racines de l'intellectuel sans liens se réduisent à son exigence d'universalité, son identité collective se confondant avec son horizon universel qui se déplace avec lui : ce sujet est une instance pure de position de problèmes valant pour tous et pour personne en particulier. Mais l'on peut se demander si l'on ne se trouve pas ici devant l'illusion spécifique de l'« intellectuel sans attaches ni racines », noyau de l'idéologie professionnelle des intellectuels [93]. Le *Nous* des intellectuels antiracistes/antifascistes se projette en tant qu'essence de l'humanité, se pose en incarnation de la race pensante. Si l'essence de l'homme est de penser, alors le type de l'intellectuel pur définit la représentation la plus fidèle de l'essence du genre humain.

L'intellectuel moderne pose, comme tout le monde, des problèmes, mais sous un ciel transculturel (universel) et pour un auditoire universel. Le postulat commun à tous ses énoncés est que l'on peut (et doit) se référer à une rationalité transculturelle, dont la condition réelle d'existence est l'autodétachement du sujet de sa communauté, l'abolition en lui-même du désir de solidarité ethnocentrique [94] — ce qui implique une certaine férocité dirigée contre soi, une haine de soi. Il serait facile de faire l'inventaire d'autres modes de racisation positive du type humain aux racines-zéro, ou à l'appartenance floue, indéterminée : outre le grand espoir communiste dans la puissance « accoucheuse » du prolétariat qui, n'étant « rien », peut être « tout », on relèvera l'éloge sartrien du « bâtard [95] », l'éloge « antiraciste » des vertus du métissage en tant qu'effaceur d'identité culturelle définie, ou de l'immigré sans identité nationale assignable, icône (malgré lui) de l'innocence absolue [96] dont la mauvaise conscience occidentale fait grand usage.

Il n'est pas sans intérêt de revenir sur la critique hayékienne de la présomption de supériorité gnoséologique propre à la première école de sociologie de la connaissance (K. Mannheim) : « Dériver, de la thèse que les croyances humaines sont déterminées par les circonstances, l'affirmation que l'on pourrait donner à quelqu'un le pouvoir de déterminer ces croyances implique l'affirmation que ceux qui doivent exercer ce pouvoir possèdent une sorte de super-esprit. Ceux qui soutiennent cette opinion ont régulièrement en fait une théorie spéciale qui dispense leurs propres conceptions de la même sorte d'explication et qui les fait passer pour une classe spécialement favorisée, ou simplement pour "l'*intelligentsia* sans attaches" en possession d'une connaissance absolue [97]. »

L'esprit sans qualités communautaires, dénué de solidarité ethno-culturelle particulière, s'identifie à l'universel, se confère ainsi la faculté de vision théorique universelle. L'absence d'« attaches » est interprétée par l'esprit « détaché » comme fondatrice de supériorité dans l'aptitude à connaître, celle d'un sujet pur qui, bien qu'incarné, ne représente rien d'autre, rien d'intermédiaire, que l'universel. On retrouve ici la figure classique du philosophe comme amant des seules vérités générales et nécessaires, ce qui autorise à l'ériger en « fonctionnaire de l'universel » (Husserl). Héritage philosophique de la sociologie « critique ». Hayek met l'accent sur l'équivocité de la prétention à la vision des causes cachées, que s'attribue (ou qu'on attribue à : les deux sujets n'en font généralement qu'un) l'intellectuel sans attaches : « En un sens, ce courant représente une sorte de super-rationalisme ; il réclame que la direction générale soit remise aux mains d'un super-esprit ; il prépare cependant en même temps le terrain à un irrationalisme total[98]. » Il s'agit d'une « race de l'esprit » singulière, qui croit tenir sa supériorité épistémique de son absence de toute qualité de race, absence hyperboliquement affirmée, revendiquée souvent avec arrogance. *Ruses de l'autoracisation* : une fois de plus, l'antiracisme procède par inversion simple, ce qui a pour effet de l'instituer en double du racisme. Le sociologue hypercritique procède à une inversion simple de la dénonciation antijuive moderne des « cosmopolites » et autres « sans attaches » (cf. E. Drumont, 1886 : le type visé est celui du *heimatlos*), qui est retournée en apologie. Mais la même figure demeure, qui fait l'objet commun du blâme et de l'éloge : cercle vicieux dans le genre épidictique. En outre, dans les deux cas, l'opération présupposée est la même, à savoir l'auto-attribution, éventuellement mentionnée dans un discours d'éloge, d'une supériorité absolue dans l'ordre du connaître (penser vrai, sans « fausse conscience », etc.).

Prenons un autre exemple de type épistémique supérieur construit dans le champ des sciences sociales : l'ethnologue. Sa conviction de supériorité est fondée sur le couplage de deux certitudes le concernant :
— il s'attribue la puissance de bien voir (savoir) sans être vu (su) ;
— il s'accorde la puissance de s'affranchir des préjugés, s'exceptant ainsi du champ des forces ethnocentriques auquel est soumis le commun des mortels.

Michel et Françoise Panoff affirment avec sérénité : « Plus habitué que ses collègues (économistes, agronomes, etc.) à déjouer les pièges de l'ethnocentrisme, il peut, affranchi de tout préjugé, aborder d'un regard neuf certains faits[99]. » Comment peut-on n'être pas ethnologue ! Celui-ci est en effet élevé au rang enviable de citoyen du monde de la connaissance sans préjugés, en type exemplaire du *social scientist*. A en croire les mêmes ethnologues heureux de l'être, l'éthique égalitariste serait impliquée par l'exercice même du métier et conditionnerait l'accomplissement de la visée de connaissance. Privilège supplémentaire du savoir ethnologique : il serait, exemplaire exception, fondé sur le modèle du contrat librement passé entre des égaux, lequel suppose une reconnaissance réciproque. Voilà donc un type de savoir qui, par sa réalisation même, par profession, constituerait une action éthique. On retrouve l'idéal professionnel de « l'égalité dans la différence » (cf. chap. 1, p. 42 *sq.*), horizon indépassable, parce que impensable, de l'ethnologue contemporain : « En vérité, c'est l'ethnologie même, en tant que mode de connaissance, qui est frappée d'interdit là où cesse l'égalité. Non pas que soit ici en cause une exigence morale comparable au serment d'Hippocrate, pour la profession médicale, mais parce que l'Autre n'existe comme tel que s'il est d'abord reconnu comme un égal. A cette condition seulement les différences qui séparent l'observateur de l'observé pourront être perçues[100]. » Mais, ainsi que le remarquait J. Favret, « on ne voit pas au demeurant pourquoi l'égalité conditionnerait la perception de l'altérité[101] ». L'autoracisation de l'ethnologue apparaît comme un cas particulier d'un paradoxe caractéristique de l'idéologie moderne (au sens de Louis Dumont : les évidences de l'individualisme égalitaire) : le sujet égalitariste affirme la supériorité du point de vue égalitarien sur les autres. Le parasitage idéologique du savoir des anthropologues est ici exemplaire des tentatives de la science moderne, en particulier des sciences sociales (mais les sciences du vivant ne font pas exception), de montrer leur accord *a posteriori* (décrit comme tel) avec les valeurs modernes de l'individualité et de l'égalité, et de le présenter comme une condition même de la constitution du savoir (postulat d'une harmonie *a priori*). Il s'agit toujours d'effacer le hiatus entre le connaître et le devoir-être, de combler l'abîme entre le savoir et l'action morale.

Les deux racismes idéaltypiques

Les dictionnaires consultés ne permettent guère au lecteur qui n'en posséderait pas déjà le schème de distinguer les deux logiques distinctes de la racisation[102] : l'*hétéroracisation*, au principe d'une logique de la domination et de l'exploitation qui impose de conserver en vie l'Autre — inférieur certes, mais source de profit ; l'*autoracisation*, qui commande une logique de l'exclusion radicale dont la finalité est l'abolition de la différence comme telle, par l'extermination totale de l'Autre, pour que puisse se conserver l'identité propre. La Race, c'est l'essence du Nous : l'identité à soi fonde ici l'inégalité entre soi et l'autre. C'est parce que nous sommes la Race, à laquelle les autres sont par définition extérieurs, étrangers, et dont ils sont dépourvus, que les autres sont « inférieurs ». Mais ils ne sont tels qu'en ce qu'ils sont en quelque sorte hors système, situés à l'extérieur de l'échelle commune des valeurs présupposée par le racisme hétéroracisant (universaliste et inégalitaire). Étant absolument « inférieurs », ils (Eux) échappent à la relation Eux-Nous, ils deviennent incomparables avec la Race (Nous). Eux et Nous se constituent en entités incommensurables. Si disparaît ainsi la relation même entre Nous et Eux qui rend possible l'évaluation comparative et le jugement inégalitaire (nous sommes plus X qu'eux), il n'y a plus rien à dire de significatif sur ce qui n'est pas nous. Le monde du Nous est le seul monde, les limites du Nous définissent les limites du monde. Les « Eux » étant des étrangers absolus, il n'y a plus de pont qui puisse être jeté sur l'abîme de la distance. La limite n'est certes plus une ligne, mais une zone, les frontières sont dépourvues d'interfaces. La communauté même des frontières devient impensable, irreprésentable. Et pourtant le Nous ne peut se poser qu'en s'opposant à la catégorie de l'inexistence, Eux : ainsi se réintroduit, par la condition polémique d'existence, une relation entre Nous et Eux. L'absence totale de relation n'est pas une propriété du monde humain que nous connaissons.

Reprenons le fil de notre argumentation : le sens unique de l'autodéfinition de Soi comme race absolument supérieure menacée par l'Autre, c'est donc le génocide, l'extermination totale de l'Autre. Dès lors le *racisme*$_1$ *de domination* ne saurait être confondu avec le *racisme*$_2$ *d'extermination* : la logique inégalitaire, celle qui fait place à la relation Soi-Autre sur une échelle hiérarchique, aboutit à la lutte du maître et de l'esclave, c'est-à-dire à une dialectique dont le principe même a été accepté ; la logique identitaire, celle qui refuse toute mise en relation Soi-Autre, et par là toute dialectisation, ne peut qu'aboutir à l'accomplissement du désir de pureté propre par l'élimination de l'unique source d'impureté qu'est l'Autre. Racisme$_1$ et racisme$_2$ ont de respectives et frappantes illustrations historiques permettant de les distinguer clairement : le *racisme colonialiste* et le *racisme national-socialiste*[103].

Les colonialistes, en tant que racistes, « voulaient *avant tout* continuer à exploiter leurs victimes, et ils justifiaient cette exploitation à l'aide d'un préjugé raciste, celui de l'infériorité intellectuelle des exploités[104] ». La victime ne saurait ici représenter une menace hyperbolique — tout juste un danger de détérioration, de dégradation, de « médiocrisation » par suite de croisements avec des êtres inférieurs, passablement animalisés. La victime, n'étant pas intrinsèquement perverse, peut ainsi être épargnée et mise au travail forcé. Le racisme colonialiste remplit d'abord une fonction de diversion et de légitimation, au service de la fonction économique : il n'est pas à lui-même sa propre fin, il n'est qu'un organon, il constitue une idéologie instrumentale.

La politique raciale hitlérienne, au contraire, dans le combat engagé contre les Juifs, présenté et explicité comme tel [105], a « sans cesse usé comme moteur affectif de l'envie qu'inspiraient les Juifs, auxquels le préjugé raciste prêtait une supériorité intellectuelle dangereuse [106] ».

Le racisme hitlérien, culminant dans la lutte antijuive, est à lui-même sa propre fin, il est autotélique et réalise ses valeurs propres. Ce faisant, il remplit en premier lieu une fonction de sécurisation, valant par ses propres effets. La mise en esclavage ne vaut ici que pour une catégorie d'autres bien définie : les races européennes inférieures parce que non « aryennes » ou « nordiques [107] » à l'exclusion des Juifs, sans usage économique ou politique possible. Un tract publié par l'Office central SS du *Reichsführer* SS décrit ainsi la relation entre le « sous-homme » et le « Juif éternel » : « [...] Le sous-homme [...], créature qui paraît être de la même espèce humaine, en est pourtant une tout autre, une créature horrible, une ébauche d'homme [...]. L'homme [...] devint proche de Dieu ! Mais le sous-homme vivait aussi. Il haïssait l'œuvre de l'autre [...]. Il s'associa avec ses semblables. La bête appela la bête [...]. Et ce monde inférieur du sous-homme a trouvé son guide : le Juif éternel ! Celui-là comprenait, il savait ce que ce monde voulait [...] [108]. » La métaphorisation zoomorphe s'applique aux « sous-hommes » qui, sous la direction du Juif diabolique, représentent le monde mauvais luttant contre le monde humain et bon. Le *sous-autre* ne peut lutter contre l'homme par excellence que commandé par l'*autre démoniaque*, la « contre-race » qui est, sur le mode négatif, le *sur-autre*. Ainsi, alors que le racisme colonialiste ne pouvait, sans se détruire fonctionnellement lui-même, viser l'anéantissement de ses victimes exploitables, le racisme nazi, racisme de combat essentiellement dirigé contre « le Juif », nom singulier de l'Autre démoniaque, devait aller jusqu'à la destruction sans restes de l'ennemi absolu pour réaliser ses objectifs. L'un des arguments du prétendu « révisionnisme » de l'histoire de la Seconde Guerre mondiale, représenté principalement par A.R. Butz (États-Unis), W. Stäglich (République fédérale d'Allemagne) et R. Faurisson (France) [109], consiste à assimiler les deux racismes, en appliquant insensiblement le schéma fonctionnel du racisme d'exploitation à l'explication du racisme antijuif des nazis. Ce qui se résume par le raisonnement suivant : puisqu'il est contradictoire de détruire la personne physique de ceux que l'on exploite, il est impossible de croire que les nazis, obéissant comme tous les exploiteurs à la logique de l'exploitation, aient pu exterminer les Juifs, important volant de main-d'œuvre, au cours d'une guerre totale ; donc l'extermination n'a pu avoir lieu. Le point central du paralogisme tient dans le passage insensible de la difficulté de croire à la possibilité d'un fait historique à l'affirmation qu'il n'a pas eu lieu, du doute théorique à la certitude de la non-existence historique du fait génocidaire.

Conjuration ou conceptualisation

> « Les crises ne se surmontent pas par quelques tentatives nerveuses et précipitées en vue de supprimer les problèmes nouveaux qui nous incommodent, ni par la fuite vers la sécurité d'un passé révolu [110]. »
>
> Karl Mannheim.

Ce que l'on vise par la dénomination « le racisme », phénomène supposé observable, et objectivable par analyse conceptuelle — construction de modèles ou d'idéaltypes —, s'avère, au terme d'un parcours de textes qui se proposent de le définir encyclopédiquement sans l'assumer, d'une extension si variable et d'une compréhension si indéterminée que l'on ne sait plus guère de quoi l'on parle ni si ce que l'on en dit est vrai. Les définitions lexicales ne permettent guère de surmonter les équivoques et contradictions nées des articles historico-encyclopédiques, portant sur la chose « racisme ». S'y retrouvent une double identification par contiguïté : racisme et antisémitisme, racisme et national-socialisme (Hitler étant souvent éponyme), mais aussi la coexistence de lexies mutuellement substituables : racisme, préjugé de race, préjugé de couleur. Le racisme lié à l'antisémitisme du régime nazi illustre les définitions au même titre que le racisme lié à la colonisation occidentale des « peuples de couleur ». Or, si le racisme antijuif a diabolisé l'Autre en visant son éradication, le racisme antinoir a zoologisé l'inférieur présumé en visant son exploitation (de l'esclavage à ses suites et variations néo-colonialistes). Une telle différence fonctionnelle ne semble pas avoir frappé outre-mesure les sémanticiens et encyclopédistes. Le jeu des exemplifications historico-politiques indique les deux pôles mythiques qui, mis en discours par des métaphores ritualisées, sont constitutifs de l'ensemble hétérogène dénommé « le racisme » ; éléments auto-identificatoires que les définitions reprennent à leur compte en se contentant d'en inverser la valeur, de passer de l'éloge raciste de soi au blâme antiraciste de l'autre : le *pur* (soi, propre, identité, différence) ; l'*inégalité* (supériorité/infériorité, hiérarchie). Tels peuvent se nommer les deux noyaux distincts, présents dans les définitions données du racisme, à partir desquels ces définitions sont construites, sans pour autant toujours les requérir l'un et l'autre. Une première difficulté tient à la présence exclusive de l'un des noyaux de la conceptualisation (pureté *ou* inégalité) ou à la coprésence des deux (pureté *et* inégalité). L'une des origines de la confusion semble devoir être trouvée dans la référence illustrative ordinaire au nazisme (idéologie, mouvement et régime), où la mythologie de la pureté est imbriquée dans l'idéologie de l'inégalité, au point de se manifester discursivement comme indiscernable. Un discours se signale le plus souvent comme antiraciste en affirmant positives les valeurs de mélange ou métissage (ethnique, culturel), oscillant entre l'éloge des mariages mixtes et celui d'une « France multiraciale », et en se déclarant pour l'égalité entre les hommes, donc entre les nationaux et les étrangers, les citoyens et les autres. Cette inversion simple des deux noyaux de l'axiologie raciste dans les reformulations lexicographiques ou encyclopédiques reproduit le chiasme des deux racisations, de ce qui nous est apparu comme deux opérations susceptibles de se rencontrer en des syncrétismes idéologiques et politiques, mais distinctes. Tant qu'on n'aura pas élaboré une théorie générale des racisations qui se fonde sur l'irréductibilité du racisme identitaire-différentialiste et du racisme inégalitariste, l'on devra se contenter de conclure à l'inconceptibilité du racisme — sur le mode de l'insuffisance satisfaisante : « On sait ce que c'est, mais on ne saurait bien le dire », ou sur le mode plus modeste : « On sait qu'il est, sans savoir ce qu'il est. » Mais s'il est un tel phénomène, dès lors qu'il relève de la catégorie du réel inconceptible ou du notionnel indicible, « le racisme » ressemble fort à « la vie », à « l'existence », à « l'âme », à « la race » elle-même : on l'éprouve, on le sent bien, on le touche sans le comprendre, sans pouvoir le définir. Paradoxe menaçant pour tout discours s'efforçant d'être « antiraciste », l'expression désignative et stigmatisante, le « racisme », risque, pour être dotée de sens, d'en appeler à l'intuition, à une illumination singulière, à un éveil spécifique, à un œil exercé — plus simplement : à des représentations et valeurs admises, dessinant l'espace idéologique où l'on sait ce qu'est le racisme. Les définisseurs s'installent ainsi dans une relation dialogique avec leurs lecteurs éventuels, censés partager avec eux un même fonds d'opinions et croyances en cours, où sens et référence du mot « racisme » sont donnés conjointement sur le mode de l'évidence. « Le racisme » : dénomination et qualification du mauvais autre, qu'il s'agit de dénoncer, d'accuser, de chasser, de condamner. L'acte discursif d'identification par « le racisme » vise à empêcher le retour du mauvais *autre*, figurable le plus communément par « le nazisme » : nommer vaut pour interdire la revalorisation positive (de la « banalisation » à l'éloge du nazisme, dont le « le racisme » est la synecdoque), nommer « le racisme » équivaut à le dénoncer et à en écarter la menace. Il s'agit bien d'une désignation conjuratoire. C'est ce fonctionnement d'étiquette disqualifiante, mot indéterminé en ses sens et référence, mais rempli de ses représentations et valeurs négatives associées, puisées dans le préconstruit culturel, que les définitions savantes ont tendance à reconduire et autoriser. Condamner « le racisme », stigmatiser « les racistes » : actes de langage en lesquels et par lesquels, dans la conversation ordinaire, l'on s'affirme antiraciste, en s'instituant tel. C'est l'antiracisme au miroir du racisme : « Sale raciste ! » Et la métalangue lexicographique, qui vise à définir « le racisme » en prenant la distance requise pour le péjorer, sur la matière première des vocables autoréférentiels du « racisme » (pureté, supériorité), s'applique à disqualifier son objet soit par la pathologisation de celui-ci (irrationnel, délire, maladie, poison), soit par le rappel typisant de ses conséquences les plus hautement et universellement condamnables (génocide hitlérien des Juifs et des Tsiganes).

Il nous paraît urgent de libérer le discours antiraciste de la démonologie, à la fois système d'illusions et dispositif de propagande. Au-delà du classique amalgame « racisme/antisémitisme/nazisme/fascisme », opérateur de base du discours polémique de gauche (des gauches), s'est imposé dans les instances internationales, sous les influences conjuguées du camp communiste et de la mouvance « tiers-mondiste », un discours démonologique synthétique dont il nous suffira de fournir l'illustration suivante : « Parmi les grands obstacles à la mise en pratique des buts et objectifs fixés par les Nations unies dans le domaine de la promotion des femmes figurent l'impérialisme, le colonialisme, le néocolonialisme, l'expansionnisme *(sic), l'apartheid*, le racisme, le sionisme, etc. [111]. » Un tel discours ritualisé de dénonciation fait désormais partie de la langue de bois internationale, dont il n'est point douteux que la cible unique soit représentée par les démocraties libérales occidentales. Ce qui, est-il besoin de le préciser, n'autorise nullement à idéaliser celles-ci, et à légitimer par avance une quelconque croisade de l'Occident.

Les observations qui précèdent, et la distance interrogative qui en est résultée, reviennent au constat suivant, dont on peut espérer qu'il sera le point de départ d'analyses plus approfondies et moins déceptives : en disant quoi que ce soit sur « le racisme », dans les contextes où il est attribué à l'*autre* de l'énonciateur, on ne conceptualise pas, on conjure. « Le racisme » fonctionne comme nom propre d'une menace qu'il s'agit, en la nommant et par le fait de la dénommer, d'écarter, de chasser, d'abolir. Hors des limites encore indistinctes d'un tel acte conjuratoire de nomination, au-delà des conduites immémoriales de magie défensive, le racisme, phénomène social observable et construction conceptuelle, reste à penser. Qu'on nous pardonne la faiblesse de croire, legs du vieux rationalisme dans sa formulation positiviste, qu'il est nécessaire de savoir pour prévoir, afin de pouvoir. Nous espérons contribuer par la présente étude à faire qu'un jour l'antiracisme ne soit plus un phénomène collectif de régression mentale aisément manipulable, comme par l'effet d'une fascination exercée par son adversaire et modèle, le racisme.

Il faudrait commencer par mettre en œuvre l'un des quatre mécanismes de contrôle définis par Talcott Parsons : le « déni de réciprocité [112] », qui implique le refus de répondre à l'hostilité par l'hostilité, à l'anxiété par l'anxiété, au fantasme par le fantasme, de sorte que se brise le cercle vicieux de la « déviance ». Cesser enfin de conjurer.

Et quelle vanité que le verbe antiraciste qui attire l'admiration par la négation de choses dont on n'aperçoit plus les originaux, toujours bien vivants : « [...] un paradoxe de notre temps, à savoir que l'hommage vertueux que la plupart d'entre nous rendent du bout des lèvres aux idéaux d'égalité et de fraternité entre les hommes ne contribue en rien à réduire la population de cannibales cynocéphales que nous imaginons tapis à chaque coin de rue [113]. »

Conjurer, c'est persister, à travers le discours commémoratif, dans la relation de rivalité mimétique : magie sans effet, inefficacité symbolique. Conceptualiser, ce serait changer de terrain, en visant à la fois la conduite d'une analyse théorique rigoureuse et la fondation d'un humanisme désidéologisé — voie unique d'un « antiracisme » qui ne se présenterait plus comme un double du « racisme ».

II

Généalogie de la critique dogmatique des préjugés

5

Les origines intellectuelles de l'antiracisme : la « lutte contre les préjugés »

> « Il faut nous mettre pour quelque temps à l'école de ce qu'on appelle l'histoire des idées. Contrairement à une opinion populaire, bien loin de les résoudre, ces recherches ne feront qu'augmenter les difficultés d'une discussion impartiale [1]. »
>
> Leo STRAUSS.

L'antiracisme contemporain peut être abordé comme représentant le dernier avatar de la critique radicale des préjugés, critique ayant débordé les limites du doute méthodique destiné à fonder un savoir assuré, pour s'étendre à tous les domaines de la pratique, et s'instituer en modèle normatif, voire en style de vie « moderne ». Telle est l'attitude proprement moderne : étendre la critique au-delà des strictes limites du domaine de la connaissance de type mathématico-mécaniste, l'ériger en norme d'une existence humaine désirable, attendre de la critique généralisée qu'elle fasse surgir le sens de l'existence, en substituant un sens « construit » au sens « donné » — caractéristique des sociétés non modernes. Nous nous en tiendrons, dans ce chapitre, aux origines *philosophiques* de la critique des préjugés, composante essentielle de la métaphysique moderne de la subjectivité. Après avoir été examiné dans sa provenance cartésienne, le motif antipréjugés sera suivi dans son idéologisation dans la mouvance des Lumières, où il donnera lieu à un nouveau dogmatisme : le *dogmatisme critique*, lui-même au principe de ce que nous caractériserons comme le *fanatisme antifanatique*.

Dans un texte de jeunesse désormais fameux, la *Contribution à la critique de la philosophie du droit de Hegel* (l'*Introduction* ayant seule parue, en février 1844), Marx a cerné avec une rare lucidité théorique, que ne dépare pas l'ironie dont il est coutumier, la figure moderne de la *critique comme passion*, qu'il analyse et réduit à trois traits : dégradation du désir de discussion « critique » (en vue du vrai) en volonté d'anéantir l'adversaire, position de celui-ci en ennemi absolu (non respectable, chassé du règne de la dignité proprement humaine attachée à la pensée), effectuation du couple indignation/dénonciation. La critique en tant que passion *(Leidenschaft)* se définit essentiellement par le couplage d'un *pathos* spécifique (l'indignation) et d'une *activité* exclusive (la dénonciation) : indignation dénonciatrice, dénonciation indignée, rituel d'exclusion en un sens hypermoral. Lisons Marx : « [...] la critique n'est pas la passion du cerveau, mais le cerveau de la passion *[Leidenschaft]*. Elle n'est pas un scalpel, elle est une arme. Son objet est son *ennemi*, qu'elle veut, non pas réfuter, mais *anéantir*. Car l'esprit de cette situation est réfuté. En elle-même celle-ci n'est pas un objet *digne de pensée*, mais une *existence* aussi méprisable que méprisée. La critique [...] ne se présente plus comme *fin en soi*, mais seulement comme *moyen*. Son pathos fondamental *[wesentliches Pathos]* est l'*indignation*, son œuvre essentielle *[wesentliches Arbeit]* la *dénonciation* [2]. »

Voilà qui nous éclaire singulièrement sur l'antiracisme saisi comme idéologisation de la critique rationnelle : le comportement antiraciste répond au modèle du jumelage d'une indignation absolue et d'une dénonciation sans réserves, illimitée par le fait même qu'elle croit opérer au nom du Bien. Le racisme, c'est d'abord ce qui indigne (doit indigner) et fait l'objet d'une dénonciation (doit être dénoncé) : telle est la définition formelle, idéologico-polémique, du « racisme ». Par rapport au passé, l'antiracisme se détermine comme un avatar de la critique rationnelle des « préjugés » : c'est ce que nous tenterons de montrer dans cette seconde partie.

La prescription antiraciste de ne point préjuger
(sur une page de Jean Hiernaux)

« Je ne voudrais pas, note Edmund Burke, dans ses *Réflexions sur la Révolution de France,* par l'excès même de la tolérance, devenir le plus intolérant de tous les êtres. » Cette remarque allie la prudence à la lucidité : il a vu l'intolérance des tolérants immodérés, il a su que les déclarations de tolérance pouvaient engendrer et « couvrir » les pires faits d'intolérance. Mais commençons par quelques indices relevés dans la seconde moitié du XXe siècle.

Dans toutes les variantes contemporaines de l'antiracisme hégémonique l'on rencontre la prescription du type « il ne faut pas préjuger de », « rien ne permet de préjuger », ou « un homme digne de ce nom doit s'abstenir de se fonder sur tel ou tel préjugé ». La variante savante de l'antiracisme, lorsqu'elle pense scientifiquement acceptable la notion de « race », peut se réduire à un argument de base : « La connaissance du groupe auquel appartient un individu ne permet en rien de préjuger ses capacités innées d'intelligence [3]. » Préjuger quelque chose, ou préjuger de quelque chose, c'est « porter un jugement prématuré sur » la chose en question, dit le *Robert*, qui en distingue les deux interprétations sémantiques possibles : « prévoir au moyen des indices dont on dispose » et « considérer comme résolue une question qui ne l'est pas ». Ajoutons que, dans le discours antiraciste, l'usage stigmatisant de l'expression « préjugé raciste » laisse entendre que le sujet porteur du préjugé raciste doit inévitablement causer un préjudice au sujet victime dudit préjugé. Plus profondément encore, le « préjugé raciste », outre qu'il est censé faire du tort à une classe d'humains, est supposé porter atteinte à l'humanité même de son porteur : c'est être un moindre homme que d'être « raciste ». Le préjugé serait même susceptible de se retourner contre son porteur, victime de ce qui en lui-même n'est pas digne de l'humanité pensante [4]. Le préjudice causé par le « préjugé raciste » apparaît dès lors comme double. Préjuger consiste à *croire savoir* sans savoir vraiment — prévoir sans indices suffisants ou sûrs, conclure sans posséder les certitudes requises. Ne point préjuger, c'est s'interdire donc de croire savoir de façon prématurée ou précipitée.

Le « préjugé », l'acte de « préjuger » ainsi interdit de savoir scientifique par antiracisme, apparaît comme une inférence prévisionnelle selon laquelle, à partir de l'assignation (acceptable) d'un individu quelconque donné (non connu autrement que par un coup d'œil, voire un examen anthropologique) à une population d'appartenance spécifiable comme une « race » (tout la question revenant à donner une définition scientifique de la « race ») [5], l'on prétend en quelque sorte prévoir certaines caractéristiques psychiques de l'individu. Le scientifique antiraciste énonce une interdiction : il faut s'abstenir de conclure du savoir bioanthropologique classificatoire (l'individu x appartient à telle race humaine) à un savoir portant sur l'individu singulier (ses facultés ou aptitudes, ses attitudes). Il ne faut pas croire que l'on puisse passer sans rupture de la connaissance raciologique générale à la connaissance de l'individuel. L'éthique du biologiste antiraciste prescrit l'abstention, car le préjugé, acte de préjuger, n'est que le fait de suivre une inclination judicatoire. Le préjugé est le propre de l'esprit qui ne se retient pas sur la pente des penchants intellectuels, où l'on opine sans cette retenue que fait surgir la critique. Mais cette éthique de la suspension du jugement se complète pourtant par un jugement dogmatique sur les aptitudes intellectuelles des divers groupements de populations nommés « races », jugement produit par oubli des prémisses contenant bien des appels à la prudence. L'idéal critique, voire l'appel à un scepticisme méthodique, fait dès lors place à une nouvelle version du « vieux dogmatisme vermoulu [6] » qui, du « racisme », passe insensiblement à l'« antiracisme ». On remarquera que seules les *aptitudes intellectuelles* font ici question et sont l'objet de débats et controverses — il ne viendrait pas à l'idée du raciste et de l'antiraciste de polémiquer de façon aussi violente sur les aptitudes affectives comparées des races ou ethnies. C'est que les enjeux liés à la supériorité/infériorité intellectuelle des races sont eux-mêmes situés au sommet de la hiérarchie des valeurs des sociétés occidentales modernes : l'idéologie moderne en général inclut un idéal méritocratique fondé sur la précellence de l'intelligence calculatrice rapide et créatrice de savoir technique — l'aptitude à la « civilisation » étant elle-même identifiée avec la raison scientifico-technique. L'égalitarisme culturel présuppose donc l'égalité des aptitudes à instaurer ces additions au monde naturel nommées « civilisations » ou « cultures ».

Ce jugement dogmatique sur les relations interraciales se présente sous deux formes, l'une positive et l'autre négative : toutes les races sont dotées d'aptitudes (facultés, virtualités, potentialités) biologiques égales ; il n'est pas de race qui soit supérieure en aptitudes intellectuelles. C'est encore une argumentation empruntée à Jean Hiernaux qui nous fournira une illustration de ce noyau dogmatique de l'antiracisme. Le premier moment de l'argumentation consiste à déduire de l'incertitude du savoir, de son insuffisance ou de son indétermination, voire du caractère négligeable du savoir accessible, la nécessité de s'abstenir de juger : « Il n'est pas dans la nature de la science de pouvoir nier l'existence de différences de potentiel génétique d'intelligence entre populations humaines : n'en trouvant pas, elle dit qu'il n'y a pas, à l'heure actuelle, de raison d'en supposer. S'il en était, les observations citées portent à croire que ces différences ne consisteraient qu'en de modestes écarts entre les moyennes, de sens imprévisible, avec un très large recouvrement des distributions des capacités génétiques d'un groupe humain à l'autre. La connaissance du groupe auquel appartient un individu ne permet en rien de préjuger ses capacités innées d'intelligence [7]. » Le second moment de l'argumentation consiste à tirer une conclusion de deux prémisses : la conclusion est représentée par une variante de la croyance antiraciste typique (il n'y a pas de races supérieures), les prémisses étant constituées d'une part du postulat égalitariste présenté en axiome (toutes les races ont d'égales capacités génétiques), d'autre part du constat de la diversité culturelle du genre humain, énoncé factuel curieusement érigé en principe d'explication. « Cependant, les peuples de la terre présentent une grande variété dans le type et le niveau de la civilisation qu'ils ont atteinte. Puisqu'ils disposent de potentialités biologiques égales en ce domaine, c'est dans l'histoire culturelle de l'humanité qu'il faut chercher l'explication de cette diversité [8]. Il y a des populations supérieures à d'autres, dans leur patrimoine génétique, en stature, en largeur de nez, en couleur de peau, en développement du système pileux, *il n'en est pas qui soit supérieure en potentiel d'intelligence.* Dans ce domaine, *fondamental* pour l'espèce humaine, il n'y a pas de "race supérieure" ni "de race inférieure" [9]. » Le scientifique militant formule ici expressément, et non sans naïveté, le mobile principal de son intervention dogmatique dans le champ idéologico-politique : c'est en raison de l'intérêt supérieur de l'humanité comme telle que le savant *doit* asserter la non-inégalité entre les races quant aux facultés intellectuelles. Car les arguments qu'il avance ne permettent de tirer logiquement qu'une conclusion de type sceptique ou « neutraliste », relevant d'un agnosticisme appliqué aux questions de races. Mais l'agnostique potentiel se fait ici gnostique, en passant directement à l'assertion dogmatique, exerçant une autorité qu'il tient d'une légitimité relevant pourtant d'un domaine d'activité (les sciences du vivant) n'ayant que des interconnexions lâches et problématiques avec celui de la psychologie cognitive différentielle des « races ». Au savant, il n'est ainsi nullement interdit d'asserter les inégalités dans des ordres autres que cognitifs, et notamment dans l'ordre supposé strictement somatique. C'est que le corps, saisi comme génotype ou comme phénotype, est supposé idéologiquement neutre par la conviction antiraciste.

Le rêve d'un monde sans préjugés : une utopie universaliste

Il s'agit d'en finir avec les survivances du passé, de purifier le présent et l'avenir des traces de ce qui serait désormais dépassé. Moins de décider d'une rupture volontaire que d'accompagner, en le radicalisant, un mouvement historique présumé inéluctable. Ainsi faut-il ne pas tenir compte des différences raciales parce qu'elles ne comptent presque pas ou plus, et ne compteront plus dans l'avenir qui se prépare avec ou sans notre aide. Mais celle-ci peut hâter la venue de l'âge d'or : l'au-delà du racisme dépend pour une part de nous, il faut vouloir qu'adviennent les conditions de l'aracisme pour que son règne advienne. La volonté humaine est donc conviée à stimuler la venue au monde d'une communauté universelle non divisée par les préjugés en général : préjugés de race, de classe, de nation, voire de sexe, s'aboliront à la fois sans nous et par nous. Il faut cependant vouloir l'abolition des préjugés, ces dépôts et sédiments du passé qui font obstacle à l'émancipation définitive de l'homme. Le préjugé est ce qui retient le passé, et nous retient en lui.

Le rêve d'abolition totale et définitive des préjugés semble avoir une double origine : positiviste et scientiste d'une part, romantique révolutionnaire et utopique d'autre part. Nous supposerons la pertinence d'une caractérisation provisoire du romantisme en tant que courant sociopolitique : « La nostalgie des sociétés précapitalistes et une critique éthicosociale ou culturelle du capitalisme [10]. »

Les deux traits de cette définition orientatrice, à savoir la référence à un passé idéalisé comme « différent » et la critique du présent par « écart absolu », constituent l'invariant du romantisme politique, son noyau dur dissimulé par « le tumulte bariolé » dont parlait Carl Schmitt [11]. Michael Loewy propose de distinguer quatre types idéaux du romantisme politique :

1. Le romantisme « passéiste » ou « rétrograde », qui vise à rétablir un état social aboli ou disparu. L'impératif premier est ici de restaurer, par un retour en arrière, un âge idéalisé ; contre-révolution de type 1.

2. Le romantisme conservateur, qui vise le maintien d'un état sociopolitique présent (imparfait, mais menacé) ou le rétablissement de structures politiques qui précédaient l'état présent. L'impératif primordial est ici de maintenir, de mieux établir, ou de rétablir : contre-révolution de type 2.

3. Le romantisme « désenchanté », pour lequel le retour en arrière est impossible, et qui incite à la réconciliation avec le présent, aussi critiquable soit-il. L'impératif premier est ici d'assumer, d'accepter « la croix du présent », avec ou sans « la rose de la raison », de se résigner donc. Une telle prescription d'accommodation définit la disposition conservatrice : pessimisme et modérantisme.

4. Le romantisme révolutionnaire (et/ou utopique), qui cherche une issue dans l'espoir de l'avenir. L'impératif premier est ici de dépasser, de surmonter en supprimant [12].

On voit que les types 1 et 2 se fondent sur le primat du passé (récent ou lointain), le type 3 sur celui du présent (car il n'y a rien d'autre), le type 4 sur celui de l'avenir (censé apporter l'autre vie introuvable dans le présent).

Nous sommes à même de risquer une interprétation des origines intellectuelles du rêve d'abolition totale des préjugés de race. On y reconnaît, en premier lieu, une *projection* sur le champ politique de l'image de soi surdominante des « scientifiques », dans le sens qu'ils ont pris dans le monde moderne, à savoir des sujets par définition dénués de préjugés, mus par l'esprit critique, ce moteur de la raison qui détruit les erreurs et dissipe les illusions. La raison critique commence par détruire les héritages de mots et d'idées : voilà qui la définit par son premier mouvement. Le monde des préjugés est celui du passé qu'il faut abolir pour qu'advienne l'univers épuré issu du regard scientifique. Les variantes de cette tradition antitraditionaliste [13] sont nombreuses : de l'empirisme rationnel de Bacon et du rationalisme cartésien aux positivismes et scientismes dogmatiques des XIXe et XXe siècles. Telle est la composante rationaliste-scientiste du rêve d'un monde sans préjugés. Ce monde impossible serait celui d'une vie sans héritages, sans passé, sans mémoire, sans opinions ni croyances autres que celles forgées à chaque instant par la raison scientifique : un monde privé de la dimension temporelle, un infini présent tourné vers un avenir qui lui ressemble. L'Age de la Science instaurerait un monde sans âge, table rase une fois faite du passé.

En second lieu, la visée d'un monde sans préjugés apparaît

comme le produit d'une *conversion* de la nostalgie des sociétés précapitalistes en un programme utopique, la double négation de la valeur du passé et du présent étant convertie en affirmation exclusive de l'avenir. Telle est la composante romantique révolutionnaire/utopique du rêve d'une vie humaine sans préjugés. « Du passé faisons table rase » : l'impératif révolutionnaire est assurément équivoque, puisqu'il peut s'interpréter soit selon l'idéal rationaliste-scientiste, soit selon l'utopisme du romantisme révolutionnaire. Briser les anciennes tables de la Loi, détruire le « vieux monde », ou y échapper : fuir et abolir sont les deux mouvements premiers de l'idéal moderne d'émancipation.

L'un et l'autre supposent l'un des modèles d'autoreprésentation de la révolution sociale (prolétarienne, communiste, etc.) : le *commencement absolu* [14]. Soulignons qu'il s'agit d'un commencement absolu sur le modèle de la création *ex nihilo*, et non pas d'un acte d'abolition-conservation *(Aufhebung)*, ou d'une révolution conservatrice en tant que récollection sélective d'éléments dignes d'être conservés (« renaissance »). Telle est la composante axiologique et normative du romantisme révolutionnaire, lequel « refuse à la fois l'illusion du retour vers les communautés du passé et la réconciliation avec le présent capitaliste, cherchant une issue dans l'espoir de l'avenir. Dans ce courant [...], la nostalgie du passé ne disparaît pas mais elle se transmute en tension vers le futur postcapitaliste [15] ». Faire table rase, c'est abolir radicalement, sans restes : les ruines elles-mêmes sont à détruire. La hantise des survivances répond à la haine des héritages. Il faut donc réduire à néant non seulement les anciennes structures sociales « dépassées », mais encore les structures mentales « surannées » qui sont censées leur correspondre — il en va ainsi des préjugés « de race », ou « de nationalité ». Marx décrivait avec ironie une telle vision dans la lettre du 20 juin 1866 adressée à Engels : « Les représentants de la jeune France [...] émirent cette idée que toute nationalité et les nations elles-mêmes sont des préjugés surannés. C'est du stirnérianisme proudhonisé. Ils veulent tout dissoudre en petits groupes ou "communes" qui formeront ensuite une association, non un État. Cette individualisation de l'humanité, le mutuellisme qui y correspond, doivent s'accomplir pendant que l'histoire s'arrêtera dans les autres pays et que l'univers attendra que les Français soient mûrs pour leur révolution sociale [16]. »

L'idéal d'abolition totale des préjugés, sortie mythique de la préhistoire de l'esprit humain, trouve son répondant géographique dans la suppression générale des frontières. C'est que les préjugés sont les barrières mentales qui s'élèvent entre les hommes, de même que les frontières entre territoires sont des préjugés matérialisés : préjugés et frontières se métaphorisent réciproquement. Abolir les frontières entre peuples, détruire les États-nations, en suspendre les limites, supprimer les barrières entre les races : autant de variantes idéologico-politiques du grand rêve d'unification du genre humain par négation des différenciations collectives entre les individus. La dissolution des entités communautaires apparaît ainsi comme la condition de réalisation du double projet d'abolition des préjugés, ouvrant le règne de la raison pure, et de suppression des frontières entre les peuples, instaurant la société humaine universelle de fait, enfin solidaire et fraternelle. Ce qui caractérise l'élan utopique, le rêve volontariste qui en forme le cœur, c'est le désir illimité de réaliser l'idéal tout de suite, par tous les moyens, y compris les plus radicaux, et à tout prix.

Les utopistes de l'unité totale et immédiate du genre humain veulent ainsi mettre fin au racisme par la négation de la diversité ethnique, au moyen du métissage : les préjugés raciaux, n'ayant plus de référence empirique, disparaîtraient d'eux-mêmes, faute d'applicabilité. L'antiracisme prescrit classiquement, dans sa variante universaliste progressiste, de ne point tenir compte des différences entre les races, même si celles-ci s'imposent toujours à nouveau en tant qu'évidences perceptives (couleur, etc.). Son objectif étant d'effacer toutes les manières de tenir compte des différences ethniques, il ne peut le réaliser pleinement, une fois pour toutes, que par l'indifférenciation ethnique planétaire. Il faut que le genre humain ne comprenne que des individus racialement indifférenciables pour que le programme antiraciste puisse s'accomplir. Tant qu'il y a de la différence entre groupes, il y a matière à préjuger. Logique de l'idée antiraciste : il faut donc détruire tout principe de différence intermédiaire entre le niveau individuel et le niveau générique. Rêve ressassé de fraternité universelle, qui court à travers les formes et voies de l'unification finale par indifférenciation universelle : « Frontières et problèmes nationaux semblaient appartenir à ce passé qu'il fallait abolir [...] un vieux rêve subsistait : au signal donné par un peuple de bonne volonté, les poteaux frontières tomberaient ; et ce serait l'avènement de la fraternité universelle : la révolution unanime [17]. » Mais cette unité fraternelle trouvée par-delà les différences n'est supposée réalisable que par un type humain particulier, l'individu sans racines, sans qualités, sans appartenances — ce rien qui peut être tout. « Il y a des moments où je me dis que seul un homme sans qualité, sans appartenance, pourrait être aujourd'hui un homme de bonne volonté [18]. » Comme si le libre et plein accès à l'universel se confondait avec le dépouillement total des appartenances et spécificités. L'homme nu, son concept pur, serait-il le seul compagnon possible de l'universalité ? Le cercle vicieux de l'individu-zéro et de l'universel-vide met en lumière l'impuissance de l'individuo-universalisme à fonder une anthropologie qui ne soit pas un appendice à une logique générale tenant lieu de métaphysique aux orphelins de celle-ci, les modernes. Ces derniers semblent ne concevoir de salut que par la fuite en avant : puisque les appartenances sont en miettes, les communautés en voie de décomposition, il faudrait accentuer le processus, détruire les restes, les ruines, les survivances, les adhérences. Le nihilisme se déploie aussi sur cette ligne de déclin. « Renversement du platonisme », « nihilisme actif » : belles dénominations qui esthétisent le processus de décadence, par qui s'y installe et s'en fait un spectacle. Mais comment peut-on s'en vanter ? Se féliciter par exemple de l'entrée dans le post-moderne, transfiguration littéraire de nos misères contemporaines ?

Examen de quelques préjugés impliqués par la « lutte contre les préjugés » en général

Le préjugé contre les préjugés : la passion du rationalisme militant

« Le préjugé de race est aboli [...] tous les hommes sont égaux », croyait pouvoir déclarer Pierre Leroux en 1841 [19]. C'est l'un des innombrables énoncés, plus ou moins triomphalistes, qui infèrent spontanément de l'optimisme progressiste, héritage du XVIIIe siècle, le diagnostic d'une abolition définitive du règne des préjugés. Celui-ci aurait disparu en même temps que le temps des privilèges dus à la naissance : symbolisme réciproque des « révolutions », de l'histoire de chaque esprit à l'histoire des sociétés. Nous ne risquons guère de nous tromper en avançant que les grandes doctrines politiques *modernes,* adverses et concurrentes, se donnent toutes pour des méthodes d'émancipation, d'affranchissement, de libération, d'acquisition d'une quelconque figure de l'autonomie. Leur prétention commune est de pouvoir conduire les hommes au-delà de la servitude, des ténèbres de l'ignorance, de l'esclavage de la superstition. C'est l'aspiration à l'indépendance, le mouvement même des Lumières : libérer définitivement l'homme de la tyrannie. Et de la tyrannie première, qui est celle des préjugés. L'homme : chaque individu, tous les peuples, l'humanité entière comme totalité empirique des humains. Ce mouvement général d'émancipation est universaliste, pour autant qu'il ne peut tolérer nulle exception au sein du genre humain, le sujet de l'émancipation. Celle-ci est totale ou manque à sa mission. D'où l'idée d'une tâche infinie, lorsque le mouvement ne sombre pas dans le terrorisme du pragmatisme de l'immédiat — car le désir de la libération totale, tout de suite, est l'une des composantes psycho-idéologiques du totalitarisme.

Le mouvement émancipatoire inclut l'idée d'une rupture absolue avec l'« obscurantisme », règne des préjugés censés combler le vide creusé par l'ignorance. La raison critique se donne classiquement pour source de lumière. Or, tout est préjugé, rapporté et comparé à la clarté solaire et à la rigueur des démonstrations élémentaires de la mathématique : la comparaison de nos jugements avec les énoncés mathématiques — axiomes et « longues chaînes de raisons » —, qui marque les commencements de la pensée moderne, disqualifie absolument le monde des représentations communes, empire du désordre mental et de la crédulité puérile [20]. Si la vérité se mesure à l'universalité de la clarté, celle-ci n'a d'autre lieu propre que le monde intelligible peuplé des seules idéalités mathématiques. L'éternité ainsi retrouvée appelle à perdre pied dans le monde infra-mathématique, à décoller du monde habité par les coutumes et traditions, les croyances et prescriptions qui ne sont que variations sur un même fonds d'erreurs premières. *Mundum regunt numeri* : la formule d'origine pythagoricienne, dès lors qu'elle devient profession de foi exclusive dans la modernité, abaisse définitivement les pensées extra-mathématiques, ni mathématisées ni mathématisables, au rang de préjugés, jugements variables et contingents, énoncés confus et nuisibles dont il faut se débarrasser pour vraiment penser, c'est-à-dire penser le vrai. L'exclusivisme du paradigme mathématique conduit à dénier le statut de pensées aux représentations et jugements situés hors des limites du champ mathématique. Ce rationalisme immodéré, qui fait de la raison théorique le principe non seulement de toute science mais de la morale et de la religion elles-mêmes, il faut le désigner par son nom : l'intellectualisme[21]. Fondé sur l'usage exclusif de la règle cartésienne d'évidence, engageant à rejeter toute notion dépourvue d'évidence rationnelle, l'intellectualisme « consiste à ne tenir pour intelligibles que les manières d'être réductibles à des déterminations mathématiques[22] ». Connaître le monde est le réduire à des éléments mathématiques. Le reste n'est que résidu de l'acte vrai de connaissance : préjugés, ces « laissés-pour-compte de la vérité[23] ». La modernité intellectuelle, qui n'a de sens qu'à s'appliquer à l'esprit européen, présuppose la dévaluation radicale du passé, corrélative de la rupture totale avec le monde des préjugés, stigmatisé d'être habité par « ceux qui font profession de savoir plus qu'ils ne savent[24] ». Seul l'esprit mathématique, quand il mathématise ou pense selon les normes du mathématique, fait exactement profession du savoir qu'il possède : l'apparence équivaut absolument à l'essence. Tel est l'acte de naissance du cartésianisme : l'irrespect pour le passé en forme la prescription première. Car Descartes, outre que sa philosophie le présuppose, « professe délibérément le dédain de l'histoire. Le passé, loin d'offrir un appui, sera l'obstacle à renverser, le préjugé dont nous devons nous libérer[25] ». Si la vérité est ce qui existe de tout temps, ce qui se conçoit *sub specie aeternitatis* (Spinoza), alors tous les jugements datés ne sont que des préjugés — erreurs et illusions mêlées : coutumes, traditions, opinions et croyances. Réduit à de l'irrationnel (pré- et antirationnel) dans l'espace théorique de l'exclusivisme rationaliste, le préjugé ne saurait remplir la moindre fonction d'*anticipation* : le préjugé au sens cartésien n'anticipe pas sur le jugement en nous renseignant sur ce qui nous est utile, comme il arrivait à Goethe de le croire[26]. Le passé ne peut donc inspirer que l'erreur, et l'erreur nuisible. Une quelconque valeur pragmatique d'orientation vitale est dès lors inattribuable au préjugé, héritage mental du passé véhiculé par le discours commun. Mais le temps qui passe produit bien un dépassement : la croyance au progrès des Lumières réhabilite en un sens la temporalité comme lieu d'engendrement et d'éclosion du vrai. Il reste que le passé doit s'abolir pour qu'advienne le monde futur qu'il porte dans ses flancs.

L'idéologie de l'émancipation comporte néanmoins un point aveugle, constitué par le noyau de ses préjugés propres. L'idéologie de la suppression inconditionnelle et finale des préjugés n'est pas elle-même exempte de préjugés. Le premier de ses préjugés spécifiques, c'est de juger qu'elle seule est dénuée de préjugés, par sa conscience hypercritique de l'empire des préjugés sur les affaires humaines. Il n'est guère difficile de reconnaître ici la présupposition commune à la contemporaine idéologie de « la fin de l'idéologie », idéologie naïve de l'anti-idéologie, et à l'idéologie scientiste/positiviste de la rupture avec l'idéologique : une même croyance naïve à l'extériorité absolue du « préjugé suranné » ou de la « notion idéologique » par rapport à soi, illusion propre au sujet qui prétend occuper la place royale vide de tout préjugé. L'illusion corrélative consiste à croire que la dénonciation des préjugés, caractères attribués par le sujet à ses « autres » (adversaires, ignorants, victimes, trompés, etc.), préserve à coup sûr de leur emprise. L'intolérance y trouve bien plutôt son fondement le mieux assuré : qui croit posséder la Vérité n'a pas le droit de tolérer l'erreur. La totale récusation rationaliste du préjugé, lorsqu'elle se déploie sans limites dans tous les champs idéologiques, a pour envers l'exclusion des jugements qui diffèrent des miens, fondés en vérité. Dérivations du principe classique, réactivé par le cartésianisme, de l'unité/unicité du vrai. Si l'on pose tout uniment que la vérité est une, l'erreur multiple, et que l'on possède la vérité, alors le rationalisme dogmatique, ou immodéré, devient l'ami le plus sûr de l'intolérance. Le rationalisme sans frontières, « cartésianisme » impérial, se retourne ainsi contre le principe de libre examen sur lequel il prétendait se fonder. Car la tolérance suppose une modestie de la raison dont est dépourvu le rationalisme triomphaliste. La tolérance n'a de sens qu'à régler par le principe du moindre mal l'espace de jeu ouvert par l'axiome de la faiblesse de l'homme. Voltaire l'avait bien aperçu : l'imperfection de l'homme, créature perfectible, est le premier argument, peut-être le seul sérieux en faveur de la tolérance [27].

On se souvient de la profonde remarque de Durkheim sur le paradoxe impliqué par la sacralisation moderne du principe de libre examen. Si toute société consacre des hommes aussi bien que des choses, et notamment des idées, alors l'on ne saurait guère s'étonner de ce qu'« il y a, tout au moins, un principe que les peuples les plus épris de libre examen tendent à mettre au-dessus de la discussion et à regarder comme intangible, c'est-à-dire comme sacré : c'est le principe même du libre examen [28] ». Le principe du libre examen, qui récuse le principe d'autorité comme tel et demande de soumettre toute certitude au regard de la raison critique, ne saurait néanmoins s'examiner lui-même. Par le fait qu'il s'excepte lui-même, nécessairement, du champ de son inspection, il s'institue subrepticement en nouveau principe d'autorité. D'où le déclin des autorités personnelles dans la modernité : nul auteur singulier, citable par nom propre, n'a plus comme tel d'autorité absolue, c'est le principe impersonnel de la critique illimitée qui, exclusivement, incarne l'instance légitime et légitimatoire. L'hégémonie intellectuelle de la science mathématisée chasse les références singulières, uniformise les raisons du consensus, fait décliner les absolus légitimatoires : « Jadis le sentiment personnel remplaçait l'observation directe [...]. Autre est l'esprit des sciences modernes, et c'est ce qui fait leur force. L'autorité du nom a disparu », diagnostiquait avec satisfaction Gustave Le Bon, en 1874 [29]. Il est ainsi possible de discerner un dogmatisme caché sous le criticisme proclamé, et d'exhiber un orthodoxisme aveugle à lui-même dans la prescription moderne par excellence : ne préjuger de rien, tout soumettre au préalable du jugement rationnel, au tribunal de la raison critique. La découverte de cet irréductible noyau de nuit dans la clarté du regard critique ne constitue pourtant pas une objection : elle montre combien le système moderne des convictions est dépendant d'un principe premier incertain, et que nul ne peut sauter par-dessus l'ombre du social qu'est une tradition, quelle qu'elle soit.

Outre la représentation d'une rupture pure, l'utopisme antipréjugés présuppose la représentation d'une *extériorité* radicale du sujet illuminé par le savoir vrai vis-à-vis de la nuit plus ou moins obscure des préjugés. Dans sa version maximaliste, le sujet sans préjugés prétend s'être « élevé au-dessus des préjugés », ce qui lui permet de repérer la source exclusive des maux qu'il déplore hors de lui, dans la personne collective d'une victime émissaire. Il suffirait dès lors d'éliminer cette cause externe du mal pour que celui-ci disparaisse. Cette extériorisation du principe de nos maux engendre un bénéfice singulier : elle exempte le sujet d'une réforme intellectuelle et morale de lui-même. Dans sa pénétrante étude sur *Les Doctrines de haine*, à savoir l'antisémitisme, l'antiprotestantisme et l'anticléricalisme, A. Leroy-Beaulieu avait parfaitement mis en lumière une telle corrélation entre l'objectivation de la cause du mal et l'autosoustraction du sujet : « L'antisémite, l'antiprotestant, l'anticlérical nous enseignent, tous les trois, que le principe de nos maux et de nos vices n'est pas en nous-mêmes [...]. A les en croire, le principe des maux de notre société serait tout extérieur ; il serait dans le virus juif, le virus protestant, le virus clérical, que nous n'aurions qu'à éliminer ; il serait dans un corps étranger que nous n'aurions qu'à extirper, pour recouvrer une parfaite santé morale. Une simple opération chirurgicale y suffirait [30]. » Toute solution est sur le modèle du : « Il suffit d'éliminer la cause du mal (chasser les Juifs, etc.). » La métaphore du geste chirurgical implique une relation d'extériorité du chirurgien par rapport au corps opéré : l'opérateur étant par définition étranger à l'opéré, porteur du mal, il devient en même temps étranger à l'idée qu'il pourrait entretenir une quelconque relation avec le mal, hors de la situation technique chirurgicale. Le chirurgien du corps social fait ainsi l'économie de tout regard critique sur lui-même. De façon plus générale, le soignant s'excepte du monde où des êtres sont soignés : il se situe ce faisant dans un autre monde, qui diffère en nature du monde des soignés. Les médecins de la civilisation, les chirurgiens du social, que sont les utopistes du monde sans préjugé, se définissent ainsi comme à la fois absolument sains, normaux et innocents. Libérés une fois pour toutes, ils prétendent représenter le type vrai de l'humanité. Fondement de l'intolérance doublée de bonne conscience. Récusant une telle pseudo-solution violente accompagnée de bonne conscience, A. Leroy-Beaulieu formulait une exigence : « Il nous faut travailler à nous réformer nous-mêmes, à réformer nos cœurs, nos sentiments, nos idées, nos mœurs [31]. » C'est que les lois d'exception, réclamées par les « chirurgiens » de tous bords, entretiennent des rapports substantiels et secrets avec le mouvement d'exception de soi du champ où l'on situe le mal.

Le préjugé le plus fondamental réside dans la croyance de n'avoir nul préjugé : prétention suprême. Ses effets pervers sont du même type que ceux qu'induit l'arrogante idéologie de la non-idéologie (comme caractère que s'attribue lui-même le sujet), c'est-à-dire la croyance, constitutive du concept même d'idéologie, selon laquelle l'idéologie est située dans un en-deçà qui a un au-delà, est en tout cas distincte et séparable clairement du non-idéologique, lequel se définit toujours comme supra-idéologique : religion, science, philosophie — lieux concurrents où prétend se situer le sujet dénonçant les « préjugés » ou l'« idéologie » de son adversaire.

L'autorité de la raison : du syncrétisme empirico-rationaliste à l'orthodoxie cartésienne du radicalisme

L'autorité de la *tradition* (universelle ou spécifique), l'autorité de la *révélation* (objective et religieuse, ou subjective et morale), l'autorité de la *raison* (théorique ou pratique) : telles sont les trois catégories qui semblent suffire à fournir des bases de réduction à toutes les formes historico-culturelles de l'autorité. On y peut voir les trois grands modes de légitimation de la conduite humaine, les trois manières de lui donner un sens et un fondement absolu. L'autorité de la raison théorique a ceci de singulier que son extension au domaine de la pratique (morale, politique, etc.) ne va nullement de soi et qu'elle manifeste néanmoins une totale, et souvent brutale, récusation des autres grands modes de fondation de l'autorité. Quoi qu'il en soit, l'autorité se réclamant en quelque manière de la raison théorique (la faculté de connaître) peut elle-même prendre trois formes correspondant à trois voies distinctes : raison hypothético-déductive, raison critique, raison pragmatico-technique. Trois stratégies d'illégitimation s'y rattachent, respectivement : démonstration de l'incohérence logique d'un raisonnement dès lors rejeté comme irrationnel, avec lequel il s'agit de rompre, et auquel il faut substituer un raisonnement formellement cohérent ; destruction méthodique des éléments prérationnels, disqualifiés absolument en tant que préjugés ; élimination des propositions ne conduisant nulle part dans l'univers techno-industriel (énoncés dénués de sens, c'est-à-dire d'usage impossible, ou inefficace).

Avant la découverte kantienne de la raison pratique, dont on sait qu'elle doit beaucoup à la lecture de Rousseau (celui de l'*Émile*), la quête du fondement absolu et de la totale transparence des normes de l'action suit deux voies bien distinctes, expressément opposées, au XVIIIe siècle : d'une part, celle de la raison théorique pure, cet héritage du rationalisme classique revu et corrigé par les diverses écoles, empiristes et/ou sensualistes, de l'« enquête » critique (sur la nature humaine, l'esprit humain, etc.) ; d'autre part, celle de la « conscience », cet « instinct divin » opposé par Rousseau aux incertitudes, voire aux mensonges, de la raison abstraite. On connaît le désaveu de la raison opéré par Rousseau dans la *Profession de foi du vicaire savoyard* : « Trop souvent la raison nous trompe, nous n'avons que trop acquis le droit de la récuser ; mais la conscience ne trompe jamais ; elle est le vrai guide de l'homme... [32]. » Voilà donc le nouveau sol d'où l'indubitable dans l'ordre du pratique est censé surgir. Là où la raison théorique reste muette, ou bien est trop bavarde, la conscience parle et dit le bien. De sorte que les yeux de l'esprit rationnel ne sauraient remplacer la voix de l'âme qu'est la conscience. Rappelons-en la classique caractérisation : « Il est donc au fond des âmes un principe inné de justice et de vertu, sur lequel, malgré nos propres maximes, nous jugeons nos actions et celles d'autrui comme bonnes ou mauvaises, et c'est à ce principe que je donne le nom de conscience [33]. » Rousseau voyait bien les objections possibles, vraisemblables plutôt, tant elles relevaient déjà de l'esprit du temps, meublé de motifs sensualistes mêlés à des restes de critique cartésienne du préjugé : « Mais à ce mot [de conscience] j'entends s'élever de toutes parts la clameur des prétendus sages : Erreurs de l'enfance, préjugés de l'éducation ! s'écrient-ils tous de concert. Il n'y a rien dans l'esprit humain que ce qui s'y introduit par l'expérience, et nous ne jugeons d'aucune chose que sur des idées acquises [34]. » Les dénonciateurs naturels de la « conscience », ces ancêtres des critiques-démystificateurs, sont parfaitement identifiés par Rousseau : ils constituent un parti à double face, rationaliste/mésologiste. Voilà que surgit la moderne figure idéologique des fanatiques du milieu, qui reprennent l'héritage rationaliste (cartésien) sans les idées innées, le cogito et l'Être infini. Le type du railleur ratiocinateur.

Au début de son introduction à un recueil scolaire des *Œuvres de Descartes* [35], Jules Simon déclarait : « L'autorité de la raison, la distinction de l'esprit et du corps, la création continue, tout Descartes est dans ces trois points. Par le premier, il fonde la philosophie moderne. » Celle-ci commence donc avec le doute : « Cela seul est toute sa méthode [de Descartes]. C'est la proclamation du droit de libre examen. L'avenir de la philosophie était attaché à ce principe. » Dès lors la philosophie est, « par essence, l'esprit d'examen et de liberté », par où elle s'oppose irréductiblement à la religion, identifiée à « l'esprit d'abnégation, de renonciation, d'obéissance ». La bonne et vraie méthode consiste à « faire une revue exacte de toutes les idées qui se sont introduites dans l'esprit sans examen et sans contrôle », et « prendre pour critérium de la vérité la clarté et l'évidence des conceptions [36] », ce qui implique de « rejeter en principe toute autorité, pour ne conserver que celle de la raison, ou, ce qui revient au même, [de] subordonner toute autre autorité à celle-là[37] ». Nulle autorité étrangère à la raison — tradition ou révélation — ne doit donc intervenir dans l'acte de libre examen des représentations et jugements. Tel est l'acte de naissance de la souveraineté moderne de la raison, fondée sur « la ruine de l'ancienne philosophie ». Ce qui est frappant, c'est que cette substitution d'un principe d'autorité à un autre ait été conçue comme l'abolition du « parti de l'autorité », la destruction de l'« autorité inexorable », de « ces vieilles et immobiles théories du Moyen Age » qui arrêtaient « l'élan de l'imagination et de la science ». L'accession de la raison à la place royale est ainsi interprétée comme la fin d'une « tyrannie » ou d'une « oppression », voire d'une « barbarie ». L'œuvre philosophique de Descartes n'aurait pas opéré le passage d'un type d'autorité (révélation/tradition) à un autre (raison), elle aurait réalisé « la fondation de l'indépendance philosophique ». Du libre examen à la libération de l'esprit, de l'indépendance vis-à-vis de la révélation à l'émancipation de la pensée : voilà le trajet accompli qui fait la gloire de Descartes. « Ce qu'il y a de véritablement immortel dans le cartésianisme, c'est cette noble liberté de la pensée. » Mais une telle preuve de noblesse s'est accompagnée d'une promotion dans l'ordre de la respectabilité : « Descartes a mis un terme à ce mouvement aveugle et déréglé du siècle qui l'avait précédé, à ce libertinage d'esprit qui excitait les ombrages de l'Église et alarmait la sagesse des politiques. C'est par là qu'il a fait de la philosophie une science sérieuse et respectable aux yeux de tous[38]. »

Claude Nicolet rapporte, après A. Aulard, une remarque significative faite à propos du transfert par la Convention, le 2 octobre 1793, des cendres de Descartes au Panthéon : « N'eût-il fait que substituer des erreurs nouvelles à d'antiques erreurs, c'était déjà un grand bienfait public que d'accoutumer insensiblement les hommes *à examiner, et non pas à croire*[39]. » Voilà bien définie la conduite prescrite par le *cartésianisme politique,* soit l'usage exclusif de la raison critique généralisée à tous les domaines : le seul préjugé recommandable est de se défier de tout préjugé. Il s'agit donc de toujours soupçonner, de rester en éveil, car tout jugement de belle apparence peut se révéler simple préjugé. L'unique autorité digne de respect se confond avec le seul tribunal devant lequel il faut comparaître : le tribunal de la raison. Dans sa préface à la deuxième édition de la *Politique radicale*, recueil d'articles et manifeste du radicalisme

(« philosophique »), Jules Simon cite Descartes dans un contexte où il s'applique à « récuser toutes les formes de "l'autorité" opposée à la souveraineté de la raison individuelle[40] » : « Je ne crois qu'à ma raison ; je ne me soumets qu'à la preuve. Prophète, tradition, majorité doivent comparaître devant ma raison, comme devant leur juge suprême[41] ». La foi rationaliste est hyperboliquement exclusive : nulle instance ne se peut penser qui soit située au-dessus ou à côté de la raison[42]. Ce qui est véritablement d'usage universel, c'est la raison critique, et non pas le principe de majorité, d'où les limites du suffrage universel qui ne saurait s'appliquer, par exemple, aux vérités scientifiques ou aux valeurs esthétiques. Claude Nicolet peut dès lors justement conclure : « Le règne de Descartes, c'est donc celui du doute méthodique, de la raison scientifique — et du libre examen : Descartes n'est pas républicain, mais on ne saurait être républicain sans Descartes[43]. »

Pensée cartésienne et cartésianisme idéologico-politique

« Nul ne se dit cartésien que ceux qui ne le sont pas[44] »

Blaise PASCAL.

Ce que j'appellerai le *cartésianisme idéologico-politique* provient d'un contresens sur la pensée de Descartes, plus précisément d'une méconnaissance de sa philosophie pratique — morale et politique. Mais cela ne signifie nullement qu'il lui soit étranger : c'est d'un contresens *dans* le cartésianisme qu'il s'agit, et qui appartient pour autant à son histoire. Non pas à l'histoire des historiens de la philosophie ni à l'histoire épistémologique, mais à ce complexe de séries interférentes qu'est l'histoire des idées, dont les objets sont toujours des nœuds d'histoires interne et externe des systèmes de pensée. Il reste que ces derniers ne peuvent être réduits à leur architecture ou leur structure conceptuelle « pure », ils engendrent des effets pervers, du contresens à la « mauvaise influence », que l'historien des idées et des doctrines politiques ne peut éviter de considérer. La pensée cartésienne suppose en effet une distinction préliminaire entre deux ordres : le *rationnel* qui est « l'ordre parce que rationnel[45] » et l'*historique*, qui est certes un ordre, mais autre. Si l'ordre rationnel est celui d'une âme absolument séparée de ce qui n'est pas elle, « purement âme[46] » en ce qu'elle est libérée du temps, l'ordre historique est celui de l'individu concret qui, parce qu'il est union d'âme et de corps, vit dans le temps parmi d'autres individus à lui-même semblables. A suivre rigoureusement Descartes, on dira que l'individu concret est bien un être dont le destin, d'être temporel ou historique, est radicalement irrationnel. Comme le dit d'un mot H. Gouhier, « ce serait aller contre la raison que de prétendre rationaliser ce qui, par nature, ne peut l'être [47] ». Ce que le temps instaure ne peut qu'être imparfait selon les normes du rationnel, lequel est intemporel. Mais cela ne signifie pas qu'il faille nécessairement, dans tous les cas, substituer à l'œuvre imparfaite du temps la perfection des œuvres de la raison, perfection dérivant de l'unité de conception et de construction qu'elle seule réalise. De même que la perfection d'un bâtiment, celle d'une ville ou celle d'une législation ne peuvent être dues qu'à l'unicité de leurs respectifs auteurs (l'architecte, l'ingénieur, le législateur) [48], de même l'œuvre par excellence de la raison, la science, ne peut être *une* qu'à la condition d'être conçue par *un seul* esprit. Voilà pourquoi la science ne saurait s'établir « sur de vieux fondements », mais sur des principes issus de la seule raison : la science est une parce qu'elle est vraie, et telle parce qu'elle est l'œuvre d'un seul. La pensée cartésienne illustre ce qu'on pourrait nommer l'individuo-universalisme épistémologique : le dévoilement de l'unité du vrai dans l'unicité du sujet pensant se confond avec la révélation de l'universalité intemporelle de la vérité une. Car il y a en moi des vérités qui ne sont pas de moi [49], bien qu'elles ne puissent se découvrir que selon la « résolution d'étudier aussi en moi-même [50] ». La raison existe comme universelle dans l'individuel : elle n'est « ni individuelle ni sociale », mais « a sa résidence dans l'individu, tandis qu'elle n'est ni sociale, ni dans la société [51] ».

La rigueur de la pensée cartésienne la garde de sombrer dans l'utopisme : si l'on peut concevoir une société purement rationnelle, qui serait intemporelle, une et universelle, la société existante est foncièrement temporelle, donc irrationnelle, diverse et variable en ses manifestations contingentes. « C'est pourquoi la révolution au nom de la raison est déraisonnable, vouée à l'échec et dangereuse [52] » : la dimension temporelle n'étant pas éliminable de l'ordre social, la volonté de lui substituer un ordre rationnel ne peut que détruire l'œuvre de l'histoire sans instaurer le règne de la raison, mais en suscitant du désordre. Le respect de la distinction des deux ordres, chez Descartes, outre qu'il permet de décrire l'engendrement des « effets pervers [53] » du rationalisme idéologico-politique dogmatique, nous donne les moyens d'y échapper. Il suffit de récuser absolument toute assimilation de la société à l'individu [54], et de poser leur irréductible asymétrie. Alors que « la raison existe dans l'individu contre sa mémoire, rien n'existe dans la société contre cet équivalent de la mémoire qu'est l'histoire [55] ». Si la valeur de l'individu tient à la présence en lui de la raison, purifier celle-ci des sédiments qu'y dépose la mémoire équivaut à « "réaliser" l'homme » en lui [56]. Alors que, l'ordre social et politique étant l'œuvre du temps, et c'est là sa nature historique, vouloir le purifier de son histoire revient à souhaiter sa disparition.

Il faut donc, et fermement, distinguer ce qui est réformable de fond en comble selon les normes de la raison, à savoir l'âme individuelle, et ce qui, imparfait de par sa nature historique, doit faire l'objet d'un consentement raisonnable : l'ordre sociopolitique avec son accompagnement de préjugés. Encore une fois, le social ne doit pas être traité comme l'individuel. Ce que nous avons désigné par individuo-universalisme épistémologique peut à présent être mieux éclairci. Il n'est d'évidence que pour un esprit qui, dans un instant, voit « dans une intuition une » ce que tout esprit, dans les mêmes conditions, pourrait voir : l'intuition rationnelle enveloppe ainsi une universalité transcendantale, qui se distingue du « consentement universel de tous les peuples » (à Mersenne, 25 novembre 1630, t. I, p. 182), voire s'oppose à une telle universalité empirique (à Mersenne, 16 octobre 1639, t. II, p. 597-598). Le rationalisme critique, fondé sur le libre examen de tout héritage culturel, fait confiance à la raison telle qu'elle peut se déployer dans l'esprit de tel individu, mais comme *à travers* lui, sans se réduire à la subjectivité individuelle ni à un accord empirique de tous les esprits particuliers. Le cartésianisme bien compris implique une réhabilitation de l'ordre du raisonnable, non moins que d'une dimension doxique intermédiaire entre le bon sens (raison) et le sens commun (préjugé), dimension à laquelle, régie par le désir de « vivre le plus heureusement [57] » possible, donne forme la « morale provisoire », tant il faut bien vivre, c'est-à-dire agir. « Il y a donc une politique raisonnable, bien qu'il ne puisse y avoir de politique rationnelle [58]. » Le désir d'améliorer la condition humaine trouve sa limite absolue dans le fait de l'historicité de l'ordre social et politique, signe d'une imperfection qu'il s'agit pourtant d'assumer, parce que nous sommes des humains, êtres mixtes, et non point de purs êtres rationnels. Alors que l'existence de l'homme méditatif exclut d'abord la précipitation qui brouille le jugement et la prévention qui le réduit au préjugé, la vie de l'homme concret exclut prioritairement l'hésitation et l'irrésolution [59] qui paralysent la faculté d'agir. C'est parce qu'elles ne peuvent être éprouvées qu'en tant que provisoires que morale et politique sont raisonnables sans être rationnelles [60]. Ce raisonnable provisoire est moins promesse d'un état rationnel dernier de la conduite que la marque définitive de l'irrationnel sur la situation de l'homme [61]. L'imperfection de l'irrationalisable absolument doit dès lors être acceptée comme un destin. Car la pensée n'est pas l'action, et le dialogue silencieux de l'âme avec elle-même n'occupe pas toute une vie humaine.

La stratégie d'appel à la tolérance : Voltaire, fanatique de la tolérance

« La vie de Voltaire doit être l'histoire des progrès que les arts ont dus à son génie, du pouvoir qu'il a exercé sur les opinions de son siècle, enfin de cette longue guerre contre les préjugés, déclarée dès sa jeunesse, et soutenue jusqu'à ses derniers moments. » C'est ainsi que Condorcet introduit sa *Vie de Voltaire* [62], rappelant de façon saisissante la corrélation idéologique fondamentale entre la croyance au Progrès, la nouvelle forme d'autorité spirituelle exercée par la critique « illuministe » (origine du « pouvoir intellectuel », celui des intellectuels) et la « guerre contre les préjugés ».

Préjugés, superstition, intolérance, fanatisme, inquisition, persécution : tels sont les six termes fondamentaux définissant ce contre quoi prétend lutter « l'esprit philosophique », l'esprit critique des Lumières. Si la persécution fournit la raison de la série, et comme sa cause finale, les préjugés y sont supposés d'autant plus dangereux qu'ils paraissent innocents, et sans portée. Un jeu rituel d'enfants. Car le préjugé est une opinion reçue sans examen préalable, par la seule force de l'autorité du « on dit que ». « Le préjugé est une opinion sans jugement [63]. » Sans ou avant l'exercice du jugement : « Ainsi dans toute la terre on inspire aux enfants toutes les opinions qu'on veut, avant qu'ils puissent juger. » Croire sans examen ni jugement, avant d'avoir jugé : voilà le préjugé, pseudo-savoir qui se prend pour un savoir. S'y oppose le jugement qui institue le savoir. Il y a certes de bons préjugés, « universels » et « nécessaires », qui sont susceptibles de guider l'existence de ceux qui y adhèrent. Ce sont des croyances qui précèdent la connaissance, mais que celle-ci est susceptible de ratifier : des anticipations du savoir. Ces « très bons préjugés » sont « ceux que le jugement ratifie quand on raisonne ».

Ces préjugés qui préfigurent les jugements fondés, et qui « sont la vertu même », sont par exemple : « Par tout pays on apprend aux enfants à reconnaître un Dieu rémunérateur et vengeur ; à respecter, à aimer leur père et leur mère ; à regarder le larcin comme un crime, le mensonge intéressé comme un vice, avant qu'ils puissent deviner ce que c'est qu'un vice et une vertu. » La nécessité du préjugé dérive ainsi de la nécessité de vivre avant le plein usage de la raison. La patrie des préjugés est bien l'enfance de l'homme. Car l'enfant doit obéir et croire sans discuter ni comprendre : il doit se déterminer en toute occasion selon ce qu'on lui dit de faire et de penser. Connaissance par signes et par ouï-dire, assurément, le préjugé ne saurait se confondre avec le sentiment, qui est « quelque chose de bien plus fort » : ainsi « une mère n'aime pas son fils parce qu'on lui a dit qu'il le faut aimer : elle le chérit heureusement malgré elle ». C'est là une distinction qui tend aujourd'hui à s'effacer sous les coups de l'idéologie critique-démystificatrice : toute attitude humaine serait préjugé socialement mis en place, y compris l'amour maternel.

Croire savoir avant de pouvoir savoir, ou juger avant de pouvoir juger, « sans raisonner », voilà la première composante du préjugé[64]. Celui-ci devient « bon » ou « très bon » selon qu'il peut être fondé en raison. Mais il est de mauvais préjugés, qui trompent durablement, et font obstacle à l'exercice du jugement, qui examine et évalue en connaissance de cause. Au lieu de laisser la place au jugement, le préjugé nuisible persiste, s'établit comme un imposteur. Dans certains cas, tout et tout le monde conspirent afin de préserver le préjugé institué : nourrice, précepteur, voisins, prêtres[65], politiciens. Prenons la persécution des protestants en France. Par qui commença-t-elle ? « Par des prêtres jaloux, qui armèrent les préjugés des magistrats et la politique des ministres. » Car le persécuteur est « celui dont l'orgueil blessé et le fanatisme en fureur irritent le prince ou les magistrats contre des hommes innocents, qui n'ont d'autre crime que de n'être pas de son avis ». Quand les préjugés sont inscrits dans les paroles et les cœurs « avec le burin du fanatisme trempé dans le fiel de l'envie », alors ils ne peuvent qu'aboutir à la persécution. L'unique remède au fanatisme, « cette maladie épidémique », est certes l'esprit philosophique ; mais que peut-il faire contre la terrible alliance des fanatiques, des persécuteurs et des fripons ? Car « ce sont d'ordinaire les fripons qui conduisent les fanatiques, et qui mettent le poignard entre leurs mains ». Il manque à la tolérance les moyens de convaincre fanatiques et fripons qu'il vaudrait mieux pour tout le monde, y compris eux-mêmes, qu'ils cessassent de l'être ! Le devoir de tolérance est toujours présenté par Voltaire comme fondé sur la faiblesse et l'inconstance de l'homme : « Nous devons nous tolérer mutuellement, parce que nous sommes tous faibles, inconséquents, sujets à la mutabilité, à l'erreur. » Aussi la tolérance apparaît-elle comme « l'apanage de l'humanité », tant « nous sommes tous pétris de faiblesses et d'erreurs ». C'est pourquoi « la première loi de la nature » se formule de la façon suivante : « Pardonnons-nous réciproquement nos sottises [66]. » Le point de vue radicalement pessimiste sur la nature de l'homme, lorsqu'il rencontre l'optimisme des Lumières, engendre l'appel à la tolérance. Mais cet appel au devoir de tolérer, qui ressemble étrangement à la nécessité de se supporter les uns les autres [67], paraît surajouté à la réalité des hommes et de leurs rapports dominés par la discorde. Si la prescription de tolérance dérive du fait de la discorde [68], quelles sont les conditions d'exercice de la tolérance qui lui permettraient de se retourner avec efficacité contre ses conditions de surrection ? Ce n'est pas l'idéal de tolérance qui fait problème, c'est sa descente dans le monde social et politique réel. Car la tolérance vécue ne se décrète pas. La carrière de Voltaire est exemplaire des équivoques conversions modernes à la tolérance militante : après une période de relative indifférence, il supporte mal certaines aventures malheureuses auprès de Frédéric II, lesquelles le conduisent à se transformer en « fanatique de la tolérance [69] ». L'expérience de l'échec, devant la dure résistance du réel ou la malignité des hommes, semble prédisposer à l'enthousiasme tolérantiel. Condorcet n'hésitait pas à poser une question fondamentale : « Et si on lui [à Voltaire] demande ce qui remplacera les préjugés qu'il a détruits, il répondra : "Je vous ai délivrés d'une bête féroce qui vous dévorait, et vous demandez ce que je mets à la place !" » (*Vie de Voltaire*, p. 161.) Mais le paradoxal hagiographe du type critique pur n'avait jamais fait l'hypothèse que le préjugé pût avoir une fonction sociale et « culturelle » : le préjugé ne pouvait être qu'erreur et fausseté, faux savoir et savoir faux également nuisibles, dangereux pour l'homme. L'optimisme hypercritique des Lumières n'a point pressenti que le risque était d'ainsi détruire une source irremplaçable du sens — celui dont les hommes ont besoin pour vivre — avec ses prétendues mauvaises racines.

Montaigne à l'origine

Il faudrait remonter à Montaigne, lire l'aimable Montaigne, cet esprit de « bonne compagnie » qu'appréciait tant Mme de Sévigné, selon la double tradition qu'il a inaugurée : la critique démystificatrice, d'où La Rochefoucauld, et le doute jeté sur les « préjugés », d'où Descartes. « Qu'on me donne l'action la plus excellente et pure, je m'en voys y fournir vraysemblablement cinquante vicieuses intentions. Dieu sçait, à qui les veut entendre, quelle diversité d'images ne souffre nostre interne volonté ! » La conduite et le programme du soupçon décrypteur sont ainsi fixés. Nietzsche, qui aimait Montaigne, lui rendra hommage en généalogiste de la morale : « Il est, quand on le compare aux Anciens, un *naturaliste* de la morale[70]. » Alexandre Koyré avait bien noté le statut paradoxal d'initiateur-adversaire du Montaigne lu par Descartes[71]. Montaigne incarne déjà tout entière l'attitude moderne, postulant l'identité de la libération et de la destruction, l'implication réciproque du projet d'émancipation et du programme d'abolition des savoirs non fondés sur l'idée claire et distincte, des croyances non retenues par le tribunal du doute ou du libre examen (et il n'en est aucune qui soit retenue comme vérité suffisante). Koyré note ainsi que « l'œuvre destructrice et libératrice de Montaigne — la lutte contre les "superstitions", les "préventions", les "préjugés", la fausse rationalité scolastique — Descartes la prolonge et la mène jusqu'au bout[72] ». Voilà l'essentiel : Descartes est un Montaigne qui serait allé jusqu'au bout, avec une fermeté et une inflexibilité que le dilettante de génie ne pouvait comme tel que s'interdire[73]. L'esprit de suite et de sérieux, ce maximalisme dans la déduction des conséquences, c'est ce qui caractérise bien le style cartésien dans les sciences et la philosophie : « L'inversion socratique, le repliement sur soi-même — Descartes suit Montaigne, le dépasse et pousse l'analyse jusqu'au bout. L'attitude sceptique de Montaigne — Descartes la combat, la poussant, elle aussi, jusqu'au bout. » Descartes est celui qui « est partout allé jusqu'au bout [74] », seule méthode assurée pour trouver quelque chose. Si Montaigne n'a rien trouvé, qu'un balancement indéfini entre thèses et antithèses, s'il s'est arrêté au « que sais-je ? », c'est précisément qu'il était dépourvu de cette faculté jusqu'au-boutiste, de cet acharnement extrémiste à déduire, conclure ou trouver qui ressemble fort à un fanatisme — fanatisme moderne de la raison théorique pure et des « religions séculières » qui, aux XIXe et XXe siècles, ont succédé aux religions de salut [75]. La raison théorique pure en tant que faculté inconditionnée des idées et des principes, expulsée de la nature par Galilée et du vivant par Darwin, s'est repliée sur l'histoire, où elle peut céder à nouveau à ses illusions naturelles. Le nouveau fanatisme théorique est précisément favorisé par la rupture des sciences modernes avec l'interrogation sur les fins dernières et les valeurs : la place laissée vide par l'obéissance scientifique au principe d'objectivité (la science galiléenne est strictement objective, non projective) est spontanément occupée par les formes néo-religieuses de la superstition et du fanatisme, qui promettent la réconciliation finale et la restauration de l'unité perdue — répondant ainsi à la demande creusée par la victoire totale des Lumières. Il faut bien le constater : « Le développement même des Lumières favorise la superstition et l'intolérance. C'est cela que le XVIIIe siècle ne pouvait pas voir [76]. » Le grand rationalisme, visant la libération des esprits, s'est renversé en instrument d'asservissement par sa prétention à résoudre les questions ultimes.

Mais revenons à Montaigne. La première déclaration de guerre totale aux préjugés et à la superstition lui est due, mais il s'est comme arrêté en route : la décision extrémiste n'était pas son fort. Cependant, le siècle de la grande illusion des Lumières l'a reconnu en tant que héraut, porteur et annonciateur de la lumière rationnelle. Grimm le décrit comme un être « unique, qui répandait la lumière la plus pure et la plus vive au milieu des ténèbres du XVIe siècle, et dont le mérite et le génie n'ont été bien connus » qu'au XVIIIe, « lorsque la superstition et les préjugés ont fait place à la vérité et à l'esprit philosophique [77] ». Le triomphalisme optimiste a cru ainsi pouvoir, non sans raison secrètement paradoxale, annexer le maître du scepticisme indécis. Mais écartons provisoirement les détails et les nuances pour mieux discerner l'alliance moderne par excellence : celle du doute radical et de la foi dans le changement comme tel, de la destruction des héritages de mots ou d'idées et de la valeur absolue accordée à ce qui, devant être, n'a pas été et n'est pas encore. Destruction du vieux monde ou des valeurs anciennes et création de nouveaux mondes ou de nouvelles valeurs [78], table rase et progrès indéfini : révolution permanente ou éternel retour du détruire-construire. Le postulat invariable, point fixe sur lequel repose l'exaltation métamorphiste, c'est la conviction que le changement est la valeur des valeurs : le changement vaut comme tel et par lui-même, et vaut absolument. Le changement autotélique (il faut changer pour changer) est la seule valeur inconditionnelle : le changement est l'Absolu du monde moderne. Pour lui donner la place royale, il fallait faire place nette : la puissante entreprise de la « lutte contre les préjugés » a réalisé la table rase requise.

LES DEUX SOURCES DE L'UNIVERSALISME RATIONALISTE MODERNE : DOUTE UNIVERSEL, SCIENCE UNIVERSELLE

> « C'est Descartes qui a organisé l'insurrection scientifique (...). *L'entreprise* faite par Descartes ne pouvait être terminée ni par un homme, ni par une génération, ni par les travaux réunis des diverses générations qu'un siècle voit naître [79]. »
>
> C.-H. de SAINT-SIMON.

> « La philosophie positive est le véritable état définitif de l'intelligence humaine [80]. »
>
> Auguste COMTE.

Que veut Descartes ? Il veut rendre le regard humain plus perçant, il veut que les yeux de l'esprit se fixent exclusivement sur l'idée claire et distincte, et les « longues chaînes de raisons » qui l'accompagnent à l'ordinaire. Mais Léon Chestov rappelait que Platon, pour qui la philosophie n'était pas la science mais quelque chose d'un tout autre ordre : l'« exercice de mort », manifestait quelque défiance vis-à-vis d'une perspicacité trop grande : « N'as-tu pas observé, en observant ceux dont on dit qu'ils sont des hommes méchants mais intelligents, le regard aigu qu'a une telle âme, comme elle voit bien ce qu'elle regarde [...] ; et plus son regard est aigu plus elle fait de mal [81]. » Plus en effet les habitants misérables de la Caverne voient clairement et distinctement ce qui se déroule devant eux, plus ils croient fermement et solidement à ce qu'ils voient, et plus ils s'éloignent de la vérité. Celle-ci requiert au contraire la plus profonde inquiétude, alors que le clair et le distinct apaisent, et fixent sur des ombres le regard des hallucinés de l'inframonde.

Si l'on s'accorde à identifier le commencement de la philosophie moderne avec le moment cartésien, qui substitue le doute radical au *thaumazein* des Grecs [82], il faut noter avec H. Arendt que « ce qui caractérise avant tout le doute cartésien, c'est son universalité : rien, ni pensée ni expérience ne peut lui échapper [83] ». L'idée de la *Mathesis universalis* (Mathématique universelle), on le sait, est ce qui régule la quête cartésienne, ou plutôt ce qui donne le type rationaliste de la recherche philosophique moderne : « La science générale expliquant tout ce qui peut être cherché sur l'ordre et la mesure, sans application à aucune matière spéciale [84]. » Bien qu'il ait fallu attendre Leibniz pour que soit aperçu clairement le statut de la mathématique comme langage symbolique universel [85], on peut décrire la solution rationaliste du problème de l'homme de la façon suivante : « La raison mathématique est le lien entre l'homme et l'univers ; elle nous permet de passer librement de l'un à l'autre [86]. »

Dans la 58ᵉ leçon de son *Cours de philosophie positive*, Auguste Comte rend hommage à Descartes d'avoir concentré son effort « sur les spéculations inorganiques, où il sentait profondément que devait d'abord s'élaborer la méthode universelle, destinée ensuite à régénérer nécessairement l'ensemble de la raison humaine [87] ». Certes, Descartes, afin de réaliser un tel programme, « s'était systématiquement interdit les études sociales [88] », mais cette suspension n'était que provisoire parce que méthodique, pour autant qu'il faut procéder par ordre, du plus simple au plus complexe. Les Conclusions générales du *Cours* montrent une appréciation du cartésianisme allant dans le même sens : la perspective positiviste étant de construire, afin de compléter « la vaste opération intellectuelle commencée par Bacon, par Descartes et par Galilée », « le système d'idées générales que cette philosophie est désormais destinée à faire indéfiniment prévaloir dans l'espèce humaine [89] », Comte replace la philosophie cartésienne dans l'ordre des travaux concernant la raison universelle, c'est-à-dire du côté galiléen plutôt que du côté baconien, où se situe l'ordre de travaux concernant les sciences naturelles et la future science sociale. Quoi qu'il en soit, le postulat du grand rationalisme de l'unité et/ou de l'universalité de la raison est hérité par la philosophie positive, intégré dans son auto-représentation généalogique : par là est récusée l'idée que puissent exister des régimes distincts de rationalité, est supposée absurde l'hypothèse de multiples « raisons » irréductibles, la possibilité du polylogisme [90] étant interdite par principe. C'est que le recours cartésien à la mathématique pour constituer la science semble à Comte une nécessité absolue : tout phénomène est « logiquement susceptible d'être représenté par une équation [91] », et l'analyse mathématique est le paradigme de l'analyse en général, de ce que son objet est à la fois le plus simple, le plus abstrait et le plus universel [92]. La corrélation est fondamentale entre la visée universaliste du rationalisme et son paradigme mathématiste de la connaissance vraie. Or, la philosophie positive assume un tel héritage : on doit « concevoir, en thèse philosophique générale, les phénomènes de tous les ordres comme nécessairement soumis par eux-mêmes à des lois mathématiques [93]. » Certes lesdites lois mathématiques risquent de n'être jamais connues dans le cas de phénomènes tels que ceux qui relèvent de la biologie [94]. Mais l'étude des mathématiques doit être une propédeutique à l'étude de toutes les sciences, car elle fournit la bonne méthode, constitue à la fois une science et l'organon de toute science, ce qu'avait bien vu Descartes : « C'est donc par l'étude des mathématiques, et seulement par elle, que l'on peut se faire une idée juste et approfondie de ce que c'est qu'une *science* [95]. » « C'est là uniquement qu'on doit chercher à connaître avec précision la méthode générale que l'esprit humain emploie constamment dans toutes ses recherches positives [96]. » Dans le *Cours de politique positive*, Descartes sera salué comme « aussi grand géomètre que philosophe » pour ce qu'il aurait apprécié « la positivité à sa vraie source initiale [97] ». Car la positivité dépend directement de la géométrie analytique, partie abstraite des mathématiques, cet « instrument le plus puissant que l'esprit humain puisse employer [98] », et qui représente à la fois le fondement de la philosophie mathématique et la base de l'échelle encyclopédique. Il s'agissait, pour Comte comme pour Descartes, de régénérer la raison en établissant la connaissance sur des bases sûres, c'est-à-dire de fonder la science. Mais, chez Comte comme chez Saint-Simon, la régénération ne pouvait s'accomplir qu'en tant que réorganisation sociale [99]. « La philosophie du siècle dernier a été révolutionnaire ; celle du XIXe siècle doit être organisatrice », déclarait Saint-Simon [100]. C'est pourquoi nous pouvons suivre Maxime Leroy lorsqu'il appréciait, non sans enthousiasme, « le plus génial des philosophes sociaux du XIXe siècle [101] » : « Saint-Simon est notre Descartes social. Si Saint-Simon a Descartes comme prédécesseur, Descartes a Saint-Simon comme continuateur [102]. »

UN FANATISME ANTIFANATIQUE (UN PROGRAMME SPINOZISTE)

A la suite de sagaces érudits [103], l'on peut tenir Spinoza pour l'initiateur de la critique biblique moderne. En posant que l'interprétation de l'Écriture doit être « déterminée par l'histoire de sa rédaction seule [104] », en soumettant les textes de l'Écriture aux questions que plus tard, au XIXe siècle, les sciences bibliques, historiques par excellence, lui poseront (authenticité des textes, déformations subies, sens exact, etc.), Spinoza a bien inauguré la méthode philologique, historique et critique qui sera celle des sciences bibliques. La méthode de l'interprétation de l'Écriture par elle-même, la « grande découverte [105] » de Spinoza, ne peut néanmoins se séparer de la thèse principale du *Traité théologico-politique* : l'Écriture laisse à la raison toute liberté et n'a rien de commun avec la philosophie [106]. En outre, le *Traité théologico-politique* relève du genre polémique : il s'agit avant tout pour Spinoza de détruire, par l'application de sa méthode critique de lecture, les « préjugés des théologiens, ennemis acharnés du jugement libre ». Le philosophe se propose d'établir enfin le vrai sens de la Parole de Dieu, en « réfutant directement les préjugés de ses adversaires [107] », ces théologiens juifs, catholiques et calvinistes qui, se combattant les uns les autres, s'entendent néanmoins pour attaquer la liberté de philosopher, en invoquant l'autorité de l'Écriture. Le combat contre l'intolérance passe donc par la mise en évidence des mécanismes producteurs de préjugés et l'analyse de leur fonction légitimatoire : les hommes conduits par les passions s'avancent bardés de bonnes raisons, voire s'habillent de raison. Ainsi le rationalisme intégral de la « philosophie vraie », Spinoza le distingue et l'oppose au faux rationalisme de Maïmonide, qui ne recourt à la raison que pour masquer ses propres préjugés philosophiques. Spinoza range

Maïmonide parmi les bavards « qui n'ont eu d'autre souci que de torturer l'Écriture pour en tirer les billevesées d'Aristote et leurs propres fictions [108] », et lui reproche de déraisonner avec la raison (ou « les Grecs ») non sans faire délirer les prophètes avec lui [109]. Il faut dès lors montrer en quoi la méthode théologique de lecture du texte biblique est fantaisiste et inutile, mauvaise et pernicieuse [110]. Tel est le problème de l'intolérance qui s'impose au philosophe, lequel doit non seulement expliquer et éclairer mais réfuter, livrer un combat contre le parti de l'ambition, des préjugés et de la superstition [111] que constituent les frères ennemis de l'intolérance. Ces derniers « s'appliquent uniquement sous le couvert de la religion à obliger les autres à penser comme eux [112] ». L'acte premier du philosophe est une déclaration de guerre, au nom de la vérité et de la liberté.

Les préjugés des théologiens

L'étude critique du texte de l'Écriture ne constitue donc pas une fin en soi : elle doit nous permettre de ne plus confondre le sens de l'Écriture avec les préjugés intéressés des théologiens, et de montrer la compatibilité de la vraie foi avec la liberté de la pensée. On sait que Spinoza fut accusé d'athéisme en raison de l'incompatibilité de sa philosophie, telle que l'*Éthique* la définit : « La philosophie vraie », avec les opinions « philosophiques » des théologiens. La position des théologiens, dénonçant la « philosophie vraie » comme source d'irréligion, est parfaitement résumée par la conclusion d'une fameuse lettre de Lambert de Velthuysen à Jacob Osten sur « la doctrine du *Traité théologico-politique* » : « A mon sens, elle détruit toute culture, toute religion et elle en renverse tous les fondements ; elle introduit subrepticement l'athéisme [113]. » L'accusation d'athéisme expose alors le philosophe à la persécution et à l'isolement : la liberté de communiquer la connaissance vraie lui est ainsi interdite au nom de la religion. Or, la vérité, une fois reconnue, ne saurait être tenue secrète : la tâche du philosophe, celui qui vit de la vérité et pour elle, est de la communiquer, ce qui suppose que règne, dans la cité où il vit, la liberté de penser et de communiquer. Spinoza a expressément lié la question de la vérité et celle de sa libre communication : « Je me décidai finalement à rechercher s'il [n']y avait [pas] quelque chose qui fût un bien véritable *[verum bonum]*, capable de se communiquer, [et tel] que l'âme, rejetant tout le reste, pût être affectée par lui seul [...]. L'amour d'une chose éternelle et infinie nourrit l'âme d'une joie pure, qui est exempte de toute tristesse [...]. Et le bien suprême *[summum bonum]* est pour lui [le philosophe] de parvenir à jouir — avec d'autres individus, si faire se peut — d'une telle nature [supérieure] [...] [qui est] la connaissance de l'union que l'esprit possède avec toute la Nature [114]. » Telle est l'entreprise philosophique : penser le vrai, et le communiquer. Dans la lettre XXX à Oldenburg, Spinoza précise ses motifs et intentions : « Je compose actuellement un traité sur l'Écriture et en voici les raisons : 1°) Les préjugés des théologiens : je sais, en effet, que ce sont eux surtout qui empêchent les hommes d'appliquer leur âme *[animus]* à la philosophie ; je m'efforce donc de dévoiler ces préjugés et d'en débarrasser les esprits les plus avertis ; 2°) l'opinion qu'a de moi le public, qui ne cesse de m'accuser d'athéisme : je suis contraint de la combattre le plus possible ; 3°) la liberté de philosopher et de dire notre sentiment : je désire la défendre par tous les moyens, car elle est supprimée par le prestige et l'insolence abusive des prédicants [115]. » S. Zac éclaire bien le problème pratique engendré par un tel projet philosophique : « Défendre la liberté de philosopher, c'est, en même temps, défendre la liberté de penser pour tous les citoyens. Spinoza est certes convaincu lui-même de l'unité du vrai au nom de laquelle tant de gens refusent précisément aux autres le droit d'errer. Mais contrairement aux fanatiques en tout genre, Spinoza sait que la vérité est le fruit d'un entendement, affranchi des préjugés de toute sorte, qui se déploie en vertu de ses propres lois et d'une puissance qui est absolument sienne. La vérité est une, mais elle ne saurait s'imposer du dehors par la force et la ruse [116]. » Tout le spinozisme est là : ou bien il n'est qu'une version particulièrement radicale en son systématisme du rationalisme dogmatique, reconduisant la violence faite au divers au nom de la Vérité une et unique, ou bien il ouvre la voie nouvelle d'un « rationalisme intégral [117] » qui, incluant les exigences d'ouverture dialogique et de communication libre du vrai, demeure étranger à toute violence exercée au nom même d'une Vérité possédée. La défense inconditionnelle de la liberté de penser (ordonnée au vrai) et de communiquer le vrai, au sein même du camp rationaliste, définit la frontière séparant les philosophes et les fanatiques. Car il y a un fanatisme de la raison, un fanatisme rationaliste qui divinise la Raison pour mieux l'employer à justifier de douteuses entreprises, mues le plus souvent par le désir de pouvoir.

La tyrannie se reconnaît à ce que, sous son règne, « la simple discussion passe pour sacrilège [118] ». Si la vie proprement humaine se définit « surtout par la raison, par la vraie vertu et la [vraie] vie de l'âme [119] », alors il faut poser que l'État est institué d'abord pour que les hommes « usent d'une Raison libre [120] ». Si les préjugés doivent être chassés, c'est afin que « la droite Raison » ait toute la place dans l'âme [121]. Le vrai rationalisme se présente comme la vraie philosophie de la liberté. Il s'ensuit ce que Spinoza nomme « la thèse principale de mon traité », à savoir : « Non seulement cette liberté ne menace aucune ferveur véritable, ni la paix au sein de la communauté publique, mais sa suppression, au contraire, entraînerait la ruine de la paix et de toute ferveur [122]. »

Le préjugé primordial

Le préjugé primordial, celui que présupposent tous les autres et qui les engendre, est, selon Spinoza, la croyance au libre arbitre. Les hommes se croient libres, et projettent le schème de cette illusion fondamentale sur les choses naturelles non moins que sur Dieu lui-même. Soumis aux préjugés de la connaissance imaginative, parce qu'ils ignorent les causes par lesquelles ils sont déterminés à vouloir une chose ou une autre, les hommes se représentent toutes choses et Dieu sur le modèle de l'action humaine telle qu'ils l'imaginent : volonté libre visant à réaliser des fins à travers des moyens [123]. Illusion des causes finales. Un finalisme anthropocentrique et anthropomorphique, tel est donc le contenu du préjugé originaire, qui fait que les hommes imaginent que tout ce qui arrive se rapporte à eux-mêmes, à leurs attentes, leurs intérêts, leurs passions. Ce texte capital qu'est l'Appendice de la première partie de l'*Éthique* détermine l'origine des préjugés en l'identifiant au préjugé originaire, lequel doit être soumis à un « examen de la raison » : tous les préjugés « dépendent [...] d'un seul, consistant en ce que les hommes supposent communément que toutes les choses de la nature agissent, comme eux-mêmes, en vue d'une fin, et vont jusqu'à tenir pour certain que Dieu lui-même dirige tout vers une certaine fin ; ils disent, en effet, que Dieu a tout fait en vue de l'homme et qu'il a fait l'homme pour que l'homme lui rendît un culte [124] ». Il faut situer la liberté non pas « dans un libre décret, mais dans une libre nécessité [125] ». La prétendue « liberté humaine que tous les hommes se vantent d'avoir [...] consiste en cela seul que les hommes sont conscients de leurs désirs et ignorants des causes qui les déterminent. C'est ainsi qu'un enfant croit désirer librement le lait [...]. Un ivrogne croit dire par une décision libre ce qu'ensuite il aurait voulu taire ». Voilà le triste tableau qu'offrent les manifestations de la « pseudo-liberté humaine ». Mus par leurs impulsions, ils croient agir par une libre décision, « et comme ce préjugé est inné en tous les hommes, ils ne s'en libèrent pas facilement [126] ».

Le plus bas degré de la connaissance est la connaissance par ouï-dire *(ex auditu)*, ou par signes *(ex signis)*, ou encore, par expérience vague [127]. L'*Éthique* la dénomme « connaissance du premier genre, opinion ou Imagination [128] ». L'homme est d'abord esclave parce qu'il est naturellement en proie aux préjugés de la conscience. Ceux-ci lui viennent de ce qu'il a été enfant, comme l'a indiqué Descartes [129]. Telle est la prévention, source de la plupart de nos erreurs. La connaissance du premier genre relève bien de l'erreur, elle en est, pour Spinoza, la cause unique. Mais il n'y a rien de positif dans l'erreur [130] qui consiste seulement dans l'absence d'idées adéquates. L'erreur ne peut dès lors apparaître comme telle que lorsqu'on s'en est délivré : l'erreur n'est rien de plus que l'absence du vrai, ou que privation de connaissance. Mais l'homme vit d'abord dans l'erreur : ainsi les idées que les hommes forment primitivement des corps extérieurs expriment plutôt la constitution de leur corps que la nature des corps extérieurs [131]. En un sens strict, on ne peut dire qu'il y a des idées fausses : il y a seulement des idées inadéquates, c'est-à-dire mutilées et confuses [132], et qui sont comme des conséquences séparées de leurs prémisses [133]. Telle est la condition naturelle de l'homme, qui le détermine à ne former que des idées inadéquates, idées d'images ou d'affections corporelles, traces d'un corps extérieur sur le nôtre [134]. Si l'enfance est un état misérable, ce n'est pas que nous y confondions ce qui relève de l'âme et ce qui relève du corps — comme pour Descartes —, faute de pouvoir pratiquer le doute méthodique qui épure l'intelligence du sensible qui la trouble, c'est parce que nous y dépendons « au plus haut degré des causes extérieures ». Mais il faut suivre maintenant les tristes chemins qui conduisent des préjugés incorporés dans l'enfance à l'emprise de la superstition.

Les hommes en étant venus « à considérer toutes les choses existant dans la Nature comme des moyens à leur usage », ils se sont tout naturellement persuadés « qu'il existait un ou plusieurs directeurs de la nature, doués de la liberté humaine, ayant pourvu à tous leurs besoins et tout fait pour leur usage [135] ». Ces dieux fictifs leur étant inconnus, ils les ont conçus à leur image, et ils ont « admis que les dieux dirigent toutes choses pour l'usage des hommes afin de se les attacher et d'être tenus par eux dans le plus grand honneur ». Enfin, toujours par référence à « leur propre complexion », les hommes ignorants, dominés par la crainte et l'espérance, « inventèrent divers moyens de rendre un culte à Dieu afin d'être aimés par lui par-dessus les autres, et d'obtenir qu'il dirigeât la Nature entière au profit de leur désir aveugle et de leur insatiable avidité ». C'est de cette manière que « *ce préjugé se tourna en superstition* et poussa de profondes racines dans les âmes ». Car telle est la force d'aveuglement et d'entraînement de la superstition qu'elle fait croire « que la Nature et les dieux sont atteints du même délire que les hommes ». Si la volonté de Dieu est « cet asile de l'ignorance [136] » qu'exploitent les tyrans et les prêtres (ceux que « le vulgaire adore comme des interprètes de la Nature et des dieux [137] », et dont ils profitent [138]), tyrans et prêtres ne peuvent manquer de savoir que « détruire l'ignorance, c'est détruire l'étonnement imbécile, c'est-à-dire leur unique moyen de raisonner et de sauvegarder leur autorité [139] ». L'ignorance est donc liée par une profonde et naturelle complicité à la domination : le règne des préjugés s'accomplit dans l'empire de la superstition, qui est aussi bien celui de la crainte et de la contrainte.

Par-delà préjugés et superstition

Le *Traité théologico-politique* [140] refait la critique du préjugé en la recentrant sur l'analyse de la superstition. Nous devons toujours supposer la distinction fondamentale entre la foi, fondée sur la révélation, et la raison, l'une et l'autre légitimes en leurs domaines respectifs, selon leurs usages spécifiques. La première affirmation qu'il faut poser est que « tous les hommes [...] sont sujets de nature [à la superstition] ». Cette distribution universelle de la superstition dérive de l'universalité de sa source, qui est la crainte : « La cause d'où naît la superstition, qui la conserve et l'alimente, est [...] la crainte. » Effet nécessaire des passions négatives, la superstition définit ce à quoi se heurte toute tentative de vie selon la raison : « L'espoir, la haine, la colère et la fraude peuvent seuls en assurer le maintien, attendu qu'elle [la superstition] ne tire pas son origine de la Raison, mais de la Passion seule et de la plus agissante de toutes. » L'origine passionnelle de la superstition une fois reconnue, il s'agit d'en décrire correctement les manifestations principales : « La superstition [...] enseigne à mépriser la Nature et la Raison, à admirer et à vénérer cela seulement qui leur contredit. » Mais le système préjugé/superstition engendre en outre une perversion de la foi, qui « ne consiste plus qu'en crédulité et préjugés. Et quels préjugés ? Des préjugés qui réduisent des hommes raisonnables à l'état de bêtes brutes, puisqu'ils empêchent tout libre usage du jugement, toute distinction du vrai et du faux, et semblent inventés tout exprès pour éteindre toute la lumière de l'entendement ». Il en dérive une typologie dualiste, opposant le philosophe au « vulgaire » *(vulgus)*, le « non-philosophe », lequel est soumis aux préjugés : « Je sais [...] combien sont enracinés dans leur âme [des "non-philosophes"] les préjugés auxquels sous couleur de piété ils ont donné leur adhésion. Je sais aussi qu'il est également impossible d'extirper de l'âme du vulgaire la superstition et la crainte. » Le couple fondamental d'opposés se reproduit dans le champ politique par l'opposition entre les citoyens d'une libre république, lieu propre de l'homme libre, reconnaissable à sa liberté de jugement, et les hommes conduits par les passions, identifiables à l'emprise qu'ont sur leurs esprits les préjugés : « Il est entièrement contraire à la liberté commune que le libre jugement propre soit asservi aux préjugés ou subisse aucune contrainte. » L'emprise des préjugés définit donc l'état de l'homme qui a perdu la maîtrise de son entendement.

Or, l'esclavage de l'esprit dans les préjugés est une composante de l'existence des hommes selon les normes d'un certain type d'État, caractérisé par la hantise de la liberté de jugement des citoyens. On doit y reconnaître l'indice le plus sûr du gouvernement despotique, qui ne supporte que des esclaves. Si la liberté de chacun de penser ce qu'il veut et de dire ce qu'il pense s'oppose à l'empire des préjugés fondé sur la crainte et entretenu par les passions tristes, alors il est clair que la fin de l'État « n'est pas la domination », « n'est pas de faire passer les hommes de la condition d'êtres raisonnables à celle de bêtes brutes ou d'automates », n'est pas de « tenir l'homme dans la crainte et de faire qu'il appartienne à un autre ». La fin dernière de l'État est au contraire de « libérer l'individu de la crainte » : « Il est institué pour que leurs âmes [des hommes] et leur corps s'acquittent en sûreté de toutes leurs fonctions, pour qu'eux-mêmes usent d'une Raison libre, pour qu'ils ne luttent point de haine, de colère ou de ruse. » La fin de l'État « est donc en réalité la liberté ». Afin que l'État puisse être formé, il faut que l'individu ait renoncé au droit d'agir par son propre décret, mais non pas au droit de raisonner et de juger. Or la liberté de penser ne fonde la concorde entre les hommes que dans un État démocratique, où le pouvoir de décréter appartient à tous collectivement : tous y « conviennent d'agir par un commun décret, mais non de juger et de raisonner en commun ». Car les hommes « ne peuvent penser exactement de même ». Il faut donc « nécessairement accorder aux hommes la liberté du jugement et les gouverner de telle sorte que, professant ouvertement des opinions diverses et opposées, ils vivent cependant dans la concorde ». La supériorité de l'État démocratique, quant à la liberté de l'homme, n'est pas douteuse : « Cet État est le plus libre, dont les lois sont fondées en droite Raison, car dans cet État chacun, dès qu'il le veut, peut être libre, c'est-à-dire vivre de son entier consentement sous la conduite de la Raison. »

Le rationalisme intégral de Spinoza suppose que « c'est la superstition qui est la source de tant de préjugés qui assiègent notre esprit et nous empêchent de faire usage de notre raison [141] ». Il faut donc exercer le jugement critique, l'appliquer systématiquement, de manière à s'élever hors de la caverne des préjugés jusqu'au clair royaume du libre jugement. Et pourtant le germe d'un retournement d'un tel rationalisme en fanatisme est présent dans le spinozisme, dès lors qu'on y discerne l'inspiration universaliste « identitaire » fondamentale. C'est une déclaration que son disciple et biographe, le médecin Lucas, prête à Spinoza, qui donne quelque idée de l'orientation dogmatique potentielle du rationalisme spinoziste, que les convaincus peuvent toujours mettre au compte d'effets pervers ou de trahisons doctrinales : « Voilà, disait-il, les deux plus grands et plus ordinaires défauts des hommes, savoir la *paresse* et la *présomption*. Les uns croupissent lâchement dans une crasse ignorance, qui les met au-dessous des brutes ; les autres s'élèvent en tyrans sur l'esprit des simples, en leur donnant pour oracles éternels un monde de fausses pensées. C'est là la source de ces créances absurdes dont les hommes sont infatués, ce qui les divise les uns des autres, et ce qui s'oppose directement au but de la Nature, qui est de *les rendre uniformes, comme enfants d'une même mère* [je souligne] [142]. » Le projet des Lumières se profile : oser se servir de son entendement et, ce faisant, sortir enfin des obscurités paresseuses de l'enfance [143]. Mais ce courage critique de la raison n'aurait pour fin que de passer du règne des opinions multiples à l'empire des vérités nécessaires, de la diversité qui divise à l'unité pacificatrice de la raison, des différences qui opposent à l'uniformité universelle des jumeaux nés de la même matrice rationnelle. Il n'y a pas de place, dans la spéculation du « rationaliste absolu », pour ce qui ne peut lui apparaître que comme autant de déplorables rébellions contre la souveraineté absolue du vrai. La raison est autant la faculté de connaître que la *puissance d'uniformiser*. Il y a une utopie de paix universelle au cœur du grand rationalisme de Spinoza. Peut-on vouloir échapper à tout prix à l'irrationnel sans désirer en même temps la rationalisation identitaire ? L'hyperactivisme de la raison ne risque-t-il pas, lui aussi, d'engendrer certains monstres ? La démonisation du faux, le fantasme de la toute-puissance de l'erreur, et la dénonciation paranoïde de ses bénéficiaires qu'engendre et postule à la fois l'appel à guerroyer contre préjugés, superstition et fanatisme, la déclaration rationaliste d'une guerre totale au non-rationnel, voilà qui dispose les esprits à réinventer, sur de nouvelles bases, des comportements fanatiques. Non plus « réactionnaires » ou « passéistes », mais bien « modernes » et « progressistes ». L'amour de la raison triomphante s'y retourne en haine de l'irrationnel qui menace, l'amour intellectuel de Dieu se met à ressembler à la haine du Diable. La Raison suscite aussi sa théologie délirante, et l'idéologie rationaliste saura se peupler, en trois siècles d'installation, de ses propres divinités et puissances maléficiantes. « La secte des spinozistes » (Fénelon) est devenue légion. Non sans distorsions.

L'APPEL AUX GRANDS NOMS : FORCE ET FAIBLESSE DE L'ANTIRACISME

Dans la justification de son refus de se joindre aux travaux de l'Unesco, Benedetto Croce, en 1950, avançait l'argument, avec une lucidité peu courante à l'époque, de la participation trop importante des représentants des sciences « dures », dont les noms n'étaient à vrai dire requis, voire réquisitionnés, qu'à des fins de légitimation par le « prestige » d'un projet philosophique sur lequel ils n'avaient rien à dire, sinon des naïvetés scientistes agrémentées de professions de bons sentiments. « Un des inconvénients de l'Unesco me paraît être le grand nombre de naturalistes, physiciens et mathématiciens que l'on a appelés, *honoris causa*, à en faire partie. Nul plus que moi (inutile de le dire) n'est respectueux de leurs sciences, mais je sais d'expérience que ceux qui les cultivent, à de rares exceptions près, sont fermés aux problèmes du monde moral et qu'ils sont portés à les traiter par des méthodes expéditives, empruntées des sciences physiques et naturelles[144]. » L'antiracisme hégémonique des années cinquante/quatre-vingt a hérité de cette stratégie de patronage et de parrainage : outre sa prime légitimité « antifasciste », centrée sur le rejet absolu du racisme d'État incarné par le national-socialisme, lui-même illustré principalement par l'antisémitisme typisé à son tour par le génocide, l'antiracisme a ainsi bénéficié d'une légitimité « scientifique », conférée par l'autorité personnelle des savants reconnus — au-delà du cercle de leurs pairs : bien connus sur le marché culturel constitué par « le grand public[145] » —, signataires des diverses déclarations pour les droits de l'homme et/ou contre le racisme. Ces deux types de légitimité, politique (position « antifasciste ») et scientifique (par transfert de légitimité d'un grand nom à ce qu'il signe), constituent le noyau de la force d'imposition idéologique de l'antiracisme hégémonique.

La critique crocéenne, en son temps fort courageuse dans le camp antifasciste (et B. Croce avait quelques titres d'antifascisme réel !), mériterait aujourd'hui d'être reprise et développée pour autant que l'appel aux grands noms de la science reconnue, à la fois « hypernormale » et objet de culte médiatique, s'est institué en rituel légitimatoire de toutes les organisations de type humanitaire. Insensiblement, les « savants », c'est-à-dire les spécialistes de tel ou tel secteur de la recherche scientifique (avec une prime considérable d'autorité pour les sciences « dures »), ont érigé leurs rêveries universalistes pauvres, bons sentiments sublimés dans une métaphysique philanthropique du dimanche, en arguments sans réplique, si inconditionnellement dominants qu'ils sont aujourd'hui perçus comme allant de soi. Ces savants répondant à la demande idéologique (on les reconnaît à ce qu'ils sont disposés à parler de tous les problèmes, sans compétence particulière) se sont institués en « leaders d'opinion » adjoints, en qualité d'experts omnipotents, transmués en « sages » : ce sont des néo-prophètes. Ce qu'on appelle l'opinion (publique) se laisse volontiers confirmer dans ses bonnes pensées toutes faites par les consolantes professions de conformité doxique des grands noms de la science.

Cette argumentation antiraciste hypernormale ne s'est pas installée en occasion de consensus par la force de sa rigueur ou de sa profondeur réflexive, mais par un transfert de prestige — phénomène de *transduction idéologique*. Dans les sociétés où les représentations collectives tendent à se confondre avec les variations de l'opinion publique, soit les sociétés démocratiques/pluralistes, de telles transductions idéologiques sont courantes : c'est qu'elles sont requises par le processus d'engendrement spirituel-culturel du lien social. Contrairement à leur autolégitimation de type rationaliste, le consensus ne s'y constitue pas par argumentation rationnelle visant un accord raisonnable sur une scène publique ouverte — telle est la scène politique idéale que projettent le principe de libre examen et celui de dialogue en vue du vrai, dans leur rêve commun d'une société transparente aux acteurs, et constituable absolument par eux. C'est l'illusion politique héritée des Lumières, le rationalisme politique, qui rêve la vie politique comme un espace de libres débats supposant un public « majeur » au sens kantien — chaque acteur osant se servir de son propre entendement, qui est postulé le même pour tous. La réalité sans fards est bien entendu tout autre : modelage des opinions et des croyances par les groupes de pression, qui sont des groupes d'influence, prédétermination des « libres » débats par les dispositifs médiatiques, captation périodique de l'opinion par les procédures électorales, etc. C'est qu'une société de libres débats perpétuels n'est qu'une fiction — une idée régulatrice de la démocratie moderne, diront les plus optimistes. Telle est la réalité idéologique mise à nu, vue d'un regard « machiavélien » : le dispositif antiraciste fonctionne à la ritualisation de combats du passé et aux grands noms engagés, l'opérateur et le critère d'une telle légitimité spirituelle des grands noms étant leur présence récurrente dans l'espace médiatique, précisément assurée par l'engagement « humaniste » dont l'antiracisme est une composante essentielle.

C'est ici qu'il faut relever un phénomène paradoxal, un fait d'hétérotélie (J. Monnerot) ou d'hétérogenèse des fins (M. Weber, J. Freund) : lorsque l'idéal rationaliste passe comme tel du champ épistémique au champ politique, il s'ensuit une inversion de son principe fondateur — la donation de la vérité comme évidence dans l'intuition rationnelle, laquelle produit la certitude absolue. A l'« autorité de l'évidence », si volontiers proclamée tant elle est la profession de foi rationaliste même, se substitue dès lors l'« évidence de l'autorité[146] », axiome traditionaliste fondamental[147] : le vieux principe d'autorité fait ainsi retour dans l'espace prétendu du débat rationnel. La vérité antiraciste vient à l'opinion « par transmission ou révélation », pour parler comme Bonald[148], et l'inquiétude qui meut recherche et discussion s'abolit dans la paix retrouvée de la certitude[149]. C'est ainsi que les lumières et les clartés apaisantes de la certitude rationnelle mettent fin aux débats, nés de l'indécision et du désaccord. La vérité antiraciste de la fausseté du racisme est un ersatz de certitude rationnelle, pleine croyance qui exclut entièrement le doute, se donne pour une vérité universelle et nécessaire. Si, « dans la croyance rationnelle, la vérité devient nôtre et nous devenons la vérité[150] », l'individu singulier, illuminé de certitude, devient représentant de l'universel, dépositaire des vérités éternelles. Les évidences apaisantes de l'antiracisme hégémonique appartiennent bien à l'espace individuo-universaliste. Mais elles sont susceptibles d'être infidèles, dans leurs effets, à leurs origines intellectuelles.

L'inattendue résurgence de l'argument d'autorité dans l'espace du rationalisme critique montre que nul ne peut sauter par-dessus l'ombre de la pensée « traditionnelle ». Le retour du refoulé dans l'antiracisme, par l'institution de celui-ci en source d'autorité indiscutable, manifeste une fois de plus l'éternel retour du « préjugé » dans les attitudes humaines. L'homme est aussi l'animal qui préjuge. Il faut reposer la question de Hume : « Puis-je être sûr qu'en abandonnant toutes les opinions établies, je sois en train de poursuivre la vérité ? et quel critère me permettra de la distinguer, même si la fortune me guidait enfin sur ses traces ? »

6

Les théories du préjugé et les sens du racisme

> « Qu'on s'épargnerait de questions et de peines si l'on déterminait enfin la signification des mots d'une manière nette et précise [1]. »
>
> D'ALEMBERT.

La vulgate antiraciste, issue des idéologies anticoloniale et anticapitaliste, a pour caractéristique principale de mêler quelques thèmes négatifs qu'elle présente toujours comme nécessairement liés : préjugés, inégalité, exploitation, ségrégation, discrimination, domination, racisme. Le modèle anticolonialiste classique du racisme suppose que la thèse de l'inégalité entre les races a pour fonction dominante de légitimer un processus d'exploitation, de le rendre idéologiquement possible ou acceptable par les exploités autant que pour les exploiteurs. Une telle conception fonctionnelle du « préjugé inégalitaire » suppose de ce dernier une représentation telle qu'il ferait partie des « stratégies » de maximisation des gains escomptés par les agents de l'exploitation. Certains auteurs, marxistes, présentent l'idéologie raciste/inégalitaire comme faisant partie d'un dispositif de « surexploitation [2] ». Le racisme, ce serait essentiellement l'articulation d'une exploitation économique, impliquant une domination politique, et d'une légitimation idéologique, condition d'acceptabilité de l'exploitation et de la domination. Tel est le modèle du racisme le plus répandu dans les milieux antiracistes occidentaux (depuis les années trente) et dans l'antiracisme international (depuis les années cinquante), modèle qui semble à la fois décrire fidèlement une situation réelle et expliquer correctement la formation de « l'idéologie raciste » non moins que sa supposée fonction essentielle (justifier, légitimer le mode capitaliste d'exploitation)[3]. Ce modèle correspond au premier type de « théorie du préjugé » distingué par Gordon W. Allport, et que celui-ci nomme encore l'« approche historique » : le préjugé racial y est défini comme un mode de rationalisation des avantages économiques[4]. Plus précisément, il incarne la variante marxiste de l'« approche historique », c'est-à-dire la « théorie "exploitationnelle" » du préjugé[5], telle que l'ouvrage fameux d'O.C. Cox, *Caste, Class and Race : A Study in Social Dynamics*, l'a présentée et développée en 1948. Le modèle « légitimatoire » du racisme comme préjugé ou ensemble de préjugés servant à justifier la domination et l'exploitation des groupes déclarés « inférieurs » — dans le système esclavagiste, dans le capitalisme historique ou dans le système colonial —, ce modèle du racisme en tant qu'exploitation rationalisée[6] présuppose l'indistinction entre racisme-idéologie *(racism)* et racisme-opinion *(racialism)*, et repose sur l'axiome que ce qui est rationalisé, c'est l'intérêt propre des classes supérieures[7]. Dans cette perspective, on pose que « le préjugé de race *(race prejudice)* est une attitude sociale propagée dans le public par une classe exploiteuse dans le but de stigmatiser un certain groupe comme inférieur, de telle sorte que l'exploitation du groupe lui-même ou des ressources de celui-ci puisse être justifiée[8] ». Complétant cette psychologie démystificatrice des intérêts (de la classe supérieure) intervient le postulat que « la différence de *classe* (c'est-à-dire la relation exploiteur-exploité) est le fondement de tout préjugé ; et que toute discussion concernant les facteurs raciaux, ethniques et culturels est le plus souvent un masque verbal[9] ». Dès lors s'impose à l'antiraciste convaincu une tâche impérative : détruire les conditions matérielles de la société de classes, qui engendre le racisme. La réduction théorique du « préjugé raciste » par le monocausalisme économique implique le devoir-faire communiste par excellence, l'abolition de l'inégalité des classes, c'est-à-dire des classes comme telles. En 1935, préfaçant un livre de combat contre la biologie et l'hygiène raciales du national-socialisme, Marcel Prenant déclarait : « La partie du livre la plus riche d'enseignements me paraît être celle où est dégagé le sens du racisme au point de vue de la lutte des classes. Il ne s'agit plus, ici, de proclamer la supériorité du peuple allemand : il s'agit de faire admettre celle des capitalistes les plus puissants, les Krupp, les Thyssen, les Hugenberg, qui, d'office, sont incorporés à la race nordique. Il s'agit d'imposer le patronat par un droit divin biologique. Mais si un capitaliste est juif, le "paragraphe aryen'' fléchira en sa faveur, et il sera admis, tout comme un Aryen, à être le *Führer* de ses salariés. C'est là, tirée des textes hitlériens eux-mêmes, la plus belle justification du marxisme, suivant lequel la classe prime la race [...] [il faut aussi] attirer l'attention sur les passages dans lesquels il [T. Balk] a effleuré d'autres racismes, depuis ceux de l'Antiquité jusqu'à ceux qui, près de nous, entreprirent de justifier l'esclavage des Noirs et les conquêtes coloniales [...]. Il y a place pour un racisme en tout régime où une classe impose sa domination. Tout racisme est impossible dans la société sans classes, et c'est pourquoi, là seulement, la science des races pourra se développer sans risque de falsifications intéressées[10]. » Ce type d'explication et de représentation du racisme, non seulement n'a pas disparu (il dérive logiquement des catégories fondamentales du marxisme), mais s'est depuis les années trente institué en conception hégémonique du « racisme », stock d'évidences toutes prêtes pour l'usage idéologique, dont les adversaires mêmes du marxisme sont de grands consommateurs — lorsqu'ils se veulent antiracistes, et doivent avancer quelque formule explicative afin d'être crédibles.

Une notation d'aspect explicatif, tirée d'un essai polémique d'Henri Alleg sur les États-Unis, nous placera devant la plupart des éléments de la vulgate : « Le racisme, la ségrégation ''légale'' ou de fait, les exclusions pour ''cause de couleur'' ne sont pas seulement l'héritage ''culturel'' de préjugés du passé mais le fruit d'une société qui, basée sur l'exploitation et le profit, entretient pour ainsi dire naturellement les inégalités[11]. »

Si le discours militant se contente en général de répéter cette description standard ou de procéder à de petites variations sur tel ou tel de ses motifs, qu'en est-il de la manière dont les sciences sociales, dont les frontières communes avec le champ idéologico-politique demeurent floues, abordent la question ? La centralité de la notion de « préjugé » est un fait d'observation. Mais le « préjugé » est aussi un échangeur de représentations et de croyances entre l'idéologie moderne en général — l'individualisme rationaliste égalitaire — et l'espace encyclopédique des sciences sociales. En outre, le caractère médiateur de l'idée de préjugé se retrouve à l'intérieur même des problématiques élaborées (« scientifiques ») où apparaissent diverses conceptualisations du « racisme », lequel éclate par analyse en trois champs notionnels distincts : construction idéologique, attitude, comportements ou fonctionnements sociaux. Nous ne pourrons donner ici qu'une idée générale de certaines des orientations analytiques dominantes, telles que la sociologie, l'économie, l'ethnologie, la psychologie sociale ou la science politique les manifestent dans leurs tentatives de conceptualisation. Car il faudrait un ouvrage distinct pour seulement présenter les principaux travaux réalisés sur la question par les sciences sociales en Occident depuis plus d'un siècle. En particulier, la vaste littérature américaine relevant des « études ethniques », et abordant sous toutes leurs faces les relations interethniques, ne pourra pas ici faire l'objet d'un commencement d'analyse, non plus que l'impressionnant corpus des travaux de psychologie sociale (essentiellement américains) sur les « attitudes » et les « préjugés »[12].

Le sens savant : racisme, préjugé racial, discrimination

Partons d'un constat simple portant sur l'usage discursif moderne du terme de *préjugé*, préalable à toute analyse de l'idée de préjugé : chacun, chaque école, chaque parti, chaque « camp », possède son propre usage du terme « préjugé », qu'il réserve pour qualifier son adversaire afin de disqualifier celui-ci. Le terme de *préjugé* est d'essence polémique : il sert d'abord à délégitimer une opinion, une thèse ou une théorie que le sujet ne partage pas, et récuse. Avant les usages disqualificatoires contemporains du mot *racisme*, l'expression *préjugé des races* a été employée par les adversaires de toute doctrine sociopolitique ou sociohistorique des races afin d'en désigner le noyau conceptuellement inconsistant ou la base scientifiquement inexistante. En particulier, si l'on postule une continuité entre position de l'existence de races distinctes (au sens zoologique) et affirmation du racisme, et que le noyau dur de l'idée de race est caractérisé par la notion d'une *transmission héréditaire* des qualités différentielles (supposées) de race, si donc le racisme suppose une position *héréditariste*, alors le rejet du racisme implique une position de type *environnementaliste*[13]. C'est pourquoi l'antiracisme américain, par exemple, s'est constitué autour de Franz Boas sur la base d'un rejet du « biologisme » dans les sciences sociales. Un tel antiracisme, fondé à la fois sur le rejet du primat des facteurs d'hérédité raciale et sur l'abandon de l'idée d'une évolution unilinéaire (donc d'une conception universaliste des « degrés » de civilisation), a dû se constituer une théorie positive des différences entre groupes humains, autour de l'axiome qu'une culture ne peut s'évaluer que par rapport à ses propres valeurs et croyances : le *relativisme culturel* a été le prix à payer pour éviter la biologisation monocausale des différences collectives tout en refusant de nier le fait massif des différences culturelles. Relativisme culturel modéré chez Boas, du fait qu'il n'excluait pas, entre cultures en principe autarciques, les emprunts et la diffusion des formes culturelles [14] : une telle dialectique du fermé et de l'ouvert est encore un modèle fécond de tout antiracisme raisonnable, refusant de se constituer en position symétrique de l'extrémisme qu'il dénonce. Aux antiracismes marxiste et rationaliste, l'antiracisme culturaliste a joint ses positions et valeurs de base : « Refus du fatalisme biologique, affirmation réitérée de la plasticité, hostilité à l'explication des différences entre groupes ethniques par des facteurs autres que socioculturels [15]. »

Mais, en dépit d'une homologie incontestable des usages polémiques, les réalités psychosociales ainsi désignées selon une intention stigmatisante ne sauraient être assimilées à un seul et même phénomène : « le racisme ». On sait que la visée polémique tend à réduire l'ensemble hétérogène des adversaires (et/ou des choses détestables qu'ils font ou représentent) à une classe unique et homogène. Il va donc falloir avancer et justifier quelques élémentaires distinctions, sur lesquelles apparaît un relatif consensus dans le champ des sciences sociales contemporaines. Nous distinguerons ainsi l'*idéologie raciste* (doctrine, conception du monde, vision de l'histoire, théorie, philosophie), le *préjugé racial* (attitude, disposition affectivo-imaginaire, liée à des stéréotypes ethniques, et se monnayant en « opinions » et « croyances ») et la *discrimination raciale* (comportement collectif observable, voire mesurable, lié à certains modes de fonctionnement social).

Cette tripartition du phénomène global et indistinct nommé « racisme » se rencontre notamment dans un livre déjà classique du sociologue Michael Banton, paru en 1967 [16]. L'auteur distingue trois types idéaux de relations interraciales conflictuelles (« tensions raciales »), auxquels il semble que l'on puisse assigner la plupart des discours et des positions, des attitudes et des conduites qualifiés de « racistes » : le *racisme-idéologie*, le *racisme-préjugé*, le *racisme-pratique discriminatoire.*

Le racisme-idéologie

Le premier type de rapports sociaux conflictuels entre groupes se percevant comme « racialement » distincts peut être dit avoir pour base le « racisme » saisi au sens strict, repéré selon le critère de l'*idéologie*, en tant que système *explicite* de représentations et de jugements (évaluations), formulés, susceptibles d'être présentés sous la forme d'une vision du monde ou d'une conception générale de l'histoire, et remplissant une fonction principale de légitimation. Le racisme désignerait *stricto sensu* « la doctrine selon laquelle le comportement d'un individu est déterminé par des caractères héréditaires [traits permanents hérités de] découlant de souches raciales séparées ayant des attributs différents et dont on considère généralement qu'elles ont entre elles des relations de supériorité ou d'infériorité [17] ».

Le racisme est ainsi défini comme une élaboration théorique comportant trois éléments principaux, correspondant à trois thèses distinctes et corrélées :
a) l'énoncé du *déterminisme biologique* (ou génétique) des conduites humaines ;
b) l'énoncé de la détermination héréditaire, selon les souches ou lignées « raciales », des comportements (niveaux psychologique, sociologique, culturel) : postulat de l'*hérédité biopsychique* ou *bioculturelle différentielle* ;
c) l'énoncé que les différences entre groupes racialement définis doivent être interprétées comme des relations d'*infériorité/supériorité*, c'est-à-dire d'*inégalité*. C'est l'affirmation généralement retenue par l'opinion courante, et privilégiée par la vulgate antiraciste : le racisme, c'est l'idée que les races sont par nature inégales entre elles à tous points de vue, ou pour le moins aux points de vue qui importent.

On peut ajouter à ces trois traits expressément posés le trait qu'ils présupposent, à savoir qu'il existe réellement des *races distinctes*, que des entités collectives bioculturelles peuvent être distinguées selon des critères de type scientifique (métriques, statistiques, etc.).

D'où la définition idéaltypique suivante du racisme en tant qu'idéologie :

Différencier

1. Il existe des *races* distinctes.
1'. Ces races sont des entités collectives bioculturelles qui tendent à se reproduire *ne varietur.*
2. Toutes les races sont soumises à un déterminisme biologique dominant.
3. Chaque race a son hérédité différentielle, qui détermine à la fois son « monde » propre et son système spécifique d'aptitudes.

Hiérarchiser

4. L'hérédité raciale différentielle définit nécessairement, dans ses expressions socioculturelles, une supériorité ou une infériorité.

Le racisme est donc « un système idéologique explicite [18] » prenant le plus souvent la forme d'une théorie d'aspect scientifique, et accompagnant des actes délibérés qui y trouvent leur légitimation. Le racisme confère une *logique* à tout acte de violence ou de discrimination, sans se confondre avec la violence qu'il légitime ce faisant [19]. La logique meurtrière du racisme, note H. Arendt, vient de ce qu'il « s'attaque à des réalités physiologiques naturelles — la couleur blanche ou noire de la peau — dont on ne peut modifier l'aspect ni par la persuasion ni par l'intervention du pouvoir : en tels cas, il n'est d'autre recours que d'exterminer les porteurs de la marque infamante [20] ». C'est là recourir au jugement selon la qualité, tel que T. Parsons le définit dans son modèle des variables structurelles de l'action : un objet social se juge soit selon le critère de performance (ce qu'il fait, produit, accomplit), soit selon le critère de qualité (ce qu'il est en lui-même) [21]. L'évaluation racisante implique de ne considérer les individus que pour ce qu'ils sont censés être (leur appartenance raciale), à l'exclusion de tout ce qu'ils peuvent faire. Et l'être racial qui définit pour chacun un destin s'indique par tel ou tel trait de son apparence somatique, toujours socialement « vêtue » : l'individu ne saurait dès lors échapper à la catégorie fatale à laquelle l'assigne son mode d'apparaître, et qui se déchiffre à travers trop d'indices sensibles (visuels, auditifs, etc.). Le racisme savant recourt très logiquement au « paradigme de l'indice [22] » dont il constitue l'un des passages les mieux réussis au champ idéologico-politique.

Avant même l'apparition du mot *racisme* dans le vocabulaire général, Max Weber intervenait dans la communauté scientifique pour soumettre à une critique épistémologique exemplaire les « théories raciales » des « biologistes raciaux » de son temps, dont Alfred Ploetz, fondateur de l'école allemande de l'« hygiène raciale », incarnait le type. Cette analyse critique serrée mettait en évidence les deux premiers traits repérés par M. Banton (*a* et *b*) : « Deux choses seraient nécessaires, avant que les théories raciales puissent mériter seulement une discussion : la constatation de différences irrécusables, toujours présentes, définissables psychophysiquement, mesurables avec précision et se laissant prouver comme héréditaires : des différences du genre d'une "réaction" à des "excitations" (pour l'exprimer techniquement), car ce ne sont pas les contenus culturels de notre conscience mais l'appareil psychophysique qui est l'objet de l'hérédité. Et puis le deuxième point : la preuve incontestable que ces différences ont une signification causale pour les particularités spécifiques et différentes du développement culturel. A ce jour, nous ne disposons pas d'un seul fait de ce genre[23]. » Weber fait porter son examen critique moins sur les théorèmes de la biosociologie que sur les conditions de discutabilité scientifique en général de ses énoncés. Cette mise à distance critique est en outre centrée sur le déterminisme racial différentiel, et plus précisément sur le type de détermination causale ainsi formulable : « telle race biologique, telle culture (et/ou civilisation) ». Sur les deux points, Weber remarque que les preuves expérimentales manquent. Depuis 1912, la forme générale de la situation n'a guère changé : la controverse, plus ou moins violente, entre partisans d'une sociologie à base biologique (ou intégrée dans les sciences du vivant) et les tenants de l'autonomie « continentale » des sciences sociales, cette controverse entre « biologistes » et méso-sociologistes perdure. A certains égards, elle s'est même aggravée dans ses effets, en élargissant le champ de ses implications idéologico-politiques. Tel est donc l'étrange constat devant lequel il faut bien s'arrêter : la situation polémique n'a guère changé depuis le début du siècle, et cependant les scientifiques, dans leur grande majorité (si l'on ne distingue pas entre les sciences dures et les autres), ne cessent de refaire les chemins de la critique weberienne ! C'est l'indice qu'un problème se pose à travers la résurgence imparable de ses effets polémiques, en tout cas que la question n'est toujours pas scientifiquement réglée, ni même suffisamment éclaircie.

Argumentations récurrentes

Depuis l'apparition dans le monde savant moderne des théories des races, avec leurs accompagnements idéologiques, l'histoire des débats sur la question est celle d'une succession régulière de réfutations « scientifiques » et de recommencements non moins « scientifiques » des théories réfutées, sur d'autres bases conceptuelles, selon d'autres paradigmes ou simplement au moyen d'habillages lexicaux différents. Cette histoire répétitive des débats et controverses autour du couple racisme/antiracisme (de ce que nous désignons, aujourd'hui, comme tel) est celle des déplacements doctrinaux du « racisme » face aux critiques dont il est continûment l'objet, et qu'il ne cesse d'assimiler pour se transformer. L'idéologie dite raciste apparaît dès lors comme un système « *métastable* » de représentations, capable d'assimilation et d'accommodation vis-à-vis de l'évolution idéologique générale. La dimension *polémique* est constitutive du racisme comme idéologie : face à toute argumentation « antiraciste », le propre de la contre-argumentation « raciste » est de répondre aux critiques assimilables par un changement de terrain (de l'anthropologie physique, par exemple, à l'ethnologie), un déplacement d'accent ou de concept (de l'inégalité à la différence, dans les années soixante-dix), une substitution de termes (« culture » pour « race »), voire une inversion dans la présentation de soi (se donner pour le « véritable » antiracisme, celui-ci étant redéfini par le devoir de préserver les identités culturelles, etc.). Irréfutable « racisme », toujours en cours de réfutation définitive. C'est peut-être qu'il n'est guère saisissable dans les termes posés par ses adversaires : dans cette perspective, ce serait l'antiracisme qui, dans des conjonctures différentes, réinventerait indéfiniment le « racisme », son racisme de conjoncture. Quoi qu'il en soit, le racisme semble attirer contre lui les foudres de la réfutation, mais porte en lui de quoi leur échapper. Donnons quelques échantillons prestigieux de l'optimisme antiraciste savant, qui a fait tradition depuis la fin du XIXe siècle : sa proposition récurrente est que le racisme (la race, la théorie ou la philosophie des races, etc.) est scientifiquement « dépassé ».

- « Le mot de race ne correspond plus actuellement à rien de défini », déclare É. Durkheim en 1897 [24].
- « Ces races, prétendues naturelles, ne sont autre chose que des catégories de notre esprit... », affirme de son côté J. Novicow [25].

• « Le mot race est impropre à déterminer le caractère spécifique des distinctions flottantes entre les membres de l'unité humaine [...] le terme race n'est que le produit de notre gymnastique mentale, des opérations de notre intellect, en dehors de toute réalité. [...] Les races existent ainsi comme une fiction de notre cerveau ; elles existent en nous, mais non point en dehors de nous [26] », précise J. Finot en 1905, proposant une idée de la race à mi-chemin entre le nominalisme et le conceptualisme.

• « L'explication "par la race" n'apparaît plus que comme un pis-aller. "C'est au moment où elle est chassée du cabinet des savants, dit M. Darlu, que l'idée de race descend dans la rue" [27] », croit pouvoir diagnostiquer C. Bouglé en 1899. La remarque d'A. Darlu, accompagnant le même diagnostic, reviendra dans *La Démocratie devant la science*, en 1904 : « [...] on s'est vite aperçu que, sous sa forme nationaliste, cette philosophie des races était scientifiquement intenable. C'est au moment... [28]. »

• « A l'aube de la période historique, les races sont déjà terriblement mêlées, brassées par l'émigration, les conquêtes [...]. La notion de race a perdu toute sa valeur politique. Dans notre Europe au moins, la race n'est plus qu'un mythe [29] », réaffirme Henri Hauser en 1916, près d'un demi-siècle après Renan [30].

• « [...] un examen impartial de la question fait immédiatement reconnaître que la théorie racique, appliquée aux peuples civilisés de l'époque actuelle et d'une région donnée, constitue une pure idéologie. C'est une théorie sans aucun rapport avec les faits scientifiquement constatés ; elle repose sur des postulats qui ne sont même pas toujours d'accord entre eux, et on peut affirmer qu'elle constitue à la fois une doctrine antiscientifique et une régression pour l'humanité [31]. » C'est en ces termes qu'en 1921, de façon définitive, Louis Le Fur formule son diagnostic de l'inconsistance et de l'impertinence théoriques de la notion de race : celle-ci serait à la fois inapplicable et nuisible.

Les jugements rendus au nom de la science, sur la question des races, sont de façon très régulière des propositions négatives. Un bon exemple en est donné par le livre de « critique marxiste » publié en 1935 aux Éditions sociales internationales : *Races. Mythe et vérité*, adaptation française d'une « critique du racisme [32] », due à Théodore Balk. Celui-ci, après avoir passé en revue les diverses conceptions en cours de la théorie des races, conclut son propos par quatre énoncés négatifs ou dubitatifs :

« Dans l'état actuel de la science, l'on peut affirmer que :
1°) *Il n'y a pas de races pures* [...]
2°) *Les races ne sont pas nettement délimitées* [...]
3°) *Les critères raciaux n'ont pas pu être définis jusqu'ici* [...]
4°) *Les critères raciaux ne sont pas invariables* [...] [33]. »

Nous pouvons reconnaître dans ce type d'argumentation certaines constantes du *style antiraciste* : discours défensif, polémico-critique, lié à une rhétorique de la restriction, voire de la négation — soit « la science ne dit pas que p », soit « la science dit que non-p ». L'antiraciste insiste volontiers sur le caractère flottant, indéterminable absolument, des frontières entre races : il tend à l'énonciation d'un postulat continuiste. Il insiste complémentairement sur ce que tout est en devenir, sur le fait que les entités raciales et leurs différences bougent, changent, se transforment, se déplacent : il tend alors à l'énonciation d'un postulat mobiliste. Mais il insiste également sur les limites du savoir scientifique qui, saisi par l'évolution, n'est jamais qu'un état imparfait de la science. Cette insistance peut se traduire par des énoncés relativistes ou historicistes du type : « la science n'est pas actuellement (aujourd'hui) en mesure d'affirmer que p », ou « la science ne peut pas encore clairement définir la différence entre x et y ». Cette rhétorique défensive, se légitimant d'une tradition de prudence méthodique, oscille donc de la délimitation de champs de validité conceptuelle à l'insistance sur le peu de savoir, sur son insuffisance actuelle. L'attitude critique est ici dominante, et s'articule volontiers au regard démystificateur : l'antiracisme aura été une idéologie du soupçon. Lorsque tel scientifique intervient, au nom de la science, dans la controverse pour limiter les prétentions de la « science raciale », lorsqu'il se contente de miner la conceptualité de l'adversaire, de procéder à une guérilla conceptuelle [34] contre les « racistes », il illustre à sa manière et en son genre un type idéal de position argumentative que l'on retrouve illustré par ailleurs, dans la controverse sur l'hérédité de l'intelligence, par les partisans de la conception « environnementaliste », laquelle tend à se réduire à une *conception anti-héréditariste*. Il y a bien ici une homologie formelle d'argumentation : de même que les psychologues partisans du primat des facteurs mésologiques dans la détermination de l'intelligence sont d'abord (et parfois seulement) des anti-héréditaristes, de même les anthropologues partisans du primat des facteurs socioculturels dans la détermination des différences (ou des identités) de groupe sont d'abord (et parfois seulement) des antiracistes. Cette position « anti- » définit à la fois la force (il suffit de limiter et critiquer, ou de jeter un doute) et la faiblesse des « environnementalistes » comme des « antiracistes » scientifiques (la science n'étant pas un corps d'énoncés critiques où s'exprime la prudence méthodique)[35]. L'argumentation antiraciste des années trente ne se fonde pas sur la négation des races humaines, ni sur la récusation de toute science des races. Elle varie sur le triple thème négatif suivant : les différences entre races ne sont ni claires et distinctes (selon les exigences de la science normale), ni absolues, ni fixes. La mise en relief des incertitudes et des insuffisances est au centre de la stratégie idéologique des antiracistes. Face à la relative modestie de cette position critique et méthodologique, les partisans du « racisme » se caractérisent à la fois par un *style offensif*, par la profusion d'affirmations souveraines et par une certaine manière triomphaliste de s'installer dans le camp et le cours du progrès scientifique. Le souci principal n'est plus ici le respect scrupuleux des frontières du savoir (limites historiques) ou des savoirs (limites dans l'encyclopédie). La conviction centrale des « racistes », que partagent les « héréditaristes » en général, est de faire avancer les sciences, de transgresser les frontières théologiques, éthiques ou politiques du savoir par la découverte de vérités indubitables. On les reconnaît à leurs énoncés optimistes, voire à leurs déclarations d'intention ou de foi prométhéennes : « la science dit que p », « on en sait suffisamment aujourd'hui pour affirmer que p ». Les argumentations racistes et antiracistes, ainsi construites comme des types idéaux, présupposent un axiome commun, énonçable comme suit : la science est habilitée à dire que p (témérité raciste) ou non-p (prudence antiraciste). Dans les deux cas, chacun demande à la science de lui fournir les instruments légitimant ses convictions. Or, la science est un corps de propositions qui est susceptible d'instrumenter aussi bien le raciste que l'antiraciste. Il s'ensuit le caractère indéfini des débats et controverses : la science, elle aussi, justifie tout en donnant des exemples de tout, lorsque des systèmes différenciés de normes l'interrogent sur leurs fondements respectifs et antagonistes.

Nous pouvons distinguer deux modes de déréalisation antiraciste des catégories « raciales », l'un faible, l'autre fort. Le *mode faible* est bien illustré par ces propositions de Balk, dans le même livre de 1935 : « La race n'est [...] *pas simplement* une catégorie biologique, comme la représentent les anthropologues, c'est aussi une catégorie sociale. Les différences naturelles entre les espèces, écrit Marx, comme, par exemple, les différences raciales, etc., peuvent et doivent être déterminées par des facteurs historiques [36]. » Cette critique modérée de la théorie des races correspond à ce que nous avons désigné, dans notre deuxième chapitre, comme formant le premier genre du discours antiraciste savant. Dans sa préface au livre de Balk, Marcel Prenant intervient dans le même sens : « La question n'est pas, pour les marxistes, de mettre en cause l'existence des races. Les biologistes [...] ont dressé depuis quelques années un magnifique édifice expérimental, relatif aux races animales, à leur origine et à leurs croisements. Les anthropologistes, par des mesures et des études anatomiques patientes, ont confirmé l'existence de races humaines diverses, et ont même jeté les bases de leur physiologie comparée. Dociles, là comme ailleurs, vis-à-vis de l'expérience scientifique, les marxistes n'auraient garde de contester ces faits. Ce qu'ils attaquent, c'est la fausse science fasciste. C'est le bluff des livres racistes [37]. » Le mode faible d'antiracisme théorique se fonde sur la distinction entre un noyau scientifique « dur » de l'anthropologie raciale et l'ensemble des déductions illégitimes que les « racistes » pratiquent à partir d'un tel noyau de scientificité : c'est l'imposture des *fausses* sciences raciales qui est dénoncée, pour mieux sauver la *vraie* science des races. De plus, cette critique modérée ne récuse nullement l'existence de races humaines au sens zoologique, elle prend très au sérieux les recherches anthropométriques ainsi que le programme d'une physiologie comparée des races. Être marxiste ou antiraciste, dans cette perspective, c'est d'abord se garder, au plan idéologique, de présenter comme scientifiquement fondées « toutes les conséquences politiques concernant la supériorité de la race élue, la nécessité de conserver sa pureté, et le droit à l'oppression des races inférieures [38] » ; c'est ensuite refuser de réduire la race à un phénomène strictement biologique, anhistorique : la race est aussi une catégorie sociale et historique.

Le *mode fort* de déréalisation des catégories raciales suppose d'abord l'effacement de la distinction entre un noyau scientifiquement dur et ses dérivations plus ou moins délirantes, distinction qui permettait de « sauver » l'anthropologie biologique tout en affirmant une position antiraciste. Balk se contentait de poser que la race n'est « pas simplement » une catégorie biologique. La plupart des scientifiques antiracistes d'obédience marxiste, aujourd'hui et dans le monde occidental (l'antiracisme ne servant plus à rien dans le monde communiste où les germes du racisme ont été définitivement extirpés !), glissent du « pas simplement » au « pas du tout » : les « races » ne seraient que des constructions sociales et historiques, dépourvues de toute pertinence dans l'espace théorique des sciences biologiques. Après 1945, la tendance a été à la radicalisation de l'antiracisme théorique : le rejet du réductionnisme biologique s'est métamorphosé en célébration d'un réductionnisme socio-historique non conscient d'être tel. Curieux mélange de discours antiraciste militant et de dogmatisme scientiste sociologisant, aboutissant le plus souvent à un relativisme culturel radical, lié à un conventionalisme et à un décisionnisme sociopolitique « classiste ». Une récente intervention du braudélien marxiste Immanuel Wallerstein sur la question, « La construction des peuples : racisme, nationalisme, ethnicité [39] », permet de mesurer le significatif déplacement des positions et des arguments « antiracistes » du marxisme savant, du milieu des années trente au milieu des années quatre-vingt : « Au fur et à mesure que l'économie-monde capitaliste dépassait les limites originelles de l'Europe, au fur et à mesure que les concentrations de processus de production centraux et périphériques devenaient de plus en plus disparates du point de vue géographique, des catégories "raciales" commencèrent à se greffer sur certaines dénominations. Il peut sembler évident qu'un nombre important de traits génétiques diffèrent, et ce considérablement d'un individu à l'autre. Il n'est pas du tout évident que, pour autant, il faille les rattacher à trois, cinq ou quinze groupes réifiés qu'on appellera "races". *Le nombre des catégories, le fait même d'établir des catégories, sont des décisions sociales.* » Les « races » sont les résultats provisoires et incertains de constructions et de décisions sociales : telle est la conception résultant de la radicalisation antibiologique de la pensée marxiste, aboutissant à un mésologisme relativiste intégral. La thèse générale de Wallerstein est que « le concept de "race" est lié à la division axiale du travail dans l'économie-monde [capitaliste], c'est-à-dire l'opposition entre centre et périphérie ». Selon cette hypothèse, ce que l'on peut observer, « c'est que plus la polarisation s'est accentuée, plus le nombre de catégories s'est réduit. Quand W.E.B. Du Bois disait en 1900 que le "problème du XXᵉ siècle, c'est le problème de la différence de couleur", les couleurs auxquelles il se référait se réduisaient en réalité à blanc et non-blanc ». Un tel réductionnisme antiraciste radical postule une continuité entre « race » et

« racisme », celui-ci comme celle-là étant redéfinis à partir de l'opposition centre/périphérie, et abordés comme l'un des « modes de construction de la notion de peuple », à côté de la « nation » (groupe sociopolitique historique) et du « nationalisme », du « groupe ethnique » ou culturel et de l'ethnisme. Que la « race » se réduise à n'être qu'un artefact sociopolitique, Wallerstein en donne une illustration : « La race, et donc le racisme, est l'expression, le ferment et la conséquence de concentrations géographiques associées à la différenciation axiale du travail. Cette réalité a été brutalement mise en évidence par la décision de l'État d'Afrique du Sud, dans les vingt dernières années, de classer les hommes d'affaires japonais en tournée dans le pays non comme Asiatiques (comme les Chinois locaux) mais plutôt comme "Blancs honoraires". Dans un pays où les lois sont censées se fonder sur la permanence de catégories génétiques, apparemment la génétique prend en compte les réalités de l'économie-monde. L'Afrique du Sud n'a pas l'apanage de décisions aussi absurdes. Elle s'est simplement mise dans la mauvaise posture d'avoir à mettre ces absurdités noir sur blanc. »

Ces variations et oscillations dans la conception marxiste de la race et du racisme reflètent une difficulté classique de la sociologie de la connaissance (puis de la science), ou encore de l'historicisme lorsque celui-ci s'applique aux problèmes d'épistémologie. Deux positions idéaltypiques peuvent être définies, entre lesquelles le relativisme socioculturel oscille :
— *la thèse du déterminisme historico-social de la connaissance scientifique* n'exclut pas l'existence d'un noyau dur de scientificité, d'un contenu théorique proprement scientifique échappant aux déterminations exogènes, renvoyant à une logique interne de développement[40] : un tel *relativisme modéré* est voué à reconnaître dans les recherches d'anthropologie « physique » ou « biologique » un ensemble d'énoncés « scientifiques » constituant le noyau dur du savoir sur les races humaines ;
— *la thèse de la relativité absolue de tout mode de connaissance* abolit la distinction entre noyau dur et ensemble de croyances historico-socialement déterminées. La science n'est qu'un système de croyances parmi d'autres, adapté à telle aire culturelle pour une période définie. Il n'y a plus ici reconnaissance de la spécificité théorique de la science. A ce *relativisme culturel absolu*, les marxistes (malgré de fortes résistances héritées de leur scientisme constitutif, mais que l'antiracisme politique balaie sur le seul

terrain de la biologie appliquée à l'humain) peuvent toujours ajouter le facteur causal de la position de classe, sous le postulat du déterminisme, en dernière instance, par l'infrastructure économique.

De ces deux positions polaires dérivent deux antiracismes relativistes : le premier modéré et critique ; le second intransigeant, extrémiste, et dont le relativisme absolu n'est pas éloigné de certains courants de l'antiscience contemporaine. Le premier exclut de sa critique un « bon » programme de recherches sur les races humaines ; le second condamne tous les programmes de recherches sur la biologie de l'homme, au nom des menaces qu'ils feraient peser sur la dignité de celui-ci. Dans le cas de l'étude des races humaines, l'extrémisme antiscience rejoint spontanément le fanatisme antipréjugés. Singulière alliance.

Sautons quelques dizaines d'années pour nous projeter dans les années quatre-vingt. Le paysage idéologique n'a guère changé : d'éminents scientifiques, des biologistes plutôt que des sociologues il est vrai, dénoncent avec l'autorité de la Science l'absence de scientificité du concept de race. Donnons quelques échantillons de ce nouveau retour du diagnostic de la mort scientifique de toute théorie des races :

• « La réponse du généticien est [...] claire : pour lui le mot "race" n'a pratiquement pas de contenu. [...] compte tenu des implications biologiques que tant d'écrits, de doctrines et de politiques ont accrochées, de façon indélébile, au mot "race", ne serait-il pas prudent de l'éliminer, comme on fait d'un outil inutile et dangereux[41] ? » La question préalable à une telle opération, non posée par Albert Jacquard en 1981, est de savoir comment « éliminer » un mot du vocabulaire général, sans recourir à des méthodes autoritaires, qui risqueraient d'être aussi coûteuses qu'inutiles. L'histoire intellectuelle du terme « race », depuis plus d'un siècle, est celle d'une délégitimation toujours recommencée, à la suite de nouvelles flambées de légitimation. C'est « la difficile fin d'un mythe », reconnaissait J. Ruffié en 1976, qui ajoutait : « Rien, sur le plan biologique, n'autorise aujourd'hui à découper l'espèce humaine en races autonomes[42]. »

• « Ce que peut finalement affirmer la biologie c'est que :
— le concept de race a perdu toute valeur opératoire, et ne peut que figer notre vision d'une réalité sans cesse mouvante [cf. Balk !] ;
— le mécanisme de transmission de la vie est tel que chaque

individu est unique, que les individus ne peuvent être hiérarchisés, que la seule richesse est collective : elle est faite de la diversité. Tout le reste est idéologie[43]. » Le discours des généticiens se prononçant sur l'idée de race est ainsi fermement uniforme, et paraît répéter comme mécaniquement le diagnostic de la défaite scientifique du racisme, énoncé non sans triomphalisme dès la fin du XIXe siècle par les sociologues, les historiens et les premiers politistes. Serait-ce une illusion récurrente dans la tradition de l'antiracisme des intellectuels ? La formule d'A. Darlu, rapportée si souvent par C. Bouglé, faisait pourtant apercevoir correctement le vrai problème, à travers le paradoxe ainsi énonçable : le concept de race, chassé du cabinet des savants, y revient par le détour de la rue. C'est là supposer que la non-scientificité de la notion de race n'est en aucune manière un obstacle à son plein emploi idéologico-politique. Il faut dès lors se résoudre à considérer que la force légitimatoire de l'appel à la scientificité n'intervient qu'à titre d'adjuvant : la puissance symbolique de la « race » ne se réduit pas à un effet de son habilitation scientifique. Celle-ci une fois abolie, tout reste encore à faire. Résumons-nous : ce n'est pas sur le terrain de la conceptualité scientifique que se décide la question de la légitimité idéologico-politique de l'idée de race et de ses élaborations doctrinales. C'est la subtile difficulté qui n'avait pas échappé à la lucidité de C. Bouglé, en 1901 : « "Tant valent les races, tant valent les peuples. La destinée des individus est déterminée par leur constitution physique, la destinée des nations par leur composition ethnique." Cette croyance aura décidément traversé tout le siècle. Plus d'une fois on l'a crue éteinte ; mais, au souffle impérieux de passions diverses, elle renaît de ses cendres et prend seulement une forme nouvelle. La vague "philosophie des races" qui a si longtemps alimenté la linguistique, l'histoire et la critique littéraire semble bien morte ; mais voici "l'anthroposociologie" qui surgit, pour dominer les sciences sociales[44]. »

Le racisme-préjugé

Au sens strict, nous devons distinguer le racisme (idéologie, doctrine) du préjugé racial, lequel peut s'interpréter sur la ligne continue allant de l'attitude et de la disposition à l'opinion et au jugement évaluatif. C'est dire la difficulté rencontrée par toute tentative de définition univoque des termes. En un sens, c'est la psychologie sociale comme telle qui pourrait être définie comme l'étude scientifique des attitudes[45], si l'on entend par attitude « un état d'esprit de l'individu à l'égard d'une valeur[46] » ou « la manière dont une personne se situe par rapport à des objets de valeur[47] », ce qui inscrit l'étude des attitudes dans la théorie de la personnalité[48]. Aux alentours des années trente, le concept d'attitude avait été adopté, n'étant la propriété d'aucune école, comme « un concept de détente[49] », comme « un concept pacificateur[50] » : « Soustrait à la controverse sur la "nature" et l'"éducation" » (l'interminable débat autour du couple « nature/nurture », hérité de F. Galton), le concept d'attitude « était utilisable aussi bien en sociologie qu'en psychologie, se prêtant à des mesures et à des manipulations statistiques, et étant applicable aussi bien à l'individu que, sur une échelle plus vaste, à l'opinion publique[51] ». L'étude des attitudes, au moyen de techniques de mesures, a montré sa fécondité en permettant la construction de nombreux modèles d'attitudes, « depuis les préférences pour telle ou telle marque de levure jusqu'aux attitudes concernant la race, la religion, la guerre, le sexe, le non-conformisme, etc.[52] ». Dans sa fameuse étude de 1935, Gordon W. Allport propose cette définition : « Une attitude est une disposition mentale et neurologique, tirant son organisation de l'expérience et exerçant une influence directrice ou dynamique sur les réactions de l'individu envers tous les objets et toutes les situations qui s'y rapportent[53]. » Une caractéristique importante de l'attitude, en tant qu'elle implique « une disposition neuropsychique à l'activité mentale et physique[54] », est qu'elle prépare l'individu à une réaction spécifique : l'attitude d'un individu envers quelque chose enveloppe « sa prédisposition à agir, percevoir, penser et sentir par rapport à cette chose[55] ». Klineberg donne sur ce point un exemple : « Une attitude d'hostilité envers les Noirs [...] prédispose l'individu à participer à des activités par où s'exprime cette hostilité, qu'il s'agisse simplement de percevoir les informations défavorables parues à leur sujet dans les journaux et de s'en souvenir, d'exprimer des arguments contre les Noirs, ou de participer réellement à des actes de violence manifeste. Même lorsqu'une telle personne se livre à quelque activité inoffensive ne concernant aucunement les Noirs, nous continuons à dire qu'elle a une attitude antinoire, à cause de sa disposition à réagir de manière hostile[56]. » Cette dernière remarque nous rappelle à la fois que les opinions sont étroitement liées aux attitudes[57] et que les attitudes ne se manifestent pas nécessairement dans des pratiques, lesquelles ne peuvent dès lors être considérées comme les seuls indices d'attitudes (dispositions, opinions, préjugés). D'où cette proposition de clarification : « Il serait bon de réserver le mot *attitude* pour indiquer ce que nous sommes disposés à faire, et *opinion* pour indiquer ce que nous croyons vrai, ou considérons comme vrai [58]. » Dans la même perspective, Jean Stoetzel distinguait quatre caractéristiques de l'attitude en psychologie sociale, afin d'en préciser la signification fonctionnelle : l'attitude est « une variable inférée, non directement observée ni observable » ; elle désigne « une préparation spécifique à l'action » ; elle implique l'idée de la polarité : « Une attitude est toujours une attitude pour ou une attitude contre », ce qui revient à postuler « que les attitudes sont chargées d'affectivité, ou encore qu'elles sont les corrélatifs subjectifs des valeurs » ; « les attitudes sont acquises et susceptibles de subir les effets des influences externes [59] ».

Il est clair, et cela obscurcit les frontières définitionnelles, que ces caractéristiques de l'attitude peuvent être attribuées au préjugé, lequel apparaît dès lors comme une sous-classe de l'attitude. Le préjugé racial est définissable comme un jugement préconçu négatif, apparaissant chez des groupes qui diffèrent les uns des autres sous divers rapports [60]. On peut insister sur l'hypothèse que les préjugés sont acquis par apprentissage, notamment par « l'acceptation des attitudes courantes du milieu social auquel on appartient [61] » ; c'est le problème de l'imprégnation ou celui de l'intériorisation des attitudes dominantes, selon les problématiques. Une fois mis en place, les préjugés modèlent l'expérience de l'individu, acquérant ainsi une valeur fonctionnelle de type perceptuel et épistémique, renforcée par une valeur instrumentale (rapport moyen/fin) de type social, économique ou affectivo-imaginaire (désignation d'une victime émissaire) [62]. Dès lors que l'on suppose que les préjugés réalisent certaines fins, incarnent certaines valeurs « vitales » (utiles à l'existence de l'individu en société), leurs aspects fonctionnels sont mis en évidence. Woodard posait excellemment le problème en 1947 : « Lorsque le psychanalyste cesse de s'attaquer au symptôme, pour agir sur l'ensemble mental d'où le symptôme tire son sens, pour aboutir à un redressement général, le symptôme disparaît tout seul. Un grand progrès fut réalisé en psychiatrie lorsqu'on a découvert la fonction du symptôme névrotique lui-même, fonction perverse et *accommo-*

dante, s'opposant à toute force à une adaptation pleine et intégrale. Il en est de même des problèmes sociaux, y compris ceux que soulèvent les préjugés et les préventions (les préjugés raciaux et religieux naissent rapidement et ne font que s'accentuer, tout comme les symptômes hystériques, sous l'influence des interférences directes)[63]. » Le caractère *fonctionnel* du préjugé racial marque les limites de toute explication psychologique qui s'y appliquerait et prétendrait en rendre compte par une genèse centrée sur le couple conceptuel : affectivité agressive/rationalisation après coup[64]. Comme les stéréotypes ou clichés, les préjugés sont des schémas cognitifs et affectifs anticipés, préexistant dans l'« opinion publique » avant que tel individu ne les fasse siens[65] : les préjugés « sont au jugement informé ce que les clichés sont à la perception directe[66] ». En second lieu, les préjugés « localisent certaines pulsions inconscientes[67] » et s'accompagnent de justifications d'aspect rationnel. En troisième lieu, les préjugés remplissent une fonction d'accommodation dans la société ou le groupe où ils ont cours[68]. La compréhension de cette dernière caractéristique est essentielle pour définir les conditions d'efficacité d'une stratégie de « réduction des préjugés », qui ne sombre pas dans le bavardage sublime, le sermon moralisateur toujours déçu par ses destinataires, ou la dénonciation criminalisante (propagande « antiraciste », poursuites judiciaires). Ce n'est donc pas en débusquant et en traquant les préjugés (en général chez autrui) que l'on peut les déraciner, car leurs racines profondes se confondent avec le cadre social dans le fonctionnement duquel ils prennent place. On ne peut changer l'« alignement fonctionnel » dont dépend la position du sujet d'une attitude qu'en « transformant le cadre de référence en vue duquel l'alignement se produit[69] ». Woodard précise bien les conditions de disparition des préjugés : « Tout comme les symptômes névrotiques, les préjugés, bien que vicieux et faisant obstacle à une adaptation véritable, remplissent cependant une fonction d'accommodation par rapport à un cadre de référence. Ils persistent jusqu'à ce qu'un changement soit survenu dans l'ensemble des conditions qui leur ont donné naissance : sécurité assurée, solutions réelles des conflits d'intérêts, [...] réalisations effectives dans le domaine d'intérêts collectifs, faisant de l'idéal de la fraternité et de l'égalité plus qu'un simple mot, découverte d'une procédure équitable, ordonnée, pour équilibrer des antinomies irréductibles. Alors les préjugés dont on n'a plus besoin pour trouver un dérivatif de l'état de tension, ou pour maintenir la solidarité à l'intérieur d'un groupe replié sur soi-même, s'affaiblissent ou disparaissent [70]. » Une telle orientation de la thérapeutique sociale reste dans la tradition de la technique moderne : agir sur les causes pour modifier les effets, à la lumière d'une science fondée sur le principe du déterminisme, impliquant la connaissabilité des relations nécessaires (ou hautement probables) entre tel système de causes et tel système d'effets. Une telle orientation nous paraît aussi séduisante (car dérivant d'un paradigme de l'action sur les choses devenu ordinaire dans le monde moderne) qu'utopique : elle se situe dans la longue série des rêves de chirurgie sociale qui semblent s'inférer infailliblement des progrès des sciences et des techniques. Le point de vue sociologique et fonctionnel garde cependant un noyau de « vérité » éclairant une action possible sur la réalité sociale. Car l'intervention dans (plutôt que sur) le social ne se réduit pas aux violences et aux illusions constructivistes stigmatisées par Hayek [71]. Les sciences sociales, abandonnant tout scientisme technomorphe naïf en matière d'intervention sociopolitique, peuvent se donner des objectifs plus modérés et, partant, réalistes, en se proposant d'éclairer les cadres de vie sur lesquels l'action doit porter. C'est dans une telle voie pratique induite de l'explication sociologique que se sont engagés certains analystes des relations interethniques dans les démocraties occidentales [72], dès lors qu'ils se sont sentis appelés à intervenir dans le champ même de leurs recherches. Si l'impératif réaliste engage à transformer les conditions réelles d'existence et de coexistence sociales, alors les questions de cohabitation et de coopération dans la vie quotidienne viennent au premier plan d'un programme « concret » de lutte contre le racisme « ordinaire » — bien nommé —, dont les préjugés raciaux sont un élément fonctionnel. On ne saurait transformer la perception et la connaissance ordinaires par des sermons et des poursuites judiciaires, sur fond de mesures législatives : c'est l'illusion juridique propre aux modernes États de droit, dont l'antiracisme juridico-politique n'est qu'une variante. Les formes en cours d'action antiraciste visent toutes les *actes,* c'est-à-dire le symptôme, pour filer la métaphore psychopathologique. La haute visibilité des « actes racistes » fait oublier les insaisissables « préjugés », dont l'invisibilité et l'indicibilité sociales ne peuvent être surmontées que par des techniques d'enquêtes sophistiquées et partant contestables dans leurs résultats. Actes racistes reconnus par les ligues antiracistes et ceux qui reconnaissent lesdites ligues : refus d'accueil, de logement, de stationnement ; discrimination dans l'emploi, concurrence dans le travail ; ségrégation, discrimination, refus de contact ; opposition au mariage mixte ; provocation, moquerie, insulte ; oppression, exploitation ; violences physiques, tortures, génocide ; affirmation explicite du chauvinisme et de la xénophobie (ou de telle ou telle doctrine des races) [73]. Cette liste (non exhaustive) montre bien que l'action antiraciste ordinaire ne peut viser les préjugés racistes (qu'elle suppose cependant) qu'en tant qu'ils sont verbalisés, et déclarés, voire proclamés. Le sous-sol infernal des « préjugés racistes » échappe par principe au type juridico-politique d'action antiraciste, laquelle ne peut guère que dénoncer selon des règles rhétoriques éprouvées ce sur quoi elle n'a pas de prise. Ressassement conjuratoire, masquant l'impuissance réelle de l'antiracisme juridico-politique. Celui-ci peut néanmoins agir en vue de réaliser l'égalité devant la loi, de provoquer une reconnaissance du droit aux droits politiques des immigrés travaillant en France, d'instituer l'égalité devant l'emploi, le logement. Mais les stéréotypes ethniques et les résistances aux « mariages mixtes », par exemple, sont si bien distribués, tant chez les dominés (ou les victimes) que chez les dominants, que les dénonciations et poursuites judiciaires risqueraient ici de criminaliser la société tout entière. La difficulté principale de l'action antiraciste est là : comment atteindre les pulsions et croyances souterraines, comment connaître et transformer les structures profondes de l'imaginaire « racisant » ? Il faut bien reconnaître une certaine impuissance de l'antiracisme, qui certes est susceptible de voir le problème, mais demeure dépourvu des instruments requis pour le « traiter » avec efficacité. D'où la fuite dans la rhétorique dénonciative et le formalisme juridique, sans parler du scandale par excellence, dans une perspective éthique : l'instrumentalisation politique de l'antiracisme, réduit à n'être qu'une « cause » de l'engagement dans laquelle on attend des gains divers — des calculs électoraux aux stratégies de notabilisation politico-médiatique, en passant par les nouvelles techniques de récupération idéologique des « causes humanitaires » par le système du « showbiz ».

Le second type de rapports raciaux conflictuels relève donc du *préjugé racial*, c'est-à-dire d'une certaine *attitude* prédéterminée des individus, ou de sentiments non moins préconstitués. L'usage scientifique du terme de *préjugé* ne peut manquer de solliciter son sens philosophique moderne, mis en place par le rationalisme cartésien, d'opinion préconçue, d'idée toute faite, de jugement précipité ou hérité sans examen critique (« prévention »). La norme ici postulée est que toute opinion doit être soumise au doute méthodique. Traiter du racisme en termes de « préjugé » (des races, racial, raciste), c'est mettre en œuvre une représentation *rationaliste* du racisme, lequel est réduit à une attitude précritique, formée sans information suffisante ni réflexion critique, opinion dépourvue de l'estampille de rationalité ou de scientificité. L'opinion rationaliste, allant désormais de soi, est rarement marquée comme telle : elle s'impose comme noyau théorique dans les définitions données du préjugé. Être rationaliste, c'est ici faire prévaloir l'idée que le préjugé est une opinion « rétrograde », émise par des esprits « peu évolués » (ou peu « cultivés »), un jugement condamné comme « irrationnel » par la science (donc prononcé par les seuls ignorants), sur l'idée traditionaliste que le préjugé est « une sorte de raison qui s'ignore [74] ».

Il faut ici insister sur l'existence d'une conception *non rationaliste,* voire antirationaliste, du préjugé, selon laquelle celui-ci enveloppe une rationalité vivante (fonctionnelle) mais cachée (implicite), constitue un trésor de sagesse accumulée par le temps, recèle une rationalité sociale ou existentielle que la raison abstraite ne connaît pas, et qu'elle méconnaît par principe du simple fait qu'elle doit lui tourner le dos pour connaître ce qu'elle peut connaître.

Car la légitimation traditionaliste du préjugé, de Burke [75] à Taine, est liée à une conception « évolutionniste [76] » de l'histoire et à une épistémologie empiriste de type « sociologiste » (rien n'est dans l'entendement qui ne vienne de la perception sociale), susceptible de s'accorder avec une redéfinition fonctionnaliste du préjugé. Si l'on impute à celui-ci une fonction sociale de régulation ou d'accommodation, il acquiert par là un statut de normalité, voire de rationalité dans le système social [77].

Il faut noter en outre un surprenant renfort apporté aux partisans de la fonctionnalité du préjugé par les dernières réflexions et positions de Claude Lévi-Strauss sur la question du « racisme ». L'objectif de l'ethnologue est de distinguer formellement ce qui relève du « racisme », idéologie bio-déterministe illégitime et nuisible, et ce qui doit être mis au compte de ce qu'il caractérise comme « des attitudes normales, légitimes même, et en tout cas inévitables [78] » — on aura reconnu les attitudes dites ordinairement ethnocentriques et/ou xénophobes. Si les doctrines racistes n'ont pas une distribution universelle et semblent, au sens strict, n'être attribuables qu'à l'Occident moderne, « ces inclinations et ces attitudes », déclare Lévi-Strauss, visant sans les nommer l'ethnocentrisme et la xénophobie, sont « consubstantielles à notre espèce[79] ». Étant universelles et nécessaires, elles apparaissent comme des *a priori* de la condition humaine : l'ethnologue, en « naturalisant » les attitudes et inclinations collectives telles que la fermeture sur soi, l'autopréférence et l'opposition aux autres (non ressemblants, inconnus, étrangers), donne un fondement légitime à l'ethnocentrisme et à la xénophobie. Certes, la désimplication polémique opérée entre le racisme en tant qu'élaboration doctrinale « située » et les attitudes autocentriques/hétérophobiques universelles semble interdire de resituer le chef de file de l'antiracisme savant des années cinquante du côté des défenseurs subtils du préjugé racial (nouvelles droites, psychologues héréditaristes, etc.). Mais l'on peut tout aussi bien remarquer que Lévi-Strauss ne fait ainsi que reformuler et redéfinir en termes non seulement acceptables mais positifs un type d'attitudes que la plupart des observateurs continuent de nommer « préjugé racial ». Dès lors les analyses lévi-straussiennes apparaîtraient comme un instrument d'euphémisation au service d'une volonté professionnelle, fort compréhensible, dernier avatar du mythe du « bon sauvage », de sauver du grief de « racisme » ces objets innocents par nature que sont les sociétés dites primitives. La distinction lévi-straussienne ne vaudrait qu'en tant qu'argument lié à une idéologie professionnelle et à une part importante de l'imaginaire social contemporain, qu'illustrent les utopies néo-romantiques de l'origine pure : en légitimant dans la perspective du droit à la différence et à l'identité les attitudes ethnocentriques et xénophobes, Lévi-Strauss réactive un mythe moderne tout en sauvant du péché capital de « racisme » un objet de recherches qu'il semble falloir considérer, par principe, foncièrement « innocent ». La reformulation positive du préjugé racial tel qu'il fonctionne « normalement » dans les sociétés qu'étudient les ethnologues se présente comme suit : « L'attitude d'individus ou de groupes que leur fidélité à certaines valeurs rend partiellement ou totalement insensibles à d'autres valeurs », « cette incommunicabilité relative » étant susceptible de « représenter le prix à payer pour que les systèmes de valeurs de chaque famille spirituelle ou de chaque communauté se conservent[80] ». L'attitude autopréférentielle a donc valeur de survie dans la lutte pour la vie identitaire des cultures ; la méfiance vis-à-vis des « autres » (cultures, hommes, etc.), voire leur rejet, voilà qui permet de conserver la distance, de marquer la différence entre soi et non-soi, condition de survie présumée des communautés. « Une certaine surdité [81] » et « une certaine imperméabilité [82] » sont présentées comme requises pour que soit préservée la diversité culturelle : « Cette diversité résulte pour une grande part du désir de chaque culture de s'opposer à celles qui l'environnent, de se distinguer d'elles, en un mot d'être soi [83]. » Toute culture se pose en s'opposant : telle serait la loi de survie identitaire dont le respect impliquerait celui de l'ethnocentrisme et de la xénophobie, ces attitudes naturelles et nécessaires — surtout lorsqu'elles apparaissent hors de l'espace occidental moderne, où elles tendent à relever du « préjugé racial ».

En forçant à peine la pensée de Lévi-Strauss, telle du moins que les analyses résumées ci-dessus la présentent, l'alternative qu'elle suppose est ainsi énonçable : *ou bien l'ethnocide ou bien la xénophobie*. Les peuples et ethnies auraient le choix entre la mort culturelle par excès d'ouverture aux autres (dialogue, tolérance, connaissance réciproque, communication, etc.) et la persévération dans l'être distinct par l'opposition aux autres, commençant par la clôture sur soi. Ou bien la disparition irréversible des cultures par indifférenciation ou confusion, ou bien l'ethnocentrisme et l'hétérophobie, l'indifférence à l'autre s'accompagnant éventuellement d'intolérance et de rejet. Il est difficile de tenir un discours plus respectable sur l'impératif culturel d'exclusion de l'étranger et d'évitement de tout mélange avec ses manières d'être et de penser. Il est encore plus difficile de ne pas relever que de telles positions et évaluations rencontrent, au point de se confondre avec elles, celles du national-populisme d'une part, celles de la nouvelle droite d'autre part [84]. On peut en conclure soit que le grand ethnologue est insensiblement passé, l'expérience aidant, dans le camp du nationalisme de doctrine (sous réserve de ne l'appliquer qu'aux sociétés étudiées par les ethnologues), soit que les antiracistes avaient abusivement qualifié de « racistes » d'authentiques défenseurs des identités culturelles menacées par un processus d'uniformisation, lequel serait seul proprement raciste. Dans les deux cas, les représentations idéologiques des positions idéologiques doivent être révisées. Le conflit des interprétations ne fait que commencer...

Revenons à la conception rationaliste, classique, pré-ethnologique, du préjugé. Pour un esprit « éclairé », le préjugé raciste ne peut qu'être le fait de l'ignorant, ou l'effet de la stupidité : il est un retour à la mentalité préscientifique en même temps qu'une survivance des mentalités d'avant 1789. Un archaïsme. En bref, le domaine du préjugé est celui des idées obscures et confuses, des jugements douteux (généralisations abusives, etc.). Mais si l'acception cartésienne n'a pas disparu dans les usages ordinaires contemporains, elle a été aussi bien intégrée dans la définition opératoire conférée au « préjugé » par la tradition psychosociologique. Dans le *Vocabulaire de la psychologie* d'Henri Piéron, Robert Pagès donne une définition synthétique du préjugé : « Attitude favorable ou défavorable à l'égard d'un objet quelconque (par exemple une personne) formée en l'absence d'une information suffisante (croyance), spécifique (stéréotype ou généralisation abusive) et résistant à l'information (rigide) [85]. » De même, mais dans une problématique empiriste où le critère exclusif du vrai (soit le non-préjugé par définition) est la réductibilité de l'énoncé à un fait perceptible, M. Banton pose qu'il faut entendre par préjugé « une généralisation antérieure à la situation à laquelle elle s'applique et dirigée envers les peuples, groupes ou institutions sociales, généralisation qui sert de guide à l'action, bien qu'elle ne corresponde pas aux faits objectifs [86] ». Le préjugé se définit comme un jugement empiriquement non fondé — « faux » selon la détermination empirico-réaliste de la vérité —, mais répondant à un besoin d'orientation pratique.

Le préjugé est donc un *affect*, à ce titre doté d'une fonction de régulation de l'action (fonction pragmatique), et se caractérise par sa *rigidité*, ou son irréfutabilité, sa résistance à toute tentative de démonstration de fausseté. Un jugement insensible aux faits : « Lorsqu'on essaie de démontrer la fausseté d'une opinion à ceux qui ont des préjugés, ceux-ci ne modifient en rien leur manière de voir et arrivent même à déformer les preuves que l'on avance, au profit de leurs préjugés [87]. » Car les préjugés sont enracinés dans des stéréotypes inscrits dans l'inconscient. On peut donner du préjugé une définition centrée sur les effets sociaux (discrimination) qu'il est censé produire, ou sur la fonction idéologique de légitimation qu'il remplit : « C'est un ensemble de sentiments, de jugements et naturellement d'attitudes individuelles qui provoquent ou tout au moins favorisent, et même parfois simplement justifient des mesures de discrimination. Le préjugé est lié à la discrimination. Il existe des préjugés de sexes qui discriminent l'homme de la femme, des préjugés de classes qui discriminent le prolétaire du bourgeois et enfin des préjugés de races ou d'ethnies. Mais chaque fois il s'agit toujours d'attitudes, de sentiments et de jugements qui justifient ou qui provoquent ces phénomènes de séparation, de ségrégation, d'exploitation d'un groupe par un autre[88]. » R. Bastide distingue deux fonctions invariantes du préjugé, pour ce qu'il « apparaît [...] toujours comme un acte de défense d'un groupe dominant contre le groupe dominé ou de justification d'une exploitation[89] ». Enfin, certains auteurs tendent à faire écho au sens commun en donnant une définition stigmatisante du préjugé, identifié et réprouvé comme le produit d'une sommation de manques, lesquels équivaudraient à la non-incarnation cumulée de trois types de « normes idéales » impliquées dans les définitions du préjugé : la norme de rationalité, la norme de justice et la norme d'humanité. Le préjugé racial se définirait ainsi comme la conséquence soit d'un *manque de rationalité,* soit d'un *manque de justice,* soit d'un *manque d'humanité* de la part d'un individu dans ses attitudes à l'égard des membres d'un autre groupe ethnique[90]. Le discours scientifique se fait ici insensiblement normatif, jusqu'à se transformer en discours de dénonciation des individus non conformes en leurs opinions, ou en description moralisatrice d'un type social négatif.

Ce qui frappe à travers toutes ces définitions, c'est la permanence d'une évidence forte, héritée et partagée par la plupart des auteurs dans le champ des sciences sociales, évidence qui forme le noyau de la théorie classique du préjugé, et singulièrement de la théorie précartésienne, telle que le *Novum Organum* (1620) de Francis Bacon l'a formulée de façon quasi définitive : le préjugé est une erreur vers laquelle on penche et à laquelle on tient, une « opinion favorite », c'est-à-dire une illusion de savoir qui remplit un désir. Lisons Bacon : « L'entendement une fois familiarisé avec certaines idées qui lui plaisent, soit comme généralement reçues, soit comme agréables en elles-mêmes, s'y attache obstinément ; il ramène tout à ces idées de prédilection ; il veut que tout s'accorde avec elles ; il les fait juges de tout ; et les faits qui contredisent ces opinions favorites ont beau se présenter en foule, ils ne peuvent les ébranler dans son esprit ; ou il s'en débarrasse à l'aide de quelques frivoles distinctions, ne souffrant jamais qu'on manque de respect à ces premières maximes qu'il s'est faites. Elles sont pour lui comme sacrées et inviolables ; genre de préjugés qui a les plus pernicieuses conséquences[91]. » Les contemporaines définitions stigmatisantes du « préjugé racial » sont tributaires de cet instrument privilégié de rupture avec un passé spéculatif que fut la théorie baconienne du « préjugé », comme anticipation trompeuse engendrée par l'accumulation et le dépôt des expériences successives non soumises à la critique méthodique dont Descartes fournira la caractérisation classique, le « doute méthodique[92] », radicalisant en l'épurant de tout sensualisme le rationalisme mitigé de Bacon[93]. Le préjugé ou la « prévention » deviendra chez Descartes l'une des deux principales causes de l'erreur, l'autre étant la précipitation[94]. Dans la conception cartésienne, on le sait, le préjugé est l'opinion passivement reçue dans l'enfance, inculquée par l'éducation première. Le préjugé est ce à quoi s'oppose l'évidence qui seule donne la certitude, il est ce avec quoi l'évidence rompt pour apparaître dans tout son éclat. Que l'évidence soit perceptive et relève de l'intuition sensible (critère empiriste), ou qu'elle soit rationnelle et relève de l'intuition intellectuelle (critère rationaliste). L'évidence étant la marque même du vrai dans la tradition cartésienne, le champ des préjugés recouvre exactement celui de la non-vérité. Le jugement vrai est soit fondé sur l'évidence des idées qui le composent, soit démontré de façon contraignante — sur le modèle de la démonstration mathématique. Telle est la conclusion logique de la définition stricte du vrai donnée par le rationalisme classique, qui récuse comme fausse toute opinion controversée, objet de débat (discussion, délibération), donc soumise à l'argumentation. Le « moindre doute » est ici une raison suffisante d'exclusion hors du domaine de l'acceptable[95]. En fait, la définition strictement empiriste du préjugé, en tant que jugement non fondé sur l'expérience sensible, n'exclut pas *a priori* que l'on puisse argumenter en faveur du racisme, dans la mesure où celui-ci infère nombre de ses thèses des aspects immédiatement perceptibles des individus humains (couleur de peau, langue, accent, etc.). Ainsi la prescription antiraciste de faire abstraction de l'évidence perceptive de la couleur, par exemple (et par excellence), est-elle contradictoire avec les présupposés gnoséologiques de l'empirisme. Il s'ensuit que seule une position rationaliste peut fonder de façon assurée la « lutte contre les préjugés raciaux » par laquelle se définit l'antiracisme. Car, pour faire droit à la demande antiraciste de suspendre tout jugement quant à la signification culturelle des différences individuelles apparentes (perceptibles), il faut se situer sur le terrain de l'abstraction rationnelle, qui seule peut légitimer la précellence accordée à l'unité du genre humain, produit ultime d'une série d'abstractions. Pour légitimer une déclaration de guerre totale contre les préjugés raciaux, il faut supposer que le préjugé est de part en part irrationnel [96], tout en se plaçant soi-même dans le camp exclusif du rationnel.

Le choix antiraciste implique donc le choix de l'abstrait contre le concret, celui du rationnel contre le perceptuel, celui de l'universel contre le particulier. Mais peut-être l'erreur n'est-elle pas, selon un mot de Braque, le contraire de la vérité. En outre, s'il est vrai que le préjugé est la chose du monde la mieux partagée, le recours immodérément démocratique au principe de majorité risque de l'entériner, de lui conférer, par telle ou telle procédure (sur le modèle référendaire), les lettres de noblesse qui lui manquent. Ce n'est pas au nom de la légitimité fondée sur le nombre, mais sur celle, toute qualitative, de la raison, que le préjugé peut être récusé comme illégitime. La difficulté vient alors de ce que, dans la modernité, la raison instrumentale, ordonnée aux solutions techniciennes, est devenue hégémonique : comment la rationalité faisant partie du règne de la quantité peut-elle affronter le primat de la quantité ? L'antiraciste conséquent, philosophiquement exigeant, n'est ainsi pas au bout de ses peines.

Le racisme-discrimination

Dans les études savantes engagées (expressément antiracistes), on trouve souvent le postulat d'une continuité entre attitudes et actes racistes, voire l'affirmation d'une relation causale entre préjugé et pratiques discriminatoires [97]. L'interprétation causale des corrélations entre attitudes et actes est vraisemblablement abusive, et n'est guère que l'effet d'une évidence idéologique ordinaire, laquelle consiste à expliquer les conduites par les « mauvaises intentions » des acteurs. Un certain nombre de travaux contemporains ont établi que les phénomènes de ségrégation sociale ou raciale ne résultent pas nécessairement d'attitudes ségrégationnistes, c'est-à-dire que telle situation de ségrégation ou de discrimination peut être le résultat « pervers » (au sens d'effet de composition) d'attitudes ou de comportements en eux-mêmes non ségrégationnistes [98]. Celui qui analyse le racisme pour agir contre lui projette le caractère téléologique de son analyse sur son objet, prêtant ainsi aux acteurs racistes des objectifs racistes conscients qui suffiraient à expliquer leurs conduites. O. Klineberg a proposé un tableau à quatre cases permettant de représenter les types de relations entre préjugé et discrimination :

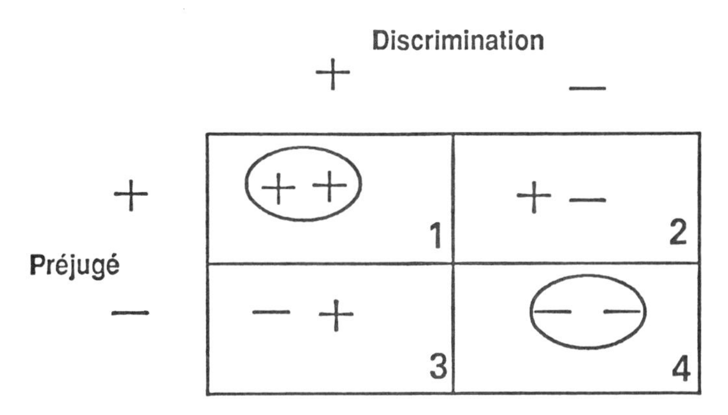

Si les individus des cases 1 et 4 sont les plus nombreux (forte corrélation positive et négative entre préjugé et discrimination), les deux autres types de situation ne sont pas négligeables. La situation définie par la case 2 est illustrable par le cas de l'individu « à préjugés » qui, quittant la Californie pour se mêler à une société sans discrimination contre les Asiatiques, doit s'adapter à ce nouvel environnement social, sans que disparaisse pour autant son préjugé. Définie par la case 3, nous trouvons la situation d'un habitant de Johannesburg dépourvu de préjugés raciaux, mais devant néanmoins s'incliner devant les lois de son pays [99]. L'hypothèse d'une réaction circulaire entre préjugé et discrimination, reprise de G. Myrdal (1944) par O. Klineberg, apparaît comme plus satisfaisante que celle d'une détermination de la seconde par le premier. On se souvient de ce que Allport, dans son modèle des cinq degrés du comportement de rejet, plaçait la discrimination après le rejet verbal (antilocution) et l'évitement, et avant l'agression physique et l'extermination [100]. La discrimination ne doit pas se confondre avec le simple évitement des gens que nous trouvons antipathiques : elle « se produit seulement lorsque nous refusons aux individus ou aux groupes humains l'égalité de traitement qu'ils sont en droit d'espérer [101] ». La discrimination renvoie à des mesures d'exclusion visant les membres d'un groupe extérieur au nôtre, la ségrégation étant « une forme de discrimination qui fixe des frontières spatiales d'une certaine sorte pour accentuer le désavantage des membres d'un exogroupe [102] ».

Dans la typologie des relations raciales de M. Banton, la *discrimination* donne son nom à la troisième catégorie distinguée. La discrimination définit un *comportement* supposé observable et relativement mesurable : elle réside dans le fait que des personnes sont traitées différemment pour autant qu'on les classe dans telle ou telle catégorie sociale. La catégorisation sociale devient discrimination raciale lorsqu'une population est traitée différentiellement selon des critères d'appartenance ethnique/raciale ou d'origine ethnique présumée : tel groupe racial est ainsi placé en tant que tel dans une position subordonnée, voire asservi ou soumis aux stéréotypes négatifs entretenus par la « race » dominante [103]. Des lois et décrets discriminatoires sont susceptibles d'être abolis ou modifiés soit par l'effet d'un mouvement d'opinion, soit par celui d'une propagande systématique d'État. Mais les pratiques discriminatoires, comme les mentalités (« préjugés ») et les mœurs liées à des *intérêts* de groupe, résistent fortement aux tentatives de transformation [104]. Il y a donc discrimination raciale lorsque l'appartenance ethnique est déterminante (ou au moins dominante) dans l'assignation des individus à leur place dans la hiérarchie sociale. Les individus ne peuvent dans ce cas surmonter le destin visible représenté par leur phénotype : la couleur de la peau, par exemple (et par excellence), en dépit du caractère variable et socialement construit de son sens perçu, joue le rôle d'un point fixe dans l'ensemble des indices déchiffrés par les acteurs comme traits de race.

Récapitulation :

Première distinction : les trois principaux types de relations interraciales conflictuelles.

Opérations cognitives	*Sous-catégorisation du « racisme »*	*Caractérisations*			
Percevoir (juger)	1. Préjugé racial	Attitude, sentiment, disposition	Affect(s) rigide(s) (verbalisable(s) : opinion toute faite)	Régulation de l'action (abstraction orientatrice) (passions)	Hostilité latente
Classer (séparer et hiérarchiser)	2. Discrimination	Comportement, pratiques, actes	Classification et exclusion	Satisfaction d'intérêts de groupe (fonction de survie)	De la subordination à l'asservissement (domination, exploitation)
Expliquer (justifier)	3. Racisme	Idéologie	Système explicite de représentations/évaluations (interprétation)	Légitimation d'actes	Violence : justifiée après coup ou engendrée

Questions sur la discrimination

Cette mise au point des distinctions théoriques de base désormais faite, nous voudrions esquisser une discussion critique de la notion faussement claire de discrimination, dont la seule fonction jusqu'ici était de permettre de situer un troisième domaine de signification du mot « racisme ». La notion ordinaire de discrimination suffit en effet à un simple *repérage* formel dudit domaine, sans nous donner les moyens de le *connaître.* Dans les interactions sociales réelles, est-il besoin de le préciser, théorisations, attitudes et comportements discriminatoires interfèrent, s'impliquent, s'emboîtent et se renforcent réciproquement. Mais si les pratiques discriminatoires se distinguent formellement des attitudes et des modes de légitimation idéologiques, la première difficulté rencontrée vient de ce que le mot « discrimination » est employé dans des contextes fort divers, et avec des significations bien différentes.

L'analyse de ce qu'on nomme la discrimination raciale est indissociable de travaux sur des sociétés particulières, empiriquement données, tels l'Afrique du Sud et son système *d'apartheid* depuis 1948 [105] ou les États-Unis d'Amérique, notamment à partir des pratiques de ségrégation dans les États du Sud (les lois *Jim Crow*, soit l'ensemble des mesures de ségrégation contre les Noirs des États sudistes, et leurs séquelles) [106]. Ces travaux relèvent de la sociologie des relations interethniques, impliquant des approches complémentaires concernant les dimensions juridiques, politiques, démographiques et économiques. Pierre L. Van den Berghe caractérisait ainsi la ressemblance entre *apartheid* et « *Jim Crow* » : ces deux systèmes représentent « des expériences d'effort conscient, à grande échelle, visant à établir un nouveau *modus vivendi* entre des groupes raciaux à la suite de profonds changements sociaux et économiques. Ces deux expériences constituent un effort délibéré, de la part d'agences gouvernementales, dans le but de créer et de maintenir une *distance spatiale* entre des groupes raciaux, afin de préserver un des éléments de base dans la structure sociale des deux sociétés en question. Cet élément de base est, dans les deux cas, la supériorité incontestée des "Blancs" par rapport aux autres groupes raciaux [107] ». En outre, une perspective comparative et internationale semble s'imposer aujourd'hui sur la question de l'ethnicité, de la « race » et du racisme. Dans le cadre de la brève esquisse d'une problématisation qui va suivre, nous nous contenterons de renvoyer à certains de ces travaux (désormais classiques) de type monographique, ainsi qu'aux récents efforts d'analyse comparative (tels ceux de Thomas Sowell), sans rentrer nous-même dans le détail des discussions.

Nous pouvons certes commencer par accepter l'hypothèse que la ségrégation « est le racisme intégral, puisque c'est l'affirmation de la supériorité absolue des Blancs, et cela de façon officielle et institutionnalisée [108] ». Dès lors que l'on ne se laisse pas prendre aux leurres des euphémismes officiels (« développement séparé », « développement multinational », « démocratie pluraliste », « différenciation verticale », etc.), le mot *apartheid* doit se traduire, comme le propose Marianne Cornevin, par « séparation dans l'inégalité basée sur la seule couleur de la peau [109] ». Un soupçon minimal nous paraît en effet être ici de rigueur. L'*apartheid* est à la fois le mode de légitimation, en tant qu'idéologie, de la suprématie politique et économique de la race blanche en ce qu'il en suppose la supériorité absolue, et, en tant que régime, la condition de possibilité de la domination blanche, et l'expression sociopolitique d'un système de discrimination. On sait que l'euphémisation de l'assertion de supériorité par l'affirmation plus acceptable de « différence » est apparue en Afrique du Sud, dans l'espace public, à la fin des années soixante-dix [110]. Mais le camouflage lexical aura ici été par trop évident : la thématique de la « diversité » (des peuples, des ethnies, des races) masque celle de l'inégalité absolue, inscrite dans le système social. Gérard Chaliand a récemment bien posé le problème général de l'*apartheid,* qui est de morale politique : « On ne peut escamoter le problème de l'*apartheid* en rappelant que les Noirs d'Afrique du Sud ont un niveau de vie plus élevé que celui des autres États d'Afrique noire. La pauvreté, de toute façon, ne se juge que par rapport au pays où l'on vit, mais le problème n'est pas là : il réside dans le fait que l'*apartheid* implique non seulement un développement séparé mais surtout que *les Noirs sont inférieurs par essence.* En ce sens, le régime sud-africain est le plus inacceptable au monde [111]. » Cette inacceptabilité maximale relève du jugement moral, et ne saurait en aucune manière se substituer à une analyse précise des interactions des faits ethniques, politiques et économiques. La condamnation morale ne doit pas non plus servir de décor pseudo-éthique ou de supplément vertuiste à une sommaire version de la « théorie exploitationnelle », par exemple et par excellence de type marxiste [112]. Mais il n'est pas niable que la « contradiction majeure » de l'Afrique du Sud soit le fait d'une « minorité blanche, de plus en plus minoritaire au fil des années, qui s'est arrogée une hégémonie racialement institutionnalisée sur une majorité noire dont elle dépend pour la main-d'œuvre [113] ».

Les dysfonctions économiques provoquées par le racisme (ou plutôt par les mesures dictées par lui) [114] s'ajoutent aux contradictions sociales et politiques qu'il engendre — l'*apartheid* apparaît ainsi, de plus en plus, comme une tentative malheureuse de solution des problèmes posés par les relations interethniques, un essai qui a échoué —, et au scandale éthique, même si le régime en place n'a jamais vraiment été saisi par un « dilemme sud-africain » sur le modèle du « dilemme américain » énoncé en 1944 par Gunnar Myrdal — le consensus de base se faisant au contraire en Afrique du Sud, en l'absence d'un credo assimilationniste et universaliste, sur le modèle ségrégationniste et les valeurs qu'il suppose [115]. Ce qui ne saurait nous faire oublier que c'est précisément l'idéal démocratique des Américains qui « rendit [...] d'autant plus pressant le besoin de légitimer le traitement infligé aux Noirs, par une idéologie raciste beaucoup plus radicale qu'il n'en exista dans des pays moins démocratiques, tels ceux d'Amérique latine et même l'Afrique du Sud [116] ». Le coût économique de l'apartheid pourrait ainsi remplacer, en Afrique du Sud, le coût moral des lois américaines de ségrégation raciale. Marianne Cornevin caractérise bien la contradiction politico-économique, qui semble insurmontable sans destruction du système : « Tout en constatant le caractère indispensable de l'intégration économique des Noirs, l'apartheid [...] s'oppose absolument à leur intégration socio-politique [117]. » D'où l'instabilité structurelle du régime et du type de société qu'il soutient de façon militaro-policière, et ce, de façon croissante. Le risque est grand d'une réduction du pouvoir politique, désormais dénué d'autorité, au seul exercice de la force de répression. Un tel pouvoir, sans influence, ne saurait se maintenir longtemps, au seul fil de l'épée.

On entend généralement par discrimination raciale le fait d'exclure certains individus du partage de certains biens sociaux, en vertu de leur race ou d'une appartenance groupale perçue comme étant de type racial (selon des indices somatiques ou culturels). Il faut en outre distinguer la discrimination dans la vie quotidienne, inscrite dans les mœurs, la discrimination institutionnelle, légale et administrative (les mesures et lois discriminatoires) et les applications discriminatoires des lois. Dans tous les cas, l'on retrouve la perception d'une *absence de respect* pour un groupe défini, et le sentiment d'une *injustice* dans la répartition des biens, des avantages, des droits ou des devoirs. Dans les sociétés modernes, démocratiques et libérales-pluralistes, les inégalités sociales et économiques, et plus encore les inégalités de droits politiques, sont perçues comme des formes d'injustice, et des formes intolérables, du moins si ces inégalités portent sur les droits fondamentaux (considérés tels) et sont légitimées par des caractérisations naturelles fixes, telles les distinctions fondées sur le sexe, l'âge, la race ou la culture [118]. Cette attitude, dans ses expressions idéologiques courantes, suppose un préjugé favorable envers les plus défavorisés[119] — jugement normatif qui définit l'un des espaces communs de l'antiracisme éthico-politique, de la pensée dite de gauche et d'un certain christianisme qui a redécouvert les pauvres à travers l'engagement politique. Le rejet maximal, selon cette échelle libérale-démocratique des valeurs, porte sur la société de castes héréditaires, où le rang social est biologiquement déterminé, le lien social étant fondé sur les liens du sang. Ce qui marque bien le caractère relatif et ethnocentrique de la récusation moderne de toute « discrimination » : l'impératif de lutte contre la discrimination en général se fonde sur un système de valeurs et de normes exclusivement occidental-moderne, qui oblige à condamner toute autre forme d'organisation socio-politique comme discriminatoire et ségrégationniste. Les valeurs et normes individualistes impliquent à la fois l'exigence de l'égalité des chances socio-économiques et l'égalité des droits politiques (et éducationnels). Ce qui définit les deux indices sociaux majeurs, dans la perception commune moderne de la discrimination raciale : inégalité des chances et inégalité des droits. Ainsi, dans une telle perspective, le système des castes ne peut-il qu'être assimilé, dans une même stigmatisation, à un système raciste.

John Rawls indique bien la difficulté centrale : « Il y a des questions auxquelles nous sommes certains qu'il faut répondre de telle ou telle façon. Par exemple, nous sommes certains que l'intolérance religieuse et la discrimination raciale sont injustes. Nous pensons avoir examiné avec soin ces problèmes et avoir atteint un jugement, selon nous, impartial qu'un excès d'attention pour nos propres intérêts ne risque guère de déformer. Ces convictions sont, pour nous, des points fixes provisoires que doit respecter n'importe quelle conception de la justice. Mais nous avons bien moins d'assurance quand il s'agit de voir comment répartir correctement la richesse et l'autorité[120]. » En bref, Rawls met au compte du sens commun moral (dont il présuppose l'existence) la conviction absolue que la discrimination raciale est injustice. Les problèmes difficiles commencent avec la construction d'une théorie de la justice qui comprenne les conditions de son applicabilité. Car l'égalité des chances ne se confond ni avec l'égalité des conditions (que réaliserait le programme utopique d'une redistribution intégrale) ni avec l'égalité de considération ou de respect. Le consensus transidéologique semble se faire sur l'accroissement de la mobilité sociale, impliquant « une politique de réduction de l'inégalité entre les groupes (ceux qui, au départ, sont avantagés et ceux qui sont désavantagés) sans réduire l'inégalité entre les individus [121] ». Il reste que l'exigence d'égalité se manifeste, dans la réalité sociale moderne, par des mesures de réduction des inégalités qui visent principalement, conformément au système de valeurs des sociétés libérales-pluralistes, à établir les conditions de l'égalité des chances — ce qu'on peut vouloir réaliser, comme aux États-Unis dans les années soixante/soixante-dix, par divers types de programmes compensatoires : la politique d'intégration scolaire (le *busing*), l'embauche préférentielle (qui donne priorité dans le recrutement et la promotion aux membres de groupes contre lesquels il y a eu discrimination), l'action affirmative ou positive (désignant les mesures « positives » visant à engager des membres de groupes victimes de discrimination), et la discrimination renversée (*reverse discrimination :* discrimination à l'encontre d'individus ou de groupes ayant exercé de la discrimination à l'égard d'un autre groupe). Le recours à la contrainte judiciaire et le mandat de *busing* ont de fait contribué à briser la tradition de ségrégation dans le Sud rural des États-Unis [122]. Ces divers modes d'action antidiscriminatoires visent tous à établir (ou rétablir) l'égalité des chances de tous les individus de la société donnée, le critère étant l'inclusion effective dans le système méritocratique des individus nés dans des groupes « désavantagés » ou « défavorisés [123] ».

Thomas Sowell [124], après avoir rappelé que « racisme est un terme utilisé pour couvrir tant d'espèces diverses de comportement, qu'il est difficile d'en fixer un sens spécifique », précise à juste titre : « On peut parler de "racisme" pour exprimer la dénonciation morale d'un comportement discriminatoire à l'égard des races, et si l'on convient que tel est l'unique sens et l'utilisation correcte du terme, il n'en résulte aucune confusion. » En tant qu'il témoigne d'un état subjectif de blâme des pratiques dites discriminatoires, le mot « racisme » décrit correctement un état de fait d'ordre social (la réaction d'un sujet indigné face à ce qu'il perçoit comme une forme d'injustice). Sowell ajoute, et nous le suivrons volontiers ici encore, que « la confusion et le résultat illogique se produisent quand l'usage du mot dans ce sens-là se juxtapose avec une définition plus étroite du racisme comme une croyance dans l'infériorité génétique de divers peuples ». Or, bien des systèmes historiques de discrimination, non moins que le système esclavagiste, sont apparus indépendamment de toutes théories biologiques de l'inégalité entre les races. D'une part, les

Chinois et les Juifs ont été l'objet de discriminations et de violences dans de nombreux pays et durant bien des siècles, sans que l'on ait cru généralement à leur infériorité biologique. Si le racisme est défini comme impliquant une théorie génétique de l'infériorité des racisés, alors il n'est ni nécessaire ni suffisant pour expliquer la discrimination. D'autre part, c'est un fait historique que « les Noirs n'ont pas été réduits en esclavage en raison de théories d'infériorité biologique. Des théories de ce genre sont apparues dans le sillage du système esclavagiste ; elles n'ont même pas été employées les premières pour le justifier. C'est seulement après que les justifications religieuses de l'esclavage eurent été ébranlées, que des justifications biologiques les remplacèrent, aussi bien en Afrique du Sud qu'aux États-Unis [...]. L'esclavage non raciste était courant dans le monde antique, romain et grec ». Tel est le paradoxe non inévitable qui surgit des « définitions *glissantes* » trop souvent données (ou plus exactement supposées) du racisme : « Du point de vue de la culpabilité morale, l'Afrique du Sud doit certainement figurer parmi les pays les plus racistes de l'histoire. Mais les mesures raciales appliquées en Afrique du Sud l'ont été longtemps avant que les gens se soient souciés, ou aient entendu parler, de théories génétiques. » Il faut noter enfin que « discrimination et exploitation sont deux phénomènes différents, et que la preuve du premier n'est pas la preuve du second ». D'une part, en effet, un groupe « peut se trouver victime d'une très rigoureuse discrimination — comme les Noirs en Afrique du Sud — sans qu'il soit nécessairement exploité ». D'autre part, comme l'illustre la prospérité des Chinois en Asie du Sud-Est, en dépit des multiples formes de discrimination dont ils étaient l'objet, la non-réussite économique ne peut être expliquée en général par la discrimination ethnique ou raciale, supposée engendrer ou légitimer l'exploitation. Il en va de même pour l'histoire des Japonais aux États-Unis, qui se résume par deux mots : « la tragédie et le triomphe [125] », marquant deux étapes successives. On notera un autre fait dont l'interprétation ne peut que conforter l'hypothèse : alors même que le racisme au sens strict est moins marqué dans la société brésilienne qu'aux États-Unis, et bien que les relations interraciales y soient (et y aient été) plus faciles (moins conflictuelles), le Brésil « présente de plus fortes disparités que les États-Unis, quant à l'éducation et à la participation politique [126] ». En effet, les Noirs « y sont extrêmement rares aux situations éminentes dans la vie professionnelle, et aux emplois de haut niveau dans la capitale

Brasília[127] ». Ainsi, en dépit de discriminations raciales plus fortement marquées, les disparités économico-sociales sont moins grandes aux États-Unis qu'au Brésil[128].

Si donc le racisme accompagne les situations discriminatoires, lesquelles constituent l'un des obstacles à la montée individuelle dans l'échelle sociale, il ne saurait expliquer à lui seul les différences économiques et sociales entre Blancs et Noirs[129]. L'approche moraliste[130] ne peut ici que dénoncer et condamner, prêcher la réparation des injustices ou la révolution, elle ne peut rien expliquer. Mais les vertuistes, qui prônent notamment la redistribution, « posent en partisans des secteurs les plus pauvres et ordinairement les moins productifs de la société, ou de la communauté mondiale — leur fournissant des incitations *à rester* moins productifs, tout en devenant une proportion croissante du genre humain[131] ». Ce faisant, les justiciers du social ne travaillent guère que pour eux-mêmes et le court terme : « Les seuls véritables gagnants permanents de telles pratiques sont les gens qui se sentent nobles ou politiquement populaires en les préconisant, ou qui acquièrent du pouvoir et de l'aisance en les administrant[132]. » La « victimisation » antiraciste des individus et des groupes situés au bas de l'échelle socio-économique n'est que le renversement simple du blâme raciste des « incapables » par nature. Ces deux discours symétriques et rivaux partagent une passion négative : la culpabilité, et une opération : la projection sur autrui de la faute, l'imputation à telle catégorie d'« autres » d'intentions malveillantes.

Nous pouvons suivre Sowell jusque-là. Encore s'agit-il de ne pas sombrer dans le cynisme amoral ou immoral. Si, en effet, la dégradation vertuiste de l'analyse est l'un des principaux obstacles tant à la compréhension des phénomènes d'interactions ethniques qu'à la recherche de solutions concrètes, la question de l'éthique n'est pas pour autant réglée, par abandon et assimilation avec le moralisme instrumental. Mais la perspective éthique porte sur les fins dernières de l'action, et ne peut jouer de rôle qu'au niveau des idées régulatrices. Elle n'est à confondre ni avec la connaissance du réel social ni avec la recherche de solutions pragmatico-techniques relevant de la raison instrumentale. En dénonçant le substitut vertuiste du savoir et des traitements pratiques, nous ne récusons pas l'éthique, nous en purifions le recours.

A la fin du « bilan général » de son livre important, paru en 1981, sur *L'Amérique des ethnies*[133], Thomas Sowell note que lorsqu'on « évoque la question des différences de revenus ou d'activités professionnelles des groupes ethniques, le terme de "discrimination", ou même celui d'"exploitation", plus lourd de signification affective (et bien vague) revient très souvent dans la discussion [134] ». Nous nous limiterons ici à une interrogation critique portant sur le mot « discrimination », qui « recouvre un large éventail de pratiques, allant du salaire au rabais jusqu'aux barrières historiques qui ont empêché les individus de développer pleinement leurs aptitudes [135] ». Dans un ouvrage publié deux ans plus tard, *Race, politique et économie* [136], Sowell, partant du constat que « l'un des concepts que l'on rencontre le plus communément dans les discussions sur la race et l'ethnicité est celui de *discrimination* », propose une analyse sémantique du terme aboutissant à l'inventaire de six significations distinctes, les quatre premières seules visant des situations de discrimination raciale à proprement parler :

« 1) Payer à un groupe, pour une prestation économique donnée, moins que ce qu'un autre groupe recevrait pour la même prestation, en quantité et en qualité.

« 2) Faire payer à un groupe, pour un bien économique ayant un certain coût de production, plus cher que l'on ne fait payer à un autre groupe pour le même bien ayant le même coût.

« 3) Refuser totalement d'opérer aucune transaction avec un certain groupe, alors que l'on traite avec d'autres groupes n'offrant ni de meilleures prestations ni de meilleures conditions.

« 4) Considérer les individus de groupes différents d'une façon si inégale qu'on leur propose des conditions différentes — ou bien que l'on s'adresse aux uns et pas aux autres — alors qu'objectivement ils sont semblables.

« 5) Payer ou faire verser des sommes différentes à des individus de divers groupes, pour quelque raison que ce soit.

« 6) Faire en sorte que différents groupes soient inégalement "représentés" dans divers emplois, dans les collèges, les prisons et autres institutions, quelles qu'en soient les raisons. »

Lorsqu'à l'ordinaire on attribue les écarts de revenus à l'attitude discriminatoire des employeurs, on suggère qu'un groupe donné est sous-payé par rapport à ses capacités effectives. Il est en revanche fort rare de rencontrer des efforts théoriques fournissant des moyens de mesurer effectivement ces capacités postulées. Quoi qu'il en soit, le présupposé de l'affirmation qu'il y a exploitation est que le groupe exploité, étant donc sous-payé, l'est par rapport au juste prix de ses réelles possibilités (on écarte en général la question de la rétribution de la productivité actuelle). Mais la discrimination de la part de l'employeur (définition 1) « n'explique pas les importants écarts de revenus des diverses catégories *à l'intérieur* de tel ou tel groupe ethnique ». La situation correspondant à la définition 2 est celle d'une discrimination dans le secteur de la consommation, exprimée par la formule « les pauvres paient plus cher ». Sowell montre que l'évidence idéologique de la formule masque notamment « l'incidence, plus ou moins forte, de la délinquance [qui] se répercute de bien des manières sur les frais généraux, d'où, pour un même article, des écarts de prix qui sont fonction de la population ethnique du quartier ». Une remarque analogue peut être faite à propos de la situation correspondant à la définition 3 : les groupes ethniques ne se différencient pas seulement en tant que tels ou par leur niveau de revenu, mais aussi par leur degré de solvabilité. La définition 4, précise Sowell, est « un cas particulier de "discrimination inconsciente" (parfois appelée "racisme institutionnel"), où le discriminateur a l'intention de traiter d'égale façon tout individu ayant d'égales qualifications, mais est affecté d'un préjugé dans son estimation des qualifications de personnes ayant certains arrière-plans raciaux ou ethniques ». La caractérisation la plus générale de la discrimination affectant le groupe consiste à dire que celui-ci est globalement jugé de façon défavorable (ce qui entraîne certains désavantages et certains inconvénients) ou qu'il est sous-payé. L'analyse systématique des emplois du terme permet de préciser cette caractérisation. Il faut noter tout d'abord que les trois premières définitions sont cohérentes entre elles, mais incompatibles avec les deux dernières. En outre, les quatre premières définitions reviennent à traiter de façon dissemblable des êtres semblables (groupes ou individus en tant que membres de tel ou tel groupe), alors que les deux dernières reviennent à ne pas traiter de façon semblable des êtres (groupes ou représentants individuels de tel ou tel groupe), *semblables ou non*. Les deux dernières définitions portent sur les représentations égalitaristes de la discrimination : discriminer, c'est alors traiter groupes ou individus de façon inégale. Ce qui postule un type de justice « arithmétique », par opposition au type de justice « géométrique » ou proportionnelle postulé par les quatre premières définitions. Sowell soutient que celles-ci peuvent être combinées en une seule, « où la discrimination consiste à *offrir des conditions de transaction différentes* — y compris pas de transaction du tout — *à des groupes qui ne diffèrent pas quant aux critères pertinents* (habilité professionnelle, crédit personnel, expérience, tests d'efficacité, etc.) ». Quant aux situations 5 et 6, souvent acceptées comme présomptions de discrimination, Sowell soutient qu'elles « ne sont pas de la discrimination par elles-mêmes », sans pour autant préciser la source de leur interprétation en termes de discrimination : l'idéologie égalitariste (et son emprise). L'appel au bon sens et à l'évidence commune lui semble ici suffire : « Personne ne considère la présence d'une plus forte proportion de Noirs américains dans les équipes de base-ball comme la preuve d'une discrimination contre les joueurs blancs. » Mais l'on notera que la situation 6 peut insensiblement glisser vers la situation 4, ou encore en résulter : au lieu de parler de « discrimination » contre tel groupe, les légitimateurs de la situation parleront de « préférence » pour tel autre groupe. Or, « préférence » et « discrimination », note justement Sowell, ne sont que la même chose exprimée de deux manières : « préférence pour A, B et C, constitue une discrimination contre X, Y et Z ». Il n'est pas inutile d'insister sur le recours à de telles substitutions lexicales euphémisantes dans le discours politique : en France, l'impératif premier du Front national depuis 1985, « la préférence nationale », illustre la transformation affirmative d'une proposition d'exclusion, liée à des attitudes xénophobes. Déplacement stratégique d'un énoncé explicitement discriminatoire vers l'énoncé d'une différence ou d'une préférence acceptable [137].

Ainsi, une analyse exigeante des emplois du mot « discrimination » en montre la pluralité des significations, met en évidence la difficulté de lui donner un sens précis en référence à telle ou telle situation empirique perçue comme « discriminatoire », et rend sceptique sur la possibilité de trouver un noyau sémantique commun à toutes les acceptions inventoriées (les six définitions de Sowell étant elles-mêmes susceptibles d'être sous-catégorisées). Autrement dit, dénoncer « la discrimination » ou s'élever contre « toute discrimination » risquent de n'être que des positions de principe conceptuellement vides, des attitudes morales formelles, s'appliquant à toutes les situations sociales possibles et à aucune en particulier (et précisément). De même que la dénonciation de « l'exploitation » en général, celle de « la discrimination » relève de la pose vertuiste (être moral, c'est professer des idées perçues majoritairement comme morales à tel moment et en tel lieu), qui a notamment pour fonction de détourner les dénonciateurs de l'analyse des situations réelles, en y substituant une condamnation moralisante indéterminée. Le conformisme moralisant de gauche reste un conformisme, qui est un aveuglement fonctionnel.

On peut se demander si des situations non ou mal analysées et des problèmes non ou mal diagnostiqués n'impliquent pas des coûts plus importants qu'un effort de lucidité analytique, qui ne s'effraie pas *a priori* de ses conséquences possibles. Position qui n'exclut nullement, comme nous l'avons souligné, une perspective éthique, mais qui lui donne sa juste place et sa valeur propre, non instrumentale, par-delà toutes les manipulations idéologiques. L'espace antiraciste public est encombré d'individus à l'esprit mou et au cœur dur, et qui tirent parti d'une réputation usurpée de cœurs purs. Avec Jacques Maritain, nous affirmerons cette exigence tout autre : « Il faut avoir l'esprit dur et le cœur doux [138] ! »

Les « théories du préjugé »

Si l'on réduit la différence entre racisme-idéologie *(racism)* et racisme-opinion *(racialism)* à une différence de degré d'élaboration (l'idéologie raciste n'étant qu'un ensemble organisé d'opinions racistes), alors l'analyse du racisme est une sous-partie de l'analyse des opinions et des préjugés en général. Mais les préjugés s'analysent selon diverses perspectives, et l'on peut faire l'hypothèse que les types d'explication ou d'analyse causale des préjugés ne sont pas nécessairement dialectisables, *a fortiori* synthétisables.

G.W. Allport distingue six types de « théories du préjugé », en rapport avec autant de niveaux différents d'analyse causale [139]. Cette typologie peut être confrontée avec celle que propose O. Klineberg, qui n'en diffère que sur des points de détail, tout en proposant de « souligner plus fortement l'*interdépendance* des différents niveaux [140] ». Allport insistait plutôt sur la nécessité, pour le chercheur, d'accompagner sa libre décision en faveur d'un type d'approche d'une reconnaissance de l'ensemble des autres possibilités de modélisation. Le diagramme des différentes approches existantes du préjugé est ainsi présenté par Allport :

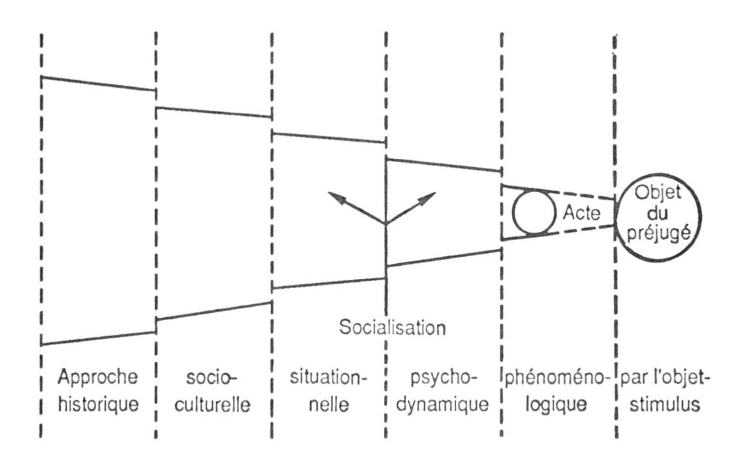

1. *L'approche historique* est illustrée par la théorie « exploitationnelle » du préjugé, lequel est abordé essentiellement en tant que mode de légitimation d'avantages économiques [141]. Les préjugés sont définis, dans le cadre de cette théorie instrumentale, comme des moyens en vue d'une fin pratique [142], que le profit économique, par exemple, soit lié au colonialisme ou à l'esclavage : le préjugé racial est ici un opérateur de justification, de rationalisation, de compensation, de voilement [143].

2. *L'approche socioculturelle* aborde le préjugé à partir de facteurs tenant à la culture et à la sous-culture [144]. Il en va ainsi de l'antisémitisme, étudié comme une réaction à l'urbanisation : le Juif devient symbole de la grande ville moderne cosmopolite, il en est même la personnification [145]. Dans la même perspective, Klineberg relève le mécanisme d'imputation à un bouc émissaire en tant que pseudo-explication des malheurs et des épreuves — le gain gnoséologique s'ajoutant au mobile économique [146].

3. *L'approche situationnelle* peut être illustrée par la théorie de l'« atmosphère », soit l'ensemble des forces extérieures qui agissent sur l'individu, les diverses influences sédimentées s'exerçant sur l'enfant dans son environnement social/familial [147]. L'approche situationnelle considère tous les effets de la mobilité sociale :

situations de compétition économique, de chômage, contact interethnique[148]. Les préjugés sont ici définis comme « appris »[149] : ils constituent l'un des aspects du processus d'apprentissage, mettent en œuvre des représentations culturelles sans fondement naturel (couleur de la peau) ni causes réelles (concernant les traits de l'objet-stimulus). Klineberg, après Bogardus, insiste sur l'adoption passive des stéréotypes ethniques, et, en référence à une étude de Hartley, sur l'hypothèse que les préjugés peuvent se développer en l'absence de toute expérience personnelle concernant les groupes visés[150]. De sorte que l'on peut renverser l'évidence idéologique, en privilégiant le processus d'imputation légitimatoire : « Ce ne sont pas les caractéristiques des immigrants qui sont cause de l'antipathie à leur égard, mais [...] on leur attribue plutôt des caractéristiques qui justifient en apparence cette antipathie[151]. » Les préjugés apparaissent ici liés à l'imaginaire collectif ritualisé plutôt qu'aux caractéristiques du réel social : les traits ethniques attribués sont l'effet plutôt que la cause des préjugés. Mais, sur le modèle de la réalisation automatique des « prophéties[152] », on peut craindre que les préjugés ethniques n'engendrent les conditions de leur vérification[153]. Après Merton et Allport[154], Klineberg relève l'importance des « prophéties autoréalisatrices » dans le domaine des relations interethniques : « Les Noirs sont considérés comme des êtres inférieurs, par conséquent on ne leur accorde pas suffisamment de chances d'éducation et par conséquent ils deviennent effectivement inférieurs, non pas bien sûr pour ce qui est de leurs capacités potentielles, mais du point de vue de ce qu'ils accomplissent effectivement en moyenne[155]. » Les deux problèmes fondamentaux sont donc d'abord celui des modes d'inculcation des « attitudes régnantes » et des idées reçues, ensuite celui des implications de la relation circulaire entre préjugé et discrimination, interaction mise en lumière par G. Myrdal en 1944[156]. Entre préjugé et discrimination l'on ne saurait se contenter de poser une relation de cause à effet, même s'il existe une forte corrélation, positive et négative, entre l'un et l'autre. Mais, si l'on ne peut légiférer contre le préjugé, il est possible d'éliminer la discrimination : « Ainsi le préjugé s'en trouvera diminué, quand auront disparu les symboles de l'infériorité ethnique supposée[157]. »

4. *L'approche par la structure et la dynamique de la*

personnalité (ou approche psychodynamique) : elle suppose, comme l'approche situationnelle, la centralité du processus de socialisation et d'inculcation. L'hypothèse selon laquelle les préjugés constituent une dimension de la personnalité [158] est au fondement des recherches sur « la personnalité autoritaire » de la fin des années quarante [159], dont les résultats bien connus semblent attester une forte corrélation des attitudes : « Dans l'ensemble, les sujets qui n'aiment pas les Juifs n'aiment pas non plus les Noirs ni les autres minorités, et donnent des réponses extrêmement patriotiques [160]. » D'où la possibilité de construire ce « nouveau type anthropologique » : la personnalité autoritaire, comprenant notamment les traits d'ethnocentrisme, d'antisémitisme, d'hostilité envers les minorités, de conservatisme (politico-économique), de traditionalisme (adhésion aux valeurs conventionnelles), de goût pour l'autorité (soumission et agressivité) [161]. L'une des faiblesses de ce programme de recherche est de postuler que l'objet étudié, lequel est aussi un adversaire (ou un repoussoir), relève de la pathologie [162]. Allport cite Hobbes pour illustrer une variante de l'approche psychodynamique des causes du préjugé en général, les racines de celui-ci étant à chercher dans les « mauvais instincts » de l'homme, dans ses désirs illimités, insatiables : « Nous pouvons trouver dans la nature humaine trois causes principales de querelle : premièrement, la rivalité *[Competition]* ; deuxièmement la méfiance *[Diffidence]* ; troisièmement, la fierté *[Glory]* [163]. » C'est la théorie « frustrationnelle » du préjugé [164].

5. *L'approche phénoménologique* vise le système des réponses aux stimuli extérieurs conformes à la conception du monde portée par le sujet [165], autrement dit, s'intéresse à la manière dont l'individu perçoit l'objet-stimulus. Klineberg conteste non sans arguments qu'à l'approche phénoménologique corresponde un niveau distinct d'analyse causale [166] : l'interprétation subjective-idéologique du réel social par tel acteur peut être pensée en tant qu'effet plutôt qu'en tant que cause. Ainsi lorsque ce n'est pas le groupe visé par le préjugé qui est l'objet-stimulus, mais un ensemble de représentations inculquées et intériorisées attribuées à ce groupe.

6. *L'approche par l'objet-stimulus*, partant donc des caractéristiques réelles imputables aux divers groupes ethniques [167]. Ce serait le noyau empirique inéliminable du préjugé, l'un des matériaux à partir duquel le bricolage idéologique s'opère. On postule donc ici l'existence de conditions réelles d'une réputation acquise, laquelle serait, au moins pour une part, « méritée ». On pose, en tout cas, l'existence d'une interaction au niveau causal : les préjugés seraient co-engendrés par la nature du stimulus et par des considérations étrangères au stimulus, par des caractéristiques surajoutées à celles de l'objet réel (recherche d'une victime émissaire, projection de culpabilité, stéréotypie, conformité à la tradition) [168].

Ce rapide exposé des diverses « théories du préjugé » nous semble devoir être conclu par l'évidence, conquise par l'analyse, que les préjugés sont multidimensionnels, en ce qu'ils « peuvent résulter d'un certain nombre de causes différentes et satisfaire à des mobiles variés [169] ». Cette multidimensionnalité du préjugé devrait se retrouver dans les modèles d'intelligibilité que nous en construisons. Ce qui pourrait ébranler les deux forteresses antagonistes qui se partagent l'approche idéologico-politique du préjugé : celle des partisans de la naturalité et de l'éternité des préjugés raciaux (les pessimistes « de droite »), celle des partisans de leur historicité limitée à la modernité capitaliste et impérialiste (les optimistes « de gauche »).

LE SENS POPULAIRE : CENTRATION SUR LA HAINE, LE MÉPRIS, L'INÉGALITÉ

Comment peut-on ne pas être raciste ?

Dans les pratiques discursives ordinaires, le mot « racisme » tend de plus en plus, par simplification, extension et généralisation, à désigner « des attitudes visant à créer ou à maintenir des rapports inégaux entre groupes raciaux [170] », voire à « raciser » tout groupe par une attitude méprisante, agressive ou hostile. Le cercle définitionnel est patent : on construit par dérivation du nom « racisme » un verbe : « raciser », qui désigne l'acte de soumettre l'autre au racisme, verbe ensuite redéfini de façon à désigner tout acte avéré d'hostilité et d'exploitation, de haine, de mépris et de domination des groupes-victimes (les « racisés »). Être une victime, en tant que membre d'un groupe « racisé », c'est donc être

« racisé » : l'individu « racisé » l'est en tant qu'il est victime par le seul fait d'être catégorisé comme membre du groupe « racisé », par instantiation. C'est ainsi que le discours sur le racisme en arrive à se confondre avec le discours victimaire contemporain, qui lui donne un supplément d'acceptabilité affectivo-imaginaire en lui servant de nouveau vecteur. Dans le discours ordinaire, comme dans ses reprises journalistiques (qui le formalisent et le ritualisent en retour), on tend désormais à appeler « racisme » l'ensemble des actes que l'on désapprouve, réprouve ou condamne absolument, lorsque ces actes mettent en relation un groupe perçu comme « bourreau » ou racisant (exploitant, dominant, abusant, discriminant, méprisant, agressant, etc.) et un groupe perçu comme « victime ». La relation de racisation se définit dès lors comme intersubjective, et l'intersubjectivité comme conflictuelle. La spécificité du racisme, en tant qu'idéologie, attitude ou pratique institutionnelle, est par là effacée, au profit de la relation indéfiniment extensible à laquelle elle réfère désormais : bourreau illégitime/victime innocente, où transparaît l'opposition typologique des méchants et des bons. Sur cette simplification dualiste se greffe une mythologisation à deux faces : d'une part, la démonisation du racisant, l'absolutisation de la méchanceté du « raciste » (le type « éternel » du « pur » méchant, qui l'est gratuitement, de façon désintéressée) ; d'autre part, l'absolutisation de l'innocence des victimes, les racisés, abstraits ou isolés de tout contexte social, angélisés si l'on peut ainsi dire. C'est à ce titre que « le raciste » est chassé du genre humain comme l'on expulse un corps étranger, présumé absolument dangereux pour le corps propre des victimes (innocentes par définition, soit en tant que minorité dominée et réprimée, soit en tant que majorité exploitée et discriminée). La déshumanisation de l'ennemi « raciste », voire sa surhumanisation négative, permet de comprendre des propositions antiracistes de ce type, avancées au nom de la meilleure des causes (l'antifascisme) par un historien cinéaste et pédagogue, doté de la légitimité requise (avoir combattu directement le fascisme) : « [...] je suis de ceux qui ont fait la dernière guerre. Nous étions face aux fascistes [...]. Pour lutter contre ces gens-là, il faut les isoler moralement, politiquement et idéologiquement [171]. » On (un antiraciste digne de ce nom) ne saurait discuter avec « ces gens-là », qui sont les exclus du dialogue antiraciste. On doit se contenter de les mettre hors d'état de « nous » contaminer, c'est-à-dire hors d'état de nuire (leur essence étant de nuire : ce sont, littéralement, des « nuisibles »). N'insistons pas sur l'évidente ressemblance de traitement discursif du « raciste » pour l'antiraciste et du Juif ou du Nègre pour le raciste ou l'antisémite.

L'usage non savant du mot « racisme » développe donc, de façon quasi exclusive, les thèmes de l'hostilité, de la haine, du mépris et de l'inégalité (ou de l'injustice sociale) portant soit sur des groupes numériquement minoritaires, « victimes » désignées par leur faiblesse, soit sur des groupes majoritaires, socialement, économiquement et politiquement minorisés (le régime sud-africain d'*apartheid*). Lorsque tel scientifique engagé déclare qu'« être raciste », c'est mépriser l'autre au nom de son appartenance à un groupe [172], ce groupe étant définissable par des critères très divers (de la couleur de la peau à tel ou tel indice socialement visible relevant du patrimoine culturel), il ne fait que reprendre, en la légitimant par sa position de savant reconnu, la définition en cours dans ce qu'on suppose être l'opinion publique. Il réfléchit le sens commun et la connaissance ordinaire du « racisme », leur donnant la noblesse d'une pensée de scientifique. Il « dignifie » et magnifie l'ordinaire idéologique, ce dont on lui sait gré (un tel discours passe et repasse dans les médias, il est le discours des médias). Il y aurait, dans cette perspective, autant de « racismes » que de manières de *légitimer* le mépris ou l'exclusion [173]. C'est dans une telle problématique que surgit le néologisme savant « raciser », conférant à cette extension indéfinie du mot « racisme » une valeur conceptuelle (ou une apparence de légitimité scientifique), dans la terminologie des sciences sociales (plus précisément : d'une psychologie sociale hypercritique) [174]. Le mot « racisme », en tant que dénominateur supposé commun à l'ensemble des lexèmes qu'il totalise et supplée, est un archi-lexème. Un nouveau mot apparaît de la sorte, lorsque la figure complexe (métaphore et métonymie) est lexicalisée : non plus le « racisme-nazisme » (théorie des races, extermination des races inférieures, etc.), mais le « racisme-haine/mépris/exclusion/exploitation ». Le discours gauchiste occidental contemporain, dénonçant de façon élargie et indéfinie « le racisme » ou « les racismes », ne fait ici que pousser à l'extrême une tendance observable dans l'usage hégémonique du mot « racisme ». C'est pourquoi, sur le seul cas de la dénonciation du racisme, s'observe un curieux consensus de base, du gauchisme et du communisme institutionnel à la droite libérale et conservatrice, les nationaux-populistes (Front national) se déclarant eux-mêmes étrangers, voire hostiles, au racisme. En condensant les extrêmes, le plus abstrait (« rejet de l'autre ») et le plus concret (injures et injustices quotidiennes), le « racisme » au sens ordinaire peut engendrer un consensus sur son rejet absolu. L'antiracisme, qui est l'idéologie de ce rejet, mélange non moins la haute abstraction morale (respect de l'autre, tolérance) et le vécu quotidien des valeurs et des normes (défense des droits de tel immigré, dans telle situation discriminatoire).

Haine ou mépris éprouvés par un sujet raciste pour des victimes qu'il croit (à tort) dangereuses (donc devant être rejetées) ou inférieures (donc exploitables et dominables) : telle est la forme générale des définitions populaires du racisme. Que les racisés soient interprétés comme ennemis menaçants dans une relation d'affrontement, ou comme inférieurs exploitables dans une relation de subordination, la prescription racisante est la même : éviter de se mêler à, de se mélanger avec. Dans les deux cas est prescrit un évitement de type phobique du contact avec le non-semblable, soit démonisé soit animalisé. Quant à l'argumentation antiraciste « spontanée », renversant l'attitude mixophobique caractéristique du racisme en général, elle tend non sans naïveté à prescrire le mélange comme la solution-miracle et à ériger ce faisant la mixophilie en fondement de son système de valeurs.

Ce qui définit le noyau du racisme au sens « populaire », c'est l'évidence qu'il y a une relation nécessaire entre l'identification ethnique des individus généralement opérée par inférence à partir de la couleur de peau, et la dominance des passions négatives telles que la haine ou le mépris. Ainsi, dans son livre sur *Le Préjugé de race et de couleur*, sir Alan Burns définit-il celui-ci de la façon suivante : « Une haine irraisonnée d'une race pour une autre, le mépris des peuples forts et riches pour ceux qu'ils considèrent comme inférieurs à eux-mêmes, puis l'amer ressentiment de ceux contraints à la sujétion, et auxquels il est souvent fait injure. Comme la couleur est le signe extérieur le mieux visible de la race, elle est devenue le critère sous l'angle duquel on juge les hommes sans tenir compte de leurs acquis éducatifs ou sociaux [175]. »

Un rousseauisme à l'usage de tous (être soi-même : être sans préjugés)

> « J'appelle ici préjugés, non pas ce qui fait qu'on ignore de certaines choses, mais ce qui fait qu'on s'ignore soi-même. »
>
> MONTESQUIEU.

Il n'est guère facile de reconnaître un préjugé comme tel, car il faudrait pour cela le ressentir en soi tout en en étant dépourvu, le conserver sans l'assumer, le redéfinir enfin en objet de connaissance. Il faut donc recourir à la méthode de l'indice. Deux critères semblent dénués d'équivoques : l'*erreur*, une fois qu'elle est découverte, dans l'ordre de la connaissance ; l'*intolérance*, lorsqu'elle déploie ses déplorables effets, dans l'ordre de la pratique. Le rationalisme critique, le néo-cartésianisme gnoséologique, psychologique et politique des Lumières, ne pouvait que balancer entre ces deux indices de la présence active du préjugé. On dira justement, mais non sans malignité, qu'il existe une forme spécifique du préjugé liée à la tradition antitraditionaliste, qui définit la modernité : le préjugé de style cartésien (rationaliste critique), consistant à ériger l'absence de préjugé en valeur suprême. L'état de l'homme sans préjugés est l'idéal de la science de l'homme, son inévitable part éthique : s'il faut étudier l'homme dans toutes les formes de sa diversité, monstruosité comprise, il faut aussi se former une idée de l'homme tel qu'il peut être pour être ce qu'il doit être. On connaît le rêve cartésien de faire l'économie d'une longue enfance inéluctablement dominée par l'imagination, « maîtresse d'erreur et de fausseté » : l'idéal serait de naître raisonnable, à l'âge adulte de l'esprit, où la raison toute faite, tout entière en possession de son pouvoir, permettrait l'accès direct, sans détours, à la vérité.

Le doute méthodique n'intervient qu'en raison de notre infirmité native : s'il faut douter afin de réaliser une réforme purificatrice de l'esprit, c'est que les règles idéales de celui-ci ont été comme embrouillées par les errances théorico-pratiques de l'enfance. L'esprit se développe spontanément en s'enveloppant de préjugés : le doute méthodique est l'instrument de sa libération, seconde naissance, la première ayant eu lieu sans aucun doute, malheureusement. C'est donc pour l'homme une voie obligée vers le vrai que de perdre du temps à reconnaître ses erreurs : « Si on veut espérer de rencontrer un jour un chemin vers la vérité, ce n'est qu'après avoir bien reconnu tous ceux qui mènent à l'erreur », dit Voltaire[176]. Mais c'est là néanmoins gagner du temps, puisque le temps de la genèse des préjugés était du temps perdu.

Il y a bien un consensus moderne sur le rejet du préjugé en général. Prenons la préface de *L'Esprit des lois*. Montesquieu y affirme ne point tirer ses principes de ses « préjugés, mais de la nature des choses[177] ». On peut entendre par là qu'il faut ne connaître que des faits, éviter de juger « ce qui est par ce qui doit être », c'est-à-dire récuser à la fois l'idée que la religion et la morale puissent juger de l'histoire[178], et « l'idée que l'abstraction d'un idéal politique, même revêtu des principes de la science, puisse tenir lieu d'histoire[179] ». Montesquieu, pour donner à la connaissance des sociétés dans leur histoire le statut de science, demande d'écarter les préjugés. Comme avant lui, de façon différente, Descartes, et après lui, dans une perspective opposée, Rousseau. Celui-ci, contre le légalisme factualiste de Montesquieu, postule en effet qu'« il faut savoir ce qui doit être pour bien juger de ce qui est[180] ». Mais l'histoire conjecturale des hommes esquissée dans le *Discours sur l'origine de l'inégalité* postulait que les hommes, étant nés libres, égaux, indépendants, sans préjugés et intègres, sont devenus dans et par l'histoire des sujets contraints (« dans les fers »), soumis à la relation d'inégalité, dépendants, prisonniers d'opinions fausses ou de superstitions, déchirés enfin entre leurs inclinations et leurs devoirs[181]. Or, l'*Émile* nous intéresse ici tout particulièrement du fait que « ce roman raconte l'histoire de leur espèce [celle des hommes] telle qu'elle devrait être[182] ». L'homme doit être guéri du malheur et de l'immoralité qu'il tient de l'histoire, élément et instrument de corruption. L'*Émile* trace les étapes de l'éducation qui guérirait l'homme, le réconcilierait avec lui-même, c'est-à-dire lui permettrait de devenir enfin lui-même en développant toutes ses facultés. *Être soi-même* plutôt qu'être vertueux : voilà la formule de la révolution opérée par Rousseau dans sa morale élargie, incluant psychologie génétique et pédagogie. Redevenir soi-même, c'est se libérer des effets de l'amour-propre, c'est s'arracher aux illusions et séductions pernicieuses de la vanité : « Atteindre l'intégrité, l'unité ou l'individualité de l'homme [...], tel est l'objectif sérieusement poursuivi dans l'*Émile*, et dans presque tout ce qui est venu après[183]. » Le bonheur de l'homme réside dans la coïncidence absolue du fait d'être soi-même et de l'unité retrouvée, du retour à l'authenticité du soi et de la bonté originelle. Double sens de l'exigence de transparence : dans les relations avec les autres, ne pas penser à soi ; dans la compréhension de soi, ne pas penser aux autres. La valeur nouvelle : l'*authenticité*, qui s'applique par excellence à l'individu se rapportant à lui-même, par-delà les inauthentiques satisfactions de la vanité. Cette exigence absolue d'un retour à soi-même est l'une des grandes avenues de la modernité : l'analyse rousseauiste « donne le départ au grand désir d'être soi-même et à la haine de l'aliénation qui caractérisent toute la pensée moderne [184] ». La dégradation de l'amour de soi en amour-propre définit le processus de fabrication des préjugés les plus tenaces, qui se confondent avec l'inauthenticité et l'immoralité de l'homme soumis au régime de l'aliénation (en tant qu'exilé loin de sa vraie nature) : se tromper sur soi-même tout en trompant les autres, voilà le noyau dur du monde des préjugés.

Dans une telle perspective, qui est l'homme sans préjugés ? Reprenons les esquisses historiquement attestées. Dans la conception cartésienne, à défaut de naître à quarante ans, l'homme sans préjugés peut être engendré par le doute méthodique. La conception rousseauiste se présente de façon analogue : à défaut de renaître comme homme à l'état de nature (et plus particulièrement dans l'état de « jeunesse du monde », où les hommes intègres et transparents à eux-mêmes étaient heureux), l'homme sans préjugés peut se faire par l'éducation, ce qui le disposerait à l'état de citoyen, lequel, identifiant son bien propre au bien commun, ne saurait se servir de celui-ci pour réaliser celui-là [185]. L'homme sans préjugés est soit l'homme *d'avant* l'acquisition des préjugés (avant l'histoire, la société, ou l'enfance, la [mauvaise] éducation), soit l'homme *d'après* l'abandon des préjugés (le doute méthodique, l'éducation d'*Émile*). Mais le retour à l'avant n'est lui-même possible que dans l'après, par le détour qui s'opère après l'installation des préjugés, toujours déjà là. Voilà pourquoi la lutte contre les préjugés tend à se concevoir comme un mouvement vers l'avant. A ce progressisme spéculatif correspond, dans l'ordre de la pratique, une méthode synthétique qu'on pourrait caractériser par le terme de rééducation, si rééduquer signifie à la fois détruire les fondements inadéquats (éliminer) et reconstruire tout autre chose (remplacer), sur des fondements sûrs. L'homme sans préjugés est celui qui s'est rééduqué lui-même. Il suffit de passer du plan de l'individu à celui de l'humanité pour retrouver la vision marxiste de l'histoire comme processus d'autosuppression des préjugés, si ces derniers s'opposent soit à la vérité (le préjugé est erreur), soit à la liberté (le préjugé est prison) : la fin, le terme de la « préhistoire » des hommes coïncide avec le commencement vrai de l'histoire humaine, c'est-à-dire du développement infini de la vérité (par les sciences positives) et de la liberté (dans et par le communisme). *Être sans préjugés, c'est être soi-même.* L'homme sans préjugés est celui qui vit et pense par lui-même. Alexandre Vinet, qui n'aimait guère le Siècle des lumières, notait : « Le préjugé, ce grand objet de la haine du XVIIIᵉ siècle ; le préjugé, mot dans lequel les philosophes du temps ont si souvent résumé toutes les opinions qu'ils ne partageaient pas ; le préjugé est le péché originel de la philosophie du XVIIIᵉ siècle [186]. »

L'EXPLICITE ET L'IMPLICITE. RACISME ET RÉDUCTIONNISME

Georges M. Frederickson propose en outre de distinguer entre :

1) le *racisme explicite* et articulé que l'on trouve dans la pensée et l'idéologie du XIXᵉ et du début du XXᵉ siècle : le *racisme idéologique*, qui se caractérise par la présence d'une « doctrine explicite d'infériorité biologique innée [187] » ;

2) le *racisme ordinaire*, ou implicite, qui est « reflété par les rapports sociaux réels ». « Si un groupe racial en traite un autre comme s'il était intrinsèquement inférieur, nous aurons le "racisme ordinaire", même si le groupe dominant n'articule pas (ou plus) ses comportements. »

La thèse de Frederickson est que « le racisme implicite ne s'accompagne pas nécessairement de racisme explicite. En fait, les événements du XXᵉ siècle montrent que le racisme ordinaire continue à bien se porter longtemps après le rejet du racisme idéologique dans les cercles intellectuels du groupe dominant ». Mais le racisme explicite ou idéologique, « en justifiant des structures préexistantes de subordination raciale, [...] renforce le système en vigueur qui peut ainsi affronter des crises idéologiques sérieuses comme les révolutions démocratiques du XVIIIᵉ siècle et la montée de la démocratie bourgeoise ».

Les États-Unis ont, selon Frederickson, articulé racisme explicite et racisme implicite en une synthèse spécifique : « Contrairement au Brésil et aux autres pays d'Amérique latine [sociétés qui, "malgré leur côté discriminatoire, ne sont pas franchement racistes"], les États-Unis ont été véritablement racistes, et ont en gros traité les Noirs en êtres intrinsèquement inférieurs ; sur plus d'un siècle, cette structure rigide de classification sociale a été étayée par une idéologie raciste très largement partagée. »

On notera qu'à travers toutes ces définitions apparaît un invariant du racisme : tout racisme implique la *réduction* à une détermination unique (l'univers racial) de la diversité des univers d'appartenance dans lesquels s'élabore l'identité individuelle (ou personnelle). Dans un monde étranger au racisme — fiction méthodologique —, l'identité personnelle se construit et se conserve par *synthèse* d'identités multiples, qui forment autant de territoires ou de possessions du moi : mon corps, mes membres, mon nom, mon adresse, ma profession, « les miens », mes racines/mes origines, mon pays, mes droits et mes devoirs, mes positions et mes rôles, mes amis, mes opinions, etc. [188]. Cette synthèse métastable d'une multiplicité s'oppose à la réduction à l'unicité stable de l'identité raciale d'origine, marquée par la couleur de peau (fatum du phénotype).

Par-delà toute réduction racialiste : l'identité plurielle

Une telle conception de l'identité comme plurielle et en perpétuel état de déséquilibre/rééquilibration a l'avantage d'éviter les deux principaux écueils, péchés d'abstraction symétriques, de toute définition de l'identité individuelle : soit l'ineffabilité de la singularité pure (l'individu insulaire comme abstraction dont on ne peut rien dire), soit l'unidimensionnalité de la détermination collective (ou le monocausalisme de tel cercle d'appartenance privilégié arbitrairement). Il faut penser la *pluri-appartenance.*

Les divers systèmes, les multiples « nébuleuses » (classes, races, nations, etc.) dont l'individu fait partie, définissent son identité sociale, plurigroupale. Ces appartenances multiples sont-elles à penser comme autant de cercles concentriques (articulées donc selon une série d'inclusions) ou comme des sphères d'appartenance hétérogènes ? Valéry s'interrogeait naguère sur la pluri-appartenance des individus modernes, situés au croisement de « nébuleuses » peut-être incommensurables, en tout cas souvent mutuellement exclusives : « Les opinions opposées au sujet de la guerre peuvent se ramener simplement à l'incertitude d'une époque — la nôtre — sur cette question : *quels sont les groupements qui doivent se faire la guerre ?*

« Races, classes, nations, ou autres systèmes à découvrir ?

« Car on a découvert la classe, la nation, la race comme on a découvert des nébuleuses. Comme on a découvert que la Terre faisait partie d'un certain système, et celui-ci de la Voie lactée, ainsi a-t-on découvert qu'un tel était *ceci* par sa naissance et *cela* par ses moyens d'existence ; et il lui appartient de choisir ou de s'embarrasser s'il suivra sa nation, ou sa classe, ou sa secte — ou sa nature [189]. »

Par l'affirmation que l'individu n'est comme tel qu'une abstraction [190], Comte ne faisait que définir la conception sociologiste [191] de l'individuel : « L'individu en tant qu'être isolé est une pure abstraction. La consanguinité, le voisinage, la collaboration [et la concurrence, les divers liens qui naissent de la poursuite en commun des mêmes buts], l'autorité et la subordination l'intègrent dans la société ; et comme celle-ci se compose d'individus "structurés", on y retrouve les mêmes régularités structurales [192]. »

A la fin de son essai de 1894, *Idées concernant une psychologie descriptive et analytique* [193], Dilthey présente de façon synthétique sa conception des « catégories de différences », requise par la psychologie individuelle descriptive et plus généralement par l'étude de l'individualité. Les catégories de différences « sont formées en premier lieu par *les sphères qui délimitent les diverses subdivisions que comporte l'uniformité de la nature humaine* ». Si « la plus générale de toutes les différences est *celle du sexe* », il faut considérer toutes les autres « délimitations des différences individuelles à l'intérieur de l'uniformité relative de la nature humaine » : races humaines, nations, classes sociales, professions, degrés de développement historique, individualités. Ce sont les « formes du particulier dans la nature humaine » qu'étudie la psychologie descriptive, apportant ce faisant « l'intermédiaire attendu » entre la nature humaine et l'objet des sciences morales. Car si, dans les sciences de la nature, « c'est le constant *[Gleichförmige]* qui est le but principal de la connaissance », dans le monde historique, « il s'agit de différenciations allant jusqu'à l'individu ». Dilthey précise que « nous ne descendons pas l'échelle de ces différenciations, nous la gravissons », et que « la vie de l'histoire est dans l'approfondissement progressif du particulier ». Dans un essai de 1895-1896, le philosophe définira l'objet propre des sciences morales : « C'est précisément *dans la combinaison du général et de l'individuel* que réside ce que les sciences morales systématiques ont de plus particulier [194]. » C'est ainsi dans la vie de l'histoire « que réside la liaison vivante entre le règne de l'uniforme *[Gleichförmige]* et celui de l'individuel. Ce n'est pas le singulier même qui y règne mais précisément cette relation [195] ». C'est cette « articulation du général et du particulier » qui fait qu'il existe des « personnalités représentatives [196] », des individus dans lesquels s'incarne la mentalité de toute une époque. Entre les pôles de l'universel (l'uniformité de la nature humaine) et de l'individuel s'étend donc le règne du particulier, avec ses degrés :

{sexe, race, nation, classe/caste, profession,
degré de développement historique, individualité}

Dans sa grande étude sur *Le Vocabulaire des institutions indo-européennes* [197], É. Benveniste, analysant l'organisation sociale, montre qu'elle repose sur une classification différente de l'organisation tripartite : « La société est considérée non plus dans la nature et la hiérarchie des classes, mais dans son extension en quelque sorte nationale, selon les cercles d'appartenance qui la contiennent. » Ces cercles d'appartenance, divisions politiques affectant la société considérée dans toute son étendue, forment une structure qui est la plus apparente dans l'ancien iranien, lequel a conservé quatre termes renvoyant à quatre cercles concentriques, « quatre divisions sociales et territoriales qui, procédant de l'unité la plus petite, s'élargissent jusqu'à englober l'ensemble de la communauté ». Ces dénominations sont : la « famille » *(dam-)* ; le « clan » *(vís)* groupant plusieurs familles ; la « tribu » *(zantu)* : « l'ensemble de ceux qui sont de même naissance » ; le « pays » *(dahyu)*. La théorie sociologique de la personnalité, chez P.A. Sorokin, peut se traduire dans une problématique des multiples cercles d'appartenance de l'individu, lequel est « un *social Ego* ou plutôt une pluralité d'*Ego*, surtout dans les sociétés différenciées constituées par une pluralité de groupes [198] » : « La personnalité a une "structure socio-culturelle" [...] et le pluralisme des "Soi" *[selves]* dans l'individu est le reflet du pluralisme des groupes auxquels il participe, de leur "culture" [199]. » L'identité sociale de l'individu apparaît comme la synthèse (instable) des multiples *Ego* renvoyant aux divers groupes d'appartenance de l'individu. Or, le pluralisme sociologique semble, comme le notait E. Dupréel, en parfaite congruence avec le processus général de modernisation : « L'évolution de l'espèce humaine, loin d'aller à l'unité de groupement, a fait la multiplicité des groupes plus grande et plus variée. Le développement des facultés supérieures telles que la mémoire et la prévision a permis aux individus d'appartenir à plusieurs groupes indépendants, de superposer aux groupements territoriaux d'autres formes d'association fondées sur des intérêts et sur des valeurs spirituelles[200]. » Le pluralisme sociologique, précise Perelman, « résulte du fait que des individus font simultanément partie de plusieurs groupes qui tantôt collaborent et tantôt s'opposent, dont chacun cherche à marquer son existence et, dans la mesure du possible, son autonomie[201] ». Nous retrouvons la question de l'identité sociale, et celle, qui lui est corrélative, de la catégorisation sociale. Car, percevoir autrui, « c'est le classer dans certaines catégories culturellement significatives [...]. Tout se passe comme si chaque membre d'une société avait, en commun avec les autres, un répertoire d'identités sociales, associé à un certain nombre d'indices d'identification[202] ».

Mais ces divers cercles d'appartenance doivent-ils être conçus comme autonomes (ou hétérogènes), ayant éventuellement des intersections, ou comme se hiérarchisant selon la représentation de cercles concentriques ? Lorsqu'on veut échapper au tragique de l'hétérogène et de l'antagonistique, on range les appartenances selon des cercles concentriques, du plus particulier au plus général.

Analysant la « formation des endogroupes », G.W. Allport présente une schématisation simple des cercles concentriques d'appartenance des individus, du plus particulier (famille) au plus général (humanité).

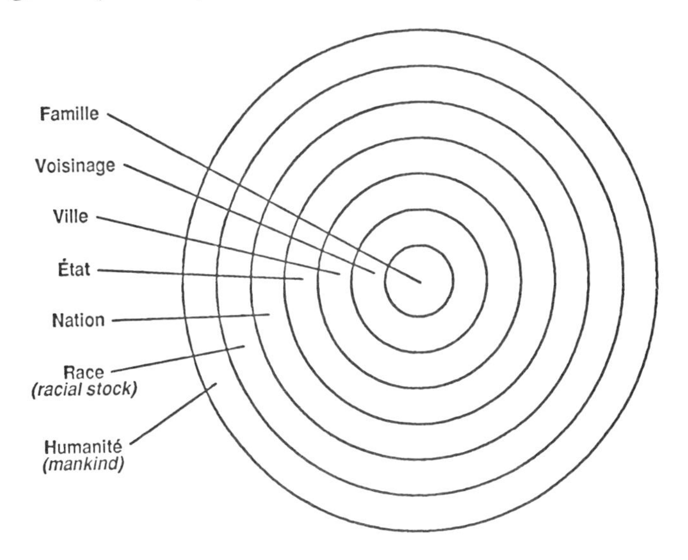

Cette figure « exprime le sentiment commun que la puissance de l'appartenance s'amoindrit tandis que la distance du contact personnel s'accroît[203] ». L'hypothèse ainsi formulée et illustrée est donc celle de la diminution de la puissance *(potency)* endogroupale à mesure que l'appartenance *(membership)* devient plus inclusive. On peut penser qu'à chaque cercle d'appartenance correspond un degré (ou un type) spécifique de loyauté : la pluri-appartenance impliquant des allégeances contradictoires, des conflits entre types ou degrés de loyauté s'ensuivent nécessairement.

L'usage raciste des catégories essentielles

A travers une illustration d'un conflit d'évidences dans l'application de la justice, Perelman esquisse une analyse du réductionnisme raciste. Perelman définit la justice formelle comme « le principe d'action selon lequel les êtres d'une même catégorie essentielle doivent être traités de la même façon[204] ». L'application de la justice suppose dès lors une classification ou une ordination des êtres d'après la caractéristique essentielle qui lui sert de base, catégorisation qui doit se refléter dans la division en classes de l'univers du discours. Or, il arrive le plus souvent, lorsqu'on vise à l'application de la justice, que « notre sentiment de justice [tienne] compte, simultanément, de plusieurs caractéristiques essentielles indépendantes, qui donnent lieu à des catégories essentielles qui ne s'accordent pas toujours ». Nous nous trouvons alors en présence d'une des nombreuses *antinomies* de la justice. Mais ces antinomies peuvent être considérées comme le cas normal. Il n'est pas moins normal de tenter de « sortir du malaise créé par les antinomies de la justice » en donnant « délibérément le pas à une caractéristique essentielle au détriment de toutes les autres ». Or, « la façon la plus efficace d'y arriver consiste dans la mise en évidence de cette caractéristique essentielle à l'aide de signes extérieurs, naturels ou artificiels » : signes naturels comme la couleur de la peau, marquant une appartenance ou une non-appartenance ; artificiels comme l'uniforme, marquant d'abord l'appartenance à un groupe déterminé. L'analyse du racisme comme processus de monocatégorisation montre comment le choix d'une caractéristique (la pigmentation), par sa présence ou son absence, permet de diviser l'ensemble des êtres considérés en deux catégories essentielles : « La distinction des hommes en catégories essentielles basées sur la couleur de leur peau a été pendant longtemps l'argument péremptoire que l'on opposait à ceux qui exigeaient l'abolition de l'esclavage. On trouvait normal que l'on ne traite pas en esclaves des hommes de race blanche, mais pourquoi accorder ce traitement à des êtres d'une catégorie aussi différente que les nègres ? Les nègres ne sont pas des hommes, disait-on, c'est-à-dire qu'ils ne font pas partie de la même catégorie essentielle que les hommes blancs, et on pouvait donc les traiter d'une façon inhumaine. De même la conception qui voulait considérer les Juifs comme des êtres d'une race différente, caractérisée par des signes extérieurs manifestes, s'efforçait de justifier par là le traitement tout particulier qu'on voulait leur appliquer. »

On peut distinguer ici quatre niveaux d'argumentation correspondant à quatre genres de discours :

1) genre *cognitif* : les nègres n'appartiennent pas à l'humanité-espèce, qui s'identifie essentiellement à la race blanche ;

2) genre *évaluatif* : les nègres ne représentent pas l'humanité-valeur, ils ne participent pas de la dignité propre à toute personne humaine ;

3) genre *légitimatoire* : les nègres peuvent être traités de façon différente des Blancs, il n'est pas interdit de le faire ;

4) genre *normatif* : les nègres doivent être traités comme des non-humains, ou des sous-hommes, il faut le faire.

Dans son analyse des relations sociales, Marie Jahoda aborde la question des « origines psychogénétiques du préjugé racial » à partir d'une hypothèse forte sur les effets des troubles de l'identité personnelle, liés à la perte des facteurs sociaux d'autodéfinition : « Tout changement brusque dans les conditions d'existence amène l'individu à s'interroger sur sa propre identité [...]. Le nom, le domicile, la profession, les habitudes et les relations sociales aident l'individu à se définir. Toute modification brusque de ces éléments extérieurs suscite chez lui une angoisse en le contraignant à reconsidérer son attitude à l'égard du monde et en modifiant le comportement des autres à son égard [205]. » D'où l'hypothèse que « l'incertitude vis-à-vis de soi-même est à l'origine de l'hostilité raciale [206] », hypothèse dont les travaux classiques sur *La Personnalité autoritaire* fournissent une traduction en termes de trait typologique : si le « conformisme » est nécessaire pour assurer toute autodéfinition individuelle, il est « poussé à l'extrême chez les autoritaires[207] ». La préservation des cadres sociaux de l'identité individuelle est la condition de tout mécanisme de défense contre l'angoisse. Dans cette perspective, Robert Pagès présente comme probable que « la préservation de l'identité raciale familiale est pour beaucoup de gens une façon importante d'être "sûr de soi" plutôt qu'incertain parce que assuré des solidarités les plus élémentaires[208] ». Si donc le préjugé racial a une fonction psychologique (mécanisme de défense) et une fonction sociale (légitimation des types existants de rapports sociaux), il est attribué en particulier (sinon en propre) au « type autoritaire ». Mais il n'est guère difficile de découvrir que ladite « personnalité autoritaire », sujet d'inhérence privilégié du préjugé, se confond avec la « personnalité antidémocratique[209] ». Certaines conclusions des recherches de psychologie sociale conduites dans les années quarante et cinquante pourraient n'être que des légitimations savantes d'évidences reçues de l'idéologie antitotalitaire, laquelle s'est constituée autour de la critique du nazisme, son premier modèle historique[210]. Mais l'objet répulsif par excellence n'est plus, tandis que le discours qui l'analyse en le dénonçant tourne toujours.

7

Antiracisme et idéologie antipréjugés

Comment lutter ? Orientations et solutions utopiques

Du racisme comme théorie fausse, mensongère et dépassée

Dans l'introduction, datée de mai 1939, de son livre sur *Le Viol des foules*, S. Tchakhotine aborde la question du « racisme » (qu'il ne dénomme pas tel) d'une façon qui peut être érigée en modèle de l'interprétation progressiste naïve du racisme, accompagnée de stigmatisation morale : les théories des races, à la fois scientifiquement fausses et politiquement aussi mensongères que dangereuses, ne seraient que des *survivances* d'un stade ou d'un état mental désormais dépassé de l'humanité. L'énonciateur s'érige ainsi lui-même à la fois en détenteur de la vérité scientifique, en représentant du sens de l'histoire et en exemplaire d'un type supérieur (intellectuellement et moralement) de l'humanité. Pour un tel observateur « évolué », incarnant le parti du Bien, du Vrai et du Sens, le racisme ne peut qu'illustrer une régression culturelle, un recul historique, un retour au passé : le racisme réalise une involution. Du même coup, le retour d'un tel archaïsme, le racisme, devient difficilement compréhensible : s'il y a en effet une marche de l'histoire, selon des lois nécessaires, comment expliquer la non-élimination de ce qui est définitivement dépassé ? Seule une théorie conspirationniste de la mystification, du « viol des foules par la propagande », peut dès lors apporter un semblant de réponse, au nom de la psychologie « scientifique ». Que voit donc en 1939 un tel sujet absolument légitime ? « Mais voici que s'affirme un [...] courant d'idées qui proclame, mensonge notoire puisqu'en contradiction avec les lois biologiques de l'évolution) qu'une différence capitale sépare les races humaines, que la sélection naturelle aboutit à former des races pures, que ces races existent, qu'elles ont le droit de priver de liberté les autres races [...]. Ces théories, ne sont-elles pas véritablement des réminiscences d'une étape inférieure, dépassée par l'Humanité, ne sont-elles pas un recul camouflé vers une époque qu'on tente de faire revivre au profit de quelques usurpateurs égoïstes — essai (vain d'ailleurs) de renverser le sens de la marche de l'Histoire. Vain, parce qu'en contradiction flagrante avec tout ce qui est la cause de notre progrès — avec la Science, la Technique, l'Idée de Société [1]. »

La conviction progressiste s'identifie avec la certitude tranquille née de la conception évolutionniste de l'histoire : si l'on « n'arrête pas le progrès », alors il est à l'évidence « vain » de vouloir l'arrêter. Et pourtant il s'arrête... C'est pourquoi l'optimisme mélioriste du disciple de Pavlov, lorsqu'il désespère du retour de l'histoire à sa légalité progressiste, se renverse en pessimisme catastrophiste : « Si par une coïncidence fortuite, cette tendance erronée l'emporte sur l'évolution normale et saine, si elle n'est pas combattue et maîtrisée comme une maladie contagieuse, on s'approche alors du gouffre et la menace de la destruction générale se dresse, spectre affreux, devant l'Humanité tout entière. » Lutter contre la régression raciste, c'est donc viser à remettre le train de l'histoire sur ses rails, le rappeler à son vrai sens et à sa direction « naturelle » : « Une nouvelle et véritable révolution se prépare [...], un malaise se manifeste, et c'est précisément là un réflexe collectif contre la tentative d'imposer à la marche de l'Humanité une direction opposée à *son évolution naturelle*, qui est caractérisée par la rencontre dans le temps des progrès matériels et de la soif de liberté. »

Que faire ? Une utopie scientiste de conditionnement et d'endoctrinement antiracistes

Face aux « fascismes », S. Tchakhotine déclare en 1939, en conclusion de son livre : « Il n'y a pas de choix : il faut réagir, il faut les détruire. » Non pas en interdisant les organisations ou en persécutant les mouvements, ce qui ne ferait que créer des martyrs, mais en opposant à la propagande mensongère une contre-propagande véridique, mais non moins violente : il faut donc « leur [aux « mouvements nazistes et fascistes »] opposer une propagande violente, contrebalancer leurs velléités d'exercer le viol psychique, par des actions équivalentes sur le psychisme des masses, mais sans avoir recours à ce qui est néfaste du point de vue moral : au mensonge ». Mais la tâche de la propagande devra s'accompagner d'une entreprise de rééducation, destinée à rendre définitivement impossible toute régression sur l'échelle du progrès : « Il faudra construire dans la mentalité des hommes, dans la structure fonctionnelle de leurs mécanismes de comportement, les fondements, les réflexes, qui rendront impossible un retour vers l'état dans lequel se débat actuellement l'humanité angoissée. » C'est à la « psychologie objective » de Pavlov qu'il faut emprunter les méthodes scientifiques permettant la réalisation de telles fins morales : « Les grandes idées de la Liberté, de la Paix, de l'Amour de tout ce qui est humain, doivent devenir des parties intégrantes de notre nature — des réflexes ancrés profondément dans chaque être humain. Comment y parvenir ? Après Pavlov nous le savons maintenant : par une formation judicieuse des réflexes conditionnés appropriés, par la propagande, et surtout par l'éducation. » Tchakhotine est ainsi conduit à résumer son programme de rééducation de l'humanité, esquissant un catéchisme progressiste en trois points, suivant la triade des valeurs supérieures : Égalité, Paix, Liberté. Le traitement de la valeur d'égalité est fort intéressant : dans le texte de Tchakhotine, « l'idée que tous les êtres humains sont égaux » vient relayer « l'Amour de tout ce qui est humain ». L'éthique égalitariste vient se superposer à la norme philanthropique, jusqu'à s'identifier à celle-ci : l'amour de l'humanité, ou la disposition de fraternité universelle, est dans l'ordre du sentiment ce que la conviction égalitaire est dans l'ordre de la connaissance. Pour pouvoir aimer également tous les hommes, il faut supposer — mieux : en être convaincu — que tous les hommes sont égaux. Tel est le cercle de l'égalitarisme et de la philanthropie : il faut croire à l'égalité fondamentale des individus humains pour pouvoir les aimer sans égard aux différences de race, de religion, de culture, etc. Tchakhotine, avec autant d'émotion que d'aveuglement, présente son antiracisme comme un programme d'éducation anti-inégalitariste, postulant ainsi que l'essence du racisme est la croyance à l'inégalité des races : « Le fait qu'en URSS, dans toutes les innombrables écoles, des millions d'enfants, dès l'âge le plus tendre, se voient inculquer dans leurs mécanismes cérébraux l'idée que tous les êtres humains sont égaux, qu'un Noir, un Jaune et un Blanc ont tous les mêmes droits à la vie et au bien-être, ce seul fait a déjà une portée si énorme qu'il bouleversera totalement le monde, que, devenue excitant conditionnel d'un réflexe, l'idée d'égalité déterminera pour la vie le comportement de presque 200 millions d'hommes. C'est la voie à suivre. » Le programme politico-pédagogique est sans équivoque : il faut conditionner l'humanité de demain au réflexe égalitaire, et ce, par le moyen de méthodes éprouvées. Ce qui frappe ici, bien sûr, c'est le complet aveuglement d'un esprit luttant pour « la Liberté » à l'égard de l'utopie terroriste qu'il dessine et pose comme désirable. Au totalitarisme raciste des nazis, l'antiraciste pavlovien ne peut opposer qu'un autre totalitarisme, où la norme absolue d'égalité remplace celle d'inégalité.

Les deux autres points du programme sont définis selon la même opération : inculquer dès l'enfance les dogmes positifs de Paix et de Liberté. Cette surprenante proposition d'un endoctrinement systématique, au nom même des valeurs « progressistes », s'énonce comme suit : « A côté de cette idée [l'égalité de tous les humains], une autre, celle de la Paix, est d'une importance non moindre : il faut, dès l'enfance, dire à l'homme que la guerre est abominable, que c'est un crime, et non la glorifier comme le font les fascismes. Enfin il faut répandre, créer le mythe de la Liberté, l'idée sublime de la Révolution française, dont les étincelles ont allumé, à une distance de plus de cent ans, la grande flamme libératrice de la Révolution russe. » C'est ainsi que le catéchisme progressiste, antifasciste et antiraciste, rejoint le catéchisme révolutionnaire.

L'essentialisme : une maladie sémantogène et sa thérapeutique

> « La mythologie est inévitable, elle est une nécessité inhérente au langage. »
>
> Max MÜLLER.

Postulons qu'il y a des maladies du langage[2] qui se développent sur le terrain favorable du discours : les « germes » se greffent sur les sujets parlants sur lesquels ils vivent en parasites. La sémantique générale d'Alfred Korzybski est allée très loin dans ce sens : elle se donnait pour une thérapeutique sociale, et n'hésitait pas à postuler que toutes les maladies organiques et sociales ont un caractère sémantogène [3]. On est certes en droit d'ironiser, avec A. Tarski et M. Black, sur cette présentation de la sémantique en tant que « remède universel à tous les soucis et tous les maux de l'humanité, imaginaires ou réels [4] ». Mais la métaphore médicale n'est pas dénuée de valeur heuristique, dès lors que l'on s'intéresse aux interactions du discours et de l'idéologie : aux « illusions » idéologiques, aux préjugés et aux stéréotypes l'on doit bien accorder une genèse linguistique, en particulier sémantique. Les représentations et passions idéologiques ne naissent pas seulement d'erreurs sémantiques de base, elles sont entretenues, inscrites, converties en évidences, solidifiées, diffusées, par les usages discursifs qui les reproduisent. Le sémanticien-médecin doit donc relever les symptômes de la maladie, procéder à un diagnostic correct et engager son patient (qui est d'abord lui-même) dans un traitement thérapeutique, censé faire disparaître la cause de tous les maux — les « blocages » sémantogènes [5]. La sémantique « non aristotélicienne » apparaît dès lors pour ce qu'elle est réellement : une psychopédagogie de la communication discursive, une « nouvelle pédagogie », comme l'avait vu G. Bachelard [6]. Débarrassée de ses naïves prétentions thérapeutiques universelles, la sémantique générale offre un rappel commode de quelques mécanismes discursifs producteurs de confusions de niveaux et d'illusions substantialistes, ainsi qu'un corps de règles simples destinées à les éviter méthodiquement. La présomption chamanistique laisse la place à l'efficacité du modeste sémanticien normatif qui montre les obstacles, démonte les mécanismes engendrant les « blocages », démontre qu'en respectant quelques principes logiques élémentaires l'on conçoit mieux et l'on énonce plus clairement.

Exposons donc les principes et principales prescriptions de la « sémantique générale » pour leur seul intérêt de résumés commodes de postulats et règles de méthode bien connus dans la tradition logique occidentale. Les fondements théoriques peuvent se réduire à trois postulats, pour ce qu'il en est de la question du langage :

1°) Le postulat de la *non-identité* : « Le mot n'est pas la chose qu'il désigne. » Il s'ensuit qu'il faut s'interdire l'emploi de la copule « est » au sens d'une identification. C'est le principe premier de l'anti-verbalisme [7].

2°) Le postulat de la *non-plénitude* : « La carte n'est pas le territoire » qu'elle représente. Si un signe représente, il ne peut prétendre à une représentation pleine ou totale du représenté [8].

3°) Le postulat de la *hiérarchie des signes*, ou de leur « multiordinalité » : une carte de la carte 1 n'est pas la carte 1. On reconnaîtra là la différenciation devenue classique entre la langue-objet et la métalangue. Une telle hiérarchie des systèmes signifiants langagiers implique qu'en tout acte de discours l'on identifie les niveaux respectifs d'abstraction des termes employés (en usage ou en mention), afin d'éviter les ambiguïtés engendrées par la confusion des niveaux hiérarchiques [9].

Ce qui nous intéresse plus directement, c'est le traitement « thérapeutique » des maladies sémantogènes, et tout particulièrement celui des hypostases, définies par « la tendance à déduire de l'existence d'un nom général l'existence d'un "objet général" » correspondant [10] — tendance stigmatisée naguère par Russell pour ce qu'elle relèverait d'une ontologie de la substance, source d'illusions persistantes [11]. Korzybski formule un certain nombre d'indications pratiques pour éviter l'apparition des illusions substantialistes. Ajouter, par exemple, des indices aux noms généraux afin de ne plus confondre l'individuel et le général, et ainsi « éliminer la notion mystifiante des classes d'objets [12] ». Employer le nom général « (le) Nègre », pour le sémanticien, c'est avoir conscience de référer à des individus « (le) Nègre 1 », « (le) Nègre 2 », etc. : on souligne ainsi, par indexisation, le caractère singulier de chaque designatum d'un nom général [13], lequel cache des noms particuliers. Par là le nom général, redéfini en tant que nom d'une classe définie d'individus, ne se transforme pas en hypostase. Korzybski pense par une telle prescription technique fournir les moyens d'éliminer pour une bonne part les causes des haines raciales [14]. Afin d'éviter la formation d'illusions substantialistes par les généralisations abusives, il suffit de permettre la distinction entre les différentes phases d'un phénomène par l'addition de dates aux noms singuliers : ainsi le nom propre « Karl Marx » devrait-il être toujours spécifié chronologiquement (« Karl Marx 1844 », « Karl Marx 1857 », etc.) [15]. Voilà comment l'on pourrait échapper, à vrai dire laborieusement, à la « tyrannie des mots [16] » sur la base d'une vue plutôt pessimiste du langage — « comment les mots utilisent les gens », disait S.I. Hayakawa [17]. Conflits sociaux et raciaux sont dans une telle perspective interprétés comme autant d'effets dus au moins partiellement à des perturbations sémantiques. Il n'est pas douteux qu'une analyse sémantique rendant difficiles, sinon impossibles, les hypostases qui réalisent des abstractions (« le Nègre », « le Juif », « l'Aryen », « la race française », « le bourgeois », etc.), les généralisations abusives (« tous les x sont p ») et les confusions de niveaux discursifs, contribue à l'amélioration de la communication effective entre les gens, en suspendant l'adhésion à certains préjugés et en dissipant certaines confusions. Il reste qu'il faut bien payer d'une façon ou d'une autre le prix du détour par l'analyse. Or, le langage ordinaire est ordonné à la parole, tandis que l'analyse sémantique ne peut guère déployer tous ses effets qu'en visant la production d'une langue formelle « parfaite », laquelle se confond avec une idéographie. La thérapeutique antiraciste proposée par la sémantique générale ne peut être efficace qu'à deux conditions, dont on conviendra qu'elles sont difficilement recevables : d'abord amener les usagers du langage ordinaire à traiter celui-ci comme un langage-objet imparfait qu'il s'agit impérativement d'analyser et corriger — ce qui revient à leur demander de communiquer essentiellement par des moyens graphiques, où les termes seraient dénués d'équivocité ; ensuite que le traitement analytico-critique du langage soit étroitement surveillé par des instances de contrôle, dotées d'un pouvoir de prescrire, donc d'interdire, et de réprimer.

L'antiracisme dogmatique et son postulat de base : la rupture entre biologique et psycho-socio-historique

1. La thèse de la rupture entre biologique et socio-psycho-historique (culturel), présentée comme une vérité scientifique établie, constitue le dogme fondamental de l'antiracisme savant. M. Leiris l'énonce ainsi : « L'on peut [...] regarder aujourd'hui comme *établi* que la notion de "race" est une notion d'ordre exclusivement biologique dont il est impossible [...] de tirer *la moindre conclusion* valable quant au caractère d'un individu donné et quant à ses capacités mentales [18]. » L'argument d'autorité, qui s'exerce ici au nom de la science, est invoqué pour interdire d'abord toute tentative d'explorer scientifiquement les relations entre l'ordre biologique où se situeraient les facteurs de race et l'ordre psycho-socio-culturel. Ensuite, pour suspendre toute interrogation sur les rapports entre le niveau biologico-racial et le niveau individuel : le dogme « établi » énonce que les caractéristiques psychiques d'un individu sont indépendantes de son appartenance ethnique, sont indérivables des facteurs raciaux, strictement biologiques.

2. L'identification de l'erreur première s'opère par le critère de la transgression du dogme : « L'erreur qui fournit un semblant de base théorique au préjugé de race repose principalement sur une confusion entre faits *naturels*, d'une part, et faits *culturels*, d'autre part [19]. » Le dogme énonce la distinction rigoureuse du bio-racial et de l'historico-culturel, et l'erreur par excellence se définit de confondre ce que le dogme différencie en nature.

3. Mais qu'en est-il de la « confusion » stigmatisée ? Il faut jeter quelque lumière sur l'idée critique de « confusion », en posant la distinction absolue entre les faits d'hérédité et les faits d'héritage, entre le racial et le social : « Confusion [...] — pour être plus précis — entre les caractères qu'un homme possède de naissance en raison de ses origines ethniques et ceux qu'il tient du milieu dans lequel il a été élevé, héritage *social* que trop souvent, par ignorance ou intentionnellement, on omet de distinguer de ce qui est en lui héritage *racial* [20]. » On notera que l'attribution à l'individu d'un « héritage racial », qu'il posséderait « de naissance en raison de ses origines ethniques », vient contredire le dogme de base, sauf à considérer que l'« héritage racial » auquel on accorde l'existence n'a *aucune efficace* sur la conduite individuelle — ce qui est un dogme supplémentaire, un argument *ad hoc*.

4. Est ensuite posée une analogie entre les deux thèses « culturalistes » dogmatiques, qui affirment l'autonomie radicale des variations psycho-socio-culturelles, au premier niveau : interindividuel ; et au second niveau : interculturel. L'inexplicabilité par les facteurs raciaux est la caractéristique commune du psychisme individuel (dans ses spécificités) et des spécificités culturelles : « S'il est des différences psychologiques bien réelles entre un individu et un autre individu, elles peuvent être dues pour une part à son ascendance biologique personnelle [...] mais ne sont en aucun cas *explicables* par ce qu'il est convenu d'appeler sa "race", autrement dit le groupe ethnique auquel il se rattache par la voie de l'hérédité. *De même*, si l'histoire a assisté à l'éclosion de civilisations très distinctes et si les sociétés humaines actuelles sont séparées par des différences plus ou moins profondes, il n'en faut pas chercher la cause dans l'évolution raciale de l'humanité [...] ; ces différences s'inscrivent dans le cadre de variations culturelles qu'on ne saurait expliquer ni par le soubassement biologique ni même par l'influence du milieu géographique[21]. »

Voilà un discours antiraciste radical, qui non seulement pose l'irréductibilité ou l'autonomie absolue des « variations culturelles » comme des variations psychologiques individuelles par rapport aux facteurs ethniques, mais plus encore récuse toute valeur explicative propre aux facteurs biologiques en général et mésologiques (extra-culturels). Le culturel ne s'expliquerait que par lui-même : un tel idéal de clôture sur soi du culturel, au nom de l'antiréductionnisme, revient à désavouer la tentative d'explication comme telle. Mais si le culturel, du fait de son auto-engendrement, ne s'explique pas par autre chose que lui-même, s'il ne s'explique donc pas, position qui relève à l'évidence de l'antiscience, la manière dont s'énonce un tel désaveu de la science ressortit à la tradition scientiste, dont témoigne l'usage insistant du principe d'autorité modernisé — la référence aux « acquis de la science[22] » substituée aux « révélations de la religion ».

Il s'agit bien d'un discours de savoir, qui prétend à la certitude (« il n'en faut pas chercher la cause... », « ces différences s'inscrivent... »), et présente ses assertions comme des arguments d'autorité. Tel se présente depuis la fin des années quarante ce qu'il conviendrait de nommer l'*antiracisme dogmatique*. Son mode de formulation est rigoureusement analogue au *racisme dogmatique* (une théorie raciale déterministe de type lapougien, par exemple), procédant par affirmations péremptoires et négations indiscutables. Ces dogmatismes idéologico-politiques se ressemblent comme des frères jumeaux, formant un couple de contraires — chacun affirmant ce que l'autre nie, et niant ce qu'il affirme, réciprocité perverse des dogmatismes. Processus de conversion idéologique, par renversements indéfinis dans les contraires.

5. Il s'ensuit de ce travail de reformulation une construction du « racisme » à partir de la définition hégémonique du « préjugé » racial. Le racisme étant défini en extension par l'ensemble des préjugés raciaux, la question du racisme revient à la production d'une définition satisfaisante du préjugé. Ici encore, le postulat de rupture entre nature (biologique) et culture (historique) détermine la position du problème et sa résolution : « Loin de représenter la simple mise en formule de quelque chose d'instinctif, le préjugé racial est bel et bien un "préjugé" — à savoir une opinion préconçue — d'origine culturelle et qui, vieux d'à peine plus de trois siècles, s'est constitué et a pris les développements que l'on sait pour des raisons d'ordre économique et d'ordre politique[23]. » D'abord couper le fil bio-culturel, interdire l'hypothèse d'une quelconque filiation : la solution de continuité doit être clairement affirmée, le préjugé fermement déraciné de tout sol instinctuel. Ensuite procéder à une relativisation triple du « préjugé » : quant au savoir (une opinion toute faite, précritique : illusion de connaissance), quant à l'espace (une opinion de telle origine culturelle : occidentale, donc non universalisable sans abus), quant au temps d'apparition (le préjugé est d'autant plus identifiable comme tel, c'est-à-dire réfutable, qu'il a une date de naissance historique assignable)[24]. L'affirmation du relativisme culturel et historique ne fait que frayer la voie à l'énoncé d'une réduction de type causal du préjugé aux facteurs économico-politiques. La plupart des composantes de la doctrine dominante de la « lutte contre les préjugés » sont ici présentes : les préjugés de l'idéologie antipréjugés « cristallisent » dans la définition du préjugé racial. Relativisme historico-culturel et réductionnisme socio-économico-politique : tels sont les deux noyaux idéologiques de l'antiracisme dogmatique.

La dissolution historiciste du préjugé racial *doit aboutir* à la thèse qu'« il n'y a pas de répulsion raciale innée[25] ». Le préjugé n'est pas fondé en nature : voilà la certitude « établie par la science » dont l'argumentation antiraciste ne saurait se passer. Cette certitude absolue, que seul peut fournir un intellectuel légitime, satisfait donc à la demande idéologique, mais c'est parce que celle-ci l'avait suggérée. Dans l'imaginaire social, le besoin rhétorique crée en quelque sorte les moyens d'être satisfait, il les suscite, en oriente la formulation. Une telle relativisation du préjugé racial présuppose que, contrairement à certaines conceptions marxistes (« l'idéologie n'a pas d'histoire[26] »), l'idéologie raciste soit dotée d'une histoire spécifique, conçue sur le modèle organique classique : naissance, croissance, vieillissement, mort. Tout ce qui naît doit mourir un jour : l'axiome doit valoir pour les préjugés racistes, s'ils sont bien des préjugés, lesquels ont — évidence première — des « racines économiques et sociales[27] ». Ni éternel, ni universel, ni nécessaire : le préjugé racial, pour pouvoir disparaître (c'est-à-dire remplir le désir antiraciste et alimenter l'espoir philanthropique), *doit être* historique, particulier et contingent : un produit idéologique des cadres de vie occidentaux modernes. Non pas une donnée immédiate de la nature humaine, mais un artefact engendré au cours de l'existence historique d'une portion de l'humanité, particulièrement coupable. M. Leiris fournit un excellent résumé de ce qui deviendra la vulgate antiraciste dans les années cinquante/quatre-vingt : « Le préjugé racial n'a rien d'héréditaire non plus que de spontané ; il est un "préjugé", c'est-à-dire un jugement de valeur non fondé objectivement et d'origine culturelle : loin d'être donné dans les choses ou inhérent à la nature humaine, il fait partie de ces mythes qui procèdent d'une propagande intéressée beaucoup plus que d'une tradition séculaire [28]. » Les deux couples d'opposés en jeu (préjugé *vs* non-préjugé ; donné/réel *vs* construit/mythique) ne sont cependant pas dotés d'une parfaite transparence : comment définir cet autre (positif) du préjugé (négatif), que serait un jugement de valeur « fondé objectivement », et « d'origine naturelle » ? Et comment fonder, et justifier en l'occurrence, l'opposition tout empiriste entre le « donné », de l'ordre de la Nature : le réel, et le mythique, assimilé à l'irréel trompeur, instrument de manipulation ? Pourquoi s'arrêter, comme à une évidence, sur l'hypothèse passablement conspirationniste, voire paranoïde, d'une création des « mythes » modernes (tel le racisme) par « une propagande intéressée » ?

L'identification-pivot de toute l'argumentation est que le racisme est essentiellement « préjugé », comme on disait dans la tradition cartésienne, ou « idéologie », comme on dira dans la tradition marxiste. L'antiracisme dogmatique hégémonique est issu d'une fusion des traditions cartésienne et marxiste : il est l'un des rejetons idéologiques les mieux réussis, car l'un des plus efficaces, d'un mariage récent du rationalisme critique élargi par les Lumières et du révolutionnarisme scientiste-démystificateur. Mariage idéologico-politique auquel a donné lieu, par l'effet d'événements contingents enchaînés dont l'histoire est tissée, la victoire des Alliés sur l'Axe. A travers les litanies de l'antiracisme dominant, et fonctionnant comme idéologie dominante, c'est la lutte contre le nazisme qui est rejouée, c'est aussi la victoire sur les effets barbares du racisme hitlérien qui est commémorée. Mais, ici encore, le simulacre de la tragédie n'est plus guère que comédie, et l'héroïsme ritualisé tend à n'être que singerie conformiste, de même que la mystique des grands combats pour l'honneur se dégrade en calcul politique des intérêts égoïstes, chez les maquignons des idéaux.

Mais, dans la perspective antiraciste, l'important est que soient sauvées les raisons d'espérer, ici accordées à la variante volontariste du méliorisme moderne. L'antiraciste doit être habité d'une volonté prométhéenne de transformation du monde et de soi-même : vaincre les préjugés au-dedans et au-dehors, mener la guerre sainte de l'esprit critique en soi et hors de soi. Le préjugé réduit à un symptôme du malaise historico-social, il sera facile d'agir sur les causes pour faire disparaître les effets morbides. Être un homme de progrès, c'est pouvoir agir en médecin et chirurgien des maladies de société. La schématisation déterministe et socio-économique de la nature du préjugé engendre ainsi la consolation la plus haute. La démystification engendre une nouvelle mystification. Cette représentation consolatrice du préjugé entre en composition dans l'illusion moderne par excellence : le progressisme économocentrique, selon lequel tout s'explique et se soigne par les facteurs économiques, dont libéraux et marxistes s'accordent à dire qu'ils sont « déterminants en dernière instance ». Le mythe économiste s'accompagne volontiers d'un supplément d'âme descendu d'un ciel illuminé par la fraternité et l'égalité universelles : l'unité finale du genre humain est l'horizon dernier des visées antiracistes. Mais il faut donner la parole à M. Leiris afin d'authentifier une telle interprétation : « Puisqu'il est lié essentiellement à des antagonismes reposant sur la structure économique des sociétés modernes, c'est dans la mesure où les peuples transformeront cette structure qu'on le verra disparaître, comme d'autres préjugés qui ne sont pas des causes d'injustice sociale mais plutôt des symptômes. Ainsi, grâce à la coopération de tous les groupes humains quels qu'ils soient sur un plan d'égalité s'ouvriront pour la Civilisation des perspectives insoupçonnées[29]. » L'avenir de l'antiracisme ne pouvait qu'être radieux en son genre. L'idéologie fournit et impose à la pensée de l'intellectuel légitime ses mots sublimes et ses valeurs : l'analyse de l'antiracisme donne l'occasion, sur un objet privilégié, d'étudier les modes selon lesquels s'opère le figement idéologique de l'intelligence.

Doctrines et usages du préjugé

> « Pour Nietzsche, l'analyse théorique de la vie humaine qui pose la relativité de toutes les visions du monde, et ainsi les dévalue, rendrait impossible la vie humaine elle-même en détruisant l'atmosphère protectrice indispensable à toute vie, toute culture, toute action. »
>
> LEO STRAUSS (1953).

Afin de relativiser la détermination rationaliste du préjugé, esquissons brièvement une typologie des doctrines du préjugé, en nous inspirant de certaines propositions de Leo Strauss. La « lutte contre les préjugés » doit varier dans ses raisons et ses moyens selon les trois versions doctrinales qui seront distinguées :
— version *positiviste* : relève du préjugé toute proposition synthétique (portant sur le réel, ou supposé tel) qui n'est pas susceptible de recevoir une vérification ou une réfutation empirique, c'est-à-dire une proposition que l'on conçoit comme n'étant pas réductible à des énoncés ou des états de choses perceptibles ;
— version *scientiste* : relève du préjugé toute proposition synthétique située hors du champ des propositions considérées comme légitimes ou valides — « scientifiques » — par la science normale (institutionnelle) au moment où cette proposition est prononcée ;
— version *historiciste* : relève du préjugé toute proposition synthétique prétendant à une validité transhistorique ou universelle — ou « objective » : se situant dans un monde intelligible, dans un champ d'objets idéaux éternels —, qu'elle soit d'ordre philosophique ou scientifique.

Il n'existe que des expressions dont la signification et la valeur, pour un historiciste, sont strictement déterminées par leurs époques et leurs lieux d'apparition. Les idéalités doivent toujours pouvoir se réduire à leurs conditions spatio-temporelles de surgissement [30]. Les idées et les jugements, pour ce qu'ils dépendent de leur contexte spatio-temporel, ont donc une validité limitée : l'axiome historiciste est l'affirmation du caractère historique de toute pensée. Mais l'idée que toute idée n'est qu'une création temporelle mortelle, cette idée prétend elle-même à une validité supra-temporelle : telle est la contradiction interne de l'historicisme[31] dès lors qu'il se formule. Ainsi l'historicisme apparaît-il lui-même comme un système de préjugés propre à l'époque de sa formulation, un préjugé moderne par excellence.

Prenons l'exemple de la philosophie. On dit volontiers qu'une philosophie est *déterminée* par les préjugés de son temps, que nul esprit ne peut sauter par-dessus son temps, que tout esprit est de son temps, et de son temps seulement. Une philosophie ne pourrait qu'*exprimer* les préjugés de son temps. Mais une telle conception historico-déterministe de la philosophie implique un aveuglement de principe sur les stratégies d'écriture des philosophes, une méconnaissance de la dimension rhétorique impliquée par tout acte philosophique public, dans un monde plutôt hostile à la recherche du vrai, parce que dominé par l'opinion — liée à l'enseignement de l'utile, ordonnée aux fins de la société[32]. Car l'expression philosophique des préjugés, telle qu'elle s'atteste dans un monde où l'opinion est la norme, peut signifier tout autant :
— les épouser, les partager ;
— les ménager ;
— faire semblant de les partager pour persuader l'auditoire, soit en montrant par ailleurs leur absurdité, soit en mettant en évidence leurs conséquences indésirables.

Il faut donc tenir compte des stratégies de mise en scène et/ou de divulgation du vrai, si celui-ci est susceptible de faire scandale, et partant de provoquer une situation dangereuse pour son énonciateur. Celui-ci doit très normalement recourir à la voie oblique de dévoilement, qui peut emprunter la technique du voilement ou de la dissimulation de ce que l'on vise à *faire entendre*. On laisse entendre alors plutôt qu'on ne donne à entendre, on suggère plutôt qu'on ne déclare. Voilà qui fonde l'impératif d'une transmission réservée, secrète, « gnostique », de la connaissance « dérangeante » ou des interrogations « scandaleuses », soit par la voie de l'initiation — transmission orale du maître au disciple —, soit par celle de la communication scripturale indirecte, symbolique, usant de l'analogie comme d'un instrument stratégique. Une philosophie est inséparable des stratégies de dissimulation qui lui permettent de contourner les obstacles (les « préjugés ») et de déjouer les pièges de ses adversaires. C'est pourquoi, note Leo Strauss, « l'ésotérisme est la conséquence nécessaire de la signification première de la philosophie, si on admet que l'opinion est l'élément de la société[33] ». Il s'ensuit qu'il existera un noyau ésotérique en toute philosophie véritable, du moins tant que l'humanité ne sera pas elle-même philosophe : la marque d'une philosophie est qu'elle résiste à la vulgarisation. Elle se prouve comme philosophie en s'éprouvant comme rebelle à la communication de masse.

L'inversion des jeux dénonciatifs : l'antiracisme comme préjugé, intolérance et exclusion

Faisons un bout de chemin avec l'hypothèse historiciste, afin d'explorer quelques variations du discours de dénonciation explicite du *préjugé antiraciste*. Nous appellerons ainsi toutes les formes de caractérisation négative, dans des contextes polémiques, des positions visant à dénoncer le « préjugé des races » ou « le racisme » : la dénonciation antiraciste du racisme a régulièrement engendré sa *rétorsion anti-antiraciste*. Cette réaction de défense/attaque, de la part des « racistes », suppose chez ces derniers une autoreprésentation : ils se définissent à la fois en tant que victimes des préjugés dominants et porteurs de vérités interdites, choquant par trop les idées reçues. Victimes parce que investis de la lumière du vrai. Dans les exemples que nous prendrons, nous désignons par « racistes » (terme construit, mais parfois d'usage autodésignatif) les porteurs et défenseurs de la conception du monde traditio-communautariste, soit dans sa variante matérialiste-biologique, soit dans sa variante spiritualiste-culturelle, paradoxalement légitimée par recours à l'idéologie du progrès scientifique. La modernité scientifico-technique est ici polémiquement retournée contre la modernité sociale et politique : la récusation de l'humanitarisme moderne, accusé de résister aux vérités du racisme scientifique, s'opère au nom des avancées de la connaissance. Usage « réactionnaire », si l'on veut, des Lumières : c'est au nom de la science que le principe d'égalité (entre individus comme entre races) est récusé comme une fiction, radicalement contradictoire avec les données et les lois du savoir scientifique. Ces quelques explorations nous conduiront aux origines intellectuelles de l'anti-antiracisme : première esquisse d'une généalogie de l'anti-antiracisme savant (ou constitué à l'intérieur de la communauté scientifique, selon la logique des normes de la controverse reconnue comme scientifique).

Notre premier jeu de discours contre-dénonciatif est constitué par une « brève » publiée dans *L'Appel*, le 5 février 1942 :

« *Une juste réparation de l'Église.*

« Le pape Pie XII a autorisé la célébration, en 1942, du troisième centenaire de Galilée. On se souvient que celui-ci fut persécuté et nié par l'Église pendant deux siècles pour ses découvertes astronomiques qui ne correspondaient pas aux *préjugés d'alors.*

« Réparation tardive ? Habileté politique ?

« En tout cas, réjouissons-nous pour l'avenir. Il y a bon espoir pour les savants modernes d'être un jour reconnus dans leurs œuvres par la pompe vaticane. Espérons que Gobineau et Vacher de Lapouge auront plus tard la faveur d'être honorés par quelque pape enfin adhérent au racisme [34]. »

Outre le trait d'ironie un peu lourd visant l'Église, l'on notera le recours à l'analogie argumentative : l'auteur du texte excipe d'une récente palinodie de l'Église pour donner à entendre que Gobineau et Vacher de Lapouge, pères fondateurs officiels du « racisme français » (plutôt que du racisme en France), sont identifiables, pour résumer l'argument en une métaphore, comme les Galilée du racisme. La suggestion est claire : les initiateurs géniaux et méconnus du racisme « scientifique », persécutés aujourd'hui, seront un jour reconnus et célébrés. L'identification galiléenne est bien sûr excessive : elle a pour objectif de souligner la scientificité des pères français du racisme, que les préjugés d'aujourd'hui (en 1942 !), faisant écho aux « préjugés d'alors », font méconnaître. Voilà donc dénoncés l'obscurantisme et l'opportunisme religieux, égaux à eux-mêmes face à toute nouvelle percée des lumières de la science. Après la science de la nature, c'est la science de l'homme qui en est la victime.

Notre deuxième exemple de discours dénonciatif anti-antiraciste « savant » est une note extraite du *Journal des tribunaux* qui, peu après la parution du second ouvrage de G. Vacher de Lapouge (*L'Aryen. Son rôle social*, Paris, A. Fontemoing, 1899), exhortait à la lecture de celui-ci, sous le titre « Le droit et la race » : « Nous signalons à nos lecteurs l'important ouvrage suivant, d'un extrême intérêt pour tous ceux qui s'occupent du problème des races, de plus en plus à l'ordre du jour des esprits qui, *dépouillés de préjugés religieux ou puérilement humanitaires*, s'efforcent de le résoudre d'après les données de la Science positive [35]. »

A la dénonciation des préjugés religieux s'ajoute celle des

préjugés humanitaires : la référence aux partisans humanitaristes de l'innocence du capitaine Dreyfus est ici transparente. La science positive est censée ne devoir respecter que sa logique propre, qui est celle de la découverte : Dieu ou l'humanité sont les deux puissances du passé qui s'opposent à l'avancée du savoir de l'avenir. Lutte des Lumières contre les Ténèbres, des données contre les fictions. Notons pour notre part qu'on peut se demander si la question dite des races peut être traitée seulement « d'après les données de la Science positive », selon une orientation soit « raciste », soit « antiraciste » ; car le débat, dans cette perspective, s'enferme inévitablement dans l'antinomie : « les races existent »/« les races n'existent pas (ou sont négligeables, etc.) ».

Notre troisième exemple de retournement de la dénonciation rationaliste-positiviste du « préjugé » est constitué par quelques remarques de G. Vacher de Lapouge, caractéristiques du style scientiste propre à l'école sélectionniste française, fondée sur une anthropologie supposée scientifique. Belle illustration de la stratégie de rétorsion : un auteur réputé « raciste » dénonce en 1926 les préjugés de ses contradicteurs, oppose la scientificité de sa démarche et de ses résultats aux opinions préconçues de ses adversaires. Pour le « raciste » Lapouge, le « préjugé » (que nous dirions aujourd'hui « antiraciste ») est par excellence de croire que le souci de préserver et d'améliorer les éléments « supérieurs » d'une population donnée (revenant à favoriser les « meilleures » lignées au détriment des « moins bonnes ») relève du « préjugé des races ». La défense lapougienne est simple : elle renvoie donc à l'envoyeur son accusation de « préjugé ». Voilà qui met singulièrement en lumière une difficulté centrale de la théorie antiraciste du « préjugé raciste » : sa réversibilité. Commençons par rapporter une notation extraite d'un texte tardif, datant de 1926, portant sur l'inconscience et l'imprévoyance des élites politiques et universitaires quant à l'avenir qualitatif de la population française : « Pendant que les Américains et d'autres peuples prenaient leurs mesures pour multiplier les eugéniques et supprimer les cacogéniques, chez nous tout le monde officiel, celui des Universités comme les rhéteurs du Parlement, s'élevait contre ce qu'il appelait le *préjugé des races*, et comptait pour élever la moyenne et fournir des hommes supérieurs, sur l'*instruction* et ce que nous appellerions aujourd'hui *les mutations*[36]. »

Au nom de l'eugénisme et de la théorie des races, Lapouge dénonce ainsi ce qu'il pense représenter, en 1926 (mais en fait

depuis longemps), une composante essentielle de l'idéologie dominante en France : ce que nous appelons aujourd'hui l'antiracisme. Le souci scientifique d'explication par les causes réelles et le souci d'efficacité s'opposent à l'aveuglement idéologique, qui consiste à s'abandonner à la double croyance au miracle et au hasard, tout en procédant à la dénonciation officielle des inconvenances résumées par « le préjugé des races », qui choque l'universalisme républicain, la philosophie et la « république des professeurs ». La critique démystificatrice conduite par le « raciste » Lapouge porte donc sur ce qu'il pense être les deux grandes illusions idéologiques des partisans de la lutte contre « le préjugé des races », ces ancêtres des antiracistes :
— la croyance au salut (progrès collectif, formation des élites) par l'influence du milieu éducationnel : or, ce mésologisme instructionniste est le simple effet d'une ignorance du déterminisme de l'hérédité, et surtout entretient une telle ignorance qu'il fait obstacle à la correcte représentation scientifique de la production des « eugéniques ». C'est là croire au miracle : la croyance à la possible transmutation scolaire des individus, quels qu'ils soient, est la version moderne de la croyance alchimique à la possible conversion du plomb en or ;
— la croyance au salut par le hasard, qui n'est que la version moderne de l'argument paresseux, c'est-à-dire de l'abandon au destin.

Sur la première croyance, Lapouge est sans ambiguïté ni complaisance. En 1909, il résume ainsi la rupture épistémologique qui, selon lui, rejette dans les poubelles de la préhistoire des sciences l'idéologie mélioriste des Lumières : « Il y eut une période où, sans plus d'examen, on crut trouver dans l'instruction et dans l'éducation un remède à tous les maux de la société, et le principe d'un progrès presque indéfini de l'humanité [37]. »

Or, avec la célèbre distinction weissmanienne (cellules somatiques et germinales) et la redécouverte des lois de Mendel, « tous les espoirs fondés sur l'hérédité des qualités acquises se sont évanouis avec la croyance à cette hérédité [...]. Avec le lamarckisme, s'est écroulé l'éducationnisme, et le sélectionnisme est resté maître du terrain [38] ».

Le grand espoir issu des Lumières disparaît donc, sapé dans ses fondements. Disparaît l'alliance de la conviction mésologiste (avec sa face activiste : l'éducationnisme) et de l'optimisme progressiste.

Face aux derniers sursauts, qui ne sont que des soubresauts, de l'obscurantisme tant religieux qu'illuministe (les Lumières obscurcissent...), Lapouge célèbre la froide lucidité du regard sans préjugés, fondé sur les seules leçons de la science, laquelle indique l'orientation suivante : la sélection systématique, comme vraie méthode d'antidécadence, par la maîtrise scientifico-technique du destin des races. Dans la Leçon d'ouverture de son cours libre d'anthropologie, professé en 1886-1887 à la faculté des sciences de Montpellier, Lapouge déclare : « Les théories sur l'hérédité, sur l'atavisme, sur les croisements, sur les variations, sur la sélection, et la lutte pour l'existence sont aujourd'hui démontrées, établies, rangées pour l'avenir au nombre des *conquêtes de la science*. Ces théories sont en opposition formelle avec une infinité de notions vulgaires, les unes anciennes, les autres de date récente, qui servent de base à la plupart de *nos préjugés* en matière politique et sociale [39]. »

Ainsi les vérités conquises par les théories de la biologie transformiste sont-elles destructrices des « préjugés » qui formaient jusque-là les évidences de base de la philosophie, de l'éthique, de la politique, du droit, etc.

Telles sont « les conséquences établies des récentes conquêtes de la biologie [40] » : provoquer une rupture avec les *a priori* des anciennes croyances (« chimères »), et instaurer l'ère nouvelle de la maîtrise scientifique du destin de l'homme. L'optimisme scientifico-technique de tradition cartésienne peut ainsi venir fonder la théorie « scientifique » des races et légitimer son projet de lutter contre la dégénérescence biologique des peuples : l'homme doit à son tour devenir « comme maître et possesseur » de *sa nature*, qui inclut ses caractères de race. La maîtrise de la race en lui, et des races en général, fait partie intégrante du projet prométhéen de la science moderne. Le racisme peut ainsi légitimement, à une certaine période de l'histoire des sciences, se prévaloir de la science.

Un quatrième exemple de critique « raciste » des préjugés liés à la nébuleuse idéologique antiraciste nous sera fourni par la récusation évolienne du racisme évolutionniste, dont les « préjugés » spécifiques sont attribués à une ontologie et à une épistémologie définies : le matérialisme zoologique et le scientisme biologique. Julius Evola distingue explicitement le racisme biologique ou naturaliste du racisme spirituel [41], affirme la supériorité métaphysique de celui-ci sur celui-là, allant jusqu'à déclarer : « Notre racisme va bien au-delà des limites de ces disciplines [la biologie et l'anthropologie], qui [...] sont même, par leur esprit positiviste et scientiste, diamétralement opposées à la véritable idée raciste. Le véritable racisme, plus qu'une discipline particulière, est une *mentalité*[42]. » La tentative évolienne de « rectification » du racisme dans le sens d'une métaphysique traditionnelle[43] doit passer par la phase d'une critique de certains préjugés. Le premier d'entre eux est le préjugé « qui voudrait que le racisme tienne tout entier dans un chapitre de sciences naturelles[44] ». L'argumentation d'Evola consiste à débusquer les éléments « progressistes » ou « illuministes », disons « modernes », dans les formulations les plus courantes du racisme. Autrement dit, on retrouverait certains préjugés caractéristiques de l'idéologie dont dérive l'antiracisme au sein même des positions racistes (ou qui se prétendent telles). Tels les préjugés rationaliste et évolutionniste. Si l'on peut distinguer, et hiérarchiser, trois formes de racisme : racisme du corps, racisme de l'âme, racisme de l'esprit, c'est dans l'ordre des recherches relatives au racisme « au troisième degré » qu'apparaissent les obstacles les plus résistants, du fait qu'ils proviennent des évidences propres à l'idéologie moderne, « progressiste » et « matérialiste » (ou « positiviste », Evola négligeant en général les distinctions à ce niveau de la critique). D'où cette prescription : « Il faut introduire dans ces disciplines [du racisme « au troisième degré »] des critères révolutionnaires et écarter résolument un certain nombre de préjugés propres à la mentalité scientiste et positiviste qui, favorisés par une école historique désormais dépassée, n'en persistent pas moins dans les formes les plus répandues de l'enseignement général. » Evola s'adresse aux enseignants et aux futurs maîtres. Il est frappant de constater qu'un penseur « traditionaliste » et expressément anti-évolutionniste puisse recourir lui-même (ou ne pas pouvoir éviter de recourir) à la théorie des « survivances », ou de la persistance du « dépassé » dans le présent, conception qui suppose une problématique évolutionniste, voire historiciste. Evola continue : « Il convient tout d'abord de *dépasser le préjugé évolutionniste* au nom duquel, en étroite relation avec celui progressiste et historiciste, on interprète le monde des origines et de la préhistoire comme le monde obscur et sauvage d'une humanité semi-bestiale qui, peu à peu, péniblement, se serait "civilisée" et rendue capable de posséder une culture. » Ce qui nous intéresse ici, c'est la forme de l'argumentation plutôt que son contenu (les « thèses » soutenues : pureté raciale originelle et intelligence première du monde spirituel) : il s'agit encore de dépasser les préjugés, démarche rationaliste par excellence, mais toujours susceptible d'être retournée contre les « préjugés » rationalistes [45]. L'argument évolien est le suivant : l'évolutionnisme n'est qu'une école historiquement située, et désormais « dépassée » — mais comment peut-on penser ce « dépassement » dès lors qu'on a radicalement récusé toute conception nécessitariste du progrès ? Il y a là une inconséquence du philosophe de la Tradition, peut-être liée à une stratégie de persuasion visant des esprits modelés par l'idéologie du progrès (Evola adapterait alors son langage à ses destinataires). Le rejet de l'évolutionnisme se traduit tout particulièrement par une totale récusation de la théorie darwinienne, tant de la sélection naturelle que des vues sur l'« ascendance » de l'homme : « En ce qui concerne [...] le cadre général du problème de ce qu'on appelle la "descendance", *il faut prendre résolument position contre le darwinisme.* La souche originelle de l'humanité — à laquelle les races supérieures, qu'elles soient antiques ou contemporaines, appartiennent — ne provient ni du singe ni de l'homme-singe de l'ère glaciaire (l'homme moustérien ou de Neanderthal, et l'homme de Grimaldi), fait que les spécialistes non racistes ont de plus en plus tendance à reconnaître à l'heure actuelle. [...] Il est absolument capital de comprendre la vivante signification d'un tel changement de perspective propre aux conceptions racistes : *le supérieur ne dérive pas de l'inférieur* [46]. » A la conception évolutionniste et progressiste il faut donc opposer et substituer la conception traditionnelle de la chute ou de la descente selon quatre phases correspondant aux quatre castes formant le système social commun « à toutes les antiques civilisations de type traditionnel [47] » : chefs spirituels, aristocratie guerrière, « bourgeoisie » (marchands), caste servile. Conversion du regard métaphysique sur l'histoire du monde, qu'il faut penser selon « un processus de dégradation, d'involution ou de chute [48] ». Être raciste, c'est d'abord défendre la thèse de la splendeur des origines nordico-aryennes, dont le type, loin d'avoir été engendré par sélection naturelle, était déjà tout entier identique à lui-même à l'origine [49]. Mais être raciste, ce n'est pas seulement avoir une juste et claire vision du type originaire, c'est aussi tirer les conséquences pratiques et normatives d'une telle connaissance supérieure du supérieur : « Une telle prise de position *engage* : du racisme théorique, celle-ci nous mène au racisme actif et créateur, c'est-à-dire à celui qui consiste à faire en sorte que, dans le type général italien tellement différencié d'aujourd'hui, s'extraie et s'affirme de façon toujours plus substantielle et précise le type à la fois physique et spirituel de la race éminente. » Tel se définit le racisme engagé : noblesse nordico-aryenne oblige. L'éducation raciale se résume par une certaine interprétation « des principes de notre antique sagesse : *Connais-toi et sois toi-même* » ; « fidélité à sa propre nature, c'est-à-dire à son sang et à sa race », donc aussi bien à l'âme et à l'esprit de la race propre. L'idée d'hérédité est centrale : « Nous sommes porteurs d'un héritage qui nous a été transmis et qu'à notre tour nous devons transmettre. » Triple héritage, car il se distribue aux trois niveaux hiérarchiques : race du corps, race de l'âme, race de l'esprit. La conception évolienne illustre bien la variante culturelle/spirituelle du racisme traditio-communautariste, avec sa dénonciation des « préjugés » du matérialisme biologique et son exaltation de la communauté organique conçue comme l'articulation de trois spécificités (de sang, d'âme, de valeurs spirituelles) : « Le racisme conçoit et valorise [...] l'individu en fonction d'une communauté donnée : que ce soit dans l'espace (en tant que race d'individus vivants) ou dans le temps (en tant qu'unité d'une lignée, d'une tradition, d'un sang). » Voilà l'essence du racisme : concevoir et vouloir « non pas l'homme *in abstracto*, mais l'homme en tant que représentant d'une race, aussi bien corporelle que spirituelle ».

La réaction contre les « préjugés » visant la théorie des races se retrouve chez Houston Stewart Chamberlain lorsque celui-ci, en 1902, répond aux critiques et objections provoquées par son livre de 1899, *La Genèse du* XIX*e siècle (Die Grundlagen des Neunzehnten Jahrhunderts)* : « Mon livre traite à plusieurs reprises de l'influence du judaïsme et — par cet intermédiaire — du sémitisme au sens le plus vaste de ce terme, sur les instincts religieux innés des Slavo-Celto-Germains. Ce n'est pas qu'un nid de guêpes sur quoi j'ai cette fois imprudemment porté la main, c'en est toute une colonie ! Car il s'est trouvé qu'en exposant mes idées à ce sujet, je heurtais des préjugés catholiques, protestants, juifs, et aussi antireligieux, préjugés d'autant plus difficiles à vaincre s'il arrive, par exemple, que le protestant soit en même temps un Juif, ou le Juif un ennemi de la religion [50]. »

Sous le régime de Vichy, le « racisme » est volontiers présenté par ses doctrinaires comme impliquant une lutte contre les préjugés (« antiracistes »). En 1941, Louis Thomas, dans son livre apologétique sur *Arthur de Gobineau inventeur du racisme*[51], consacre un chapitre au thème : « La bataille contre les préjugés[52]. » Gobineau y est d'emblée présenté comme un penseur « iconoclaste », ennemi du « conformisme intellectuel », situé aux antipodes de la « soumission aveugle à un credo » : « C'est avec constance, avec ténacité [...] qu'il énoncera les thèses les plus opposées aux évangiles en honneur de son temps[53]. » Le chapitre se termine par de classiques attaques antijuives (hors du sujet, d'ailleurs, concernant Gobineau) : « Si Gobineau fait table rase de certains préjugés relatifs à la dissolution des peuples, c'est parce qu'il veut démontrer que la dégénération des sociétés vient du mélange et de la corruption des races. Et quelle race plus corrompue que celle qui se laisse envahir par les Juifs ? Gobineau est donc un esprit tout à fait choquant : il heurte de front la grande conjuration juive, basée sur l'unité, l'égalité, la similarité des races et des hommes. Et cela, comment la critique et le professorat enjuivés le lui passeraient-ils ? » De la même manière, mais sur un ton moins délirant, Jacques Boulenger présentera deux ans plus tard la « thèse raciste » : « La thèse raciste soulevait en France de très grandes inimitiés parce qu'elle s'opposait violemment à la passion égalitariste et à l'optimisme romantique et quarante-huitard [...]. "Le principe le plus nié par l'école démocratique, écrira Renan en 1871, est l'inégalité des races et la légitimité des droits que confrère la supériorité de race." Aussi est-ce surtout depuis la fin du Second Empire et la Troisième République que l'aristocratisme et le dur déterminisme des thèses racistes ont soulevé l'inimitié de nos démocrates[54]. » Ainsi la dénonciation des *préjugés de l'adversaire* apparaît-elle comme un mode d'argumentation polémique indéfiniment réversible : « racistes » et « antiracistes », lorsqu'ils se combattent par le discours, échangent entre eux ce reproche typiquement moderne, hérité soit du rationalisme cartésien soit de l'empirisme sceptique anglais. La construction de *l'adversaire comme esprit soumis aux préjugés* est un mode d'illégitimation de base des controverses idéologiques modernes.

Peut-on sortir du cercle des dénonciations et des accusations ? Il faut d'abord revenir à la prudence de Descartes affirmant que le doute universel doit être réservé aux esprits qui en peuvent faire bon usage. Le doute est une arme intellectuelle apte à se retourner contre son possesseur pour l'étourdir, un instrument qui n'est pas à mettre entre toutes les mains, où il serait dangereux. Comme si la démocratisation du doute risquait d'engendrer un fanatisme proprement démocratique. « La seule résolution de se défaire de toutes les opinions qu'on a reçues auparavant en sa créance, n'est pas un exemple que chacun doive suivre [55]. »

III

Racismes et antiracismes : paradoxes, analyses, modèles, théorie

8

Du racisme : modèles, types idéaux, variantes, paradoxes

> « Si l'on définissait comme racistes les opinions qui proclament la supériorité de certaines races sur d'autres et réclament des privilèges spéciaux pour les races supérieures au détriment des races inférieures, la valeur d'une interdiction légale de telles idées serait dérisoire, car il est rare que les formes de racisme réellement importantes dans les sociétés qui connaissent des conflits raciaux soient formulées de cette manière ; aux États-Unis, la première et la moins contestable victime d'une telle loi serait le mouvement des Black Muslims [1]. »
>
> Leszek Kolakowski.

Un modèle théorique du racisme

Afin de clarifier, autant qu'il est possible, ce qu'il est convenu de nommer « le racisme », il n'est pas de mauvaise méthode de se risquer à en construire un type idéal, par inventaire systématique de traits définitionnels. Soulignons l'aspect conventionnel de l'usage du mot « racisme » : celui-ci ne sera conservé que pour des raisons de convention langagière, certes fondées sur les conditions historiques d'apparition de la théorie moderne des « races », mais qui aujourd'hui n'interviennent guère que devant le tribunal du regard érudit ou militant. Rappelons l'un des résultats des analyses précédentes : le « racisme », tel qu'il opère socialement, ne suppose en aucune manière une théorie explicite des « races », il y a même des formes de « racisme » qui rejettent expressément toute conception des « races humaines ». Parler de « racisme », dès lors, facilite la communication tout en reconduisant un bloc d'idées reçues dont il s'agit de se défaire. Non pas pour nier les phénomènes mal désignés et conceptualisés par le terme de « racisme », mais en vue d'extraire celui-ci du champ polémique ordinaire, en le constituant comme instrument conceptuel. Cette opération implique de *neutraliser* les charges connotatives accompagnant les usages ordinaires du terme, d'en suspendre par conséquent les effets affectivo-imaginaires.

Il s'agit donc de construire le concept de « racisme ». En insistant sur la nécessité d'une construction, nous voulons mettre en évidence notre refus de toute conception substantialiste, ou « métaphysique », de ce que nous appellerons « racisme ». Un bon modèle d'une telle construction conventionnelle, axiologiquement neutre, est fourni par la présentation parétienne du concept d'élite. Dans son *Traité de sociologie générale*, Pareto résume ainsi la constitution de son concept sociologique d'élite : « Formons donc une classe de ceux qui ont les indices les plus élevés dans la branche où ils déploient leur activité, et donnons à cette classe le nom d'élite [§ 2031] [2]. » Nous nous proposons, de façon analogue, de former une classe des individus qui ont les indices les plus élevés dans le domaine des conduites relationnelles suivantes : distance (évitement de contact), rejet ou exclusion, abaissement (mépris), domination et exploitation, voire extermination, visant des individus en tant qu'ils appartiennent (ou sont censés appartenir) à des groupes perçus comme différents du groupe propre du sujet « raciste », cette différence étant représentée comme une différence de nature (susceptible elle-même d'une multiplicité d'interprétations), qui a précisément pris la forme historique d'une différence raciale. Celle-ci se dédouble selon les perspectives du racisant et du racisé : d'une part, il y a autoperception du groupe d'appartenance comme racial : autoracisation ; d'autre part, il y a perception comme racial du groupe d'appartenance de l'autre : hétéroracisation. Dans cette relation asymétrique, le contraire même du dialogue, l'autoracisation s'opère sur le mode de l'éloge, tandis que l'hétéroracisation s'incarne nécessairement dans un discours de blâme. Nous donnerons donc à cette classe d'individus, présentant de telles attitudes, le nom de « raciste(s) ». Le « racisme » peut dès lors se définir comme l'ensemble des attitudes typiques (implicites ou explicites) manifestées par les individus dits « racistes ». Il s'ensuit que le racisme n'est jamais complètement incarné, incorporé ou réalisé, dans un individu ou un groupe. On assigne le nom de raciste(s) à un concept, objet formel/abstrait, terme de classe qui subsume des individus non semblables. Le racisme attribuable à de tels individus varie en intensité, manière, profondeur d'assomption, niveau cognitif, etc. Du racisme l'on peut ainsi définir un noyau idéologique présentable analytiquement comme une série d'énoncés ordonnés selon la règle de présupposition non réciproque (le trait 1 étant présupposé par les traits 2, 3, 4, 5, mais ne les présupposant pas).

En outre, nous nous sommes proposé de mettre entre parenthèses, explicitement, les connotations péjoratives du mot « racisme ». Plus généralement, l'épokhè des présuppositions axiologiques, normatives et déontiques, nous semble requise par le projet d'éviter tout risque de reproduction, à travers une traduction en lexique savant, des représentations idéologiques dominantes associées au « racisme » dans le langage ordinaire. C'est encore le modèle conventionnaliste, ou algébrique, prôné par Pareto, qui indique la voie : « Tout autre nom [que celui d'élite] et même une simple lettre de l'alphabet seraient également propres au but que nous nous proposons » (§ 2031). De même, ce que nous dénommerons « racisme » pourrait aussi bien se dénommer « éthisme », « ethnisme », « culturalisme », ou « nationalisme », selon les cas — voire selon les trois centrations possibles : identitarisme, différentialisme, autrisme.

Et la suppression des connotations habituelles doit s'accompagner d'une neutralisation de la mémoire historico-métaphysique et scientifique du terme enveloppé, la « race ». Ici, c'est Viggo Brøndal qui nous montre en acte la méthode, sur la vieille question des parties du discours. Reprenant les quatre catégories universellement reconnues de « substance, quantité, qualité, relation », dans le cadre de sa philosophie du langage, Brøndal précisait les deux conditions auxquelles ces classiques catégories transcendantales doivent satisfaire pour devenir opératoires : « D'abord, elles doivent être dépouillées de tout caractère métaphysique et absolu [...]. Ensuite, il faut que les concepts fondamentaux [...] soient définis dans une interdépendance étroite [3]. » C'est la première condition qui nous intéresse ici : la théorie du racisme doit « rester entièrement neutre ou agnostique », autant que la philosophie du langage selon Brøndal, qui pourtant s'élabore au moyen de termes-outils dotés d'une vieille mémoire [4].

Nous devons donc commencer par construire un type idéal du racisme-idéologie, que nous aborderons moins comme une doctrine définie (le gobinisme, par exemple) que comme un ensemble de représentations, de valeurs et de normes présupposées par les « théories », « doctrines » ou « philosophies » historiquement attestées, et jugées consensuellement « racistes ». Nos analyses ne pourront ici prendre pour objet que la question du racisme-idéologie.

Nous entendrons par « racisme » l'idéologie, incorporée à des pratiques ou incarnée dans des conduites, implicitée dans des « préjugés » ou explicitée par des actes de discours, dont les noyaux, susceptibles de focalisations variables (de l'anti-universalisme du racisme différentialiste strict à l'universalisme du racisme inégalitaire), sont descriptibles par une série d'actes mentaux ou de positions, selon un ordre allant du présupposé au présupposant :

1) rejet de l'universel ;
2) catégorisation fixe des individus ;
3) absolutisation des différences collectives ;
4) naturalisation des différences, soit par biologisation scientiste, soit par ethnicisation ou figement « culturaliste » ;
5) interprétation inégalitaire des différences, projetées sur une échelle universelle de valeurs.

1. Le *rejet de l'universel* se manifeste, dans les discours attestés, selon deux modalités articulables, mais non assimilables : rejet de l'unité de l'espèce humaine ou rejet de l'idée régulatrice d'une communauté humaine formant l'au-delà de toutes les différences collectives. La position anti-universaliste revient à prendre le parti exclusif de ce qui est — le concret des identités collectives (raciales, ethniques, culturelles, nationales), et leur irréductible pluralité — contre ce qui n'est pas, et qu'exprimerait l'abstraction impliquée par toute forme universelle de l'éthique. La multiplicité opposée à l'unité, le concret opposé à l'abstrait, le réel à la fiction : tels sont les trois actes polémiques présupposés par la récusation de toute « catholicité » non religieuse. Celle-ci caractérise l'idéologie moderne, engendrée par la sécularisation de l'idée catholique : laïcisation et humanisation de l'universalisme chrétien. Aussi doit-on remarquer le sens antimoderne pris par les premières manifestations du rejet de l'universalisme, celui-ci se confondant avec le projet d'une « émancipation » de tous les hommes, par-delà leurs appartenances, et quelles que soient leurs identités (héritages, traditions, formes mentales). Mais l'anti-universalisme apparaît avec autant de force dans les courants néo-baroques qui occupent une place non négligeable dans ce qu'il est convenu de nommer la « condition post-moderne » : la célébration de la différence, du pluriel, des singularités et de la dissémination engage à l'abandon du « mythe unitaire » de l'universalisme. Ces deux stratégies de l'anti-universalisme, bien que foncièrement différentes, peuvent se côtoyer au sein de certaines doctrines : elles représentent ainsi les deux pôles intellectuels de la nouvelle droite [5]. L'anti-universalisme se dit au moins en deux sens.

Le rejet d'un horizon d'universalité ou d'une norme universelle conduit notamment à la dénonciation des « droits de l'homme » comme fictions inutiles, voire nuisibles. Car toute déclaration des droits de l'homme est universelle. Mais la récusation de l'humanitarisme comme imposture indique une corrélation idéologique essentielle entre l'universalisme et l'individualisme : si l'un et l'autre sont également condamnés et du même geste, c'est qu'ils représentent les deux faces doctrinales de l'*esprit d'abstraction.* La position anti-universaliste implique donc une lutte sur deux fronts. Sur un premier front, elle doit soutenir la thèse qu'il n'y a d'universalité anthropologique ni dans une perspective substantialiste [6], postulant en quelque façon l'existence d'une « nature humaine » (par exemple, sous la représentation d'un stock commun de caractères bio-psycho-sociaux), ni dans un sens normatif, indiquant un devoir-faire et un devoir-être de l'homme en général, ce qui suppose une « certaine idée de l'homme », c'est-à-dire une certaine idéalité anthropologique dotée d'une force de régulation des conduites, du fait qu'elle incarne une constellation de valeurs positives. Sur un second front, la position anti-universaliste doit affronter l'un des couples idéologiques les plus puissants du monde moderne, que nous avons proposé de nommer l'individuo-universalisme [7].

On notera enfin que, dans la vulgate politique, la position anti-universaliste tend à se formuler sous les espèces de la dénonciation du « cosmopolitisme » et du « mondialisme », tendances contre-nature censées viser l'abolition de la diversité des races, fait de nature ou de création divine. La plupart des textes relevant des familles dites d'extrême droite (du traditionalisme catholique au national-populisme) [8] articulent la condamnation du mondialisme (à la double face de Janus : capitaliste et communiste), la stigmatisation du métissage [9] et la dénonciation du racisme retourné (le « racisme antiblanc »). Trois éléments idéologiques qui apparaissent clairement dans la phrase exemplaire suivante : « Sur le plan des races le mondialisme encourage le métissage comme une panacée, et produit l'antiracisme forcené actuellement en voie de se transformer en racisme antiblanc [10]. »

L'un des critères les moins discutables de la position — que j'appellerai raciste — d'un auteur est indirectement fourni par l'attribution que fait celui-ci de la thèse universaliste à son adversaire désigné. Les auteurs « racistes » tendent à définir la position théorique de leur adversaire par « la croyance au dogme de l'unité de l'espèce humaine [11] ». L'anti-universalisme se présente volontiers comme un antidogmatisme, se revêt des signes de la tolérance, de l'ouverture intellectuelle, se réclame parfois même de la marche du progrès des connaissances.

2. La *catégorisation fixe des individus* est la seconde opération impliquée par toute racisation, et présuppose elle-même une *déréalisation* de la dimension de l'individuel. En effet, d'une part, les individus sont assignés à des classes d'humains supposées stables (dans une perspective créationniste, par exemple) ou stabilisées au cours d'un processus évolutif ; d'autre part, l'individu n'est traité qu'en tant que représentant quelconque de sa catégorie d'appartenance présumée originelle, à laquelle est attribuée une certaine fixité. Par « déréalisation » de l'individu, nous entendons désigner le processus de dissolution de l'individuel comme tel dans une entité collective qui seule existerait réellement, et de façon telle qu'on la pourrait dire permanente : « race », « ethnie », « culture »/« civilisation », « mentalité », « peuple », etc. La thèse de la fixité des appartenances individuelles présuppose la thèse de la permanence des types d'appartenance. Quelle qu'en puisse être la figure, la communauté d'appartenance est posée en tant que valeur des valeurs, en même temps qu'elle est interprétée comme la seule vraie réalité — comme type substantiel, ou substance première dans l'ordre anthropologique. Le type est un destin : telle pourrait se formuler la croyance de base de l'idéologie supra-individualiste. La catégorisation essentialisante de l'individu implique l'inéluctabilité et l'insurmontabilité de l'incarnation du type. L'individu n'a d'autre statut que d'être l'épiphénomène du type, un moment de l'épiphanie de celui-ci. Ainsi l'insuffisance essentielle de l'individuel fait-elle écho à l'inconsistance existentielle de l'universel.

Une seconde opération idéologique, corrélative de la déréalisation de l'individu, peut être repérée : l'identité collective, en tant que classe d'appartenance, est traitée comme un individu — *indivisum in se, divisum a quolibet alio*, selon l'adage scolastique [12]. *Individualisation du collectif* : il s'opère ainsi un déplacement de l'individualité, ou du moins de son schème, du niveau de *l'individu biologique* (l'être vivant singulier) à celui de la *communauté*, redéfinie comme le seul véritable individu. En bref, la réaction idéologique nommée racisme met en jeu le modèle même de l'individualisme qu'elle semble à première vue récuser, mais le transpose de l'insécable biologique à la totalité sociale, métaphorisée comme grand organisme individué, soit la « communauté organique [13] ».

Le racisme peut se définir comme une réaction holistique *contre* l'individualisme moderne, mais *dans* l'espace idéologique moderne, où il fait intervenir les schèmes empruntés à la conception de l'individuel. Le mécanisme de transposition analogique des attributs de l'individu se rencontre cependant hors du domaine spécifique des théories raciales, comme l'indiquent ces remarques critiques de Husserl : « Tous les discours auxquels on se complaît sur l'esprit de la communauté, la volonté populaire, les buts idéaux, politiques des nations, etc., ne sont que romantisme et mythologie, ils procèdent d'une transposition analogique *[analogischer Übertragung]* de concepts qui n'ont de sens propre que dans la sphère personnelle de l'individu [14]. »

Dans l'imaginaire nationaliste, l'autoracisation de la nation comporte un trait supplémentaire : la présomption d'homogénéité du corps social [15]. Georges Vacher de Lapouge présentait comme un constat la déréalisation nationaliste/raciste de l'individu, réduit à n'être qu'une abstraction de sa communauté ou de sa filiation : « L'individu est écrasé par sa race, et n'est rien. La race, la nation sont tout [16]. »

Dans bien des contextes, l'individu est traité en tant que matière première à demi informée, dont la forme globale et le sens final ne se trouvent qu'à un niveau supra-individuel. Dans une telle perspective holiste, n'importe quelle entité collective suffisamment typée (donc individualisée à son niveau) est susceptible de jouer le rôle de Forme totale et intégrative, de la communauté régionale à la race, en passant par l'ethnie et la nation. La métaphore de la lettre, comme forme minimale dépourvue de sens en elle-même, permet d'exposer avec force l'élémentarisation de l'individuel : « L'individu est une lettre du livre de la race ; la lettre n'a aucun sens. Mais le livre en a un [17]. » Ainsi le sens de l'individu ne saurait se rechercher dans la fiction d'un quelconque universel humain, mais dans la concrétion de ce grand individu diasporique qu'est la race. Le racisme est une ontologie des substances intermédiaires entre les demi-êtres individuels et les non-êtres universels. Il importe peu que ces substances anthroposociales, posées comme existant réellement et elles seules, soient dénommées « races ». Le racisme ne se réduit pas à une question de vocabulaire explicite.

L'élémentarisation de l'individu peut se dire à travers un autre jeu de métaphores : l'individu est traité comme incarnation imparfaite d'un type qui n'existe intégralement que dans son déploiement temporel, en tant que *lignée.* Ici encore, nous ferons parler Lapouge, explicitant les représentations et les évaluations associées au postulat du déterminisme de l'hérédité : « L'hérédité pèse sur nous et littéralement nous écrase. Loin que la valeur d'un homme puisse être individuelle, il n'en a guère que par ses ancêtres, et son individualité n'est qu'un assemblage plus ou moins heureux et toujours complexe d'éléments empruntés à toutes les lignées ancestrales. Réciproquement chacun revit dans ses descendants, et la solidarité la plus effective relie les membres de la famille, à tel point que dans une lignée c'est en quelque sorte la descendance qui est la réalité et les descendants qui sont les manifestations temporaires et phénoménales de l'hérédité, les incarnations successives d'un type imparfaitement réalisé [18]. »

3. La troisième opération impliquée par toute racisation peut être représentée par le *postulat de différence absolue* entre les catégories d'appartenance : la différence entre « races » ou « cultures » étant absolutisée, elle cesse dès lors d'être une différence, et les deux termes deviennent incomparables [19]. Il s'ensuit la thèse de l'*inassimilabilité* des individus de telle « race » définie à n'importe quelle autre « race ». Irréductibles, incomparables et inassimilables, les types humains qui diffèrent (les raisons de la différence étant infinies) ne peuvent en outre communiquer entre eux, ni en fait ni en droit. L'impossibilité d'une communauté humaine par-delà les clôtures est la conclusion ultime de la thèse d'*incommunicabilité.* D'où les violentes dénonciations du « cosmopolitisme » ou du « mondialisme », processus et idéaux censés détruire les communautés singulières et closes, et, plus profondément et indistinctement, leur « identité ». D'où aussi bien la récusation de principe du croisement interethnique ou du « métissage culturel », identifiés en tant que modes concertés d'un même processus de dissolution des identités collectives, c'est-à-dire de « caféaulaitisation » universelle [20], matéphore qui reconduit l'imaginaire catastrophiste du « chaos des races[21] » que blâmait en 1899 H. Stewart Chamberlain dans sa fameuse description de la chute de l'Empire romain, « décadence référante[22] » de toute l'histoire mythique de l'Europe. La norme impliquée par l'absolutisation de la différence se formule soit comme un devoir-préserver l'identité propre, soit comme un devoir-garantir la pureté de toute identité.

Si la différence interethnique est absolue, il s'ensuit que l'indifférenciation qui en transgresse la loi doit engendrer une évolution du mieux vers le moins bien, elle-même absolue : une décadence. L'argumentation mixophobique s'est aussi bien exprimée, dans la pensée clinique, à travers le concept d'« amphimixie divergente », emprunté à la tradition zootechnique. En témoignent ces réflexions du Dr Bérillon, exemplaires d'une manière commune de poser le problème du métissage et de ses effets pathologiques : « Ce n'est pas seulement chez les métis animaux que l'on observe les états d'instabilité désignés par les zootechniciens sous le nom de *variation désordonnée*, d'*affolement* ; pour peu qu'on y dirige son attention, on les constatera chez les métis humains. Si [...] le premier signe d'une hérédité normale, c'est de ressembler à ses parents, on comprendra la difficulté que présente pour le métis de ressembler à la fois à deux types de caractère nettement différent. [...] [Or], chez la presque totalité des enfants et des adolescents anormaux que, depuis plus de trente ans, j'ai eu l'occasion d'examiner et de suivre, j'ai pu me convaincre que les tares et les défectuosités intellectuelles et instinctives avaient leur origine dans le métissage. En effet, issus du croisement d'individus de races très nettement différenciées, la grande majorité des enfants anormaux se recrute parmi les métis[23]. »

Il semble que l'on puisse poser une corrélation spéculative entre deux arguments « différentialistes » de base apparus dans la pensée anthropologique du XIXᵉ siècle, à savoir : les croisements ethniques (*i.e.* le non-respect du principe de différence interethnique absolue) produisent en règle générale de mauvais résultats (« décadence » physique et/ou intellectuelle, « dépérissement », « dégénérescence » : soit le mouvement contraire du « perfectionnement des races ») ; les races humaines ne sont pas (toutes) perfectibles, ce qui revient à soutenir que la permanence des types définit un destin. La combinaison des deux alternatives qu'ils engagent (perfectibilité/non-perfectibilité, croisement décadentiel/non décadentiel) permet de définir une frontière idéologique entre « racistes » et « non-racistes », ainsi représentable :

Arguments \ Positions	« racistes »	« non racistes »
La perfectibilité de toutes les races humaines.	–	+
Les croisements interethniques engendrent nécessairement une forme de décadence.	+	–

Dans la tradition anthropologique française, Quatrefages s'impose par l'exceptionnalité a-raciste de ses positions théoriques :
— il est universaliste quant à la question de l'origine des races, dans le débat doctrinal dénommé, dans les années 1840, « la grande controverse [24] », à savoir : monogénisme ou polygénisme. Son option métaphysique en faveur de l'universalisme implique qu'il soutienne, dans le champ de l'anthropologie, la thèse monogéniste ;
— il soutient la thèse de la perfectibilité de toute race, y compris les races inférieures [25] ;
— il refuse la thèse du déclin fatal par croisements interethniques, soit sous sa forme radicale (« tout croisement de race [est] suivi d'une décadence physique ou intellectuelle [26] »), soit sous sa forme modérée (« les croisements éloignés ne donnent que de mauvais résultats, et [...] les races pures sont supérieures aux races croisées [27] »). Il soutient même la thèse, alors ultra-minoritaire, d'une certaine positivité des croisements. En 1863, Broca résumait ainsi les vues intempestives de Quatrefages : « M. de Quatrefages [...] pense que, dans beaucoup de cas, le croisement retrempe les races, complète leurs instincts, développe leurs aptitudes, et quelquefois même enfante des aptitudes étrangères aux deux races primitives. »

4. La *naturalisation*, qui commence historiquement par la *biologisation*, des différences entre les « identités » collectives préalablement absolutisées : les distances culturelles et les frontières nationales deviennent des barrières infranchissables. Ce qui se nommera plus tard le déterminisme génétique se met en place dans la seconde moitié du XIXe siècle. Déterminisme de l'hérédité différentielle qui n'est que la version scientiste et matérialiste biologique du fatalisme, appliqué aux lignées humaines — de la famille à la race [28]. C'est ce qu'avait fort bien vu le trop oublié Joseph-Pierre Durand (de Gros), leibnizien isolé de la fin du siècle dernier : « Le déterminisme, c'est l'antique doctrine du fatalisme ou de la prédestination rajeunie par la biologie [29]. » Encore faut-il noter, s'ajoutant à la naturalisation biologisante, la plus récente *naturalisation culturaliste* des différences et identités collectives, instituée par idéologisation du relativisme culturel apparu dans l'école ethnologique américaine, autour de F. Boas, dans les années trente et quarante, et radicalisé par certains courants dans la communauté internationale des ethnologues au cours des années soixante et soixante-dix, qui ont pour ainsi dire professionnalisé la dénonciation de l'ethnocide, identifié comme l'acte raciste par excellence (au même titre que le génocide), et fétichisé corrélativement les appartenances culturelles. Car les traditions mentales, les types ou les héritages culturels, les imaginaires supposés spécifiques ou les configurations particulières de valeur peuvent être *sacralisés*, projetés et inscrits dans une nature culturelle posée comme valant par elle-même et absolument, et produire ainsi un mode de racisation « culturaliste ». La naturalisation est donc soit *biologisante* soit *culturaliste*. Cette distinction analytique (et idéaltypique) ne doit pas masquer le fait que, dans les discours réellement produits, les thématiques de la « race » et de la « culture » peuvent apparaître simultanément, les jeux argumentatifs autorisés par une telle coexistence renforçant la puissance de résistance à la critique, donc la force de persuasion, des discours de racisation (répondre, par exemple, à une critique du biologisme par une profession de foi culturaliste). Dans les années soixante-dix et quatre-vingt, nous avons vécu le passage à l'argumentation politique de la grande vague culturaliste des modes de racisation, jusque-là implicites et contenus dans les limites des débats savants élargis par l'engagement anti-ethnocentrique d'une élite intellectuelle. Effet pervers : le pluralisme culturel, d'intention antiraciste, est à l'origine des nouveaux modes de racisation.

Par la sommation de ces quatre traits, l'idéologie *différentialiste* est à ce point constituée, prête à s'incarner en ses formulations acceptables : le « droit à la différence », le « respect des différences » ou « l'éloge des différences » viennent alors légitimer la prescription de séparer ce qui diffère en nature. Il est difficile de n'y pas discerner une incitation à l'*apartheid*, sous d'autres noms, derrière de nouveaux drapeaux culturels, et trop souvent au nom de quelque version identitariste de l'exigence humaniste : « droits des peuples », légitime défense des identités collectives menacées, respect des mentalités spécifiques. Autant d'instrumentalisations idéologiques d'exigences éthiques, qui sont ainsi mises au service d'intentions racistes. Ces instrumentalisations usent volontiers de l'appel à l'autorité de la science : biologie et ethnologie fournissent la plupart des arguments fondateurs.

Ainsi Lapouge réinterprétait-il la théorie darwinienne de l'évolution comme théorie « de la survivance [30] » : « La vraie loi de la lutte pour l'existence est celle de la lutte pour la descendance [31]. » Dans l'« anthroposociologie » de Lapouge comme dans la sociobiologie contemporaine, l'importance accordée à l'hérédité est corrélative de celle qui est accordée à la reproduction différentielle, de sorte que le lien social se réduit aux liens du sang, et sa normalité à la préservation de l'identité de race — le mélange racial engendrant inévitablement « la rupture des liens sociaux [32] ».

L'assignation des différences interindividuelles et interethniques à une hérédité différentielle implique une valorisation de la temporalité en tant qu'élément de la transmission du « patrimoine génétique ». La précellence des liens du sang se manifeste essentiellement dans le souci de la lignée, ascendance et descendance : « L'individu qui meurt sans laisser de descendance met fin à l'immortalité de son ascendance. Il achève de tuer ses morts [33]. » La norme de conservation de l'identité d'une communauté de sang apparaît comme un absolu : chaque individu est responsable de sa descendance et de son ascendance, il l'est devant elles. « C'est pourquoi le péché absolu, c'est l'infécondité [34]. »

5. L'*interprétation inégalitaire des différences* reconnues comme naturelles, insurmontables et « éternelles ». Paradoxalement (eu égard à l'opinion antiraciste ordinaire), la position d'une inégalité entre les « races » ou « cultures » réintroduit de l'universel dans la pensée raciste : car il faut pouvoir *comparer* les « identités » collectives pour les rapporter à une échelle commune. Le *racisme inégalitariste* apparaît ainsi comme un phénomène dérivé et rétro-correctif de l'intégrisme de la différence, l'effet d'une « lecture » des différences par une pensée qui classe en hiérarchisant, qui les désabsolutise donc, leur confère une relativité en les soumettant à l'acte de comparaison. L'interprétation inégalitaire des différences, du fait qu'elle les réinscrit dans une hiérarchie universelle, corrige l'idéologie différentialiste. Toute hiérarchisation postule une comparabilité des termes hiérarchisés, et suggère qu'ils ont une nature commune. La logique du racisme inégalitariste est illustrée par la domination et l'exploitation de type impérialiste/colonial, légitimées par un projet paternaliste d'éducation des « peuples inférieurs » — ce qui sous-entend leur éducabilité. Tandis que la logique du racisme différentialiste, centré sur l'impératif de préservation de l'identité propre et régi par la phobie du mélange (métissage, etc.), se développe soit comme politique et éthique de l'*apartheid*, soit comme programme racio-eugénique d'extermination des « déchets » irrécupérables de l'humanité (moins les « inférieurs » ou « sous-capables » que les « parasites » et autres figures « nuisibles » d'une infra-humanité animalisée ou diabolisée). Il n'est guère difficile de juger laquelle, de ces deux logiques, est la pire [35]. Car l'on ne peut éviter d'évaluer, faute d'être un ange.

Problème 1 : racisme et assimilation

Qu'en est-il du racisme impliqué par la logique de l'assimilation ? Peut-on l'ériger en modèle théorique d'un type distinct de racisation : le *racisme assimilationniste* ? Celui-ci pourrait être défini comme l'entreprise de réduction universelle des différences et/ou identités collectives à un modèle unique, celui de l'instance impériale se proposant de réaliser une telle homogénéisation planétaire, et à qui serait susceptible de profiter le « crime ». Le racisme d'assimilation n'est cependant qu'une variante du racisme inégalitariste, dont il présente sous une forme explicite la logique profonde : réduction de la pluralité des modèles de vie collective à un seul (le sien : ethnocentrisme), position de soi comme supérieur sur une échelle de valeur universelle, unique et absolue, prescription d'une assimilation à son modèle culturel autoréférentiel (et autopréférentiel) de tous les autres peuples (« anthropophagie », selon la métaphore polémique avancée par Claude Lévi-Strauss dans *Tristes Tropiques*). Nous avons ici affaire non pas à l'effet invariable et nécessaire de « l'universalisme judéo-chrétien », comme l'affirme hâtivement le GRECE [36], à une fatale « solution finale » issue de l'idée biblique d'une unité du genre humain, mais à la dernière figure du faux universalisme dont se revêt l'impérialisme occidental depuis plus de deux siècles.

Universalisme second, idéologisé, instrumentalisé. L'universalité de l'échelle hiérarchique autopréférentielle qu'il met en œuvre n'est qu'une fiction : un tel opium des antiracistes naïfs doit être fermement réduit à sa vérité instrumentale, qui est d'accompagner comme un récit compensatoire et de camoufler comme un décor de rêve les brutales réalités d'une conquête. Le racisme d'assimilation suppose un pseudo-universalisme. Nous ne pouvons donc distinguer que deux ensembles distincts d'actes de racisation :
1) le racisme différentialiste, expressément anti-universaliste ;
2) le racisme pseudo-universaliste, susceptible de se réaliser selon deux figures, présentées l'une et l'autre par l'impérialisme de l'Occident moderne :
a) le racisme inégalitariste,
b) le racisme assimilationniste.

On ne peut que prendre acte de la convergence des résultats de notre analyse avec la typologie des modes de racisation que nous avons dégagée des travaux d'E. Todd [37] :
1) famille autoritaire : racisme d'exclusion et d'extermination (génocide) ;
2) famille communautaire asymétrique : système des castes ;
3) famille nucléaire absolue : développement séparé *(apartheid)* ;
4) famille nucléaire égalitaire : racisme impérialiste de domination et d'assimilation (colonialisme/ethnocide).

Les types *1* et *3* correspondent aux deux variantes principales du racisme différentialiste ; les types *2* et *4* correspondent aux deux grandes formes possibles du racisme inégalitariste : la conception holiste de la hiérarchie, la conception individualiste de l'inégalité, la première particulariste, la seconde universaliste.

S'il y a un racisme colonial, et un colonialisme raciste, il y a aussi un racisme anticolonialiste, soit biologisant (Gobineau) soit culturaliste (A. de Benoist), et un racisme récusant le modèle assimilationniste de la colonisation (G. Le Bon), construction idéologique dont le noyau affectivo-imaginaire est la phobie du métissage avec les races inférieures (racialisation de l'esclavagisme).

Problème 2 : racisme et « lutte pour l'existence »

Doit-on considérer qu'un sixième trait définitionnel est représenté par la thèse de la « lutte des races » ou des entités collectives racialisées ? Le *polémomorphisme* serait-il une caractéristique constitutive du racisme ? Dans bien des doctrines, comme dans le langage racisant ordinaire, l'idéologie raciste se présente comme incorporant le motif de la lutte à mort des races. Il nous semble que l'interprétation polémologique de la relation entre races est une évidence ajoutée au racisme, une caractéristique assimilée par les constructions racisantes au cours de la seconde moitié du XIXe siècle, à partir de deux sources historiquement distinctes, mais qui elles-mêmes interféreront dans leurs effets communs. En premier lieu, la représentation individualiste intégrale, qui conçoit la société comme un champ d'affrontement entre les individus poursuivant chacun leurs besoins et intérêts égoïstes, a engendré, par déplacement analogique, une vision commune du social fondé sur la lutte entre groupes rivaux, espèces d'individus collectifs — du groupe local à la communauté nationale, en passant par les peuples ou races constituant cette dernière. En second lieu, le parasitage idéologique de la théorie darwinienne a installé une vaste et indistincte problématique biopolitique dans laquelle le thème de la « lutte pour l'existence (la vie) » est central : tout être vivant, simple ou complexe, élémentaire ou composé (agrégats « sociaux »), lutte pour survivre, et pour cela doit lutter contre des rivaux, l'ensemble des candidats à la survie. Le glissement analogique de la lutte interindividuelle à la lutte interethnique a ainsi engendré, dans ce qui sera stigmatisé sous le nom de « darwinisme social » (ou « politique »), le thème de la lutte des races [38]. Or, c'est précisément dans le contexte des polémiques dirigées contre le « darwinisme social » que s'est forgée et ritualisée l'idéologie antiraciste [39]. Celle-ci a incorporé dès l'origine une critique des thèmes voisins de lutte, de combat et de guerre, ce qui l'a conduit à élaborer une doctrine pacifiste susceptible de fournir une légitimation au rejet absolu de l'idée générale de lutte. L'antipolémisme déclaré s'est inscrit dans le discours de propagande antiraciste, ce qui a eu pour effet en retour de laisser croire qu'il était de l'essence du racisme d'affirmer, voire de célébrer pour sa valeur sélective, l'existence d'une lutte entre races distinctes.

La considération de ces trois facteurs : emprunt analogique à l'individualisme libéral (lutte des égoïsmes rivaux), parasitage idéologique du darwinisme (lutte pour la vie), projection polémique due à l'antiracisme naissant (lutte contre l'idée de lutte), nous amène à rejeter l'idée que la lutte des races soit un trait constitutif du racisme. Celui-ci n'a nul besoin du thème polémologique pour fonctionner idéologiquement. Mais il est vrai que le passage au politique des conceptions racisantes s'accompagne souvent d'une vision catastrophiste du social-national, qui tourne autour du thème obsessionnel de la lutte à mort entre peuples-races censés être différents en nature (biologique ou culturelle).

Les logiques du « droit à la différence » (variations sur un texte de Louis Dumont)

> « Je soutiens ceci : si les avocats de la différence réclament pour elle à la fois l'égalité et la reconnaissance, ils réclament l'impossible[40]. »
>
> Louis Dumont.

Si l'on accepte de définir, avec Louis Dumont, l'idéologie moderne comme l'ensemble des représentations communes caractéristiques du monde moderne, configuration elle-même définissable en tant qu'*individualiste* pour ce qu'elle valorise l'individu (être moral, indépendant, autonome, extra-social) en négligeant ou en subordonnant la totalité sociale[41], la question de la « lutte contre le racisme » se transforme en critique nécessaire et préalable de l'antiracisme. Car si le racisme résulte de « la désagrégation de la représentation holiste par l'individualisme », s'il présente conséquemment des traits individualistes constitutifs, si le racisme implique encore la transposition du schème de l'individualité de l'être singulier empirique à la communauté, l'antiracisme suppose à son tour l'idéologie individualiste, s'inscrit dans son espace, en assume naïvement les postulats essentiels. Les difficultés polémiques de l'antiracisme sont à rapporter à sa position spéculative paradoxale : racisme et antiracisme partagent sans critique la plupart des énoncés fondateurs de l'idéologie moderne comme individualiste. Ils en représentent deux variantes concurrentes. Tel est le premier motif d'une critique de l'antiracisme.

Un second motif apparaît dès lors qu'on relève l'insuffisance politique centrale de l'antiracisme : l'impasse sur le *fait communautaire* non moins que sur les questions éthiques et politiques auxquelles il renvoie. L'antiracisme oscille en effet entre la focalisation sur l'individu et la focalisation sur l'humanité.

Comme si rien de bien important n'existait entre les hommes individuels et l'espèce humaine. D'où le double effet, contradictoire sur fond de valeurs partagées, de l'idéologie moderne. Celle-ci comporte, d'une part, « un universalisme profond qui fait rejeter hors du domaine cognitif lui-même les diversités rencontrées » : abaissement de la dimension intermédiaire, collective ou communautaire, entre l'individuel et l'universel, donc de la différence interculturelle ou internationale. L'antiracisme hérite de ce parti pris pour l'universel, l'érige en dogme, le fige en formules de combat. La position universaliste de principe devient ainsi l'un des arguments de base de l'espécéisme humanitariste auquel se réduit en partie la doctrine antiraciste ordinaire. Mais si l'idéologie individualiste, en ce sens, incite à privilégier l'individu empirique en tant que représentant de l'espèce, elle permet tout aussi bien d'ériger la personne, ou l'être moral supposé indépendant et non social, en valeur suprême. Version humaniste ou personnaliste de l'individualisme, qu'il faut mettre en regard de sa version raciste, qui paraît lui être absolument opposée. L'idéologie de la nation, côté allemand, offre une frappante préparation du racisme : la nation, chez Herder ou Fichte, est moins une collection d'individus qu'un individu au plan collectif, face à d'autres individus-nations. A la moralisation de l'individuel répond l'individualisation du collectif, de même qu'à la logique de l'émancipation des individus réplique la logique de l'encadrement, de la communion, de l'enracinement. L'antiracisme ne fait donc que développer les deux possibilités argumentatives offertes par l'idéologie moderne, en accentuant l'un des deux termes du couple individualisme/universalisme. Ce faisant, il reproduit les conditions d'apparition du racisme en tant que réaction communautariste aux jeux de l'individualisme et de l'universalisme, dans l'espace même de l'idéologie moderne. En bref, antiracisme et racisme font en quelque manière système, s'alimentent l'un l'autre en thèmes, arguments, métaphores. C'est un tel cercle vicieux qu'il s'agit, par une double critique du racisme et de la vulgate antiraciste, de déconstruire, afin de pouvoir y échapper sans retomber dans le même champ d'illusions récurrentes, sous d'autres habillages discursifs.

L'impuissance de la vulgate antiraciste à penser le collectif définit ainsi l'une de ses faiblesses politiques les mieux confirmées par l'observation socio-historique. On ne s'étonnera plus devant un phénomène désormais classique : la droite nationaliste tend à s'emparer du *problème non posé* de l'existence communautaire (de l'« ethnie » à la nation), et le pose à sa manière, qui inclut le plus souvent l'imaginaire et la rhétorique de la race. Il faut reconnaître qu'une telle conduite est de bonne guerre idéologique.

Mais la vulgate antiraciste pèche en outre par le recours à un postulat fondamental, rarement explicité, origine d'une illusion enveloppant une erreur spéculative. La demande antiraciste fondamentale est en effet de respecter la différence, de réhabiliter ceux qui sont (ou sont perçus comme) différents en quelque manière, de reconnaître l'Autre en tant qu'Autre. Or, la reconnaissance de la différence de l'Autre, ainsi que le remarque Louis Dumont, peut signifier deux choses foncièrement distinctes. En premier lieu, l'ensemble des revendications centrées sur l'obtention de droits égaux, l'égalité de traitement ou l'égalité des chances [42]. Si nul problème théorique n'apparaît en ce premier sens, un paradoxe surgit d'emblée, qui tient à ce que le « droit à la différence », par l'exigence même d'un traitement égalitaire des « différents », implique un quelconque abaissement de la différence, sa subordination à l'impératif égalitaire, voire le risque à long terme d'un « effacement des caractères distinctifs [43] », accompagné d'un oubli de la valorisation initiale de la différence. Autrement dit, la logique égalitaire est susceptible d'être saisie par la logique identitaire, et la valorisation de la différence de se retourner corrélativement en valorisation de la ressemblance, voire de l'uniformité. L'interprétation égalitariste du droit à la différence comporte le risque d'engendrer un tel effet pervers. En second lieu, la demande de reconnaissance de l'Autre peut signifier : reconnaissance de l'Autre en tant qu'Autre, valorisation de l'Autre comme tel, dans sa différence pure. L'impératif catégorique serait : évalue l'Autre comme lui-même [44]. Autrement dit : reconnais-le sans le situer sur une échelle hiérarchique. Voilà certes un idéal éthique fort bien partagé dans la portion antiraciste de l'humanité. La seule question, mais décisive, qu'il engage à poser est la suivante : une reconnaissance de l'Autre comme tel, sans évaluation hiérarchisante, est-elle possible ? Ou encore : peut-on affirmer la valeur de la différence sans présupposer une quelconque échelle des valeurs ? La question revient à celle de la possibilité d'un jugement de valeur qui s'opérerait sans hiérarchiser des valeurs. La réponse est simple, quoi qu'il en coûte à nos chères illusions vitales : si reconnaître ne signifie rien d'autre qu'évaluer ou intégrer, et si évaluer implique à la fois distinction et hiérarchisation de valeurs, alors la reconnaissance de l'Autre ne peut être que hiérarchique. La vulgate antiraciste s'avère dès lors reposer sur un postulat qui enveloppe une impossibilité, ou une contradiction dans les termes. Nous ne pouvons que nous accorder avec la conclusion de Louis Dumont : « Si les avocats de la différence réclament pour elle à la fois l'égalité et la reconnaissance, ils réclament l'impossible. On pense au slogan : "Séparés mais égaux" qui marqua aux États-Unis la transition de l'esclavage au racisme. »

L'argument du « droit à la différence » se distribue dans trois régions idéologiques distinctes et incompatibles :

1. L'*égalitarisme*, dont la logique conduit soit à une pétition de principe (« droit à la différence » = droit à l'égalité des droits), soit à la production d'un effet pervers (traitement égalitaire de la différence = dévalorisation latente de la différence).

2. Le *différentialisme éthique*, dont la prescription enveloppe deux impératifs contradictoires, ou se fonde sur la possibilité illusoire d'un acte évaluatif sans hiérarchisation de valeurs.

3. Le *racisme différentialiste*, ou mixophobique, dont il faut distinguer les deux possibilités de manifestation idéologique :

— le racisme différentialiste qui se présente comme éloge et affirmation tolérantielle de toutes les différences, et se donne pour un rejet de « tous les racismes » non moins que de « tous les totalitarismes[45] ». Dans cette perspective, la valeur de différence est exaltée pour ce qu'elle est une condition de la *conservation des identités collectives.* L'hypervalorisation des différences intercollectives n'est en aucune manière un indicateur de position dans l'espace politique bipolaire : une ultra-gauche dénonçant l'ethnocide depuis 1970[46] l'exprime tout autant que la nouvelle droite récusant l'Occident comme processus destructeur des identités ou « système à tuer les peuples[47] ». Il faut sans doute noter certaines variations rhétoriques, qui semblent s'opérer entre deux limites : soit l'on insiste sur l'inconceptible « égalité dans la différence », soit l'on s'attache à démontrer l'incomparabilité des entités collectives supposées différentes (elles peuvent dès lors être dites toutes « supérieures », chacune en son genre)[48] ;

— le différentialisme peut apparaître aussi bien en tant qu'habillage tactique du racisme inégalitaire, comme *reformulation acceptable* faisant appel à un maître mot idéologique (la différence). Un tel usage de l'argument différentialiste ne fait que suivre une suggestion du langage ordinaire : tout se passe comme si l'on ne pouvait affirmer une différence sans affirmer en même temps une différence de valeur[49]. Si donc différencier, comme acte de langage, revient à hiérarchiser, il faudra faire un effort continué pour désimpliquer les deux opérations liées dans la spontanéité verbale. Autrement dit, aller contre la pente naturelle de l'usage ordinaire, lequel ne cesse de reproduire l'évidence que différencier, c'est hiérarchiser. D'où la faiblesse pour ainsi dire constitutionnelle de l'antiracisme différentialiste, qui doit toujours encore remonter la pente de l'évidence que se contente de suivre le discours nationaliste contemporain[50].

LE STADE DIFFÉRENTIALISTE

> « CFTC
> C'est différent
> J'adhère. »
>
> *Tract de la CFTC*, 1er mai 1985.

L'intégration du motif différentialiste dans le discours publicitaire s'achève vers le milieu des années quatre-vingt. Les positions les plus résistantes aux modes langagières ont elles-mêmes été « prises ». Ainsi tel militant-journaliste du Parti communiste français, Michel Cardoze, se déclarant pour le « changement », pour la « renaissance » du PCF, prescrit à ce dernier le remède que l'air du temps lui chante : il faut que « le Parti communiste vive avec ses différences » (déclaration à A2, 10 septembre 1986, 13 h). Telle est désormais l'évidence axiologique absolue : le changement, qui est bon en tant que tel (en lui-même et par lui-même), se caractérise par l'acceptation ou l'assomption des différences. En consonance avec la prescription antiraciste dominante de la première moitié des années quatre-vingt : « Vivre ensemble avec nos différences. »

Dans un ouvrage stimulant sur *Les Nuisances idéologiques*, paru au début des années soixante-dix, Raymond Ruyer, après avoir rappelé la définition classique du racisme comme « biologisation » des différences entre les groupes humains, impliquant la précellence du déterminisme racial[51], faisait l'hypothèse d'une doctrine raciste non inégalitariste, qui pourrait se définir comme un différentialisme égalitaire. Ce racisme utopique pourrait se résumer par le principe de *l'égalité dans la différence raciale.* Son argument fondateur serait ainsi énonçable : les différences entre populations supposées distinctes (génétiquement et culturellement) étant posées comme incomparables, il s'ensuit que nulle hiérarchie ne peut les mettre en relation. En d'autres termes : les races/peuples n'ont pas de *nature commune* qui permette de les hiérarchiser. Et l'affirmation de l'« égalité » se ferait en quelque sorte par défaut, vicariant par euphémisme celle de l'absence pure de relation (entre termes différant en nature).

« Le racisme n'est pas voué nécessairement à proclamer l'inégalité des races, encore moins la supériorité de la race blanche, ou la supériorité des Nordiques sur les autres Blancs [...]. Le racisme pourrait être théoriquement égalitaire, en proclamant que les races sont différentes dans leurs dons biologiques, donc dans leurs cultures, mais sans supériorité générale de l'une sur l'autre. En fait, le racisme est toujours inégalitaire [52]. »

Voilà ce qu'il est le plus difficile à faire saisir aux esprits modelés par l'antiracisme commémoratif : le racisme différentialiste pur, présenté par R. Ruyer en 1972 comme une hypothèse d'école, est désormais au principe, dans les années quatre-vingt, des formulations dominantes du racisme. Comme si les structures profondes de la mentalité raciste s'étaient adaptées aux conditions de la communication doxique, en se réinvestissant dans le lexique de la diversité, de la différence et de l'identité. Déplacement d'importance : du monisme ethnocentrique (occidentaliste) au pluralisme ethnique, du culte du supérieur (autoréférentiel) au culte de la différence pure ou de la pureté identitaire comme condition différentielle d'existence. Bien entendu, les orateurs politiques mélangent ordinairement les problématiques, et produisent des discours racistes mixtes : mi-inégalitaires, mi-différentialistes.

Nous sommes arrivés à un tournant dans les avatars du couple racisme/antiracisme : tandis que la rhétorique antiraciste [53] semble fonctionner à vide — vide théorique sinon médiatique —, ornementation consolatrice de ses propres échecs, la rhétorique raciste montre les effets politiques d'un patient travail de renouvellement, inauguré par la « stratégie culturelle » ou « métapolitique » du GRECE, dont la reformulation d'un discours raciste public (acceptable et efficace) a représenté l'une des tâches principales.

Le GRECE, matrice et noyau dur de la « nouvelle droite », a été fondé en 1968. C'est à sa « stratégie culturelle » que l'idéologie française doit la réinterprétation raciste du « droit à la différence » et la redéfinition polémique du « racisme » comme volonté (et/ou entreprise) de réduction, jusqu'à la destruction, des différences entre peuples, ethnies ou cultures. Ce qui opère un retournement et une réinterprétation de la définition standard (ou antiraciste) du racisme comme hétérophobie [54] : le « racisme », vu et rejeté par la nouvelle droite, se définirait exclusivement par un projet d'homogénéisation, une visée « totalitaire » d'éradication des identités collectives. C'est ici que s'accomplit la conjonction des deux rétorsions d'argumentation : de l'antiracisme et de l'antitotalitarisme, qui se déplacent ensemble dans l'espace politique, de gauche à droite. Phénomène comparable au déplacement gauche/droite de l'anticosmopolitisme, dans l'idéologie française des années 1887-1900.

Cette offensive idéologique, qu'il faut se garder de croire concertée et planifiée dans ses manifestations politiques, a été conduite par des minorités actives et reprise par certains mouvements, voire certains partis. Tout d'abord, en 1983-1984, par le national-populisme soudainement entré en scène politique [55], qui aura été suivi de près par une partie du gaullo-libéralisme [56]. Le relais principal entre le néo-racisme différentialiste élaboré par le GRECE et ses mises en slogans politiques, depuis 1976-1977, aura été le Club de l'Horloge [57], fondé en 1974 par des membres du GRECE (Yvan Blot et Jean-Yves Le Gallou notamment). Dans la mouvance de la « nouvelle droite » au sens large, les Comités d'action républicaine (CAR, fondés en janvier 1982) ont massivement diffusé l'idéologie identitaire-différentialiste, mettant en avant la notion équivoque d'« enracinement [58] ». Mais l'effet politique dernier en est dénué d'équivoque : les immigrés d'origine extra-européenne, afin de préserver leur différence non moins que celles des authentiques Européens, les « enracinés » d'ici, doivent « retourner au pays » et « retrouver leurs racines ». *Militant*, le mensuel des dissidents « nationalistes révolutionnaires » du Front national, présente clairement le nouvel argumentaire : « Un passeport français n'a jamais eu la propriété de transformer un Africain noir en un Européen blanc [...]. Il s'agit tout simplement de la vie ou de la mort de notre nation. [...] Cette position-là est la nôtre : c'est les immigrés non européens dans leur totalité qui doivent retourner "vivre au pays". Mais le temps presse. [...] D'ici à quelques lustres nous ne pourrons plus rien faire parce que devenus minoritaires sur la terre de nos ancêtres. Le temps n'est plus aux atermoiements, aux demi-mesures, aux fausses mesures car *demain il sera trop tard*, demain il n'y aura plus de nation française[59]. » Le racisme européaniste légitime sa prescription d'exclusion totale par l'impératif de préservation de l'identité propre, et la « pathétise » au moyen du discours catastrophiste — la menace suprême : la fin du « monde blanc ». Chacun chez soi, l'*apartheid* pour tous. Telle est la proposition centrale, d'autant plus fourbe qu'elle ne l'est pas toujours, du *néo-racisme différentialiste*. Celui-ci est situé, depuis 1983-1984, en France, au lieu d'interférence des droites radicales « savantes » et des droites nationales « populistes », les unes s'appliquant à reconstituer un corps d'élites intransigeantes, les autres s'engageant dans la stratégie de l'appel direct au peuple tout entier, à l'exception d'une classe de « parasites » variablement désignés. Cette rencontre idéologique est un fait d'histoire politique, et définit la zone d'émergence du néo-racisme différentialiste. Mais la zone de diffusion et d'influence de celui-ci est considérablement plus étendue, comme l'indiquent la plupart des sondages d'opinion réalisés sur la période en question[60].

Le racisme tolérantiel (les ruses de la différence)

> « Le raciste reconnaît la différence et *veut* la différence[61]. »
>
> Julius Evola.

Quatre exemples suffiront à marquer le passage de l'argument inégalitariste à l'argument différentialiste dans la rhétorique néo-raciste contemporaine, dont on remarquera le lieu politique d'inscription, en deçà de la coupure droite/gauche : le *nationalisme* — qu'il se présente comme ethniste (ou régionaliste), hexagonal ou européaniste.

Répliquant à la campagne antiraciste lancée en France par l'association SOS-Racisme, autour du slogan « Touche pas à mon pote », le parti d'extrême droite belge, *Forces nouvelles*, a repris à son compte le slogan du Front national : « Touche pas à mon peuple », pour lancer une « campagne d'autodéfense de Belges soucieux de protéger leur droit à la différence[62] ». Un second exemple de reformulation différentialiste me sera fourni par un article « de fond » consacré en avril 1985 par François Brigneau, dans *Minute*, à la question du racisme : « Je crois qu'il est préférable d'*éviter les croisements et les métissages*. Non pas pour conserver la supériorité de la race à laquelle j'appartiens, mais *sa différence, son originalité*. Pour transmettre fidèlement ce que j'ai reçu. Pour ne pas casser le fil de ce que M. Lévy appelle "l'idéologie française". Est-ce criminel ? [...] Mais ce que je sais, c'est que mon hostilité au croisement ne procède pas du racisme [63]. » Avant d'explorer les raisons alléguées du savoir assuré de M. Brigneau sur l'« aracisme » qu'il s'attribue, on relèvera le rôle central de l'argument différentialiste dans le rejet de l'accusation de racisme. Car le pamphlétaire nationaliste, de bonne guerre, s'appuie sur la définition reçue du mot racisme, en fait un usage polémique qui vise à radicalement distinguer du racisme l'autodéfense nationaliste de l'« identité » et de l'« originalité » du corps français. C'est que la définition standard du racisme, dans la langue française, a été construite à partir des représentations de l'idéologie national-socialiste [64], ce qui en limite singulièrement le champ d'application. Brigneau peut ainsi se réclamer de la définition donnée par le *Robert*, centrée sur l'idée de hiérarchie des races, pour s'indigner de ce que l'on désigne par le mot *racisme* sa doctrine de la conservation identitaire. La stratégie des néo-racistes est aussi simple qu'efficace : il suffit de se déclarer en désaccord avec tel ou tel point de la doctrine particulière (disons : nazie) [65], abusivement érigée par les dictionnaires en définition générale du racisme, pour paraître s'absoudre du péché raciste. La stratégie revient à opérer la substitution, à tel énoncé déconsidéré d'une supériorité raciale (relative ou absolue), de l'énoncé acceptable de la différence entre traditions. Le vieux théoricien de la contre-révolution, l'antisémite Jacques Ploncard d'Assac, expose très clairement en mai 1985, dans *Lectures françaises*, les raisons selon lesquelles le nationalisme français « n'est pas raciste [66] » dans la perspective de sa famille politique : « Il n'est pas question de racisme. On peut discuter à l'infini sur l'égalité des races, voire même sur l'inexistence des races [67]. Le problème n'est pas là. Il est tout entier dans la question de *nationalité*. Les nations existent-elles ? Ont-elles des devoirs particuliers envers leurs nationaux, et le premier, de leur assurer la priorité de l'emploi ? Le second : la nation doit-elle défendre son identité [68] ? » On reconnaît ici le principe de la « préférence nationale », sur lequel le national-populisme fonde sa « réponse à l'immigration », à savoir : « Un principe simple [...] qui conduit à différencier [...] la situation des étrangers de celle des ressortissants de l'État[69] », un principe qui donc « légitime les nécessaires différences de droits politiques et sociaux entre citoyens et étrangers[70] ». Mais, comme en deçà de la partition hiérarchisante entre nationaux et étrangers, et plus profondément que tout impératif politique, la pensée nationaliste doit bien exprimer en quelque manière son évaluation fondamentale de l'élément communautaire, et exhiber d'une certaine façon (serait-elle euphémisée) son univers imaginaire : « Pourquoi parler de "l'inévitable brassage des hommes et des cultures" ? Il n'y a là rien d'inévitable, et c'est tout le problème. On veut *imposer* aux Français un métissage culturel et de sang, pour dissoudre dans un magma humain indifférencié ce qui fut — ce qui est encore — une nation et une culture[71]. » La hantise de l'indifférenciation, du chaos, du magma, de l'indistinction, s'avère au cœur du sens nationaliste de l'existence. Une preuve supplémentaire en est fournie par l'insistant rappel du rejet du métissage, alors même que l'on s'efforce d'illustrer par l'idéal d'intégration des peuples colonisés le non-racisme du nationalisme colonialiste : le nationalisme français est « si peu » raciste que c'était lui « qui défendait l'empire colonial, qui allait jusqu'à demander l'intégration en Algérie, [et que c'est lui] qui veut maintenir dans la France ce qui reste de l'empire. Mais la communauté de destin n'implique pas le mélange des cultures et des ethnies[72] ».

Mais l'équivoque du « droit à la différence », source de ses effets « pervers » (du point de vue de l'antiraciste qui, ne comprenant plus, reste scandalisé), peut être exploitée jusqu'à l'inversion exacte de son usage antiraciste ordinaire. Apogée du différentialisme, permettant à tel doctrinaire « national-socialiste » de monter au ciel de la tolérance et du respect de l'autre : « Le racisme national-socialiste, c'est la défense de la race, la protection de toutes les races dans leur originalité propre, et à travers elles des valeurs culturelles et artistiques dont elles ont été la condition et qui sont leur propre expression. Dès lors, la question ne se pose pas en termes d'"infériorité" ou de "supériorité", mais de différences mentales qu'il faut nécessairement conserver, car elles sont la condition de l'équilibre des individus comme des collectivités. C'est la plus grande tolérance que de laisser les races humaines se développer séparément. Notre racisme, c'est le respect des races, le respect des autres. [...] En tant que nationaux-socialistes, nous recherchons [...] la bonne entente des races se fondant sur le rejet absolu de tout métissage, et le principe du développement séparé[73]. » Le noyau dur de l'idéologie néo-raciste est là : phobie du métissage, ou impératif inconditionnel de préservation d'une identité bioculturelle supposée propre et originelle. Ce qui est au centre du fantasme, ce n'est plus l'infériorité de l'autre, c'est l'identité absolument différente de soi. Le cœur de la hantise est moins la perte du rang que la *disparition du propre.* Et le propre, indiscutablement, parfois selon des ruses de l'intelligence idéologique, s'appelle certes encore le Sang ou la Race, mais de plus en plus se traduit couramment dans les termes nobles de la postmodernité : ethnie, culture, patrimoine (culturel et génétique), héritage, mémoire, histoire, tradition, mentalité, différence et identité. Le différentialisme est un racisme clandestin, que n'assument guère que ses acteurs marginaux (« néo-nazis », etc.).

Le GRECE, enfin, s'efforce depuis 1980 d'accumuler les arguments tendant à légitimer la thèse que le développement séparé des races/peuples/cultures constitue l'unique moyen d'éviter les conflits raciaux : « Pour aller jusqu'au bout du droit à la différence, il convient de *refuser la société multiraciale* et, avec les immigrés, envisager leur retour au pays », affirme ainsi G. Faye[74] au nom d'un « autre tiers-mondisme[75] » qui se confondrait avec un « authentique différentialisme[76] ». Et la politique de la différence se fonde elle-même sur une hiérarchie des préférences : en dernière analyse, si les immigrés non européens doivent sagement accepter d'être expulsés, pour leur bien comme pour le nôtre (à chacun son identité), c'est « parce qu'un monde fait de peuples homogènes et territoriaux est préférable à un État multiracial et mondial[77] ». L'impératif « tu dois demeurer toi-même » ne s'adresse pas à l'individu comme tel, il rappelle à l'exemplaire d'une race (culture, ethnie, etc.) qu'il doit se conformer à la loi de son appartenance, parce qu'il n'est rien d'autre que l'« identité » collective qu'il représente et incarne.

L'apartheid au nom du droit à la différence, l'exclusion au nom de la tolérance : voilà le paradoxe, constatable dans la factualité idéologique contemporaine, qui doit nous servir de point de départ et d'objet d'interrogation, afin de repenser les bases mêmes de nos discours engagés dans l'antiracisme. Il s'agit d'abord de ne pas vouloir « banaliser » les formes actuelles de celui-ci[78] : leur banalisation est depuis longtemps achevée. La vraie tâche est de révision sans réserves, ce qui implique un écart absolu vis-à-vis de l'opinion en la matière, et le courage d'y persister. Mais il faut commencer par un grand étonnement. Car comment a-t-il été possible que des esprits autorisés, autant que des militants sincères, vigilants et expérimentés (toutes associations confondues) se fussent unanimement fourvoyés dans l'idéologie différentialiste, jusqu'à s'imaginer lutter efficacement contre toutes les formes de racisme au moyen d'un thème-argument précisément devenu central dans les nouvelles pratiques discursives du racisme ? Situation tragi-comique, mais qui dévoile un travers ordinaire de l'*intelligentsia* depuis 1945 : l'ignorance phobique de l'ennemi, d'autant plus mystiquement démonisé qu'il est méconnu. Le plus souvent, l'ennemi « raciste » n'est connu que de nom : on sait qu'il existe, et cela doit suffire. L'entreprise de conjuration prend alors la relève, cependant que l'ennemi désigné/non connu n'a plus grande ressemblance avec son portrait supposé. Et cet ennemi qui ose ne plus ressembler à son stéréotype, quant à lui, n'a cessé de suivre et d'exploiter l'évolution, à vrai dire la stagnation et l'ossification, des discours qui le visent et le stigmatisent. Le néo-racisme est le produit d'une connaissance de l'antiracisme, et d'une stratégie culturelle de contournement et de rétorsion d'argument.

Que peut donc répondre l'antiraciste d'obédience différentialiste à un énoncé respectable de xénophobie, du type : « Nous avons non seulement le droit mais le devoir de défendre notre personnalité nationale et nous aussi notre droit à la différence[79] » ? La mythologie identitaire et autodéfensive « différentialise » sans réserves. Énonçons la règle générale à partir de laquelle s'engendrent les propositions ambiguës qu'on perçoit néanmoins et à juste titre comme racistes : la mythologie identitaire implique une hantise du mixte (mixophobie) qui s'exprime *indifféremment* par le rejet de la différence (hétérophobie) ou par son exaltation (hétérophilie). De la même manière, la xénophobie peut s'exprimer directement (hétérophobie) ou non (hétérophilie). Enfin l'attitude xénophobe n'indique qu'une limite, elle ne se manifeste jamais au sens strict (rejet de l'étranger comme tel), mais procède d'une hiérarchie plus ou moins explicite des groupes rejetés. Il n'est pas de rejet de « l'autre » qui ne sélectionne parmi ses « autres », et ne sous-entende une échelle de valeurs autorisant la discrimination. Toute xénophobie est en ce sens un racisme latent, un racisme à l'état naissant.

9

La hantise du métissage : l'hypothèse mixophobique

LE REJET DU MÉTISSAGE

« Le racisme est le refus de s'abâtardir davantage. »
Abel BONNARD.

Earl Finch, dans sa communication sur « les effets du mélange des races » au premier Congrès universel des races (Londres, 26-29 juillet 1911), commençait par rappeler que « les disciples de Gobineau en France et de Morton en Amérique ont assuré que le mélange des races n'a eu et ne peut avoir que des conséquences désastreuses [1] ». A ces deux noms l'on pourrait certes en ajouter bien d'autres : Nott, Agassiz, Perier et Dally, comme l'indiquait Ribot en 1873 [2], Davenport, Mjoen, Humphrey, Widney, Grant et Stoddard, selon l'inventaire fait par Hankins un demi-siècle plus tard [3]. On connaît les axiomes gobiniens, cristallisés en une vulgate depuis la fin du siècle dernier : « Les nations meurent lorsqu'elles sont composées d'éléments dégénérés [4] » ; « Les peuples ne dégénèrent que par suite et en proportion des mélanges qu'ils subissent, et dans la mesure de qualité de ces mélanges [5]. » L'idée reçue est que le métissage est médiocrisation fatale de l'espèce : la fin du monde humain coïnciderait avec une égalité de tous dans la ressemblance, au sein d'un nivellement par le bas universel [6].

L'hypothèse radicalement pessimiste consiste à énoncer que le croisement des races produit des mulâtres qui sont à la fois dégradés (« dégénérés ») et inféconds (de façon variable), l'extension du métissage risquant de provoquer une extinction de l'espèce, ou une irréversible régression. Ce pessimisme mixophobique a été au centre de la doctrine anthroposociologique à la fin du XIXe siècle (Otto Ammon, G. Vacher de Lapouge).

Les positions en présence peuvent être ainsi caractérisées :

1. *Les mixophobes absolus :* le métissage est par lui-même cause d'infécondité et de dégénération (ou de dégénérescence). Dès lors, la dépopulation et l'extinction des « meilleurs », le déclin des élites — avec pour corollaire le « retour à la barbarie [7] » —, c'est-à-dire les figures respectivement quantitative et qualitative du déclin démographique, s'expliquent par le croisement des races. Georges Vacher de Lapouge, à l'origine de la fortune du thème du « choc des hérédités », est sur ce point fort explicite, dès ses premières interventions savantes : « Le mélange des classes et des races aboutit à l'infécondité, à l'incohérence physique et morale, aux coups d'atavisme les plus fâcheux, à l'extinction par croisement des races et des familles exceptionnelles [8]. » Après les prophètes anglo-saxons du « déclin de la grande race [9] » et les théoriciens du « chaos ethnique [10] », les doctrinaires nationaux-socialistes ont construit leur mythe racial, mythe du sang, autour de la détermination du métissage, par excellence entre Blancs et Noirs, comme faute suprême : « Péché contre le sang [11] ». La sacralisation de la « race » suppose à la fois celle des « lois de la nature » et celle de la « pureté du sang » : « Pour avoir laissé profaner sa race, la France doit nécessairement subir le châtiment d'une crainte instinctive pour son sang : celle qui ne quitte jamais les métis », affirme Alfred Rosenberg en 1930 [12].

2. *Les mixophiles inconditionnels :* ce sont ceux qui prêchent « l'évangile de l'amalgamation [...], assurant que le mélange entre races aussi dissemblables que les blancs et les nègres ne pouvait être que bienfaisant [13] ».

3. *Les mixophiles modérés :* ils se caractérisent par l'affirmation que le métissage, pour être positif, doit s'opérer selon une juste mesure. Ainsi, soit lorsqu'il se produit dans des « circonstances favorables [14] », soit lorsque « les différences qui séparent les races ne sont pas trop grandes [15] », le métissage doit avoir d'heureux résultats. Finch se rangeait à cette sage opinion : « Si le mélange des races n'est point partout désirable, le croisement entre races

spéciales, particulièrement lorsqu'il se produit dans des conditions favorables, crée souvent des types supérieurs [16]. »

4. *Les mixophobes modérés :* ces derniers, à l'instar de Felix von Luschan, reconnaissent, d'une part, qu'« un certain apport de sang nouveau a toujours été du plus grand avantage pour une nation [17] » — thèse très acceptable pour le Gobineau de l'*Essai sur l'inégalité des races humaines* [18]. Mais, d'autre part, ils affirment avec fermeté, en conformité avec la vulgate gobinienne : « Nous sommes tous plus ou moins disposés à ne point apprécier et même à mépriser le mélange des Européens avec la majorité des races étrangères. "Dieu créa l'homme blanc et Dieu créa l'homme noir, mais le diable créa le mulâtre". C'est là un problème des plus connus. En réalité, nous ignorons totalement les qualités morales et intellectuelles du métis. Il serait absurde d'attendre de l'union d'un vaurien d'Européen avec une femme noire du même niveau moral des enfants marchant à la tête de l'humanité [19]. » C'est dans la même perspective que les eugénistes racistes distinguent entre « bons » et « mauvais » métis [20]. Gustave Le Bon insistait par exemple sur la condition de proximité raciale pour la production de « bons » métis : « Sans doute des races fort différentes, le Blanc et le Noir par exemple, parviennent à se fusionner, mais les métis qui résultent de pareils croisements constituent une population très inférieure aux produits dont elle dérive, et complètement incapable de créer, ou même de continuer une civilisation. L'influence d'hérédités contraires dissocie leur moralité et leur caractère [...]. Les croisements peuvent être un élément de progrès entre des races supérieures, assez voisines, telles que les Anglais et les Allemands de l'Amérique. Ils constituent toujours un élément de dégénérescence quand ces races, même supérieures, sont trop différentes [21]. »

Les présupposés doctrinaux des partisans du non-mélange sont les suivants :

1. Chaque race correspond à un type humain qu'on présume stable [22]. Postulat de stabilité des types.

2. Il y a des types humains supérieurs et des types humains inférieurs. Postulat d'inégalité entre les types.

3. A chaque type correspond une qualité spécifique de « sang ». Postulat de « monohématisme » racial.

4. La valeur d'une race réside dans la pureté de son sang [23], la valeur raciale d'une population mélangée réside dans la proportion de sang de race supérieure qu'elle contient [24].

5. Le métissage ou croisement entre races est un mélange des sangs. La procréation s'opère comme une « transfusion sanguine » censée transmettre aptitudes et inaptitudes [25]. L'immigration est elle-même conçue comme « une transfusion sanguine ethnique massive [26] », autant que comme « une greffe interraciale [27] ».

6. Le mélange détruit irréversiblement la qualité différentielle des « sangs », donc les valeurs spécifiques des races mélangées. Le métissage tend inévitablement à profiter à la race inférieure : il médiocrise [28]. Agassiz, dans une remarque souvent citée, résumait ainsi cette conception du métissage décadentiel : « Ceux qui mettent en doute les pernicieux effets du mélange des races et sont tentés par une fausse philanthropie de briser toutes les barrières placées entre elles, devraient aller au Brésil. Il leur serait impossible de nier la décadence résultant des croisements, qui ont lieu dans ce pays plus largement que partout ailleurs. Ils y verraient que ce mélange efface les meilleures qualités soit du Blanc, soit du Noir, soit de l'Indien, et produit un type métis indescriptible, dont l'énergie physique et mentale s'est affaiblie [29]. » En outre, le métissage est incriminé de ce qu'il produirait une guerre de soi contre soi : « Toute cette tempête de l'âme, c'est la bataille des sangs [30]. » Enfin, le métissage ne pourrait engendrer que des types en eux-mêmes hétérogènes et partant instables, « anarchiques » — métaphore politique prisée pour stigmatiser le désordre attribué à la nature du métis. Madison Grant présentait ce dernier jugement comme une évidence de sens commun : « Il est à peine besoin de rappeler la méfiance universelle, souvent le mépris, qu'inspire dans le monde entier le métis de deux races nettement différenciées. Appartenant physiquement à la race inférieure, mais aspirant à être reconnu comme membre de la race supérieure, l'infortuné métis, en plus d'un physique disparate, tient souvent d'un de ses parents un cerveau instable [31]. »

Dans l'argumentation du racisme politique, la condamnation du métissage reprend les motifs, en grande partie empruntés à la tradition antisémite moderne, visant les êtres « sans attaches », de nulle part, dénués d'enracinement : n'étant attachés à rien (ni sol ni tradition), ils sont des étrangers par excellence, le type de l'étranger universel, l'indéterminé typique s'opposant à tout type déterminé et constituant pour celui-ci une menace. Abel Bonnard s'appliquera ainsi à légitimer le préjugé mixophobe, en le présentant comme dérivé des lois de la nature humaine, instinct qui serait même commun à l'homme et à l'animal : « Quant au métis, comment peut-on traiter dédaigneusement de préjugé le sentiment répandu dans tous les temps et dans toutes les races, que c'est un être moins noble que ceux issus d'un sang plus pur ? Il n'est attaché à rien, à aucune croyance, il n'est adapté à rien, sauf à une vie interlope entre les peuples et les races [...]. Il n'est pas douteux que le préjugé universel contre le métissage est justifié [32]. » L'impératif biopolitique premier est d'éviter aux races « de déchoir toutes à la fois dans un immonde mélange [33] ». C'est pourquoi, concluent les eugénistes racistes, « il faut, par des lois universelles et inflexibles, empêcher les mariages mixtes [34] ». L'homme qualifié par son appartenance raciale définie, l'homme de qualité raciale distincte, voilà le type opposé à l'homme sans qualité qu'incarne le métis. Car la multiplicité des appartenances contradictoires se transforme en neutralité : « Le racisme exprime donc le refus de devenir l'homme quelconque [35]. » Ce qui suppose une conception traditionnelle — et pré-darwinienne — d'un cosmos, d'un ordre hiérarchique du monde, où chaque classe d'êtres a une place fixée dans un système finalisé : « Toute race a ses qualités, ses charmes mêmes, mais sans aucun doute le mulâtre est plus bas que le nègre. Chaque race a sa place, mais le mélange répugne à toutes [36]. » Le mélange est le mouvement qui déplace les êtres, il opère l'erreur de catégorie, il change les places, il provoque du désordre dans l'ordre cosmique. Cette métaphysique raciale inclut volontiers la thèse polygéniste : « Il y a plusieurs humanités dans l'humanité [37]. »

Telles sont les présuppositions doctrinales du préjugé mixophobe, en tant qu'il est énoncé, donc exprimé pour être légitimé. La légitimation fondamentale du rejet du métissage consiste à l'inscrire dans la nature du vivant, à faire de la mixophobie un instinct, une expression des lois de la nature, l'instrument d'une nature providentielle qui tend à préserver les différences. Or, le socle constitué par les trois premiers postulats avait été fortement ébranlé dès le début du XXe siècle. Le postulat de stabilité des types avait été mis en question par Franz Boas dans les années 1900-1910, comme le rappelle la conclusion de sa communication au premier Congrès universel des races de 1911, portant précisément sur « l'instabilité des types » : « L'idée ancienne de l'absolue stabilité des types humains doit être abandonnée, et avec elle la croyance à une supériorité héréditaire de certains types sur les autres[38]. » Si donc les types ne sont pas absolument stables, les conditions empiriques d'une comparaison scientifique tombent, faisant que la relation d'inégalité absolue n'est plus énonçable. Quant au postulat du monohématisme racial, il relève du vieux « mythe du sang » auquel certaines formulations d'Aristote avaient donné une légitimation persistante[39], impliquant les idées fictives d'une « hérédité par le sang » et d'une « communauté de sang ». Le mythe est fondé sur une identification primordiale : celle de la « race » et du « sang ».

Au métissage n'est pas seulement attribuée la responsabilité de la dépopulation et de l'extinction des eugéniques (la disparition des élites). Il serait aussi, par le « choc des hérédités » qu'il est censé provoquer au regard des racio-eugénistes, au principe de divers phénomènes de pathologie. Il jouerait un rôle dans la pathologie individuelle, en ce qu'il serait un facteur de la production des enfants anormaux[40], et provoquerait l'aliénation mentale[41]. Il interviendrait également dans la pathologie sociale, en étant l'une des causes d'apparition des criminels et des « déclassés »[42]. Enfin, l'immigration étant liée au métissage comme à l'une de ses conséquences, on ne s'étonnera pas de ce que les critiques sélectionnistes se fondent sur le rejet du métissage, rejet absolu lorsqu'il s'agit du croisement entre Blancs et Noirs[43].

Le mythe du sang-race est une variante du mythe du pur et de l'impur. On peut certes le penser de façon substantialiste, penser le pur en tant qu'identité essentielle propre menacée de disparition, ou comme trésor biopsychique accumulé risquant d'être violé ou volé. Mais il s'agit plus profondément d'un problème de catégorisation : l'impur, c'est d'abord ce qui n'est pas à sa place[44]. Ainsi l'immigré est-il impur en ce qu'il est déplacé, le métis du fait qu'il incarne l'impossibilité d'une double appartenance catégorielle. On peut interpréter une telle conception par le schème d'une biologisation radicale du modèle de la société de castes. Les humains sont, dans ce cadre, représentés comme des êtres par nature fixés à telle ou telle place, assignés à telle ou telle catégorie. L'impur est le décatégorisé (« déclassé »), le surcatégorisé (métis), le déplacé ou l'être « acatégorisé » (immigré). Le noyau du pur est corrélativement l'indéplaçable, l'intransmissible[45], l'inassimilable : est pur le non-mélangé, le type fixe, distinct, défini, l'être unicatégoriel.

Est impur tout être qui transgresse les frontières fixées par la nature : le métis est le produit de la transgression des « barrières du sang ». Mythologie politique.

Il y a cependant un vrai problème, soulevé par le fait de la hantise du métissage (et indépendamment de la question de son universalité, demeurant ouverte). Si l'on s'en tient en effet aux seules données des sciences du vivant, l'idée selon laquelle les croisements interraciaux provoquent inévitablement dégénérescence ou débilité, médiocrité, stérilité — l'infécondité, l'« extinction de la race » étant notamment mises au compte de « l'absence ou la faiblesse du besoin de se perpétuer [46] » chez les métis —, phénomènes disharmoniques (défauts de proportion) ou conflits « instinctuels » — « incohérence » somatique et psychique [47] —, cette idée relève du mythe et met en œuvre, au sein même de la modernité, les catégories de la « pensée sauvage ». Et pourtant, il faut bien considérer l'efficacité symbolique de telles croyances, aspect de la persistance des représentations « magiques ». Il y a une réalité psychosociale de la dévalorisation, voire de la hantise, du métissage, à travers la fiction du mélange des « sangs ». Que de telles représentations collectives mettent en jeu certains éléments du mythe du sang, en particulier la croyance (scientifiquement fausse) à l'hérédité « par le sang », cela n'entame nullement leur valeur psychosociale, qui se mesure à ses effets dans le système des attitudes et des comportements.

Tel est le paradoxe du mythe mixophobe :
— d'une part, à tenir compte des leçons des sciences du vivant, l'on peut réaffirmer, à la suite de Juan Comas [48], que : 1°) le métissage a existé depuis l'aube de l'humanité ; 2°) qu'il favorise les variations physiques et psychiques ; 3°) qu'il n'est, d'un point de vue biologique, ni bon ni mauvais, et qu'il dépend toujours des caractéristiques personnelles des individus soumis à l'hybridation [49] ;
— d'autre part, l'observation sociologique ne peut éviter de considérer les effets sociaux des opinions et des croyances, notamment à travers les phénomènes d'efficacité symbolique étudiés sous le nom de « prophétie autocréatrice [50] ».

Après W.E. Castle, O. Klineberg a insisté sur le déplacement du problème posé par le métissage : il relèverait moins de la biologie que des relations interindividuelles et sociales. La sociologisation du problème part d'un simple constat : « Si l'on s'élève généralement contre le métissage, et si, par conséquent, il est difficile pour les hybrides de s'adapter à la vie sociale et économique de l'un ou l'autre des groupes parents, cela peut avoir sur eux, en tant qu'individus, un effet des plus défavorables[51]. » Comme l'avait compris Bouglé en 1904, le problème devait être repris sur le plan de l'« opinion », c'est-à-dire compris en termes d'attitudes[52]. C'est l'*identité sociale* du métis qui fait problème : à quelle famille, à quelle lignée, à quelle tradition culturelle va-t-il se rattacher pour s'identifier socialement, dans le cadre des contraintes qui lui sont imposées par le jeu des rejets croisés ? L'identité collective multiple du métis risque de se retourner en identité suspendue, l'appartenance double ou complexe de se convertir en degré zéro d'appartenance. Dès lors on retrouve, dans cette neutralisation de l'appartenance sociale du métis, en ce qu'il appartient à une catégorie manquante, l'équivalent sociologique des conceptions biologisantes naïves des racio-eugénistes (tels Lapouge, Grant ou Martial). Le métis incarne le terme indéterminé qui oscille du poste complexe (l'un et l'autre) au poste neutre (ni l'un ni l'autre). L'impossible assignation du métis à une catégorie ethnique supposée distincte est au principe des difficultés de sa reconnaissance sociale, comme l'indiquait J. Ruffié en 1976 : « *Sociologiquement*, il [le métissage] pose de sérieux problèmes. La situation de multi-ethnicité du métis est souvent inconfortable, car il court le risque de n'être reconnu par aucun des deux groupes dont il est issu. Il demeure un non-assimilé. La situation peut être plus grave encore lorsqu'une tension existe entre ces groupes ; le métis n'a aucun refuge contre les conduites discriminatoires et agressives qui peuvent venir des deux côtés[53]. »

En outre, l'on doit considérer le fait que le mythe scientifico-politique du métissage-catastrophe a été relayé, depuis la vulgarisation des travaux ethnologiques, par l'impératif du « droit à la différence », lui-même inscrit dans un mythe eschatologique de « mort des ethnies/des cultures » par indifférenciation. Nous y pouvons reconnaître, transférée au plan culturel, l'idée d'une médiocrisation croissante, voire d'une disparition de l'humanité dans et par le « chaos des races ». C'est pourquoi un anticolonialisme raciste centré sur la phobie des contacts interethniques a pu se constituer et faire tradition, dans la seconde moitié du XIXe siècle, autour de la prescription du rejet absolu du métissage Blancs/non-Blancs[54]. Dans l'imaginaire mixophobe, l'assimilation incarne l'erreur funeste par excellence du colonialisme occidental. La mixophobie est exigence de différence. Et, dans la pensée raciste, différence raciale et différence culturelle sont deux désignations du même phénomène. Le premier mot, descriptif, est différence. Le dernier mot, prescriptif, est encore différence.

Nous retrouvons la logique des valeurs différentialistes, son appel à la tolérance de la diversité donnée et au respect des différences raciales, lequel dérive d'une éthique fondée sur la sacralisation de « la nature ». Abel Bonnard résume bien l'impératif catégorique de la bioéthique raciale : « Refuser le mélange, ce n'est pas seulement le signe qu'on sait ce qu'on vaut, ce n'est pas seulement un signe de fierté, c'est aussi bien un signe de respect des autres races[55]. » Nous retrouvons également le postulat d'inassimilabilité, avec sa double formulation, biologique et culturelle, et les jeux de substitution entre l'argument de l'incompatibilité des « sangs » et celui de l'hétérogénéité des « mentalités ». Les argumentations utilisées par la xénophobie nationale-populiste aujourd'hui illustrent le processus de reformulation euphémisante, de mise en acceptabilité de l'argument raciste de la « greffe interraciale » (R. Martial). La stabilité de la métaphore argumentative de la « greffe » est l'un des indices de ce que les présuppositions cognitives de la mise en problème de l'« immigration » sont restées relativement stables depuis la fin du XIXe siècle en Occident, où elles se sont constituées[56]. Dans ses « Réponses à l'immigration », en 1985, la *Lettre d'information* du Club de l'Horloge abordait la question intitulée « Identité française et identité européenne » à partir d'une métaphore biochirurgicale, et légitimait son rejet de l'immigration par un raisonnement réductible à un syllogisme du type suivant :

1) « Pour qu'une greffe réussisse, il faut qu'il y ait compatibilité entre l'identité du receveur et celle du donneur. »

2) Or, « entre les Français et l'immigration planétaire qu'ils subissent, il n'y a pas de compatibilité par la culture, par l'histoire, par la religion, par la langue ».

3) « C'est pourquoi, l'"insertion" des immigrés ferait de la France un ensemble multiculturel qui ne pourrait durer dans l'histoire qu'au prix d'un terrible appauvrissement mutuel où les communautés étrangères comme la nation française perdraient peu à peu les valeurs essentielles qui définissent leur caractère propre[57]. »

Il faut donc refuser l'immigration et se donner les moyens adéquats pour mettre en œuvre un tel refus. Le préalable est ainsi énoncé : « D'abord réviser notre code de la nationalité » selon « le principe de la préférence nationale[58] ».

Le principe de différence interethnique absolue circule de la conception de la nationalité-citoyenneté à celle du type d'éducation désirable. L'idée (et l'idéal) d'une éducation spécifique à chaque race est apparue dans la mouvance de l'école polygéniste, comme l'illustrent ces remarques de L. Agassiz, datant de 1850 : « Quelle serait la meilleure éducation à inculquer aux différentes races en fonction de leur différence originelle ? [...] Nous ne doutons pas un seul instant que les affaires des hommes, quant aux races de couleur, seraient beaucoup plus judicieusement conduites si, dans nos relations avec elles, nous étions guidés par la pleine conscience des différences réelles qui existent entre elles et nous, et par le désir d'encourager ces dispositions si éminemment manifestes en elles, plutôt que de les traiter en termes d'égalité[59]. » La thèse polygéniste est en congruence avec la norme polylogique en éducation, le pluralisme culturel absolu se distribuant aussi bien dans l'idéal pédagogique que dans le modèle d'« acculturation ». Tel se présente l'un des énoncés premiers de la théorisation, au milieu du XIXe siècle, du modèle pluriculturel d'éducation. Voilà une provenance, qu'il faut bien dire raciste (vue d'aujourd'hui), des modèles contemporains d'enseignement différentiel selon les origines ethniques. Provenance assurément recouverte par l'oubli.

Dans son évaluation de la « portée pragmatique des théories raciales », Gaston Bouthoul proposait de distinguer les « croyances religieuses et politiques, même les plus fanatiques », et les « croyances raciales ». Car les premières sont constitutives de doctrines ouvertes en ce qu'elles ménagent la voie de la conversion, alors que les secondes sont au principe du type de la doctrine close par excellence, sans pont ni porte (conversion), sans chemin vers le rachat, la rédemption, le salut (perfectibilité). Et ce que le sociologue disait du racisme biologique s'applique tout autant à l'ethnisme culturaliste : « Les croyances raciales sont sans rémission. Il n'existe pour elles ni conversion ni rachat. Elles nient la perfectibilité humaine et par conséquent aussi bien le progrès intellectuel que la rédemption morale. Et cela d'autant plus qu'elles proscrivent les métissages, considérés comme un crime contre la race[60]. » Si toute appartenance communautaire est un quasi-destin, le racisme n'a rien à proposer qu'un sur-destin.

L'HYPOTHÈSE PSYCHOSOCIOLOGIQUE DE PAGÈS-LEMAINE : LE DÉSIR D'HOMOFILIATION PHYSIQUE

« Si la nature a créé des races humaines définies, elle n'a pas, malheureusement, créé de difficultés assez insurmontables pour en empêcher le mélange [61]. »

Dr BÉRILLON.

« Les Arabes disent : "Dieu a créé le Blanc, Dieu a créé le Noir ; le diable a créé le métis". »

Dr BÉRILLON [62].

Ce que nous appelons racisme différentialiste suppose l'existence d'un phantasme mixophobe originaire, qui en constitue le noyau psychosocial. Le traitement singulier du métis, et en particulier de l'enfant métis, objet de répulsion phobique, sera notre fil conducteur. En 1911, dans son ouvrage sur Nietzsche, Claire Richter relevait la présence de cette attitude chez le philosophe : « Nietzsche cite un fait, qui nous est communiqué par Darwin [*De la variation des animaux et des plantes sous l'action de la domestication*, trad. fr. J.J. Moulinié, Paris, Reinwald, 1868, t. II, p. 23], le fait que Livingstone entendit un jour quelqu'un dire : "Dieu a créé l'homme blanc, et Dieu a créé l'homme noir, mais c'est le diable qui a créé les métis." Ce mot, Nietzsche le cite dans *Morgenröte* [*Werke*, Leipzig, A. Kröner, IV, 240] [63], et puisque, à l'exemple de Darwin dans le passage cité un peu plus haut, il insiste sur la cruauté des métis, je suis très disposée à admettre ici une influence directe de Darwin sur Nietzsche par la lecture de la *Variation des animaux*, d'autant plus que Rütimeyer était plein d'admiration pour cet ouvrage [64]. » Nous nous retrouvons devant un mythe de pureté/impureté, la pureté se distribuant dans les types raciaux distincts et reconnaissables, l'impureté étant imputée en propre au type mélangé, ou plutôt à cet être typologiquement neutre, hors-jeu, qu'est le métis.

L'hypothèse de Pagès-Lemaine permet de rendre compte d'un tel ensemble de faits d'évitements, de répulsions, de phobies, visant le métis. Elle présente l'avantage de conférer une base psychosociale à ce que l'on appelle les attitudes racistes ou les préjugés de race, l'attitude étant une construction théorique du psychologue visant à objectiver une disposition à se comporter d'une certaine manière vis-à-vis d'autrui, cette disposition n'étant elle-même qu'un facteur des comportements observables. Notre hypothèse d'une mixophobie enracinée dans un noyau inconscient, celui-ci étant éventuellement lié à des conditions historiques et culturelles spécifiques, se trouve dès lors confortée et précisée par son point d'application préférentiel : la filiation ou la descendance, l'amour qui conduit à la procréation interraciale, et non pas la relation sexuelle « mixte ». Les représentations mixophobes apparaissent comme tournant autour de la génération, et s'inscrivent dans la temporalité de la reproduction. Dans deux articles publiés à plus de quinze années de distance[65], Robert Pagès a formulé l'hypothèse selon laquelle « l'hostilité à l'égard des groupes "différents" vient de ce que l'on souhaite garder son identité phénotypique ou que l'on souhaite se "retrouver" le plus possible chez ses descendants[66] ». Elle revient à « supposer qu'une certaine *perpétuation morphologique* manifeste constitue, dans les sociétés occidentales contemporaines à famille essentiellement conjugale tout au moins, l'un des *mobiles d'initiative ou d'acceptation de la procréation* directe ou à travers des descendants[67] ». Telle peut s'énoncer l'hypothèse du désir d'« *homofiliation physique* » que l'on peut postuler au principe de la hantise du métissage, de la peur de la dégénérescence par l'effet du mélange des races, de la crainte d'être souillé par les éléments étrangers ou immigrés, tous porteurs en tant que tels d'une menace d'impureté, de souillure, de « tache » indélébile censée pouvoir défigurer à jamais l'identité propre (de l'individu et/ou du groupe). La peur des relations sexuelles et de la « saleté »[68] n'apparaît ici que comme un cas particulier. Si les croisements interethniques sont si souvent récusés avec autant de violence, c'est que le désir groupal d'*autoreproduction à l'identique* est « profondément enraciné, au moins dans notre culture occidentale avec le système de parenté qui est le nôtre[69] ». Tout se passe comme si la reproduction à l'identique était l'idéal vers lequel le groupe doit tendre. Si le Noir représente la menace de la tache ineffaçable, le métis incarne l'être souillé d'après la destruction de l'identité du groupe blanc — souillure maximale car désormais incatégorisable dans le système typologique Blancs *vs* Noirs. Les métis ont statut de repoussoir : ils semblent être, dans l'imaginaire américain de façon exemplaire, ce que les Blancs refusent de devenir[70]. L'imaginaire de la descendance, de la continuité et de la permanence, est régi par la norme « spontanée » d'autoreproduction du « nous » : « Les membres du groupe, de la communauté, ressentiraient comme un danger l'introduction de l'étranger si cela doit laisser des "traces", des enfants qui ne pourraient pas faire partie de "nous" [71]. »

Robert Pagès était parti de l'échelle de distance sociale d'E.S. Bogardus [72], dont l'une des leçons est que « l'entrée dans la famille appelle la dernière et la plus forte résistance à l'acceptation raciale, celle dont la brisure entraîne hiérarchiquement tous les degrés de l'intégration [73] ». Cette description « quasi métrique » renvoie à un ensemble de faits qui semblent illustrer « un tabou fondamental, une loi d'endogamie raciale limitant et complétant, sur le même plan, la loi d'exogamie [74] ». Son expression verbale typique est la question rhétorique : « Voudriez-vous que votre fille épouse un indigène (un nègre) ? », qui semble manifester une « répulsion instinctive insurmontable [75] ». Mais pourquoi donc éviter à tout prix le mariage interracial ? Cette expression sociale de l'attitude mixophobe ne va en effet pas de soi. Car, d'une part, la proximité physique des Noirs n'est pas exclue dans la famille, s'ils y sont domestiques — la barrière sociale s'opposant au mariage —, et, d'autre part, les unions sexuelles hors mariage ne sont nullement interdites par des arguments tels que l'« odeur » ou la « saleté » des Noirs, c'est-à-dire par les formes « légitimes » et légitimatoires de l'argument de souillure raciale [76]. Dès lors, si le tabou ne porte pas sur la coexistence intrafamiliale, ni sur la procréation interraciale comme telle [77], le tabou ne peut se définir qu'en ce qu'il vise à exclure le risque d'un enfant intrus : il « *porte uniquement sur les actes sexuels, à initiative blanche ou noire, surtout masculine, de nature à introduire un enfant métis dans la famille blanche* [78] ». Le principe est en un sens simple : la *ressemblance* de l'enfant aux ascendants permet la *reconnaissance* de son *appartenance* à la famille, elle confirme l'authenticité de sa *descendance* [79]. Qui n'a pas « l'air de la famille » (cela valant pour toute sphère d'appartenance, laquelle est *a priori* indéterminée) est identifié comme « allogène » : l'identité propre de la lignée (ou de l'ethnie, de la race) doit pouvoir s'exprimer et s'illustrer par la ressemblance, qui est la *ratio cognoscendi* de la descendance, laquelle est la *ratio essendi* de la ressemblance. Or, la couleur de la peau semble être la caractéristique déterminant de façon privilégiée la discrimination raciale [80].

Si donc l'imaginaire raciste se construit autour de la hantise de la « tache » indélébile, il se distingue de l'imaginaire proprement eugéniste centré sur la hantise de la « tare »[81], métaphore renvoyant à des défauts du *germ-plasm* qui caractériseraient les catégories sociales inférieures, et risqueraient, tant du fait de la plus grande fécondité de ces catégories que par les effets des croisements, de se distribuer dans une portion croissante de la population incarnant une valeur à conserver et à défendre[82]. Telle est l'image récurrente : le flot montant des éléments inférieurs (dégénérés, débiles : le « déchet » biosocial) menace de submerger la société tout entière, partant de faire disparaître les meilleurs éléments en se substituant à eux. Lorsque l'on rencontre des argumentations dues à des eugénistes racistes, on constate que ces derniers y présentent toujours une certaine combinaison de motifs empruntés, d'une part, à l'imaginaire de la « tache » (impureté, souillure, identité brisée), d'autre part, à celui de la « tare » (infériorité, débilité, subhumanité). Dans la représentation du « déchet » coexistent ces deux types d'êtres incarnant une menace pour l'identité propre : les « souillés » et les « tarés ». Nous retrouvons ainsi, à travers cette distinction éclairante proposée par G. Lemaine et B. Matalon, le schème de notre distinction entre racisme différentialiste et racisme inégalitariste. Mais l'on ne saurait faire se correspondre terme à terme les deux distinctions : l'une fonctionne pour différencier l'orientation eugéniste (hantise de la « tare ») de l'orientation raciste (hantise de la « tache »), tandis que l'autre permet de différencier deux orientations du racisme, ou deux racismes idéaltypiques. Or, si tous les eugénistes sont mélioristes et se fondent sur les convictions de base du projet rationaliste-constructiviste dit « progressiste », tous les racistes ne sont pas mélioristes, il s'en faut de beaucoup. Le volontarisme, l'artificialisme et l'interventionnisme biopolitiques caractérisent l'utopie eugéniste : l'eugénique — comme science, technique et idéologie — appartient à l'idéologie moderne, même si l'on peut lui trouver de lointaines origines. Créer du social « meilleur » avec du scientifico-technique remplissant cumulativement les rôles du politique, du religieux, du législateur et du moraliste : voilà l'acte propre, « révolutionnaire », de l'eugéniste. Stérilisation, enfermement et extermination des éléments constituant le « déchet » biosocial sont les trois solutions qui s'offrent comme des possibles à la fin du XIXe siècle : les trois ont été mises en œuvre politiquement au XXe siècle. Après les tentatives américaines « pionnières » (début du XXe siècle), le nazisme a historiquement réalisé la synthèse eugénico-raciste. Mais les distinctions théoriques demeurent — ce que néglige par principe le discours antiraciste de propagande.

La visée commune, espèce d'impératif catégorique partagé par les racistes différentialistes, les eugénistes et les darwinistes sociaux « libéraux », est qu'il faut définir les conditions selon lesquelles serait empêchée la reproduction des « inaptes » et des « dégénérés » : libre jeu de la sélection naturelle (darwinisme social), stérilisation (forcée ou volontaire) et enfermement (eugénisme négatif « démocratique »), extermination (eugénisme négatif totalitaire : nazisme).

Une hypothèse interprétative, d'ordre historique, est formulée notamment par G. Lemaine et B. Matalon : la destruction d'un ordre social fondé sur une transcendance, destruction caractéristique du monde moderne, ouvre le champ d'une naturalisation intégrale de l'homme. L'humanité est désormais perçue comme une espèce naturelle divisée en races (thèse monogéniste), ou comme un groupe d'espèces distinctes au sens zoologique (thèse polygéniste). Dès lors, la légitimité de l'ordre social tel qu'il est devient un problème, et les identités de groupe doivent être aussi bien définies strictement par la science que désignées comme entités naturelles à détruire, conserver ou améliorer — une matière première anthropologique. On peut certes interpréter cette réduction naturaliste de l'homme à son être biologique (objet d'expérimentation possible) comme une figure de l'individualisme moderne au sens le plus large, lequel désigne l'idéologie qui, fondée sur le « primat des relations aux choses à l'encontre des relations entre hommes » (L. Dumont), est caractérisable par la « primauté générale de l'individu comme valeur [83] ». Dans la perspective individualiste propre aux sociétés occidentales modernes, « la réalité humaine essentielle se trouve dans l'homme en tant qu'individu [84] » ; le sujet anthropologique réel auquel est attribuée la triade « Liberté, égalité, fraternité » est l'homme particulier représenté par « les individus, des êtres indépendants et se suffisant à eux-mêmes dans le principe, existant en soi et pour soi [85] ». L'hypothèse d'homofiliation physique permet précisément de rendre compte des résistances à l'incarnation des valeurs et normes individualistes — qui se fondent sur un certain « universalisme dé-différenciateur » qu'exprime la pseudo-tautologie : « un homme est un homme [86] » —, lesquelles impliquent d'une part la possibilité et la normalité des mariages interraciaux, d'autre part situent la légitimité du choix dans la sphère de l'amour de type romantique (entre deux singularités s'établit un contrat amoureux tacite hors de toute autre considération que la pure réciprocité de la passion).

R. Pagès faisait en 1963 une seconde hypothèse, celle de l'*homofiliation culturelle*, laquelle revient à supposer que « si la perpétuation morphologique de l'identité familiale constitue une valeur pour la procréation et donc pour l'alliance conjugale, la perpétuation des similitudes de divers ordres, en particulier socio-culturelles, a une valeur également positive, dans certaines limites[87]. » Mais le modèle d'intelligibilité reste le même : le racisme ne dérive pas d'un résidu (au sens de Pareto) qui serait « l'horreur des différences[88] » — théorie psychologique monnayée, depuis les années cinquante, en « refus de l'autre » dans le langage éthique —, mais d'une « horreur », d'une phobie de répulsion de toute rupture d'identité, de solidarité et de cohésion du groupe familial, rupture qui se marquerait par une discontinuité dans le phénotype. L'hypothèse est celle d'une horreur induite par la menace d'une interruption dans la transmission continue de la ressemblance propre à la lignée. Horreur éprouvée devant le risque d'une perte irrémédiable des conditions de la reconnaissance de sa propre descendance comme sienne. Mais si l'homofiliation physique semble s'opposer absolument (en tant que résidu inéducable, imperfectible) aux croisements entre races, l'homofiliation culturelle pourrait engendrer des formes réductibles de résistance aux croisements, les différences culturelles tendant à s'annuler en se croisant, par les seuls échanges[89] — le « préjugé racial » serait dès lors atténuable, voire réductible. Car les « traces » laissées par les croisements interculturels ne sont pas ces inassimilables par excellence que seraient les enfants métis. Mais lorsque l'argument d'hétérogénéité culturelle (« ils ne sont pas faits comme nous », « ils pensent et vivent autrement que nous ») ne peut plus fonctionner, comme dans une situation où à l'égalité juridique et socio-économique s'ajoutent l'égalité et l'intimité intellectuelle (cas ordinaire dans les universités américaines, par exemple), alors la hantise de la rupture d'identité biosomatique risque d'apparaître au premier plan, comme mise à nu par la relative égalité acquise des conditions.

Si le fondement ultime des attitudes racistes, autant peut-être que des pratiques discriminatoires, réside dans le désir d'homofiliation physique, et si celui-ci s'alimente de tout trait distinctif qu'il érige en indice signalétique d'incompatibilité et en symbole de menace, alors seule l'utopie d'un métissage universel et intégral peut fournir une solution « définitive » au problème de la lutte pour l'extinction du racisme. Une telle action radicale sur les causes profondes ne saurait être accomplie que dans un autre monde que le nôtre, à moins que celui-ci ne soit un jour sous l'emprise d'un régime totalitaire qui serait un empire universel, dans lequel seraient rendus obligatoires les croisements interraciaux jusqu'à disparition (?) des facteurs de discrimination. Ce serait un régime politique incarnant la variante antiraciste de l'eugénique négative, dont le projet serait d'améliorer l'humanité dans le sens moral défini par l'antiracisme. Truisme apparent : pour que l'intolérance disparaisse, il faut faire disparaître toutes les causes et les occasions d'intolérance. Mais l'on peut faire l'hypothèse pessimiste qu'il surgirait alors d'autres facteurs et occasions de discrimination et d'intolérance, l'imagination humaine étant ce qu'elle est, transformant le moindre trait en indice, en signal, en symbole d'altérité menaçante. On retrouve ici le même type de difficulté qu'avec la théorie de la frustration-agression, inspirée notamment par la psychanalyse, et dont la version populaire est la théorie du bouc émissaire[90] : si la théorie est vraie, on peut prédire que le préjugé racial ne pourrait disparaître que dans une société cosmopolite et planétaire dans laquelle auraient disparu causes et occasions de frustration. En attendant cet heureux avènement, on peut se consoler avec la remarque teintée d'humour amer, faite par Robert E. Park en 1924 : « Tout le monde est capable, semble-t-il, de s'accorder avec tout le monde, pourvu que chacun garde ses propres distances[91]. »

De retour dans notre monde, il nous semble qu'il faut bien aussi considérer ces individus supra-individuels que sont les différentes sphères d'appartenance : lignées, peuples-nations, ethnies, races mêmes (par-delà les entités bio-anthropologiques du même nom), toutes communautés mi-réelles mi-fictives dotées, au moins virtuellement, d'une autoreprésentation différentielle, c'est-à-dire d'une identité collective, d'un « nous »[92]. La question devient la suivante : que reste-t-il après la disparition d'un fondement absolu de l'ordre sociopolitique ? Cette disparition est-elle de même nature que celle d'un fondement absolu de nos connaissances ? Comment penser dès lors une société et son ordre ? Quelle société vouloir ? Peut-on ici vouloir ? Que faire ?

10

De l'antiracisme : type idéal, corruption idéologique, effets pervers

> « Hegel fait quelque part cette remarque que tous les grands événements et personnages de l'histoire mondiale surgissent pour ainsi dire deux fois. Il a oublié d'ajouter : la première fois comme tragédie, la seconde fois comme *farce*[1]. »
>
> Karl MARX.

> « Le fait tragique est que l'amour n'est pas la réponse à la haine — pas dans le monde de la politique, en tout cas[2]. »
>
> Norman PODHORETZ.

Les célèbres phrases par lesquelles s'ouvre le *Dix-huit Brumaire*, ici placées en exergue, pourraient paraître déplacées, s'agissant de l'antiracisme. Néanmoins le plus simple regard comparatif jeté sur les années trente et les années quatre-vingt ne peut qu'être frappé par une substitution d'objet menaçant, dotée d'une haute valeur symbolique. D'un objet « raciste » à l'autre, le contraste est aussi saisissant qu'instructif : on passe du régime national-socialiste aux portes de la France à la lointaine République d'Afrique du Sud, incarnant désormais le racisme même. D'un eugénisme d'État greffé sur un antisémitisme absolu à un système néo-colonial de discrimination raciale entre Blancs et Noirs, les différences sont trop importantes pour qu'on puisse assimiler les deux phénomènes au même « racisme », par le seul argument de l'universelle ressemblance des actes de violence étatique. On ne peut donc qu'être surpris, pour le moins, de ce que le discours antiraciste n'ait pour autant guère changé depuis les années trente. C'est pourquoi nous devons insister tout d'abord sur les aspects que révèle une critique *externe* de l'antiracisme : processus de ritualisation idéologique (ou d'« idéologisation ») et d'instrumentalisation politique, replacés dans leurs cadres historiques où jouent leurs caractères fonctionnels. Une critique externe doit esquisser une généalogie de son phénomène-objet, et le mettre en rapport avec les divers types d'*intérêts* qui permettent d'en comprendre les rôles et les variations conjoncturelles.

Mais une critique *interne* de l'antiracisme nous apparaît comme tout aussi nécessaire. Outre l'inventaire thématique par lequel elle doit s'inaugurer logiquement, la critique interne vise à montrer en quoi et comment les sujets antiracistes se mettent en contradiction avec eux-mêmes, produisent des ensembles de propositions dont on peut exhiber les figures de l'inconsistance, les formes de l'incohérence. Celles-ci viennent souvent de l'infidélité à soi-même, aux idéaux déclarés, aux projets affirmés, aux prétentions déclamées. Une critique interne qui vise donc à mettre en évidence contradictions et paradoxes, et singulièrement ce qu'il conviendrait, après Kant (mais sans orthodoxie kantienne), de nommer antinomies, c'est-à-dire le face-à-face de deux thèses se présentant l'une et l'autre, également, comme des solutions exclusives, définitives et globales du problème posé, et pourtant contradictoires entre elles. Lorsque l'antiracisme contemporain prescrit à la fois, ou aussi bien, la norme différentialiste (le « droit à la différence ») que la norme « mélangiste » (mélanger les « races » et « métisser les cultures »), lorsqu'il croit pouvoir célébrer en même temps le respect hétérophile des appartenances communautaires d'origine *et* le devoir mixophile de métissage généralisé, il illustre dans son discours public une antinomie dont il faudra bien tenter de trouver la solution, ou les solutions — soit par récusation des deux thèses, soit par leur conciliation, soit par rejet de l'une d'elles (l'antinomie s'avérant alors n'être qu'apparente).

Avant d'analyser de façon systématique le figement en slogans de l'antiracisme, avec les difficultés qui s'ensuivent, il en faut considérer le caractère néo-religieux aussi bien que para-éthique (ou pro-éthique : ce qui vient se tenir à la place de l'éthique), et l'ambiguïté d'une telle néo-religiosité. Un hommage à Hume peu académique nous mettra sur la voie d'une interprétation peut-être inattendue : l'antiracisme est l'une des manifestations contemporaines du théologico-politique, sa variante chrétienne laïcisée mais inaperçue comme telle. Il ressemble fort à un christianisme dépouillé de tout souci ne concernant pas l'humanité comme espèce historico-sociale. Cet humanisme intégral, ou cette religion immanentiste, se passe de Dieu, et du discours spéculatif sur Dieu (la théologie) non moins que de toute exigence mystique.

Il s'agit d'une religion éthique sans Dieu, celui-ci outrepassant la mesure humaine, mais constituée autour d'une divinité accompagnée de satellites : l'Homme et ses Droits. Individualisme éthique, dans lequel semble se réfugier le souvenir, peut-être la nostalgie, d'une religiosité religieuse, et non pas post-religieuse. Notre hypothèse suppose qu'il y a « un sacré spécifique de l'ordre politique comme tel [3] », sacré qui n'apparaît à nos esprits oublieux qu'en tant qu'ersatz de sacré. Notre oubli, l'obscurcissement de l'idée, celui qui caractérise l'homme moderne, est en effet issu du double processus de transfert total, par le christianisme, du sacré de la cité terrestre à la cité divine [4], et d'abolition totale du sacré visée par les formes diverses du nihilisme réactif (athéisme militant, rationalisme exclusiviste, positivisme dogmatique, laïcisme totalitaire, etc.). Retour du refoulé : le sacré nié et renié resurgit dans les effets pervers, l'hétérogenèse des fins, les corruptions idéologiques les plus diverses.

Phénomène complexe, l'antiracisme doit être abordé comme une *vision morale du monde* (et certainement hypermorale, lorsqu'elle se réduit à la défense inconditionnelle des « droits de l'homme »), un mode de légitimation sollicité par la plupart des camps idéologiques, un motif d'espérer (d'où la néo-religiosité, ou plutôt la néo-catholicité d'un tel humanisme « sans frontières ») et un mythe d'action, à la fois idéal et cause motrice (affectivo-imaginaire) de la conduite. Après l'effondrement des grandes formes idéologiques d'organisation de l'espérance collective, après le collapsus des méthodes de salut collectif immanent que furent les utopies révolutionnaristes (effondrement inauguré par la disqualification du communisme soviétique), l'antiracisme demeure l'un des recours possibles de l'espérance militante. Si l'on excepte le nationalisme, inusable à cet effet, quelle autre idéologie est aujourd'hui capable de provoquer des conduites de dévouement et de sacrifice de soi, de permettre aux individus autocentrés de surmonter les limites de leur cher moi ? Car le libéralisme, quelles qu'en soient les formes (entre libertarianisme et ploutocratisme), est radicalement impuissant à engendrer un enthousiasme collectif : il est une politique et une interpsychologie des intérêts individuels, comportant parfois la croyance en une harmonisation spontanée des intérêts égoïstes par leur seul jeu, et ne peut stimuler d'autre passion que celle du gain, condition de réalisation de quelques autres (pouvoir, plaisirs, etc.). Le libéralisme est par principe étranger à la dynamique des espérances collectives. C'est pourquoi son attitude philosophique préférentielle est celle du sceptique désabusé, dans le meilleur des cas souriant. Un libéral sceptique ne peut éprouver qu'une infinie distance vis-à-vis du pathos antiraciste, ce qu'il prouve invariablement par ironie ou sarcasmes. Pour un vrai sceptique, le sang ne prouve rien, les « crimes racistes » n'ont jamais la valeur du scandale qui dispose à l'éveil éthique ou religieux.

Ceux qui définissent aujourd'hui le racisme comme « le péché vraiment capital », selon la formule d'Étiemble, désignent par là même l'antiracisme comme étant la voie étroite de la vertu, en tout cas la condition de toute conduite morale, celle-ci incluant désormais l'expérience religieuse. Il n'est pas excessif de voir dans l'antiracisme, celui du militant ayant la foi (par opposition au dirigeant qui l'exploite), une double réponse à la question des fins, par cette transposition spécifique des « grandes » questions que réalise l'idéologie au sens moderne. Réponse à la question : « Que devons-nous faire ? » : agir de telle sorte que nous respections et fassions respecter l'humanité en toute personne humaine (postulat éthique de la dignité infinie de chaque individu). Réponse à la question : « Que nous est-il permis d'espérer ? » : le règne de l'amour entre les hommes, rendu possible par l'abolition du mépris, de la haine et de la discrimination entre les « races ». C'est une telle *religion morale idéologique* qu'il s'agit d'analyser, sans prendre ses prétentions à la lettre.

LES DEUX RELIGIOSITÉS ANTIRACISTES

« Que la corruption des meilleures choses engendre les pires, voilà ce qui est devenu une maxime, communément vérifiée, entre autres exemples, par les effets pernicieux de la superstition et de l'enthousiasme, qui sont les corruptions de la vraie religion[5]. » Dans sa brève étude intitulée « Superstition et enthousiasme », parue en 1741 dans le recueil des *Essais moraux et politiques* qui devait assurer sa célébrité, Hume introduisait ainsi sa distinction entre deux sortes de fausse religion, « d'une nature très différente et même opposée », mais « également funestes ». L'esprit humain étant « sujet à certaines terreurs et à certaines appréhensions inexplicables », il est prédisposé à la superstition, dont les « vraies sources » sont : « faiblesse, crainte, mélancolie, jointes à l'ignorance ». Mais l'esprit humain est « aussi sujet à des élans et à des présomptions inexplicables, qui naissent d'un heureux succès, d'une santé prospère, d'une disposition enjouée ou d'un naturel hardi et confiant ». Libre champ est alors laissé à la fantaisie, et « toute folie se trouve consacrée » : « L'espoir, l'orgueil, la présomption, une chaude imagination, joints à l'ignorance, sont [...] les vraies sources de l'enthousiasme. » Si la superstition, « fondée sur la crainte, la tristesse, l'abattement », « favorise la puissance des prêtres », l'enthousiasme « s'y oppose autant et même plus que la saine raison ou la philosophie ». Le superstitieux cherche en effet un recours et un secours auprès de quelque autre personne, parmi ceux qui précisément exploitent les « terreurs inexplicables », dont dérive leur puissance. Enfin, si la superstition « s'oppose à la liberté civile », l'enthousiasme lui est favorable, parce qu'il « s'accompagne naturellement de l'esprit de liberté », étant « l'infirmité d'un tempérament téméraire et ambitieux ». La superstition, au contraire, « rend les hommes dociles, les avilit et les prépare à l'esclavage ». Voilà donc pourquoi les religions de la superstition finissent par les persécutions et les guerres religieuses, conduites par les prêtres (voyez les jésuites, ces « tyrans du peuple » et « esclaves de la cour »), alors que les religions de l'enthousiasme, après un départ assurément furieux et violent, se font vite « plus douces et plus modérées », jusqu'à maintenir en vie « les petites étincelles de l'amour de la liberté » — voyez les jansénistes, ces « instigateurs, zélés et enthousiastes, de la dévotion passionnée et de la vie intérieure ».

La distinction, à vrai dire classique, ainsi définie par Hume entre *religions de l'enthousiasme* et *religions de la superstition* nous paraît fournir un schème applicable à la mythologie antiraciste contemporaine. Il y a d'une part des antiracistes *superstitieux*, un antiracisme organisé qui vit notamment de la superstition des militants et sympathisants : le souvenir traumatique du génocide hitlérien des Juifs, la mémoire douloureuse des massacres de masse accomplis au nom des valeurs nationalistes, la crainte du retour de tels crimes, voire la crédulité hypersensible à toute annonce de leur imminence, voilà un matériau passionnel aisément exploitable par les prêcheurs de l'antiracisme de la crainte et de la tristesse. Telle est la première disposition affectivo-imaginaire : le catastrophisme, l'attente meublée d'angoisse d'une fin de la civilisation, d'une nouvelle plongée dans la « barbarie », que seuls peuvent conjurer les apaisants cérémoniaux de l'antiracisme organisé — manifestations, protestations, fêtes, poursuites judiciaires, etc. Il y a, d'autre part, des antiracistes *enthousiastes*, sensibles aux rêves de réconciliation universelle des peuples, aux douces utopies de « l'amitié entre les peuples », mus et émus par les promesses d'un cosmique « dialogue entre les cultures ». Ces antiracistes philanthropes sont, pour parler encore comme Hume, bercés d'espoir et de présomption, leur ardente imagination « se déploie et forme de grandes mais confuses pensées, auxquelles ne peut correspondre aucune beauté ni aucun plaisir sublunaire ». Telle est la seconde disposition affectivo-imaginaire : l'attente exaltée de la fin des temps maudits, accompagnée du désir immodéré d'activer l'advenance de l'ère du bonheur universel. Deux « sectes » bien différentes d'antiracistes apparaissent donc : les militants superstitieux qui se dévouent inconditionnellement à l'autorité (et l'intérêt) des prêtres de leur religion ; les militants enthousiastes qui, portés par la frénésie humanitariste, veulent réaliser sans tarder le pur amour dans la communauté universelle des hommes, mais dont la fureur, telle la foudre, épuise vite son énergie motrice et laisse « l'air plus calme et plus serein qu'auparavant ». C'est que les enthousiastes changent volontiers de motifs d'enflammement et d'illumination, ou se réfugient dans une religion de l'intériorité pure. Quant aux meneurs, les « prêtres » de l'antiracisme, ils relèvent analogiquement soit du type jésuite (parti des majorités tyranniques), soit du type janséniste (parti des minorités rebelles). Il y a ainsi, d'un point de vue psychopolitique, deux camps distincts dans le territoire antiraciste : le camp des *fanatismes dominateurs,* organisés sur la base de passions tristes dominantes, le camp des *naïves illuminations* canalisées par des minorités agissantes. Mais l'ignorance, voire le refus de savoir, dans les deux cas, est une condition d'existence antiraciste. Il y a bien une dévotion antiraciste. Et cela reste vrai : « L'ignorance est la mère de la dévotion [6]. »

Misère de l'antiracisme commémoratif (un type idéal)

> « C'est être superstitieux, de mettre son espérance dans les formalités [7]. »
>
> Blaise Pascal.

> « Une résistance bornée qui se dresse contre l'avenir pour défendre un passé en décomposition est un non-sens et un mal. Il est stérile de mener la lutte en prenant appui sur des idées qui ont perdu toute force [8]. »
>
> Nicolas Berdiaeff.

> « L'indignation rétrospective est aussi une façon de justifier le présent. »
>
> Pierre Bourdieu (1977).

La compréhension des formes contemporaines du racisme implique la soumission de l'antiracisme ordinaire à la raison critique. Éviter toute réduction analogique ou métaphorique du présent au passé (et à un certain passé, qui nourrit un imaginaire politique toujours efficace : l'affaire Dreyfus, le génocide nazi des Juifs...), s'engager dans une analyse sans complaisance des discours antiracistes sur « le racisme », qui semblent jouer le rôle de souvenirs-écrans collectifs : telles sont les conditions d'une sortie active du cercle des conduites conjuratoires, des cérémonies pieuses et du ressassement paresseux des mêmes formules de magie défensive.

L'antiracisme classique, dispositif engendré par l'idéologisation [9] de la tradition humaniste, figé en une rhétorique en passe d'être aujourd'hui totalement instrumentalisée par les luttes politiques pour le pouvoir (ainsi que pour l'hégémonie culturelle), peut être brièvement caractérisé par un ensemble de traits, esquissant un idéaltype [10].

1. Il représente la *survie fonctionnelle* d'un appareil idéologique mis au point dans les années trente pour lutter contre le régime national-socialiste, son influence diffuse et la puissance croissante de ses alliés, à commencer par le fascisme italien. A celui-ci la mésaventure est arrivée, par les voies insondables de la propagande, de donner très involontairement son nom à *l'entité* *diabolisée/diabolisante : « le fascisme »*, terme amalgamant tous les motifs et objets contemporains de haine politique, mais surtout n'ayant guère de traits en commun avec le fascisme italien en tant que réalité historique [11]. Discours de propagande destiné à lutter contre un racisme d'État qui représentait un réel danger pour les démocraties européennes non moins que pour le système communiste, l'antifascisme antiraciste constituait le plus petit commun dénominateur idéologique entre démocraties pluralistes et totalitarisme stalinien, position polémique partagée strictement liée à la conjoncture. Celle-ci ayant disparu, l'antiracisme a dû trouver de nouveaux objets négatifs, à l'extérieur du champ d'influence communiste, comme par définition. Seule l'Afrique du Sud correspondant précisément à ce modèle, l'antiracisme d'après 1945 s'est déplacé lentement de la dénonciation préférentielle du « néo-nazisme » (1945-début des années soixante) à celle du régime d'*apartheid* pratiqué par l'Afrique du Sud [12], non sans intégrer, dans son aile gauche (tiers-mondiste, et/ou christiano-communiste), la stigmatisation du « sionisme », progressivement diabolisé jusqu'à être assimilé au « racisme » et à un régime d'*apartheid,* dans le prolongement des propagandes soviétique et arabe [13]. La gauche antiraciste s'est ainsi peu à peu laisser instrumentaliser par un complexe de propagandes, tandis que la droite antiraciste tendait à réduire, comme par réaction, son champ d'investigation à une lutte générale (mais expressément politique : l'anticommunisme continué par le moyen humanitariste) contre « l'antisémitisme [14] ». Or, la tendance à typiser l'antiracisme en général par « la lutte contre l'antisémitisme » peut paraître singulièrement anachronique et pour le moins paradoxale. Car, d'une part, les nouvelles formes de discours antijuifs ne comportent plus de légitimation raciste (donc d'idéologie « antisémite » au sens strict) qu'à titre de survivance, et, d'autre part, le régime désigné comme l'ennemi principal (et parfois, significativement, l'unique ennemi) est incarné par l'Union soviétique, dont on prend le risque de réduire les victimes à la seule catégorie des Juifs non assimilés — c'est-à-dire, pour l'essentiel, religieux ou « sionistes » au sens large [15].

Résumons-nous : l'idéologisation antiraciste de l'humanisme, appareil unitaire jusqu'à la défaite des puissances de l'Axe, a évolué ensuite dans le sens d'une différenciation en deux camps opposés, qu'on peut schématiser par le pôle « anti-impérialiste » et le pôle anticommuniste de l'antiracisme. C'est pourquoi il n'est peut-être pas excessif de considérer qu'aujourd'hui, en dépit de l'homogénéité idéologique suggérée par le terme d'*antiracisme,* celui-ci masque la réalité de la scission politique, et recouvre d'un nom unique, et par là équivoque, deux dispositifs rhétoriques foncièrement hétérogènes et désormais antinomiques. L'antiracisme doit se dire au moins en deux sens : l'antiracisme est un terme homonyme.

2. Il met en jeu une idée reçue, une évidence première qu'il pose comme une définition univoque et suffisante : le racisme serait dans son essence *rejet de la différence,* refus ou impossibilité d'accepter l'autre comme différent, c'est-à-dire comme non identique ou non ressemblant à soi. L'antiracisme limite *a priori,* par une définition primitive, le racisme à l'*hétérophobie.* Il interdit par là même de seulement considérer les racisations qui procèdent de l'éloge de la différence, qui s'adossent au pluralisme anthropologique pour ériger les différences culturelles de fait en valeurs suprêmes, et prescrire leur défense inconditionnelle à titre d'impératif catégorique. Ce faisant, l'antiracisme commet d'abord une erreur grave concernant le fonctionnement rhétorique du langage ordinaire, dans l'ordre de ce qu'Aristote appelait le genre épidictique [16] : car si l'éloge et le blâme se convertissent indéfiniment l'un en l'autre, alors le racisme peut indifféremment se constituer par le blâme (de la différence/des différences) ou par l'éloge (de la différence/des différences). Mais l'antiracisme a un démérite dont les conséquences pratiques sont plus graves : il dissimule l'ambiguïté fonctionnelle du racisme qui procède oscillatoirement du blâme et de l'éloge, il en interdit l'accès au savoir au nom même de la conviction d'en connaître la nature. L'*illusion de connaissance* est pire que l'ignorance. Ainsi l'antiraciste risque-t-il de rêver les yeux ouverts, sûr de lui et accusateur, riant ou se lamentant, jamais démenti par les faits ni déçu par son inefficacité radicale.

3. Il module indéfiniment un énoncé de base, dont on notera qu'il est commun à la gauche (communiste ou non) et à la droite libérale-démocrate : « La crise engendre le racisme, qui engendre le fascisme [17]. » Si la crise engendre le racisme, c'est parce qu'elle conduit à la désignation de victimes émissaires [18]. L'explication par « la crise » s'énonce volontiers comme une loi (« toute crise... »), et une loi causale. Donnons deux exemples d'énoncés de la *formule crisologique*, le premier restreint, le second développé. L'éditorial d'un mensuel socialiste pose, en novembre 1984, l'axiome suivant : « Toute crise économique, par les désarrois et les angoisses qu'elle suscite, s'accompagne d'une montée d'intolérance et de xénophobie [19]. » Voilà satisfait le désir mésologique, la réduction de la xénophobie à un effet de conditions sociales spécifiques s'accomplissant elles-mêmes dans l'assignation à un déterminisme économique. Dans le cadre de l'idéologie du milieu supposé omnipotent, l'explication par la crise tend à se présenter comme une explication par la crise *économique*, laquelle répond au besoin objectiviste dominant, foncièrement économophile. D'où la mise en circulation de l'évidence idéologique : les phénomènes de société considérés comme aberrants ne peuvent être, en dernière analyse, que des effets produits par des dysfonctionnements économiques. Les « racines » de la xénophobie et du racisme sont d'ordre économique, d'abord et essentiellement en raison de l'axiome : l'économie, c'est le réel.

L'évidence crisologique développée comporte la thèse de la *solidarité victimaire*, toutes les victimes étant à égalité des effets d'une même cause (« la crise »), le plus souvent fondée sur la mémoire des massacres nazis. Dans son rapport sur « Le racisme et l'antisémitisme » (1982), Madeleine Barot résume ainsi cette vision commune du mal social : « Toute période de crise, récession économique et chômage, menace extérieure et guerre, engendre l'insécurité, la peur, le repli sur soi-même, le rejet de l'autre. Il faut trouver des explications à la crise, des coupables et à défaut des boucs émissaires ; on arrive vite au terrorisme et au racisme. L'histoire du national-socialisme n'a que trop montré que Gitans, Juifs, métis et tous ceux qui sont attachés aux libertés, sont attaqués ensemble [20]. » Remarquable condensation d'un grand nombre de stéréotypes et clichés en cours, ce texte montre bien le lien entre la conviction de la solidarité « objective » des victimes — régulièrement « prouvée » par les méfaits du nazisme — et la réduction à l'unique de toutes les figures du mal — ainsi le « terrorisme » et le « racisme », c'est-à-dire ce qui est consensuellement réprouvé, sont-ils ici réduits à un commun dénominateur. Le sujet antiraciste habilité donne à entendre que ce sont toujours les mêmes (les méchants typisés par les nazis) qui font du mal aux mêmes (les victimes prédestinées par leur nature minoritaire, leur supposée vocation à être des minorités opprimées et exploitées). Le postulat de la solidarité des victimes entre elles, ou la présomption de leur alliance objective, pendant de l'amalgame de toutes les forces supposées victimisantes, constitue un thème récurrent du discours antiraciste hégémonique, néo-antinazi.

A l'illusion définitionnelle s'ajoute dès lors l'illusion d'une explication par les causes efficientes, elle-même au principe d'une illusion de l'ordre de la pratique : l'antiraciste se croyant muni d'un modèle d'intelligibilité puissant du phénomène « racisme », il ne va pas perdre son temps à étudier ce dernier (ce serait obscurcir un savoir clair), il va s'efforcer d'élaborer des schémas de solutions dérivant de son explication par « la crise ». Il n'est guère difficile de déduire la forme générale de toutes les solutions imaginables par le dogmatisme antiraciste : pour agir sur le racisme-effet, il faut agir sur ses causes (supposées réelles : d'où la désignation dominante de la « crise économique », conformément à la doxa économiste contemporaine). Il suffit ensuite de répéter la *formule crisologique*, moyennant de petites variations prescriptives : lutter contre le chômage (surtout des jeunes, ces derniers étant plus portés à exterminer leurs dissemblables quand ils en ont trop le loisir), produire français, réveiller l'esprit d'entreprise contre l'esprit d'assistance, faire la révolution [21], réactiver les valeurs républicaines (pour les volontaristes de gauche et de droite), retrouver l'usage de la raison [22]. Bref, les usages magiques et pseudo-explicatifs du vocable « crise » tendent à se substituer aux analyses précises de types définis de « crises », saisis dans des conjonctures déterminées [23].

Référer à « la crise » réalise la nomination conjuratoire du Mal (ou de ses conditions favorables : « à la faveur de la crise ») la plus courante dans l'espace idéologique contemporain. Nom indistinct, la *crise* signifie et désigne indistinctement la cause et l'effet, l'essence et l'accident, le « germe » et la manifestation. Tel politologue avisé a bien caractérisé l'avantage idéologique d'une si grande confusion : « Le vocabulaire politique offre le terme crise, le mot le plus confus de la pensée sociale contemporaine. Parce qu'il n'a aucun contenu, parce que son usage n'est réglé par aucune discipline, il peut désigner n'importe quelle situation [24]. » Mais nous pourrions tenir là un trait général du discours politique, s'il est vrai que celui-ci se constitue autour d'un évitement systématique de toute définition précise des termes qu'il emploie [25].

Les antiracistes universalistes stigmatisent en tant que « racistes » les réactions que les supposés racistes, qui se désignent eux-mêmes fièrement comme « nationaux » ou « nationalistes », décrivent comme naturelles et légitimes : réactions de légitime défense face à la menace d'une invasion ou d'une destruction de l'identité communautaire, d'un vol de travail ou d'un viol du corps national. Ainsi le même impératif : « Il faut se défendre contre l'invasion étrangère » (certains étrangers l'étant plus que d'autres), est-il interprété de deux manières rigoureusement contraires : comme typiquement « raciste » par le groupe dominant des antiracistes, et comme prescription d'autodéfense contre « le racisme antifrançais » (et l'invasion supposée l'accompagner) par les « racistes » (ceux qui sont ainsi nommés par les premiers). Mais les deux sujets collectifs opposés, « antiracistes » et « racistes », s'accordent sur le diagnostic global de « crise », liant crise économique (chômage), crise sociale et morale (les valeurs en crise) et crise d'identité affectant la France et les Français.

Ce que nous avons appelé « formule crisologique » s'applique par excellence à l'explication monocausale par la « crise économique ». Il s'agit là d'une forme sloganisée (appelant donc à lutter contre ladite « crise ») de la conception économique du monde, laquelle doit être conçue comme un système d'explication illusoire apaisant un *besoin dogmatique* spécifique. Or, la monomanie économiste est depuis longtemps sortie du territoire idéologico-politique limité de la « conception matérialiste de l'histoire », où Max Weber la situait exclusivement au début de ce siècle. Le consensus libéral-socialiste sur le primat de l'économie s'est bien plutôt installé en évidence idéologique absolue : la modernité s'accomplit comme économolâtrie. Max Weber, en 1904, avait parfaitement identifié cet axiome nouveau des sciences historico-sociales, cette version économiste du principe de raison suffisante qui prétendait régir la méthodologie de ces sciences. Il stigmatisait en effet « cette curieuse idée que le besoin d'explication causale d'un phénomène historique n'est pas satisfait aussi longtemps que l'on n'a pas trouvé (ou apparemment trouvé), d'une façon quelconque et à un moment quelconque, l'intervention de causes économiques. Si satisfaction leur est donnée, ils s'accommodent de l'hypothèse la plus éculée et des formules les plus générales, parce que désormais leur besoin dogmatique se trouve apaisé qui veut que les "forces de production" économiques soient les seules causes "caractéristiques", "véritables" et "partout déterminantes en dernière analyse" [26]. » Mais il faut conduire la critique du monocausalisme économiste jusqu'à ses racines spirituelles-culturelles : il faut en ce sens le concevoir comme l'une des figures idéologico-scientifiques de « l'indéracinable tendance moniste [27] » qui, sur la base de telle ou telle science (biologie, physique, économie, etc.), prétend construire une conception du monde dotée d'une omnipotence explicative. Cette présomption moniste, ainsi postulée comme un *a priori* de l'esprit humain, « caractérise toute connaissance réfractaire à la critique d'elle-même [28] ». Incarné par ses « dilettantes zélés [29] », le dogmatisme économiste prétend réduire le devenir historique dans sa totalité, « en dernière analyse », à la rivalité d'intérêts économiques. L'antiracisme hégémonique ne fait qu'appliquer à son domaine spécifique le schème de la gnose économorphe.

4. Il suppose une *représentation manipulatoire*, voire *conspirationniste* [30] du racisme. Le schéma rhétorique qui sous-tend la représentation antiraciste du racisme est le suivant : il existe une puissance sociale, anonyme ou personnalisée, dont l'activité consiste à se dissimuler (dans ses objectifs et ses tactiques), à inventer et diffuser à la fois des modèles d'interprétation erronés des questions sociales et économiques, à proposer des solutions illusoires fondées sur la désignation de responsables (les racisés) de « la crise », afin de canaliser les insatisfactions et les haines en direction d'une victime émissaire minoritaire et étrangère au type moyen (ou idéal) de la population « de souche ». En bref, le racisme serait un dispositif idéologique et discursif destiné à faire croire pour faire faire, remplissant ainsi une fonction supplémentaire : camoufler les vrais problèmes, détourner l'attention des causes réelles du malaise social (celles-ci oscillant entre la lutte des classes et l'État-providence : antiracisme de gauche/antiracisme de droite). La mise en discours de ces schèmes interprétatifs, qui jouent également le rôle d'arguments dans la guerre idéologique, s'opère le plus couramment par la métaphore de l'« orchestration » ou selon le modèle de la « campagne », soit politique, soit journalistique (soit la conjonction des deux). La représentation manipulatoire du racisme implique la focalisation sur la puissance de tromper, sur l'instance mystificatrice qui en serait le vrai sujet, d'autant plus pervers qu'il ne croirait pas lui-même aux propositions racistes qu'il banaliserait dans l'opinion.

Ce sujet mystificateur et surpuissant est formellement distingué du « raciste » pratiquant à ciel ouvert. Celui-ci n'est que le « manœuvre » de celui-là [31]. Le « raciste » du discours journalistique est ainsi réduit, dans la représentation élaborée qu'en donne la « théorie » antiraciste, au rôle subalterne de collaborateur manipulé d'une cause qu'il ne peut connaître dans sa vérité. Autrement dit, la vision antiraciste dominante du racisme suppose une distinction entre sujet réel et sujet apparent du racisme, trompeur et trompé, abuseur et abusé, cynique et naïf. Mais, par là même, le racisme n'est plus défini comme une idéologie (en dépit de l'usage du vocabulaire idéologistique), il est réduit à son tour au statut fonctionnel d'un mythe instrumental, à une fiction de propagande. Le racisme relève non plus tant de l'imaginaire collectif spontané, de la production idéologique, que d'une intention et d'une volonté d'endoctrinement, au service d'une politique occulte. Un texte antiraciste récent, « Thèmes de réflexion soumis à tous les adhérents » pour la préparation du Congrès 1985 du MRAP [32], illustre parfaitement la représentation manipulatoire du racisme :

« *Le racisme n'est pas spontané*, du moins dans ses manifestations sociales. C'est une manipulation machiavélique de l'opinion, destinée à donner des vrais problèmes une fausse interprétation et à proposer des solutions qui n'en sont pas. [...] Cette mystification comporte trois personnages : la victime désignée, le raciste mystifié qui s'en prend à elle, et le mystificateur qui désigne la victime. [...] Si au lieu d'analyser objectivement les données, les causes, les remèdes de la crise, on s'en prend stupidement et méchamment aux immigrés, c'est bien parce qu'une véritable entreprise de falsification, orchestrée avec d'énormes moyens, a été entreprise *(sic)* contre eux. » Le paradoxe est ici formulé de façon très remarquable : le « on » qui réfère à la puissance mystificatrice est en quelque sorte extrait du champ raciste, tandis que le raciste devient à sa manière une victime, étant trompé par les ruses de l'intelligence de la puissance supraraciste. Diabolisation du responsable occulte du racisme, lui-même araciste ; mais passage corrélatif du raciste du côté des victimes, des innocents et des « braves gens [33] » qu'« on » abuse et dont « on » exploite la bonne foi. Il est frappant de reconnaître ici un réinvestissement du mythe populiste des « gros », ces méchants et omnipotents anonymes à qui le racisme est censé *profiter*. Lutter contre le racisme et la xénophobie, c'est donc commencer par

La représentation conspirationniste n'est pas, faut-il le souligner, une caractéristique propre à l'antiracisme contemporain. Elle est une forme structurant l'imaginaire politique dont il serait fort intéressant de faire la généalogie moderne, et la typologie des multiples domaines d'inscription. Pour ne prendre qu'un exemple, mais dans une tradition idéologique située aux antipodes de l'antiracisme, l'antijudaïsme moderne (si mal nommé « antisémitisme »), une analyse comparative montrerait la surprenante homologie de structure entre les visions antiraciste et antisocialiste/« antisémite » de l'ennemi comme de la victime. Prenons un texte de Léon de Poncins, « Le socialisme est-il un mouvement populaire ? [34] », où l'on reconnaîtra aisément la triade des personnages postulée par l'étude du MRAP : « Le socialisme n'est pas, autant qu'on nous le prétend, un mouvement populaire, ce n'est pas la conséquence naturelle et spontanée du mécontentement des masses. Un profond malaise travaille le monde occidental, malaise dû en partie à l'industrialisme, en partie à la crise spirituelle du monde moderne. Les effets en sont particulièrement sensibles dans le prolétariat ouvrier, [...], parce qu'il est [...] le plus facile à endoctriner. Nous assistons aujourd'hui à ce spectacle étrange : des millions d'individus travaillent au succès d'une théorie sociale extravagante et inapplicable, qu'ils ne comprennent pas, qu'ils réprouveraient s'ils la comprenaient et dont le résultat infaillible en cas de succès serait d'aggraver irrémédiablement leurs souffrances. Certaines organisations et certains groupes ethniques ont pris ouvertement et en sous-main la direction de ce mouvement populaire qu'ils orientent vers le socialisme marxiste [...]. Le judaïsme mondial joue dans tout cela un rôle prédominant. [...] Juifs de finance et Juifs de révolution travaillent au même but. Remueurs d'idées fanatiques, propagandistes virulents et infatigables, cimentés contre l'adversaire commun, qui est le monde des non-Juifs, par les liens de la race, de la religion et de l'intérêt... » (*Op. cit.*, p. 229-230.)

Les trois personnages : victime/endoctriné-exécutant/mystificateur-endoctrineur, s'identifient respectivement comme : la civilisation occidentale (ou chrétienne), c'est-à-dire « le monde des non-Juifs » civilisés/le socialiste (le partisan du « socialisme marxiste »)/le « judaïsme mondial » (« Juifs de finance » et « Juifs de révolution », alliés secrètement). Deux fonctions sont en outre identifiables, communes aux discours antiraciste et antisémite : les conditions générales favorables au processus dénoncé, que résume l'idée récurrente de « crise » ; l'objectif final (et dissimulé) de l'entreprise dénoncée : un mélange variable de domination, d'exploitation et d'extermination.

Actants : personnages et fonctions / Types de discours	MRAP (antiracisme)	Léon de Poncins (antisémitisme)
1. La victime, supposée innocente et agressée/attaquée.	L'étranger, le différent, le minoritaire.	La civilisation occidentale/chrétienne (les non-Juifs).
2. Le -iste, ou l'acteur de l'acte stigmatisé : sujet dit endoctriné (abusé, trompé) et instrumentalisé (l'exécutant : l'agresseur visible, le bourreau apparent).	Le raciste.	Le socialiste (en particulier le socialiste marxiste).
3. Le mystificateur : le manipulateur, l'endoctrineur (abuseur, trompeur), et le vrai profiteur de l'acte. Il est le véritable auteur (caché) de l'acte rejeté.	L'extrême droite, la droite, le grand capital, l'impérialisme, l'orchestre noir.	Le judaïsme mondial (Juifs de finance et Juifs de révolution).
4. Les conditions ou causes contextuelles favorables : une figure de la « crise ».	La crise économique et sociale.	La crise spirituelle du monde moderne.
5. L'objectif final : domination, exploitation, extermination.	Le fascisme.	La domination du monde (l'empire de Sion).

dénoncer les « vrais » responsables, derrière les apparents, réduits à n'être que des marionnettes qui insultent, agressent ou tuent sans savoir bien pourquoi, sans savoir jamais le pourquoi ultime de leur conduite. La stratégie et la tactique recommandées dérivent de la définition reçue et posée du racisme : dénoncer les inspirateurs, mystificateurs et comploteurs, éduquer ou rééduquer les mystifiés et inspirés (voir encadré, p. 369). Police, justice et éducation : l'action antiraciste prétend en réaliser de concert les tâches. Car il existe à la fois des malfaiteurs, des pervers et des ignorants. Être antiraciste, c'est se déclarer honnête, normal et cultivé. On voit la menace qui pèse sur l'antiraciste d'après 1945 : le conformisme, l'autocatégorisation en tant que bien-pensant, par l'installation dans l'évidence idéologique (reçue sans critique) que « le racisme » est chose « mauvaise », qu'il faut éviter, qu'il convient de condamner.

L'antiraciste se qualifie donc tant par ses vertus que par ses compétences et ses facultés, il tend à se présenter comme un polymathe suprêmement honnête, un éducateur encyclopédiste de l'humanité égarée, un chasseur d'ignorances et de méchancetés. L'utopie antiraciste consiste à supposer possible la réalisation d'un monde de bons et de cultivés. Il suffirait de faire comprendre aux mystifiés, les « racistes », qu'ils sont abusés par des méchants et des profiteurs pour que la mystification cesse immédiatement d'opérer. A cette seule et suffisante condition, le racisme disparaîtrait. On concevra aisément qu'il a encore de beaux jours devant lui...

5. L'antiracisme tend à servir de *moyen de diversion*, dans la mesure où la dénonciation du racisme[35] est susceptible de détourner l'attention publique des vrais problèmes sociaux, économiques ou militaires. Cette idéologisation et cette politisation de l'antiracisme lui confèrent une fonction instrumentale dans une guerre idéologique dont l'un des objectifs est de paralyser l'adversaire par la désinformation. C'est pourquoi la fonction tactique de l'antiracisme est volontiers mise en évidence par les idéologues conservateurs et anticommunistes, qu'ils soient « nationalistes » (Front national) ou « libéraux » (qui s'expriment dans *Le Figaro* ou *Le Quotidien de Paris*). L'antiracisme peut dans certains cas être dénoncé comme une méthode de terrorisme intellectuel, une entreprise d'occultation et d'aveuglement. Du côté du nationalisme xénophobe, l'affaire est entendue depuis longtemps, pour autant qu'un tel trait de l'antiracisme reste l'un des rares moyens idéologiques de l'affronter. Ainsi François Brigneau[36] s'emploie-t-il à disqualifier l'antiracisme pour ce que celui-ci ne viserait qu'un « épouvantail » : « Aujourd'hui, l'épouvantail, c'est le racisme. Même si le mot ne peut s'appliquer à la réalité, il émeut les gogos et rameute les cocos. » Sa fonction de rassemblement des gauches permettrait de comprendre l'antiracisme comme le dernier moyen de « chantage » et de « terrorisme intellectuel de la gauche » : le premier « épouvantail » fut le cléricalisme qui, sous la IIIe République, n'était dénoncé que pour servir à ressouder le bloc des gauches ; le second « épouvantail » fut le fascisme dont le prétendu retour menaçant, brandi tel un drapeau, permettait « d'oublier l'Union soviétique » ; le troisième « épouvantail », enfin, est le racisme qui n'est agité que pour réaliser « une opération particulièrement répugnante contre le nationalisme français ». On notera au passage que l'argumentation défensive du nationalisme a su intégrer l'une des caractéristiques réelles de l'antiracisme. Mais si, à celui-ci, elle ne reproche pas une propriété fictive, elle intègre néanmoins le motif de l'instrumentalité de l'antiracisme dans un grand récit *conspirationniste* où l'ennemi est, comme en miroir, diabolisé : « Nous sommes en présence d'une vaste conjuration contre la France française et ses défenseurs naturels. » La réaction aux meurtres et attentats antimaghrébins et antijuifs de la fin mars 1985, animée par *SOS Racisme*, est interprétée dans le cadre de cette vision paranoïde du monde : « Menton. Miramas. Paris. La bombe du festival juif (18 blessés légers) dont le bruit couvre le peu d'écho venu de la Guadeloupe (bombe chez un cafetier du Front national : trois morts) : la campagne d'indignation feinte et d'intimidation réelle déclenchée par les racistes antifrançais touche au délire. Par leurs clameurs, leurs dénonciations, leurs montages, leurs amalgames, ils veulent provoquer le pire. Nous leur laissons la responsabilité de leur entreprise. Nous en voyons parfaitement les moteurs et les trucs [37]. »

Chez les ex-communistes devenus conservateurs et anticommunistes, particulièrement sensibles aux techniques d'instrumentalisation idéologique (ils les connaissent de l'intérieur), la critique de l'antiracisme se fonde également sur le grief d'occultation/diversion : « A force de lutter "contre le racisme", on est en train de falsifier, gauchir, occulter la diversité des motivations qui commandent les décisions individuelles et collectives [38]. » Mais l'essentiel est pour l'anticommunisme « systémique » ailleurs : l'antiracisme ne se comprend que dans le cadre de la stratégie communiste en Europe occidentale qui, « fondée [...] sur une union avec une social-démocratie en voie d'éventuelle radicalisation », s'efforcerait de « raviver la tradition "progressiste" des années trente [39] ». L'antiracisme se réduit à n'être qu'un élément dans le discours de propagande communiste. Après avoir analysé les amalgames en chaîne impliqués par l'antiracisme/antifascisme communiste, Annie Kriegel passe au décryptage de la « lutte contre l'antisémitisme » : « La "lutte contre l'antisémitisme" était noyée et diluée [par le MRAP et les organisations similaires] dans une lutte contre le racisme ou plutôt "contre tous les racismes" dont l'un était... le sionisme. C'est ainsi que, par un apparent élargissement d'un même thème — de la lutte contre l'antisémitisme à la lutte contre tous les racismes —, les communistes réussirent le tour de force, par exemple après l'attentat de la rue Copernic, de faire défiler les dirigeants de la communauté juive derrière une bannière qui, implicitement, pour qui en faisait une lecture communiste, englobait l'État d'Israël parmi les pourvoyeurs de la haine des Juifs [40]. » L'argument critique est fort simple : l'antiracisme généralisé et générique (subsumant toutes les « luttes » humanitaristes) profite au communisme international, son véritable initiateur et commanditaire. Malheureusement pour notre désir d'objectivité, la pente mythique d'une telle critique démystificatrice se révèle vite, tant à travers la négligence des « détails » empiriques (on se contente de quelques illustrations frappantes de la « théorie ») qu'à travers une singulière vitesse d'élévation à la grande vision anticommuniste du monde, nouveau tableau paranoïaque n'ayant rien à envier à la vieille vision communiste. Le simplisme de la pseudo-explication conspirationniste (à qui cela profite-t-il ?) bloque en fait l'investigation scientifique. L'imaginaire communiste retourné reste dans les limites de la causalité diabolique. On ne fait pas de bonnes analyses avec de la déception, du ressentiment et du ressassement vindicatif.

6. L'antiracisme se fonde sur un *postulat d'extériorité* du spectateur-acteur antiraciste par rapport au raciste, c'est-à-dire de celui qui désigne le « raciste » face à celui qui est désigné comme tel. L'antiraciste, ayant pouvoir de qualification, se présuppose donc, par le fait de repérer un « raciste » et de le qualifier comme tel, en tant que sujet situé à l'extérieur du monde raciste, ou du monde des racistes. *Postulat de séparabilité radicale* de l'antiraciste et du raciste, auquel s'ajoute subrepticement un *postulat d'inégalité* : car l'antiraciste ne doute pas un instant que sa position antiraciste soit supérieure à la position raciste qu'il stigmatise. C'est là un paradoxe de l'idéologie égalitaire en général, et qui surgit nécessairement dans le champ particulier de l'égalitarisme antiraciste : on ne peut affirmer la valeur d'égalité comme supérieure à celle d'inégalité sans postuler une échelle hiérarchique des valeurs ; de même, on ne peut affirmer les valeurs antiracistes sans les supposer supérieures aux valeurs racistes, donc sans mettre en jeu une relation inégalitaire (entre le type antiraciste et le type raciste) que l'on récuse absolument par ailleurs, précisément comme indice de racisme[41]. Mais la représentation antiraciste du raciste va au-delà de la relation d'inégalité : le raciste tend à être traité, par un retournement rhétorique fort peu élaboré, de la manière même dont le raciste traite le racisé. Le raciste étant l'Autre rejeté du monde des valeurs proprement humaines, exclu du dialogue, assimilé à un délinquant, il tend à devenir le représentant de cette entité diabolisée qui avait pour noms, dans la tradition raciste, la « race inférieure » ou l'« antirace[42] ». Inversion du processus de racisation : le raciste est *démonisé*, après avoir été projeté dans l'inhumanité[43]. L'opération de désignation de l'ennemi raciste, impliquée par la « lutte contre le racisme », permet ainsi à l'antiraciste de s'exclure lui-même de ce qu'il blâme, et, absolument innocent, de s'ériger en tribunal d'un ensemble de conduites qu'il juge comme infra-humaines, voire sataniques.

Une typologie des attitudes antiracistes peut être esquissée selon les types de « racistes » distingués et blâmés.

— *Le raciste ignorant*[44] : si le racisme est mesuré et produit par l'ignorance, la lutte antiraciste se confondra avec la tâche d'instruction et d'éducation. Postulat optimiste : nul n'est raciste volontairement. L'antiraciste est un éducateur. Sa mission est double : d'une part, enseigner les différences, les faire « connaître » et « aimer » ; d'autre part, enseigner que les différences sont négligeables, et que seul est digne d'absolu respect ce qui dans chaque homme est partagé par tous les hommes. Hésitation pédagogique inhérente à l'antiracisme contemporain, révélatrice de l'antinomie qu'il ne saurait surmonter par ses propres moyens (cf. trait n° 8).

— *Le raciste méchant* : ce n'est plus l'ignorance, simple manque, c'est la haine, puissance négative, qui est désignée comme la source du racisme. Lutter contre le racisme, ce sera le disqualifier et l'isoler, l'empêcher de nuire. Jusqu'à l'exclure : « Je juge inacceptable, déclare B.-H. Lévy, que Le Pen soit considéré comme un politicien comme les autres [...]. Je suis partisan de l'exclusion des porteurs de pensées xénophobes et de l'idéologie raciste[45]. » Le domaine antiraciste est peuplé de rituels de contre-exclusion, selon la logique simple du donnant-donnant : « Une seule attitude juste, face à Le Pen : l'exclure par tous les moyens possibles du cercle de famille de la politique consacrée. Un seul impératif : tracer autour de lui le cordon idéologique et éthique qui, seul, le tiendra hors du jeu[46]. » Comme l'a bien repéré L. Kolakowski, il s'agit là de l'un des arguments le plus souvent invoqués contre la tolérance, et qui présuppose l'unicité de la valeur suprême dans chaque domaine de valeur en question : il n'y a qu'une vérité, qu'un bien, qu'un type de beauté. Outre un dogmatisme axiologique inébranlable, une telle position illustre presque caricaturalement la relation de rivalité mimétique (tout le monde exclut tout le monde), pratiquée comme indépassable (ou normale), tout en offrant un bon exemple d'attitude phobique : il faut éviter d'entrer en contact avec le groupe des pestiférés ou des lépreux, il faut creuser au contraire la distance, séparer, bien différencier, en un mot discriminer. En termes pseudo-ethnographiques agrémentés de psychanalyse vague, l'antiraciste demandera qu'on restaure le tabou, qu'on respecte la frontière qui sépare absolument les légitimes-respectables et les intouchables. La crainte s'affiche d'une submersion par « la boue », la fange qui remonte. B.-H. Lévy explique et prescrit, en novembre 1985 : « J'insiste sur le cas Le Pen. Le fond de l'affaire, bien sûr, c'est le tabou qui a sauté. C'est le verrou qui a lâché. C'est cette vieille boue, retenue depuis des années, qui remonte tout à coup, suinte dans les consciences. Et face à ce suintement, face à cette crue [...], je crois qu'il ne faut plus craindre d'appeler les choses par leur nom — et d'en appeler, littéralement, à *une restauration de l'Interdit.* » Le méchant est ainsi rejeté, à coup de métaphores, dans la boue, la fange, l'élément bourbeux d'où il n'aurait jamais dû sortir. Norme inconditionnelle : l'antiraciste doit se garder de ce qui crotte, couvre de taches, il doit être suffisamment vigilant pour ne point tomber dans la boue (raciste), où l'on risque de se salir en pataugeant, voire de s'enliser. Non seulement l'antiraciste s'attribue le monopole des intentions bonnes, mais il cumule la position supérieure (il peut tomber dans la boue, s'il n'y prend garde) et la possession de la pureté, loin au-dessus du marais boueux où se complaisent les sous-humains, vils et corrompus. Il faudrait donc en finir, selon l'antiraciste distingué, avec un certain laxisme vis-à-vis des porteurs présumés de racisme : ils sont dangereux parce qu'ils sont dotés d'une puissance de contamination, qui se déploie toutes les fois qu'on les laisse sortir du fond de ce marécage boueux qui est leur élément naturel. Il faudrait en quelque sorte reverrouiller les points d'accès à la terre ferme et à l'air pur. Le programme est clair, est simple. Mais n'est-il pas une transparente pétition de principe ? Quel est donc l'interdit qu'il s'agit de restaurer ? La loi de juillet 1972 est-elle insuffisante ? Par quels nouveaux et plus fermes moyens faut-il exclure les racistes présumés ? Et comment les identifier sans trop risquer de se tromper ? Car les racistes clandestins sont légion... C'est précisément là qu'est la question : pour qu'une législation antiraciste soit efficace, il faudrait qu'elle puisse s'appliquer à toutes les formes de racisme, y compris et surtout à celles qui ne ressemblent aucunement aux formes reconnues, donc reconnaissables. C'est ce qui n'est guère possible : l'inefficacité semble garantie. Aussi, demander la restauration des interdits, à plus forte raison de l'Interdit, c'est parler pour ne rien dire — du moins rien d'autre qu'un rêve à peine honteux d'organisation autoritaire de la société . Activisme tout littéraire, antiracisme velléitaire.

Dans son essai sur « La dictature de la vérité : un cercle carré », repris dans le livre *L'Esprit révolutionnaire*[47], Leszek Kolakowski aborde avec profondeur ce type d'argument souvent invoqué contre la tolérance, toujours au nom des meilleures raisons, et pour la bonne cause. Précisons tout d'abord que le plaidoyer antiraciste de B.-H. Lévy est un bon exemple de l'*intolérance par conviction,* telle que Kolakowski la distingue de l'intolérance par indifférence. Dans le cas de l'intolérance fondée sur l'éthique de conviction, le moraliste dogmatique procède par dénonciation et condamnation de ce qu'il considère comme absolument inadmissible, il prêche l'intolérance parce qu'il est convaincu de détenir la vérité ou d'être installé à demeure dans le camp du Bien. L'application sociopolitique de l'argument dogmatique contre la tolérance prend la forme suivante : la tolérance ne doit pas s'étendre aux ennemis de la tolérance sous peine de se détruire elle-même. Sous sa forme idéologique contemporaine la plus courante, il apparaît dès lors qu'on pose la question rhétorique : « Est-ce que la tolérance signifie qu'on laisse aux nazis la liberté d'agir ? », afin de légitimer toutes les pratiques possibles d'intolérance, en invoquant le fait qu'elle vise des attitudes ou des doctrines soit « fausses », soit « anti- » ou « in-humaines ».

Kolakowski désigne bien les limites de toute législation dite antiraciste : « Une loi interdisant purement et simplement les organisations ou idéologies qui se réfèrent au nazisme, à la doctrine de Hitler ou au système de l'Allemagne nazie peut parfaitement se justifier. Mais une loi de ce genre n'a qu'une valeur insignifiante pour résoudre un problème politique quelconque, étant donné que les organisations qui proclament ouvertement leurs attaches avec la tradition nazie n'ont aucun pouvoir social réel et que ce n'est pas de ces organisations que vient le danger réel. Une telle loi serait purement symbolique si elle interdisait les organisations dont les noms, les symboles et la phraséologie sont littéralement empruntés au nazisme ; pour être efficace, elle devrait formuler le contenu idéologique des mouvements et des opinions qui sont proscrits. » Le racisme légal ne recouvre dès lors qu'une infime (et négligeable) partie du racisme réel. Celui-ci peut être défini par son efficacité sociale et politique, ainsi que par son haut degré d'implicitation, qui le rend non reconnaissable et ne déclenche pas les mécanismes sociaux d'inhibition ou de rejet. Toute législation antiraciste se heurte au fait des formes implicites du racisme, devenues ses formes dominantes. Les lois antiracistes trouvent donc leur première limite dans la difficulté de leur application aux formes dominantes et socialement non négligeables du racisme : elles risquent de ne pouvoir bien fonctionner que sur le cas des formes déclarées et hyperboliques, d'autant plus facilement décodables que provocatrices, propres aux groupes minoritaires et marginalisés dans le champ politique — disons au racisme nostalgique d'anciens combattants ou militants, au racisme réactif, compensation de l'impuissance sociale réelle ou de l'isolement individuel. On peut formuler synthétiquement un principe d'incertitude de la lutte antiraciste, qui est aussi bien un principe d'impuissance : soit l'antiracisme se fonde sur une définition du racisme précise et restreinte, et la lutte antiraciste est sans portée sociale réelle (ne s'appliquant vraiment qu'à des formes marginales de racisme), soit il se fonde sur une définition large et moins précise, ou encore énumérant un très grand nombre de cas de figure, et les textes législatifs tendent à être inapplicables du fait même qu'ils s'appliquent à trop de situations sociales — des conduites xénophobes ordinaires à l'apologie de la violence, de l'intolérance, de la tyrannie, que l'on rencontre à l'évidence au-delà du champ spécifiable en tant que « raciste », même selon des critères fort larges. Ou bien la loi antiraciste s'applique bien mais est dénuée d'efficacité par la restriction de son aire d'applicabilité, ou bien elle est quasi inapplicable en vertu de sa volonté d'être d'une applicabilité suffisante. Telle peut se formuler la « croix » de l'antiracisme politico-juridique.

Il est non seulement vain mais dangereux pour les libertés de vouloir suspendre le principe de tolérance, d'en récuser l'application aux individus ou aux groupes dont on considère l'existence comme intolérable. L'effet pervers est de facture très classique : au nom d'une volonté de maximalisation de la vertu (telle qu'on la définit), on risque de favoriser le despotisme idéologique, d'installer un contrôle accru sur les opinions et les conduites. On ne peut qu'être en accord avec Kolakowski lorsqu'il déclare, concluant son essai sur la tolérance : « Les attaques contre le principe de tolérance ne peuvent faire que renforcer la tendance réelle et dangereuse à rendre la bureaucratie indépendante de la société, elles ne peuvent donc faire que favoriser l'organisation totalitaire de la société — et ce, malgré leur intention explicite. »

— *Le raciste fou :* étant en quelque manière un malade mental (circulant de la névrose à la psychose), le raciste doit être soigné vigoureusement. Le racisme désigne l'ensemble des symptômes qui, sans renvoyer à un type de maladie mentale, se distribuent dans tout le champ nosographique. L'antiraciste est un thérapeute polymorphe. Prenons un texte exemplaire de Roger Ikor, dont l'individualisme démocratique intransigeant se réclame d'un rationalisme militant dont la tendance polémique est de pathologiser toute attitude perçue comme irrationnelle. En définissant le racisme comme « une fuite, une peur, une haine qui tentent de se trouver justification et excuse », R. Ikor croit pouvoir expliquer que « cette folie, spécifique de l'homme moderne, ne puisse être que furieuse[48] ». D'où la description peu amène du raciste, à la fois bestialisé et pathologisé : « Oui, au départ, le raciste est simplement une bête qui a peur de son âme naissante et que la peur affole[49]. » Et la maladie de cette bête folle devient épidémie menaçante : « Virus, terrain : reste l'occasion capable de déclencher la maladie. » Dans le raciste sont condensées les figures ordinaires de la menace : du « fou dangereux » à « la prolifération du cancer raciste ». L'antiracisme a sa version propre du mythe catastrophiste, avec ses angoisses obsessionnelles et phobiques.

— *Le raciste stupide :* le grief de bêtise (« c'est un débile », « c'est un primaire ») a l'avantage de disqualifier inconditionnellement le raciste, mais le désavantage de ne pouvoir se préciser et justifier que par recours à une théorie inégalitaire de l'intelligence qui, dans les milieux antiracistes, est en général assimilée au racisme et à l'eugénisme (de nombreux slogans sont fondés sur la chaîne d'équivalences : élitisme = eugénisme = racisme = fascisme). Lutter contre la bêtise, c'est d'abord la ridiculiser, l'exclure par là même du dialogue légitime, la rendre honteuse et sans paroles. L'antiraciste fait partie de l'élite intellectuelle qui méprise le raciste, ce pauvre d'esprit, ce pense-menu[50].

— *Le raciste mal élevé :* le racisme peut être l'effet non plus d'un manque d'instruction, mais d'une mauvaise éducation. Le raciste est celui qui dit des choses qu'il ne faut pas dire, qui tient des propos inconvenants. Et aussi celui dont la pensée est supposée dominée par les « préjugés », les « stéréotypes », les « clichés ». L'antiraciste s'efforcera dès lors de lui apprendre la méfiance méthodique devant les idées reçues, il s'emploiera à lui réapprendre à parler correctement, car les mots sont porteurs et vecteurs des « préjugés racistes ». Il s'agira de lui inculquer de bonnes habitudes, qui commencent par le bon choix des dénominations : les plus vertuistes conseilleront de ne pas dire « Nègres » mais « Noirs », de ne plus dire « Juifs » mais « Israélites » (« Français de confession israélite ») ou « Israéliens » quand c'est le cas, de ne plus parler de « races » mais de « cultures » ou d'« ethnies », de qualifier de « différents » les peuples qu'on tend, spontanément et très malencontreusement, à déclarer « inférieurs », « primitifs » ou « sauvages » (qualificatifs devant toujours être précédés du prudent adjectif « dits »), etc. Le raciste doit réapprendre à parler, à penser, à se comporter comme il convient de le faire, à travers les euphémismes standardisés à l'emploi desquels se reconnaît socialement l'antiraciste distingué. Le comble de l'euphémisation antiraciste est la suspension du jugement : il faut habituer les hommes à ne point juger, et surtout à *s'abstenir de juger* ce qui diffère de « nous ». D'autant plus fortement s'abstenir que les individus visés relèvent de catégories « altérisées » ou « exclues », incarnent des types victimisables. L'antiraciste rééduqué doit pouvoir se contenter d'affirmer qu'il y a différence, en ajoutant qu'il faut respecter, voire aimer, les différences. De sorte que l'antiraciste se donne pour un rééducateur sans frontières, mi-enseignant, mi-policier, mi-maître de cérémonies [51].

Le désavantage d'une telle attitude antiraciste, c'est de tomber trop facilement sous le grief de conformisme : l'antiraciste devient ce bien-pensant que choque la conduite du raciste, érigé ainsi en minoritaire opprimé, marginal inventif, martyr de la contestation des derniers tabous de la société post-moderne.

— *Le raciste, symptôme social :* le statut de « symptôme » innocente radicalement le raciste, réduit à n'être qu'un effet de structure. La présupposition en est que la société globale est en état de dysfonctionnement, qu'il y a un malaise dans la civilisation, etc., dont les causes, une fois reconnues, pourraient être modifiées pour agir sur les effets. Le raciste étant rapproché du « nouveau pauvre », du chômeur, du délinquant par fatalité sociale, sa disparition s'opérera d'elle-même, avec tous ces effets d'une mauvaise société, dès lors que celle-ci sera améliorée. Le schéma le plus courant est la pièce maîtresse de l'utopie socialiste-communiste : être antiraciste conséquent, c'est faire la révolution, afin de détruire les bases de classe du racisme. Rêve révolutionnaire : dans une société sans classes, le racisme disparaîtra par absence de fonction, tel un organe devenu inutile. « La réponse à l'antisémitisme se trouve dans la transformation totale des types de société dans lesquelles *(sic)* nous vivons », déclare D. Cohn-Bendit en 1978[52].

7. L'antiracisme opère une *mise en évidence et en relief de l'identité « raciale », « ethnique »* ou *« culturelle »* des individus, qu'il assimile à une origine indépassable. Ce qui revient à légitimer, certes involontairement, la réduction raciste, que l'on prétend combattre, de l'individu à une classe d'appartenance fixe, se confondant avec ses « origines » (raciales, ethniques, culturelles). Le fatalisme raciste est ainsi reconduit, conforté, confirmé. Cet effet pervers de l'antiracisme se retrouve dans la revendication identitaire, dès lors qu'elle absolutise les différences et identités d'origine[53]. En bref, que l'on se dise « raciste » (rare) ou « antiraciste » (courant), on légitime le critère racial de différenciation entre les humains, on tend à le présenter comme le critère principal et déterminant de classification des individus. C'est un tel « bétonnage » des différences collectives, coulées dans le vocabulaire exclusif de la race, qui constitue l'effet pervers dominant de l'antiracisme. Au « Vivre ensemble avec nos différences[54] » des antiracistes répond le « Vivre séparés avec nos différences » des racistes. Il est clair que la référence à la différenciation raciale représente un présupposé commun aux ennemis idéologiques déclarés, et qui enveloppe un postulat second et implicite : les différences sont traitées comme indépassables, ou comme des frontières infranchissables. En bref, tout se passe comme si c'était à l'intérieur du même cercle de préjugés que s'affrontent les frères ennemis, accordés sur un réductionnisme et un fatalisme « différentialistes ».

On ne peut sur ce point qu'être en accord avec les remarques formulées par Annie Kriegel : « La "lutte contre le racisme" est actuellement menée de telle manière qu'on aboutit inéluctablement à une "panracialisation" des liens sociaux : est indûment privilégiée et même tenue pour la seule significative la dimension de l'identité personnelle qui relève de l'appartenance à telle ou telle communauté ethnique. C'est une dérive extraordinairement discutable et dangereuse : l'identité ethnique — qualificatif pudique pour désigner la race — n'est pas, ne saurait être le critère constitutif des groupes intermédiaires dont une société complexe comme la société française est faite[55]. »

8. Les hésitations idéologiques manifestées par le stock des slogans produits depuis quelques années jettent une certaine lumière sur la *contradiction théorique majeure* de la vulgate antiraciste contemporaine. L'analyse des slogans et mots d'ordre produits dans la mouvance de ce qu'il convient d'appeler l'anti-racisme-spectacle, fondé sur la récupération des stars confirmées des causes « humanitaires » et la sélection d'une nouvelle génération de vedettes médiatiques, permet en effet de mettre en évidence une contradiction entre les deux principales demandes formulées par les acteurs antiracistes dotés d'une légitimité de porte-parole.

• D'une part, *réclamer le respect et la sauvegarde des différences*, pratiquer l'éloge de la différence contre les « racistes » supposés hétérophobes. Les partisans de la société « multiraciale », « pluriethnique » ou « multiculturelle » développent la logique de la bonne multiplicité et présupposent une valorisation absolument positive de la différence interraciale/ethnique/culturelle. Le slogan lancé au printemps 1984 par le MRAP : « Vivre ensemble avec nos différences[56] », l'illustre autant que celui des rouleurs de « Convergence 84 » : « Pour une France arc-en-ciel qui reconnaisse la diversité des droits et des cultures[57]. » Le postulat axiologique de base est ici que la différence est bonne en elle-même et par elle-même.

• D'autre part, *réclamer le mélange, ériger le métissage en méthode de salut*, à la fois en tant qu'hybridation des populations ethniquement diverses et en tant qu'« échanges interculturels » devant aboutir à une nouvelle culture. De nombreux énoncés illustrent un tel éloge du métissage, présenté comme la nouvelle voie royale de l'idéal d'assimilation, par abolition radicale des traits distinctifs entre groupes ethnoculturels, ces caractéristiques différentielles étant implicitement évaluées comme autant de stigmates destinés à être effacés. Deux slogans en forme de définitions de la France, lancés lors de la seconde marche pour l'égalité (1984), en témoignent : « La France, c'est comme une mobylette. Pour avancer, il lui faut du mélange[58] » ; « Super, la France marche au mélange[59]. » Le postulat axiologique est ici que la différence est moins bonne que l'échange et le mélange, qui tendent à l'indifférenciation. Celle-ci semble désirable pour autant que la différence est évaluée comme source de non-égalité : le primat accordé à l'exigence d'égalité implique la position de l'abolition finale des différences, érige l'état d'indifférenciation en horizon de désirabilité antiraciste. L'énoncé normatif et prescriptif : « Il *lui faut* du mélange », est lui-même étayé sur un énoncé constatif : « La France, c'est comme une mobylette. Pour avancer il *lui a toujours fallu* du mélange [60]. » L'argument de base est que le mélange a déjà eu lieu, qu'il y a un précédent du mélange, que la France a toujours « marché » au mélange. Le constatif légitime le normatif et le prescriptif : il faut du mélange parce que le mélange a déjà eu lieu. « Au "chacun chez soi", nous répondons par le mélange déjà existant [61]. »

L'interprétation inégalitaire de la différence fonctionne comme l'évidence idéologique fondatrice de la production de tels slogans : « Différent, c'est-à-dire inégal [62]. » Il s'ensuit que la différence ne peut être revendiquée comme valeur et norme positives. Dès lors l'on comprend que la « ressemblance » tende à se substituer à la « différence » dans les énoncés antiracistes : « Vivons égaux avec nos ressemblances, quelles que soient nos différences [63]. » Mais l'indétermination idéologique demeure, que marque l'hésitation reconduite par les propos spontanés de tel ou tel marcheur : « "Convergence" veut dire carrefour. Carrefour des hommes et des femmes qui se battent pour l'idéal qui est l'Égalité [...]. Égalité avec nos ressemblances, Égalité avec nos différences [64]. » Oscillation entre primat du mixte et primat de la différence, norme du mélange interethnique et prescription du respect de la diversité ethnoculturelle, idéal d'assimilation par ressemblance de tous à tous (réciprocité égalitaire pure : état d'indifférenciation absolue) et célébration du « multiracial » ou du « pluriculturel [65] » : ces figures d'une démarche idéologique hésitante reproduisent et reconduisent l'antinomie fondamentale qui structure les débats idéologiques en France depuis la Révolution française ; ces deux séries de demandes, contradictoires entre elles, sont deux variantes contemporaines de l'antinomie formée par la *logique de l'assimilation* et la *logique de la différenciation.*

La logique de l'assimilation n'est pas liée à tel ou tel instrument de réalisation sociopolitique, elle peut recourir, simultanément ou successivement, aux opérateurs d'uniformisation que sont la langue, le système juridique, les mœurs, ou le métissage. Dans tous les cas, l'action antiraciste assimilationniste a pour cause finale l'idéal d'indifférenciation par ressemblance, par le partage des sangs et des cultures [66], par l'égale distribution/répartition de tous les traits de tous à tous : c'est que la ressemblance est la relation où s'incarne le mieux l'idéal de réciprocité égalitaire. D'une telle valorisation de l'homogénéité de la population, l'on trouvera aisément des formulations de gauche ou de droite. Il faut insister sur ce que la valorisation positive du métissage est couramment reçue comme l'un des critères les plus sûrs de l'absence de racisme : le critère d'identification décisif de l'attitude antiraciste est l'éloge du métissage prononcé par le sujet considéré. Que la *mixophilie* soit ainsi érigée en indice majeur et en essence de l'antiracisme constitue une évidence absolue propre à la vision *individuo-universaliste.* « Non point raciste pourtant puisque Élie Faure croit à la vertu du métissage », note par exemple Pierre Guiral à la suite d'une citation du médecin-philosophe plutôt inquiétante pour un antiraciste convaincu [67]. La valorisation positive du métissage suffit à écarter le diagnostic de « racisme » concernant le sujet qui en fait preuve (c'est-à-dire *déclare* sa mixophilie, quels que puissent être ses autres jugements). L'affirmation mixophile joue le rôle de preuve absolue d'antiracisme.

Quant à la logique de la différenciation, disons qu'elle s'oppose expressément à ce qui est généralement perçu comme le modèle « jacobin » d'intégration centralisatrice et autoritaire : l'antiracisme différentialiste s'élabore sur la base du contre-modèle fédéraliste des régionalismes ou des ethnismes — dont les versions de droite ou de gauche interfèrent, et parfois se confondent.

Deux types distincts d'évaluation peuvent donc être repérés dans le corpus des énoncés antiracistes contemporains.

- La différence est meilleure que la non-différence (nivellement des cultures, destruction des identités collectives, irrespect vis-à-vis de ce qui est « autre », etc.) : *antiracisme différentialiste.*
- Le mélange, comme échange et partage des traits ethniques autant que culturels, est meilleur que le refus du contact (communication, communion, fusion), le métissage est infiniment meilleur que le « chacun chez soi » : *antiracisme assimilationniste.* Deux versions politiques doivent en être distinguées : soit l'on prône le mélange de tous avec tous comme le plus sûr moyen de réaliser l'idéal « jacobin » d'assimilation des individus dans le corps national ; soit l'on attend du métissage généralisé qu'il ébranle le consensus de base sur lequel repose précisément l'idéal

républicain d'assimilation. On notera en outre que cette formulation mixophile de l'assimilation apparaît, dans les discours, en concurrence avec une formulation mimétique : la ressemblance de tous à tous est l'état normatif qui donne son sens à l'action antiraciste. Une « amusante » illustration de la vulgate mixophile nous est fournie par un éditorial du mensuel *Latitudes*. Version culinaire de la célébration du mélange : on accède au salut par l'échange des « bouffes » spécifiques. « Une société vivante est une société qui *brasse* les idées, les affaires, les cultures, les hommes. Lorsqu'un garçon de vingt ans tire sur un ouvrier turc et déclare : "J'aime pas les étrangers", il y a dans ce geste un désespoir absolu, un refus absurde de *la vie*. En effet, on ne peut aujourd'hui souhaiter sortir d'une crise en refusant de *respirer l'air du monde*. [...] Moi, au contraire, je m'en réjouis [de la présence des étrangers] ! [...] ils viennent avec *leurs rythmes, leur cuisine* et ça m'intéresse ! [...] Oui, danser sur un rythme antillais ou écouter du raï — la nouvelle musique oranaise —, cela fait partie de ma culture, tout comme le couscous et la paella ont naturellement acquis droit de cité sur ma table ! [...] Vous vous prenez — et il m'arrive de me prendre — pour *le sel* de la terre. Eux, les Blacks, les Beurs, ils en sont *le piment. Pimentons-nous* : ça réchauffe et ça donne de l'énergie ! [68]. » La métaphore filée de l'échange des spécialités culinaires et rythmiques est certes ici caricaturale, elle n'en révèle pas moins à quel point le discours antiraciste de propagande est tributaire de l'idéal figé du mélange, et combien l'univers d'un tel imaginaire « métissé » est pauvre en images, lesquelles se réduisent aux sempiternels clichés et stéréotypes. Ce matérialisme de cuisine en chantant réalise à vrai dire une mise en scène, qui se veut conviviale, des slogans jumelés : « Amitié entre les peuples » et « Dialogue entre les cultures », auxquels l'on ajoutera « l'échange » entre les manières d'être et de faire (mais quel être et quel faire !). Le grand mardi-gras de l'esprit dont rêvait Nietzsche s'avère n'être qu'un bouillon éclectique d'arrière-salle. Et dont l'air serait à coup sûr irrespirable, pour quiconque. Mais prenons garde à la forme de l'argumentation. La déduction s'opère de l'être au devoir-être : de l'axiome onto-cosmologique « la vie est mélange (« brassage »), l'on infère qu'il faut mélanger pour vivre, bien ou vraiment vivre. Car, comme il n'est pas de vraie vie sans « piment », que symbolisent « Blacks » et « Beurs », il faut réclamer du « black » et du « beur » pour vivre. Or, l'être des communautés-piments, ce qui fait leurs « spécificités culturelles », se réduit aux produits d'exportation les plus standardisés et les plus édulcorés (les sucreries offertes par les nouveaux bons sauvages : couscous, paella ; et pourquoi pas pizza et Banania !). Victor Segalen en doit mourir une seconde fois : « l'Exotisme essentiel » se dégrade ici en exotisme de l'inessentiel, en marchandises immédiatement consommables, qui s'entendent bruyamment et se mangent de même. Disons-le sans aménité : il s'agit là d'un antiracisme néo-touristique vulgaire, agrémenté d'idées-Kodaks sur les chers « autres », et greffé sur un *populisme mélangiste* aussi peu engageant que le populisme puriste des nationalistes xénophobes. Nouvel avatar de ce que Segalen nommait la « dégradation de l'Exotisme », « l'affadissement du divers ».

Il reste que ces types d'évaluation ont un présupposé commun, axiologique et normatif : l'*égalité* est la valeur suprême qui définit la cause finale de l'action antiraciste. Respect ou éloge de la différence, prescription du mélange ou de mise en commun des ressemblances constituent des moyens diversifiés permettant de réaliser un même idéal, celui de l'égalité radicale de tous les individus.

La difficulté centrale et constitutive de l'antiracisme contemporain dérive de la dualité conflictuelle des moyens qu'il se donne pour réaliser une même fin : l'idéologie différentialiste et l'idéologie assimilationniste (et/ou mixophilique) sont non seulement hétérogènes, elles sont incompatibles, et forment ensemble une antinomie[69]. La vulgate antiraciste dominante, dans sa version contestataire « marginaliste » (celle des « Beurs » refusant ostensiblement le *starsystem*) ou dans sa version spectaculaire et consensuelle (SOS-Racisme), est traversée par une contradiction insurmontable (par ses propres moyens) entre une axiologie de la différence et une axiologie du mélange égalisateur. Ajoutons que les « bons sentiments » et les « justes causes » ne fournissent pas d'eux-mêmes les éléments d'une analyse du champ social ni les principes d'une politique praticable. Le moralisme hyperbolique risque même d'en interdire les conditions d'apparition. La critique des illusions de l'hypermoralisme n'a cependant de sens qu'en ce qu'elle rend possible la définition d'un modèle scientifique des actes de racisation, et enfin pensable l'éthique présupposée par les positions antiracistes empiriques, vécues dans le conflit des valeurs.

Dans une incisive étude semi-autobiographique, *Mon problème noir — et le nôtre*, parue en 1963, Norman Podhoretz avait posé sans fard le problème, et aperçu les principales difficultés. Celles-ci se résument par un paradoxe tragique : on ne peut surmonter les haines raciales qu'en renversant les barrières de race par le métissage inconditionnel et systématique, lequel se heurte aux barrières raciales. Relisons Podhoretz : « Le fait tragique est que l'amour n'est pas la réponse à la haine — pas dans le monde de la politique, en tout cas. La couleur est en vérité une réalité politique plutôt qu'une réalité humaine ou personnelle, et si la politique (c'est-à-dire le pouvoir) l'a transformée en une réalité humaine et personnelle, alors seule la politique (c'est-à-dire le pouvoir) peut défaire ce qu'elle a fait, une fois de plus. Mais les voies de la politique sont lentes et amères, et comme l'impatience d'un côté doit rivaliser avec un jeu de la mâchoire de l'autre côté, nous nous rapprochons d'une explosion, et le sang peut encore se répandre dans les rues. [...] Ne doit-il jamais y avoir une fin à cette folie ? En songeant aux Juifs je me suis souvent demandé si leur survie en tant que groupe distinct valait un seul cheveu de la tête d'un enfant. [...] Que possède le Noir américain qui pourrait correspondre à cela [*i.e.* à l'élection du peuple juif qui l'oblige à survivre en tant que peuple] ? Son passé est un stigmate, sa couleur est un stigmate, et sa vision de l'avenir est l'espoir d'effacer les stigmates en faisant de la couleur un critère non pertinent, en la faisant disparaître en tant que fait de conscience. Je partage cet espoir, mais je ne vois pas comment il pourra un jour se réaliser à moins qu'*en fait* la couleur ne disparaisse : et cela ne signifie pas l'intégration, cela signifie l'assimilation, cela signifie — faisons jaillir le mot dans sa brutalité — le croisement interracial *[miscegenation]*. Les Musulmans noirs *[Black Muslims]*, comme leurs homologues racistes dans le monde blanc, accusent les "soi-disant leaders noirs" de poursuivre secrètement le croisement interracial en tant que but. Les racistes ont tort mais je souhaite qu'ils aient raison, car je crois que la complète fusion des deux races est le choix possible le plus désirable pour tous ceux qui sont concernés. Je ne prétends pas que l'on puisse poursuivre cet objectif de façon programmée, ni qu'il soit immédiatement réalisable en tant que solution ; de toute évidence il existe des barrières encore plus grandes devant la réalisation de cet objectif que devant la réalisation du projet d'intégration [70]. »

9. L'antiracisme présente un neuvième trait, emprunté à l'*idéologie pacifiste* : il définit son objectif final par l'idée d'une réalisation de la paix dans le monde. Le discours antiraciste s'accompagne régulièrement d'une dénonciation du conflit en général, d'une condamnation de principe de la guerre, d'une violente réprobation des passions supposées conduire à la lutte entre les hommes. La haine et le mépris sont les deux passions le plus souvent stigmatisées. Jusqu'à une pratique symptomatologique qui semble caractéristique de l'antiracisme : celui-ci croit pouvoir reconnaître la présence du racisme aux manifestations, verbales ou non, de la haine ou du mépris. Ce qui implique une certaine aptitude au déchiffrement d'indices ambigus. Cette violente négation du conflit, réduit à une antivaleur, identifié au mal radical, cette *polémophobie* ne peut s'exprimer sans paradoxes : haine de la haine (au génitif objectif), mépris du mépris, lutte intellectuelle contre l'idée de lutte, guerre à la guerre. La hantise de l'élément polémique se présente volontiers sous l'aspect positif d'un amour absolu de la paix, et d'un parti pris en faveur de l'« amitié entre les peuples [71] ». L'autoprésentation de l'antiracisme intègre la volonté de concorde, le désir d'échanges pacifiques, le souhait d'un dialogue amical planétaire. Quelques figures dominantes de l'idéal de sympathie universelle peuvent s'inventorier, selon des modèles empiriques transposés analogiquement : le modèle du couple — la différence des sexes au principe de l'union des complémentaires ; le modèle des relations familiales — primat du sentiment, centration sur l'amour-don ; le modèle des relations intra-communautaires — entraide et solidarité des membres du même groupement, amitié ; le modèle des relations commerciales — échanger pour s'enrichir mutuellement, facteur présumé de paix ; le modèle, plus général, de la complémentarité des parties ou instances en interaction — les différences sont bonnes pour la seule raison qu'elles sont l'occasion de nouer des liens, de former de nouvelles séries, d'instituer des réseaux de groupements, entre différents-complémentaires. Tel est l'horizon d'empathie et de sympathie que l'antiracisme doit ériger en idéal régulateur de son action. Si le racisme, c'est la violence, sa légitimation et son culte, l'antiracisme ce sera la non-violence.

Le cauchemar de la guerre de tous contre tous est ainsi renversé en rêve de paix universelle et perpétuelle. L'idéal de pacification intégrale et définitive de l'humanité s'impose en tant que finalité dernière de l'action antiraciste. Or, la réalisation de la paix sur terre implique l'abolition des différences non réductibles aux divers types de traitement retenus par l'antiracisme. Les mauvaises différences, celles qui ne sauraient se monnayer en complémentarité féconde ou en coopération enrichissante, ces différences négatives doivent être éliminées. Car elles ne pourraient qu'instaurer des oppositions, lesquelles conduiraient à la guerre, qu'il faut absolument éviter. Ce qui régit l'univers imaginaire et axiologique de l'antiracisme, ce n'est donc pas la simple considération que la guerre n'est pas désirable, et qu'il faut l'éviter autant qu'on peut, c'est l'idée que la guerre est ce qu'il s'agit d'*éviter inconditionnellement*. L'abolition totale du conflit sous toutes ses formes fournit son contenu à l'impératif catégorique présupposé par l'antiracisme.

Il s'ensuit d'un tel idéal de pacification absolue qu'il faut déclarer la guerre à la guerre, et qu'il est nécessaire de dé-différencier la partie de l'humanité présentant des différences irréductibles au critère de complémentarité non polémique. Le pacifisme antiraciste dévoile ainsi son rêve normatif d'un univers humain unifié, homogénéisé, ou d'une humanité absolument réconciliée avec elle-même. Mais il y faut une opération chirurgicale préalable : amputer le corps de l'humanité des membres suspectés de provoquer et d'entretenir la gangrène du conflit. Émonder, nettoyer, assainir par la destruction de germes d'opposition : l'idéal pacifiste révèle son moteur thanatologique caché, sa méfiance fondamentale à l'égard du monde de la vie, peuplé de contradictions impures, constitué d'oppositions inquiétantes. Aussi l'antiracisme sombre-t-il dans l'inconséquence d'engager une guerre totale à son ennemi (« le racisme », « les racistes ») tout en légitimant son action d'une condamnation absolue de toute guerre. Le pacifisme intégral apparaît dès lors comme le moyen d'autolégitimation le plus efficace d'une action belliqueuse, pour autant qu'il délégitime absolument son ennemi.

Il semble qu'il faille distinguer, dans l'antiracisme, les deux types de pacifisme qu'il implique. A partir d'une proposition de Raymond Aron, l'on peut en effet ramener la multiplicité des pacifismes à deux types principaux : d'une part, un pacifisme tendant à se réduire à l'attitude inconditionnelle de non-violence, pacifisme tout négatif en ce qu'il se définit par une opposition absolue à la guerre, et par l'absence d'une théorie des causes de guerre [72] ; d'autre part, un pacifisme qui fonde « sur une théorie des guerres une action, pacifique ou belliqueuse, en vue de la paix perpétuelle [73] », qui cherche donc à supprimer les causes supposées de guerre. Dans le vertuisme mondialiste, le rêve d'un monde pacifié, unifié, amical et dialogique, on reconnaîtra le pacifisme contemplatif, pacifisme de type 1 qui réside dans l'attitude exclusivement déterminée par l'éthique de conviction [74]. L'amour absolu de la paix substitue l'abstraction sentimentale, l'enthousiasme humanitariste [75] et l'attendrissement à la considération lucide de la guerre, à l'analyse des formes et de la signification de la violence. De l'absence d'une théorie de la guerre et de ses causes dérive celle d'une théorie de la paix, laquelle serait susceptible d'orienter l'action politique concrète [76]. Dans le pacifisme de conviction, la paix ne peut être objet d'une volonté qui se donne les moyens de ses objectifs, la paix n'est qu'objet de velléité. Le pacifiste rêve d'entraide, de coopération, d'amitié universelles : ce rêve, il voudrait bien qu'il se réalisât, mais il est impuissant à s'en représenter les moyens. Dès lors l'hétérotélie apparaît, comme par un jugement historique immanent : le pacifisme absolu étant une doctrine du « tout ou rien », il est particulièrement apte à se renverser en appel à la force, en éloge de la violence finale, celle qui est censée mettre fin à toute violence [77]. Confrontées à la réalité politique, les velléités pacifistes se métamorphosent par renversement total : l'*ennemi non reconnu* s'érige en *ennemi absolu,* la guerre demeurée impensée devient guerre totale. L'idéologie pacifico-dialogique se transmue en démonologie activiste. Mais l'impuissance reste la même, à travers cette conversion. Le « raciste », une fois découvert dans sa réalité résistante, devient le « sale raciste » qu'il s'agit d'anéantir afin de nettoyer le monde ou d'assainir la société. La projection sur le « raciste » des métaphores de la bête dangereuse, du parasite ou de l'impureté contagieuse est un cas particulier du traitement de l'ennemi non reconnu dans le cadre de l'humanitarisme. « Quand une idéologie morale ou humanitaire devient souveraine, [l'ennemi] devient un être intrinsèquement coupable, de sorte que l'on rend un service à l'humanité en le faisant disparaître — par euphémisme on dit : en l'immolant [78]. »

La frontière entre le pacifisme de type 1 et le pacifisme de type 2 n'est pas dans tous les cas facile à déterminer. Il reste qu'au contraire du pacifisme absolu de conviction, le pacifisme « réaliste » se donne expressément pour objectif d'agir sur les conditions sociales en vue d'éliminer les causes présumées des guerres [79] en s'appuyant sur une théorie de la guerre. La volonté d'agir sur les causes pour modifier les effets implique une certaine dose d'éthique de responsabilité, et de pragmatisme. Mais l'utopisme se retrouve dans la détermination des fins dernières, lesquelles se résument par l'idée de paix perpétuelle[80]. Et la diabolisation de l'ennemi demeure latente.

Le présupposé fondamental du pacifisme humanitaire est la position d'une *politique sans ennemi* comme souverain bien. Mais l'idée d'une politique sans ennemi constitue la négation même de l'essence du politique[81]. L'antiracisme se présente lui-même comme une « lutte », un « combat », mais il nie la dimension politique de ce combat en s'affirmant comme visant à établir « l'amitié entre les peuples » ou la concorde universelle, abstraction faite des « caractéristiques de toute politique, comme la guerre, la violence et la peur[82] ». Le pacifisme antiraciste fait également abstraction du sens politique des différences qui séparent les hommes : raciales, religieuses, économiques, scientifico-techniques, etc. Il en fait abstraction soit en les considérant *a priori* comme positives (pétition de principe : il y a des différences, et elles sont bonnes), soit en les négligeant au profit des ressemblances (l'humanitarisme étant l'amour de « tout ce qui a face humaine », c'est-à-dire de ce qui est de fait partagé par tout homme : les caractéristiques extérieures de l'espèce humaine)[83]. Mais, s'il y a un pacifisme antiraciste proclamé, il y a aussi un bellicisme antiraciste pratiqué (la « lutte contre le racisme »), de même que le pacifisme raciste (le respect mutuel absolu des différences ethniques) fait pendant au bellicisme raciste (la lutte des races pour la domination mondiale)[84]. La dimension politique de son combat est ainsi à la fois méconnue, déniée et assumée dans la dénégation par l'antiracisme.

Le moralisme d'usage diplomatique comporte une profession de foi pacifiste dont l'écho se retrouve dans la position antiraciste de principe : dans la rhétorique des instances internationales, l'anticolonialisme, l'anti-impérialisme, le pacifisme et l'antiracisme font l'objet d'une célébration quasi unanime. Ce consensus universel antiraciste est assurément suspect : il « n'empêche nullement certaines nations de pratiquer une politique foncièrement raciste tout en se ralliant avec ardeur et emphase à l'opinion publique mondiale[85] ». Mais il indique une évaluation idéologique générale caractéristique de la modernité, dont le dévoilement a été accéléré par l'horreur des exterminations raciales hitlériennes : la condamnation du racisme comme fin intrinsèquement et absolument mauvaise de l'action politique, qui suit la condamnation de l'esclavage, et tend à s'y substituer au XXe siècle. A bien des égards, en effet, le racisme doctrinal a pris le relais des légitimations traditionnelles de l'esclavage : l'être considéré comme inférieur (exploitable, méprisable, négligeable, et exterminable s'il devient « inutile » ou « nuisible ») est censé l'être *par nature*[86]. Voilà ce qui fait scandale par excellence au regard des Modernes. Le racisme, parce qu'il semble impliquer à la fois l'idée d'une infériorité par nature de certaines catégories d'humains et l'éloge du combat ou de la guerre impliquant massacres et génocides, occupe dès lors la place de la doctrine mauvaise en elle-même, à ce titre condamnable absolument — ce qui justifie tous les moyens employés pour lutter contre elle. Mais, renversement paradoxal, le « racisme » risque par là de devenir l'attribut principal du type de la victime maximale, celle à qui l'on déclare une guerre totale, avec la conscience la plus sûre d'être dans la bonne voie et du bon côté.

L'exaltation moderne de l'« amour de l'humanité », telle qu'elle se déploie dans l'humanitarisme, la philanthropie ou le pacifisme fraternaliste absolu, semble bien l'œuvre du ressentiment, et, comme Max Scheler l'a montré, ne peut se comprendre qu'en tant que mouvement de lutte et de protestation contre l'amour de la personne spirituelle (du « prochain ») et de Dieu d'une part, contre l'amour de la patrie, d'autre part[87]. C'est pourquoi l'idéal de paix universelle impliqué par l'humanitarisme antiraciste et son « amour de l'humanité », pour autant qu'il « renferme une forte dose de ressentiment, a souvent servi à ceux qui le prêchaient et le préconisaient d'arme de lutte et de polémique[88] ». Rien n'indique que la situation se soit sensiblement modifiée depuis que Scheler la décrivait telle, en 1923, ni qu'elle doive évoluer dans le monde qui vient. L'humanitarisme pacifiste demeure l'une des armes les plus efficaces de la guerre idéologique, parce qu'il fait appel à une disposition profondément ancrée dans l'esprit des Modernes.

Dans la conclusion de sa conférence de janvier 1927 sur « L'idée de paix et le pacifisme », Max Scheler récusait le couple formé par le *pacifisme instrumental,* discours explicite autant que position hypocrite, et le *militarisme implicite* et honteux. Nous le suivrons volontiers sur ce terrain : « Il nous faut bannir pareillement et les vieilles formes du militarisme et toutes les variétés du pacifisme instrumental proprement dit. Pacifisme de principe et militarisme instrumental, avec promotion de tous les efforts en vue de la Paix perpétuelle, telle est notre exigence[89]. » Nous pensons de la même manière que toute forme d'universalisme instrumental est vouée à l'inefficacité, ce qui détruit sa seule raison d'être. Il reste à déterminer les conditions d'une exigence de Paix perpétuelle qui ne se réduise pas à un mode de légitimation idéologique d'un projet belliciste.

11

Éléments pour une théorie des débats idéologiques

« Pour la mentalité idéationnelle, la mentalité sensualiste n'est qu'illusion et blasphème ; pour la mentalité sensualiste, la mentalité idéationnelle n'est que préjugé, superstition ou dérèglement pathologique[1]. »

Pitirim A. SOROKIN.

« Il faut conclure qu'il y a autant d'évidences spécifiques qu'il y a de valeurs absolues ou considérées comme telles[2]. »

Eugène DUPRÉEL.

PRINCIPES D'UNE CONCEPTUALISATION

Après avoir postulé l'existence de deux noyaux distincts de racisation : inégalitaire (hétéroracisation) et différentialiste (autoracisation), nous nous sommes appliqués à construire un type idéal du « racisme » à partir de cinq traits (chap. 8), où nous avons retrouvé la distinction entre les deux racismes (inégalitaire, différentialiste). Mais, dans notre type idéal, la construction du racisme inégalitaire faisait apparaître une difficulté, qu'exprime le paradoxe suivant : si le rejet de l'universel définit le premier trait du racisme, comment penser la possibilité d'un *racisme universaliste* sans contradiction ? Car le racisme, défini comme théorie de l'inégalité des races fondant celle des cultures ou civilisations, se situe bien dans le cadre des valeurs et des normes universalistes. Nous avions une première solution dans l'hypothèse que le racisme inégalitaire ne constitue qu'un *pseudo-universalisme,* l'appel aux valeurs universelles ne relevant dans ce cas que d'une stratégie d'autolégitimation par adaptation aux valeurs admises dans la modernité (occidentale : à ne pas oublier). Mais, plus profondément, il nous est apparu qu'il fallait faire l'hypothèse de l'irréductibilité, voire de l'incommensurabilité, de deux « conceptions du monde » premières, de deux univers idéologico-discursifs comportant chacun un système de croyances et de valeurs spécifiques. Il nous a semblé que les débats idéologiques entre « racistes » et « antiracistes », dialogues de sourds le plus souvent, ne sont tels que pour ce que les argumentations en conflit relèvent d'univers axiologiques et normatifs hétérogènes : d'une part, le monde des valeurs individuo-universalistes ; d'autre part, le monde des valeurs traditio-communautaristes (cf. tableau 2, p. 409). Entre ces deux mondes, la communication est à la fois inévitable et destinée au malentendu, au conflit indénouable d'évidences absolues. Dès lors, le racisme inégalitaire n'aurait plus à être interprété comme une variante pseudo-universaliste du racisme, lequel serait par définition traditio-communautariste. Notre hypothèse est qu'au plan des systèmes de valeurs (axiologies) deux grands types de racisme se distinguent et s'opposent, selon une incompréhension mutuelle réglée : le métaracisme fondé sur les valeurs modernes absolues d'individu et d'universel, « individuo-universaliste » ; le métaracisme fondé sur les valeurs « holistes » d'appartenance à telle communauté, distincte de toute autre par ses croyances, ses manières d'être et de faire. Si le racisme inégalitaire ne peut se penser que dans un système individuo-universaliste, le racisme différentialiste ne peut se fonder que dans un univers de type traditio-communautariste. Nous avons donc retrouvé et reformulé la distinction entre *Gesellschaft* et *Gemeinschaft* (Tönnies : les « catégories fondamentales de la sociologie pure »), repensée par Louis Dumont opposant l'idéologie moderne (individualiste, universaliste, économico-égalitaire) et la conception holiste ou traditionnelle, ainsi que la théorie des variables structurelles de l'action par laquelle T. Parsons a tenté d'expliciter et de formaliser le modèle dichotomique de Tönnies : universalisme *vs* particularisme (premier dilemme), performance *vs* qualité (deuxième dilemme), neutralité affective *vs* affectivité (troisième dilemme), spécificité *vs* diffusion (globalisation). Nous ne pouvons ici qu'indiquer brièvement les points d'ancrage de nos analyses dans la tradition sociologique. A l'axe horizontal, où nous situons les sytèmes de valeurs au principe des sens divers donnés à l'existence, il nous a semblé nécessaire d'ajouter un axe où situer les conceptions de ce qui est (ontologie) et du mode de connaissance (gnoséologie), qui coupe le premier à angle droit : l'axe vertical spiritualisme/matérialisme. Le tableau 4 (p. 410) permet de montrer l'existence de quatre types de racisme :

— *racisme universaliste/spiritualiste* (RIs) : conception évolutionniste du progrès de la civilisation et mission civilisatrice des races supérieures, parce que les plus évoluées (version française : l'idéologie coloniale républicaine) ; racisme intellectualiste et éducationnel (Jules Ferry) ;
— *racisme bio-évolutionniste* (RIm) : légitimer la colonisation-domination ou l'extermination des races inférieures, inaptes au progrès (E. Haeckel, Clémence Royer) ;
— *racisme communautariste/spiritualiste* (ou « idéaliste », ou « culturel ») (RIIs) : chaque race incarne un type spirituel/culturel absolument différent de tout autre ; il faut le préserver (Spengler, Evola, Clauss, Chamberlain) ;
— *racisme matérialiste/zoologique* (RIIm) : les races sont des quasi-espèces ; polygénisme et polylogisme : il n'y a entre elles ni portes ni fenêtres, et il ne peut y en avoir du fait de barrières interspécifiques (G. Le Bon, G. Vacher de Lapouge).

Nous faisons l'hypothèse complémentaire qu'à ces quatre types élémentaires de racisme correspondent polémiquement quatre types d'antiracisme (tableaux 1 et 3, p. 408 et 410) :
— ARIIm, qui s'oppose à RIs (structure polémique 1) ;
— ARIIs, qui s'oppose à RIm (structure polémique 2) ;
— ARIm, qui s'oppose à RIIs (structure polémique 3) ;
— ARIs, qui s'oppose à RIIm (structure polémique 4).

Les débats entre racistes et antiracistes, après avoir été régis par la structure polémique simple de type 4 (partisans du progrès indéfini des Lumières contre polygénistes matérialistes), semblent aujourd'hui dominés par la structure polémique non élémentaire :
— ARIIs contre RIs et m (l'antiracisme différentialiste de la nouvelle droite, contre le « racisme impérialiste ») : vu de « droite ».
— ARIs contre RIIs et m (l'antiracisme universaliste des « ligues », contre le racisme culturel de la nouvelle droite et le racisme zoologique des « néo-nazis ») : vu des ligues antiracistes.

Le choc des rhétoriques : l'impossible dialogue entre Margaret Mead et James Baldwin

L'exemple que nous nous proposons d'analyser est un fragment de conversation entre Margaret Mead et James Baldwin, que l'on trouve rapporté dans un livre publié en 1971, *A Rap on Race*[3].

Dans ce dialogue continué en dépit des difficultés rencontrées, dialogue à vrai dire impossible faute d'espace interlocutif commun (*a priori* de tout dialogue), M. Mead, anthropologue antiraciste de bonne volonté, résume la position classique de l'antiracisme de type individuo-universaliste, dont le postulat de base est la suspension totale du jugement quant à l'appartenance de race. L'argumentation antiraciste de type I (individuo-universaliste) comporte en effet la prescription inconditionnelle d'*oublier la race* en général, la mienne et celle de quiconque venant en position d'autrui. L'*épokhè* de la dimension raciale apparaît comme la condition de l'attitude antiraciste : un sujet antiraciste digne de ce nom se reconnaît à ce qu'il pratique sans relâche cette ascèse consistant à mettre entre parenthèses sa perception ethnique de soi et d'autrui. La perception antiraciste de l'homme se définit d'être ethniquement adiaphorique.

Lisons ce fragment de conversation :

« M. Mead. — [...] En ce temps-là, je préconisais trois choses : apprécier les différences culturelles, respecter les différences politiques et religieuses et ne tenir aucun compte de la race. N'en tenir absolument aucun compte *[absolutely ignore race]*.

J. Baldwin. — Ne tenir aucun compte de la race. Voilà qui paraissait, certes, parfaitement sage et vrai.

M.M. — Oui, mais il n'en va plus de même. Vous voyez, ce n'était pas vrai en réalité. C'était faux parce que...

J.B. — Parce qu'on ne peut pas ne pas tenir compte de la race.

M.M. — On ne peut pas ne pas tenir compte de la couleur de la peau. C'est une chose trop vraie. Quand nous préconisions d'éliminer la question de race... et j'étais tellement fière, croyez-moi, nous étions tous fiers quand il nous arrivait de l'oublier [4]. »

Le rappel que fait M. Mead des prescriptions antiracistes de type universaliste en montre bien la difficulté interne. Alors qu'il s'agit d'une part de respecter, voire de célébrer, les différences — les bonnes différences collectives : « culturelles », « politiques », « religieuses » —, il s'agit d'autre part de suspendre tout jugement concernant les mauvaises différences collectives, lesquelles se réduisent aux différences raciales. Oublier la race, voilà l'opération antiraciste par excellence. Mais peut-on oublier à volonté, par un acte de volonté régi par le devoir d'oublier ? Et comment justifier la dualité de traitement des différences ? Pourquoi les unes

(« culturelles ») sont-elles bonnes et les autres (« raciales ») mauvaises ? Une première série d'apories apparaît ainsi, qui ne cessera de surgir dans la conversation, laquelle s'efforcera en vain de définir des « solutions », d'ouvrir des voies susceptibles de contourner les difficultés rencontrées.

Deux remarques peuvent dès lors être faites :
— les deux interlocuteurs prennent distance vis-à-vis de la méthode d'« élimination de la question de race », qui demande de ne percevoir que des individus sans appartenance ethnique. Mais l'*évidence* perceptive (les qualités secondes : la *couleur* d'abord) s'impose, et impose toujours encore la question de race ;
— la méthode d'antiracisme ainsi proposée échoue du fait qu'elle se fonde sur une croyance empiriquement fausse : croire qu'on peut *décider* de dissiper un « préjugé » ou une « illusion », que la raison théorique a pouvoir de suspendre des systèmes de représentation inscrits dans telle ou telle perception récurrente, laquelle « réveille » incessamment l'ethnotype qu'on veut neutraliser, et oblige le sujet à prendre continûment une attitude d'autosurveillance insupportable — et impraticable. C'est là une croyance magique caractéristique du rationalisme militant (ou du « cartésianisme » idéologico-politique) : la conscience critique (autocritique par définition) et la volonté de ne juger que rationnellement (selon les évidences de la raison théorique ou les dernières « vérités » de « la science ») suffiraient à détruire les « préjugés ». La volonté fondée en rationalité aurait pouvoir d'éliminer les productions de l'involontaire « irrationnel », c'est-à-dire issues de la dimension affectivo-imaginaire de l'homme. Telle est l'illusion persistante de l'antiracisme de la volonté éclairée : le sujet antiraciste manifeste une croyance étrangement volontariste sur fond de rationalisme immodéré (la raison théorique peut et doit régir les conduites humaines).

La difficulté a été fort bien relevée par Bernard Lewis dans une narration faite par Malcolm X de son pèlerinage à La Mecque. D'une part, le leader négro-américain confiait son émerveillement devant l'indifférence du monde islamique au préjugé de couleur : « L'indifférence à la couleur dans le monde religieux de l'Islam, dans le monde musulman en général, m'a frappé de plus en plus avec le temps [...]. Il y avait des dizaines de milliers de pèlerins qui [...] étaient de toutes les races [...]. Mais nous participions tous au même rituel dans un esprit d'unité et de fraternité que mon expérience en Amérique m'avait conduit à croire impossible entre Blancs et non-Blancs[5]. »

Mais, d'autre part, l'« observateur subtil et sensible » qu'était Malcolm X relevait ce qu'il avait perçu avec surprise dans le même pèlerinage, comme à côté de la fraternité araciste : « Il y avait dans ces immenses foules une certaine disposition des couleurs [...]. Le fait d'être originaire d'Amérique me rendait très sensible aux problèmes de couleurs. Je remarquais que les gens qui se ressemblaient se regroupaient et restaient ensemble la plupart du temps. C'était un comportement tout à fait volontaire, puisqu'ils n'avaient aucune raison pour cela[6]. » L'antinomie de l'« esprit d'unité et de fraternité » et de la « disposition des couleurs » n'est cependant pas abordée comme telle par Malcolm X : il fait simplement suivre la première notation (neutralisation des différences raciales) de la seconde (rassemblements selon les ressemblances raciales). Le problème est pourtant esquissé par ce bon observateur des différences et ressemblances, « bien que les croyances qu'il avait acquises et auxquelles il tenait toujours à cette époque l'aient empêché de prendre conscience de la pleine implication de ce qu'il avait vu[7] ». Malcolm X s'interroge en effet sur le caractère apparemment non contraint, ni prescrit, de cette redifférenciation ethnique, comme à l'intérieur même de l'unité fraternelle transraciale, étrangère à toute pratique discriminatoire : « Là où il existait une réelle fraternité indépendamment des couleurs, là où personne ne pouvait se sentir victime d'une quelconque ségrégation, là où il n'y avait ni complexe de "supériorité", ni complexe d'"infériorité", volontairement, naturellement, les gens [qui] se ressemblaient [...] se sentaient mutuellement attirés par ce qu'ils avaient de commun[8]... » Malcolm X décrit donc la redifférenciation selon les couleurs comme un processus paraissant « naturel » et « volontaire » : voilà posé le difficile et fort délicat problème du fondement des « préjugés de race », sur le cas exemplaire du « préjugé de couleur ». Celui-ci est-il une tendance universelle et nécessaire, qu'il soit d'origine « naturelle » ou d'origine « culturelle » ? Ou bien n'est-il qu'une construction psychosociale, particulière et contingente, dont on pourrait définir les conditions sociohistoriques d'apparition et de disparition ?

Comment comprendre cette étrange coexistence, dans la foule islamique, d'une utopie interraciale réalisée et d'une réorganisation raciale différentielle selon la couleur ? C'est à la même aporie que s'étaient heurtés J. Baldwin et M. Mead : l'antiracisme, qu'il soit religieux-moralisant ou laïque-progressiste, exige la neutralisation des différences raciales, lesquelles ne cessent de resurgir par des voies imprévues. La solution simple et brutale du problème, nous la connaissons bien, car elle constitue l'un des lieux communs de la vulgate antiraciste : puisque la perception des couleurs ravive ou réactive les pulsions racistes, et semble engendrer les rassemblements ethniques différentiels, alors il faut se proposer pour objectif d'abolir radicalement les différences de couleurs entre les hommes par l'unique moyen moralement praticable, le métissage de tous avec tous. Pour éviter que ne renaisse le racisme, on propose d'*effacer les différences ethniques* par le croisement interethnique universel. Mais celui-ci ne peut réaliser pleinement sa fin qu'à se présenter comme une prescription catégorique : le mélange des races doit être pratiqué *par tous,* inconditionnellement, pour parvenir au résultat escompté.

Ce qui suppose l'établissement d'un consensus international sur ce type de solution, ou l'instauration d'un empire antiraciste mondial se donnant pour tâche l'effacement des différences perceptibles entre les groupes humains. Vision plus qu'autoritaire des rapports entre les hommes : utopie totalitaire. Il nous faudra dès lors chercher une autre voie, à l'écart des illusions dangereuses véhiculées par les slogans antiracistes. Nous tenons là l'une des raisons pour lesquelles l'antiracisme doit être tenu pour un obstacle idéologique à surmonter.

Revenons à la conversation exemplaire de M. Mead (représentant l'ARI) et de J. Baldwin (représentant l'ARII). Elle illustre l'antinomie de l'individuo-universalisme et du traditio-communautarisme, telle qu'elle se manifeste dans les manières d'être antiraciste. Afin de simplifier l'analyse, caractérisons différentiellement les positions respectives des deux types d'antiracistes :

1. M. Mead (ARIs) : lutte contre la ségrégation et pour l'intégration assimilatrice des individus, quels que soient leurs groupes d'appartenance ethnique.

2. J. Baldwin (ARIIs) : lutte contre l'aliénation, pour l'identité et l'authenticité « culturelles » du groupe ethnique.

Entre les positions *1* et *2*, il n'apparaît pas de terme commun, nulle troisième voie ne semble possible qui s'offrirait comme une synthèse. L'incommensurabilité de *1* et de *2* implique une irréductible surdité de chacun des deux partenaires aux arguments de l'autre. L'antinomie fondamentale de l'antiracisme s'exprime par le choc de deux rhétoriques indialectisables : celle des droits de l'homme, centrée sur l'individu et l'humanité (le genre humain) ; celle des droits à l'identité communautaire (ethnique, culturelle, nationale), du droit à la différence, centrée sur le groupe (qu'il soit lui-même défini comme ethnique/racial, culturel ou national, cf. tableau 2, p. 409).

Nous ne saurions ici mieux faire que reprendre et développer l'analyse proposée par Roger Bastide dans sa préface à la traduction française du livre de M. Mead et J. Baldwin. Nous distinguerons deux aspects du problème : la caractérisation des deux types d'antiracisme, l'esquisse d'une réduction modélisante des positions antiracistes polaires.

Les deux antiracismes

Bien qu'il évite de présenter trop abruptement les noyaux irréductibles du différend, Roger Bastide pose excellemment le problème, en identifiant les positions respectives : « La communication n'est pas l'identification. Elle ne débouche pas forcément sur la communion. Elle ne peut permettre qu'une compréhension réciproque. Baldwin et Margaret Mead veulent certes également l'intégration, mais ils ne la conçoivent pas de la même façon. Au fond ce que M. Mead tente, au-delà des différences de couleur qui ne sont que des différences somatiques, c'est de trouver un champ culturel commun entre les Blancs et les Noirs ; ce champ culturel commun, elle le définit selon le modèle de la miscégénation : les Noirs doivent revendiquer leurs ancêtres blancs, les Blancs doivent aussi partager leurs ancêtres noirs avec les Noirs. Ainsi disparaîtrait la haine car on aurait ressoudé, sur cette communauté des ancêtres, l'unité familiale. Mais Baldwin, tout en acceptant d'être "américain" et non "africain" [...], ne peut accepter de s'en tenir à l'intégration, car elle est unilatérale, elle exige que le Noir se fasse blanc ; il faut lutter [...] plus encore contre l'aliénation que contre la ségrégation, contre la perte d'une identité nègre davantage que contre l'isolement des Nègres dans la société. Intégration, oui, mais dans l'acceptation des différences culturelles, non dans l'assimilation aux valeurs blanches. Margaret Mead est préoccupée avant tout par le problème politique, le Blanc tient les rênes du pouvoir, il ne veut point les abandonner. Baldwin par les problèmes de la personnalité : il ne veut pas perdre son authenticité[9]. »

L'opposition des argumentations est claire : d'une part, le primat de l'assimilation par l'égalité des droits et des traitements ; d'autre part, le primat de la conservation ou du développement des caractères constitutifs d'une identité « authentique ».

Le modèle dualiste

Le dissensus constaté entre M. Mead et J. Baldwin n'est pas lui-même de type particulariste, il a valeur universelle. C'est pourquoi l'identification de leurs positions respectives autorise l'élaboration de deux types idéaux d'antiracisme, lesquels s'opposent dans un modèle dualiste dérivé du couple société/communauté (F. Tönnies), précisé par l'opposition universalisme/particularisme, dans la théorie générale de T. Parsons. Une telle modélisation implique la prise en considération des fondements *métaphysiques* des rhétoriques de type I et de type II.

R. Bastide commence par définir la perspective trans- ou méta-culturelle de M. Mead, que l'on peut bien considérer comme l'idéologie professionnelle de l'ethnologue « libéral » ou « progressiste » : l'individuo-universalisme, à laquelle correspond un traitement politico-éducationnel du problème posé par « le racisme » — centration sur les *droits égaux* de tous les citoyens. L'égalitarisme et l'individualisme sont les noyaux idéologiques présupposés par la vision universaliste de la question raciale.

« Margaret Mead, parce qu'elle est individualiste, est aussi universaliste — l'universalisme étant, comme l'a bien montré Parsons, une conséquence de l'individualisme. Pour elle, tout racisme [...] repose sur une même base : la croyance en la supériorité de son groupe sur les autres. L'homme blanc [...] porte, suivant son expression, le même "fardeau [10]", qui est celui de se considérer comme le maître du monde et le responsable des progrès de l'humanité [11]. »

Les positions antiracistes de J. Baldwin présupposent une perspective ethnopluraliste, imposant un traitement particulariste du problème : revendication des droits des minorités culturelles, affirmation des identités communautaires différentielles. Voilà dessiné le cadre d'un antiracisme non universaliste, voire anti-universaliste : « Baldwin au contraire se situe dans une perspective particulariste, il donne plus d'importance aux contextes sociaux et culturels, qui varient selon les lieux et les moments, qu'aux traits généraux de la nature humaine [12]. »

Ou bien l'on met l'accent sur les ressemblances, quitte à réaffirmer le primat de la « nature humaine » sur la diversité ethnoculturelle (ARI) ; ou bien l'on met l'accent sur les différences, et l'on dénonce comme accompagnant une entreprise de dépossession et d'uniformisation « aliénante » toute perspective universaliste (ARII).

Roger Bastide oppose bien les deux visions du monde humain : vision « externe » (de l'extérieur) de l'anthropologue, qui étudie les différences, repère les ressemblances, et prend la position comparative dérivée de la distanciation requise par l'objectivation scientifique ; vision « interne » (de l'intérieur) du porte-parole, sociologue spontané d'un groupe singulier — le sien —, celui qui ne veut pas voir de haut le champ total des différences, mais exprimer le propre d'une identité collective. Deux épistémologies s'opposent : « Bref, l'argumentation de Margaret Mead se situe dans les cadres d'une anthropologie : si le racisme vient de l'idée de la supériorité d'une race sur les autres, on peut le faire disparaître par l'éducation — celle de Baldwin se situe dans les cadres de la sociologie : chaque expression du racisme pose un problème particulier, et il faut, à chaque fois, lui chercher une réponse singulière. C'est que, justement, Margaret Mead parle au nom d'une élite blanche qui s'est forgé une pensée transculturelle. James Baldwin parle au contraire au nom d'un groupe nègre, qui [...] veut rester fidèle à une culture communautaire... [13]. »

Deux noyaux idéologiques apparaissent qui permettent de mieux distinguer l'antiracisme de type I et celui de type II :

1) l'ARI est centré sur la relation d'*inégalité* (supérieur/inférieur), dont il récuse la légitimité, et qu'il présuppose comme un élément fondamental du racisme en général. Sa conception du racisme est celle d'une doctrine de l'inégalité entre groupes raciaux, affirmée par le groupe racial (ou les groupes raciaux) qui se définit en tant que supérieur. Or le couple égalité/inégalité n'a de sens et de valeur que dans l'univers individuo-universaliste où ARI se situe ;

2) l'ARII est centré sur la relation de *différence* (entre l'identité collective propre et toutes les autres), laquelle est supposée non seulement légitime, mais dotée d'une valeur infinie. Sa conception du racisme est fondée sur l'idée d'une négation de la différence, qui revient à l'abolition des identités collectives au profit et au nom d'un quelconque modèle universel.

Nous sommes désormais en possession des éléments autorisant une systématisation. Si, en effet, nous avons pu distinguer deux antiracismes (ARI et ARII), nous pouvons aussi bien distinguer deux racismes (RI et RII), selon l'univers idéologico-discursif qu'ils présupposent respectivement : RI et ARI s'élaborent sur la base des évidences et prénotions fournies par l'archi-idéologie que nous nommons l'*individuo-universalisme* ; RII et ARII se constituent sur le sol d'évidences et de prénotions fournies par le *traditio-communautarisme*, type idéal d'un ensemble de représentations et d'argumentations irréductibles à l'individuo-universalisme. Un tel modèle dualiste des racismes (RI et RII) et des antiracismes (ARI et ARII), outre qu'il dédouble les discours idéologiques supposés homogènes, opère une *relativisation* fondamentale des qualifications de « raciste » et d'« antiraciste ».

Le spectre d'une ontologie de la substance inscrite dans le discours polémique antiraciste est dès lors écarté : l'illusion du sujet substantiel — « le raciste » : celui dont l'être est d'être raciste — est définitivement dissipée. L'acte de dénomination du « raciste » est parallèlement désabsolutisé : tout est relatif, y compris le racisme et l'antiracisme ; c'est là le seul absolu. On verra qu'un tel déclin des absolus racistes et antiracistes ouvre un nouvel espace de problèmes, au demeurant les classiques problèmes du relativisme, du perspectivisme et de l'historicisme. Nous y reviendrons donc.

Procédons cependant à quelques éclaircissements complémentaires sur la structure polémique liant racismes et antiracismes de types I et II, selon la figure du chiasme (cf. aussi le tableau 3, p. 410) :

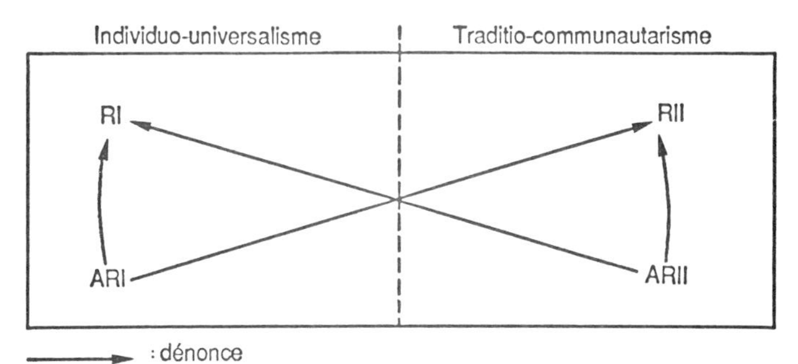

: aveugle à

RI : assimilation (aliénation)
RII : ségrégation (discrimination)
ARI : égalité des droits entre individus
ARII : droits à l'identité communautaire

• Dans chacun des deux univers idéologico-discursifs, le champ de visibilité du genre antiraciste a une tache aveugle : l'ARI ne voit pas le RI, l'ARII ne voit pas le RII. Mais le RI se présente volontiers en tant qu'ARI (universaliste), et le RII pose ordinairement en ARII (différentialiste) : stratégies idéologiques croisées.

• Chacun des types du genre antiraciste est aveugle à l'autre : l'ARI ne voit pas l'ARII, qui ne voit pas l'ARI.

Rappelons que la schématisation proposée représente, sous la forme d'un modèle, ce qui se passe réellement dans le champ conflictuel où s'affrontent (s'accusent, se dénoncent mutuellement) « racismes » et « antiracismes ». Mais les instances représentées ne possèdent pas elles-mêmes la représentation globale du fonctionnement réel de leurs interactions. Il se pourrait que le principe de non-conscience et l'absolutisation de chaque point de vue (sa clôture sur soi, exclusiviste) constituent des conditions d'apparition et de fonctionnement des deux « antiracismes » et de leurs « racismes » respectifs.

• Tout se passe comme si chacun des deux « racismes » était le rêve inquiétant de l'antiracisme spécifique qui le vise, sa représentation négative, son cauchemar éveillé : l'ARI « rêve » le RII, qu'il dénonce, comme l'ARII « rêve » le RI, qu'il dénonce.

• Selon l'ARI, dont l'image de soi dominante est la défense des droits de l'homme — c'est-à-dire des droits égaux pour tout homme (exigence d'universalité dont le point d'application est l'individu singulier), le « racisme » (RII) est une élaboration théorique du sociocentrisme ou de l'ethnocentrisme. Le « racisme » est produit par une radicalisation de l'autocentration du groupe, laquelle implique une auto-attribution de supériorité (absolue, le plus souvent, mais susceptible d'être relativisée). Cette conception individuo-universaliste du racisme se fonde sur le postulat de continuité entre ethnocentrisme et racisme, dont l'une des implications est que l'objectif central de l'antiracisme soit la totale élimination de l'ethnocentrisme. Telle est l'image de *l'autre,* tels sont les traits de celui auquel on impute « le racisme », lorsqu'on le voit du monde spirituel-culturel de type I : ethnocentrisme, inégalitarisme autopréférentiel, naturalisation de l'échelle des valeurs. Les indices du « racisme » sont alors les suivants : exclusion, ségrégation, discrimination, c'est-à-dire toutes les formes sociopolitiques dérivées de la combinaison entre inégalité et hostilité aux présumés inférieurs. La différence est comme telle suspecte, dès lors que toute manifestation de « racisme » suppose un processus de différenciation entre individus selon leurs groupes d'appartenance. L'hétérophilie est considérée comme racisante, et l'opinion dominante est que les chemins du racisme sont pavés des bonnes intentions différentialistes.

L'éloge de la différence ne serait que la ruse de l'inégalité, le masque de l'intention de discriminer. Les caractères attribués au « racisme » sont des formes élaborées de la non-intégration, de la non-assimilation. Il s'ensuit l'un des traits spécifiques de l'image de soi projetée par l'ARI : exigence d'intégration, idéal d'assimilation.

• Selon l'ARII, dont l'image de soi dominante est la défense du droit à la différence intercommunautaire, le « racisme » (RI) est une élaboration de l'idéologie légitimatoire du groupe majoritaire et dominant, lequel est caractérisé par sa tendance hégémonique, sa prétention assimilatrice, sa volonté d'uniformiser les modes d'existence culturelle. Le « racisme » est défini « intensionnellement » par la volonté d'éradiquer les identités communautaires, et extensionnellement par la pratique d'un impérialisme niveleur. L'universalisme est décrypté, démystifié en tant que mode de légitimation principal du « racisme », monstre se nourrissant des différences vives. Mais les différences, une fois dévorées et assimilées, ne renaissent pas : un imaginaire décadentiel et catastrophiste accompagne la conception du « racisme » comme processus à deux faces, hétérophobie (de l'insensibilité aux différences communautaires à leur rejet) et hétérophagie (assimilation des différences par leur réduction au modèle dominant) — l'hétérophagie n'étant que l'instrument de l'hétérophobie : on ne fait vraiment disparaître les différences qu'en les rendant semblables à soi. L'exigence d'égalité est dès lors suspecte, et démasquée comme ruse de la volonté de dépossession, mode de légitimation pseudo-moral de l'entreprise de dédifférenciation des ensembles ethnoculturels. Telles sont les principales présuppositions de l'évidence antiraciste de type II : la revendication intransigeante du droit à la différence collective.

L'aporie et le dialogue

Si l'on réduit le dialogue à un échange d'arguments, sur le modèle général de la conversation, alors le dialogue entre M. Mead (sujet énonciateur de l'ARI) et J. Baldwin (sujet énonciateur de l'ARII) a eu lieu, donc il est possible bien que difficile. Mais c'est là le degré zéro du processus dialogique : l'interlocution devient dialogue non seulement par l'échange d'arguments fondé sur l'acceptation de converser, mais par la position d'une finalité commune considérée comme supérieure aux positions de chacun des interlocuteurs. La finalité du dialogue est, dans sa forme générale, une troisième voie, définie par un accord sur les principes, et produite soit comme choix exclusif de l'une des deux positions (l'une ou l'autre), soit comme synthèse de celles-ci (l'une et l'autre), soit comme leur conjonction négative (ni l'une ni l'autre) supposée par l'invention d'une position tout autre. Commentant la conversation entre M. Mead et J. Baldwin, R. Bastide le reconnaît volontiers bien qu'implicitement, du fait d'une conception non stricte du dialogue : « Le dialogue est donc possible, non la communion. Car deux mondes se heurtent, ou, si l'on préfère, deux systèmes de valeurs inconciliables, l'esprit individualiste et l'esprit communautaire, l'élimination du passé (laisse les morts enterrer les morts) et la récupération au contraire du passé (on n'existe que dans la mesure où l'on se crée une lignée propre) [14]. » S'il n'y a pas de troisième terme envisageable, si la synthèse est absente par principe, si la réconciliation sur les principes semble interdite, c'est que nous nous trouvons devant une *antinomie* : deux thèses s'opposent qui semblent dotées d'une égale légitimité, dès lors qu'elles sont rapportées aux univers spirituels-culturels qui leur confèrent leurs fondements. Acceptons qu'il y ait dialogue, mais dialogue *aporétique*. Nous y voyons plus clair : la conversation a pour fonction réelle de mettre en lumière le hiatus entre deux positions incommensurables. Mais la rencontre des deux positions n'engendre pas un processus d'élévation, la conversation n'est pas saisie par un dynamisme ascensionnel : l'accord ne semble pouvoir se réaliser que sur les raisons du désaccord profond [15]. Dans le cadre d'un tel dialogue, le consensus n'intervient donc que sur les conditions du dissensus. Ne croyons pas cependant que ce soit là entente vaine : c'est le « prélude indispensable à une concertation pacifique où l'on accepte de composer avec l'autre pour produire le sens [16] ». Du moins est-ce l'objet d'un pari : *irénè* contre *agôn*, la vertu dialogale d'irénisme contre la transposition agonistique de la violence [17]. Car le problème pratique tient dans un constat et une interrogation : il y a des différences, il y a de l'altérité ; comment s'y rapporter sans violence ? On ne peut ici que parier. Il y a ici un tragique spécifique : le tragique n'apparaît ni dans le cadre individuo-universaliste ni dans le cadre traditio-communautariste, mais dans leur choc, dans l'expérience commune de leur extranéité réciproque. Ces deux univers semblent devoir exister parallèlement, demeurer inconnus l'un pour l'autre, se choquer l'un l'autre. Ils semblent voués à se méconnaître mutuellement, ou à se heurter polémiquement dans le différend : le chiasme des dénonciations est engendré naturellement — selon une logique naturelle — par le croisement des méconnaissances, et le fait insurmontable que chaque univers est un scandale pour l'autre. Connaître un tel processus est s'en abstraire en tant que regard objectif mais non pas s'y soustraire en tant que sujet vivant : nous ne vivons que dans un seul univers spirituel-culturel, où nous pensons, connaissons, évaluons, croyons, projetons.

Avant d'aller plus loin, notons un important aspect du dualisme, bien mis en évidence par R. Bastide : la mise entre parenthèses du *passé* par toute argumentation de type individuo-universaliste, qui tend à dévaloriser absolument le passé propre à telle ou telle communauté : le passé est toujours dépassé, ou à dépasser. A cette attitude d'indifférence ou d'hostilité vis-à-vis du couple passé/communauté, s'oppose l'affirmation de l'incomparable valeur fondatrice du passé dans une argumentation de type traditio-communautariste. L'auto-affirmation d'une identité communautaire ne peut se faire qu'en relation à un passé assumé comme tel, c'est-à-dire à un héritage, autorisant seul une autofondation. Cet héritage, pour user d'une distinction kantienne, n'a pas de prix, sa valeur se situant au-delà de tout prix : la valeur infinie de l'héritage communautaire est l'équivalent collectif de la dignité incomparable de la personne. Il y a dès lors une moralité spécifique de la vie communautaire. Plus profondément : la valeur morale est tout entière enclose dans le *devoir d'autoconservation* de la communauté vivante, comprenant sa mémoire et son désir d'une descendance. La moralité des individus, des personnes singulières, n'est telle qu'en ce qu'elle représente la moralité collective. A vrai dire, il n'y a plus ici d'individus au sens strict (« moderne »), mais seulement des représentants du tout, des « je » sans identité autre que celle du « nous » qu'ils représentent avec plus ou moins de fidélité et d'intensité participative.

Voilà une langue axiologique qui est peut-être intraduisible dans une langue individuo-universaliste, laquelle n'accorde de valeur infinie qu'aux personnes singulières (toutes « égales » en tant que telles, par leur « dignité ») ou à l'Humanité en tant qu'Idée.

Reformulons l'antinomie située au cœur du débat, en tenant compte des circonstances particulières et des idiosyncrasies : la thèse antiraciste I est soutenue au nom d'un individualisme transculturel, décentré, par une intellectuelle de « race blanche » refusant de réagir en tant que telle, visant à se libérer de tout sociocentrisme, et s'efforçant de représenter le point de vue de l'universel, de n'être qu'une fonctionnaire neutre de l'Humanité ; la thèse antiraciste II est soutenue par un intellectuel de « race noire » procédant à une auto-affirmation de son identité ethnique, se présentant comme porte-parole d'un groupe minoritaire (menacé, opprimé, « victimisé » ou « victimisable »), assumant donc clairement son appartenance ethnoculturelle. Le communautarisme militant, l'ethnocentrisme réfléchi et déclaré, voilà qui est ici présenté comme la méthode de libération. Négation radicale de toute identité collective, de tout particularisme, d'une part ; affirmation hyperbolique et exclusive d'une identité collective, d'autre part.

Types idéaux et modèles d'intelligibilité

Tableau 1. — L'ENGENDREMENT DES ANTIRACISMES ANTINOMIQUES : *ANTIRACISME ÉTHIQUE/ÉCONOMIQUE* (ARI) ET *ANTIRACISME ETHNIQUE/TRADITIONALISTE* (ARII)

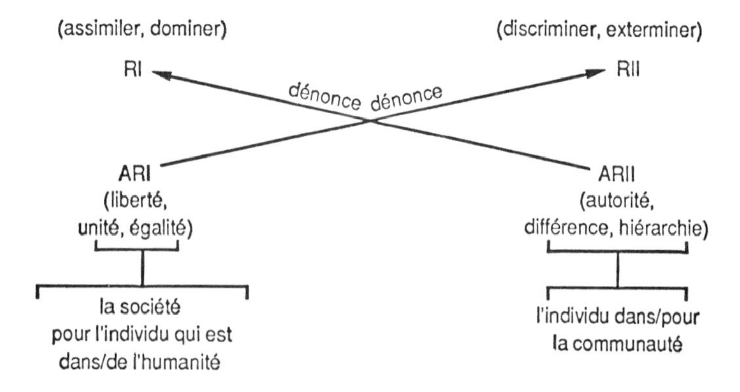

Tableau 2. — Le modèle dualiste des univers idéologico-discursifs (les deux axiologies incommensurables)

Types rhétoriques / *Positions idéologiques*	I ***Argumentations du type société :*** *individuo-universalisme*	*Formes mixtes*	II ***Argumentations du type communauté :*** *traditio-communautarisme*
Racisme (R)	RI (le racisme selon ARII) universalisme ethnocentrique (uniformisation/indifférenciation planétaires) : l'empire mondial dirigé par les plus « civilisés » ← { homophilie / hétérophobie / « anthropophagie » } *R d'assimilation* (génocide = destruction des identités collectives, dissolution des spécificités culturelles et de types ethniques) type franco-républicain (assimiler) ← domination/exploitation ← communisme ← universalisme impérial ←	Inégalité Intolérance Colonialisme (opprimer) Apartheid (discrimination) Totalitarisme Nationalisme	RII (le racisme selon ARI) différentialisme mixophobe → (destitution de l'universel/déréalisation de l'individuel) : l'apartheid planétaire { homophobie / hétérophilie / « anthropoémie » } → type anglo-saxon (ségréger) *R d'exclusion* { différencier / purifier / nettoyer } → séparation, exclusion — extermination (génocide = massacre collectif) → nazisme — extermination → communauté du peuple
Antiracisme (AR)	ARI individualisme (identité/différence individuelles) égalitarisme humanisme rationalisme droits de l'homme identités choisies/inventées universalisme (dépasser les différences) { contre l'enfermement de l'individu dans une collectivité close / lutter contre la ségrégation } respecter les droits de l'homme ← abolition des préjugés de groupe ←	Tolérance Dialogisme	ARII identitarisme de groupe (identité/différence collectives) hiérarchisme particularisme traditionalisme droit à la différence (ethnopluralisme) identités prescrites/assumées différentialisme (préserver les différences) { préserver l'identité et l'authenticité du groupe / lutter contre l'alinéation } → respecter les droits des peuples → affirmation des identités de groupe

Tableau 3. — LE CERCLE VICIEUX DES RACISMES ET ANTIRACISMES

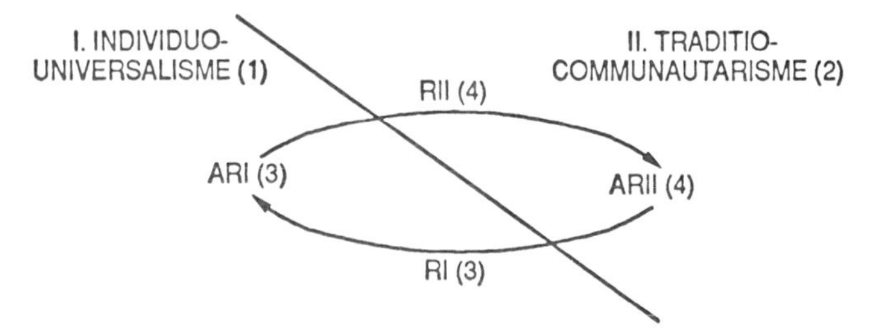

Réduction et modélisation des controverses racisme/antiracisme selon la dichotomie fondamentale « individuo-universalisme *vs* traditio-communautarisme ».
Hypothèse : *dualité irréductible* du racisme de type I (RI) et du racisme de type II (RII), lesquels s'accompagnent de leurs argumentations antiracistes respectives (ARI et ARII).

1. (*Gesellschaft*) (Tönnies) ; (universalisme et performance) (Parsons) ; (idéologie moderne) (Dumont) ; (type familial : nucléaire égalitaire/France du Nord) (Todd).
2. (*Gemeinschaft*) (Tönnies) ; (particularisme et qualité) (Parsons) ; (conception holiste) (Dumont) [amoderne, prémoderne] ; (type familial : autoritaire/Allemagne) (Todd).
3. ARI et RI : dominants et des dominants (dérivations concurrentes de l'idéologie française : liberté, égalité) ⇒ le RII est le racisme le plus visible, sinon le seul.
4. ARII et RII : dominés et des dominés (France) (autorité, hiérarchie) ; dominants lorsque les valeurs sont celles de la famille autoritaire.

Tableau 4. — LE MODÈLE QUADRIPARTITE
(AXE AXIOLOGIQUE X AXE ONTOLOGIQUE)

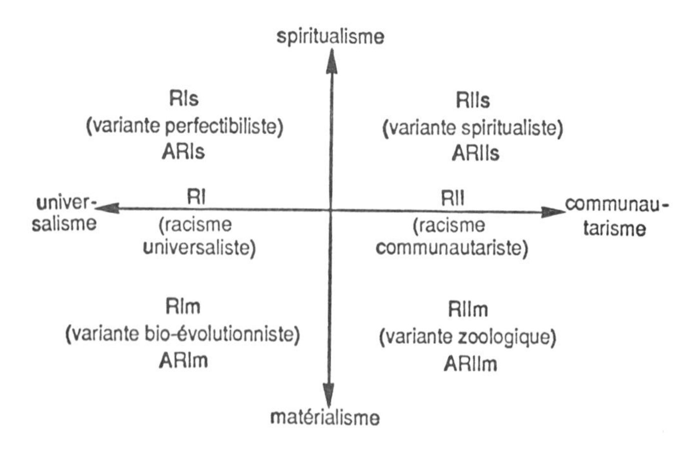

IV

Au-delà du racisme

« Mon patriotisme n'a rien d'absorbant ni d'exclusif ; mon dévouement à mon pays n'ira jamais jusqu'à lui sacrifier les droits de l'humanité [...] Périsse la patrie, et que l'humanité soit sauvée[1] ! »

Pierre-Joseph PROUDHON.

« Le philosophe recherche ce qui est difficile, il recherche la lutte. Son vrai élément, c'est le problématique. Il sait que le Paradis est perdu et il veut retrouver le Paradis perdu[2]. »

Léon CHESTOV.

Se situer au-delà du racisme implique, en tant que première conséquence, de penser par-delà l'antiracisme, qui est son ombre, son double autant que son produit. Et sa cause motrice aujourd'hui, depuis l'apparition d'un antiracisme hégémonique institutionnel et professionalisé. Mais nos analyses doivent à présent oublier la critique idéologique, non moins qu'une perspective historico-sociologique, pour aborder certains aspects de la question éthique, et esquisser quelques orientations relevant de la philosophie politique. Dans ces développements, il serait vain de chercher un « engagement » partisan. Mais ce serait le fait d'une lecture superficielle que de n'y point discerner les traces d'une *implication* : dès qu'il est question des valeurs et des normes, le « sujet » qui pense la question est impliqué dans la question.

Nous voudrions, en guise de préalable, désigner la surprenante centralité, dans le monde moderne, de la pulsion d'*autoconservation* — centralité théorique et pratique. Il y a une sorte de grand consensus moderne sur le fait primordial, supposé naturel et bon, que chaque être tend à persévérer dans l'être et dans son être.

Racisme et antiracisme, dans leurs variantes universalistes et particularistes, nous apparaissent comme des redoublements idéologiques de la pulsion autoconservatrice. L'impératif est toujours de garantir la conservation, donc l'actualisation du programme autoconservatoire, de ceux qui vivent tels qu'ils vivent : individus ou communautés, existence physique ou surexistence culturelle, dignité d'un représentant de l'Humanité ou d'une communauté particulière. C'est ce qui avait été aperçu par la « théorie critique » :

« Cette phrase de Spinoza : *Conatus sese conservandi primum et unicum virtutis est fundamentum*[3] est la devise de toute la civilisation occidentale, où se réconcilient toutes les divergences religieuses et philosophiques de la bourgeoisie[4]. » Telle nous semble en effet l'évidence absolument première, partagée par les principales variantes de l'idéologie moderne, telle pourrait être la source cachée de leurs violences antagonistes et croisées : violence universaliste, violence communautariste, qu'elles soient dites « racistes » ou se disent « antiracistes ». Mais suspendre la valeur d'évidence fondatrice de l'auto-conservation ne va pas sans penser les conditions d'ouverture d'un au-delà éthique des violences mimétiques. A la fin des entretiens recueillis sous le titre *Éthique et infini*, Emmanuel Lévinas désigne cet au-delà par le rappel de l'impérialité métaphysique du *conatus* : « [...] une vie vraiment humaine ne peut rester vie *satisfaite* dans son égalité à l'être [...], l'être n'est jamais — contrairement à ce que disent tant de traditions rassurantes — sa propre raison d'être, [...] le fameux *conatus essendi* n'est pas la source de tout droit et de tout sens[5]. »

12

Pessimisme : la philanthropie malgré l'homme

« Le nihilisme en tant que phénomène normal peut être un symptôme de *force* croissante ou de croissante *faiblesse*[1]. »

Friedrich NIETZSCHE.

« Dieu est humain, mais l'homme est inhumain. La foi dans l'homme, dans l'humain, est la foi en Dieu et n'implique pas d'illusions au sujet de l'homme[2]. »

Nicolas BERDIAEFF.

« Plaindre les malheureux n'est pas contre la concupiscence. Au contraire, on est bien aise d'avoir à rendre ce témoignage d'amitié, et à s'attirer la réputation de tendresse, sans rien donner[3]. »

Blaise PASCAL.

MALGRÉ LE DÉGOÛT DE L'HUMAIN

Peut-être les arguments précédemment exposés ne sont-ils que moyens de consolation spéculative (comprendre pour tout neutraliser, sinon tout mépriser), tant l'évidence s'impose que l'homme n'est qu'un « fleuve sale ». Notre pessimisme s'alimente à cette intuition première : le fond de l'homme est « mauvais », sa prime nature est un mixte de bassesse et de méchanceté. Que l'antiracisme se révèle à une analyse exigeante aussi « boueux » que le racisme, cela ne devrait guère nous étonner. Des passions négatives qui se croisent dans le racisme, y affleurent, l'on conclura avec Pascal : « Que le cœur de l'homme est creux et plein d'ordure[4]. » Quant aux bas-fonds affectifs recouverts par l'antiracisme, l'on devra suivre encore la terrible lucidité pascalienne : « [...] mais dans le fond, ce vilain fond de l'homme, ce *figmentum malum*, n'est que couvert : il n'est pas ôté[5]. » Enfin, l'indéfinie montée aux extrêmes du racisme et de l'antiracisme, le cercle de leur vicieuse complicité, la pensée déprimante de leur alternance dans l'expression du fond mauvais de l'homme, de cela encore Pascal avait vu la raison : « Tous les hommes se haïssent naturellement l'un l'autre[6]. » Et pourtant il faut persévérer dans le courage, celui qui fait supporter le face à face avec le fond de l'homme. Le courage est le seul compagnon moral accordé à la lucidité.

Notre dégoût de l'homme s'étend à ses poses, ses attitudes suborneuses, ses masques tactiques, ses idéalités opiacées ; peut-être le passage par le nihilisme intégral, par-delà les demi-radicalités de la critique démystificatrice (le soupçon comme ligne de vue), est-il un détour nécessaire, voire fatal. La pensée d'un « feu » purificatoire s'impose : retour du destin et du mythe ? La métaphysique ne peut que revenir à ses terres natales, sans pour autant s'y installer, car elle est la pensée désinstallée autant que nostalgique. Nous devons affronter le paradoxe d'une philanthropie pure qui ne soit ni anthropocentrique (d'où le rejet de l'axiome : « l'homme est la mesure de toutes choses ») ni fondée sur l'idée d'une bonne nature de l'homme. Notre pessimisme ne se détermine pas par la thèse que le bonheur n'est pas de ce monde — car il peut l'être : l'injustice suprême du bonheur des « méchants » l'atteste —, il dérive de l'intuition primordiale de la basse méchanceté en l'homme. Nos prémisses sont celles de David Herbert Lawrence : « L'idée a supplanté pour nous à la fois l'instinct et la tradition. Nous avons perdu toute trace d'unité. Et nous vivons sur une volonté d'amour empoisonnée. [...] Nous avons notre sale bienveillance, notre horrible bonne volonté, notre charité puante et nos idéaux empoisonnés [...]. O humanité idéale ! comme tu es détestable et digne de mépris. [...] Comme tu mérites de périr dans ta propre puanteur[7] ! » Le problème doit dès lors se formuler : comment fonder la philanthropie, unique fondement possible d'un « antiracisme » non mimétique du « racisme », sans recourir aux deux visions rassurantes de l'optimisme moderne — l'homme centre et mesure de toutes choses, l'idée d'une bonne nature de l'homme ? Car notre volonté de lucidité est inséparable de notre visée « humaniste » : fonder sur un sol non constitué d'illusions consolantes, sur un autre terrain que celui de la gnose progressiste moderne, la pensée de ce pur amour sans nom, l'éthique ou la philanthropie.

Aussi ce dégoût abyssal n'est-il que préalable. Nous devons penser la philanthropie comme misanthropie surmontée. L'homme est quelque chose dont la vision doit être supportée, un objet de dégoût et de dérision qui doivent être surmontés. L'amour même doit advenir comme dégoût surmonté. Si l'homme n'a pas à être aimable pour être aimé, et s'il l'est, donc s'il peut l'être, c'est qu'il y a un impératif pur de l'amour. Cet amour sans « raisons » (« objectives ») ni pathétique (raisons « subjectives ») s'impose par son seul contenu formel : l'universalité de la loi (d'amour). Aussi ne pouvons-nous éviter un certain « retour » à la fondation kantienne de l'éthique.

Mais l'on doit ici reconnaître l'exemplarité de Proudhon. D'abord quant à l'exigence universaliste de justice : « Je serais homme à sacrifier ma patrie à la justice, si j'étais forcé de choisir entre l'une et l'autre [8]. » Ensuite quant à l'idée du pur devoir, enveloppant celle d'un respect inconditionnel de la dignité de l'homme en chaque individu, fût-il le plus misérable, le plus « indigne » : « Il faut servir la liberté et la morale pour elles-mêmes [9]. » Une telle perspective suppose que le fondement des normes éthiques, lesquelles obligent dans l'ordre politique, est supra-empirique, que l'univers des valeurs et normes est indérivable des énoncés d'observation portant sur le socialement perceptible : « Oh ! si je n'avais en vue que la délivrance de cette vile multitude, je serais au premier rang de ceux qui l'exploitent. Mais il y a *le droit*, il y a la liberté, il y a la dignité humaine, il y a l'inviolabilité de nos personnes, de nos esprits et de nos consciences ; c'est pour cela que je me raidis... [10]. » L'amour pur de l'humanité a un fondement radicalement indépendant de la perception individuelle des exemplaires empiriques du genre humain.

On aura peut-être reconnu le tour pascalien de notre pensée : la vraie philanthropie se moque de la philanthropie, le véritable antiracisme se moque de l'antiracisme. Dérision des doctrines illuministes de l'universelle bienfaisance et de la paix définitive, dérision de l'humanitarisme des nantis et bien-pensants contemporains [11]. Nous nous sommes efforcés de récuser tout usage consolateur de la philosophie. Car, note avec profondeur Chestov, « l'homme ne se met à penser, à penser effectivement, que lorsqu'il se convainc qu'il *ne peut rien faire*, qu'il a les mains liées [12] ». Et il ajoute immédiatement : « C'est pour cela probablement que toute pensée profonde doit commencer par le désespoir. » La reconnaissance d'une telle impuissance insurmontable est la condition de la pensée non instrumentale, le premier acte d'une philosophie non thérapeutique. C'est la vérité partielle de la perspective spenglérienne : poser que « les idéals sont lâcheté [13] », voire que « l'espérance est *lâcheté* [14] ». Lucidité nécessaire, certes, mais non pas suffisante. Signe de force d'esprit, mais jusqu'à un certain point seulement. Car Spengler oppose superficiellement idéals et espoir à scepticisme [15], comme la lâcheté et la faiblesse au courage et à l'héroïsme [16]. Il ne suppose pas un instant que le pur espoir puisse surgir de l'exercice du scepticisme radical, et qu'un tel espoir purifié de toute fonction consolatrice soit empreint d'un caractère héroïque. L'erreur de Spengler tient à ce qu'il s'arrête au pessimisme, erreur par arrêt de développement de la pensée dubitative. Or, l'installation dans le doute demeure une consolation et une manière de trouver refuge. Ici encore, la pensée ouverte requiert un pari : « Le pessimiste est celui qui s'enferme dans la réponse, qui renonce à miser sur l'avenir », dit Edmond Jabès [17]. Le scepticisme qui fait du pessimisme sa propre maison d'arrêt est d'une évidente insuffisance. Il y a donc un espoir qui ne se réduit pas à une croyance réconfortante en un avenir fatalement meilleur, un espoir jaillissant de l'inespoir assumé avec courage. Peut-être alors faut-il choisir entre la voie spinoziste et la voix pascalienne.

Chestov avait vu l'insurmontable alternative : « [...] ce n'est que Spinoza qui, comme s'il répondait à Pascal, dont il n'a probablement jamais entendu parler, déclare avec impatience et irritation : *Non ridere, non lugere, neque detestari, sed intellegere* [18]. Pascal demande autre chose : il faut absolument *ridere*, absolument *lugere*, absolument *detestari* ; sinon, vos recherches ne vaudront rien. Où Pascal a-t-il pris le droit d'élever de telles exigences, qui peut-être n'ont aucun sens ? La question est fondamentale ; la source de toutes les divergences entre Pascal et la philosophie moderne est là [19]. » S'il est vrai que Spinoza avait pour idéal l'intelligence, partant l'épuisement de l'intelligibilité du réel, et la béatitude ou la « vertu » se confondant avec le savoir véritable, et si le spinozisme est la philosophie même, la recherche « en gémissant » ne peut alors avoir de sens philosophique, de valeur méthodique. Mais Pascal affirmait, sans égard pour la promesse de tranquillité émise par la raison et la morale à qui se soumettrait à leurs principes, obéirait à leurs impératifs : « Je n'approuve que ceux qui cherchent en gémissant [20]. » Ceux-ci n'ont su se passer de Dieu, et entendent, durant leurs nuits sans sommeil, la terrible parole de Pascal, appel à une existence insensée : « Jésus sera en agonie jusqu'à la fin du monde : il ne faut pas dormir pendant ce temps-là[21]. » Voilà l'exigence ni rationnelle ni raisonnable, inexécutable et insensée, par laquelle Pascal nous provoque, nous les amateurs d'assurance et de fermeté, sagement installés dans le champ du possible, fuyant la douleur, assoupis sur nos évidences absolues.

Notre recherche n'a pu, ni n'a voulu ou prétendu, échapper à l'aporie surgissant du heurt de l'exigence épistémique d'intelligibilité de l'objet (éclairer l'alternative racisme/antiracisme, et pour ce faire se situer au-delà d'elle, par la construction d'un modèle dualiste, appareil descriptif et analytique froid) et de l'exigence éthique d'engagement dans les interactions constitutives de l'objet, impliquant de juger les faits au nom de ce qui devrait être, d'engager une autoréflexion et une autofondation d'un tel choix « antiraciste ». Aporie : la description et la modélisation, activités théoriques pures, chassent par principe toute décision d'intervention dans le champ d'objets visé (l'antiracisme, malgré tout). Face à la prescription épistémologique de ne point rire ni haïr, ni moquer, ni dénoncer, se dresse l'irréductible appel lancé par Chestov : « Le droit de se plaindre et de maudire la destinée, quoique peu enviable, est tout de même un droit[22]. »

Il faut peut-être demeurer dans l'entre-deux : « Deux excès : exclure la raison, n'admettre que la raison[23]. » N'admettre que l'ordre rationnel, c'est passer insensiblement de la neutralité axiologique de la connaissance à un monisme neutre, toujours traduisible en monisme matérialiste, dans lequel tout est bien tel qu'il est parce qu'il est. L'être et la valeur se confondant dans un tel univers, l'on n'y juge pas, l'on n'y rit point, l'on n'y méprise ni déteste point[24], et l'on n'y espère plus. Le sujet absolument serein vit dans un monde dépourvu de scandale, où tout événement est tolérable, où il n'y a que du supportable. Or, la question éthique commence avec le sens du scandale, le sentiment qu'il y a de l'intolérable, que certains événements ne peuvent être acceptés tels quels simplement parce qu'ils sont tels. Reprenons ici une analyse de Ricœur[25]. Dans le *sentiment de l'intolérable*, qui définit l'un des aspects ou critères de la situation perçue de *crise* (les autres aspects étant : je ne sais plus quelle est *ma place* dans l'univers ; je ne sais plus quelle *hiérarchie stable* de valeurs peut guider mes préférences ; je ne distingue pas clairement mes amis de mes adversaires), « j'éprouve la limite de ma tolérance ». L'intolérable m'oblige en tant que *personne*. C'est en effet face à ces traits de la situation de crise que peut s'énoncer le critère de l'engagement, lequel est celui de « l'attitude-personne », dont le rejet du racisme comme figure de l'intolérable est l'une des implications : « Je n'ai pas d'autre manière de discerner un ordre de valeurs capable de me requérir — une hiérarchie du préférable —, sans m'identifier à une cause qui me dépasse [...]. Ce rapport circulaire constitue [...] une *conviction*. Dans la conviction, je me risque et je me soumets. Je choisis, mais je me dis : je ne puis autrement. » Cette circularité, ce co-renvoi de l'intolérable à la conviction forme peut-être une dialectique, celle qui serait le cœur de l'attitude éthique, saisie dans la « personne ». L'idée d'une crise généralisée doit être suffisamment forte pour empêcher ma faculté d'engagement de s'assoupir. Car « la conviction est la réplique à la crise : ma place m'est assignée, la hiérarchie des préférences m'oblige, l'intolérable me transforme, de fuyard ou de spectateur désintéressé, en homme de conviction qui découvre en créant et crée en découvrant ».

Le droit de se plaindre et de maudire la destinée est la première manifestation, certes insuffisante, du sentiment de l'intolérable, et la voie « pathologique » obligée qui conduit à l'action éthique, non plus sous un ciel fixe de valeurs, mais selon l'étoile de l'espoir. Il faut vouloir connaître la misère de l'homme moderne, sous ses masques néo-religieux, derrière les murs de sa chère intimité [26]. Mais l'avertissement pascalien va toujours à l'essentiel : « Il est également dangereux à l'homme de connaître Dieu sans connaître sa misère, et de connaître sa misère sans connaître le Rédempteur qui l'en peut guérir [27]. » Traduisons : ni l'orgueil de la raison (dogmatique ou critique) ni le désespoir issu des promesses non tenues de la raison, ou l'inespoir venant d'une incroyance en la raison, ne sont à la hauteur de la vraie lucidité. Qui veut voir la misère sans ses voiles doit être dénué de toute complaisance, voire de toute bienveillance : une certaine dureté dans l'intransigeance est requise afin de décrypter la déréliction, qui ne se perçoit pas à l'œil nu, et au premier regard. L'insuffisance d'un amour horizontal, serait-il universel, est de principe : « Le bien — l'amour fraternel — l'expérience de Nietzsche nous l'a appris — *n'est pas* Dieu. "Malheur à celui qui aime et qui n'a rien qui soit au-dessus de sa compassion." Nietzsche a ouvert le chemin. Il faut chercher ce qui est *au-dessus* de la compassion, ce qui est *au-dessus* du bien. Il faut chercher Dieu [28]. » Mais la compassion, illusion consolante avant l'évidence de la crise, revient pour se sublimer avec l'espoir où s'accomplit le sens de l'intolérable et se surmonte le sentiment de scandale. La perception du chaos des valeurs est la voie paradoxale de l'intuition des valeurs, laquelle postule un Dieu inconnu. Il faut qu'il y ait Dieu pour qu'il y ait une différence entre le tolérable et l'intolérable : ou bien Dieu ou bien le nihilisme moral [29]. Dieu est le fondement ultime de la légitimité éthique de mon action : je ne le connais qu'en tant que tel, condition de la moralité de toute action morale. Je ne connais Dieu que dans la connaissance de ma misère et dans l'espoir qui surgit de cette connaissance. Mais cette connaissance est une inconnaissance, il faut effacer les derniers traits d'optimisme théologique de la pensée pascalienne. Il reste dès lors au philosophe la tâche de dépister les traces de l'espérance [30] qui sont les signes d'une absence, celle non pas tant du plus nécessaire que du plus que nécessaire, dans l'obscurité presque totale. Ainsi n'est-il pas impossible que le suprêmement désirable soit possible. La porte demeure entrouverte. Face au racisme, avant et par-delà toute critique, la distance absolue est requise : « Maxime : ne fréquenter personne qui soit impliqué dans cette fumisterie effrontée des races ! », note Nietzsche [31]. Mais la non-fréquentation n'implique pas le refus de connaître l'infréquentable, ni l'absence d'effort d'analyse, encore moins la suppression du droit à l'existence de ceux qui incarnent pour nous l'intolérable et le scandaleux.

Pessimisme héroïque : l'humanisme post-optimiste

> « Toute pensée profonde doit commencer par le désespoir. »
>
> Léon Chestov.

Il n'est guère douteux que nos considérations puissent être qualifiées de pessimistes. D'abord, du fait que nos analyses, outre qu'elles désignent l'irréductible dualisme spirituel-culturel dont dérivent les antinomies des thèses individuo-universalistes et traditio-communautaristes, autorisent à la fois le diagnostic d'une inconsistance des positions dites antiracistes et le pronostic de leur inévitable inefficacité, que vient aggraver la mise en lumière de leurs effets pervers racistoïdes (surgissement du « racisme » antiraciste, dirigé contre les supposés « racistes ») ou racistogènes (engendrement d'« anti-antiracismes »). Pensée terrible : tout se passe comme si seul le racisme « gagnait » à la fin : le racisme serait le terme commun aux racismes et aux antiracismes. Pessimistes, ensuite, pour ce que notre critique des prétentions de la raison critique conduit logiquement à la conclusion que la pensée du rationalisme critique comme telle, avec ses idéaux d'émancipation liés à l'instrument tant exalté du jugement libre, est porteuse d'illusions dogmatiques et de fanatisme tout autant que ses ennemis déclarés (tradition, superstition, révélation, préjugés, etc.). Il y a un cercle de la corruption, que dessinent les corruptions idéologiques qui s'enchaînent, cercle fatal sur lequel se brise la volonté spéculative, elle-même tributaire de la raison critique faisant partie du cercle. Seul un pessimisme radical s'accorde à de telles vues : les exigences éthiques, dont celle de la liberté forme le type essentiel, apparaissent non seulement comme irréalisables en ce monde, mais comme engendrant des effets non prévus ni voulus ni acceptables. Néanmoins, ce pessimisme n'est absolu que dans l'ordre spéculatif, où les idéaux de la raison se retournent contre eux-mêmes, se détruisent eux-mêmes. Et aussi quant à la possibilité de « moraliser » le monde empirique des hommes, lieu d'irréalisation, de déréalisation, de dysréalisation des espoirs et des exigences éthiques.

Il reste dès lors un précaire refuge pour l'optimisme, dont Max Horkheimer disait : « Il consiste en ce que l'on doit, malgré tout cela, essayer de faire et de réaliser ce que l'on tient pour vrai et bien[32]. » Est-ce là « être pessimiste théorique et optimiste pratique[33] » ? La formulation de la théorie critique nous paraît encore naïvement optimiste. Elle illustre l'optimisme qui reste chez les déçus de l'optimisme historique, celui du messianisme révolutionnaire. Mais l'optimisme ne peut être défendu qu'après avoir été « réduit », purifié de toutes les illusions issues de la conception nécessitariste du progrès. L'optimisme est la qualité de l'action qui ne s'affirme que *malgré* et jamais *parce que*. Cet optimisme qui reste est un optimisme infondé en une quelconque certitude. Situé par-delà toute assurance nécessitariste, il oriente l'action sans légitimité rationnelle ou historique. C'est pourquoi l'optimisme n'est plus tolérable qu'en tant qu'attitude héroïque inscrite dans le quotidien. Le vacillement des gnoses modernes engendre l'exigence d'un héroïsme quotidien. L'espoir n'est que le refus continué de désespérer, refus sans pourquoi, et malgré toutes les bonnes raisons de s'y résigner. C'est donc qu'il y a dans l'homme de quoi résister aux bonnes raisons, de quoi aller plus loin que la vue désolante du mal universel. Et la force de refuser de s'agenouiller devant les seules vérités nécessaires. Cette nostalgie métaphysique lui donne la fragile et ferme assurance de pouvoir prendre distance à la fois par rapport au donné et vis-à-vis des vérités logiques [34]. Je ne puis pas dire ce que je suis, qui je suis, j'ai la seule intuition que je ne suis pas seulement de ce monde. C'est le sens de mon existence métaphysique qui fonde mon optimisme infondé, mon héroïsme sans pourquoi. La formule-limite d'un tel optimisme pessimistissime pourrait être : n'avoir point besoin d'espérer pour agir *comme si* l'on espérait. Cette éthique du « comme si » est certes voisine du scepticisme, avec qui elle partage certaines positions et présuppositions. Elle en est pourtant séparée par un abîme. Son sérieux se situe aux antipodes du scepticisme souriant de l'hédoniste devenu tel pour être revenu de tous les doutes, et en être venu à douter de la valeur du doute même. Le sérieux de l'éthique, autre nom de la responsabilité [35] à laquelle elle répond, se creuse une distance infinie face à la résignation amorale du pessimisme absolu qui ne s'est soustrait au « suicide logique » (Dostoïevski) que pour se vouer à la désinvolture de l'esthétisme conformiste.

C'est pourquoi l'héroïsme est la vertu qu'incarne un tel optimisme, à peine ainsi nommable. Le pessimisme absolu s'accompagne en effet normalement d'un scepticisme radical qui ouvre la voie à la réconciliation la plus basse avec la réalité donnée. Ce scepticisme qui se met à égale distance de toutes les valeurs, nihilisme esthétique, porte en lui la ruse suprême qui conduit à l'acceptation totale de ce qui est : il s'achève en conformisme, qui est certainement son secret. Pourquoi en effet se distancier, se scandaliser, se révolter, pourquoi refuser l'inacceptable, se refuser à la résignation devant l'intolérable, si toutes choses se valent ? Si donc l'inacceptable et l'intolérable ne sont que fictions inquiétantes, illusions ennemies de la tranquillité d'âme, dernière valeur suprême clandestine ? Certains diraient de la « paix », valeur suprême qu'il faudrait vouloir à tout prix. Mais tout ne se vaut pas. Nous ne savons pas pourquoi. Le sens de la valeur est sans pourquoi. Si l'humanisme est une possibilité encore ouverte, il ne peut qu'être héroïque [36].

Peut-être faut-il se contenter d'un argument pragmatique, « vitaliste » ou « existentiel », en faveur de l'espoir. Ce fut l'une des leçons de Malraux : « Tous les grains pourrissent d'abord, mais il y a ceux qui germent... Un monde sans espoir est irrespirable[37]. » L'espoir est une détermination transcendantale de l'existence humaine, une condition de désirabilité du monde humain, sa condition de « respirabilité ». L'espoir, cette « faiblesse » (Montherlant) ou cette « lâcheté » (Spengler), apparaît comme une condition du sens de la vie. L'attente d'une délivrance, la croyance dans une promesse de rédemption dès ce monde[38], la foi en la possibilité d'une libération, voilà la partie de l'héritage biblique qui est une composante de notre éternelle (parce que inchoative) sortie du nihilisme — l'histoire de l'Exode : la sortie d'Égypte et la fin de la servitude, la traversée du désert, l'Alliance au Sinaï, la Terre promise. Michaël Walzer, après avoir montré la centralité de cette thématique dans la pensée occidentale, dans sa culture politique, conclut ainsi son étude : « La "porte de l'espoir" est encore ouverte. Les choses ne sont pas ce qu'elles pourraient être, même si elles n'en sont pas radicalement différentes[39]. » Il faut espérer « un pays meilleur, un monde plus beau, une Terre promise », mais avec la dure assurance que « la voie qui mène à la Terre promise passe par le désert[40] », et que « le seul moyen d'y parvenir, c'est de se rassembler et de se mettre en marche[41] ».

Les défaillances de l'universalisme abstrait. Génocide et déduction de la valeur des différences culturelles

Une distinction conceptuelle introduite par Richard Marienstras permet d'éclairer la récusation de l'universalisme abstrait, au nom d'une élaboration quelconque de la perspective différentialiste. Dans une étude intitulée « Réflexions sur le génocide[42] », R. Marienstras posait d'entrée de jeu une distinction entre deux types de relation individu/collectivité humaine :
1) l'appartenance de l'individu à l'*espèce* humaine, sans médiation ;
2) l'appartenance de l'individu au *genre* humain, à travers la médiation qu'est l'insertion dans une communauté.

R. Marienstras proposait de dénommer les communautés médiatrices « collectivités élémentaires », qu'il définissait comme le lieu d'existence exclusif des différences dans lesquelles les individus trouvent les ressources de leur volonté de vivre. Être, c'est être différent, en vivant les différences constitutives d'une collectivité élémentaire : « Les hommes ne sont ce qu'ils sont qu'à travers des collectivités particulières. » « La relation au *genre humain* ne résulte pas de ce que l'homme appartient à l'*espèce humaine*, elle résulte de son insertion dans une collectivité élémentaire [...]. Dans la mesure où ils appartiennent au genre humain, et pas seulement à l'espèce humaine, les hommes ne sont ce qu'ils sont que par leurs différences, et les différences abolies ne peuvent être compensées. » C'est pourquoi le génocide, en tant que mécanisme de destruction mis en œuvre contre le système entier des différences donatrices de sens, ne peut être simplement considéré comme un fait historique, certes absolument scandaleux par son horreur, mais passé. L'inhumanité du génocide semble dotée d'un pouvoir de persistance dans la mémoire culturelle de ceux qu'il faut bien nommer des survivants. Et ces derniers, pas plus que les derniers exemplaires d'une espèce animale condamnée à disparaître, « ne peuvent retrouver des raisons de vivre ou d'espérer dans le spectacle offert par la floraison des espèces voisines, concurrentes ou rivales ». Le génocide provoque une blessure définitive, et opère une rupture absolue par la réflexion à laquelle il engage, engendrant le suspens du sens de l'existence. C'est que le génocide n'est pas réductible à un « simple » attentat contre l'espèce humaine, dont celle-ci ne peut que se relever un jour ou l'autre, compte tenu de ses ressources. La dénonciation « espécéique » des « crimes contre l'humanité » autorise ainsi une « indignation pleine d'espoir ». Mais, note avec insistance R. Marienstras, « l'outrage commis contre l'*espèce* humaine fait oublier — ou permet d'oublier — le crime commis contre le *genre* humain ». Or, les deux types d'attentat ne sont pas assimilables, ni différenciables à l'intérieur d'une même classe de crimes par le nombre des victimes. En outre, le crime contre l'espèce humaine peut être, en dernière analyse, considéré comme n'étant « pas irrémédiable tant qu'il y a des hommes vivants ». Mais la perte d'une collectivité est irrémédiable, et la mémoire de sa disparition inconsolable. Voilà pourquoi il n'est pas excessif de dire que toute méditation prolongée sur le génocide « ne peut conduire qu'à la folie, ou à ce désespoir voisin de la mort qui arrache l'être à ses assises culturelles, sociales et génétiques et le place dans la solitude absolue — une solitude qui frappe d'extrême futilité, d'extrême inanité tout projet, toute vision de l'avenir individuel ou collectif, toute relation avec le reste de l'humanité ». Dans la perspective propre de la communauté détruite, la fin d'un monde, qui est le sien, équivaut à la fin du monde. Aussi l'empathie est-elle requise pour comprendre un tel effondrement : « Il faut se placer *dans la perspective* de la collectivité détruite, c'est-à-dire dans l'absence totale de perspective qui, pour les survivants de cette collectivité, résulte de sa destruction. » Car la perspective interne de la collectivité détruite « représente la vérité sur le *genre humain* de la même façon que la perspective subjective de l'homme devant la mort représente la vérité sur la *condition humaine* ».

Les consolations qui tombent du ciel de l'universalisme « espécéique » n'exercent tous leurs effets qu'à la condition de rencontrer un système de valeurs rarement explicité, du fait même qu'il se confond avec l'atmosphère axiologique commune. Pour plus de clarté, désignons-la par des noms de doctrines : ces valeurs et normes d'ambiance du monde moderne sont celles de l'universalisme abstrait (« tout homme est un homme ») issu de l'idéologisation du rationalisme (« tout homme est un être de raison »). Pourquoi donc défendre le droit à l'existence des cultures, des communautés, des identités collectives ? Pourquoi, par exemple, « recréer, perpétuer ou faire revivre la culture juive » ? R. Marienstras répond d'une admirable sobriété : « A cela il faut répondre comme Sartre le faisait à propos de la littérature : le monde peut évidemment se passer des Juifs et de leur culture. Mais il peut se passer de l'homme encore mieux [43]. » Il n'y a pas de pourquoi, parce que la question est toujours posée dans la perspective de l'universalisme abstrait qui lui dénie toute légitimité. Les identités collectives n'ont pas de statut dans l'espace, institué par le rationalisme idéologico-politique, où l'individu atomique se reconnaît immédiatement en tout autre, et perçoit cette reconnaissance formelle comme une preuve d'universalité, de lien direct à l'universel humain. Les différences entre cultures, dans la problématique individuo-universaliste, ne peuvent être considérées qu'en tant que vestiges, survivances, archaïsmes destinés à être fatalement et heureusement abolis par la marche du progrès. Et celui-ci a un sens, donné par une direction parfois explicitée : la réalisation finale de l'homogénéité ethnique et culturelle de l'espèce humaine, rendue possible par la destruction totale de ces obstacles à l'homogénéisation planétaire représentés par les identités culturelles refusant de disparaître.

Face à l'arrogance de l'idéologie planétariste, on peut réaffirmer, avec R. Marienstras, que « la volonté de vivre n'a pas à prouver son droit à la vie. C'est la volonté de détruire, c'est l'acquiescement à la mort qui doivent désormais fournir leurs preuves[44] ». Si donc la volonté d'une collectivité de ne pas laisser s'opérer l'effacement de ses différences est sans pourquoi, s'il « suffit que le groupe existe, qu'il travaille à maintenir, à renouveler, à recréer son identité », le sens du génocide est d'abolir les conditions culturelles de tout sens. Dès lors, et « en dépit des idéologies consolatrices, la mort des collectivités n'est pas féconde mais stérile », elle ne peut qu'être le premier acte d'un meurtre indéfiniment commis, parce qu'elle est « l'irrémédiable abolition d'une qualité qui a été ». Et pourtant. Il en est qui n'ont guère hésité à oser « affirmer qu'il est progressiste de niveler les modes de vie, d'annihiler les gestes et les discours où affleure, avec le passé multiple des hommes, leur présente diversité ». La prétention progressiste n'est ici que le moyen de séduction le plus opportuniste de la volonté de détruire le genre humain, par la réalisation terroriste de l'unité culturelle absolue de l'espèce humaine. Tel est l'universalisme qu'il s'agit de refuser absolument. Mais l'universalisme impérial ne saurait se confondre avec l'exigence d'universalité, dont il est précisément la *contrefaçon.*

13

L'universalisme difficile

> « Les murs de la séparation ne montent pas jusqu'au ciel. »
>
> Maxime chrétienne.

Afin d'isoler l'exigence irrécusable de l'universalisme, recouverte par la mise en slogan et oubliée à travers un fonctionnement hégémonique que l'histoire culturelle française, spécifiquement, a considérablement accentué, nous nous sommes efforcé de dévoiler, à la suite de Max Scheler, l'essence négative de l'humanitarisme moderne (cf. p. 391). Mais notre réduction critique, qui se devait d'être dénuée de toute complaisance du fait même qu'elle touchait les « raisons » de nos propres sentiments et penchants, ne porte que sur le gel idéologique de l'élan philanthropique, lorsque celui-ci se fonde sur la divinisation de l'humain. L'analyse froide que nous avons pratiquée sur l'antiracisme et l'universalisme, l'exercice de relativisation radicale auquel nous nous sommes livré afin d'aboutir à notre modèle théorique général (quatre positions racistes de base, avec leurs homologues antiracistes, étant distinguées), ne nous interdisent nullement de définir une orientation éthique et de poser quelques principes d'une politique, en vue de limiter toute dérive raciste, accompagnée de ses fatales formations antiracistes réactionnelles. Mais nous ne parlons pas en idéologue, nous ne pensons pas en homme politique, lorsque nous travaillons à cette double fondation philosophique de l'exigence universaliste. Notre métier, dirons-nous après Jean-Richard Bloch, consiste à concevoir bien. Et non pas à lancer des « idées » et des « thèmes porteurs ». Il y a des publicitaires pour cela. Il faut réhabiliter le travail de la réflexion exigeante dans les domaines colonisés par le prêt-à-parler, dont l'antiracisme n'est aujourd'hui pas le moindre. Encore avec J.-R. Bloch : « Mon métier n'est pas de tirer des conclusions. Du moins pour autrui. Je ne suis pas marchand de recettes [1]. » Le goût de la question, la position des problèmes, plutôt que la recherche à tout prix des solutions et résultats, voilà qui caractérise le plus classiquement la pensée philosophique. Celle-ci se dirige d'abord vers les fondements. Or, pour bien poser la question d'une fondation de l'exigence universaliste, il ne faut point trop se presser en direction de « la » solution. Il faut de la patience et un certain métier, avec ses tours et ses manières de faire : « Seul l'*Homo politicus* va d'abord à la solution. Je ne suis pas un homme politique. A peine un *Homo sapiens*. Tout au plus un *Homo faber*[2]. »

Le postulat de la philanthropie pure

Reprenons maintenant le fil de notre critique de la philanthropie idéologisée, qui peut être réduite à un fruit du ressentiment, selon M. Scheler. L'amour de l'humanité, comme tel, ne saurait toutefois se réduire à son instrumentalisation polémique : ce qui dérive du ressentiment, c'est l'exaltation philanthropique en tant qu'elle se substitue à l'amour du prochain comme personne spirituelle, à l'amour de Dieu et à l'amour de la patrie. Cette fleur moderne du ressentiment, l'universalisme réactif, reconnaissable à la haine de soi, des siens et de l'idée même d'une perfection spirituelle qui motive sa célébration du lointain et de l'étranger, n'est que la passion négative s'étant emparée de l'« amour de l'humanité ». Comme l'a finalement reconnu Scheler, il y a un « amour de l'humanité » originaire qui, loin de dériver du ressentiment, se fonde dans la sympathie impliquée par la participation affective, laquelle s'accompagne de la conviction que le « moi d'autrui » possède la même réalité que notre propre moi[3]. Cette philanthropie pure, fondatrice de l'universalisme positif, doit être formellement distinguée de l'humanitarisme qui n'en est que l'état « pathologique ». Le postulat de la réalité d'autrui égale à la nôtre « constitue la condition de notre amour spontané de l'humanité, amour qui nous porte vers un être donné, uniquement parce qu'il est un "homme", qu'il a un "visage humain". Dès lors, la condition de possibilité d'une philanthropie pure est que l'humanité existe réellement, comme unité spécifique dotée de valeurs spécifiques, tant par rapport au divin que par rapport à l'animalité. La philanthropie pure suppose en effet, négativement, qu'on limite l'amour par le haut, ce qui revient à retrancher l'homme du royaume des cieux, à le couper des valeurs supérieures, autant qu'on limite l'amour par le bas, en opposant l'homme aux autres êtres vivants. Mais cette double limitation est requise pour que soit spécifié l'objet de l'amour. Ainsi, une fois réduite à son essence, la philanthropie est cet amour de l'humanité qui « ne fait aucune distinction entre un compatriote et un étranger, entre un criminel et un juste, entre valeur raciale et infériorité raciale, entre instruction et manque d'instruction, voire entre bon et mauvais ». Cette indifférenciation n'est pourtant pas engendrée par l'esprit de vengeance et la haine : elle est la condition d'existence d'un objet de l'amour tel qu'il ne fasse « aucune distinction morale et spirituelle entre les hommes, ne marque aucune préférence pour les uns aux dépens des autres ». Tel homme individuel n'est ici aimé que pour autant qu'il représente un exemplaire, un représentant quelconque de l'espèce « homme ». La philanthropie pure, fondée sur la sympathie indifférente aux valeurs, est elle-même la condition de l'amour du prochain, tel que le christianisme l'a déterminé : amour de chaque individu humain en tant que personne spirituelle. Or, l'extension de l'amour du prochain est elle-même possible en raison du principe de réciprocité : s'il est vrai que l'amour provoque, dans des conditions idéales, l'amour réciproque, alors l'amour d'autrui peut s'étendre à toutes les personnes spirituelles dont se compose l'humanité. L'analyse de Scheler refait en un sens les chemins de Rousseau, qui instituait la pitié en faculté première et expérience primitive, « découlant de l'identification à un autrui qui n'est pas seulement un parent, un proche, un compatriote, mais un homme quelconque du moment qu'il est homme[4] ». Voilà l'hypothèse qui seule permet de fonder l'humanisme véritable. Mais, chez Rousseau, si l'homme commence par s'éprouver identique à tous ses semblables, cette expérience originaire s'élargit à tous les êtres vivants, en tant que vivants : l'humanisme ne se constitue pas ici par séparation de l'humain d'avec le monde animal, il inclut la réconciliation de l'homme et de la nature, à travers la faculté d'identification à tout autre, en tant qu'être sensible[5]. L'humanisme conséquent est ici un monisme naturaliste de la sensibilité.

L'homme est l'*ens amans* par excellence, mais dont l'amour spontané se perd dans les plis du monde. La finitude de l'homme fait que le mouvement infini requis par l'extension totale de la philanthropie pure ne peut jamais aboutir. L'amour de l'humanité est peut-être destiné à échouer dès lors qu'il veut se traduire dans le monde historique, dominé par la finitude et l'hétérogenèse des fins, effets de limite et effets d'inversion. Il se peut que l'humanitarisme du ressentiment ne soit que la *ratio cognoscendi* de la philanthropie pure. Celle-ci, dans ses passages malheureux au politique, semble destinée à être saisie par les passions négatives : haine, esprit de vengeance, ressentiment, qui lui confèrent des fonctions et des finalités tout autres. C'est en ce sens que la défense d'un pur amour de l'humanité ne saurait s'opérer que dans une perspective éthique. Jusqu'à nouvel ordre, c'est-à-dire jusqu'à l'établissement d'un règne des fins ou l'instauration de l'*ordo amoris*, il n'est pas de politique fondée sur la philanthropie pure qui ne soit « pervertie » par la loi du renversement des conséquences : toute politique éthique s'accompagne d'une conscience du malheur. Car l'amour de l'humanité doit se comprendre comme la condition de l'amour des Autres en Dieu — non plus seulement un *amare Deum* mais un *amare in Deo*, pour parler comme saint Augustin [6], participation affective à son amour pour le monde et pour lui-même. Le personnalisme a pour horizon l'interpersonnalisme.

La conviction que le moi d'autrui est doté d'une réalité égale à celle de mon moi, telle est la condition de la philanthropie pure. Mais l'altérité propre de l'Autre est-elle vraiment accessible, l'ipséité de l'Autre est-elle connaissable en elle-même ? On peut en douter. De même que la finitude de l'homme limite tout mouvement d'amour, de même la connaissance d'autrui est une participation malheureuse à « l'être tout simplement inintelligible de la personne d'autrui », noyau irréductiblement nocturne. C'est que le moi d'autrui est peut-être toujours recouvert par les projections de mon propre moi. Mais l'inintelligibilité d'autrui n'est-elle pas le signe de ce que son altérité doit être préservée, l'indication qu'autrui doit être aimé comme lui-même et non pas comme moi-même, selon une profonde remarque de Léon Tolstoï ?

L'amour de l'humanité doit donc être présenté comme un *postulat de la raison antiraciste.* Mais ce que Scheler appelle son « exaltation » relève moins de la passion que du mensonge. Ce mensonge de l'antiracisme dogmatique : affirmer qu'on défend l'humanité en tout homme, de façon désintéressée, alors qu'on ne se soucie guère de l'humanité (ou qu'on ne conçoit rien de tel) ou qu'on se soucie de tout autre chose, faire profession d'amour de l'humanité alors qu'on ne ressent rien de tel, se déclarer antiraciste convaincu alors qu'on n'est nullement convaincu, énoncer sa certitude que le racisme existe et qu'il est le mal absolu sans en être certain, voire en vue de réaliser certains objectifs politiques, c'est là simplement, et pour l'essentiel, *mentir*. Se mentir à soi-même, ou mentir devant autrui. C'est toujours tromper, qui présuppose vouloir tromper : « Faire une déclaration intentionnellement fausse [7]. » Car le mensonge, en tant que transgression du devoir de véracité (ne pas tromper) [8], dit Kant, est de deux sortes « selon que 1) l'on donne pour *vrai* ce dont on a conscience qu'il n'est pas vrai, 2) l'on donne pour *certain* ce dont on a pourtant conscience qu'il est subjectivement incertain [9] ». Mentir pour ne pas désespérer Billancourt ou Talbot, les belles âmes et les cœurs tendres, c'est encore mentir. Or le mensonge, continue Kant, « nuit toujours à autrui : même si ce n'est pas à un autre homme, c'est à l'humanité en général, puisqu'il disqualifie la source du droit [10] ». Voilà pourquoi l'on ne saurait suivre ceux qui prescrivent de mentir « par humanité » : si la véracité est « un devoir qui doit être considéré comme la base de tous les devoirs à fonder sur un contrat [11] », c'est que le mensonge est « proprement le point de corruption de la nature humaine [12] », qui engendre et entretient la guerre de tous contre tous. L'impératif doit donc être catégorique : il ne faut point mentir, ni par racisme ni par antiracisme.

Le devoir de véracité

Le devoir de véracité est l'un des héritages éthiques de la pensée kantienne dont les intellectuels devraient mesurer toute l'importance [13]. Si l'antiracisme est d'abord une affaire d'intellectuels, ne serait-ce que par tradition spécifique de la modernité, le premier devoir de l'intellectuel est de refuser le mensonge, de se refuser à toute complaisance vis-à-vis des idéologies hégémoniques, des positions bienséantes et des croyances recommandées par les pouvoirs établis, ceux-ci se prétendraient-ils antiracistes. Il faut d'abord dire le vrai, dire ce que l'on croit sincèrement être la vérité, après s'être efforcé de l'approcher. Or, l'intellectuel moderne a une fâcheuse tendance, notamment depuis l'apparition de régimes totalitaires qui le courtisent, le fascinent ou l'horrifient, à « mentir par humanité » ou par sélection dans le champ du vrai, à éviter de voir ou de dire ce qui est au nom de ses convictions, de son parti ou de ses partis pris, à se taire enfin pour préserver l'idéalité de ses valeurs.

Kant divise les devoirs éthiques en devoirs de l'homme envers soi-même et devoirs de l'homme envers ses semblables. Si l'homme peut et doit avoir des devoirs envers lui-même, c'est qu'il n'est pas l'incarnation pure d'un être raisonnable : de ce que son être sensible coexiste avec son être intelligible, l'homme est obligé envers l'être intelligible en lui-même, c'est-à-dire envers l'humanité en sa personne.

Les devoirs de l'homme envers lui-même, considéré non pas comme un être physique (ou animal) ni comme un être animal et moral, mais comme un être seulement moral, se définissent par « l'interdiction de se dépouiller soi-même du *privilège* d'un être moral, qui est d'agir d'après des principes, c'est-à-dire de la liberté intérieure, et de se rendre ce faisant le jouet de simples penchants, donc de faire de soi une chose [14] ». En tant que devoir moral, il consiste pour son sujet (l'homme en tant qu'être raisonnable) « dans la *forme* de l'accord des maximes de sa volonté avec la *dignité* de l'humanité en sa personne [15] ». Or, le premier des vices opposés à ce devoir est représenté par le *mensonge* [16] : « La plus grande transgression du devoir de l'homme envers lui-même considéré uniquement comme être moral (envers l'humanité en sa personne), est le contraire de la véracité : *le mensonge.* » Le devoir de véracité est donc le premier des devoirs de l'homme envers lui-même en tant qu'être purement moral. Les vices opposés à ce devoir ont en commun le fait de reposer sur « des principes qui (par leur forme même) contredisent le caractère de l'homme en tant qu'être moral, c'est-à-dire sa liberté intérieure, sa dignité innée ». Dès lors l'on peut dire que « celui qui s'y adonne prend pour principe de n'en avoir point [de principe] et partant point de caractère, soit de s'avilir et de faire de soi un objet de mépris ». Le menteur fait de lui un objet de mépris moral, c'est-à-dire perd absolument la vertu d'honneur : le déshonneur « accompagne le menteur comme son ombre ». C'est le mensonge intérieur qui rend l'homme misérable à ses propres yeux et dévoile l'essence du mensonge : attenter à la dignité de l'humanité en sa propre personne. C'est pourquoi il ne faut tenir compte ni du dommage qui peut s'ensuivre pour autrui (violation du devoir envers autrui) ni du dommage que le menteur peut se faire à lui-même (faute de prudence) : le mensonge n'est pas simple manquement aux maximes pragmatiques, mais « transgression du devoir ». C'est pourquoi aussi le devoir de véracité n'admet pas de distinction entre les personnes envers qui l'on doit le remplir [17]. C'est « par sa simple forme » que le mensonge, en dehors même des effets nuisibles qu'il peut avoir sur autrui, est « un crime de l'homme envers sa propre personne [18] ».

Voilà donc la raison pour laquelle le mensonge est condamnable absolument : « Le mensonge est abandon et pour ainsi dire négation de la dignité humaine [19]. » Mais il faut bien comprendre en quoi et pourquoi le mensonge abolit aussi radicalement l'humanité de l'homme — cette « non-chose » —, fait de celui-ci une chose, voire une infra-chose, un simple simulacre. L'argument avancé par Kant se fonde sur l'idée d'une « finalité naturelle de la faculté de communiquer ses pensées » : la fin qu'implique la forme même du mensonge s'y oppose directement, produisant ainsi « un renoncement à la personnalité et au lieu de l'homme même, l'apparence illusoire de l'homme ». La capacité de communication, la communicabilité, a pour fin le don de mes pensées à autrui : le mensonge la détruit en la simulant, en la détournant à d'autres fins, c'est-à-dire en l'instrumentalisant. La condamnation du mensonge interdit un tel mésusage de la faculté qu'a l'homme de communiquer ses pensées à ses semblables, quels que puissent être les motifs avancés en faveur d'un « généreux » mensonge. « Un homme qui ne croit pas ce qu'il dit à un autre (même s'il s'agit d'une personne idéale) a encore moins de valeur que s'il n'était qu'une simple chose, car puisque la valeur est quelque chose de réel et de donné, quelqu'un d'autre peut se servir de ce qui en constitue la propriété, en faire usage, tandis que la communication de ses pensées à autrui, au moyen de mots, qui contiennent (intentionnellement) le contraire de ce que pense le sujet qui parle, est une fin directement opposée à la finalité naturelle de la faculté de communiquer ses pensées. »

Le mensonge est, à suivre la Bible, le principe même du mal, car il inverse, renverse, détourne, pervertit, falsifie et corrompt le bien moral : « Il est bien remarquable que la Bible date le premier crime, par lequel le mal est entré dans le monde, non du *fratricide* (Caïn), mais du premier *mensonge* [...] et qu'elle désigne comme l'auteur de tout le mal initialement le menteur, le père des mensonges [20]. »

Il y a donc un mauvais principe dans la nature de l'homme, qui le pousse au mensonge et à l'insincérité alors même qu'il sait qu'il faut être sincère et dire le vrai[21]. Voilà le *mal radical,* dans sa figure irrécusable : « Les guerres, la violence, surtout le mensonge et, en particulier, le mensonge par lequel il se trompe lui-même en son for intérieur en cherchant des excuses pour l'inexcusable, tout cela ne montre que trop clairement que l'homme, l'être qui constitue, en tant qu'il est moral, le sens du monde et en justifie l'existence, est immoral — immoral et non seulement faible : il a choisi sa faiblesse, il a voulu le mal. Sa nature est dépravée, il l'a dépravée[22]. » Car sa vraie nature est celle d'un être moral. Mais les hommes sont eux-mêmes responsables, en tant qu'être libres, de cette corruption de leur liberté par le choix du mal. Or, Kant remarque encore que, « de ce penchant de l'homme à la *fourberie* [...], qui doit avoir été antécédent, la raison ne peut donner aucune explication, car un acte libre ne peut pas être déduit et expliqué (comme une action physique) suivant la loi naturelle de l'enchaînement des effets et des causes, qui sont des phénomènes dans leur ensemble[23] ». Ce que Kant établit, c'est que c'est le même libre arbitre *(Willkür)* qui est à la fois penchant au mal et destination au bien[24]. Ce devant quoi il nous place, c'est le mal radical, qu'il s'agit de penser comme tel : « Il existe dans l'homme un penchant naturel au mal ; et ce penchant lui-même [...] doit finalement être cherché dans le libre arbitre [...]. Ce mal est *radical* parce qu'il corrompt le fondement de toutes les maximes, de plus, en tant que penchant naturel, il ne peut être *extirpé* par les forces humaines[25]. » Mais, comme chez Leibniz, radical signifie encore *limitatio* : le radical signifie la finitude originelle de la créature, et le mal radical « l'impuissance humaine à ériger ses maximes en lois universelles de la nature[26] ».

Penser le mal radical, à suivre une admirable analyse de Ricœur, c'est « penser une certaine maxime du libre arbitre qui sert de fondement à toutes les maximes mauvaises dans l'expérience et dans l'histoire ; ce fondement, ce *Grund*, me permet de reconnaître ici et là les formes éparpillées du mal empirique [...] ; mais à son tour ce *Grund* est inscrutable *(unerforschbar)* quant à son origine, car, dit-il [Kant], il n'y a aucune raison compréhensible *(kein begreiflicher Grund)* d'où le mal ait pu venir tout d'abord ; voilà l'angoisse pensée : un fondement d'actions mauvaises qui est sans fondement ; un *Grund* qui est *Abgrund*, dirions-nous[27] ».

Concluons sur l'exigence de sincérité : « Pour les religions, il faut être sincère : vrais païens, vrais Juifs, vrais chrétiens[28]. » Ce « mot simple[29] » de Pascal caractérise la condition absolue de la conscience religieuse : la sincérité, et permet de l'opposer à la conscience idéologique, cette vraie conscience fausse, insincère, par essence. La sincérité est bien au cœur de la conscience morale.

L'ORIENTATION UNIVERSALISTE : RAISON, SENS, CROYANCE

La position philosophique sous-tendant cette exploration critique peut se définir comme un universalisme éthique, dont le principe est illustré par un fragment de Montesquieu esquissant, dans une problématique apparente de l'« utilité », une échelle universelle des valeurs, définissant une *hiérarchie universaliste des préférences* : « Si je savais quelque chose qui me fût utile, et qui fût préjudiciable à ma famille, je la rejetterais de mon esprit. Si je savais quelque chose utile à ma famille, et qui ne le fût pas à ma patrie, je chercherais à l'oublier. Si je savais quelque chose utile à ma patrie, et qui fût préjudiciable à l'Europe, ou qui fût utile à l'Europe et préjudiciable au Genre humain, je la regarderais comme un crime[30]. » Il s'agit là d'une orientation philosophique — celle, peut-être, de toute philosophie —, non d'une doctrine particulière. Les voies et les fondations possibles d'un tel universalisme non impérial sont multiples. Nous devrons nous limiter ici à un bref inventaire de quelques modes compatibles de fondation philosophique de l'exigence universaliste. Car l'antiracisme, si vite déclaré et par tout un chacun, requiert d'être *philosophiquement fondé*. C'est la seule façon de chasser les slogans qui en reprennent à leur compte les aspirations et le projet, comme par appel du vide. Et de montrer, par simple contraste, l'inconsistance et l'imposture de la vulgate qui tient lieu de métaphysique dans la rhétorique politique ordinaire.

Communication : l'horizon universel de la raison

Le personnalisme de Scheler offre l'un des fondements possibles de l'exigence universaliste, non moins qu'une philosophie de l'interpersonnalité[31] ou de l'intersubjectivité[32] telle qu'on peut la découvrir chez Fichte. L'exigence d'universalité, dans l'éthique communicationnelle de J. Habermas, se profile au sein des pratiques de langage : elle est une implication de l'expérience de toute communication discursive, dans et par laquelle se constitue le monde de l'intersubjectivité [33]. Tout acte de communication empirique enveloppe une universalité de droit, s'opère sur l'horizon d'une communication idéale : « Avec la première phrase prononcée, c'est la volonté d'un consensus universel et sans contrainte qui s'exprime sans ambiguïté [34]. » Dans la mesure où l'intersubjectivité se constitue par la communication, « toutes les éthiques se rattachent [...] à la moralité immanente du dialogue [35] ». Cette éthique de la communication n'exclut nullement de l'humanisme qu'elle fonde l'appel au rationnel : la partialité pour la raison apparaît comme « la seule partialité universalisable [36] ».

Husserl l'a affirmé avec force dans la *Krisis* : ce qui caractérise essentiellement l'humanité, au-delà de sa figure spirituelle européenne qui en est comme l'anticipation, ce sont les tâches infinies de la raison, lesquelles définissent le rationalisme universel, qui n'a que peu de chose à voir avec ce que l'on nomme ordinairement « rationalisme ». Avec l'émergence de la philosophie en Grèce apparaît l'idée d'une « culture réglée par des idées, qui procède par tâches infinies et qui propose des idéaux tels que leurs méthodes d'acquisition possèdent d'elles-mêmes la propriété idéale de pouvoir être répétées à l'infini [37] ». Une nouvelle humanité, « l'humanité aux buts infinis », apparaît avec la fondation d'une tradition supratraditionnelle qui, incarnée d'abord par quelques philosophes, est accessible en droit à tous les hommes : « A la différence de tous les autres produits de la culture, ce mouvement [la philosophie] ne procède pas d'un intérêt lié au sol de la tradition nationale. On voit également des étrangers s'initier au savoir et prendre part de quelque manière à cette puissante conversion culturelle qui irradie de la philosophie. » L'histoire devient celle « d'une humanité d'abord finie qui accède à la dignité d'une humanité capable de tâches infinies », orientées par « l'idée générale de vérité de soi [devenue] la norme universelle de toutes les réalités et de toutes les vérités qui régissent la vie humaine ». L'humanité européenne se caractérise dès lors par un télos spirituel qui se situe à l'infini, figure de l'humanité même qui, « considérée dans son âme, n'a jamais été et ne sera jamais accomplie ». Ainsi l'Europe comme figure spirituelle est-elle le lieu de naissance d'une « communauté d'un nouveau genre, qui dépasse les nations » : « Il se forme une communauté nouvelle et tout intérieure, une communauté pure, peut-on dire, basée sur des intérêts idéaux ; elle rassemble les hommes vivant pour la philosophie, et unis dans le dévouement aux idées qui non seulement sont utiles à tous, mais que tous peuvent identiquement s'approprier. » Le *postulat de transmissibilité universelle,* de communicabilité et donc de traductibilité universelles, apparaît comme la première implication d'un tel humanisme « rationaliste » en un sens supérieur [38]. La communauté philosophique des esprits donne ainsi l'idée d'une communauté pure, dépassant les frontières entre peuples, nations, races, cultures particulières. Si « par essence il n'y a pas de zoologie des peuples », qui constituent des « unités d'ordre spirituel [39] », l'accès à la communauté pure n'est interdit à personne : la communication universelle entre les esprits préfigure leur communion, située à l'infini. La nouvelle humanité d'ordre spirituel est née de la valeur absolue accordée à la vérité idéale, sur laquelle se fonde la connaissance théorétique, en droit accessible à tous. Et pourtant. Dans cette conférence donnée à Vienne le 7 mai 1935, alors qu'il savait depuis déjà deux ans qu'il se classait dans les « non-Aryens », Husserl marque par un lapsus irrémédiable les limites de son universalisme, qui demeure européocentrique dans un sens quasi raciologique : définissant l'Europe, il précise qu'elle « englobe manifestement les dominions anglais, les États-Unis, mais non les Esquimaux ou les Indiens des ménageries foraines, ou les Tziganes qui vagabondent en permanence dans toute l'Europe [40] ». Le phénoménologue montrait par là qu'il était resté un bon Allemand, mais, eût dit Nietzsche, qu'il était demeuré en deçà du Bon Européen dont il définissait cependant la figure spirituelle [41].

L'éthique de la communauté communicationnelle

> « La communauté d'argumentation présuppose la reconnaissance de tous les membres en tant que partenaires de discussion à égalité de droits. »
>
> Karl Otto Apel (1967).

Karl Otto Apel, à la fin d'un important essai publié en 1967, « L'*a priori* de la communauté communicationnelle et les fondements de l'éthique [42] », s'efforce d'indiquer « quelles sont les conséquences de l'*a priori* de la communauté communicationnelle pour une orientation *stratégique* à long terme de l'action morale ». Apel montre que l'*a priori* de la communauté communicationnelle, en tant que condition de possibilité et de validité de toute argumentation, contient une contradiction dialectique. Car « celui qui argumente présuppose toujours déjà deux choses en même temps : premièrement une communauté communicationnelle réelle dont il est devenu lui-même membre par un processus de socialisation, et deuxièmement une communauté communicationnelle idéale qui serait en principe capable de comprendre adéquatement le sens de ses arguments et de juger définitivement de leur vérité ». C'est ici que surgit la contradiction dialectique, « au sens littéral d'une dialectique historique inachevée » : dans une telle situation, celui qui argumente « présuppose d'une certaine façon la communauté idéale *dans* la communauté réelle, c'est-à-dire en tant que possibilité réelle de la société réelle, tout en sachant que, dans la plupart des cas, la communauté réelle, où il s'inclut lui-même, est encore bien loin de ressembler à la communauté idéale de communication ». Dès lors, l'*a priori* de la communauté communicationnelle est indécomposable en deux présuppositions, qui seraient celles, respectivement, des communautés communicationnelles réelle et idéale. C'est ici que peut se redéfinir un « humanisme » fondé sur la fonction éthique d'une « stratégie d'émancipation à long terme » : « La tâche de la réalisation de la communauté communicationnelle idéale, formule aussi, en termes de la théorie de la communication, l'abolition de la société de classes : elle implique l'élimination de toute asymétrie du dialogue interpersonnel socialement conditionnée[43]. » En tant qu'idée régulatrice de toute situation d'interlocution, la communauté communicationnelle idéale implique également la tâche infinie d'abolition de toute asymétrie dans le dialogue entre individus d'appartenances ethnoculturelles différentes. La maxime kantienne supposant chez l'homme l'aptitude à une « mentalité élargie », qui le rend capable de juger, trouve ainsi une nouvelle fondation et surtout de nouvelles applications : « Se mettre en pensée à la place des *autres* (dans la communication avec les autres)[44]. » L'antiracisme peut se redéfinir comme effort infini en vue d'instaurer la communauté idéale de communication, ou comme essai inchoatif d'universaliser le fait, souligné par Kant, que « nous pensons, pour ainsi dire, en communauté avec les autres[45] ». A quoi fait écho la thèse qu'on peut inférer de certaines remarques du dernier Wittgenstein, thèse selon laquelle « il n'est pas possible pour "un seul" de suivre une règle, et de valider sa pensée dans le cadre d'un "langage privé" [46] ». La compétence grammaticale (Chomsky) présuppose la compétence communicationnelle (Habermas) des interlocuteurs dans la dimension pragmatique du discours [47]. Bref, le « solipsisme méthodique » est intenable. Nous pouvons jusque-là suivre les analyses d'Apel, qui développent avec rigueur les principes d'une philosophie pratique fondée, selon la terminologie d'Habermas, sur l'intérêt pour l'émancipation et l'idée régulatrice d'une communication sans bornes ni contraintes. Mais le philosophe se risque à lier de façon nécessaire la visée d'émancipation, l'idéal communicationnel, et ce qui apparaît comme une nouvelle version de l'« éthique de la logique ».

Cette stratégie d'émancipation, selon Apel, ne peut éviter en effet de recourir à un appareil scientifique, et d'abord aux traditionnelles sciences historico-herméneutiques de la compréhension. Mais il ajoute que les « nouvelles disciplines herméneutiques de l'histoire des sciences et des technologies, et de la science interdisciplinaire de la science », « ces disciplines aujourd'hui si controversées acquièrent, grâce au postulat de la *réalisation de la communauté idéale de communication*, leur *principe régulateur*, dans le sens méthodologique *et* éthico-normatif d'une fondation des jugements de valeur qui ne soit pas relative au gré de la subjectivité [48] ». Cette unification des champs, cette tentative de synthèse théorico-pratique, peut paraître hâtive ou prématurée, à partir de la présupposition d'une « éthique du discours » réglant toute discussion rationnelle.

Compréhension : du champ rhétorique au sens dialogique

« L'herméneutique est l'art de l'entente. »
Hans Georg GADAMER.

Partons d'une évidence transculturelle indubitable, qui fournit un socle anthropologique « concret » à l'universalisme : la *diffusabilité* des modèles culturels d'une société à une autre. Talcott Parsons attachait une grande importance à l'aptitude de tout modèle culturel — en droit — à circuler hors de ses frontières (mais certains modèles, en fait, circulent mieux que d'autres), et voyait dans cette caractéristique « une différence essentielle entre l'évolution socioculturelle et l'évolution organique : les modèles culturels peuvent non seulement passer d'une génération à l'autre, mais encore être diffusés d'une société à une autre[49] ». Il ajoutait, certes, la restriction implicite suivante : « Ce point est fondamental lorsqu'on considère des sociétés comme Israël et comme la Grèce[50]. » Dès lors, la communicabilité interculturelle n'a pas à être démontrée : elle est une expérience commune irrécusable, située en deçà des débats théoriques sur les modalités et les limites de la communication entre cultures.

La métaphysique communicationnelle d'Habermas ne se situe pas sur le terrain du « sens commun », ni sur celui d'une herméneutique des traditions[51] qui affronterait le problème de l'entente transculturelle. Elle se situe dans la problématique des Lumières, de la rationalité émancipatrice, et se constitue à partir de l'horizon d'une entente universelle ou de la communication idéale impliqué par toute situation dialogique. A partir d'une distinction fondamentale entre trois types d'« intérêts cognitifs », Habermas définit la visée d'une science sociale critique fondée sur un *intérêt pour l'émancipation* distinct d'un intérêt pratique, à la base des sciences historico-herméneutiques (l'interaction comme activité communicationnelle relie les sujets entre eux par des jeux de langage qui donnent sens au monde vécu), ou d'un intérêt technique, qui renvoie au travail comme activité instrumentale, et serait constitutif de la science empirico-analytique[52]. La philosophie se déploie comme critique des idéologies, impliquant une activité d'autoréflexion requise pour remettre en cause la « domination ». Corrélativement, si l'intérêt émancipatoire fonde la nécessité pour la science d'être critique de la société et pour la critique d'être scientifique, la théorie politique s'identifie avec la théorie scientifico-critique[53]. La théorie de la compétence communicationnelle suppose, d'une part, l'existence d'une dimension d'anticipation réflexive de la science critique[54], ce qui confère un statut normatif à la critique de la connaissance, et, d'autre part, l'anticipation, en tout acte interlocutif, d'une situation idéale de discours, postulant une situation sociale où l'autonomie et la responsabilité sont possibles[55]. C'est ici que l'on peut avancer quelques réflexions critiques. On peut remarquer tout d'abord que la théorie critique est « plus une critique de la science qu'une théorie scientifique[56] ». Mais il est possible d'aller plus loin, et de mettre en évidence l'*irénisme* de la conception habermassienne, fondée sur une méconnaissance naïve de la polémicité constitutive des actes d'interlocution, non moins que sur une extension abusive, alimentant une foi dialogique aprioriste ou saturant la forme vide d'une aspiration universaliste abstraite, soit de la communauté interlocutive (dialoguer institue un espace commun), soit de la société des sujets dotés d'une raison critique, mi-scientifique mi-conviviale. Il est difficile de ne pas suivre sur ce point les conclusions de Jean Leca : « Comment fonder rationnellement le consensus portant sur un discours de critique sociale ? Habermas tente laborieusement de prouver que la fondation normative du discours critique n'est pas arbitraire aux yeux de la science sociale. A cette fin, il travaille à la théorie de la compétence communicationnelle qui évalue un discours en regard d'une situation idéale de discours où les locuteurs seraient libres de toute contrainte autre que celle de l'argumentation, une situation sans domination ni division sociale des rôles. De façon surprenante, Habermas rappelle ici la situation de la communauté idéale des chercheurs de Peirce ou le monde de la connaissance objective de Popper, mais il en étend l'application à la recherche d'une meilleure société et pas seulement à celle d'une meilleure connaissance[57]. »

La critique habermassienne des idéologies suppose une interprétation des distorsions de la communication comme autant d'effets de la domination et de la violence, effets méconnus comme tels par les interlocuteurs « naïfs », d'où la nécessité de recourir à un appareil théorique, à la fois explicatif et critique, dont la psychanalyse fournirait le schème. La distorsion de la communication, le fait de la communication, comme donné premier, expérience ordinaire, voilà qui interdirait de faire appel et confiance à une herméneutique compréhensive. Car l'herméneutique de Gadamer, en présupposant l'entente, l'accord ou le consensus comme toujours déjà donné, procède, note Ricœur, à « l'hypothèse d'une expérience rare, à savoir l'expérience d'être précédé dans nos dialogues les plus heureux par l'entente qui les porte », et partant canonise cette expérience exceptionnelle en l'érigeant en paradigme de l'action communicative. Ricœur a bien mis en lumière la divergence fondamentale entre les pensées de Gadamer et d'Habermas. Mais surtout, en dévoilant l'eschatologie de la non-violence à laquelle s'ordonne ultimement le néo-rationalisme critique habermassien, le philosophe français a suggéré les limites (voire la trivialité) de ce qui apparaît comme une philosophie très classique de l'émancipation, en dépit de sa reformulation, après la reconnaissance du « tournant linguistique » (puis « pragmatique ») des années soixante/soixante-dix, autour de l'idée régulatrice d'une communication sans bornes ni contraintes, clef de voûte du programme d'une « pragmatique universelle » : « Il appartient à une critique des idéologies de penser en termes d'anticipation ce que l'herméneutique des traditions pense en termes de tradition assumée. Autrement dit, la critique des idéologies implique que soit posé comme idée régulatrice, en avant de nous, ce que l'herméneutique des traditions conçoit comme existant à l'origine de la compréhension [...]. L'autoréflexion est le concept corrélatif de l'intérêt pour l'émancipation. C'est pourquoi on ne peut fonder l'autoréflexion sur un *consensus* préalable. Ce qu'il y a avant, c'est précisément la communication brisée [...]. Il faut donc placer toute la critique des idéologies sous le signe d'une idée régulatrice, celle d'une communication sans bornes et sans contraintes. L'accent kantien est ici évident ; l'idée régulatrice est plus devoir-être qu'être [...] et il n'est de tel projet que dans la perspective révolutionnaire de la fin de la violence [...]. Un eschatologisme de la non-violence constitue ainsi l'horizon philosophique dernier d'une critique des idéologies[58]. » Nous nous trouvons bien devant la dernière variante, aussi conséquente que systématique, de la gnose illuministe, liant savoir, devoir-faire et méthode de salut, et dénonçant toutes les formes de subjectivisme ou de solipsisme. Face à l'imposant monument de la « théorie de l'agir communicationnel », on peut néanmoins se poser la question : « Le rationalisme de la communication vaut-il comme une alternative ou ne fait-il qu'acclimater la contradiction en substituant au drame de la subjectivité et de l'altérité un humanisme bardé de "communicationalité"[59] ? »

Au-delà de la mise en œuvre d'une simple technique relevant, par exemple, de la méthode critique, « l'art de comprendre » qu'est l'herméneutique enveloppe un effet en retour du compris sur celui qui comprend. C'est pourquoi la dimension herméneutique du sens n'est pas réductible au « résultat » idéal de la critique démystificatrice visant la communication sociale altérée, laquelle, une fois percée à jour, devrait, selon J. Habermas, laisser la place à l'accomplissement idéal de la communication dans un dialogue rationnel libre de contraintes (donc de « préjugés ») qui présupposerait toujours une certaine « anticipation de la vie droite[60] ». Car « l'idéal d'une vie en commun dans une communication sans contrainte est [...] aussi obligatoire qu'indéterminé ». En avançant la présupposition fondamentale de l'« entente contrafactuelle », Habermas suit, note justement Gadamer, « le vieux mot d'ordre des Lumières, de dissoudre par la pensée et la réflexion des préjugés dépassés et de supprimer des privilèges sociaux », par « la foi en un "dialogue sans contrainte" ». Le formalisme rationaliste, lié au primat « illuministe » de la raison théorique (supposée émancipatrice en tant que destructrice des « préjugés »), doit être débusqué dans les fondements de la théorie habermassienne de la « compétence communicative » : « Ce sont des objectifs très divers qui se laissent insérer dans ce cadre formel [de la communication idéale]. L'anticipation de la vie droite, qui est en fait constitutive de toute raison pratique, doit elle aussi se concrétiser. » Il faut dès lors en revenir à l'orientation aristotélicienne qui, d'une part, réhabilite contre Platon la rhétorique en la caractérisant comme une *dynamis* et non pas une simple *technê*[61], d'autre part, insiste, encore contre l'idéalisme platonicien, sur la vacuité des Idées pures en tant qu'objets de contemplation : si en effet « le Bien humain est quelque chose qui se rencontre dans la pratique humaine », alors il « n'est pas déterminable sans la situation concrète, dans laquelle une chose est préférée à une autre[62] ». L'expérience critique du Bien réside dans la concrétion de la situation interlocutive, où le Bien se trouve en discussion, et non pas dans une intuition intellectuelle de l'Idée générale du Bien ou dans un « accord contrafactuel[63] ».

Comprendre, c'est aussi se comprendre, de telle sorte que « le compris développe un certain pouvoir de conviction qui collabore à la formation de nouvelles convictions ». Gadamer a mis en lumière cet entretien, cet acte commun du comprenant et du compris qui engendre leur communauté de devenir : « Je ne nie pas du tout que s'abstraire de ses opinions propres sur les choses représente un effort justifié de la compréhension. Celui qui veut comprendre n'a pas besoin d'approuver ce qu'il comprend. Et pourtant [...] l'expérience herméneutique enseigne que la puissance de cette abstraction n'est jamais qu'une puissance limitée. Ce que l'on comprend parle aussi toujours par soi-même [...]. En se mettant en jeu avec toute la latitude dont il dispose, il force aussi celui qui comprend à mettre en jeu ses préjugés. » C'est pourquoi la rhétorique, l'art « d'engendrer la conviction » ou de « faire admettre le vraisemblable grâce au langage », « a pour pendant l'herméneutique, la science des formes, des conditions et des limites de l'entente entre les hommes ». Le domaine des arguments convaincants (mais non contraignants), qui est celui « où des points controversés doivent aboutir à une décision au moyen d'une réflexion raisonnable », ne peut être radicalement séparé de l'expérience herméneutique, celle de la compréhension entre les hommes, laquelle comporte la compréhension de nos propres limites. Cette autocompréhension surgit à la fois comme ouverture à l'altérité de l'opinion de l'autre (ou du texte) et comme ressaisissement de nos propres « préjugés », nos « préventions » qui sont des anticipations de compréhension, ces inévitables préconceptions qui déterminent notre précompréhension[64]. Or, « éprouver et percevoir nos propres limites, c'est chercher à les surmonter[65] », non point par la destruction totale des préconceptions, mais par la conscience herméneutique du sens de la « tradition » comme ensemble des préjugés « positifs » (« légitimes ») et « négatifs »[66]. Car « quiconque veut ignorer les jugements qui le dominent, méconnaîtra ce qui se révèle à leur lumière ».

Mais peut-être devons-nous, au moins provisoirement, nous arrêter devant cette aporie : « Il n'y a certainement pas de compréhension qui soit libre de tout préjugé, bien que la volonté de notre connaissance doive s'appliquer à échapper aux chaînes de nos préjugés. » Le comprenant ne saurait se retirer du jeu de la compréhension, la réserve du pur sujet postulé par la connaissance objective lui est précisément préjudiciable. Et dans l'autocompréhension indissociable de l'aperture à l'altérité se rencontre la compréhension du sens de la « tradition », laquelle doit toujours s'entendre au pluriel. C'est dans cet espace peuplé d'une pluralité d'opinions et de « préjugés » que s'impose le lien dialogique entre les hommes : la rhétorique a pour domaine légitime celui de l'argumentation raisonnable, irréductible à celui de la démonstration rationnelle régie par des contraintes logiques[67]. C'est pourquoi l'exigence d'universalité impliquée par la *raison pratique* est à distinguer de l'universalité des énoncés épistémiques produits par la raison théorique, lesquels peuvent fonder le mépris. « Le savoir de la raison pratique n'est pas un savoir conscient de sa supériorité en face de l'ignorant. Ici au contraire se rencontre en chacun la prétention de savoir ce qui convient à l'ensemble[68]. » L'exigence universaliste d'égalité est un postulat de la raison pratique, qui régit l'univers social compris comme interaction argumentative, efforts croisés en vue de convaincre plutôt que de vaincre. Mais il s'agit encore de ne pas se laisser bercer par l'irénisme dialogique du choix rationaliste de type habermassien : « Pour la vie sociale en commun des hommes, cela signifie qu'il faut convaincre les hommes — mais certainement pas en ce sens que politique et structuration de la vie sociale ne seraient qu'une simple communauté du dialogue, de sorte qu'on se verrait renvoyé, comme au véritable remède, au dialogue sans contrainte, par exclusion de toute pression du pouvoir[69]. » L'éclipse des rapports de force est la faiblesse de toute la métapolitique rationaliste, qui convertit l'impensabilité du pouvoir hors de sa catégorie d'exclusion suprême (« l'irrationnel ») en suppression finale de la question du pouvoir. Il faut ici, pour progresser, revenir du faux cartésianisme politique (l'universel abstrait de la politique du « comité d'experts », sur le modèle du fonctionnement de la société scientifique moderne[70]) à une politique du raisonnable, dont Aristote a pensé les fondements[71]. C'est pourquoi la pensée rhétorique est une composante de la philosophie politique. Si « l'expérience herméneutique s'étend [...] aussi loin que la disposition au dialogue d'êtres raisonnables en général[72] », et si le domaine que l'herméneutique partage avec la rhétorique est celui « des arguments convaincants (et non de ceux qui contraignent logiquement) », il faut reconnaître à ce domaine argumentatif une positivité que manque précisément la critique de l'idéologie. Ce « domaine de la pratique et de l'humanité en général » ne saurait se réduire ni à l'espace conceptuellement pur des démonstrations rationnelles, des fondements absolus et des conclusions « dures comme fer », ni à l'espace où « la réflexion émancipatrice est assurée de son "entente contrafactuelle" ». Le domaine commun à la rhétorique et à l'herméneutique n'est pas un domaine construit par objectivation scientifique ; il se situe en deçà de tout découpage conceptuel de la pratique sociale, dans les interactions où l'irréductible « richesse des points de vue », inscrits dans l'entrelacs des affects et de « l'art de la parole », doit néanmoins engendrer (ou ne pas interdire), par le dialogue et la délibération, une décision ou une conviction. Gadamer marque ainsi fortement ses réticences vis-à-vis de la critique des idéologies, de son abstractionnisme naïf : « Je trouve d'un irréalisme effrayant que — comme Habermas — on attribue à la rhétorique un caractère contraignant que l'on doit dépasser au profit du dialogue rationnel sans contrainte. On sous-estime ainsi non seulement le danger d'une manipulation éloquente et d'une mise sous tutelle de la raison, mais aussi les chances de l'accord dû à l'éloquence, sur lequel repose la vie sociale. » C'est à un retour au réalisme empirique quant à la pratique sociale que convie cette critique de la critique, si « toute pratique sociale — et en vérité aussi celle qui est révolutionnaire — est inconcevable sans la fonction de la rhétorique ». Mais le primat de la raison pratique, lorsqu'il passe de l'éthique au politique, doit postuler la pluralité des convictions et exiger le respect de celles-ci. Gadamer insiste sur cette corrélation : « La politique demande de la raison qu'elle amène des intérêts à être des structures volitionnelles, et toutes les manifestations de volonté sociales et politiques sont dépendantes de l'élaboration de convictions communes par la rhétorique. Cela implique — appartient, je crois, au concept de raison — que l'on doive constamment compter avec la possibilité que la conviction adverse puisse avoir raison, que cela ait lieu dans le domaine individuel ou dans le domaine social [73]. » Voilà qui nous incite à aller plus loin, au-delà de la tolérance passive qui ne m'engage à rien d'autre qu'à vivre et penser à côté de celui qui diffère de moi, au-delà même de la tolérance active qui exalte l'« enrichissement » mutuel, par l'échange, des sujets « porteurs » de différences. Il faut penser toutes les implications de la possibilité ouverte à chacun de reconnaître que l'autre puisse avoir raison contre lui. Le sens *du dialogue* n'est pas fondé sur la certitude prétentieuse d'avoir quelque chose à enseigner à l'autre, ou à « échanger » avec lui, mais sur la *conviction d'avoir quelque chose à apprendre de lui.* La modestie épistémique est la première condition de l'entrée en dialogue. Le don vient après, et comme un supplément.

Sens commun : la communauté des croyances communes

> « Ceux qui, par exemple, se posent la question de savoir s'il faut ou non honorer les dieux et aimer ses parents, n'ont besoin que d'une bonne correction, et ceux qui se demandent si la neige est blanche ou non, n'ont qu'à regarder [74]. »
>
> ARISTOTE.

> « Il y a des hommes [...] qui disent que le mur n'est pas blanc, que le feu n'est pas chaud, etc. Nous, Irlandais, ne pouvons atteindre à ces vérités [75]. »
>
> George BERKELEY.

> « A quoi ressemblerait de douter que j'ai deux mains [76] ? »
>
> Ludwig WITTGENSTEIN.

« Le peuple dit : "Il faut honorer les gentilshommes" et Pascal ajoute : "Il est vrai qu'il faut les honorer [77]". En le disant, le peuple ne sait pas ce qu'il dit et pourtant ne dit-il pas vrai ? L'énoncé qu'il profère a du sens, mais le sujet de l'énonciation ne sait pas où est le sens. La croyance du peuple est vaine et saine à la fois [78]. » Ces remarques de Louis Marin sur la vérité cachée du discours ordinaire où s'exprime l'opinion commune [79], sous le regard pascalien, introduisent la question de la valeur du sens commun, et en indiquent déjà suffisamment les difficultés et ambiguïtés. Il n'est peut-être pas inutile, sans entrer ici dans l'analyse de ces dernières, d'esquisser les fondements d'une argumentation non « rationaliste » (ce qualificatif renvoyant à l'universalisme dogmatique de la raison théorique) autorisant à exclure la thèse du racisme différentialiste. C'est là une voie ni éthique ni spéculative que pourrait suivre une réfutation du relativisme culturel radical, assise du racisme hétérophile. Il s'agirait de définir les conditions d'affirmation d'un antiracisme de « sens commun », fondé sur une « philosophie du sens commun [80] ». Mais la notion est problématique, et l'expression équivoque. L'appel aux évidences du sens commun ne s'impose pas comme une évidence.

Il faut entendre ici par « sens commun » non pas la κοινὴ αἴσθησις *(sensus communis)* d'Aristote, mais, à la suite de l'école écossaise (Thomas Reid), un ensemble de « croyances naturelles » rendant possible un certain mode d'intelligence du monde, ou un « savoir pratique », efficace en ce qu'il fait preuve quotidiennement de sa valeur adaptative. Il nous fournit cette vision commune des personnes et des choses qui nous guide dans l'existence, nous oriente suffisamment dans nos actions. Le sens commun n'est donc à confondre ni avec la « sagesse » pratique (le « gros bon sens »), ni bien sûr avec le « bon sens » cartésien (la raison spéculative, faculté universelle de connaître [81]), ni même avec le *sensus communis* des orateurs romains, c'est-à-dire la capacité de « bien juger », de produire un jugement adapté aux circonstances, et dépendant de cadres culturels spécifiques.

Les évidences de sens commun (que des choses existent hors de moi, qu'il y a d'autres hommes que moi, etc.), dans la philosophie moderne, ont été d'abord opposées aux critères de l'évidence rationnelle définis par le rationalisme de tradition cartésienne. Si c'est le *Traité des premières vérités et de la source de nos jugements*, publié en 1717 par le père jésuite Claude Buffier

(1661-1737), qui présente une première somme de l'offensive anticartésienne, c'est, selon une indication de Perelman, dans le *Traité de l'existence et des attributs de Dieu*, ouvrage posthume (1718) de Fénelon, que l'on trouve une caractérisation particulièrement claire du sens commun :

« Mais qu'est-ce que le sens commun ? N'est-ce pas les premières notions que tous les hommes ont également des mêmes choses ? Ce sens commun, qui est toujours et partout le même, qui prévient tout examen, qui rend l'examen même de certaines questions ridicule, qui fait que malgré soi on rit au lieu d'examiner, qui réduit l'homme à ne pouvoir douter, quelque effort qu'il fît pour se mettre dans un vrai doute ; ce sens qui est celui de tout homme ; ce sens qui n'attend que d'être consulté, mais qui se montre au premier coup d'œil, et qui découvre aussitôt l'évidence ou l'absurdité de la question... Les voilà donc ces idées ou notions générales que je ne puis ni contredire ni examiner, suivant lesquelles au contraire, j'examine et je décide tout, en sorte que je ris au lieu de répondre toutes les fois qu'on me propose ce qui est clairement opposé à ce que ces idées immuables me représentent [82]. »

Mais les évidences du sens commun sont également des armes redoutables lorsqu'elles sont dirigées contre l'empirisme sceptique de Hume, dont les thèses apparaîtront proprement ridicules, sinon absurdes : « Ce qui est contraire au sens commun fait rire, car cela s'oppose aux idées qui paraissent indubitables au sein d'une communauté [83]. » On ne perd pas son temps à réfuter ce qui est contraire au sens commun, il suffit de n'y attacher nulle importance, ou du moins pas plus d'importance qu'à des curiosités, des paradoxes amusants, des récréations intellectuelles plus ou moins agréables. Ce qui contredit le sens commun, en tant qu'ensemble des opinions admises au sein d'une communauté, ne relève ni du sérieux ni du réel défini par l'utilité et la régularité sociales. Mais ce sens ethnocentrique du sens commun, comme ciment doxique de la solidarité des membres de tel groupe, coexiste avec un sens universaliste : le sens commun et ses évidences pourraient constituer un invariant des dispositifs cognitifs communs à tous les représentants de l'espèce humaine. Si l'universalité rationnelle est conquise par construction théorique et varie selon le temps (il y a une histoire des sciences), l'universalité raisonnable est constituée par essais et erreurs, et varie selon l'espace (la pluralité de fait des cultures et des sociétés).

Le rationnel est ce qui est acceptable pour tout esprit « humain » (ou capable de décrypter les sémiotiques humaines), le raisonnable est ce qui est acceptable pour tous les membres d'une communauté donnée[84]. Or, ce qui est acceptable est par présupposition recevable, mais aussi, en tant que condition de possibilité, rend communicable. Le sens commun se dit donc au moins en deux sens : croyances universellement présupposées par toute opération cognitive et toute action, croyances de base en cours dans une communauté particulière. C'est pourquoi la notion de sens commun est elle-même une notion confuse qu'il s'agit d'analyser : « Le sens commun constitue-t-il un invariant, commun à tous les hommes, à toutes les époques de leur histoire ou n'est-il commun qu'à certaines communautés, à une certaine étape de leur évolution historique[85] ? » La distinction entre rationnel et raisonnable a précisément pour fonction de permettre l'élimination de l'aporie : face à l'opposition entre le sens universaliste et objectiviste du sens commun, et son sens particulariste et relativiste (ou sociocentrique), la reconnaissance d'une sphère du raisonnable permet de reconnaître une valeur à la pluralité des solutions possibles, selon les conditions d'acceptabilité en cours dans une société donnée[86]. Mais il semble que la tension de l'universel et du particulier ne puisse être totalement supprimée : on ne peut que relativiser l'opposition de l'universalisme et du relativisme, par la réhabilitation du sens commun (lui-même traversé par l'opposition) et du raisonnable (c'est-à-dire de la rhétorique comme sphère du discutable). Perelman a justement noté une évolution dans la pensée de John Rawls, illustrant cette oscillation insurmontable entre l'interprétation universaliste et l'interprétation particulariste du sens commun, la première autorisant l'hypothèse d'universaux de sens commun, la seconde n'interdisant pas la position de l'exigence d'universalité comme horizon des principes du sens commun « démocratique moderne » — par exemple à travers l'idée perelmanienne de l'auditoire universel[87] : « Alors que dans sa *Theory of Justice*, il [Rawls] prétend, en conclusion, que sa théorie est valable pour tout être rationnel, et pourrait être intégrée dans un sens commun intemporel (Rawls, 1971 : 587), dans ses *Dewey Lectures*, il prétend uniquement dégager les principes latents dans le sens commun d'une société démocratique, conforme à une certaine tradition historique (Rawls 1980 : 518)[88]. »

Deux stratégies philosophiques de l'appel au sens commun doivent donc être distinguées, historiquement et logiquement.

D'une part, une stratégie anticartésienne : les évidences du sens commun sont opposées à l'évidence rationnelle en tant que critères de certitude fournissant les premiers principes (Buffier). La position est ici nettement universaliste : il s'agit de lutter contre le cartésianisme sur le terrain même de celui-ci. D'autre part, une stratégie anti-empiriste, dirigée tout particulièrement contre le scepticisme de Hume, pour ce qu'il conduit au solipsisme : les évidences du sens commun ne peuvent être mises en doute sans provoquer le rire, ou supposer la folie de celui qui doute (Reid, Stewart). Dans cette position paradoxale de critique de l'hyper-critique sceptique, les dimensions universaliste et particulariste se mêlent : les évidences peuvent être aussi bien communes à tous les hommes (« il y a d'autres hommes que moi ») que communes à une communauté donnée (« tous les hommes ont une âme » ; ou, pour radicaliser le paradoxe : « tous les hommes sont égaux » : évidence égalitaire-universaliste propre aux sociétés démocratiques modernes).

Ces deux variantes bien distinctes de ce qu'on nomme la philosophie du sens commun représentent les deux figures modernes de la contre-tradition qui s'est constituée face à la tradition philosophique dominante, disons parménido-platonicienne, laquelle se fonde sur la récusation du sens commun comme voie de l'opinion, de l'apparence et de l'illusion, de la connaissance fausse ou de la fausse connaissance [89]. La philosophie moderne du sens commun a toujours deux adversaires qu'elle combat également, d'abord parce qu'ils rendent l'un comme l'autre l'existence humaine difficile, douloureuse, voire impossible : la tradition du rationalisme dogmatique et militant pratiquant le rasoir cartésien (le programme de suppression des « préjugés » : idées obscures et confuses, langues mal faites, termes équivoques), tradition dans laquelle l'empirisme logique reprend au XXe siècle l'héritage cartésien ; la tradition de l'empirisme sceptique, qui aboutit à la folie du solipsiste, à la mélancolie et au désespoir — de Hume aux contemporains philosophes « anarchistes » prônant le relativisme culturel radical ou le subjectivisme.

La thèse du sens commun est, selon G.E. Moore, qu'il y a des « truismes dont *je sais* avec certitude que chacun [...] est vrai », à savoir : « Il existe à présent un corps humain vivant qui est *mon* corps. Ce corps est né à un certain moment du passé, et il a existé, continûment depuis, non sans notables modifications ! [...] Parmi les choses qui ont [...] constitué son environnement [...], à chaque instant depuis sa naissance il y a eu en grand nombre d'autres corps humains vivants [...]. Mais la terre elle aussi existait bien des années avant que mon corps ne soit né[90]. » Moore affirme par ailleurs : « Je puis être assuré de choses que je ne puis prouver[91]. » C'est le cas des « propositions qui assertent l'existence de choses matérielles[92] », telles que : « La terre existe depuis des années » (et a existé bien avant que Moore ne fût né), « Bien des corps humains ont vécu plusieurs années sur terre[93] ». Les jugements de perception fournissent également des croyances du sens commun, « présupposés tacites de nos inférences » (Francis Jacques) : « Voici un encrier[94]. » C'est pourquoi, notait Wittgenstein, « il n'existe pas de réponse de sens commun à un problème philosophique[95] ». Les présuppositions les plus générales de notre pensée (et de notre vie quotidienne) ne sont pas des *solutions* apportées à des problèmes posés : ce sont des *croyances* préproblématiques. Du moins pour autant que leur problématicité a été oubliée : car ces croyances postulées premières pourraient avoir une genèse, non considérée par la philosophie du sens commun, et comme telles renvoyer à des questions auxquelles elles répondent par des réponses toutes prêtes[96]. Nous nous trouvons donc devant des propositions du sens commun dont « nous savons tous avec certitude » qu'elles sont vraies, selon Moore. Mais ces propositions, qui n'ont pas besoin de preuve, ont néanmoins besoin d'être analysées. Karl Popper, dont la défense du « réalisme qui relève du sens commun » se couplait avec une récusation de « la théorie de la connaissance qui relève du sens commun », résumait ainsi sa position : « Le sens commun est toujours [...] notre point de départ ; mais il doit être critiqué[97]. »

Ainsi, dans le cas des propositions du sens commun, « l'assurance quant à leur vérité *précède* l'interrogation quant à leur signification[98] ». Telles sont, selon la défense et l'illustration « réalistes » du sens commun, les certitudes ou les convictions qui, composantes de notre monde vécu, sont, dit Wittgenstein, « à tel point ancrées dans toutes mes *questions et réponses* que je ne peux y toucher[99] ».

Francis Jacques note ce paradoxe essentiel, qui permet de comprendre pourquoi Moore s'attache à énoncer des « truismes si manifestes qu'il serait oiseux de les énoncer[100] » : « Le sens commun ne supporte d'être dit ou rappelé que s'il a été contesté : son usage est polémique [...]. Moore voulait opposer aux Sceptiques l'existence peu discutable des objets matériels. Il ne dit le sens commun que pour le *défendre* et, en le défendant, pour *attaquer*[101]. » L'appel anticritique au sens commun se retourne ainsi en instrument critico-polémique dirigé contre toutes les formes, rationalistes ou empiristes, du doute qui, déréalisant les croyances de la vie ordinaire, détruit les fondements de la logique pratique. D'où l'indéfini rappel, face aux attaques renaissantes du « mauvais » esprit de doute, de la *common sense view of the world*, ainsi résumable : « Nous savons que nous sommes dans un monde où il y a des choses, et nous avec elles[102]. »

Si donc la prétention de Moore, pour parler comme A.J. Ayer, était « qu'il savait avec certitude que ce qu'il appelait la vue du monde du sens commun était vrai », il faut immédiatement préciser que cette thèse « ne l'entraînait pas à accepter tout ce que l'homme de la rue pourrait en arriver à croire, mais seulement à assumer la vérité de suppositions générales du sens commun », exprimables par « un grand nombre de propositions particulières, desquelles les propositions plus générales suivaient logiquement[103] ». Exemple de proposition particulière indubitable : « j'ai deux mains », énonciation accompagnée de l'exhibition des deux mains, acte impliquant qu'il y a au moins deux objets physiques, dont il s'ensuit qu'il y a un monde extérieur[104].

Le sens commun renvoie aux « aspects universels d'une compréhension propositionnelle (c'est-à-dire ayant valeur de vérité) de l'environnement[105] ». Il se caractérise par une universalité qui n'est pas celle de la raison théorique à laquelle il ne s'oppose pas cependant. Il est « accessible aussi bien à l'ignorant qu'au sage, à l'écervelé qu'à l'homme réfléchi, indépendamment de leur culture[106] ». Il représente ce à partir de quoi toute connaissance doit commencer, ce qu'elle présuppose nécessairement, y compris lorsqu'elle s'en détache et s'y oppose. Une évaluation positive des « croyances naturelles » du sens commun se situe plutôt dans la tradition empirico-pragmatiste que dans la tradition rationaliste : de même que l'épistémologie empiriste « fondationniste » postule l'existence d'énoncés observationnels « incorrigibles » (dont la vérité serait hors de doute), qui permettraient de juger de la vérité des théories conjecturales[107], de même les évidences du sens commun sont dites indubitables pour ce que le doute à leur sujet n'a aucun sens, qu'il n'y a aucune raison de douter quant à elles. Ce sont des *vérités pragmatiques,* non plus issues d'une expérience immédiate mais engendrées et confirmées par l'accord entre interlocuteurs éventuels : l'assentiment prévisible des sujets du dialogue fonde la vérité de l'assertion[108].

Scott Atran caractérise les assertions que nous dicte le sens commun comme des « assertions relatives à notre appréhension — fondée sur l'inné et propre à l'espèce — du monde spatio-temporel, géométrique, chromatique, chimique et organique dans lequel nous vivons avec tous les autres humains notre existence quotidienne ». Par exemple : « La neige est froide et blanche, les arbres sont plus hauts que larges, les pierres sont plus lourdes et plus solides que les plumes ; [...] je pense et j'existe dans un lieu qui existe même quand je n'y suis pas, d'autres en ont fait, en font ou vont en faire autant ailleurs [109]. » Il est dès lors possible d'avancer l'hypothèse que le sens commun fait partie de notre héritage phylogénétique [110].

Distincte à la fois de la connaissance scientifique et de la pensée symbolique, qui ne concernent qu'indirectement notre connaissance du monde quotidien, la compréhension du monde donnée par le sens commun « inné » précède psychologiquement toute élaboration symbolique ou scientifique visant le monde [111]. On peut conclure qu'une telle réhabilitation du savoir transculturel issu du sens commun permet de s'opposer à la fois aux conceptions racistes selon lesquelles les groupes humains se caractérisent par des modes de connaissance spécifiques dont rendent compte des différences génétiques, et aux conceptions de l'historicisme réductionniste (ou du matérialisme « mobiliste ») niant que les leçons du sens commun sont et ont toujours été partout les mêmes, et partant appartiennent à la nature humaine [112]. Nous échappons ainsi, par une anthropologie du sens commun, aux pièges du relativisme culturel que dénonçait Géza Róheim en 1950 : « Les anthropologues se croient les champions de la "relativité culturelle", de la valeur égale de toutes les cultures. C'est ce qu'ils sont consciemment, mais je suis certain que le contenu latent est le même que chez mes patients [...]. Si Ashley Montagu a appelé le racisme "le mythe le plus dangereux de l'homme", le nationalisme des anthropologues est un danger presque aussi grand. Le racisme souligne les différences et les considère comme immuables ; le nationalisme anthropologique ne les considère pas comme telles, mais est d'accord pour ne regarder qu'elles [...]. A l'origine, la doctrine de la "détermination de l'homme par la culture" était une réaction contre les théories racistes [...]. Au lieu de race, on dit maintenant culture, mais la plupart des anthropologues passent à côté de l'*humanité* et de l'*individu* [113]. »

Telle est la dérive raciste qui menace toute thèse relativiste fondée sur une rupture absolue avec les présuppositions de l'universalisme anthropologique et se constituant en doctrine antiuniversaliste. Voilà pourquoi il peut sembler raisonnable de défendre la « connaissance commune », le savoir de sens commun qui s'exprime dans des termes possédant « une valeur à la fois pour l'homme de la rue et pour le philosophe [114] » et qu'il faut peut-être situer, comme la « compréhension sociologique » selon Peter Berger et Thomas Luckmann, « quelque part à mi-chemin entre celle de l'homme de la rue et celle du philosophe [115] ». C'est une philosophie du sens commun qui seule paraît apte à fournir un contenu réel à l'idéal d'un « universalisme pluraliste » (ou « relativiste ») dont nous avons montré qu'il ne pouvait être, sur le plan spéculatif, qu'une synthèse illusoire [116]. Il serait dès lors possible de définir une variante relativiste de l'universalisme, qui ne serait pas saisie par la clôture communautaire du savoir et des valeurs. Bref, un antiracisme de sens commun serait possible. Nous pouvons y croire par un argument de fait : nous pouvons *malgré tout*, et *tant bien que mal*, communiquer avec autrui, communiquer à d'autres que « nous », à des « étrangers » (par la langue, le système culturel, etc.), des noms de choses, des noms d'impressions et de passions, des ordres et des demandes, des pensées abstraites. Les autres hommes que moi, d'autres que nous (« eux »), pensent, parlent et sentent comme nous et moi : « Que les autres hommes soient des esprits et des êtres pensants [...], chaque homme a raison d'en être persuadé par leurs paroles et leurs actions [117]. » La communication universelle est possible parce qu'elle est un fait. L'ironie pourrait ici suffire, face à ceux qui la nieraient radicalement, excipant de l'impossibilité d'une traduction absolue pour affirmer la thèse du polylogisme radical [118]. Quant à la communication parfaite, elle peut bien rester un idéal. Elle doit même le demeurer, telle l'étoile éclairant tout acte de communication empirique, nécessairement imparfaite.

Car la distorsion et le brouillage de la communication empirique ne sont pas un argument recevable contre l'affirmation de la communicabilité. C'est ce qu'a indiqué Kant. L'analyse kantienne du jugement de goût implique en effet que celui-ci repose sur un sens commun *(Gemeinsinn)* qui doit être compris comme le « sens commun à tous ». Le jugement qui discerne la beauté enveloppe l'exigence de la reconnaissance d'autrui comme participant de la communauté de communicabilité des sentiments. Le sens commun repose lui-même sur le *Mitmenschsein*, l'être-homme-avec-lesautres [119]. Voilà l'obligation de reconnaissance de la communauté idéale que le jugement de goût présuppose, par-delà toute forme d'incommunication (malentendus, équivoques, etc.), et de laquelle on peut dégager le schème d'une communauté métempirique universelle des personnes, idée régulatrice. Car participer au sens commun revient à reconnaître autrui [120]. Le *sensus communis* est *sensus communalis*.

Que l'homme soit un « animal universel », voilà une vérité universelle du sens commun, une certitude qu'aucune doctrine raciste ne peut contester sans ridicule ou mauvaise foi flagrante. « L'homme est un animal universel, le seul animal capable de vivre au pôle ou à l'équateur, sous les tropiques ou dans les pays tempérés, au bord de la mer ou en haute montagne [121]. » Ce n'est pas là une vérité première et absolue donnée par une évidence qui se fonde elle-même, mais une vérité approchée et de second degré, très vraisemblable, et pouvant s'ériger en hypothèse réfutable (critère poppérien : il suffit de rechercher l'individu ou le groupe incapable de vivre hors de sa niche écologique). Cette vérité d'ordre anthropologique relève du savoir encyclopédique de sens commun, critiqué et analysé. Sa signification est que les humains peuvent vivre par-delà les frontières du sang et du territoire, ou que les limites fixées par l'histoire et les communautés culturelles ne sont pas absolues. Les hommes peuvent vivre à travers leurs lieux de naissance : cela ne signifie pas que frontières et différences n'existent pas, mais qu'elles ne se figent pas en destin. Qu'elles se traversent, tant bien que mal, malgré les effets du principe d'inertie du sens donné et transmis (définissant la dimension de clôture sur soi de tout ensemble culturel), c'est là une évidence pratique trans-particulariste. Il y a du commun qui a du sens *hors de* ma communauté, *entre* les communautés closes, *à travers* les frontières. La vérité d'une telle proposition n'est pas d'ordre logico-formel, elle n'est pas tautologique. Elle n'est pas non plus de l'ordre des vérités abstraites révisables produites par conjectures et réfutations, telles que les présentent les énoncés des sciences physiques. Elle ne saurait non plus n'être vraie que pour une communauté particulière, même si elle se formule clairement dans l'espace idéologique de l'Occident moderne. Mais l'ambiguïté de l'appel au sens commun demeure inéliminable, en ce qu'il est traversé, travaillé, par l'antinomie du particulier et de l'universel. Le sens commun se dit aussi bien du sens donné dans telle communauté réelle que du sens postulé entre toutes les communautés humaines possibles et réelles, soit parce qu'il précéderait leurs spécificités, soit parce qu'il les transcenderait, la traductibilité universelle étant comme l'image de l'idéal régulateur d'un sens commun universel.

Il faut néanmoins relever les conflits d'évidences du sens commun. Prenons l'adage : « Quelle que soit la couleur de leur peau, les hommes sont frères. » La sagesse des nations raisonne ici en termes universalistes. Les psychologues sociaux montrent volontiers qu'elle se contredit en comprenant tout autant des « vérités » relativistes, telles que la formule née du jumelage de deux tautologies apparentes : « L'Orient est l'Orient, l'Occident est l'Occident et tous les deux ne se rencontreront jamais [122]. » Si ces évidences du sens commun n'ont pas de fonction explicative, elles ont du moins une valeur expressive : elles manifestent à leur manière, chacune bien installée dans son dogmatisme propre, l'antinomie de l'universalisme et du relativisme : à l'universelle ressemblance par la fraternité (on postule une relation symétrique : tout frère a un frère, est co-frère, etc.) s'oppose l'irréductible différence des identités collectives (il n'est de fraternité que dans les limites d'un groupe). L'antinomie dérive de la différence des ontologies engagées. L'universaliste présuppose que la substance de l'humanité, à laquelle renvoie la cofraternité universelle, se situe en deçà des dissemblances phénotypiques, des différences d'apparence, lesquelles sont présumées accidentelles : la couleur de la peau est à la qualité humaine fondamentale ce que l'accident est à la substance, ce que le contingent est au nécessaire. Ici la fraternité, ailleurs la raison donnent son fondement à la thèse universaliste. C'est un argument du même type qu'on rencontre chez Dobzhansky, lorsqu'il affirme que la seule qualification nécessaire et suffisante pour prétendre à l'égalité est le fait d'être membre de l'espèce humaine [123]. On remarquera que la thèse universaliste peut se formuler de deux façons apparemment opposées : d'une part, dans la filiation de l'empirisme radical, par le « mythe » de la table rase ; d'autre part, selon la tradition rationaliste, par l'attribution à tout membre de l'espèce humaine d'un identique noyau de « montages » innés. A l'universalisme du degré zéro ou du vide cognitif bien partagé répond l'universalisme du « bon sens » ou des idées innées. Dans les deux cas, nous avons affaire à des arguments dirigés contre la thèse de la prédestination génétique différentielle, laquelle semble bien supposer une conception empiriste non radicale, c'est-à-dire n'impliquant pas nécessairement une position environnementaliste : les traits d'identité raciale sont alors traités comme des propriétés essentielles et non pas comme des accidents[124]. La thèse de Bracken est assurément éclairante lorsqu'on considère l'apparition du racisme, au XVIIIe siècle, dans la formation de l'hypothèse *polygéniste* — il suffit de lire Voltaire. C'est sur fond d'arguments empiristes que la science naturelle de l'homme, l'anthropologie des naturalistes, s'est constituée comme une typologie des races humaines. Mais l'empirisme ne pouvait fournir à lui seul la nécessaire batterie d'arguments destructeurs des « préjugés religieux » sur l'origine et l'unité de l'homme, il ne pouvait donc fonder la rupture avec la tradition interdisant de considérer l'humain comme un objet de connaissance parmi d'autres. En outre, c'est au rationalisme que l'on doit la mise au premier plan des valeurs intellectuelles, par la définition du sujet humain comme pensant : or, la hiérarchie des types raciaux s'est largement constituée, aux XVIIIe et XIXe siècles, sur la base d'une critériologie supposant, à titre d'évidence, la définition de la supériorité absolue comme supériorité de l'*intelligence* (penser, penser bien, aptitude à la science, faculté de progresser dans l'ordre de la connaissance, etc.). Ce n'est ni l'empirisme ni le rationalisme qui, comme tels, peuvent être repérés aux origines du racisme en tant qu'idéologie moderne, mais un singulier mélange de fondement observationnel et de construction expérimentale du savoir, sur les ruines de la conception religieuse de l'homme : les différences entre races doivent d'abord être des faits d'observation pour faire ensuite l'objet de procédures expérimentales accompagnées de conjectures sur les régularités découvertes.

La défense du sens commun se heurte en outre à une objection de fait : on voit mal les intellectuels contemporains s'engager dans la voie d'un antiracisme de sens commun. Car, qu'ils se disent « philosophes » ou non, ils posent tous en critiques, dénonciateurs et destructeurs des croyances du sens commun. C'est leur manière de réduire l'héritage rationaliste à la pose du non-dupe : la *doxa* est l'élément négatif préconstitué, qu'il s'agit d'analyser en vue d'en dissiper les illusions constitutives. L'intellectuel moderne est spontanément doxophobe. C'est là son aristocratisme propre, son « pathos de la distance » qui lui permet de se distinguer du peuple ou du vulgaire, à éduquer ou à mépriser, selon les cas ou l'inspiration. Le doute de principe vis-à-vis du sens commun est au centre du dogmatisme de l'intellectuel critique et démystificateur, dernier avatar du type du philosophe comme opposé à celui du philodoxe. La défense du sens commun, il est vrai, ne nécessite pas de se montrer intelligent à toute heure. Et la marque reçue de l'intelligence est la brillance critique, l'éloquence désillusionnante. Mais, notait Wittgenstein, « en philosophie, il est très important de ne pas être intelligent tout le temps[125] ». Miser sur l'intelligence peut être une manière de refuser certaines évidences, celles qui ne sont pas produites par une autoréflexion du type *cogito*, celles qui n'ont pas de fondement absolu, qui échappent aux critères de la rationalité théorique : les évidences du sens commun relèvent de la *raisonnabilité* et, à défaut d'être des vérités nécessaires et universelles données par intuition originaire ou déduction, sont *universalisables*. C'est que l'intelligence moderne s'est formée par l'usage de la raison théorique, et selon le primat progressif de la rationalité technique, ou instrumentale : d'où la figure privilégiée du philosophe dont l'activité de pensée tend à se réduire à la position ou à la résolution de problèmes techniquement recevables, et dont le type de l'intellectuel, analyste critique-désillusionniste, n'est qu'une projection dans l'espace public moderne. Mais, notaient A.S. Janik et S.E. Toulmin commentant Wittgenstein, le philosophe trop intelligent risque « de se laisser absorber par des questions secondaires au point d'oublier les problèmes fondamentaux[126] ». Il risque également de négliger les vérités raisonnables transmises par les croyances du sens commun, et qui sont des solutions humainement acceptables à des problèmes déjà résolus, sans avoir subi un traitement par la raison théorique.

L'universalité : du fond commun à la tâche infinie

L'universalité est d'abord posée par Mauss comme postulat de tout jugement descriptif sur telle ou telle forme socioculturelle particulière. Il s'agit de considérer l'universalité donnée comme fait transculturel : « Entendu, la sociologie est partie de l'anthropologie et postule l'unité (relative) de l'espèce humaine. Mais, comme la psychologie, elle voit autre chose : des psychologies différentielles de peuples et de races. Seulement, dans toutes ces psychologies collectives différentes, elle voit d'immenses ressemblances. Les musiques, les danses varient avec les peuples, les familles de peuple [...]. Notre musique n'est qu'*une* musique. Et, cependant, il existe quelque chose qui mérite le nom de "la musique". Ce n'est pas celle de notre "grammaire musicale", mais celle-ci y rentre. Il en est de même de tous les grands ordres de faits sociaux [127]. » Au-delà donc des sciences, il y a la science ; au-delà des techniques, il y a la technique comme ensemble des mêmes fondements, scientifiques ou empiriques. Il en va de même pour les droits, les morales, les arts. Ce fond commun, Mauss le nomme « un fond humain [128] », lequel implique de penser l'universalité comme tâche plutôt qu'en tant que fait : « Il ne suffit pas de dire que ce fond commun est là parce que les modes généraux de la pensée sont œuvre d'hommes ; il faut dire qu'il est là parce que ces modes sont — même différents — l'œuvre d'hommes se créant des représentations communes et approchant ainsi déjà d'un pas vers la rationalité ; parce que ces hommes ont — même dans l'orgie et l'extase — communion avec autre chose que soi. La grammaire pure, la logique pure, l'art pur sont devant nous, non derrière nous [129]. » L'important est peut-être cette projection du « pur » comme horizon de sens universel, ou comme aspect de l'idée régulatrice d'une communauté humaine par-delà les différences culturelles. Le pur n'est pas à chercher dans une origine substantielle, mais dans l'idée d'une convergence indéfinie : universalité de tension et d'intention, dans l'élément du rationnel [130] que toute communication, et peut-être toute communion, présuppose.

La réflexion maussienne sur le « fond commun », « l'acquis général des sociétés et des civilisations [131] », ne sépare pas l'universalité factuelle et descriptible de l'universalité normative. Si l'on peut légitimement parler de « la civilisation », c'est pour désigner « tout l'acquis humain [132] », et indiquer une « limite de fusion » plutôt qu'un « principe des civilisations [133] ». Dès lors, s'il faut éliminer la notion du « progrès absolu », l'on peut néanmoins reconsidérer la question du « progrès général de la race humaine et de la civilisation [134] ». Mais ce progrès général n'est ni nécessaire, ni continu, ni assimilable à une marche vers le bonheur (ou le mieux-être). Une fois décrochée d'une métaphysique nécessitariste de l'évolution, l'idée de progrès peut être définie dans son usage légitime : « Sans conteste, toutes les nations et les civilisations tendent actuellement vers un *plus*, un *plus fort*, un *plus général* et un *plus rationnel* (les deux derniers termes sont réciproques car, en dehors du symbole, les hommes ne communient que dans le rationnel et le réel)[135]. » En 1922, Mauss, avant de poser qu'« il y a un mouvement général vers le plus être et vers quelque chose de plus fort et de plus fin », propose cette définition formelle minimale : « Par progrès, nous entendrons [...] l'augmentation en quantité et qualité, sans plus, et les deux étant inséparables[136]. » Dans les strictes limites d'un tel usage, défini par l'abandon du progrès « absolu » et l'affirmation de sa contingence (impliquant la possibilité de « ruptures » et de « régressions »), l'idée de progrès échappe à cette version nouvelle du fatalisme qu'est la « superstition du progrès » dénoncée par Tolstoï[137]. Le postulat de la contingence du progrès s'exprime notamment par l'énoncé qu'« avec la meilleure organisation institutionnelle du monde, le progrès scientifique peut un jour s'arrêter[138] ». L'affirmation mi-factuelle (et relativiste), mi-prescriptive du progrès ne chasse plus l'intolérable du monde humain, ne peut plus neutraliser le sens du scandale face à l'inacceptable.

La raison espérée

Au-delà de la prudence méthodique du rationalisme critique, dont les aveux de non-savoir ne peuvent aboutir qu'à une suspension provisoire du jugement[139], la xénophilie impliquée par le monothéisme biblique[140] apparaît comme la fondation exemplaire d'une éthique universaliste, dont le christianisme a reçu et transmis l'héritage[141], en dépit de bien des avatars : l'obligation infinie à l'égard d'autrui. Nous nous limiterons ici à l'esquisse d'une orientation de style kantien, qui fonde l'idée républicaine sur une éthique de l'universel, constituée de maximes universalisables. Car, Kant le rappelle dans un texte tardif, « le principe qui peut servir de pierre de touche à tout droit [est] : agis toujours selon une maxime telle que tu puisses vouloir en même temps qu'elle devienne une loi universelle[142] ». Or, l'idée d'une constitution juridique parfaite entre les hommes, qui ne peut être représentée que par raison pure, est une Idée, à laquelle nul objet ne peut être donné dans l'expérience comme adéquat[143], mais qui doit briller comme l'étoile guidant notre marche. Nous devons agir comme si la paix perpétuelle dans une société juridique universelle devait se réaliser : il faut agir d'après cette fin, bien que nul objet n'en puisse être présenté. La morale de l'universalité permet d'assigner un *but* à l'action politique — soit « l'avènement d'un monde où la raison inspire tous les êtres humains [144] » —, mais ne permet pas de concevoir les *moyens* requis pour atteindre cette fin. C'est pourquoi la politique ne saurait être résorbée par la morale.

Nous n'aboutissons nullement au désaveu de « la Raison ». Mais de celle-ci nous devions bien regarder en face les corruptions, les instrumentalisations, les manipulations, les appauvrissements, qui engendrent et justifient la haine de la raison, avec ses invariables et incessants retours. Maritain avait vu cela, qu'il pensait classiquement sous le schème de l'insubordination d'une raison décrochée de l'amour. Car la raison absolument prétentieuse ne peut qu'engendrer la prévention absolue contre la raison : « Il se trouve que n'étant plus maintenu sous l'ordre de la charité, l'ordre de la raison s'est corrompu partout, et ne suffit plus à rien [...]. Tout le soi-disant supraratiónnel qui n'est pas dans la charité ne sert en fin de compte que l'animalité. La haine de la raison ne sera jamais que l'insurrection du genre contre la différence spécifique [145]. »

Mais il n'y a pas de commencement historique assignable à cette corruption de la raison. Si l'homme est « courbe », comme aimait à le dire Kant, il y a une infirmité générale en lui, qui le touche également en tant qu'il est cet « animal doué de raison » — définition qui, entre autres, fait sa réputation. Mais cette fameuse définition convient aussi aux démons [146]. Remarque essentielle.

Boris de Schloezer rapporte une conversation avec Léon Chestov : « Comme je lui citais ces paroles lues je ne sais où . "Hors de la raison, point de salut" : "C'est vrai, me dit-il, mais à condition d'admettre que le salut consiste à explorer sa prison, à l'aménager dans l'espoir de la rendre tant soit peu habitable." [147]. »

Peut-être une certaine sagesse acceptant la finitude répond-elle seule au tragique : accepter avec l'espoir du désespoir la « prison » des catégories et du principe de contradiction, accepter lucidement la tragédie de la « courbure [148] ».

Parodiant une formule d'Adorno et Horkheimer [149] sur la philosophie, nous dirons qu'il s'agit pour nous d'accomplir une critique de la raison qui, en tant que telle, ne veut pas sacrifier la raison.

14

L'éthique : l'infini de la loi au-dessus de la loi ?

« C'est une chose déplorable de voir tous les hommes ne délibérer que des moyens, et point de la fin. Chacun songe comme il s'acquittera de sa condition ; mais pour le choix de la condition, et de la patrie, le sort nous la donne [1]. »

Blaise PASCAL.

DU DEVOIR AUX FINS, ET DES VALEURS (KANT)

« L'éthique ne donne pas des lois pour les actions (c'est le droit qui le fait) mais seulement pour les *maximes* des actions [2]. »

Emmanuel KANT.

« Il reste vrai cependant qu'il y a des actes auxquels nous devons dire absolument non, quelles que soient les circonstances ; et c'est cela qui constitue la valeur permanente du formalisme kantien [3]. »

Jean WAHL.

Partons de la seconde formulation de l'impératif catégorique : « Agis de telle sorte que tu traites l'humanité, aussi bien dans ta personne que dans la personne de tout autre, toujours en même temps comme une fin, et jamais simplement comme un moyen [4]. » Nous savions déjà que nous pouvons faire de l'universalité, de « l'universabilité [5] », le signe de l'action accomplie par devoir. Un impératif catégorique représente une action comme nécessaire objectivement, sans rapport quelconque à une condition ou à une autre fin, comme bonne en soi [6]. La formule citée de l'impératif pratique suprême suppose que « l'homme, et en général tout être raisonnable, *existe* comme fin en soi, et *non pas simplement comme moyen* dont telle ou telle volonté puisse user à son gré[7] ». Si l'humanité doit être considérée comme fin en soi, c'est parce qu'elle est la forme sous laquelle la nature raisonnable nous est donnée[8]. L'homme a donc une valeur qui n'est ni mesurable ni conditionnelle, ce qui le distingue absolument de « tous les objets des inclinations » qui « n'ont qu'une valeur conditionnelle[9] ». L'homme, certes, mais en tant qu'être raisonnable : il faut insister sur ce point, afin d'éviter toute mésinterprétation anthropocentrique et empiriste de l'éthique kantienne. Kant est pourtant sur la question aussi clair que ferme : « A supposer qu'il y ait quelque chose *dont l'existence en soi-même* ait une valeur absolue [...] c'est en cela et en cela seulement que se trouverait le seul principe d'un impératif catégorique possible [...]. Or je dis : l'homme et, en général, tout être raisonnable, *existe* comme fin en soi-même, et non pas simplement comme moyen[10]. » Si la loi morale doit « valoir pour tous les êtres raisonnables [...] et être loi pour toute volonté humaine seulement pour cette raison[11] », cela signifie que « l'anthropologie ne joue aucun rôle, ne doit ni ne peut en jouer lorsqu'il est question de fonder la morale[12] ». La validité absolue de la loi morale signifie qu'elle vaut pour tous les êtres raisonnables, humains ou non humains, dans tous les mondes possibles[13]. C'est pourquoi l'on doit exclure toute interprétation naïve, de type humaniste, de la seconde maxime : « Elle ne signifie pas que la personne comme telle soit une fin ; elle n'institue pas un humanisme ou un personnalisme [...] La fin, ici, n'est pas l'homme, mais l'humanité en lui, c'est-à-dire la raison universelle agissant par la bonne volonté[14]. »

Aux êtres raisonnables, les « personnes », il faut accorder une *valeur absolue* ou inconditionnée, tandis qu'aux « choses » il ne faut attribuer qu'une *valeur relative*[15] ou conditionnelle. La distinction entre choses et personnes est ici fondamentale : « Les êtres dont l'existence dépend [...] non pas de notre volonté, mais de la nature, n'ont cependant, quand ce sont des êtres dépourvus de raison, qu'une valeur relative, celle de *moyens*, et voilà pourquoi on les nomme des *choses* ; au contraire, les êtres raisonnables sont appelés des *personnes*, parce que leur nature les désigne déjà comme des fins en soi, c'est-à-dire comme quelque chose qui ne peut pas être employé simplement comme moyen, quelque chose qui par suite limite d'autant toute faculté d'agir comme bon nous semble (et qui est un objet de respect). » Le fondement du principe pratique suprême étant que « la nature raisonnable existe comme fin en soi », il faut entendre par là une fin telle qu'elle ne puisse être remplacée par aucune autre, ou subordonnée à aucune autre dont elle serait le moyen. Les êtres raisonnables devant se traiter réciproquement comme des fins en soi [16], il est possible de concevoir leur union systématique sous des lois communes. Tel apparaît l'idéal du « règne des fins [17] », si par *règne* l'on entend « la liaison systématique de divers êtres raisonnables par des lois communes [18] ». Il s'ensuit que la morale kantienne récuse tout recours à une finalité technique (rationalité instrumentale) [19] ou cosmologique, mais admet la finalité en un sens strictement formel et « abstrait », en tant qu'inscrit dans les maximes de la règle morale. Si, en effet, le sujet est appelé à agir de telle sorte que la maxime de son action puisse instituer une législation universelle, c'est-à-dire de telle sorte qu'il puisse se considérer comme législateur et comme sujet dans le règne des fins rendu possible par la liberté de la volonté, c'est que la fin suprême de la morale est de promouvoir la raison dans le monde, de faire agir ou exister la raison, d'instituer le règne de l'universel [20]. Le règne des fins qui doit s'instituer n'est que le règne de bonnes volontés autonomes. Aussi peut-on conclure que « la finalité, cette idée de la raison en acte, se réduit, chez Kant, à l'universalité [21] ».

L'essentiel est ici l'introduction du concept d'humanité comme fin en soi, la nature humaine étant une « spécification concrète de l'être raisonnable [22] ». Or, un être raisonnable « appartient, en qualité de *membre*, au règne des fins, lorsque, tout en y donnant des lois universelles, il n'en est pas moins lui-même soumis aussi à ces lois [23] ». Il y appartient, ajoute Kant, « *en qualité de chef*, lorsque, donnant des lois, il n'est soumis à aucune volonté étrangère [24] » : sa volonté est alors « une volonté parfaite ou sainte [25] ».

Plaçons-nous dans le règne des fins : toute action y possède une valeur, mais ces valeurs sont différentes, se présentent selon une échelle hiérarchique. « Dans le règne des fins tout a un *prix* ou une *dignité* [26] », affirme Kant, reprenant une distinction d'origine stoïcienne [27]. Il s'agit de bien concevoir « l'idée de la *dignité* d'un être raisonnable qui n'obéit à d'autre loi que celle qu'il institue en même temps lui-même [28] ». Pour cela, il faut déterminer plus précisément, dans leur différence, les deux modes d'estimation de la valeur : « Ce qui a un prix peut être aussi bien remplacé par quelque chose d'autre, à titre *d'équivalent* ; au contraire, ce qui est supérieur à tout prix, ce qui par suite n'admet pas d'équivalent, c'est ce qui a une dignité. » Le premier critère de ce qui a un prix est représenté par la substituabilité ou l'échangeabilité : a un prix la *chose* qui se reconnaît à ce qu'étant commensurable avec d'autres « choses », elle est échangeable contre des choses équivalentes. Parmi les choses qui ont simplement un prix, c'est-à-dire « une valeur relative », il faut en outre distinguer entre celles qui ont un *prix marchand (Marktpreis)* et celles qui ont un *prix de sentiment (Affektionspreis)*. Elles ont un prix marchand quand elles se rapportent « aux inclinations et aux besoins généraux de l'homme » : il en va ainsi de « l'habileté et [de] l'application dans le travail ». Leur valeur relative ou extrinsèque relève du domaine de l'utilité, de la satisfaction des besoins ou de la réponse aux penchants. Les choses ont un prix de sentiment quand, sans même se rapporter à des besoins ou des penchants, elles correspondent « à un certain goût, c'est-à-dire à la satisfaction que nous procure un simple jeu sans but de nos facultés mentales [29] ». Ont par exemple un prix de sentiment « l'esprit, la vivacité d'imagination, l'humour [30] », qualités estimées hors de tout souci d'utilité, sans considération d'avantages matériels.

Ce qui a une valeur irréductible aux deux catégories de « prix », ce qui possède « une valeur intrinsèque, c'est-à-dire une *dignité* [31] », c'est ce qui n'a pas d'équivalent, qui n'est donc pas échangeable : par exemple « la fidélité à ses promesses, la bienveillance par principe [32] ». Ces qualités sont morales pour ce qu'elles ont une valeur incomparable : elles se rapportent directement à l'homme comme sujet moral [33] et valent par elles-mêmes. La valeur qui s'estime comme une dignité est « ce qui constitue la condition qui seule peut faire que quelque chose est une fin en soi [34] ». La question étant de découvrir ce qui a une « valeur intrinsèque absolue ». Or, comme l'a établi la première section des *Fondements*, seule la bonne volonté, considérée en elle-même, peut-être dite bonne absolument. La condition qui « seule peut faire qu'un être raisonnable est une fin en soi » est la moralité, « car il n'est possible que par elle d'être un membre législateur dans le règne des fins ». La valeur des qualités morales consiste « dans les intentions, c'est-à-dire dans les maximes de la volonté qui sont prêtes à se traduire ainsi en actions, alors même que l'issue ne leur serait pas favorable ». Lorsque notre volonté, par l'intention moralement bonne, devient identique à la loi, l'on doit « reconnaître la valeur d'une telle disposition d'esprit comme une dignité », par où on la « met à part infiniment au-dessus de tout prix ». Incomparabilité et incommensurabilité de la valeur de dignité : « On ne peut d'aucune manière la mettre en balance, ni la faire entrer en comparaison avec n'importe quel prix, sans porter atteinte en quelque sorte à sa sainteté. » C'est que l'intention bonne confère à l'être raisonnable la faculté de « *participer à l'établissement de lois universelles*, et qui le rend capable par là même d'être membre d'un règne possible des fins ». La bonne volonté, l'action accomplie par devoir, le respect envers la loi morale, l'autonomie : la dignité de l'humanité en chaque personne, sa « sainteté », en résulte en tant que présupposition commune. « Nulle chose [...] n'a de valeur en dehors de celle que la loi lui assigne. Or la législation même qui détermine toute valeur doit avoir précisément pour cela une dignité, c'est-à-dire une valeur inconditionnée, incomparable, que traduit le mot de *respect*, le seul qui fournisse l'expression convenable de l'estime qu'un être raisonnable en doit faire. L'*autonomie* est donc le principe de la dignité de la nature humaine et de toute nature raisonnable. » C'est bien à partir de Kant que le problème de la valeur, selon une remarque de Jean Wahl, a pu « se poser en tant que problème séparé [35] ». L'éthique kantienne suppose en effet qu'alors que « toutes les choses que nous désirons n'ont que des valeurs déterminées et conditionnelles [...] seuls, les êtres raisonnables ont une valeur absolue ; ils sont et doivent être des fins en eux-mêmes [36] ». Si le monde des fins, le monde des valeurs, « est fermé, d'après Kant, à l'entendement théorique », il s'ouvre à la raison pratique [37]. Telle est la voie qu'a pu suivre, et que peut toujours suivre, le projet d'un socialisme éthique : si « la législation propre au règne des fins, à la république des volontés, fait tout estimer selon la dignité de la personne, [...] [elle] n'autorise qu'en les subordonnant à cette dignité les actions par lesquelles les sujets raisonnables sont des moyens [38] ». A la question : « Quelles sont les fins qui sont en même temps des devoirs ? », Kant répond avec simplicité : « *Ma perfection propre* et le *bonheur d'autrui* [39]. » Mais il savait que l'inversion de la double prescription est chose du monde la mieux pratiquée : les hommes recherchent leur bonheur personnel et se donnent pour fin la perfection d'autrui [40].

Les droits d'autrui (Lévinas)

« Tout commence par le droit de l'autre et par mon obligation infinie à son égard. »

Emmanuel Lévinas.

D'Abraham, « père des croyants », E. Lévinas dit qu'il était « surtout celui qui a su recevoir et nourrir des hommes : celui dont la tente était ouverte aux quatre vents [41] ». De sorte que la descendance d'Abraham « est de toute nation : tout homme véritablement homme est probablement de la descendance d'Abraham [42] ». Celle-ci est à concevoir comme constituée de ces « hommes à qui l'ancêtre légua une tradition difficile de devoirs à l'égard d'autrui, qu'on n'a jamais fini d'accomplir, un ordre où l'on n'est jamais quitte, mais où le devoir prend avant tout la forme d'obligations à l'égard du corps, le devoir de nourrir et d'abriter [43] ». Les droits de l'homme sont en ce sens d'abord les droits d'autrui, qu'il s'agit de reconnaître et respecter jusque dans ses besoins les plus élémentaires. Il faut faire descendre l'universaliste abstrait de sa tour d'ivoire philanthropique : c'est moins l'ouverture d'esprit et la tolérance que l'ouverture des portes et le don sans calcul qui témoignent du sens des droits de l'homme. Par là, déjà, le doute est jeté sur une éthique qui se fonderait soit sur la pure réciprocité des subjectivités interlocutives dans le dialogue, soit sur la pure universalité formelle de la loi morale. La voie éthique de la métaphysique, chez Lévinas, s'écarte aussi bien du modèle dialogique illustré par la philosophie de Martin Buber que du modèle kantien de l'« universabilité » de la maxime de mon action. D'où l'insuffisance de principe d'une éthique fondée sur l'échange, la relation de don et de contre-don, ou sur le pur respect de la loi morale : la primauté d'Autrui et l'infini qu'il porte devant moi sont par là méconnus.

Mon obligation infinie à l'égard d'autrui est le sens de ma responsabilité en face d'un visage tout autre, celui de l'étranger [44] — et quelle que puisse être l'inévitable ingratitude de l'autre. Telle apparaît la responsabilité pour autrui, c'est-à-dire une responsabilité « pour ce qui n'est pas mon fait, ou même ne me regarde pas ; ou qui précisément me regarde, est abordé par moi comme visage [45] ». Il ne suffit certes pas de se contenter de donner, car « tout dépend de la manière[46] », ajoute Lévinas rejoignant un thème cher à V. Jankélévitch[47]. Interrogeons-nous sur l'insuffisance du dialogue, tant vanté dans ses vertus, valeur centrale dans la version contemporaine de la sagesse des nations. L'insuffisance de la relation dialogique est celle de la structure de réciprocité en tant que modèle et fondement de la relation éthique : la réciprocité du Je et du Tu relève du formalisme d'une rencontre qui « se renverse et se lit de gauche à droite, comme de droite à gauche indifféremment[48] ». Les évidences (ou les présuppositions) dialogiques sont la symétrie des positions interlocutives, la réciprocité parfaite (en tant que norme) et la réversibilité idéale des postes discursifs, la mise sur le même plan et l'appartenance à un même espace spirituel-culturel (condition du consensus visé) du Je et du Tu. Les objections faites à la philosophie dialogique, ou plutôt dialogale, de Martin Buber se recueillent toutes dans ce motif critique : le risque d'indifférence à « la dimension de hauteur » qui affecte autrui dans la relation éthique. Dans cette dernière, de moi à autrui je ne vais pas du Pareil au Même. L'altérité d'Autrui doit se penser au-delà de l'égalitarisme parfaitement réalisé dans le dialogue conforme à son concept : Tu est posé par Je comme pareil à lui et au même niveau que lui. Mais la relation éthique ne surgit pas à l'intersection des principes de similitude et d'égalité. L'éthique commence « lorsque le Je aperçoit le Tu *au-dessus* de Soi[49] » : « Autrui est à la fois plus haut que moi et plus pauvre que moi. » Il s'ensuit que même le « pur spiritualisme de l'amitié » — négligeons « le simple matérialisme du contact objectif » — manque la relation éthique qui tient toute dans l'accès à l'altérité de l'Autre par sa « dimension de hauteur et de misère ». Il faut voir au-delà de la *philia*, de toute somme, aussi belle soit-elle, d'échange, de réciprocité et de respect : « On peut se demander si vêtir ceux qui sont nus et nourrir ceux qui ont faim n'est pas le vrai et concret accès à l'altérité d'autrui — plus authentique que l'éther de l'amitié[50]. » A Martin Buber, Lévinas écrivait le 11 mars 1963 qu'Autrui est « toujours et en tant qu'Autrui le pauvre et le dénué (en même temps que mon seigneur)[51] ». Ce qui implique que la relation éthique soit « *essentiellement* dissymétrique[52] ». Or, il y a dans l'idéal du dialogue — échanges égalitaires, projets communs et horizon consensuel — une insensibilité foncière et cachée à l'éthique : penser le rapport à Autrui selon le modèle dialogique, c'est tendre à réduire l'autre à un partenaire doté des mêmes droits à la parole que moi, aussi respectable en tant que tel que moi, c'est saisir autrui comme un autre moi-même — un *alter ego*. D'où cette méconnaissance abyssale de l'éthique, qu'incarne une certaine interprétation de l'impératif : « Aime ton prochain comme toi-même », c'est-à-dire comme un autre toi-même, et en vertu de ce qu'il est tel. Lévinas nous engage à y entendre une tout autre exigence : aimer autrui plutôt que soi-même, avant soi-même, l'aimer pour et comme lui-même. Ne pas réduire l'altérité d'Autrui à une image du Même, qui est Moi.

L'éthique produit l'éclatement de tout système spéculatif par « l'impossibilité même où est la pensée qui réduit tout autre au même à réduire Autrui [53] ». Cette impossibilité, qui se confond donc avec l'« éclatement du système à partir d'Autrui », met corrélativement en question le Moi : « Cette mise en question signifie la responsabilité du Moi pour l'Autre. La subjectivité *est* dans cette responsabilité et seule la subjectivité irréductible peut assumer une responsabilité. L'éthique, c'est cela. » Redéfinition du Moi à partir de sa « mise en question [...] dans le visage d'Autrui » : « Être Moi signifie dès lors ne pas pouvoir se dérober à la responsabilité. [...] La mise en question de Moi par l'Autre me rend solidaire d'Autrui d'une façon incomparable et unique. [...] L'unicité du Moi c'est le fait que personne ne peut répondre à ma place [54]. » Les trompeuses morales du Moi premier moteur et de ses doubles montrent leur inconsistance devant « la responsabilité qui vide le Moi de son impérialisme et de son égoïsme [55] ». Enfin surgit « l'altruisme total [56] », par-delà les ruses de l'égocentrisme et de l'égomorphisme : « Découvrir au Moi une telle orientation, c'est identifier Moi et moralité. Le Moi devant Autrui est infiniment responsable [57]. »

Il fallait rompre positivement avec le formalisme des morales idéologiques : le dialogue irénique généralisé, l'échange et la bonne volonté de réciprocité, la conformité à une exigence universalisable, la protestation critique devant les abus, la dénonciation publique des formes de l'intolérable, etc. Ces belles et bonnes attitudes et pratiques n'engagent qu'un Moi pourvu d'un idéal du Moi, et ne l'engagent qu'à demi. Il faut dégager le Moi de lui-même, et partir de la décentration en faveur de l'Autre, de la dissymétrie ordonnée à la précellence d'Autrui. La solidarité et la fraternité, disons la justice, ne commencent pas avec l'échange et le dialogue, où l'Infini ne saurait transparaître. Il faut attendre le surgissement du visage dans sa nudité : « Si le visage est l'en-face même, la proximité interrompant la série, c'est qu'il vient énigmatiquement à partir de l'Infini et de son passé inmumémorial et que cette alliance entre la pauvreté du visage et l'Infini s'inscrit dans la force avec laquelle le prochain est imposé à ma responsabilité avant tout engagement de ma part — l'alliance entre Dieu et le pauvre s'inscrit dans notre fraternité[58]. » L'altérité d'Autrui est infiniment différente de celle d'un *alter ego*, car l'infini qui s'y dévoile est « altérité inassimilable, différence absolue par rapport à tout ce qui se montre, se signale, se symbolise, s'annonce et se remémore ». Telle est la voie de l'« humanisme de l'Autre Homme », que montre le « sens insolite » de *Jérémie*, 22, 16 : « Il faisait droit au pauvre et au malheureux [...] Voilà certes ce qui s'appelle me connaître, dit l'Éternel. »

L'éthique impliquée par l'universalisme biblique se fonde ainsi sur une intuition fondamentale qui s'énonce dans l'apparent paradoxe : « S'apercevoir que je ne suis pas *l'égal* d'autrui[59]. » Mais cette proposition doit être entendue dans un sens très strict : « Je me vois *obligé* à l'égard d'autrui et par conséquent je suis infiniment plus exigeant à l'égard de moi-même qu'à l'égard des autres. » Telle est l'interprétation éthique de l'élection d'Israël, élection « qui n'est pas faite de privilèges, mais de responsabilités ». Paradoxal particularisme qui conditionne l'universalité, qui en ouvre l'accès. La réciprocité de la relation éthique est ainsi fondée sur une inégalité originelle : « Pour que l'égalité puisse faire son entrée dans le monde, il faut que les êtres puissent exiger de soi plus qu'ils n'exigent d'autrui, qu'ils se sentent des responsabilités dont dépend le sort de l'humanité et qu'ils se posent, dans ce sens, à part l'humanité. » Cette infinie responsabilité, qui donne son contenu essentiel à l'universalisme, est instaurée par le fait extraordinaire « qu'il peut y avoir un *moi* qui n'est pas *moi-même*, un moi vu de face ». Dès lors qu'une religion permet d'affirmer, avec Rabbi Meïr, qu'un païen qui connaît la Thora est l'égal du grand-prêtre, cette religion est universelle, elle est ouverte à tous. Ainsi la notion d'Israël se laisse-t-elle séparer « de toute notion historique, nationale, locale et raciale ». L'élection, comme indication cryptique d'un surplus d'obligations et d'exceptionnels devoirs, contient la promesse de l'abolition des différences entre Juif, Hellène et barbare, mais enveloppée dans l'affirmation du particularisme, et comme tâche toujours à recommencer.

De la France telle qu'elle lui apparut en 1923, alors qu'il venait de Lituanie, E. Lévinas dit son admiration : « A travers les maîtres qui avaient été adolescents lors de l'affaire Dreyfus, vision, pour un nouveau venu, éblouissante, d'un peuple qui égale l'humanité et d'une nation à laquelle on peut s'attacher par l'esprit et le cœur aussi fortement que par des racines. » Il n'est guère de commentaire plus éclairant que celui qu'en donne A. Finkielkraut : « Un peuple qui égale l'humanité : c'est un peuple qui ne cherche pas sa spécificité dans la couleur locale, dans le pittoresque, dans l'affirmation d'une essence originale mais dans l'attachement à des valeurs universelles. Une nation à laquelle on s'attache par l'esprit et par le cœur : c'est une nation qui se vit comme un rassemblement d'individus unis par une adhésion consciente et rationnelle à certains principes, comme en témoigne l'expression : "France, patrie des droits de l'homme" [60]. »

Il est difficile de ne point suivre Rudolf Bultmann lorsqu'il affirme que, pour l'homme moderne, « l'idée d'un Dieu qui est au-dessus ou au-delà du monde, ou bien est impensable, ou bien se pervertit en une religiosité qui voudrait fuir le monde [61] ». Il reste néanmoins une porte ouvrable, qu'incarne « la conception de Dieu qui peut trouver, chercher et trouver, en tant que possibilité de rencontre, l'*Absolu dans le relatif*, l'Au-delà dans l'en-deçà, le Transcendant dans le présent ». L'idée d'une présence éventuelle de la transcendance dans l'immanence définit l'une des conditions d'un humanisme qui ne serait pas anthropocentrique, ne se réduirait pas à un naturalisme ou à un immanentisme intégral divinisant l'espèce humaine en tant qu'espèce. C'est la disponibilité ou l'ouverture « de chaque instant aux *rencontres de Dieu dans le monde, dans le temps* », qui constitue dès lors la foi réelle, et non pas « la connaissance d'une image de Dieu, si exacte soit-elle ». L'humanisme non égologique (l'Humanité n'étant que la promotion de l'*ego* par généralisation et absolutisation) se résume, selon le mot de Paul (Rom. 13,9) sur les dix commandements, dans une parole, celle qui dit d'aimer. La fondation religieuse de l'éthique se confond avec l'expérience de la présence de l'éternité dans le temps, telle que l'illustre admirablement le tableau esquissé par Jésus du jugement du monde (Mt. 25, 31-46). Bultmann le présente avec simplicité : « Le Juge du monde rassemble les hommes devant son trône, à droite et à gauche. A ceux qui sont à sa droite il dit : "J'ai eu faim et vous m'avez donné à manger, j'ai eu soif et vous m'avez donné à boire ; j'étais un étranger et vous m'avez accueilli..." Et quand les interpellés, stupéfaits, demandent : "Quand avons-nous fait tout cela ?" le Maître répond : "Ce que vous avez fait à l'un de ces petits de mes frères, c'est à moi que vous l'avez fait !" »

Aperçu d'une sagesse « antiraciste » : la voie indirecte (Scheler)

Accordons à l'antiracisme hégémonique que le racisme tient son énergie des passions et pulsions qui le portent. Et posons la question : que faire ? On connaît la thèse de Max Scheler : « L'esprit en tant que tel est, sous sa forme "pure", originairement *dépourvu de toute "puissance"*, de toute "force", de toute "activité" [62]. » L'esprit n'ayant pas d'énergie propre [63], il faut « adopter [...] une conception beaucoup plus modeste [que la « théorie classique »] du rôle que jouent dans l'histoire l'*esprit* et la *volonté* de l'homme [64] ». Les idées, pour s'inscrire dans l'histoire et la marquer de leur influence, doivent nécessairement s'appuyer « sur des intérêts et des passions — c'est-à-dire sur des puissances qui émanent de la *sphère vitale et instinctive de l'homme* [65] ». Les idées et valeurs, dénuées de puissance propre originaire, doivent être assimilées « par les grandes tendances instinctives des groupes, et par les intérêts enchevêtrés qui les relient [66] ». L'esprit et la volonté de l'homme ne peuvent avoir d'autre rôle que la *direction*, c'est-à-dire la « visée de l'idée et de la valeur mêmes, qui se réalisent chaque fois par les mouvements instinctifs », et la *conduction*, c'est-à-dire l'« inhibition » et la « libération » d'impulsions instinctives. Car « ce dont l'esprit est *incapable*, c'est d'*engendrer* ou de supprimer lui-même une force impulsive quelle qu'elle soit ». La réalisation de l'esprit suppose la médiation des formes inférieures de l'être, qu'il ne peut que « sublimer ». Le processus est le suivant : « L'esprit comme tel *présente* des idées aux puissances instinctives, et [...] aux impulsions qui doivent déjà exister la volonté procure ou soustrait les représentations grâce auxquelles ces idées peuvent être actualisées. » Entre l'esprit et la vie, il y a bien différence de nature, mais aussi bien complémentarité. Ce qui est exclu, c'est d'espérer de la seule volonté comme telle une maîtrise des passions et impulsions : « Une lutte *directe* de la volonté *pure* contre les instincts est chose impossible. » Scheler met ici en avant les effets non voulus de l'acte volontaire : quand on se propose de lutter directement par la volonté, celle-ci « a au contraire pour résultat d'inciter davantage les tendances à suivre aveuglément leur propre direction ». L'impuissance originaire de la volonté et de la raison fait que lorsqu'elles prétendent vaincre par elles-mêmes les forces pulsionnelles, elles engendrent des effets pervers : « La volonté obtient le contraire de ce qu'elle veut quand, au lieu de viser une valeur supérieure, qui en se réalisant fait oublier le mal, et qui *attire* l'énergie de l'homme, elle cherche à réprimer simplement, à nier une tendance dont la fin est condamnée par la conscience. » L'analyse peut être appliquée à l'antiracisme hégémonique contemporain, qui est volontariste et rationaliste : les impulsions xénophobes, les préférences ethnocentriques du nationalisme de sentiment, lorsqu'elles sont combattues directement par l'antiracisme, sont par là même stimulées, radicalisées, poussées à s'absolutiser et à se chercher des légitimations dont le faisceau engendre le passage au racisme-doctrine. L'illusion idéaliste-spiritualiste consiste à croire que les impulsions vitales puissent être combattues et vaincues par la « puissance » de la volonté éclairée par la raison. Mais cette « puissance » est une fiction. La fiction de l'intellectualisme moderne, par excellence. C'est pourquoi la voie non pas la meilleure mais la seule bonne consiste à ne pas lutter frontalement contre les forces impulsives reconnues comme « mauvaises », mais à les contourner, et à les surmonter de façon indirecte. Il faut rendre hommage à Spinoza d'avoir compris que la raison est incapable de régler les passions, « à moins que par sublimation, dirions-nous aujourd'hui, elle ne *devienne elle-même une passion*[67] ». Il est possible de découvrir dans l'*Éthique* le fondement d'une doctrine de « non-résistance » au mal[68], et qui soit efficace, dénuée des présomptions rationalistes-volontaristes. La sagesse qui dérive d'une telle orientation est ainsi énonçable : « Il faut [...] que l'homme apprenne à se *supporter* lui-même, et à tolérer jusqu'aux inclinations qu'il reconnaît en lui comme mauvaises et pernicieuses. Il ne doit pas les attaquer *directement*, mais apprendre à les vaincre *indirectement* en employant son énergie à des tâches de valeur, que sa conscience approuve ou exalte, et qui lui sont accessibles[69]. » Face au « racisme », c'est-à-dire à l'ensemble des passions et pulsions ordonnées à l'exclusion ou à la discrimination, une telle sagesse invite à d'abord tolérer ce qui est intolérable aux yeux de l'esprit, mais pour mieux affirmer les passions positives contraires, les inscrire dans les pratiques, et par là vaincre indirectement les phénomènes dits « racistes ». Le paradoxe est le suivant : pour vaincre le racisme et convaincre ses « partisans », il ne faut pas « lutter contre le racisme ». Il faut revenir à la seule vraie pédagogie, celle de l'exemple : donner à voir des types réussis d'existence dénuée de « racisme » et de son double antagoniste, l'antiracisme. Certains travaux psychosociologiques contemporains décrivent ainsi des expériences réussies de vie quotidienne ou de vie professionnelle où le racisme (donc l'antiracisme) semble inconnu, dénué de sens existentiel. L'antiracisme s'épuise à lutter contre le racisme : le processus ne peut avoir de fin, il ressemble à un cercle infernal. Il s'agit de briser le cercle. Et de vivre hors de cet espace de combat où les adversaires n'existent qu'à la condition de se réinventer l'un l'autre à chaque instant.

Les droits de l'homme malgré tout

Nous nous proposons d'esquisser quelques arguments en faveur de l'affirmation et de la défense d'un rationalisme politique et d'un universalisme éthique de conviction, mais *modérés,* qui nous paraissent justifier l'invocation des droits de l'homme. Nul ne saurait mettre sérieusement en question le fait que les droits de l'homme sont aujourd'hui des instruments nécessaires, plus ou moins efficaces, dans la lutte contre les régimes totalitaires et autoritaires, les pratiques organisées de discrimination raciale, voire le mépris des personnes lié à la sclérose étatico-technocratique. S'il est vrai que chaque génération, selon une remarque de Max Scheler, a son « exigence de l'heure », une exigence propre et qui ne revient jamais [70], la défense des droits de l'homme est l'exigence qui, aujourd'hui, s'impose à nous.

La question du rationalisme, lorsqu'il déborde les strictes limites d'une théorie de la connaissance en fournissant des valeurs et des normes aux différentes régions de la pratique, a déjà été examinée dans ses formes extrêmes, voire extrémistes (le fanatisme antifanatisme). Si le *rationalisme dogmatique* a un usage légitime pour limiter les prétentions, d'ailleurs autodestructrices, des formes sceptiques de l'empirisme — mais non pas pour s'y substituer —, s'il permet de rappeler les exigences minimales du rationnel face aux offensives récurrentes de l'antirationalisme (traditionalisme, émotivisme, solipsisme esthético-romantique), si le *rationalisme critique* est bien apte à rendre compte de la logique de la découverte scientifique au sens moderne (Karl Popper) et à permettre la fondation de la morale par la délimitation du domaine propre de la raison pure pratique (selon la règle d'universalisation des maximes de l'action), c'est un *rationalisme problématique* qui nous paraît pouvoir le mieux échapper aux diverses formes de corruption du rationalisme (rigidité orthodoxe, fanatisme hypercritique, rêves de dictature par les plus rationnels). Comme l'a récemment suggéré Catherine Kintzler [71], c'est Condorcet qui a ouvert la voie sans l'avoir complètement pensée, et sans en avoir lui-même pu éviter la dogmatisation. Les exigences premières d'un tel rationalisme problématique portent sur le progrès général de l'instruction et de la réflexion, impliquant le perfectionnement des institutions. La première figure historiquement incarnée en est l'État de droit qui garantit l'exercice des droits de l'homme et du citoyen.

Par-delà l'évidente revendication de la subjectivité de la personne (« sujet de droits ») qui affirme ce qu'elle peut se permettre et ce qu'elle est fondée d'exiger, par-delà donc la liberté de la personne comme faculté d'autodétermination [72], la revendication proprement moderne des droits de l'homme a un sens précis, plus ou moins caché cependant, qui tient dans « le privilège humain de la perfectibilité [73] ». L'affirmation des droits de l'homme exprime une aspiration qui fait partie du propre de l'homme : d'une part, un besoin général d'amélioration de la condition humaine [74], certes, mais aussi bien, d'autre part, la visée d'un monde de réconciliation de l'homme avec lui-même, où l'idée même de droits, étant réalisée dans les mœurs, « perdrait toute signification [75] ». Le sens profond des droits de l'homme est que les hommes ne sont pas voués à la répétition indéfinie de conduites immémoriales, que le destin des hommes n'est ni dans les programmations instinctuelles qui les déterminent ni dans les codes culturels qui les séparent. Cet ennemi du principe individualiste des droits de l'homme, Auguste Comte, ne demandait pas autre chose : « Faire prédominer l'humanité sur l'animalité [76] », y compris sur ces substituts d'animalité que sont les communautés closes, quasi-espèces. Les droits de l'homme peuvent être, dans une autre perspective — théologique —, considérés comme accordés à l'exigence d'une universalité à réaliser dans le monde, lequel doit devenir un « monde un », s'instituer en communauté juridique universelle, symbole, pour les chrétiens, de la communauté universelle qu'est le royaume de Dieu[77]. Berdiaeff rappelait la distance infinie entre le symbole et le symbolisé transcendantal : « La démocratie est vraie pour autant qu'elle affirme la dignité de tout homme. Son erreur consiste à pousser à l'extrême les démarches d'objectivation [dont le type est l'État] de l'existence humaine [...]. Toute société est le royaume de César : la communion est le royaume de Dieu[78]. » Dès lors les droits de l'homme, en dépit de leurs présupposés métaphysiques — qui reviennent à des préjugés anthropocentriques —, de leurs incohérences ou d'inévitables conflits de légitimité (droits-libertés et droits-créances, droits des individus et droits des peuples, droits individuels et droits du vivant, etc.) ainsi que de leurs cyniques instrumentalisations politiques, incarnent l'espoir impliquant que l'humanité ne coïncide pas absolument avec le triste spectacle donné par ses figures empiriques.

Il reste que l'on ne saurait identifier avec les droits de l'homme l'exigence de justice, qui serait par là réduite à des *aspirations* individuelles ou collectives, celles-ci prétendraient-elles à l'universalité — en se baptisant, par exemple, « légitimes revendications », ou « juste lutte pour[79] ». La positivité des droits de l'homme doit se découvrir par-delà leur caractère subjectif et leurs contradictions internes.

La corruption spécifique des droits de l'homme — ce qui vaut pour l'antiracisme qui n'en est qu'une variante ou une application — réside, d'une part, dans le *culte* dont ils font l'objet, culte impliquant textes sacrés, mystères, clergé[80], et chapelles, célébrations solennelles, apologètes professionnels et inquisiteurs[81], bref, dans l'institution d'une communauté de fidèles impliquant l'excommunication des infidèles[82] ; d'autre part, dans l'attribution de droits à l'entité abstraite « l'homme » en tant que sujet d'inhérence unique[83]. L'homme est présumé « sujet de droits ». C'est en quoi l'expression « droits de l'homme » est mal formée, et partant source d'équivoque. Il nous paraît, à la suite de Michel Villey, que la rigueur oblige à dévoiler et traduire le contenu positif des droits de l'homme, par leur reformulation en *devoirs envers tous les hommes*[84].

Voilà qui oblige à procéder à une décentration radicale : partir non plus de mes droits (ou de nos droits) mais des droits d'autrui. Une telle recentration sur l'autre qu'Ego (ou son image élargie :

le Nous) ne va pas sans ascèse. Car il y a, dans un espace dominé par les valeurs de l'individualisme possessif et concurrentiel, une tendance de fond à la captation égoïste des droits, non moins qu'une propension à réduire les « droits de » en « droits à ». Peut-être alors l'individualisme éthique n'est-il qu'homonyme de l'individualisme concurrentiel et de l'individualisme hédoniste (exalté dans ses formes douces par les doctrinaires du « post-moderne »). La « personne » ne se réduit pas à l'auto-idéalisation du propriétaire, du prédateur, du jouisseur. Le sens profond du surgissement de l'individu comme personne, c'est-à-dire comme problème de la personne humaine, est que « l'homme ne peut être identifié à aucun rôle qu'il peut lui arriver de jouer dans le monde [85] ». Or, « l'individualisme moderne tel qu'il se déploie depuis la Renaissance [...] est une aspiration non pas à pénétrer au-delà et au-dessus de tout rôle, mais à jouer un rôle *marquant* [86] ». Voilà pourquoi une interprétation exigeante des droits de l'homme doit rompre avec le moderne culte individualiste du rôle. Patočka décrit avec profondeur les avatars de cette hypervalorisation du rôle : « Les combats de la révolution bourgeoise sont livrés pour un rôle (l'égalité est égalité des rôles, la liberté la possibilité de choisir le rôle qui nous convient !). A mesure qu'il se déclôt, l'individualisme moderne apparaît de plus en plus comme collectivisme (universalisme), le collectivisme comme faux individualisme [87]. »

Que signifie « défendre les droits de l'homme » ? C'est d'abord exiger qu'une société se réclamant des valeurs qu'ils supposent les réalise, ou du moins s'efforce de les incarner. Au porte-parole des droits de l'homme il faut alors, pour être conséquent, reconnaître un certain caractère prophétique : le prophète humanitariste « défend » les droits de l'homme en dénonçant les écarts par rapport aux valeurs et aux normes qu'ils enveloppent. Comme tel, le défenseur des droits de l'homme peut être rapproché du type du *protest-within* de Joachim Wach (par opposition au *protest-without*). Il s'agit d'un modèle du prophète, de type religieux (biblique) ou de type idéologique (démocratique moderne), comme créateur de dissonance [88]. La condition d'apparition d'un tel type de prophète humanitariste est que la remise en question de l'état social tel qu'il est, qu'opère le « dénonciateur » par sa parole (ou ses actes symboliques publics), se fasse « au nom même des valeurs et des croyances attestées par le groupe et dont celui-ci présente son organisation actuelle comme en étant le garant [89] ». Si donc le *protest-without*, perçu comme déviant, « perd paradoxalement son caractère dissonant, en ce sens que nulle réduction n'en est idéologiquement pensable[90] », le *protest-within* est l'instance dont la parole fait surgir et entretient la dissonance, en vue de la réduire. Son type d'intervention est fondé sur le postulat que la dissonance est réductible. La difficulté, avec les droits de l'homme, vient de ce que leur prophète-défenseur se présente comme porte-parole de la communauté idéale formée de l'ensemble de leurs « fidèles », communauté dont l'exigence première est de se constituer comme universelle, c'est-à-dire comme un groupe sans extérieur. Mais l'unification axiologique du genre humain est précisément ce qui est en question. Or, la condition d'efficacité de la défense des droits de l'homme est l'existence d'un auditoire universel défini par son adhésion au système de valeurs et de normes que le prophète humanitariste « défend ». Mais cet auditoire universel est lui-même une idée régulatrice, un idéal à incarner à l'infini.

15

Métapolitique républicaine : universalisme ou barbarie ? Universalisme sans barbarie ?

> « Une société émancipée ne serait pas un État unitaire, mais la réalisation de l'universel dans la réconciliation des différences. Aussi une politique qu'intéresserait encore sérieusement une telle société devrait-elle éviter de propager — même en tant qu'idée — la notion d'égalité abstraite des hommes. Elle devrait au contraire, attirer l'attention sur la piètre égalité actuelle [...] et concevoir un meilleur régime, à savoir des hommes pouvant affirmer leur différence sans peur [1]. »
>
> Theodor W. ADORNO.

> « Par essence il n'y a pas de zoologie des peuples. »
>
> Edmund HUSSERL.

Le mariage du pessimisme et de l'espoir engendre l'évidence insurmontable du tragique. Nous avons donné certaines raisons de supposer indépassable l'antagonisme des valeurs. Comment dès lors penser le politique ? La supposition d'un *différend axiologique* insurmontable nous oblige à ne poser l'universalisme qu'en tant que corrélat d'une exigence. L'exigence universaliste se manifeste dans l'ordre politique comme l'idée d'une tâche infinie, l'idée de la politique comme effort anti-tragique inchoatif. C'est ce qu'a bien vu, à sa manière, Michael Ignatieff : « Les besoins des hommes sont contradictoires et, spécifiquement, [...] le besoin de liberté et le besoin d'appartenance ou d'*enracinement* sont théoriquement inconciliables. [...] la politique est [...] la tentative perpétuellement recommencée de concilier dans la pratique ce qui est théoriquement inconciliable, à savoir l'incompatibilité des besoins humains de liberté et de sécurité, d'individuation et d'appartenance [2]. » Car la corruption des idéaux et valeurs menace sur les deux fronts : barbarie universaliste et barbarie différentialiste.

L'antagonisme des mondes de valeurs s'exprime aussi bien dans le conflit des grandes formes de solidarité, qu'exacerbent leurs respectives corruptions idéologiques. D'une part, les *solidarités de sang*, qui s'ordonnent au sens donné dans un monde traditio-communautariste, se corrompent en racisme d'exclusion et d'extermination. D'autre part, les *solidarités de raison*, ordonnées au sens construit dans un monde individuo-universaliste, se corrompent en racisme d'assimilation, en légitimation inégalitariste de l'impérialisme. Nous ne pouvons, en tant qu'hommes modernes, échapper ni aux solidarités que symbolise le sang (modèle de la famille) ni à celles que symbolise la raison commune (l'Humanité). Mais la solidarité entre les deux types polaires de solidarité n'est nullement un acquis, elle désigne une tâche. Sa première condition de réalisation est d'éviter les corruptions racistoïdes sur les deux fronts : le racisme de type II consiste à familialiser un groupe (ethnie, nation, peuple, race) situé entre la famille et le genre humain (déréalisé en tant qu'abstraction majeure) ; le racisme de type I consiste à déréaliser explicitement tout groupe d'extension moindre que celle du genre humain, comme s'il n'y avait rien (d'important) entre l'individu biologique et le genre (ou l'espèce), ainsi qu'à ériger subrepticement tel ou tel groupe en type idéal de l'Humanité, en modèle normatif auquel il devient « normal » d'accorder des droits et des devoirs spécifiques (aux représentants des « civilisations supérieures », aux porteurs par excellence de « la Civilisation », il revient de supporter le « fardeau de l'homme blanc », par exemple).

L'antagonisme des valeurs peut être formulé de façon moins polémologique que dans la tradition wébérienne, en insistant sur la différence des régimes de discours propres aux sphères éthique et politique, sur leur *hétérologie*. C'est ainsi que Ricœur, reprenant la distinction wébérienne des deux morales, pose l'insurmontabilité de l'écart et de la tension entre éthique et politique, mais réaffirme avec force leur interaction, qu'il faut interpréter comme intersection et non pas comme subordination : « C'est parce que la morale de conviction et la morale de responsabilité ne peuvent entièrement fusionner que l'éthique et la politique constituent deux sphères distinctes, même si elles sont en intersection. [...] Le danger, de nos jours, me paraît beaucoup plus grand d'ignorer l'intersection de l'éthique et de la politique que de les confondre. Le cynisme se nourrit volontiers de la reconnaissance en apparence innocente de l'abîme qui sépare l'idéalisme moral du réalisme politique[3]. »

« Ne serait-il pas fâcheux, parce que la musique de Mozart est sublime, que celle de Beethoven n'existât point ? »

Ernest RENAN.

Il reste à une philosophie politique républicaine la tâche de repenser son universalisme fondateur, qui est au principe d'une position antiraciste conséquente. La communauté intellectuelle française a récemment redécouvert la tradition, ou l'idée républicaine [4], qu'il est permis de repenser, à travers le « retour à Kant » esquissé par certains philosophes contemporains [5], comme une Idée de la raison [6]. Repenser l'universalisme, horizon et exigence que certains idéologues avaient hâtivement enterrés à coup d'ironie — « ce fameux et creux universalisme républicain », disait par exemple Shmuel Trigano [7] —, c'est aussi bien oser retrouver l'humanisme, par-delà deux décennies de terrorisme heideggéro-structuraliste. Mais il fallait préalablement que la raison critique réalisât deux tâches : montrer que la conception insulaire de l'identité collective, soit le penchant à faire de chaque type d'appartenance ethno-culturelle un château fort et une prison, se réduit à un mythe nationaliste apte à légitimer indéfiniment des massacres autodéfensifs ; distinguer l'universalisme authentique de ses instrumentalisations par l'ethnocentrisme occidental, en bref ne plus confondre la légitime critique des simulacres de l'universel avec le rejet nihiliste de toute exigence d'universalité [8]. Celle-ci disparue, il ne reste en effet que des forces singulières (individuelles et collectives) qui s'affrontent indéfiniment dans un espace de violence pure, où toute autre communication est par principe exclue. Monde de faits bruts et de forces brutales : « La formule nationaliste qui engendre la raison d'État : *My country, right or wrong*, illustre de façon éclatante cette chute des valeurs transcendantes dans l'immanence des seuls faits [9].» L'univers régi par le principe nationaliste est le règne de la violence pure. Et l'une des grandes impostures du siècle est d'entretenir la confusion entre la logique nationaliste et le sens des revendications minoritaires. Jacques Ellul, dans l'un de ses beaux textes intempestifs, avait fortement marqué, contre la pente idéologique, l'incompatibilité entre le terrorisme nationaliste et les droits des minorités : « Les vrais pauvres : les minorités que l'on oublie. Voilà la définition [...]. L'histoire des trente dernières années nous permet d'affirmer une loi générale : *les minorités ethniques et culturelles n'ont aucun droit à l'indépendance, doivent être effacées, et ont toujours tort* [...]. Entre la nécessité de fabriquer des nations et le droit des minorités à l'indépendance, la balance idéologique n'était pas égale. Le nationalisme est la loi universelle de notre temps. Le reste doit s'effacer. [...] Les opinions politiques inscrites dans la gamme des couleurs mondialement admise sont, à la rigueur, acceptables. Mais les minorités culturelles, absolument pas. Que, au nom d'un passé commun, d'une religion, de rites et de mœurs, d'une langue et de coutumes spécifiques, on veuille ne pas être soumis à un organisme politique national, centralisateur, unificateur, cela n'est pas acceptable. L'opinion mondiale est faite. Elle est sans recours. Les minorités ethniques et culturelles sont condamnées. Leurs membres sont les vrais pauvres de notre siècle [10] ». Penser à rebours, et doublement. Il faut d'abord penser les droits des minorités culturelles autrement que selon le modèle nationaliste dominant : voilà une difficile tâche. Et tout faire ensuite pour que les minoritaires ne sombrent pas dans la mythologie nationaliste : tache plus difficile encore. Alors même que l'histoire idéologique du XXe siècle abonde en exemples de couplages entre nationalisme absolu et réduction totalitaire des entités « particularistes », dont la régularité peut donner à penser qu'il s'agit là de manifestations d'une loi d'exercice de toute politique nationaliste moderne. Il en va ainsi de l'alliance du racisme d'État et de l'homogénéisation radicale du corps national dans le nazisme. Contentons-nous ici de nous instruire des descriptions admiratives d'un témoin engagé, Robert Brasillach. Celui-ci mettait fortement en évidence, dans le nouvel imaginaire institué par l'Allemagne hitlérienne, l'impératif d'un intégral dépouillement, par « l'homme fasciste », de tout « particularisme » régional, religieux ou culturel, c'est-à-dire de tout stigmate minoritaire, et ce, sur la base d'un jumelage des mythes d'unité et de pureté : « Nous avons vu naître l'homme fasciste [...]. Un exemplaire humain est né [...]. En Allemagne, c'est dans dix ans seulement, je pense, que nous verrons le véritable homme du troisième Reich, dépouillé de tout particularisme saxon ou bavarois, brassé dans les camps avec tous les autres Allemands de tout l'Empire [...]. [Les jeunes fascistes] veulent une nation pure, une histoire pure, une race pure [...], ils croient qu'[...] une nation est *une*, exactement comme est *une* l'équipe sportive [11]. »

L'analogie de l'équipe sportive est ici fort éclairante quant à la réduction des formes sociétales aux formes communautaires qui caractérise l'imaginaire national-socialiste et ses élaborations doctrinales. Ériger en société idéale le modèle de la communauté et ses diverses interprétations, oscillant entre la communauté de sang (la famille) et la communauté de travail ou de jeu (l'équipe), impliquant toutes l'idée d'une communauté de destin, voilà ce qui semble définir le plus profondément l'axiologie du nationalisme raciste, c'est-à-dire du *communautarisme intégral*. En ce sens, l'on pourrait soutenir que la confusion entre communauté et société représente l'illusion fondamentale du racisme comme idéologie antimoderne apparue dans le monde moderne, négatif du modèle de la « grande société » et réaction régressive dirigée contre celle-ci [12]. Deux formes symétriques de l'illusion surgissent qui s'illustrent par de nombreux exemples historiques :
— une communauté se prenant pour une société : telle est l'illusion minoritaire par excellence, remplissant à la fois une fonction autodéfensive et une fonction compensatoire dans le cadre moderne de l'État-nation. Illusion de la partie se prenant pour le tout ;
— une société se prenant pour une communauté : telle est l'illusion majoritaire par laquelle se représente et légitime comme totalité organique une population dont l'imaginaire est saturé de passions nationalistes. L'autoreprésentation communautaire permet à une population nationale menacée de « décomposition » (« crise d'identité », etc.) de recouvrer une identité collective puissante. Instrument mythologique efficace de cohésion sociale rapide et d'auto-identification, l'illusion communautariste fait bon ménage avec les rationalisations racistes : le régime national-socialiste en fournit la plus frappante illustration [13].

Il n'est pas superflu de préciser que l'idéal protoraciste de la communauté est celui de la communauté *organique*, fondée sur la dissolution de l'individu dans l'élément du corps national et sur l'intensité maximale du sentiment d'appartenance, *autosuffisante*, par opposition à l'idée de la communauté médiatrice entre l'individuel et l'universel [14], et *fermée*, dans laquelle les choix individuels sont quasi abolis ainsi que la liberté d'y entrer et d'en sortir [15].

Ce qui nous conduit à distinguer deux modèles interprétatifs, qu'on peut dire homonymes, de la « communauté » : d'une part, la *communauté médiatrice d'universalité*, l'intégration communautaire apparaissant comme condition nécessaire d'un horizon d'universalité pour tout sujet — dotée d'un ciel trans- ou méta-communautaire, la communauté d'appartenance n'a pas sa fin en elle-même, n'est pas autotélique, mais transactionnelle ; d'autre part, la *communauté autosuffisante*, totalité non transcendable, dépourvue de fonction médiatrice et d'horizon d'universalité : nommons-la *communauté-monde*. L'idée d'un universalisme non violent devient par là pensable.

Les retrouvailles de la philosophie et de l'humanisme laissent espérer que l'antinomie du nihilisme nationaliste/raciste et du moralisme humanitaire/antiraciste trouvera sa solution. La déclaration des droits des hommes ne devrait plus être interdite par celle des droits de l'homme. C'est dire que la démocratie culturelle [16] est toujours devant nous, et qu'elle doit l'être en tant qu'idée de la raison. Ce qui oblige prioritairement à désabsolutiser le principe de différence, afin de l'intégrer comme facteur de relativisation dans un humanisme non ethnocentrique.

Valeur indirecte de la différence, pour reprendre une formulation d'André Lalande [17]. Celui-ci a esquissé une philosophie générale, idéologie scientifique si l'on veut [18], centrée sur l'idée d'assimilation, érigée en principe fondamental de progrès : « Les grands *succès* de la science ont été, non des différenciations, mais des assimilations [...]. Dans l'ordre moral, on ne peut guère mettre en doute que la disparition de l'esclavage antique, et plus tard des Noirs, ont été des changements *en mieux* ; qu'il en est de même de l'égalité des citoyens devant la loi, de la réduction des privilèges dus à la naissance, de l'assimilation entre les droits des femmes et ceux des hommes [19]. » Si les ressemblances et les assimilations valent souvent pour et par elles-mêmes, et s'il faut se garder d'*exalter* le rôle de la diversité et de la différenciation, il faut néanmoins *reconnaître* la réalité des différences. Mais en précisant que « la différence, pour être valeur, doit être compensation », voire, comme dans l'amour et l'amitié, n'intervenir qu'à titre de supplément sur fond de ressemblance — « les différences sont comme du sel ». Dans une telle philosophie du progrès par assimilation croissante, « *la valeur des différences n'est jamais intrinsèque* ou [...] *jamais catégorique* : elle ne leur vient que soit de ce qu'elles servent à corriger, à compenser ou à prévenir d'autres différences, soit de ce qu'elles constituent une supériorité individuelle dans la réalisation d'autres valeurs, définissables elles-mêmes, selon toute vraisemblance, par un progrès de l'assimilation ». Le personnalisme de Lalande implique un double rejet : de l'individualisme égoïste, qui fait de la différence individuelle un absolu, et de toutes les formes de collectivisme, n'accordant nulle valeur à la personne comme telle. Il s'en dégage une éthique universaliste, fondée sur la norme de subordination de la différenciation à l'assimilation : « Travailler à dissoudre les oppositions qui mettent en guerre les individus, les partis, les groupes d'intérêts, les classes, les nations. On peut croire, si l'on veut, que la valeur absolue n'est pas le résultat final, mais le mouvement graduel de la différence à l'identité. » La théorie des valeurs et des normes de Lalande présente ainsi l'une des meilleures approximations du type idéal d'une éthique de l'assimilation universelle. Il ne lui manque qu'une pensée des conditions de son passage au politique. Manque qui peut paraître essentiel, pour autant qu'un personnaliste eût certainement refusé d'envisager l'instauration d'un empire universel.

La thèse de la primauté de l'universel dans l'ordre éthique, impliquant celle de la secondarité de la différence, permet donc de redéfinir la « barbarie » à partir de l'absolutisation des différences collectives — que la différence soit pensée comme attribut ou comme relation intercommunautaire. C'est dans cette même perspective que Max Horkheimer notait en 1961 : « Est barbare l'attitude qui consiste à ne pas traiter *a priori* un homme comme un particulier, comme une personne, mais à le définir en général et d'abord comme un Allemand, un Nègre, un Juif, un étranger ou un Méditerranéen[20]. » Il est clair que l'indétermination communautaire de l'individu, produite par neutralisation ou suspension de toute assignation à une origine fixe, est la condition de son « élévation » à une valeur infinie. Mais les humains empiriques ne sont que rarement des incarnations du type idéal de la personne auquel s'adressent les commandements de l'éthique. Les personnes incarnées doivent être non moins respectées dans les figures historico-culturelles de leur incarnation. Le non-respect de cette « chair » culturelle définit une *seconde barbarie,* engendrée par l'absolue négation de la valeur seconde de différence. Il faut donc *aussi* reconnaître la barbarie qui dérive de l'absolutisation d'une échelle de valeurs universelle. *La barbarie particulariste de la différence et de l'exclusion ne doit pas faire oublier la barbarie universaliste de l'inégalité et de l'uniformisation.* Et pourtant, c'est à l'horizon de l'universalité que se lève l'espoir.

L'IDÉE RÉPUBLICAINE

Nous ne pouvons que rencontrer à nouveau l'orientation kantienne [21] dont l'universalisme éthique, loin de se substituer à la pensée du politique, permet d'assigner à celui-ci ses normes et sa finalité dernière, « cosmopolitique ». L'union des hommes entre eux, dit Kant, « est en soi-même une fin (que chacun *doit avoir*) », elle est « un devoir inconditionnel et premier [22] ». C'est pourquoi le grand criticiste ne se laisse pas impressionner par les moqueries visant en son temps (tout comme aujourd'hui) les projets de paix perpétuelle [23]. L'idée de la paix perpétuelle définit en effet « l'exigence première et dernière de la morale en ce qui concerne la vie historique sur cette terre : il faut *fonder* l'état de paix, la société des États libres [24] ». Le postulat requis par la volonté de réaliser la paix est bien formulé par C.J. Friedrich : « L'idée que le droit est distinct du pouvoir et de la force est essentiel à une paix durable, car elle exclut la guerre comme un moyen de régler un conflit d'idées entre hommes [25]. » Kant, dans son *Projet de paix perpétuelle* [26], laisse entendre que la constitution républicaine est à penser comme une Idée de la raison, c'est-à-dire comme l'indication d'un idéal ou la position d'un principe régulateur pour notre réflexion sur la communauté humaine en général. L'usage régulateur [27] de l'Idée républicaine, en tant qu'« Idée d'une société libre, rationnelle et juste, où la loi régnerait absolument [28] », est ce qui permet aux « êtres moraux » ou « hommes de bonne volonté », en leur servant de repère et de critère, de prendre position vis-à-vis de la réalité sociohistorique, c'est-à-dire de la juger, et par là de l'orienter. C'est en quoi l'Idée républicaine est celle d'une tâche infinie. Notre problème est de nous donner les moyens philosophiques de dégager l'horizon des vapeurs opiacées exhalées par le fétichisme de la différence, soit sous la forme du particularisme tribal qui se pose comme indépassable : patrie idéologique du racisme ; soit sous la forme de l'idolâtrie humanitariste de l'individu hors du monde social : position de repli de la réaction antiraciste. Or, la perspective néo-kantienne nous permet d'esquisser une solution spéculative satisfaisante. En premier lieu, la référence à l'Idée républicaine « renferme [...] *une référence aux valeurs qui sont celles de l'humanisme moderne depuis l'Aufklärung*, puisqu'elle renvoie à la supposition que *l'espace public* — la *res-publica* — se fonde *idéalement* sur la possibilité d'une communication rationnelle entre les hommes [29] ». Nous retrouvons l'exigence de communicabilité universelle, en tant que présupposition transcendantale qu'une communication est toujours en droit possible au sein de l'humanité [30], dont il faut souligner, à la suite d'Habermas et avec Ferry et Renaut, qu'elle « n'exclut en aucune façon le respect pour les différences, mais au contraire les requiert [31] ». Voilà l'universalisme authentique, ni terroriste ni ethnocentrique, que nous recherchions et cherchons à fonder.

En second lieu, la référence à l'Idée républicaine présuppose « l'*unité*, au moins en droit, de l'humanité, par opposition à la barbarie qui, quelque forme qu'elle prenne, revient toujours à penser l'humanité comme *essentiellement* divisée (que ce soit en races, en classes ou même en cultures hétérogènes) [32] ». La barbarie est le différentialisme exclusiviste, qu'il s'exprime comme légitimation naturaliste de l'esclavage dans une métaphysique de l'ordre hiérarchique [33], ou comme fondement scientifique de l'exploitation, voire de l'extermination, des populations définies comme essentiellement inférieures, dangereuses ou nuisibles. Dès lors, le « droit à la différence », entaché d'une ambiguïté constitutive, doit être soumis à la raison critique : s'il peut servir, d'une part, à *limiter* les prétentions « totalitaires » d'un impérialisme à visage universaliste, il tend, d'autre part, et plus souvent, à *masquer* les crispations exclusivistes de tel ou tel particularisme tribal, ou à légitimer la fuite en avant dans les passions nationalistes et xénophobes. Il faut en convenir : le renoncement à l'exigence d'universalité, impliquant l'abandon (voire le refus) [34] de toute référence à des droits de l'humanité, ouvre la porte à la barbarie [35]. Nous désignons par barbarie l'état de l'humanité qui ne reconnaît pas l'humanité en elle-même. Le barbare est l'homme qui ne se reconnaît pas dans son humanité, celle qu'il partage avec qui lui ressemble le moins.

« Ne cherchons donc point d'assurance et de fermeté. »

Blaise PASCAL.

« Le sens du transcendant est le cœur de toute civilisation, l'essence même de l'humanité. Une culture adonnée à la recherche exclusive de l'"utilisable" n'est au fond que de la barbarie. Le monde se sustente à ce qui le dépasse[36]. »

Abraham Joshua HESCHEL.

Universalisme ou barbarie : telle est la forme de l'alternative qu'il convient *malgré tout* d'affirmer face aux célébrations exclusivistes de la différence, face aux archéo-nationalistes qui proclament « La France aux Français » ou, de façon euphémisée, « Les Français d'abord ». C'est la difficile question de la tolérance : à peine posée, et célébrée, les apories surgissent, les antinomies apparaissent. Dans la problématique de l'universel et de la différence, telle que nous avons tenté de l'élaborer, l'antinomie première est celle de la tolérance universaliste fondée sur l'abstraction d'une Raison une et unique, et de la tolérance différentialiste dont le commandement est de respecter absolument les identités communautaires. Voilà l'antinomie fondamentale : l'absolu respect de la personne s'oppose à l'absolu respect de la communauté comme telle. Elle ne peut être surmontée spéculativement qu'à partir d'un *pari* pour l'universel, suivi par la détermination des *limites* de l'exigence universaliste, afin que celle-ci ne puisse se dégrader en une visée d'unification terroriste par uniformisation imposée. Le seul, mais non négligeable, danger de l'universalisme réside dans sa tendance à l'immodération : l'exigence d'universalité doit être l'étoile guidant une quête, non le drapeau flottant sur l'assurance d'être dans le vrai et le bien. C'est pourquoi nous soutiendrons malgré tout que les voies de la tolérance la moins corruptible ne sont point pavées d'irréductibles différences, et qu'elles ne peuvent être illuminées que par une catholicité retrouvée, par-delà l'universalisme dogmatique de la petite raison triomphante des Modernes.

Si l'analyse de l'Idée républicaine permet de retrouver le sens de l'universel, celle de la démocratie comme Idée régulatrice rencontre l'exigence d'une communauté mondiale [37], au-delà de l'idolâtrie des appartenances figées, des communautés closes et des identités nationales verrouillées. L'Idée d'une communauté humaine est celle de la démocratie achevée, et non plus enclose dans les frontières d'un peuple-sujet, celles que requiert l'État-nation. L'Idée démocratique implique en outre le rejet du racisme pour autant qu'elle comporte une exigence d'universelle égalité : « L'avènement de la démocratie implique bien qu'il n'y a pas de fondement légitime à la hiérarchie des groupes sociaux, et que les hommes appartiennent tous en droit à la même condition [38]. » L'égalité déborde le cercle (fermé) des égaux, le club privé des pairs : telle est la pensée proprement moderne, propre à l'idée moderne de la démocratie, de l'égalité, qui se dit par excellence dans l'énoncé d'une proposition universelle, première prémisse des syllogismes de la pensée politique moderne — « tous les hommes sont égaux [39] ». L'exigence égalitaire, qui double en quelque sorte la délégitimation proprement moderne du modèle hiérarchique, s'oppose aux doctrines et aux régimes qui érigent en valeur suprême les liens de l'homme à la terre ou les liens du sang [40], et prétendent réaliser sans plus tarder une société homogène, réconciliée, sans conflits, identifiée à un peuple *un* [41].

Face à la différence et à l'universalité, le commencement de l'erreur est de prendre parti pour l'une, à l'exclusion de l'autre. Précipitation maximaliste. Ici comme ailleurs, la vérité réside dans le mixte, dans l'ordre intermédiaire, n'en déplaise au platonisme vague [42] mais exclusiviste qui régit notre pensée spontanée. Au bord extérieur de l'analyse froide, la guerre idéologique continuera de devoir se mener sur deux fronts. D'une part, face au *racisme anthropophage,* machine à dévorer les différences humaines, faux universalisme messianique dont se pare toujours encore tout impérialisme colonisateur, réducteur, prédateur. D'autre part, face au *racisme mixophobe,* ce faux respect de l'Autre dont se griment aujourd'hui les pulsions d'exclusion, les mythes jumelés du sang pur, du peuple homogène et du corps national sain, voire le culte de la culture nationale immaculée, et leur commun envers : la hantise du mélange. Ni la réduction de l'Autre au Même, ni la protection du Même contre l'Autre par le bâton de longueur de la *différence,* si noble. Mais le salut ne saurait apparaître, par miracle dialectique, au bout de la négation de la négation mixophobe : le métissage physique et culturel obligatoire ne serait qu'une illusion « révolutionnaire » de plus. On ne construit pas une méthode de résolution des problèmes par l'inversion d'un contre en un pour, ou la conversion d'une phobie en philie[43]. Ce serait confondre la pensée avec la prise de position pour ou contre une opinion : « Transposition de l'adhésion à un parti », diagnostiquait Simone Weil[44]. Mais l'esprit de parti, c'est-à-dire l'oscillation entre les partis contraires, console : « Les contraires — aujourd'hui on a la soif et l'écœurement du totalitarisme, et presque chacun aime un totalitarisme et en hait un autre[45]. »

« La tragédie des démocraties modernes est qu'elles n'ont pas réussi encore à réaliser la démocratie », affirmait Jacques Maritain en 1943[46]. L'élément tragique surgit dans l'incarnation politique même de l'optimisme moderne, qui se voulait enfin étranger au tragique, et posait l'homme en souverain maître de son destin. Le retour du tragique ne saurait s'accommoder des vestiges de l'humanisme naïvement anthropocentrique des Lumières, de sa philanthropie rêveuse. Seul un « humanisme héroïque », absolument distinct des formes individualistes de l'humanisme (individualismes concurrentiel, hédoniste, humanitariste), peut être à la hauteur du défi lancé par le sens du tragique. Car « l'héroïsme seul surmonte la tragédie[47] », seul il nous engage à poursuivre avec courage et générosité la grande aventure humaine que nomme si mal le mot « civilisation[48] ». Mais répétons-le : le véritable humanisme se moque de l'humanisme, comme le véritable antiracisme se moque de l'antiracisme. Les professionnels de l'humanisme ou de l'antiracisme ne peuvent qu'être des imposteurs.

Nous n'avons plus de certitudes absolues, pas même celle que Dieu est mort (nouveau fondement d'une théologie dogmatique paradoxale), ou que les dieux se sont enfuis en nous laissant le langage où parle leur absence (fondement d'une athéologie négative de l'écriture, ou d'une « polythéologie » négative pratiquée par le romantisme néo-païen). Nous devons vivre sans assurances dogmatiques (issues de la révélation, de la tradition ou de la raison), nous dispenser même de cette réassurance supplétive de l'humanisme anthropocentrique, dont les langues de bois de cette fin du XXe siècle accommodent concurremment les vestiges, en en achevant ainsi la corruption idéologique. Mais vivre *comme si* Dieu fondait le sens de notre existence. Le sens vrai ne se donne que sous l'horizon du « comme si ». Le vrai faux sens dérive de la divinisation moderne de l'Homme et s'illustre par ses conséquences spécifiques — à la présomption d'autosuffisance de l'humanitarisme correspond un envers défini, le fait et l'idée de

« crime contre l'humanité ». L'effacement de tout fondement absolu, y compris l'effacement de l'effacement de tout fondement absolu, nous place dans l'inquiétude, à l'état de veille où la lucidité est appel au courage. Voilà pourquoi l'humanisme doit être héroïque.

Nous avons avancé quelques arguments qui nous paraissent légitimer notre double rejet du relativisme sceptique (l'installation paradoxale dans la perpétuelle oscillation entre les contraires, ou le vagabondage hédoniste dans la forêt des différences) et du cynisme, qu'il soit réalisme de la force et de la puissance ou esthétisme pluraliste. L'orientation dialogique et l'intention herméneutique supposent l'exigence d'universalité en place d'*exigence première*. L'universalité ne saurait être dès lors que l'objet d'une exigence infinie, par-delà toute certitude d'« avoir raison » ou d'« être dans le vrai ». L'exigence universaliste première est à la fois l'expression d'une *aspiration* (justice), le motif ou l'enjeu d'un *pari* (liberté : le respect réciproque de l'autonomie de chacun, et l'ouverture de tous à tous) et le terme ou la visée d'une *espérance* (fraternité). Il faut parier pour l'universel, donner à notre inquiétude son objet métaphysique et sa norme première : l'exigence d'universalité. Car nous sommes embarqués. Né de l'inquiétude, voire dans la crainte et le tremblement, le pari signifie un échec de la raison : si en effet la raison était capable de prouver l'existence de Dieu ou sa non-existence, l'existence d'un ciel fixe de valeurs ou son inexistence, il n'y aurait pas à parier [49]. Le pari est ce par quoi peut s'opérer l'autodépassement de l'inquiétude. Nous n'avons pas d'autre choix : ou bien le sommeil dogmatique ou bien le pari. Celui-ci nous engage à accepter de demeurer dans l'incertitude du gain, lequel n'est pas la récompense du pari mais l'acte de parier lui-même.

Chacun, dans les strictes limites de son système de valeurs, ne voit la barbarie que dans l'œil de son voisin du système d'en face. Mais la barbarie n'est pas située dans tel ou tel univers axiologique. Elle ne réside ni dans l'exigence éthique d'universalité ni dans l'exigence « culturelle » d'identité, laquelle ne peut être que différentielle. La barbarie est engendrée par la corruption de l'une ou de l'autre exigence, lorsque chacune s'érige en absolu, niant par son exclusivisme l'existence même de l'autre exigence. La limite imposable à la barbarie est précisément la pensée qu'une exigence autre que la mienne existe et mérite d'exister : l'autre exigence, celle d'autrui, est la limite de *mon* exigence, ce sans quoi celle-ci n'est qu'haïssable. Telle est la « pensée de derrière » qu'il faut garder, réserve essentielle. Aux argumentations différentialistes il faut dès lors accorder la valeur fonctionnelle d'un *principe de limitation* des prétentions abusives de l'*idéologie* universaliste.

Le réalisme tragique, qui affirme l'hétérogénéité des valeurs sans s'en réjouir, voire leur conflit insurmontable sans pour autant s'en lamenter, aperçoit la double possibilité d'une barbarie universaliste et d'une barbarie différentialiste. Par la conscience aiguë de cette « croix » des corruptions idéologiques, nous ne prenons pas le confortable point de vue de Sirius. Nous nous engageons au contraire, mais après le désengagement rendu possible par l'intelligence du principe des débats et controverses. La conscience du principe échappe en tant que telle à l'emprise du principe. Le sujet montrant une telle intelligence du différend axiologique se place à distance des manifestations de celui-ci dans ce qui fait la « vie idéologique ». Il se garde des exclusivismes croisés autant qu'il est possible. Mais le sujet qui connaît et comprend n'est pas tout le sujet, ni le tout du sujet. C'est pourquoi il lui faut parier, expression intellectuelle de l'insuffisance du pouvoir de l'intellect. Voilà pour ce que peut l'intelligence. Le reste relève du hasard et du cœur, du courage et de la décision.

Le pessimisme n'est pas nécessairement conservateur. Car il oblige. Il appelle à vivre malgré l'intelligence qui déprime la vie, et requiert qu'on se donne un espoir insensé. Il fait penser les deux, les contraires et les contradictoires, en même temps. Il nous rend ainsi philosophe, enfant ou romancier. Voilà l'une des demi-certitudes dont nous aurions voulu montrer l'évidence simple, que dit ce mot de Francis Scott Fitzgerald : « On devrait par exemple pouvoir comprendre que les choses sont sans espoir, et cependant être décidé à les changer" [50]. »

Notes

Introduction

1. F.W.J. Schelling, *Leçons sur la méthode des études académiques*, I, 1802.

2. En 1971, Maxime Rodinson avait bien aperçu la nécessité de faire une distinction entre « racisme » et « ethnisme » (« Racisme, xénophobie et ethnisme », *L'Histoire, I, de 1871 à 1971 : les idées, les problèmes*, Paris, Bibliothèque du CEPL, Les Dictionnaires du savoir moderne, 1971, p. 392-411 ; le même texte a été publié sans coupures quelques années plus tard : « Racisme et ethnisme », *Pluriel*, 3, 1975, p. 7-27).

3. Sur le discours et l'idéologie du « national-populisme », cf. les études où j'introduis et justifie l'expression et le modèle : « La rhétorique du national-populisme », *Cahiers Bernard-Lazare*, n° 109, juin-juillet 1984, p. 19-38 (I) ; *Mots*, 9, octobre 1984, p. 113-139 (II) ; « La doctrine du national-populisme en France », *Études*, janvier 1986, p. 27-46. Sur la « nouvelle droite », cf. mon étude d'ensemble : « La stratégie culturelle de la "nouvelle droite" en France (1968-1983) », *Vous avez dit fascismes ?*, Paris, Arthaud/Montalba, 1984, p. 13-152. On trouvera analyses et orientations bibliographiques dans le n° spécial de *Mots*, 12, mars 1986 : « Droite, nouvelle droite, extrême droite. Discours et idéologie en France et en Italie » (sous la direction de S. Bonnafous et P.-A. Taguieff).

4. Cf. Georges Vigarello : « L'individualisme devient un phénomène total, touchant à l'ensemble des attitudes et des rapports sociaux » (« Le deuxième âge de l'individualisme », *Esprit*, juillet-août 1984, p. 64). Mais nous ne suivons pas G. Vigarello lorsqu'il postule que « l'"ère" du vide » marque précisément la fin des transcendances, la promotion systématique du présent » *(ibid.)*, car c'est justement « la différence » qui s'érige en nouvelle transcendance, chassant la transcendance des projets collectifs et des programmes universalistes d'instauration d'un « homme nouveau ». Sur le thème « individualiste » de « l'affirmation des différences » (ou du « respect des différences »), dans le cadre d'une interprétation de la fin de l'universel comme entrée dans le post-moderne, cf. Gilles Lipovetsky, *L'Ère du vide. Essai sur l'individualisme contemporain*, Paris, Gallimard, 1983, notamment p. 9, 12, 24, 25 *sq.*, 129, 145, etc.

5. Cf. Louis Dumont : « La reconnaissance de l'autre en tant qu'autre [...] ne peut être que hiérarchique [...]. Ici, reconnaître est la même chose qu'évaluer ou intégrer [...]. Je soutiens ceci : si les avocats de la différence réclament pour elle à la fois l'égalité et la reconnaissance, ils réclament l'impossible. On pense au slogan : "Séparés mais égaux", qui marqua aux États-Unis la transition de

l'esclavage au racisme. » (*Essais sur l'individualisme*, Paris, Le Seuil, 1983, p. 260 ; cf. ci-dessous, notre chap. 8.) Lors des Assises nationales contre le racisme (Paris, Maison de l'Unesco, 16-18 mars 1984), deux interventions indépendantes ont soulevé la question de la pertinence théorique du slogan : « Vivre ensemble avec nos différences », ainsi que celle de son efficacité idéologique : la communication de Farida BELGHOUL (*Compte rendu des Assises*, Paris, Éd. Différences, 1984, p. 18-19 et 74) et la mienne (p. 50). Dans le même sens, pour une analyse plus élaborée, on se reportera à l'étude de Jean-Pierre DUPUY publiée dans les actes du colloque « Différences et inégalités » (Paris, 10 décembre 1983, MRAP, éd. Différences, 1984) et à P.-A. TAGUIEFF, « Les présuppositions définitionnelles d'un indéfinissable : "le racisme" », *Mots*, 8, mars 1984, p. 71-107. Cf. également les pénétrantes remarques de J.-P. DUPUY, « Libres propos sur l'égalité, la science et le racisme », *Le Débat*, 37, novembre 1985, p. 42-44 (reprenant et développant la conférence du 10 décembre 1983). Nous avons été suivi dans notre analyse critique des argumentations « différentialistes » par Alain POLICAR (« Les pièges », *Le Monde*, 30 avril 1986, p. 2 ; « Absolutisation de la différence ou ambiguïtés de l'antiracisme », *Les Cahiers rationalistes*, n° 417, novembre 1986, p. 47-51),

6. A titre d'exemple de confusion, à vrai dire ordinaire dans la vulgate antiraciste, entre l'éloge de la différence (hétérophilie) et l'éloge du métissage (mixophilie), on lira cette conclusion d'une étude consacrée au racisme : « Si donc la science a un enseignement à nous fournir dans le domaine moral, ce qu'elle nous apprend consiste avant tout à découvrir la richesse de ce qui est mélange, diversité, hétérogénéité, différence et à en promouvoir la valorisation » (Anouch CHAHNAZIAN et Jean-Luc DE MEYER, « Le racisme, mythes et sciences. Un essai critique », *Revue de l'Institut de sociologie*, université libre de Bruxelles, 1982, 3/4, p. 540). Lorsque l'intelligentsia antiraciste aperçoit l'antinomie des normes de mélange (destructeur de différence) et de différence (interdisant le mélange), elle tend à revenir à la norme d'égalité. Mais les différences reviennent alors dans le champ de l'égalité, qu'elles problématisent, d'où la formation d'une nouvelle prescription enveloppant une reformulation de l'antinomie : « l'égalité dans la différence » (cf. ci-dessous, notre chapitre 1).

7. « Misère de l'antiracisme » : tel fut le sous-titre d'une communication (« Antiracisme commémoratif et racisme différentialiste ») que nous avons faite lors de la journée d'études organisée par le séminaire de recherches « Migrations et Pluralisme » (V. DE RUDDER, R. GALISSOT) le 25 avril 1985 (Paris, université Paris-I). René Galissot a trouvé la formule suffisamment suggestive pour la reprendre en tant que titre de son essai pamphlétaire : *Misère de l'antiracisme*, Paris, Éd. de l'Arcantère, 1985.

8. L.-A. PRÉVOST-PARADOL, *La France nouvelle* (1868), réimpression, Paris-Genève, Slatkine Reprints, 1979, p. 312.

9. Notre apparente sévérité, est-il besoin de le préciser, ne s'applique pas aux nombreux militants dont nous avons pu éprouver, non sans admiration, le dévouement et la bonne foi que suppose la conviction éthique. Mais, comme le dirait Péguy, s'il y a les initiateurs au cœur pur, il y a aussi les profiteurs et les exploiteurs, les « maquignons » spécialisés dans le traitement des « grandes causes ». Il y a en outre les organisations, appareils idéologico-politiques tels que ligues et partis, obéissant à des modes de régulation spécifiques, a-psychologiques, au sein du système social. D'entrée de jeu, le fait antiraciste oblige à une triple interrogation : éthique, politique et sociologique.

10. E. DURKHEIM, *Le Socialisme*, Paris, PUF, 2e éd., 1971, p. 35-36 (1re éd. 1928).

11. DURKHEIM, *op. cit.*, p. 37.
12. Cf. J. JULLIARD, *La Faute à Rousseau*, Paris, Le Seuil, 1985, p. 84-85 : le sentiment commun à la famille traditionaliste et à la famille libérale, au XIXe siècle, est justement caractérisé par l'« horreur pour la chirurgie politique et sociale ». Ce qui peut être traduit par la haine du volontarisme social : cf. Stéphane RIALS, « La droite ou l'horreur de la volonté », *Le Débat*, n° 33, janvier 1985, p. 34-48 ; la thèse de l'auteur est que « l'horreur de la volonté » est « au cœur des positions métapolitiques (et par voie de conséquence politiques) que l'on peut dire *de droite* » (p. 46).
13. La caractérisation type est : « le premier grand doctrinaire du racisme, le comte de Gobineau... » (M. LEIRIS, « Race et civilisation », *in Le Racisme devant la science*, Paris, Unesco-Gallimard, 1960, p. 236).
14. DURKHEIM, *op. cit.*, p. 37 (qui caractérise ainsi le socialisme et l'individualisme).
15. DURKHEIM, *ibid.*.
16. Au sens donné à ce modèle général par Louis Dumont.

PREMIÈRE PARTIE

Chapitre 1

1. Albert MEMMI, *Le Racisme*, Paris, Gallimard, coll. « Idées », 1982, p. 115-118 : l'hétérophobie, désignant une catégorie générale dont le racisme est une « variante » (caractérisée par une idéologie biologisante), se définit par « le refus d'autrui au nom de n'importe quelle différence » (p. 118). Le modèle proposé du racisme ne se distingue guère de la notion de sens commun. Cf. Christian DELACAMPAGNE : « [...] cet étrange refus de la différence sur lequel le racisme vient un jour se greffer. » (*Figures de l'oppression*, Paris, PUF, 1977, p. 145.) Joseph GABEL répond également à l'appel de l'évidence définitionnelle : « Le racisme est essentiellement hétérophobie... » (« Racisme et aliénation », *Praxis International*, janvier 1983, p. 432).
2. Sur la distinction métaphorique entre anthropophagie et anthropoémie, qu'ici nous généralisons et déplaçons dans un champ plus large (celui des idéologies racistes), cf. Claude LÉVI-STRAUSS, *Tristes Tropiques*, Paris, Plon, 1955, rééd. UGE, 1966, p. 348-349.
3. LÉVI-STRAUSS, *op. cit.*
4. Cf. Colette GUILLAUMIN, *L'Idéologie raciste. Genèse et langage actuel*, Paris-La Haye, Mouton, 1972, p. 4 : la particularité du racisme peut être définie « comme une biologisation de la pensée sociale, qui tente par ce biais de poser en absolu toute différence constatée ou supposée » ; A. MEMMI, *op. cit.*, p. 163-164 : « La valorisation de la différence est, assurément, l'un des nœuds de la démarche raciste. [...] Le raciste va tendre de toutes ses forces à augmenter la distance entre les signes, à *maximaliser la différence*. [...] Il faut donc que cette différence [...] devienne *absolue* [...], devienne radicale. » Bernard DUPUY retient le critère de focalisation de la différence : le racisme est « l'attitude qui consiste à souligner la différence de l'autre, au lieu de reconnaître que l'autre est mon semblable, mon prochain, celui qui participe d'une commune *destinée* avec moi » (communication au colloque « Le monothéisme contre le racisme », 29 mars 1981, B'nai B'rith, *in Actes*, publié sous le même titre, Paris, 1984, p. 10).

5. Cf. C. GUILLAUMIN, *op. cit.*, p. 13 : « [...] le système perceptif essentialiste — c'est-à-dire l'idéologie raciste... » ; Raymond ARON, *Les Désillusions du progrès. Essai sur la dialectique de la modernité*, Paris, Calmann-Lévy, 1969, p. 86-87. Madeleine REBÉRIOUX note, à propos de l'affaire Dreyfus : « Sans doute l'analyse raciale est-elle souvent secondaire. Il arrive même que les antisémites nient officiellement la composante essentialiste de leur racisme. » (*La République radicale ? 1898-1914*, Paris, Le Seuil, 1975, p. 33.)

6. M. ADAM, « Racisme et catégories du genre humain », *L'Homme*, avril-juin 1984, XXIV (2), p. 77.

7. *Ibid.*

8. F. RAPHAËL, *Judaïsme et capitalisme*, Paris, PUF, 1982, p. 326.

9. C. GUILLAUMIN, *op. cit.*, p. 44.

10. C. GUILLAUMIN, « The idea of race and its elevation to autonomous, scientific and legal status », *Sociological Theories : Race and Colonialism*, Unesco Press, 1980, p. 44 *sq.*

11. J.-Cl. PASSERON, « Présentation » de : Joseph SCHUMPETER, *Impérialisme et classes sociales*, tr. fr. S. de Segonzac et P. Bresson, Paris, Flammarion, 1984, p. 19 (1re éd., Éd. de Minuit, 1972).

12. Pierre BOURDIEU, « Le racisme de l'intelligence » (1978), *in Questions de sociologie*, Paris, Éd. de Minuit, 1980, p. 264.

13. *Ibid.*.

14. Cf. P.-A. TAGUIEFF, « Sur une argumentation antijuive de base : l'autovictimisation du narrateur », *Sens*, n° 7, juillet 1983, p. 133-156.

15. V. JANKÉLÉVITCH, « Psycho-analyse de l'antisémitisme » (sans nom d'auteur), *in Le Mensonge raciste*, brochure éditée par le Mouvement national contre le racisme, Toulouse, 1942, [p. 16-20], p. 18-19 (je souligne).

16. *Ibid.*, p. 19.

17. E. DE LESSEPS, « Sexisme et racisme », *Questions féministes*, n° 7, février 1980, p. 97.

18. J'introduis ici le terme d'hétérophilie, pour désigner le symétrique inverse de l'hétérophobie. Cf. P.-A. TAGUIEFF, « Le néo-racisme différentialiste » (communication au 3e colloque international de lexicologie politique, « Nationalisme/racisme/sexisme dans les mots du discours politique contemporain », ENS de Saint-Cloud, 10-13 sept. 1984), *Langage et Société*, n° 34, décembre 1985, p. 69-98.

19. Cf., par exemple, O. SPENGLER, *Le Déclin de l'Occident* (1917), trad. fr. M. Tazerout, Paris, Gallimard, nouvelle éd. 1978, t. I, Introduction, p. 34-37 (la fin de l'universel comme illusion, laissant la place à un pluralisme et un relativisme radical des valeurs) ; sur ce point, cf. P.-A. TAGUIEFF, « L'idée de décadence et le déclin de l'Europe », *Politique aujourd'hui*, n° hors-série *(L'Europe)*, automne 1985, p. 26 *sq.* Dans une problématique tout autre, cf. I. WALLERSTEIN, *Le Capitalisme historique* (1983), trad. fr. Ph. Steiner et Ch. Tutin, Paris, La Découverte, p. 79 *sq.* (l'universalisme comme instrument de la rationalisation du monde à laquelle s'est livré le capitalisme historique, et opium planétaire des classes moyennes). L'universalisme est ainsi réduit à une idéologie légitimatrice de l'extension mondiale du capitalisme : un « piège » (p. 84), un cadeau empoisonné des puissants aux faibles, un présent empreint de racisme latent. La critique « démystificatrice » des droits de l'homme, au nom de la révolution prolétarienne, va dans le même sens : cf. Régis DEBRAY, « Il faut des esclaves aux hommes libres », *Le Monde diplomatique*, octobre 1978 (l'ingrédient supplémentaire : la

remystification tiers-mondiste d'époque des questions abordées). Le GRECE n'a pas manqué de dénoncer les droits de l'homme comme étant « au service du capitalisme marchand », et l'instrument idéologique d'une croisade occidentale d'origine « monothéiste », destructrice des identités collectives : cf. *Éléments*, n° 37, janvier-mars 1981, dossier : « Les droits de l'homme », p. 5-35 (titre du dossier, en p. 1 de couverture : « Droits de l'homme : le piège »).

20. I. Eibl-Eibesfeldt, *Par-delà nos différences* (1976), trad. fr. Trudi Strub, Paris, Flammarion, 1979, p. 246. Nous aurions pu indifféremment, ici, citer Gobineau, Cl. Lévi-Strauss, K. Lorenz, R. Jaulin ou A. de Benoist. C'est dire combien le thème traverse les frontières entre genres discursifs ou disciplines, ainsi que les clivages philosophiques et politiques.

21. Cf. A. Memmi, *op. cit.*, p. 207 : « C'est une position exactement inverse à celle du raciste. Le racisme fait de la différence quelque chose de mauvais, moi j'en fais l'occasion possible d'une richesse. » L'éloge de la différence comme richesse est commun à des positions antiracistes aussi différentes que celles du MRAP (« Vivre ensemble avec nos différences ») ou de la LICRA, du féminisme différentialiste, de la plupart des régionalismes, de Cl. Lévi-Strauss (cf. « Race et histoire » [1952], *in Anthropologie structurale deux*, Paris, Plon, 1973, p. 421 ; « Race et culture » (1971), *in Le Regard éloigné*, Paris, Plon, 1983, p. 47-48), d'une certaine droite libérale et centriste ou modérée (cf. B. Stasi, *L'Immigration : une chance pour la France*, Paris, R. Laffont, 1984), de l'ethnopluraliste R. Jaulin, d'une partie de l'idéologie des organisations « beurs » (qui procèdent en général à un jumelage de l'égalité et de la différence : « Égalité avec nos différences »).

22. Cf., par exemple, Rémy Droz, « Différencier et discriminer. Les problématiques pouvoirs des tests psychologiques et des psychologues », *in Racisme, science et pseudo-science* (Colloque Unesco, Athènes, 30 mars-3 avril 1981), Paris, Unesco, 1982, p. 121.

23. La recentration du discours des militants « beurs » sur la revendication égalitaire est exemplaire. Cf. *La Ruée vers l'égalité* (Mélanges), Paris, 1985, p. 17.

24. Cf. la définition du racisme adoptée en 1978 par l'Unesco, *in Racisme, science et pseudo-science, op. cit.*, introduction, p. 13 (citation de la Déclaration sur la race et les préjugés raciaux de 1978) : « Toute théorie faisant état de la supériorité ou de l'infériorité intrinsèque de groupes raciaux ou ethniques qui donnerait aux uns le droit de dominer ou d'éliminer les autres, inférieurs présumés, ou fondant des jugements de valeur sur une différence raciale. » Le dernier trait de la définition implique la prescription qu'il ne faut pas juger dès lors qu'il s'agit de différences raciales, présumées contestables.

25. Cf. L. Dumont, *Essais sur l'individualisme. Une perspective anthropologique sur l'idéologie moderne*, Paris, Le Seuil, 1983, p. 259-260.

26. Nicole Fontaine, « Un appel des Européens à la vigilance. Contre le fascisme et le racisme rampant », *Le Monde*, 28 janvier 1986, p. 2 (Débats : « Extrémismes »). N. Fontaine y est présentée en tant que « député au Parlement européen, membre de la commission d'enquête sur la montée du fascisme et du racisme en Europe », et son texte comme le compte rendu et la leçon théorico-pratique d'un débat qui s'est déroulé le 15 janvier à Strasbourg, en assemblée plénière du Parlement européen, en vue « d'envisager les suites opérationnelles qui pouvaient être données au rapport que M. Dimitri Evrigenis (député grec démocrate-chrétien) avait présenté sur la montée du fascisme et du racisme en Europe » *(ibid.)*.

27. Nous justifierons plus loin cette distinction fondamentale, ainsi que la terminologie employée.

28. Cinq types de mesures sont retenus par N. Fontaine :
« — l'intégration sociale des immigrés dans leur pays d'accueil ;
— la ratification des conventions internationales contre le racisme et la mise en place de mesures réellement contraignantes qui obligeraient les pays signataires ;
— la révision et l'adaptation des législations nationales relatives à la lutte contre l'extrémisme politique, le racisme et la discrimination raciale ;
— la généralisation de l'éducation contre les préjugés raciaux ;
— la déontologie de l'information face aux problèmes de la violence et du racisme » *(ibid.)*.

29. André VIEUGUET, *Français et Immigrés*, Paris, Éd. Sociales, 1975, p. 144.

30. Cf. Jean BAECHLER, « L'étranger dans la cité », *Commentaire*, n° 33, printemps 1986, p. 77-78 (l'auteur s'applique à réfuter le différentialisme égalitaire).

31. Cf. A. DE BENOIST, « Racisme : remarques autour d'une définition », *in* l'ouvrage collectif : *Racismes, antiracismes* (sous la direction d'A. BÉJIN et de J. FREUND, Paris, Méridiens-Klincksieck, 1986, p. 224-225). Nous avons rappelé la radicalité insurmontable de la critique spenglérienne de l'universalisme dans notre article, « Notes sur le retour de la décadence » (*Les Temps modernes*, mars 1986, p. 195) ; cf. O. SPENGLER, *op. cit.*, p. 34-37.

32. T. PARSONS, *Sociétés : essai sur leur évolution comparée* (1966), trad. fr. G. Prunier, Paris, Dunod, 1973. Dans son Introduction à *Sociétés*, François CHAZEL montre à la fois les limites et les illusions du néo-évolutionnisme sociologique dont Parsons a cru pouvoir habiller sa « théorie systématique » (*op. cit.*, p. XVII-XIX, notamment). A bien des égards, Parsons refait les chemins de la conception universaliste et « nécessitariste » du progrès.

33. *Ibid.* (je souligne).

34. Dans son beau livre sur Condorcet, Catherine KINTZLER met en lumière la radicalité toute cartésienne de l'usage de la raison, jusqu'à l'héroïsme, chez l'un des rares philosophes qui ait payé ses convictions de sa vie (CONDORCET, *L'Instruction publique et la naissance du citoyen*, Paris, Le Sycomore, 1984).

35. Conférence mondiale sur les politiques culturelles, Unesco, Mexico, 1982 ; cité par Cl. LÉVI-STRAUSS, *Le Regard éloigné, op. cit.*, p. 16.

36. Sur la distinction entre « maîtrise » et « emprise », cf. Roger DOREY, « La relation d'emprise », *Nouvelle Revue de psychanalyse*, n° 24, automne 1981, p. 117-139 ; et l'application qu'en propose Pierre-Jean LABARRIÈRE, « La parole antitotalitaire », *Projet*, n° 173, mars 1983, p. 164 *sq.*

37. Cl. LÉVI-STRAUSS, *Le Regard éloigné, op. cit.*, p. 47.

38. Cf. Jean-Pierre DUPUY, « Rôle de la différenciation dans les structures sociales », *in Différences et inégalités*, Paris. Éd. Différences (MRAP), 1984, p. 63-64 (repris, légèrement modifié, *in Le Débat*, n° 37, novembre 1985, p. 42-43, sous le titre : « Libres propos sur l'égalité, la science et le racisme »).

39. P.-A. TAGUIEFF, « Les présuppositions définitionnelles d'un indéfinissable : "le racisme" », p. 71-107.

Chapitre 2

1. Henri MASSIS, *Les idées restent*, Lyon, H. Lardanchet, 1941, p. 55.

2. Cf. par exemple l'article de Roger IKOR, « La grande question », *La Nef*, nos 19-20, sept.-oct. 1964, p. 11-40, sur lequel nous aurons l'occasion de revenir (ci-dessous, chap. 10, p. 378).

3. L'exclusion absolue du dialogue (« on ne discute pas avec... ») se réalise dans des formules réversibles de racisation de l'adversaire haï, qui comprennent souvent des métaphores parasitologiques et bactériologiques. Un prototype en est donné par cette suite d'évidences racisantes qui, apparue d'abord dans le discours antijuif moderne (fin du XIXe siècle), est couramment utilisée par les polémistes antiracistes contemporains : « On ne discute pas avec la trichine ou le bacille, on n'éduque pas la trichine ou le bacille, on les extermine aussi rapidement que possible. » (Paul DE LAGARDE, *Schriften für deutsch Volk*.II.Bd., *Ausgewählte Schriften*, Munich, Lehmann, 1924, p. 209 [*Mitteilungen*, Götingen, Dieterich, II, 1887, p. 338].) Sur un tel énoncé protoraciste, cf. Saul FRIEDLÄNDER, *L'Antisémitisme nazi. Histoire d'une psychose collective*, Paris, Le Seuil, 1971, p. 84 ; Jean FAVRAT, *La Pensée de Paul de Lagarde (1827-1891)*, thèse d'État, université de Lille-III, diff. H. Champion, Paris, 1979, p. 468 ; Eugène ENRIQUEZ, *De la horde à l'État*, Paris, Gallimard, 1983, p. 416.

4. P. BOURDIEU, *Questions de sociologie*, Paris, Éd. de Minuit, 1980, p. 17.

5. Cf. notamment l'intervention de Pierre BOURDIEU au colloque du MRAP (mai 1978), « Le racisme de l'intelligence », *Cahiers Droit et Liberté* (« Races, sociétés et aptitudes : apports et limites de la science »), n° 382, 1979, p. 67-71 ; repris *in Questions de sociologie, op. cit.*, p. 264-268. L'expression « racisme de l'intelligence » est une métaphorisation polémique du mépris de classe. Mais au mépris peut se mêler l'hostilité : « Existe-t-il ailleurs que chez nous cette sorte de racisme intellectuel qui inspire à chaque famille d'esprits le désir de brimer ses rivales et de les dominer ? » (F. MAURIAC, *Le Bâillon dénoué, in Œuvres complètes*, « Bibliothèque B. Grasset », A. Fayard, 1952, p. 447.)

6. Cf. par exemple ce commentaire de Jean FERRÉ à des propos tenus par Évelyne Sullerot à *Apostrophes* : « "Maintenant, il faut décliner son âge à tout propos [...]. A trente-sept ans on vous proposera un emploi qu'on vous refuserait à quarante-quatre, avant même de vous avoir interrogé sur vos qualités et vos capacités [...]. Sauf en art et en politique chacun subit la dictature de la notion d'âge [...]. Pourtant nous ne vieillissons pas tous de la même façon." Enfin ! Quelqu'un réagit publiquement contre le racisme de l'âge ! » (« Racisme de l'âge », *Le Figaro-Magazine*, 18 janvier 1986, p. 41.) Le journaliste applique ici le mot *racisme* à un mode de catégorisation globalisant et réducteur des individus, classés sur l'échelle des âges sans tenir compte des différences individuelles (performances variables d'un individu à un autre). Les expressions « racisme anti-X (nom) », « racisme de l'X (nom) », « racisme X (adj.) », ont une valeur performative : en se disant, elles délégitiment l'attitude à laquelle elles réfèrent, en la réduisant à un *préjugé* qu'il s'agit de détruire ou de surmonter. On dénonce ainsi le « racisme anti-X » comme on stigmatise le « préjugé anti-X » : « une réaction de racisme anti-succès » (*Le Point*, 19 juillet 1976, p. 7).

7. Cf. Roland GAUCHER, « S.O.S.-Racisme : objectif "melting-pot" », *National Hebdo* (« Le journal du Front national »), n° 127, 24-30 décembre 1986, p. 4.

8. Rappelons ici la définition stricte de la « race » dans la perspective de l'anthropologie physique : les groupes humains appelés races « peuvent être définis comme "des groupements naturels d'hommes, présentant un ensemble de caractères physiques héréditaires communs, quelles que soient par ailleurs leurs langues, leurs mœurs ou leurs nationalités" » (Henri-V. VALLOIS, *Les Races humaines* [1944], Paris, PUF, 9e éd. mise à jour, 1976, p. 4). Les « *races* » étant définies par des ensembles de caractères physiques se distinguent dès lors des « *nations* »,

groupements correspondant à des communautés politiques, et des « *ethnies* », groupements fondés sur des « caractères de civilisation, en particulier une langue ou un groupe de langues identiques » (*ibid.*, p. 5-6). Traiter un groupe quelconque « comme une race » implique qu'on lui attribue un ensemble de caractères « naturels » partagés par chacun de ses membres, lesquels sont dès lors identifiables par une somme de « caractères physiques héréditaires ». Mais l'analogie est rarement réalisée, dans les discours quotidiens, de façon rigoureuse. La « logique naturelle » ne se réduit ni à la logique formelle ni à la rhétorique codifiée.

9. Christian DELACAMPAGNE, « Le racisme ordinaire », *Le Genre humain*, 2, 1982, p. 66.

10. G. MAUCO, *Les Étrangers en France et le problème du racisme*, Paris, La Pensée universelle, 1977, p. 192 (souligné par l'auteur). L'« intolérance », critère du « racisme » au sens généralisé, s'analyse en *hostilité* (haine, violence) et en *mépris* (hiérarchie, discrimination). Il reste le hiatus, inaperçu dans la vulgate antiraciste, entre les attitudes et les comportements : à un pôle, le « racisme anti-policiers » ; à l'autre, les « meurtres racistes », définis comme meurtres accomplis par racisme, passages à l'acte (modèle causal sur lequel nous reviendrons au chapitre 6).

11. Madeleine BAROT, « Évolution du racisme et de l'antisémitisme », *in Racismes I*, Groupe « Racisme » de la Fédération protestante de France, 1982, p. 7. Le texte de la loi du 1er juillet 1972, relative à la lutte contre le racisme, dans ses articles 1 et 2, est le suivant : « Ceux qui, soit par des discours, cris ou menaces [...], soit par des écrits, imprimés, dessins, gravures, peintures [...], soit par des placards ou des affiches exposés au regard du public [...], auront provoqué à la discrimination, à la haine ou à la violence à l'égard d'une personne ou d'un groupe de personnes à raison de leur origine ou de leur appartenance ou de leur non-appartenance à une ethnie, une nation, une race ou une religion déterminée seront punis d'un emprisonnement d'un mois à un an [...] » (MRAP, *Chronique du flagrant racisme*, Paris, La Découverte, 1984, p. 111). Relevons seulement deux types de présupposés : 1°) la réduction de l'identité individuelle, catégorisation située au principe du « racisme », s'opère indistinctement par les appartenances ethnique, nationale, raciale ou religieuse (extension du racisme hors des interactions raciales) ; 2°) la mise sur le même plan de la discrimination, de la violence et de la haine, ce qui suppose une continuité entre attitudes ou préjugés et comportements (sur ce point, cf. plus loin, chap. 6). Le courant des catholiques intégristes favorables à Le Pen a publié une brochure analysant et dénonçant « la loi antiraciste de 1972 » : *Le soi-disant antiracisme. Une technique d'assassinat juridique et moral,* n° spécial hors série de la revue *Itinéraires*, décembre 1983, 73 p.

12. Michel DE SAINT-PIERRE, *La Nouvelle Race*, Paris, La Table Ronde, 1962 (janvier), 251 p. (texte issu d'une première enquête publiée dans la revue *C'est-à-dire*, février 1961, « La Nouvelle Race »).

13. *Op. cit.*, p. 245, 246, 247.

14. Christian DELACAMPAGNE, *Figures de l'oppression*, Paris, PUF, 1977, p. 151.

15. Colette GUILLAUMIN, *L'Idéologie raciste. Genèse et langage actuel*, Paris-La Haye, Mouton, 1972, p. 3 et 7.

16. P. BOURDIEU insiste sur l'autolégitimation du groupe quant à son existence même et ses modes spécifiques d'existence (cf. *op. cit.*, 1980, p. 264).

17. Ch. GUILLAUMIN, *op. cit.*, p. 3.

18. Sur l'altérisation : C. GUILLAUMIN, *op. cit.*, p. 4.

19. Ch. DELACAMPAGNE, 1977, *op. cit.*, p. 150-152. Cf., par exemple, Pascal

BRUCKNER, *Le Sanglot de l'homme blanc. Tiers monde, culpabilité, haine de soi*, Paris, Le Seuil, 1983. Sur les aspects « positifs » de cet essai, selon le chef de file de la « nouvelle droite » (autour de la dénonciation de la haine de soi des Occidentaux), cf. A DE BENOIST, *Europe, tiers monde, même combat*, Paris, R. Laffont, 1986, p. 77-81.

20. Cf. ÉTIEMBLE, *Le Péché vraiment capital*, Paris, Gallimard, 1957 (l'article donnant son titre au recueil avait été publié dans *Évidences*, mai 1957 ; repris *in op. cit.*, p. 13-34).

21. Cf., par exemple, ces déclarations de François Mitterrand à Alençon, le 22 juin 1987, dénonçant la « barbarie » : « il n'y a pas de compromis possible avec toutes ces forces de terrorisme, de racisme, d'intolérance. Attention à la contagion » (*Le Monde*, 25 juin 1987, p. 8).

22. Colette GUILLAUMIN, « Caractères spécifiques de l'idéologie raciste », *Cahiers internationaux de sociologie*, vol. LIII, 1972, p. 247-274 ; « Les ambiguïtés de la notion de "race" », *in* L. POLIAKOV (éd.), *Hommes et bêtes. Entretiens sur le racisme* (actes du colloque tenu du 12 au 15 mai 1973 au Centre culturel international de Cerisy-la-Salle), Paris-La Haye, Mouton/EHESS, 1975, p. 206-207.

23. André LANGANEY, « Comprendre l'"autrisme" », *Le Genre humain*, 1 : « La science face au racisme », 1981, p. 95-97. Toute l'analyse est fondée sur l'hypothèse que, « dans le comportement raciste, la perception de la différence a plus d'importance que la différence elle-même » (p. 94). Ce qui implique une recentration de l'analyse sur la *relation* racisant-racisé, la discussion sur la légitimité scientifique de la notion de « race » étant par là même secondaire. L'argumentation antiraciste se place dès lors sur le terrain sociologique des interactions dans des conjonctures singulières, qui laissent néanmoins apparaître certaines régularités.

24. Albert MEMMI, *Racisme et hétérophobie* (1981), repris *in Le Racisme*, Paris, Gallimard, 1982, p. 205-210.

25. Maxime RODINSON, « Quelques thèses critiques sur la démarche poliakovienne », *in Pour Léon Poliakov. Le racisme, mythes et sciences*, Bruxelles, Éd. Complexe, 1981, p. 318.

26. Cf. Christian DELACAMPAGNE, *L'Invention du racisme. Antiquité et Moyen Age*, Paris, Fayard, 1983, p. 42 ; A. LANGANEY, *op. cit.*, p. 96. Énoncés « primaires » homologables dans une certaine mesure aux « énoncés réalistes » définis par Gavin I. Langmuir comme exprimant la représentation d'une situation conflictuelle, par un groupe qui y est engagé. Cf. G. I. LANGMUIR, « Qu'est-ce que "les Juifs" signifiaient pour la société médiévale ? », *in* Léon POLIAKOV (sous la dir. de), *Ni Juif ni Grec. Entretiens sur le racisme*, Paris-La Haye-New York, Mouton, 1978, p. 179-180.

27. Pierre PARAF, *Le Racisme dans le monde*, 6e édition revue et mise à jour, Paris, Payot, 1981, p. 60 (je souligne). P. Paraf est président d'honneur du *Mouvement contre le racisme, contre l'antisémitisme et pour la paix* (MRAP, fondé en 1949). L'autodésignation est modifiée en 1977 : *Mouvement contre le racisme et pour l'amitié entre les peuples*. Dans le même sens, cf. Georges MAUCO, *Les Étrangers en France et le problème du racisme*, Paris, La Pensée Universelle, 1977, p. 198.

28. G. I. LANGMUIR, art cité, p. 179.

29. M. RODINSON, *op. cit.*, p. 237 n. 119.

30. Exemple donné par Ch. Delacampagne, *in* L. POLIAKOV et *al.*, *Le Racisme*, Paris, Seghers, 1976, p. 29.

31. Cf. Charles DARWIN, *The Descent of Man, and Selection in Relation to Sex*

(1871), trad. fr. E. Barbier (d'après la 2e édition anglaise, 1874) : *La Descendance de l'homme et la sélection sexuelle* (1881), Bruxelles, Éd. Complexe, 1981, t. II, p. 668.

32. Cf. E.O. WILSON, *L'Humaine Nature* (Essai de sociobiologie) (1978), trad. fr. R. Bauchot, Paris, Stock, 1979, p. 146, 227.

33. W.D. HAMILTON, « Aptitudes sociales innées chez l'homme : approche par la génétique de l'évolution » (1975), *in* R. FOX (éd.), *Anthropologie biosociale*, trad. fr. P. Humblet et M. Stroobants, Bruxelles, Éd. Complexe, 1978, p. 185. Pour une brève mais éclairante présentation des premiers travaux « sociobiologiques » de W.D. Hamilton en 1964, cf. Michel VEUILLE, *La Sociobiologie*, Paris, PUF, 1984, p. 32 *sq.*

34. Cf. Jean-Marie LE PEN, *Les Français d'abord*, Paris, Carrère/Lafon, 1984, p. 170 et 239 (sur la « hiérarchie des sentiments et des dilections » dont le champ de validité s'étend de la famille française au « monde blanc », qu'il s'agit de défendre préférentiellement). Cf. les commentaires de Jean-Paul HONORÉ, « Jean-Marie Le Pen et le Front national », *Les Temps modernes*, n° 465, avril 1985, p. 1852-1854.

35. Cf. Alain FINKIELKRAUT, « La dissolution de la culture », *Le Débat*, n° 37, novembre 1985, p. 23.

36. Cf. Konrad LORENZ, *L'Agression. Une histoire naturelle du mal* (1963), trad. fr. V. Fritsch, Paris, Flammarion, 1969, p. 267. L'ethnocentrisme agressif est légitimé dans un cadre évolutionniste par Robert Ardrey sur la base d'une théorie de l'« instinct territorial » : cf. R. ARDREY, *African Genesis*, New York, 1961 ; trad. fr. Ph.-V. Huguet, *Les Enfants de Caïn*, Paris, Stock, 1963, p. 24 *sq.*

37. Selon une conception psychobiologique et « évolutionniste » du préjugé racial, l'attitude xénophobe est supposée être un universel de la nature humaine, un *a priori* phylogénétiquement acquis de l'espèce humaine, impliquant à la fois exclusion de l'Autre et hiérarchie des préférences. Ainsi Glenn WILSON soutient-il la thèse qu'il existe « une tendance innée à préférer les gens qui nous ressemblent » (« Review : Attitudes and Opinions by S. Oskamp », *British Journal of Social and Clinical Psychology*, 1978, 17, p. 287 ; cité par M. BILLIG, *L'Internationale raciste*, trad. fr. Y. Llavador et A. Schnapp-Gourbeillon, Paris, Maspero, 1981, p. 164).

38. A. MEMMI, *op. cit.*, 1982, p. 209-210.

39. M. RODINSON, « Antisémitisme éternel ou judéophobies multiples ? » (1979), *in Peuple juif ou problème juif ?*, Paris, Maspero, 1981, p. 274.

40. Je reprends cette typologie des « juifs » d'une étude de M. RODINSON, *op. cit.*, 1981, p. 19-22.

41. Madeleine BAROT, rapport sur « Le racisme et l'antisémitisme » (brochure, 44 p.), présenté par le groupe « Racisme » de la Fédération protestante de France et le groupe œcuménisme sur l'immigration, Paris, 1982, p. 41 (je souligne).

42. Sur la question de la fatalisation du racisme par un antiracisme naïf, Guy LAVAL fait de justes remarques, malheureusement vite gâtées par une série de stéréotypes psychanalytiques et de généralités « psychosociologiques », dans son article : « Le ça, le moi et la haine de l'autre », *Différences*, nos 57-58, juin-juillet 1986, p. 34-35.

43. P. THUILLIER, *in Le Darwinisme aujourd'hui*, Paris, Le Seuil, 1979, p. 180-181.

44. Julien BRUNN, *La Nouvelle Droite. Le dossier du « procès »*, Paris, Nouvelles Éditions Oswald, 1979, p. 14.

45. Le qualificatif « ségrégationniste » n'a pas ici de valeur conceptuelle, il

intervient comme renforçateur de la connotation fortement négative du mot « racisme ».

46. Dans le contexte de l'article précité, le GRECE constitue la référence sociologique la plus vraisemblable de l'expression « la nouvelle droite ».

47. Cf. A. DE BENOIST, *Les Idées à l'endroit*, Paris, Éd. Libres/Hallier, 1979, p. 21-22 : l'auteur résume sa critique des tendances « réductionnistes » de la sociobiologie (cf. *Le Figaro-Magazine*, 30 juin 1979), qui méconnaît la diversité culturelle et la dimension historique en prétendant expliquer tous les comportements humains par le principe d'optimalisation des gains liés au capital génétique ; p. 87, 93, etc. : A. de Benoist récuse toutes les variétés de « biologisme », à commencer par le plus fameux, le si mal défini « darwinisme social ».

48. Y. CHRISTEN, *L'Heure de la sociobiologie*, Paris, Albin Michel, 1979, 235 p.

49. Henry DE LESQUEN et le Club de l'Horloge, *La Politique du vivant*, Paris, A. Michel, 1979, 315 p.

50. H. TAWA, « Aspects historiques de la question de la science face au racisme », *in Racisme, science et pseudo-science*, Paris, UNESCO, 1982, p. 62.

51. I. WALLERSTEIN défend au contraire la thèse de la discontinuité entre xénophobie et racisme, et insiste sur leur hétérogénéité. Cf. *Le Capitalisme historique, op. cit.*, p. 76.

52. H. TAWA, *op. cit.*, p. 63, 71, 73.

53. A. MEMMI, *Le Racisme, op. cit.*, p. 208.

54. *Ibid.*. L'auteur est un pessimiste de l'intelligence : « C'est le racisme qui est naturel et l'antiracisme qui ne l'est pas » (*op. cit.*, p. 157).

55. Gordon W. ALLPORT, *The Nature of Prejudice*, Cambridge, Massachusetts, Addison-Wesley Publishing Company, 1954, 537 p. : p. 14-15 (distinction des « cinq degrés » de la conduite de rejet) ; p. 27, 48-67 (les cinq degrés réduits à trois), plus précisément pour les citations : p. 49, 51, 53.

56. *Ibid.*, p. 57. Toute attitude (latente) est présumée manifestable ; toute opinion est postulée exprimable ; toute expression verbale est supposée pouvoir engendrer une agression physique — et non pas seulement s'y substituer, en tant qu'acte de discours de type performatif. Cf. les remarques de Monica CHARLOT, *Naissance d'un problème racial. Minorités de couleur en Grande-Bretagne*, Paris, A. Colin, 1972, p. 89 (l'auteur s'en tient par ailleurs à la « réduction » de l'échelle d'intensité à trois degrés).

57. Charles DARWIN, *op. cit.*, t. I, p. 132. Cf. P. TORT, *La Pensée hiérarchique et l'évolution,* Paris, Aubier Montaigne, 1983, p. 188-189. Dans *L'Entraide*, rédigé sous forme d'article de 1890 à 1896, Pierre KROPOTKINE avait bien repéré dans le texte de Darwin les éléments d'une éthique de la coopération, de la fraternité et de la solidarité, dont il déplorait qu'ils ne fussent point suffisamment développés ; cf. *L'Entraide. Un facteur de l'évolution* (1902), trad. fr. 1906, rééd. Paris, Les Éd. de l'Entraide, 1979, p. 2-3.

58. P. TORT, *op. cit.*, p. 189.

59. DARWIN, *op. cit.*, p. 146.

60. P. TORT, *op. cit.*, p. 193.

61. P. TORT, *in Misère de la sociobiologie* (P. Tort éd.), Paris, PUF, 1985, p. 126.

62. *Ibid.*

63. « Darwin n'est pas à droite » (entretien avec Patrick Tort), *Enjeu*, n° 18, janvier 1985, p. 20-22.

64. Cf. les remarques faites par Gérard LEMAINE et Benjamin MATALON dans :

Hommes supérieurs, hommes inférieurs ? La controverse sur l'hérédité de l'intelligence, Paris, A. Colin, 1985, p. 26-28 (qui vont dans le même sens que celles de P. Kropotkine).

65. Comme tout eugéniste commence par le faire, Darwin déplore les effets dysgéniques de l'« instinct de sympathie » et des conduites d'assistance dans les sociétés « civilisées », *op. cit.*, t. I, p. 144-145.

66. « Comme tous les autres animaux, l'homme est certainement arrivé à son plus haut degré par la lutte pour l'existence qui est la conséquence de sa multiplication rapide ; et, pour arriver plus haut encore il faut qu'il continue à être soumis à une lutte rigoureuse [...]. Il devrait y avoir concurrence ouverte pour tous les hommes et on devrait faire disparaître toutes les lois et toutes les coutumes qui empêchent les plus capables de réussir et d'élever le plus grand nombre d'enfants. » (DARWIN, *op. cit.*, t. II, p. 677.) Il est difficile de ne pas reconnaître dans un tel texte les principes du darwinisme social, fondé sur la valeur évolutive de la lutte et de la concurrence, et prônant un interventionnisme d'État minimal. Le libéralisme strict, ennemi de l'État-providence, peut trouver chez Darwin une légitimation biologique de son système de valeurs et de croyances.

67. Cf. G. G. SIMPSON, présentant avec prudence mais espoir un programme sélectionniste : *L'Évolution et sa signification* (1949), trad. fr. A. Ungar-Levillain et F. Bourlière, Paris, Payot, 1951, p. 292.

68. Cf. G. G. SIMPSON : « Toute morale de l'évolution postule que les tendances évolutives, ou quelqu'une d'entre elles, sont moralement justes et bonnes. Il n'y a aucune raison évidente pour accepter un tel postulat. » (*Op. cit.*, cité par Théodosius DOBZHANSKY, *L'Homme en évolution* (1961), trad. fr. G. et S. Pasteur, Paris, Flammarion, 1966, p. 386-387).

69. K. LORENZ, *L'Agression* (1963), trad. fr. V. Fritsch, Paris, Flammarion, 1969, p. 312-313.

70. VERCORS, « A la longue, très à la longue, le racisme finira par disparaître. Peut-être... », *La Croix*, 21 mars 1981 (propos recueillis par J.-P. Hauttecœur). La norme d'un arrachement à la nature est par excellence de provenance biblique, et définit le peuple juif comme un peuple éthique, un « peuple d'anti-nature », selon l'expression d'Albert COHEN (*Carnets 1978*, Paris, Gallimard, 1978, p. 135-140). Dans le même sens, cf. V. JANKÉLÉVITCH, *Le Pur et l'Impur* (1960), Paris, Flammarion, 1978, p. 205 ; et mes commentaires : P.-A.T., « V. Jankélévitch : les apories de l'éthique et la musique de la métaphysique », *Cahiers Bernard-Lazare*, n° 113, octobre-décembre 1985, p. 81-82.

71. VERCORS, art. cité.

72. *Ibid.*

73. Albert MEMMI, « Qu'est-ce que le racisme ? » (article « Racisme » de l'*Encyclopaedia Universalis*, Paris, 1972, p. 915-916), repris *in Le Racisme. Description, définition, traitement*, *op. cit.*, p. 157.

74. A. MEMMI, *Le Racisme, op. cit.*, p. 140 : « Je suis, on le voit, d'un *optimisme modéré*. La lutte contre le racisme sera longue, et probablement jamais achevée. »

75. G. VACHER DE LAPOUGE, *L'Aryen. Son rôle social*, Paris, A. Fontemoing, 1899, préface, p. VII, IX.

76. *Ibid.*, p. 504.

77. *Ibid.*, p. 509-510.

78. A. MEMMI, *Le Racisme, op. cit.*, p. 140.

79. *Ibid.*, p. 125 : « Un *recours* spontané, à la portée de tous » (à propos du racisme comme « l'une des manifestations de l'agression »). Cf. p. 123 : « La tentation raciste est la chose du monde la mieux partagée. »

80. *Ibid.*, p. 123.
81. *Ibid.*, p. 141.
82. A. LANGANEY, art. cité, 1981, p. 97-98.
83. Ch. DELACAMPAGNE, *L'Invention du racisme*, Paris, Fayard, 1983, p. 42-43. Gavin I. LANGMUIR (art. cité, p. 182) identifie également les énoncés « xénophobes » comme représentant le second niveau du discours racisant. Les définitions de « xénophobie » ne varient guère : « Hostilité aux étrangers et à tout ce qui étranger » (L. POLIAKOV et *al.*, *op. cit.*, 1976, p. 154) ; « hostilité à ce qui est étranger » (*Le Petit Robert*, 1967) ; « Xénophobe » : « hostile aux étrangers, à tout ce qui vient de l'étranger » *(ibid.)*. Par exemple : « les Juifs sont [tous] des usuriers » — généralisation abusive plus falsification des réalités historiques.
84. On sait qu'en logique formelle l'une des règles du syllogisme, concernant les termes, stipule qu'aucun terme ne doit être pris dans la conclusion avec une extension plus grande qu'il n'en a dans la (ou les) prémisse(s). S'il en était autrement, on affirmerait ou nierait plus qu'on est en droit de le faire : il y aurait *généralisation abusive*. Cf. par exemple : Maurice GEX, *Logique formelle*, Neuchâtel, Éd. du Griffon, 3e éd., 1968, p. 177.
85. Ch. DELACAMPAGNE, *in Le Racisme* (L. Poliakov éd.), Paris, Seghers, 1976, p. 30.
86. Ch. DELACAMPAGNE, *op. cit.*, p. 30, qui reprend l'analyse de Claude LÉVI-STRAUSS (*Race et Histoire* [1952], repris *in Anthropologie structurale deux*, Paris, Plon, 1973, p. 382-387), qu'il semble tenir pour définitive. Son commentaire est passablement justificatoire : l'attitude ethnocentrique « est si profondément ancrée dans l'inconscient des hommes qu'elle est difficilement maîtrisable. De surcroît, en règle générale, elle n'est guère dangereuse » (p. 31). Sur la continuité entre ethnocentrisme et racisme, l'auteur demeure sibyllin : il oscille entre l'affirmation d'« une discrimination fondamentale entre l'ethnocentrisme et le racisme » (p. 30) et la thèse que l'ethnocentrisme « porte *peut-être en germe* une condition nécessaire du racisme » (p. 31, souligné par moi). Le résumé qui précède le chapitre titré : « Le préjugé raciste. Ses différentes espèces », ne permet pas d'échapper à une telle indétermination, confinant à la pétition de principe : « Il ne faut pas confondre l'ethnocentrisme et le racisme : si celui-là est *presque* universel, celui-ci, en revanche, n'est apparu que dans des circonstances déterminées » (p. 29 ; je souligne).
87. Claude LÉVI-STRAUSS, *Le Regard éloigné, op. cit.*, Préface, p. 15. Pour une lecture radicalement anti-universaliste de ce texte par la nouvelle droite, cf. Pierre BRADER, « L'Europe mystifiée », *Éléments*, n° 51, automne 1984, p. 13-14.
88. Cl. LEVI-SRAUSS, *Le Regard éloigné, op. cit.*
89. « Race et culture » (1971), *in op. cit.*, 1983, p. 43, 47.
90. Préface, *in op. cit.*, p. 15, 16.
91. *Ibid.*, p. 16. Nous reviendrons sur les analyses et les positions du « dernier » Lévi-Strauss dans notre chapitre 6, p. 246 *sq.*
92. Bernard LAZARE, *L'Antisémitisme. Son histoire et ses causes* (1894), Paris, Documents et Témoignages, 1969, ch. X, p. 132.
93. *Ibid.*, ch. XI, p. 148.
94. *Ibid.*
95. Ch. DELACAMPAGNE, *op. cit.*, 1976, p. 31.
96. *Ibid.*
97. Jean HIERNAUX, *in Races humaines et racisme*, Lausanne-Paris-Barcelone, Grammont-Laffont, Salvat, 1976, p. 85.

98. J. HIERNAUX, *op. cit.*, p. 87.

99. Ch. DELACAMPAGNE, 1976, *op. cit.*, p. 31. L'indétermination de l'analyse doit être notée : l'auteur passe de l'hypothèse qu'une condition nécessaire du racisme serait « peut-être en germe » dans l'ethnocentrisme à l'assertion que « le racisme *implique nécessairement* le désir de rabaisser l'autre » (*ibid* ; souligné par moi).

100. Paul FEYERABEND, *Contre la méthode* (1975), trad. fr. B. Jurdant et A. Schlumberger, Paris, Le Seuil, 1979, p. 198.

101. Cf. « Qu'est-ce que l'Union rationaliste ? », supplément mensuel aux *Cahiers rationalistes*, n° 1, 28e année, octobre 1979, p. 4. Fondée en 1930, l'Union rationaliste, dans sa première déclaration, appelait à lutter contre « la croyance aux diverses révélations et le goût du surnaturel » *(ibid.)*. La version communiste de la vulgate rationaliste ne diffère guère de sa version humanitariste. Voir René MAUBLANC, « Le rationalisme dans la philosophie française », *La Pensée*, n° 90, mars-avril 1960, p. 37 ; extrait des *Cahiers rationalistes*, n° 108, mars 1950.

102. *Ibid.* (oct. 1979).

103. Art. cité, p. 4-5.

104. J. MARCHAND, *Les Cahiers rationalistes*, n° 353, sept.-oct. 1979, p. 9.

105. La réduction du racisme à une doctrine de meurtre est l'argument le plus puissant : la criminalisation du raciste est la base de sa diabolisation, qui autorise à le mettre au ban de l'humanité. Cette réduction au meurtre s'accompagne d'une exagération par généralisation abusive : le racisme est vu partout, en tout conflit, comme moteur caché ou justification après coup.

106. « Qu'est-ce que l'Union rationaliste ? », art. cité, p. 4.

107. P. BOITEAU, « Le racisme devant la biologie », *La Pensée*, n° 90, mars-avril 1960, p. 47. On ne négligera pas de noter que l'expression « les biologistes et les anthropologistes » réfère notamment aux « savants éminents » qui, à l'appel de l'Unesco, en 1951, ont manifesté leur accord sur l'inexistence des « races pures ». Certains scientifiques ont cru pouvoir aller plus loin, en proposant d'abandonner définitivement le concept de race, « sans fondement scientifique » (art. cit., *ibid.*).

108. G. BACHELARD, *Le Nouvel Esprit scientifique* (1934), Paris, PUF, 1963, p. 177.

109. Ainsi G. BACHELARD, dans *La Formation de l'esprit scientifique* (Paris, Vrin, 6e éd., 1969), opposait-il la raison polémique à la raison architectonique (*op. cit.*, p. 10), après avoir distingué l'« *âme professorale*, toute fière de son dogmatisme » (*ibid.*, p. 9) de l'« *âme en mal d'abstraire et de quintessencier*, conscience scientifique douloureuse » *(ibid.)*.

110. *Op. cit.*, p. 247. Cf. G. BACHELARD, *Le Rationalisme appliqué* (Paris, PUF, 1949, p. 47) : « Cette raison risquée, sans cesse reformulée, toujours autopolémique. »

111. Il reste que, dans son épistémologie historique, Bachelard lui-même incite à réduire la raison au travail scientifique, rejetant dans les ténèbres du pré-, du non- ou de l'antirationnel toutes les formes de connaissance situées hors du champ scientifique. Sur cette question, cf. G. CANGUILHEM, *Études d'histoire et de philosophie des sciences*, Paris, Vrin, 1968, p. 206 : « La raison c'est la science même. »

112. G. BACHELARD, *op. cit.*, 1949, chap. III : « L'union des travailleurs de la preuve. »

113. G. MAUCO, *Les Étrangers en France et le problème du racisme, op. cit.*, p. 251.

114. Bernard LAZARE, *L'Antisémitisme. Son histoire et ses causes, op. cit.*, chap. IX, p. 149.

115. G. MAUCO, *op. cit.*, p. 252.
116. *Ibid.*, p. 252, 253.
117. *Ibid.*, p. 252, 253.
118. *Ibid.*, p. 253.
119. *Ibid.*
120. Hannah ARENDT, « L'Aufklärung et la question juive » (1932), *in La Tradition cachée. Le Juif comme paria*, trad. fr. S. Courtine-Denamy, Paris, Christian Bourgois, 1987, p. 12.
121. *Ibid.*, p. 12, 13.
122. A. LANGANEY, art. cité, 1981, p. 104 : « [...] le racisme qui se dit scientifique ». Il faut reconnaître qu'une telle définition du racisme par autodésignation qualifiante trouve fort peu d'illustrations discursives publiques depuis 1945. Les discours contemporains se disant scientifiques ou se réclamant de la scientificité, stigmatisés de l'extérieur comme « racistes », tel celui de la nouvelle droite, se déclarent à peu près tous étrangers au racisme, voire hostiles à toute pensée raciste. Cf. le slogan d'autoprésentation du GRECE : « Contre tous les racismes », introduit en 1974 (*Éléments*, n°s 8-9, nov. 1974-fév. 1975, p. 13-23 : « Contre tous les racismes », entretien avec Alain DE BENOIST ; repris partiellement, revu et corrigé, *in Les Idées à l'endroit, op. cit.*, p. 145-156) ; cf. aussi : A. DE BENOIST, « Le totalitarisme raciste », *Éléments*, n° 33, février-mars 1980, p. 13-20. La haute sophistication argumentative du néo-racisme (de ce que *nous* désignons ainsi), dont le discours intègre l'appel à « lutter contre tous les racismes », rend inopérante la typologie proposée par A. Langaney, ne valant guère que pour l'état rhétorique du racisme avant la défaite du nazisme.
123. G.I. LANGMUIR, *in op. cit.*, 1978, p. 185.
124. Ch. DELACAMPAGNE, *op. cit.*, 1983, p. 49.
125. Sur ce stéréotype dont la puissance symbolique accompagne la surprenante permanence, cf. L. POLIAKOV, *Histoire de l'antisémitisme*, t. I : *Du Christ aux juifs de cour*, Paris, Calmann-Lévy, 1955, p. 121 *sq.* (la rumeur surgit durant l'été 1321 en Aquitaine) ; Norman COHN, *Histoire d'un mythe. La « Conspiration » juive et les Protocoles des Sages de Sion* (1966), trad. fr. L. Poliakov, Paris, Gallimard, 1967, p. 251, 257 ; S. FRIEDLÄNDER, *L'Antisémitisme nazi, op. cit.*, p. 119 ; D. PÉLASSY, *Le Signe nazi. L'univers symbolique d'une dictature*, Paris, Fayard, 1983, p. 202. L'énoncé se rencontre dans *Mein Kampf* (trad. fr., Paris, 1934, p. 727) où « l'empoisonnement » est d'abord celui du « sang » (p. 315). L'argumentation hitlérienne fait fusionner le stéréotype antijuif d'origine chrétienne et le mode de légitimation biologico-scientiste.
126. J'entends par « scientisme » l'une des idéologies les mieux partagées dans la modernité, constituée par un ensemble de suppositions hautement admissibles : que « la science » fait seule autorité, qu'elle est infaillible, qu'elle suffit à l'abord de tout objet de connaissance, qu'elle accède à des vérités absolues, par où elle est dotée d'une puissance inconditionnelle de légitimation des discours et des pratiques, et d'un rôle fondateur l'instituant en légataire exclusive du dogmatisme théologico-métaphysique. Le scientisme est le traditionalisme de la modernité. « Racistes » et « antiracistes » y recourent également : rivalité mimétique.
127. Pour l'une des premières présentations de ce modèle d'intelligibilité : le réinvestissement biomorphique du sacré, cf. C. GUILLAUMIN, *op cit.*, 1972, p. 9.
128. Cf. L. POLIAKOV, *La Causalité diabolique. Essai sur l'origine des persécutions*, Paris, Calmann-Lévy, 1980, ouvrage où sont présentées, synthétisées et appliquées diverses tentatives faites pour analyser la vision policière de l'histoire

ou la « théorie » de la conspiration » — ce « résultat typique de la sécularisation des superstitions religieuses » — telle que la définissait Karl Popper, à savoir : « La conception suivant laquelle tout ce qui se produit dans la société — y compris les choses qu'en règle générale les gens n'aiment pas, telles que la guerre, le chômage, la misère, la pénurie — sont les résultats directs des desseins de certains individus ou groupes puissants. » (« Prediction and Prophecy in the Social Sciences », 1948, repris *in Conjectures and Refutations. The Growth of Scientific Knowledge*, Londres, Routlege and Kegan Paul, 1969, p. 341.)

129. Cf. Léon-François HOFFMANN, *Le Nègre romantique. Personnage littéraire et obsession collective*, Paris, Payot, 1973. C'est surtout à partir des fictions concernant la vie sexuelle des Nègres — l'immoralité et la lubricité étant censées la caractériser — que s'opère la bestialisation (*op. cit.*, p. 37-38). Celle-ci peut toujours s'inverser par la transsubstantiation réalisée par l'exotisme érotique (*ibid.*, p. 41). Sur la personnification et la personnalisation, cf. P.-A. TAGUIEFF, « Le titre, le type et le nom », *Cahiers de praxématique*, n° 8, 1987, p. 47-58.

130. Sur la distinction classique entre définitions descriptives ou lexicales et définitions stipulatives, cf. par exemple Carl G. HEMPEL, *Éléments d'épistémologie* (1966), trad. fr. B. Saint-Sernin, Paris, A. Colin, 1972, p. 134-137. Les premières font le relevé des acceptions diverses prises par un terme dans l'usage (en tenant compte des variations sémantiques dans le temps), et les classent : elles procèdent par inventaire des significations admises ou des sens reçus, ainsi que des contenus prescrits. Les secondes sélectionnent telle ou telle signification (ou tel trait sémantique) parmi les significations inventoriées, ou bien créent une expression à laquelle est attribué un sens technique, ou encore redéfinissent un terme en lui donnant un sens nouveau et/ou spécial (« Par X, nous entendrons... »). Les définitions génétiques (qui construisent leurs objets), les types idéaux et les modèles d'intelligibilité sont des espèces de la définition stipulative. Exemple : « Par "racisme", nous entendrons... » (*versus :* « On entend par "racisme"... »).

131. Cf. Gloria A. MARSHALL, « Racial Classifications : Popular and Scientific », *in* M. MEAD, Th. DOBZHANSKY, E. TOBACH, R.E. LIGHT (eds.), *Science and the Concept of Race*, New York et Londres, Columbia University Press, 1971 (1968), p. 149-150.

132. Sur les notions corrélatives de recevabilité (le discours tenu doit se conformer à un certain nombre de pratiques institutionnelles) et d'acceptabilité (vraisemblance, cohérence, agrément) d'une schématisation en logique naturelle ou « informelle », cf. Jean-Blaise GRIZE, *De la logique à l'argumentation*, Genève, Droz, 1982, p. 30, 211-214.

133. C'est, par exemple, la position défendue par l'auteur, juriste et membre de la LICRA, d'un « Que sais-je ? » dont les qualités pédagogiques ont fait le succès : François DE FONTETTE, *Le Racisme* (1975), 4e éd. revue et corrigée, Paris, PUF, 1981, p. 7.

134. « La négation du fait racial n'est pas en soi une attitude possible car elle consiste à nier la réalité, ce qui est un des plus grands dérèglements de l'esprit. C'est à ce propos que L.C. Dunn, rapporteur de l'Unesco, écrivait en juin 1951 : "L'anthropologue comme l'homme de la rue savent parfaitement que les races existent ; le premier parce qu'il peut classer les variétés de l'espèce humaine ; le second parce qu'il ne peut douter du témoignage de ses sens." » (F. DE FONTETTE, *op. cit.*, 1981, p. 8.)

135. Cf. F. DE FONTETTE : « L'étude scientifique du racisme à laquelle nous voulons nous livrer repose sur un double examen, celui des faits et celui des idées » (*op. cit.*, p. 6) ; « Le vrai raciste n'est pas honteux »... (p. 122). Au racisme unitaire

(« le racisme ») répond la *typisation* essentialiste du « raciste », opération par ailleurs dénoncée chez ledit « raciste ».

136. Gaston BOUTHOUL, *Traité de sociologie*, Paris, Payot, 1946, p. 263.

137. H.-V. VALLOIS, « L'anthropologie physique », *in* Jean POIRIER (sous la dir. de), *Ethnologie générale*, Paris, Gallimard, Encyclopédie de la Pléiade, 1968, p. 680-681 (souligné par moi).

138. E. PITTARD, *Les Races et l'histoire. Introduction ethnologique à l'histoire*, Paris, Albin Michel, 1924, nouvelle édition augmentée, 1953, 672 p. (avant-propos de Henri Berr, p. V-XX).

139. *Ibid.*, p. 3-4.

140. M. BOULE, *Les Hommes fossiles*, Paris, Masson, 1921 (2e éd. 1923), p. 322.

141. E. PITTARD, *op. cit.*, p. 4.

142. La prétention de joindre science et bon sens est un noyau argumentatif commun aux rhétoriques racistes et antiracistes. On se reportera par exemple à cette présentation d'un livre collectif, et destiné à un large public, sur le racisme : « Dans ce livre, Léon Poliakov et ses collaborateurs apportent *les réponses scientifiques et sensées* à ces interrogations souvent déchirantes (telles que : l'humanité est-elle réellement divisée en races ?, etc.) » (L. POLIAKOV, Ch. DELACAMPAGNE, P. GIRARD, *Le Racisme*, Paris, Seghers, 1976, p. 1 de couverture ; je souligne).

143. Jacques RUFFIÉ, Leçon inaugurale faite le jeudi 7 décembre 1972, Collège de France, chaire d'anthropologie physique, Paris, 1973, p. 35.

144. A. JACQUARD, « Biologie et théorie des "élites" », *Le Genre humain*, 1, 1981, p. 15.

145. A. JACQUARD, « A la recherche d'un contenu pour le mot "race". La réponse du généticien », *in Le Racisme. Mythes et sciences*, Bruxelles, Éd. Complexe, 1981, p. 36 ; cf. les remarques critiques de P. THUILLIER, *Les biologistes vont-ils prendre le pouvoir ? La sociobiologie en question*, Bruxelles, Éd. Complexe, 1981, p. 257-258.

146. A. JACQUARD, art. cité, p. 39 : « ... ce concept ne correspond, dans l'espèce humaine, à aucune réalité définissable de façon objective » (art. cité, *Le Genre humain*, p. 38).

147. *Le Racisme..., op. cit.*, p. 39.

148. Texte d'une allocution prononcée lors d'une réunion du MRAP, repris *in Le Racisme. Mythes et sciences, op. cit.*, p. 107-109 (ainsi que dans *Le Genre humain, op. cit.*, p. 66-69).

149. *Ibid.*, p. 66 et 67.

150. *Ibid.*. Cf. aussi, sur ce point, Jacques RUFFIÉ, « Le mythe de la race », *in Le Racisme..., op. cit.*, p. 357-361 ; *Traité du vivant*, Paris, Fayard, 1982, p. 38 *sq.*

151. Cf. E. MAYR, *La Biologie de l'évolution*, Paris, Hermann, 1981, p. 20-21.

152. F. JACOB, art. cité, p. 67 (souligné par moi) ; cf. J. RUFFIÉ, *De la biologie à la culture*, Paris, Flammarion, 1976, p. 375 : « ... *chez l'homme, les races n'existent pas* » (souligné par l'auteur).

153. *Ibid.*

154. *Ibid.*, p. 69 (souligné par moi).

155. *Ibid.* Dans la même perspective, J. Ruffié conclut à l'« absurdité du programme raciste-eugéniste » (art. cité, p. 364), dès lors que s'est effondrée la pensée typologique, et que s'est imposé scientifiquement le polymorphisme génétique (art. cité, p. 361 *sq.*).

156. F. JACOB, *Le Jeu des possibles. Essai sur la diversité du vivant*, Paris, Fayard, 1981, p. 12-13.

157. G. TARDE, *Les Lois de l'imitation. Étude sociologique* (1890), Préface de la 2e éd., Paris, 1895, Slatkine Reprints, Genève, 1979, p. XVII.

158. G. TARDE, *op. cit.*, p. 21, n. 1.

159. E. DEMOLINS, *Comment la route crée le type social*, Paris, Firmin-Didot, 2 vol., 1927. E. Demolins (1852-1907) avait pour « maître et ami » Henri de Tourville (1842-1903), « qui a été le plus complètement l'héritier du génie de F. Le Play » (t. I, p. X-XI). Les citations de Demolins que nous faisons se trouvent respectivement : t. I, Préface, p. VII ; t. II, Préface, p. V ; t. I, p. IX, X ; t. II, p. VII-VIII ; t. I, p. X, IX.

160. *Ibid.*, t. II, p. VI.

161. G. TARDE, « L'action inter-mentale », *La Grande Revue*, 1er novembre 1900, p. 319-329 (où la théorie anthroposociologique de G. Vacher de Lapouge et d'O. Ammon, fondée sur les concepts de race et de sélection, est soumise à un examen critique serré).

162. G. TARDE, *Études de psychologie sociale*, Paris, Giard et Brière, 1898, p. 79-80.

163. E. LÉVINAS, *Difficile liberté. Essais sur le judaïsme*, Paris. A. Michel, 1976, p. 201.

164. J. HIERNAUX, « La biologie humaine face aux préjugés raciaux », *Raison présente*, n° 6, avril-mai-juin 1968, p. 101.

165. Colette GUILLAUMIN, « Continuité et ruptures dans l'histoire d'une idéologie. Le racisme, ses antécédents, sa postérité », Colloque de Hammamet, 1971, texte de la communication, p. 1. Sur les recherches de C. Guillaumin, cf. P. FIALA, « Encore le racisme, et toujours l'analyse du discours », *Langage et Société*, n° 34, décembre 1985, p. 10-15. Pour une claire distinction entre la race comme « catégorie animale qui appartient au champ des sciences naturelles » et le phénomène social « race », ou la catégorisation raciale en société, cf. C. GUILLAUMIN, « Les ambiguïtés de la catégorie taxinomique "race" », *in* L. POLIAKOV (éd.), *Hommes et bêtes : entretiens sur le racisme*, Paris-La Haye, Mouton, 1975, p. 201-211.

166. C. GUILLAUMIN, « "Je sais bien mais quand même", ou les avatars de la notion de "race" », *Le Genre humain*, 1, 1981, p. 63.

167. *Ibid.* C. Guillaumin a donné une analyse exemplaire d'un mode discursif de racisation jouant sur des thèmes latents et des évidences implicites dans : « Immigration sauvage », *Mots*, 8, mars 1984, p. 43-51.

168. C. GUILLAUMIN, art. cit., 1981, p. 65.

169. C. GUILLAUMIN, « Le chou et le moteur à deux temps. De la catégorie à la hiérarchie », *Le Genre humain*, 2, 1982, p. 35 ; pour une critique plus développée de l'argumentation différentialiste, « antiraciste » ou « raciste », cf. P.-A. TAGUIEFF, « Le néo-racisme différentialiste », *Langage et Société*, n° 34, décembre 1985, p. 69-98.

170. Cf. C. GUILLAUMIN, art. cit., 1971, p. 1.

171. P. BOURDIEU, « Le racisme de l'intelligence », intervention au Colloque du MRAP (mai 1978), *Cahiers Droit et Liberté*, n° 382, 1979, p. 67-71 ; repris *in Questions de sociologie*, Paris, Éd. de Minuit, 1980, p. 264-268.

172. Les citations de P. Bourdieu que nous faisons se trouvent *ibid.*, 1980, p. 264 et 265 (souligné par moi).

173. Centre organisationnel et idéologique de la « nouvelle droite », fondé en 1968 (Groupement de recherche et d'études pour la civilisation européenne).

174. P. Bourdieu, *op. cit.*, 1980, p. 265.

175. E. Todd, *La Troisième Planète. Structures familiales et systèmes idéologiques*, Paris, Le Seuil, 1983.

176. *Ibid.* Les citations que nous faisons se trouvent, dans l'ordre, aux p. 223, 94, 26, 221, 20, 21, 40-41, 25, 24.

177. *Ibid.*, p. 18 et 24. E. Todd montre que la typologie familiale de Le Play est fondée sur la double dichotomie : liberté/soumission, égalité/inégalité (cf. p. 36).

178. *Ibid.*, p. 18.

179. *Ibid.*, p. 22, 24, 25, 42, 17.

180. *Ibid.*, cf. chap. 4 : *Les deux individualismes*, p. 115 *sq.* ; *ibid.*, p. 149.

181. *Ibid.*, cf. chap. 5 : *Endogamie*, p. 152 *sq.*

182. *Ibid.*, cf. chap. 6 : *Asymétrie*, p. 176 *sq.*

183. *Ibid.*, cf. chap. 7 : *Anomie*, p. 193 *sq.*

184. *Ibid.*, p. 36-38, 38-39, 40.

185. *Ibid.*, p. 67, 181, 67, 74.

186. *Ibid.*, p. 70-71.

187. *Ibid.*, p. 104-105 : la structure familiale autoritaire « a parfois tendance, malheureusement, à percevoir des différences qui n'existent pas, à lutter contre des fantômes idéologiques qu'elle-même invente. Elle les définit, non comme hétérogénéité du tissu social, mais comme agression venant de *l'extérieur*. Exemple parfait d'une telle construction idéologique : l'antisémitisme allemand qui fut engendré par une structure familiale autoritaire extrême, particulièrement rigide ».

188. *Ibid.*, p. 74-75 : la famille autoritaire « définit un idéal paysan de stabilité : chaque famille, pour se perpétuer, doit s'accrocher à sa terre, à sa maison ; son but politique ultime est la reconnaissance de son droit de propriété ».

189. *Ibid.*, p. 73-74.

190. *Ibid.*, p. 74. En posant la biologisation comme une condition du racisme en général, qu'illustre la continuité du « sang », l'analyse de Todd ne peut prendre en considération les variantes « idéalistes » ou « spiritualistes », expressément a-biologiques, voire antibiologiques, du racisme. C'est là l'une des limites de sa problématique.

191. *Ibid.*, p. 74, 68.

192. *Ibid.*, p. 68, 69.

193. *Ibid.*, p. 71, 70.

194. Cf. par exemple G. Vacher de Lapouge, *Les Sélections sociales*, Paris, A. Fontemoing, 1896 ; *L'Aryen. Son rôle social*, Paris, A. Fontemoing, 1899. C'est la raison principale pour laquelle les partisans du « nationalisme intégral » ont si vivement récusé la théorie des races, qui mettait en pièces le fondement historique de l'unité de la nation française, en montrant que sa population était ethniquement hétérogène (la noble race aryenne y coexistait, à demi submergée, avec la gracieuse race méditerranéenne et la parasitaire race alpine !). Les catégories d'exclus, selon la théorie dite des « quatre états confédérés » (Juifs, protestants, métèques, francs-maçons) ne recouvraient pas, à proprement parler, des catégories ethniques — ainsi « l'Aryen » du nationaliste Drumont désigne-t-il ce que Lapouge décrit comme étant l'absolument inférieure « race alpine », qu'il oppose précisément à l'« Aryen ».

195. E. Todd, *op. cit.*, p. 22, 24, 115 *sq.*

196. *Ibid.*, p. 176 *sq.* Les citations suivantes se trouvent aux p. 177, 176, 179, 179-180, 180, 181, 180, 183.

197. *Ibid.*, p. 182. Alain Daniélou pose bien le problème de l'interprétation évaluative du système indien : « L'Inde est-elle raciste ? Évidemment, du moins

du point de vue de la permissivité occidentale, puisqu'elle s'oppose au mélange des races, aux mariages entre diverses communautés et ne s'intéresse qu'à la qualité de l'héritage génétique de l'enfant. D'un autre point de vue, c'est le seul pays véritablement antiraciste, puisqu'il permet à toutes les races, toutes les religions, toutes les communautés, de coexister harmonieusement depuis des millénaires, d'accueillir et d'assurer la survie de tous les peuples, de toutes les religions ailleurs persécutées. » (« Le système des castes et le racisme », *in* A. BÉJIN et J. FREUND (éd.), *Racismes, antiracismes*, Paris, Méridiens-Klincksiek, 1986, p. 61).

198. *Ibid.* Sur le basculement du « narcissisme culturel » au « racisme absolu », mis en corrélation avec la différence entre « petits peuples » (Basques, Irlandais, Juifs, Suédois, Norvégiens) et « grande puissance » (Allemagne), cf. p. 113.

199. *Ibid.*, p. 149. Les citations suivantes se trouvent aux p. 149-150.

200. C'est que l'auteur a tendance à identifier l'antiracisme à l'option universaliste et à voir l'incarnation par excellence de celle-ci dans « l'homme universel cher à la tradition nationale française » (p. 138) : « La France représente un modèle [...] de tolérance dans la diversité » *(ibid.)*, « l'universalisme français est une idéologie d'accueil plutôt que d'assimilation forcée » *(ibid.)*. La France incarnerait donc un universalisme « d'accueil plutôt que de destruction » *(ibid.)*, l'universaliste se reconnaissant à sa « capacité d'ignorer les différences, de les vivre sans angoisse » (p. 137), voire à ce qu'il « se moque des différences anthropologiques » (p. 138). Les partisans du régionalisme, fédéralistes, autonomistes ou séparatistes, ne seraient certainement pas d'accord avec de telles visions idéalisantes du « centralisme » français, plutôt uniformisateur et « ethnocidaire » à leur sens.

201. Nous réinterpréterons cette typologie dans notre chapitre 8, p. 384.

202. H. LE BRAS, E. TODD, *L'Invention de la France. Atlas anthropologique et politique*, Paris, LGF, coll. « Pluriel », 1981, p. 26. L'approche anthropologique des phénomènes politico-culturels s'est poursuivie et développée ces dernières années : cf. E. TODD, *L'Enfance du monde. Structures familiales et développement*, Paris, Le Seuil, 1984 ; H. LE BRAS, *Les Trois France*, Paris, éd. O. Jacob/Le Seuil, 1986.

Chapitre 3

1. P. Bourdieu, *Questions de sociologie, op. cit.*, p. 37.

2. *Larousse du XXe siècle* (publié sous la direction de Paul Augé), Paris, Larousse, 1932, p. 902. Le mot-référence, en 1932, est le qualifiant désignant « raciste » ; il devient, dans le *Supplément* complétant les éditions antérieures à 1945 (Paris, Larousse, 1953, p. 362), la dénomination doctrinale « racisme », la définition du nom et de l'adjectif « raciste » s'y rapportant (« partisan du racisme »). On relève l'emploi courant de « raciste », adjectif et substantif, dès 1930, alors que, dans les mêmes textes considérés, le substantif « racisme » demeure rare, voire inemployé. Cf. Paul MORAND, *New York*, Paris, Flammarion, 1930, p. 212-213 : « ne suis-je pas en pleine Allemagne ? [...] Certains cafés sont des réunions de racistes ; les mots "pas de Juifs", écrits à la porte, en témoignent » ; cf. B. COMBES DE PATRIS, *Que veut Hitler ?*, Paris, Babu, 1932 : « l'évangile raciste » [p. 15 ; qualifiant *Mein Kampf*] ; « ... le véritable caractère raciste de la communauté juive » [p. 53] ; « le noyau raciste qui les avait formés » [p. 126 ;

qualifiant certains États impériaux] ; « Un État qui [...] soigne ses meilleurs éléments racistes » [p. 148]. Ni « raciste » [n. et adj.] ni « racisme » n'ont d'occurrence dans l'essai de Jules ROMAINS, *Le Couple France-Allemagne*, Paris, Flammarion, 1934, où est désigné comme tel « le nazisme, persécuteur de la race juive » (p. 77). Même remarque pour l'essai apologétique d'A. DE CHATEAUBRIANT, *La Gerbe des forces (Nouvelle Allemagne)*, Paris, Grasset, 1937 (euphémisme : « principe racique », p. 191).

3. Jacques LÉONARD le rappelait à propos du mot *eugénisme*, apparu en langue française comme dérivé d'*eugénique* : « Comme souvent, le contenu de la notion est antérieur au mot. Avant l'introduction du darwinisme en France, l'idée existe d'un interventionnisme médical dans les unions et les naissances... » (« Eugénisme et darwinisme. Espoirs et perplexités chez les médecins français du XIXe siècle et du début du XXe siècle » *in De Darwin au darwinisme : science et idéologie*, Congrès international pour le centenaire de la mort de Darwin, Paris-Chantilly, 13-16 septembre 1982, Paris, Vrin, 1983, p. 187). De manière analogue, Armelle LE BRAS-CHOPARD, dans son importante étude sur Pierre Leroux, semble présupposer qu'un phénomène idéologique peut préexister à sa dénomination spécifique et distinctive. (*De l'égalité dans la différence. Le socialisme de Pierre Leroux*, Paris, Presses de la Fondation nationale des sciences politiques, 1986, p. 250). Dénoncer des ensembles doctrinaux ou des systèmes d'attitudes, c'est être en principe capable de les repérer, analyser, identifier, évaluer, etc. Mais l'auteur postule ce qui n'est nullement une évidence, à savoir que ce sont *les mêmes phénomènes* qui, innommés au milieu du XIXe siècle, seront nommés plus tard, d'une part « antisémitisme », d'autre part « racisme ».

4. L'axiome de base en étant : « Les conditions d'apparition d'un lexème sont indiscernables de celles de la notion à laquelle il est censé correspondre. »

5. Je reprends librement ici, dans un contexte bien différent, certaines remarques de René THOM sur la « description » comme objectif scientifique, notamment dans le cadre de l'entreprise structuraliste, dont « le seul but est d'améliorer la description » (*Modèles mathématiques de la morphogenèse*, Paris, UGE, 1974, p. 20, 131 *sq.*).

6. On constate, dans les années soixante-dix/quatre-vingt, une coexistence des deux vulgates hégémoniques : l'antiraciste et l'antitotalitaire. L'une et l'autre présentent bien des traits et fonctionnements analogues — à commencer par une identification sous-entendue de la configuration rejetée, qui demeure fonctionnellement vague (« racisme », « totalitarisme »), avec une figure historique lourde (« nazisme », « stalinisme », voire « communisme » ou « collectivisme »). Vers le milieu des années quatre-vingt, on assiste à l'installation du *terrorisme* dans l'enfer des valeurs idéologiques : « Le terrorisme, c'est le mal absolu. C'est aussi grave que le nazisme ; il faut le combattre par tous les moyens, cela veut dire : n'en exclure aucun » (Édouard Balladur, cité par *Le Figaro*, 10 septembre 1986). Nouvelle figure du « mal absolu », le terrorisme s'ajoute au racisme (nazisme) et au totalitarisme (communisme ou nazisme) : diabolique trinité des antivaleurs maximales, triade des valeurs idéologiques infernales. On y peut voir la confirmation de l'hypothèse gnostique (E. Voegelin, A. Besançon) : le dualisme manichéen est le centre actif de l'idéologie politique moderne en général.

7. Sur l'anthroposociologie de G. Vacher de Lapouge, cf. P.-A. TAGUIEFF, *Dictionnaire des philosophes*, Paris, PUF, 1984, p. 2559-2565 ; un numéro spécial des *Cahiers STS* (Sciences — Technologie — Société ; Éd. du CNRS), consacré aux débats français autour de l'anthroposociologie, est actuellement en préparation, sous

la direction de P.-A. TAGUIEFF (contributions d'André BÉJIN, Jean BOISSEL, P.-A. GLOOR, etc.).

8. Gaston MÉRY, *La Libre Parole*, 18 novembre 1897 ; cf. Jean-Paul HONORÉ, *Le Discours politique et l'affaire Dreyfus. Étude des vocabulaires, 1897-1900*, thèse, Paris, université de Paris-III-Sorbonne nouvelle, 1982, p. 154-155. Abordant l'analyse de la « base raciste » du vocabulaire de l'antisémitisme à l'époque de l'affaire Dreyfus, J.-P. Honoré note que « deux néologismes soulignent cette nouvelle dimension de la question juive : *raciste* et *eugénisme* » (*op. cit.*, p. 155). Certaines notes de Barrès peuvent être à ce propos citées : « Je réfléchis. Il y a la *conscience nationale* et puis *l'énergie*. Avoir la conscience nationale, le sentiment qu'il y a un passé du pays, le goût de se rattacher à ce passé le plus proche. [...] Maintenant, il y a l'énergie. L'eugénisme. » (BARRÈS, *Mes Cahiers*, t. I, Paris, Plon, 1929, p. 93-94 ; texte datant de juin 1896). L'influence de G. VACHER DE LAPOUGE, bien qu'il ne soit pas cité par Barrès dans le premier tome des *Cahiers*, n'est pas ici à écarter : les deux critères de l'être d'élite sont en effet, dans *Les Sélections sociales* (Paris, A. Fontemoing, 1896, p. 68), l'intelligence et l'énergie. Sur cette critériologie sélectionniste, cf. les remarques de Léon WINIARSKI dans son étude critique sur « L'anthroposociologie », parue dans *Le Devenir social*, vol. 4, n° 3, mars 1898, p. 193-232 ; reprise *in* L. WINIARSKI, *Essais sur la mécanique sociale*, Genève, Droz, 1967, p. 130-161. L'économiste et sociologue d'origine polonaise, devenu l'un des représentants de l'école de Lausanne (L. Walras, V. Pareto), met en question le critère lapougien de la supériorité de race, à savoir « moins l'intelligence que le caractère » : « L'apogée des eugéniques, dans le sens d'hommes de caractère et d'énergie, ne coïncide pas avec l'éclat de la civilisation, mais seulement avec celui des luttes et des conquêtes extérieures. L'éclat de la civilisation ne commence partout qu'avec la décadence de l'eugénisme ainsi compris » (p. 159). Il faut préciser que le terme *eugénique* (d'abord adjectif, puis nom substantif) avait été introduit en français par G. VACHER DE LAPOUGE dans la *Revue d'anthropologie*, 15ᵉ année, 3ᵉ série, t. I, 1886, p. 512-521. Lapouge y transposait par *eugénique*, dans le vocabulaire scientifique de langue française, le substantif *eugenics*, introduit trois années plus tôt par Francis GALTON, dans ses *Inquiries into Human Faculty and its Development* (Londres, Macmillan, 1883). Les termes *eugénique/eugénisme*, accompagnés de *sélectionnisme* (ou de *sélection humaine*) tendront dès lors à se substituer aux dénominations concurrentes : viriculture, mégalanthropogénésie, callipédie, anthropotechnie (zootechnie appliquée à l'homme), hominiculture, eubiotique, orthobiose, etc. En 1886, Lapouge introduisait ainsi le nouveau terme bio-technique : « Les recherches de M. Galton n'ont qu'un but : déterminer les moyens pratiques de produire des eugéniques, sujets héréditairement doués, et de faire évoluer l'humanité sans chocs et sans retards, par une substitution continue des races eugéniques aux races inférieures ou médiocres » (art. cit., p. 516). Qu'il s'applique aux individus ou aux races, l'adjectif *eugénique* qualifie des sujets « d'élite », « supérieurs », « bien doués ». Comme pour le mot *racisme*, les datations fournies par les dictionnaires de langue ne sont guère fiables — ainsi le *Robert* indique-t-il 1912 pour *eugénique* (nom) ou *eugénisme*.

Dans l'édition de 1877 du *Dictionnaire de la langue française* de Paul-Émile Littré se trouvent mentionnés les mots *eugénésique, eugénine, eugénique*. Mais, alors qu'*eugénésique* renvoie bien à l'amélioration de la race, *eugénique* n'a nullement le sens galtonien qu'il prendra dix ans plus tard, notamment à travers les efforts d'adaptation à la tradition savante française de l'idée eugéniste, déployés par Vacher de Lapouge. Les définitions du Littré sont les suivantes : « *Eugénésique*. adj. *1*. Qui améliore la race. Croisements eugénésiques. *2*. Hybridité eugénésique, hybridité où les deux ordres de métis sont chacun indéfiniment féconds entre eux, *Revue d'Anthrop*., t. IV, p. 243 » (le terme n'apparaît pas dans le *Dictionnaire national* de Bescherelle, Paris, Garnier, 16ᵉ éd., 1877) ; « *Eugénine*. s.f. Terme de chimie. Matière cristalline qui se dépose spontanément dans l'eau distillée de girofle » (le terme apparaît également dans le Bescherelle, 1877) ; « *Eugénique*. adj. Terme de chimie. Acide eugénique, liquide d'une saveur épicée et brûlante, d'une forte odeur de girofle » (n'apparaît pas dans le Bescherelle).

Avant la fondation de la Société française d'eugénique (Paris, janvier 1913), le vocabulaire n'est guère fixé, y compris dans les milieux savants. L'appel invitant à la réunion préparatoire de ladite Société, tenue le 22 décembre 1912 dans le grand amphithéâtre de la faculté de médecine (sous la présidence d'honneur de Léon Bourgeois, ministre du Travail et de la Prévoyance sociale), se terminait par la précision terminologique suivante : « Pour dénommer la Société dont nous vous proposons la formation, nous pensons devoir conserver le terme "eugénique", qui est devenu courant dans les pays de langue anglaise. Il a possession de fait, et aucun autre ne nous a paru susceptible de le remplacer. La future Société pourrait donc s'appeler : *Société française d'eugénique* » (« Comptes rendus des séances de la Société », *Eugénique* (organe de la Société française d'eugénique), 1ʳᵉ année, nᵒˢ 1 à 4, janvier-avril 1913, p. 43). La constitution de la Société suivait de quelques mois le premier « Congrès international eugénique », tenu à Londres en juillet 1912 (*ibid.*, p. 42). L'usage anglo-saxon a donc été, dans le choix du terme scientifique, déterminant (le président de la Société était un naturaliste d'une autorité considérable, Edmond Perrier, directeur du Muséum d'histoire naturelle, membre de l'Institut). Mais, lors de la réunion préparatoire, l'on peut encore noter certains flottements dans la terminologie. Le sénateur Paul Doumer devait poser ainsi le problème : « L'accroissement du bien-être, la protection accordée aux faibles et aux déshérités, la substitution des forces inanimées à la force musculaire, et bien d'autres progrès dus à la civilisation [...] tendent à faire disparaître la sélection naturelle qui, pendant des siècles, a réglé la croissance de l'espèce humaine. Et de nouveaux problèmes se posent : comment empêcher les ferments de dégénérescence de se développer ? » (*ibid.*, p. 44). Le professeur Pinard continuait et prescrivait le remède : « Une prévoyance malentendue réduit la descendance à la fois en quantité et en qualité. [...] Le mal vient de ce que la civilisation est incomplète, car l'homme qui procrée n'a pas suffisamment conscience de la hauteur de sa mission. [...] Il faut combattre l'alcoolisme et les poisons de la race. L'*eugénétique* doit être enseignée et l'on peut à cet effet tirer parti des faits de génétique » (*ibid.*, p. 44 ; je souligne). Le professeur Landouzy (l'un des trois vice-présidents de la Société, aux côtés des professeurs Pinard et Houssay) enchaînait alors : « Notre but est l'*hominiculture*. Favoriser la naissance d'êtres qui fassent souche d'hommes sains et vigoureux : c'est à quoi se sont appliqués les médecins et les hygiénistes. La civilisation conduit quelquefois à une sélection à rebours, car nous avons le devoir de secourir les blessés, les infirmes, les faibles. Mais la science a vu le danger. Pasteur a montré la valeur de la sélection de la graine et de l'hygiène du milieu. Les éleveurs ont suivi ses directions. [...] les médecins [...] doivent voir plus loin que le malade présent, porter leur attention sur le fils et le petit-fils, faire obstacle à toutes les malpropretés de corps et d'esprit » (*ibid.*, p. 45 ; je souligne).

9. C'est l'article publié par M. Barrès, le 4 juillet 1892, dans *Le Figaro*, « La querelle des nationalistes et des cosmopolites », qui a installé dans le discours

politique général la dichotomie manichéenne nationaliste/cosmopolite. On notera que Barrès, loin de prendre le parti du patriotisme vantard et belliqueux, s'élève dans cet article contre le chauvinisme culturel, comme le rappelle Zeev STERNHELL (*Maurice Barrès et le nationalisme français*, Paris, A. Colin et Presses de la Fondation nationale des sciences politiques, 1972, p. 27). Mais par là était réalisée la mise en place du couple d'opposés en attente d'être investi par des valeurs positives et négatives lors de l'affaire Dreyfus (dreyfusards cosmopolites et antidreyfusards nationalistes), de manière à former une opposition idéologique relativement stable.

10. Cf. les pénétrantes remarques d'Anatole LEROY-BEAULIEU, montrant comment la théorie raciale donne une base « scientifique » à la passion antisémite (*L'Antisémitisme*, Paris, Calmann-Lévy, 1897, p. 27-29 ; *Les Doctrines de haine*, Paris, Calmann-Lévy, 1902, p. 111-114 ; cf. également James HOCART, *La Question juive*, Paris, 1899, p. 35-43). Dans sa belle étude sur *La Croix et les Juifs (1880-1899)*, Paris, Grasset, 1967, Pierre SORLIN ne manque pas de relever la signification et l'importance du nouveau besoin idéologique de légitimation scientifique des positions politico-polémiques (*op. cit.*, p. 160). De son côté, Michael R. MARRUS note que, dans la France des années 1880 et 1890, les Juifs eux-mêmes avaient incorporé à leur discours d'auto-identification communautaire le vocabulaire de la « race », en dépit des dangers qu'il comportait (*Les Juifs de France à l'époque de l'affaire Dreyfus*, trad. fr. M. Legras, Paris, Calmann-Lévy, 1972, p. 40-42) ; sur ce point, cf. les remarques lexicales complémentaires de J.-P. HONORÉ, « Le vocabulaire de l'antisémitisme en France pendant l'affaire Dreyfus », *Mots*, n° 2, mars 1981, p. 83-87.

11. A. MAYBON, *in Revue blanche*, n° 223, 15 septembre 1902, p. 146-148 (texte cité *in Matériaux pour l'histoire du vocabulaire français. Datations et documents lexicographiques* (CNRS, publications du Centre d'étude du français moderne et contemporain), 2e série, fasc. 15, Paris, Klincksieck, 1978, p. 289-290).

12. F. STACKELBERG, *L'Inévitable Révolution*, Paris, Stock, 2e éd., 1903, p. 24 (cité *in Matériaux pour l'histoire du vocabulaire français, op. cit.*, 2e série, fasc. 26, 1985, p. 184).

13. Louis LE FUR, « Race et nationalité », *Revue catholique des institutions et du droit*, publié en brochure, Lyon, 1921, 47 p.

14. *Op. cit.*, p. 21, 22, etc. D'autres occurrences du qualificatif *racique* sont repérables avant 1921, comme dans ces textes de G. PALANTE : « Bien d'autres antithèses *raciques*, politiques et idéologiques qui encombrent une symbolique déjà bien obscure » (*in Mercure de France*, n° 450, 16 mars 1917, p. 300 [souligné par moi]) ; « Il ne peut s'agir que d'une régénération intellectuelle et morale, à l'aide du tonique des philosophies nobles, possible seulement tout au plus pour les *happy few* qui survivent au déluge du mélange *racique* » (*ibid.*, n° 462, 16 septembre 1917, p. 323 [souligné par moi]) (textes cités *in Matériaux pour l'histoire du vocabulaire français*, 2e série, fasc. 18, *op. cit.*, 1980, p. 202). *Racique*, dans de tels contextes, équivaut à *racial* plutôt qu'à *raciste*. Ce n'est pas le cas dans cet emploi polémique de *racique*, qu'on trouve dix ans plus tard sous la plume de Jacques Maritain, dénonçant à la fois la corruption humanitariste de l'universalisme et la corruption national-raciste (ce que *nous* dénommerions tel) du patriotisme : « [...] le naturalisme humanitaire et le naturalisme *racique* sont tous deux ennemis de la patrie et de la chrétienté à la fois. » (J. MARITAIN, *Primauté du spirituel*, Paris, Plon, 1927, p. 138 ; souligné par moi). On notera que ce double rejet définit la position doctrinale de l'Église en la matière : le « vrai » sens de la catholicité n'est

nullement exclusif du « vrai » patriotisme, il l'implique bien plutôt (autant que l'attachement à la famille).

15. L. Le Fur, *op. cit.*, p. 22-32, 32 *sq.*, 22.

16. *Ibid.*, p. 21 (je souligne).

17. *Ibid.*, p. 21 note 1. Le *Larousse du XXe siècle* (Paris, 1932) comporte une entrée *racique* : « adj. Ethn. Qui a rapport à la race (en parlant des peuples) : *L'agrégation racique* » (p. 902). Le qualifiant *racique* est polémiquement neutre, au contraire de *raciste*, défini comme s'appliquant « aux nationaux-socialistes allemands qui prétendent représenter la pure race allemande, en excluant les Juifs, etc. » (*ibid.*, art. *raciste*).

18. Si « racial » est intégré au vocabulaire général dès le début des années dix (*Le Robert* avance 1911), « raciste » ne s'y intègre progressivement que dans la seconde moitié des années vingt.

19. *Dernière heure*, 8 janvier 1959, p. 3 (cité *in Matériaux pour l'histoire du vocabulaire français*, 2e série, fasc. 22, *op. cit.*, 1983, p. 252).

20. Théodore Ruyssen, *La Société internationale*, Paris, PUF, 1950, p. 3.

21. *Ibid.*, p. 4 (je souligne). Le philosophe fait appel à « l'expérience » pour soutenir que l'espèce humaine est « une sinon dans sa *matière*, du moins dans sa *forme* actuelle » (p. 3) : le fait de l'interfécondité universelle lui paraît constituer « la base physiologique d'une société intégrale de l'humanité » *(ibid.)*. Mais c'est encore un fait indubitable que « l'intensité des passions que la diversité des races peut susciter » (p. 3-4). Le penseur universaliste fait à ce propos une hypothèse inattendue : « Les raisons de ces antagonismes [entre races] sont [...] difficiles à déceler ; peut-être est-ce moins de *raisons* qu'il conviendrait de parler, que d'une sorte de répulsion physique instinctive jusqu'ici mal étudiée » [p. 3].

22. H. Lichtenberger, *L'Allemagne d'aujourd'hui dans ses relations avec la France*, Paris, G. Crès et Cie, 1922, 280 p. Dans un avant-propos daté du 11 novembre 1922, l'auteur précise que « ce livre est la préface d'une enquête sur l'Allemagne d'aujourd'hui, instituée par le Musée social et dont les premiers volumes vont paraître au début de 1923 » (*op. cit.*, p. VII).

23. *Op. cit.*, p. 107-108 (je souligne).

24. *Ibid.*, p. 101.

25. E. Vermeil, *L'Allemagne contemporaine (1919-1924). Sa structure et son évolution politiques, économiques et sociales*, Paris, F. Alcan, 1925, 225 p.

26. *Ibid.*, p. 55 (je souligne). Ce passage est cité partiellement (jusqu'à « pas allemand ») dans : *Matériaux pour l'histoire du vocabulaire français*, 2e série, fasc. 26, *op. cit.*, 1985, p. 184. On notera que la mise en correspondance *raciste/völkisch* est confirmée lexicographiquement en 1929 : « *Raciste* (...) *pol.l.a.* deutschvölkisch. *2.s.* Deutschvölkische(r) » (Langenscheidt, *Taschenwörterbuch der französischen und deutschen Sprache*, Berlin-Schöneberg, 1929 ; cité *in Matériaux pour l'histoire du vocabulaire français*, 2e série, fasc. 15, *op. cit.*, 1978, p. 290).

27. René Johannet, « Relèvement et redressement de l'Allemagne », *La Revue universelle*, tome XX, n° 22, 15 février 1925, p. 524. Il faut rappeler ici que R. Johannet avait, neuf ans auparavant, publié un ouvrage dont l'érudition (passablement compilatoire) ne pouvait masquer la nature de pamphlet anti-allemand : *Le Principe des nationalités*, Paris, Nouvelle Librairie nationale, 1918, LVI-438 p. C'est encore R. Johannet qui donnera une préface à l'essai non moins polémique (critiquant à la fois la théorie des races et les tendances de la science allemande) de L. Le Fur, *Races, nationalités, États*, Paris, F. Alcan, 1922, VIII-156 p. R. Johannet était un collaborateur régulier de la *Revue universelle*,

fondée en avril 1920 par Jacques Bainville (directeur) et H. Massis (rédacteur en chef), et qui cessa de paraître en août 1944 : cf. Eugen WEBER, *L'Action française* (1962), trad. fr. M. Chrestien, Paris, Stock, 1964, p. 548-551 ; et le témoignage d'H. MASSIS, *Maurras et notre temps*, Genève et Paris, La Palatine, 1951, t. 1, p. 145 *sq*.

28. Anonyme, « Les associations patriotiques et militaires en Allemagne », *La Revue universelle*, tome XXVIII, n° 24, 15 mars 1927, p. 646-650 (pour ce qui nous intéresse).

29. Pour cette citation et celles qui précèdent, *ibid.*, p. 646, 647, 650 (je souligne).

30. Ludwig BERGSTRAESSER, « Les partis politiques en Allemagne », *Revue d'Allemagne*, 2e année, n° 6, avril 1928, p. 496 (souligné par moi). Le contexte permet de référer la désignation « les racistes » aux mouvements « nationalistes » dont le général Ludendorff était la figure de proue.

31. Pour cette citation et celles qui précèdent, *ibid.*, p. 499-500, 502 (je souligne).

32. Ch. MAURRAS, *Mes idées politiques*, Paris, Fayard, 1937, p. 261.

33. Charles MAURRAS, *Enquête sur la monarchie*, Paris, A. Fayard, édition définitive, 1937 ; la 1re édition paraît en 1900, la deuxième (augmentée) en 1909 et la troisième (augmentée) en 1924.

34. *Ibid.*, p. XCVI-XCVII. Maurras pense la race selon le modèle naturel (« familial ») de la filiation — suite d'individus directement issus les uns des autres —, laisse entendre qu'il serait partisan de castes héréditaires (biologiquement fondées, donc), mais marque bien qu'il s'y intéresse principalement pour la question dynastique, comme l'indique l'usage métaphorique du terme *dynastie*. L'important est ici la continuité du « sang » supérieur, celui de la race des chefs.

35. Cf. M. DE ROUX, *Charles Maurras et le nationalisme de l'Action française*, Paris, Grasset, 1927, p. 224 (ce commentateur a tendance à souligner exagérément la méfiance maurrassienne vis-à-vis des facteurs de race). En 1937, Maurras cite l'un de ses comptes rendus de lecture « vieux de plus de trente ans » : « J'ai pour mon compte, toujours pris garde de séparer les réflexions sur l'hérédité politique et économique d'avec ces généralisations vagues, aventureuses et captieuses sur la stricte hérédité physiologique. » (« Le nationalisme français et le nationalisme allemand », note publiée à la suite d'une étude de M. DE ROUX, *Le Nationalisme français*, Paris, Librairie d'Action française, 1937, p. 29.)

36. Cité par M. DE ROUX, 1927, *op. cit.*, p. 224 (cf. MAURRAS, *Dictionnaire politique et critique*, Paris, A. Fayard, 1932, t. II, p. 135). Cf. aussi : MAURRAS, *La Démocratie religieuse*, Paris, éd. définitive, Nouvelle Librairie nationale, 1921, rééd. Paris, NEL, 1978, p. 120, 292, 493 ; *Quand les Français ne s'aimaient pas. Chronique d'une renaissance 1895-1905*, Paris, Nouvelle Librairie nationale, 1916, p. 197. Dans son « Mémorial en réponse à un questionnaire », Maurras vitupérera encore « le stupide et indigne Français Gobineau » (*Pour un jeune Français*, Paris, Amiot-Dumont, 1949, p. 96). Un texte daté du 12 janvier 1905, « Le système de Gobineau », repris dans *Gaulois, Germains, Latins* (Extraits) *(Les Cahiers d'Occident*, 1re année, n° 1, 1926, p. 29-30), permet de prendre la mesure de la distance creusée par l'exaspération qu'affectait Maurras vis-à-vis de Gobineau.

37. M. DE ROUX, 1927, *op. cit.*, p. 224-225 (je souligne). Pour les citations suivantes : *ibid.*, p. 218, 225-226, 226 (je souligne) et 225 (je souligne).

38. M. DE ROUX, « Le nationalisme français », suivi d'une note de Charles MAURRAS sur le nationalisme français et le nationalisme allemand, Paris, Librairie d'Action Française, 1937, 32 p. Pour les citations suivantes, *ibid.*, p. 12 (citation du *Larousse illustré*), p. 19.

39. *Ibid.*, p. 20. Dans sa note jointe à l'étude de M. de Roux, Maurras commente ainsi les Encycliques des 14 et 19 mars 1937 : « On sait maintenant que ce qui est interdit, c'est l'hitlérisme, c'est le germanisme d'Hitler, c'est la métaphysique religieuse du sol et du sang » (*op. cit.*, p. 27), soit « ce qui fait l'objet d'une sorte de monothéisme historique, temporel et terrestre tout à fait aberrant » (*ibid.*, p. 28).

40. Pour cette citation et les suivantes, M. DE ROUX, *op. cit.*, 1937, p. 20, 23, 20 (souligné dans le texte), 21, 25 (souligné dans le texte).

41. Ce passage (de « Gobineau... » à « ... race pure ») est cité sans restriction par Maurras dans sa note de 1937 (*op. cit.*, p. 28). Mais il est bien difficile de concilier la récusation absolue du « germanisme » comme mentalité spécifique d'élection du « racisme » (thèse classique de Maurras) et la revendication française d'une paternité (ou d'une antériorité) doctrinale du racisme (thèse de J. Bainville). Bien entendu, l'orientation de l'argument d'une naissance française du racisme peut être inversée, et autoriser une réhabilitation de la pensée gobinienne, celle-ci conditionnant à son tour une réévaluation positive du racisme. Voir Louis THOMAS, *Arthur de Gobineau, inventeur du racisme (1816-1882)*, Paris, Mercure de France, 1941, p. 7. Dans le même sens, autour du thème du racisme français précurseur, on peut se référer à : Claude VACHER DE LAPOUGE, préface à Hubert THOMAS-CHEVALLIER, *Le Racisme français*, Nancy, Georges Thomas, 1943, p. IX (« Le racisme est né de parents français... ») ; Alfred FABRE-LUCE, *Journal de la France*, mars 1939-juillet 1940, Paris, JEP, 1940, p. 228 (« Il y a un pré-hitlérisme français — et pas seulement chez Gobineau [...]. Mais à force de renier une part de notre tradition, nous l'avons sincèrement oubliée »). Dans son *Anthologie de la nouvelle Europe* (Paris, Plon, 1942), le même Fabre-Luce revendique pour la France l'honneur d'avoir compté d'illustres précurseurs du national-socialisme : « Proudhon, Michelet, Quinet, fils de 89 et militants de 48, traitaient déjà des thèmes nationaux-socialistes : respect de la force, contre-religion, culte du travail et de la patrie [...] le comte de Gobineau et M. Georges Sorel, deux hommes qui passèrent d'abord assez inaperçus dans leur pays d'origine, mais qui y ont exercé l'an dernier une singulière influence, par l'intermédiaire de leurs illustres disciples : Adolf Hitler et Benito Mussolini » (Préface, p. III). Mais Fabre-Luce ajoute une nuance et une restriction, tenant à ce que l'esprit français serait retenu par sa « modération » et ne saurait, sans se renier, adhérer sans réserves au racisme biologique (*ibid.*, p. XV).

42. J. BAINVILLE, *Lectures*, préface de Charles MAURRAS, Paris, A. Fayard, 1937, p. 220. La livraison du 15 mars 1908 de *L'Action française* (p. 536-539) comporte le procès-verbal de la séance du 18 février de la même année, lors de laquelle fut prononcée une conférence sur « les théories du professeur Otto Ammon » par « M. Berneval ». Celui-ci semble distinguer correctement les deux orientations, appelées déjà depuis une dizaine d'années, respectivement, « optimiste » (O. Ammon : la sélection sociale s'exerce dans le même sens que la sélection naturelle) et « pessimiste » (G. Vacher de Lapouge : la sélection sociale s'exerce au rebours de la sélection naturelle), de la théorie de la sélection, et plus largement de l'anthroposociologie (p. 537). Dans la discussion, Louis Dimier « fait remarquer ce qu'il y a tout à la fois de fort et de dangereux dans cette position contre-révolutionnaire, qui assimile la société à un organisme » (p. 538). S'il est bon de rappeler d'un côté que « les principes sur lesquels elle repose sont incertains », il faut de l'autre reconnaître que « ce genre d'état d'esprit nous vient de Taine ; or, c'est à la réaction tainienne que nous devons d'être ici » *(ibid.)*. C'est pourquoi il ne faut pas dire « trop de mal de cette conception » *(ibid.)*.

Ch. Maurras « parle dans le même sens. [...] Il insiste sur le caractère incertain et flottant des prémisses et sur ce qu'il y a de lâche dans l'ajustage des doctrines en question » *(ibid.)*.

43. MAURRAS, *La Démocratie religieuse, op. cit.*, p. 493.

44. *Ibid.*, p. 120.

45. *Ibid.*, p. 120-121.

46. *Ibid.*, p. 292.

47. Sur la distinction entre races zoologiques et races historiques, cf. notamment : Gustave LE BON, *Lois psychologiques de l'évolution des peuples*, Paris, F. Alcan, 1894, p. 30-31, 57 *sq* ; G. VACHER DE LAPOUGE, *Les Sélections sociales, op. cit.*, p. 8 *sq*. (Lapouge pose que « la notion de race est d'ordre zoologique, rien que zoologique », ce qui l'amène à proposer la création du mot *ethne* ou *ethnie* pour désigner les groupements humains non zoologiques) ; et les remarques critiques formulées par L. WINIARSKI, « L'anthroposociologie » (1898), *in op. cit.*, p. 131 *sq.*, et A. FOUILLÉE, *Psychologie du peuple français*, Paris, F. Alcan, 1898, p. 26 *sq.*, 117 *sq*. La question constituait, dans les années 1890, l'un des lieux communs des débats et controverses politico-scientifiques : cf. par exemple Lucien ROURE, « Races et nationalités », *Les Études religieuses*, 1, janvier 1899, p. 5-20. Le texte fameux de Bernard LAZARE, *L'Antisémitisme. Son histoire et ses causes* (Paris, 1894), montre par son ignorance du terme *ethnie* que celui-ci n'était pas encore en circulation dans les milieux de culture universitaire, et n'avait pas dépassé le cercle formé par la communauté des savants anthropologues. L'argumentation de Bernard Lazare vise à récuser la thèse que les Juifs seraient une « race » *(« ethnos »)*. Après avoir récusé le fait même de la race au sens zoologique dans l'histoire humaine (*op. cit.*, ch. X : « La race »), Bernard Lazare redéfinit le terme, et partant confère une certaine légitimité « psychosociale » à ce qu'on appelle « race » *(ethnos)*, au moyen d'un argument phénoméniste ou « herméneutique » ; être une race, c'est croire qu'on est une race, c'est se percevoir comme une race, ou être perçu comme une race. Dans le chapitre XI, « Nationalisme et antisémitisme », il affirme par exemple : « Le moderne judaïsme [...] est encore en réalité un *ethnos*, puisqu'il croit l'être » (p. 146). Ce statut intermédiaire, statut de quasi-race : ni race zoologique ni nation historique au sens strict, le terme lapougien d'*ethnie* tentera de le nommer différentiellement — tentative de conceptualiser l'insaisissable, l'équivoque. On notera en outre que ce type d'autoracisation est fort proche du processus de formation de « quasi-espèces », selon certains auteurs contemporains : il en va ainsi de la « pseudo-spéciation » culturelle analysée par Erik H. ERIKSON (cf., par exemple, *Adolescence et crise. La quête de l'identité* [1968], trad. fr. J. Nass et C. Louis-Combet, Paris, Flammarion, 1972, coll. « Champs », 1978, p. 39-40, 318 *sq.*), et reprise dans une problématique distincte par K. LORENZ (cf., par exemple, *L'Envers du miroir. Une histoire naturelle de la connaissance* [1973], trad. fr. J. Étoré, Paris, Flammarion, 1975, p. 257-263, 280 ; *Écrits et dialogues avec Richard I. Evans* [1975], trad. fr. J. Étoré, Paris, Flammarion, 1978, p. 291 *sq.* ; *L'Homme dans le fleuve du vivant* [1978], trad. fr. J. Étoré, Paris, Flammarion, 1981, p. 326-328 : chaque homme tend à considérer son groupe comme l'espèce humaine même, et à percevoir tout autre individu comme un « non-homme »). On notera en outre qu'avant l'attribution à Gobineau de la paternité des « idées racistes » ou du « racisme », avant donc le milieu des années vingt en France, l'on qualifiait volontiers les conceptions gobinistes d'« ethnologiques », on les mettait au compte de l'« ethnologie », désignation dès lors équivalente à « théorie des races » : « *Les idées ethnologiques* de M. de Gobineau n'ont pas

obtenu, au moment où elles furent publiées, un très grand succès. » (Maurice KAHN, *in l'Européen*, 19 août 1905, p. 15 ; je souligne.) Voir aussi Jacques DUCLAUD, « Gobineau », *L'Action française*, 10 janvier 1911.

48. G. DUMÉZIL, *L'Héritage indo-européen à Rome*, Paris, Gallimard, 1949, p. 17.

49. Ce texte a fait l'objet d'une version officielle française, différant passablement de l'original allemand : « Appel aux nations civilisées ». Cf. L. DIMIER, *L'Appel des intellectuels allemands* — Textes officiels et traduction avec préface et commentaire, Paris, Nouvelle Librairie nationale, 1914, p. 45.

50. *Op. cit.*, p. 55 (texte de la version officielle française).

51. L. DIMIER, *op. cit.*, p. 141-142.

52. La qualification de *barbare* (le « balbutiant », celui qui ne comprend ni ne parle correctement la langue) est l'objet de conflits pour la maîtrise de son usage exclusif, ce qui suppose une opération de redéfinition. Cf. l'argument désormais classique (mais non pas lumineux pour autant) de LÉVI-STRAUSS : « En refusant l'humanité à ceux qui apparaissent comme les plus "sauvages" ou "barbares" de ses représentants, on ne fait que leur emprunter une de leurs attitudes typiques. Le barbare, c'est d'abord l'homme qui croit à la barbarie. » (*Race et histoire* [1952], Paris, Gonthier, coll. « Médiations », 1968, p. 22). En 1776, à propos de l'esclavage des nègres, Condorcet manifestait avec ironie un sens certain de la relativité de la qualification de « barbare » : « Ce serait une horrible barbarie, si ces hommes étaient blancs, mais ils sont noirs, et cela change toutes nos idées » (*Remarques sur les Pensées de Pascal*, *in* F. BUISSON, *Condorcet*, Paris, F. Alcan, 1929, p. 26).

53. Pour cette citation et les précédentes, L. DIMIER, *op. cit.*, p. 142 (je souligne).

54. Le point 6 de l'*Appel* use du même mot *Kultur* dans l'original allemand, de « culture » (« notre culture ») et de « civilisation » (« notre civilisation ») dans la version officielle française (*op. cit.*, p. 55).

55. Pour cette citation et les suivantes, *ibid.*, p. 55, 57 (nous ajoutons entre crochets les termes du texte allemand original), 144-145, 146, 148, 147-148, 146-147.

56. *Ibid.*, p. 147 (je souligne). Cf. Ch. MAURRAS : « Ce que je loue n'est point les Grecs, mais l'ouvrage des Grecs et je loue non d'être grec mais d'être beau. » (*Anthinéa* [1901], nouvelle édition, Paris, Flammarion, 1942, p. IX, Préface.)

57. Cf. MAURRAS, *Mes idées politiques, op. cit.*, p. 83-84, 265.

58. *Ibid.*, p. 257-259.

59. MAURRAS, *Anthinéa*, *op. cit.*, p. VI (note de la 5e éd., 1912).

60. « La notion de *Volk* et les origines du nationalisme hitlérien », exposé d'E. VERMEIL, professeur à la Sorbonne, le 19 décembre 1936, sous la présidence de M. EISENMANN, dans le cadre des activités du Groupe d'études des questions germaniques ; exposé publié dans *Politique étrangère*, 1, février 1937, p. 45-55. La revue *Politique étrangère* était publiée par le Centre d'études de politique étrangère, association ayant pour but « l'étude objective des questions internationales contemporaines ». Son secrétariat général était assuré par Étienne Dennery et Louis Joxe, et son conseil d'administration comprenait des personnalités telles que C. Bouglé, L. Eisenmann, L. Marlio, P. Renouvin, A. Siegfried. Les citations suivantes se trouvent *in* E. VERMEIL, *art. cité*, p. 45, 46.

61. *Ibid.*, p. 47 (je souligne). La référence à la théorie schmittienne est ici transparente. L'analyse de la réception française de la pensée de Carl Schmitt n'a malheureusement pas été faite, selon ses deux voies de diffusion (de « résistance », faudrait-il dire) : les débats dans la communauté des pairs (juristes, philosophes

du droit, philosophes politiques), les polémiques autour du national-socialisme dans le champ idéologico-politique. Nous nous contenterons ici de donner quelques éléments d'une clarification. Dans les discours de langue française, entre 1934 et 1936, les rares références à C. Schmitt, juriste et philosophe politique, sont apparues dans le contexte d'exposés critiques de la doctrine national-socialiste, abordée dans ses aspects juridico-politiques (rappelons que C. Schmitt est devenu membre du NSDAP en mai 1933). Cf. notamment : François PERROUX, *Les Mythes hitlériens*, Lyon, Bosc Frères, M. et L. Riou, 1935, p. 28-29 (sur l'opposition ami/ennemi, et la distinction entre ennemi public et ennemi privé), p. 88-89 (la référence à C. SCHMITT, *Staat, Bewegung, Volk*, Berlin, 1933, étant suivie d'une caractérisation de la « pseudo-religion qu'est l'hitlérisme » par l'implication d'« une conception volontariste du monde ») ; *Le Droit national-socialiste* (Conférence internationale tenue à Paris les 30 novembre et 1er décembre 1935), Paris, M. Rivière, 1936, p. 31-32 (C. Schmitt est désigné comme « le philosophe officiel du droit national-socialiste »), 40, 47-48, 60, etc. ; Roger BONNARD, *Le Droit et l'État dans la doctrine national-socialiste*, Paris, LGDJ, 1936, p. 80 (« Dans un article destiné à justifier ces sanglants événements [les exécutions du 30 juin 1934 et des jours suivants], le prof. Carl Schmitt a invoqué des idées analogues [à celles d'A. Hitler] »), 86, 88, 118, etc. La principale source académique de connaissance, dans l'espace intellectuel français, des conceptions schmittiennes, était l'importante étude de Kurt WILK, « La doctrine politique du national-socialisme. Carl Schmitt. Exposé et critique de ses idées », *Archives de philosophie du droit et de sociologie juridique*, 4e année, n° 3-4, 1934, Paris, Recueil Sirey, p. 169-196 (p. 171 *sq.* : bon exposé critique du décisionnisme, dans la théorie de l'État et dans la théorie constitutionnelle). Cf. également : O. KIRCHHEIMER, « Remarques sur la théorie de la souveraineté nationale en Allemagne et en France », *Archives de philosophie du droit, ibid.*, p. 251 (dans sa perspective « décisionniste », C. Schmitt « justifie le vainqueur d'une guerre civile »). Il faut ajouter qu'en 1936 venait de paraître une traduction française partielle de *Legalität und Legitimität* (juillet 1932), due à W. Gueydan de Roussel : *Légalité, légitimité* (Paris, LGDJ, 1936, 109 p.), faisant suite à la traduction non moins partielle de l'essai *Politische Romantik* (1919 ; 2e éd., 1925, trad. fr. P. Linn, Paris, Libr. Valois, 1928). Cf. les réactions de Georges GURVITCH à la parution de *Légalité, légitimité* dans les *Archives de philosophie du droit et de sociologie juridique*, 6e année, n° 6, 1936, p. 235-236. On notera que dans la même période les exposés du national-socialisme centrés sur la théorie des races et l'État raciste ne mentionnent pas (ou peu, et marginalement) Carl Schmitt — les « auteurs » les plus souvent cités étant Hitler, Rosenberg, Goebbels, H.F.K. Günther, G. Feder. Cf. par exemple : Lawrence PREUSS, « La théorie raciale et la doctrine politique du national-socialisme », *Revue générale de droit international public*, novembre-décembre 1934, p. 661-674 (aucune mention) ; Théodore BALK, *Races. Mythe et vérité*, adaptation française Lydia Staloff, préface de Marcel PRENANT, Paris, Éd. Sociales internationales, 1935 ; Grete STOFFEL, « La doctrine de l'État raciste dans l'idéologie nationale-socialiste », *Archives de philosophie du droit et de sociologie juridique*, 6e année, n° 3-4, 1936, Paris, Recueil Sirey, p. 201-226 ; O. SCHEID, *L'Esprit du IIIe Reich*, Paris, Perrin, 1936 (nov. 1935) ; *Hitler et Rosenberg ou le vrai visage du national-socialisme* (anonyme), Paris, La Bonne Presse, 1936.

62. E. VERMEIL, art. cit., p. 52.

63. *Ibid.*, p. 53. Que « l'idée marxiste et communiste » soit supposée, en 1936, initiatrice d'une « civilisation homogène et réussie », par opposition à la barbarie

nazie, est une bévue en grande partie explicable par les circonstances, et par là intellectuellement « excusable » si l'on veut. L'illusion était fort bien partagée dans les milieux « antifascistes » : cf. Marcel PRENANT : « Il y a place pour un racisme en tout régime où une classe impose sa domination. Tout racisme est impossible dans la société sans classes » (Préface à Th. BALK, *Races. Mythe et vérité*, Paris, ESI, 1935, p. 10) ; et la déclaration du Comité de vigilance des intellectuels antifascistes après la dénonciation des accords de Locarno par l'Allemagne : « Si la France démocratique, surmontant sa profonde aversion pour le racisme hitlérien, accepte, dans l'intérêt supérieur de la paix, de négocier et de traiter dans le cadre de la SDN avec le troisième Reich, elle ne peut reconnaître à celui-ci le droit de se poser en champion de la civilisation occidentale et de repousser tout contact avec l'URSS membre de la SDN. » (Texte signé : Paul Rivet, président ; Paul Langevin et Alain, vice-présidents ; *in Non ! la guerre n'est pas fatale !*, Paris, 1936, brochure du CVIA, p. 6). Ce qui est en revanche intellectuellement impardonnable, et moralement scandaleux, c'est de répéter de telles propositions jusque dans les années quatre-vingt.

64. E. VERMEIL, art. cit., p. 55.

65. *Ibid.*

66. *Ibid.* On reconnaît la plupart des amalgames mis en place et reconduits jusqu'à nos jours par la dogmatique « rationaliste » des « antifascistes », de Julien Benda aux folliculaires de la « Libre Pensée », pieux gérants des restes d'un patrimoine prestigieux. La critique radicale du « vitalisme », du « mysticisme », ou du « romantisme », empruntée notamment à Benda et Seillière, et corrompue en dénonciation criminalisante, est amalgamée à la thématique de la propagande anti-allemande. Son produit ultime est la dénonciation récurrente de « l'irrationalisme », attitude intellectuelle supposée être la source de toutes les figures modernes de la barbarie (cléricalisme, pangermanisme, racisme, fascisme, nazisme..., jusqu'aux « sectes »), dans la perspective de l'illuminisme dégradé tel qu'on le rencontre incarné dans diverses ligues (faut-il dire « sectes » ?) se réclamant des « droits de l'homme » ou du « rationalisme ».

67. Cf. Zeev STERNHELL, *Maurice Barrès et le nationalisme français*, Paris, A. Colin et Fondation nationale des sciences politiques, 1972, notamment p. 8-20 (antirationalisme, antiscientisme, biologisation de type organiciste ou de type darwinien, « résurgence des valeurs irrationnelles », « néo-romantisme », « révolte contre le positivisme », récusation de la démocratie, racisme, anti-individualisme, anti-intellectualisme de style bergsonien/vitaliste, élitisme de style nietzschéen, etc.) ; *La Droite révolutionnaire 1885-1914. Les origines françaises du fascisme*, Paris, Le Seuil, 1978, notamment l'Introduction (p. 15-32) et la Conclusion (p. 401-416), où les amalgames sont pour ainsi dire ramassés. L'historien politologue insiste sur le biologisme d'inspiration darwinienne, sur la thématique de l'hérédité et de la sélection ainsi que sur l'antimarxisme (fondé sur une rivalité mimétique entre les déterminismes économique et biologique) ; *Ni droite ni gauche. L'idéologie fasciste en France*, Paris, Le Seuil, 1983 (exemple d'amalgame synthétique : p. 48). Il est clair qu'en caractérisant les « précurseurs » ou les « fondateurs » français du « fascisme » au moyen des traits ordinairement utilisés pour caractériser « fascisme » et nazisme, on a toute chance de retrouver à la sortie ce qu'on avait déposé à l'entrée : classique illusion des reconstructions téléologiques. Les présupposés idéologiques de l'historien sont bien ceux du rationalisme critique de tradition française, philosophie spontanée de la plupart des intellectuels « antifascistes » des années trente, marxistes, radicaux ou libéraux. Sur l'usage

polémique ritualisé du mot « fascisme », travesti en concept, cf. P.-A. TAGUIEFF, « La stratégie culturelle de la "nouvelle droite" en France (1968-1983) », *in Vous avez dit fascismes ?*, Paris, Arthaud/Montalba, 1984, p. 97-99.

68. E. VERMEIL, art. cité, p. 52.

69. W. SOMBART, *Deutscher Sozialismus*, Berlin, 1934, p. 176-185. La traduction française de l'ouvrage n'existait pas encore.

70. E. VERMEIL, art. cité, p. 55. Dans le même sens, vingt ans plus tôt, cf. Émile BOUTROUX, « Germanisme et humanité » (conférence faite le 2 mai 1915 au Muséum d'histoire naturelle), *Grande Revue*, août 1915 ; texte repris *in* E. BOUTROUX, *Études d'histoire de la philosophie allemande*, Paris, Vrin, 1926, p. 139-162. L'idée directrice en est que « le germanisme est bien une doctrine. Il préside, depuis longtemps, à l'éducation et à l'instruction données au peuple allemand. Il s'est appliqué à modeler les intelligences et les volontés [...]. Le germanisme n'est pas un accès subit et accidentel d'infatuation et de violence. Il se rattache à des tendances manifestées par les peuples germains dans tout le cours de leur histoire » (p. 139-140). On notera qu'une telle histoire des idées suppose qu'il existe des permanences de type psycho-ethnique : le germanisme est un ensemble de tendances et de représentations attribuées en propre aux peuples germains. Cf. également, du même philosophe engagé dans la guerre intellectuelle : « L'évolution de la pensée allemande » (30 mai 1915), *in op. cit.*, p. 199-227 ; « L'Allemagne et la guerre », *Revue des Deux-Mondes*, 15 octobre 1914 (I), et 15 mai 1916 (II), *in op. cit.*, p. 117-136 et 231-257. Sur le pangermanisme et ses divers aspects idéologiques, les analyses les plus approfondies, dans les années de guerre, sont dues à Charles ANDLER (elles mériteraient à elles seules une étude) : cf. notamment *Les Origines du pangermanisme (1800-1888)*, Paris, Conard, 1915, LXXX-300 p. (Collection de documents sur le pangermanisme, t. I) ; *Le Pangermanisme continental sous Guillaume II*, Paris, Conard, 1916, LXXX-480 p. (t. II) ; *Le Pangermanisme colonial sous Guillaume II*, Paris, Conard, 1916, C-336 p. (t. III) ; *Le Pangermanisme philosophique (1800-1914)*, Paris, Conard, 1917, CLII-400 p. (t. IV). Pour situer cette intervention intellectuelle dans son cadre idéologico-politique, cf. Ernest TONNELAT, *Charles Andler. Sa vie et son œuvre*, Paris, Les Belles Lettres, publications de la faculté des lettres de l'université de Strasbourg, fasc. 77, 1937, p. 167-181.

71. L. FEBVRE, « De Spengler à Toynbee. Quelques philosophies opportunistes de l'histoire », *Revue de métaphysique et de morale*, 43e année, n° 4, octobre 1936, p. 574, 575.

72. H. MASSIS, « Spengler précurseur du national-socialisme » (1933), repris *in Débats*, Paris, Plon, 1935, t. I, p. 206-217. Cf. p. 211 : « N'est-ce pas de cette conception de la vie et de l'histoire que procède un écrivain *raciste* comme Hans F.K. Günther... » (Je souligne.)

73. H. MASSIS, *op. cit.*, p. 214 (le mot *racistes* est en italiques dans le texte). Henri Massis publiera, en appendice de son livre *Allemagne d'hier et d'après-demain* (Paris, Éd. du Conquistador, 1949), la traduction française de la préface donnée par l'abbé Georg MOENIUS à sa traduction allemande du fameux essai de Massis, *Défense de l'Occident* (Paris, 1927) : « Germanisme et romanité » (*op. cit.*, p. 101-146). Moenius y affirmait fortement que « Rome est une idée universelle, non une idée "raciste" : son fondement est catholique et apostolique » (*ibid.*, p. 145).

74. H. MASSIS, *Entretien avec Mussolini (septembre 1933), Les Amis d'Édouard*, n° 166, Abbeville, juin 1937, p. 29 (je souligne).

75. Pour cette citation et les suivantes : L. FEBVRE, art. cité, p. 576, 578, 579.

76. *Ibid.*, « Dit-on » : l'allusion à la rumeur, dans et pour le « cas » Spengler, semble suffire à satisfaire l'exigence de preuve de l'historien. Son peu d'exigence épistémologique le rapproche des idéologues polémistes qu'il s'emploie précisément à dénoncer. Car il ne s'agit plus ici d'évaluer avec impartialité une œuvre et son champ d'influence, il s'agit d'illégitimer une manière d'écrire l'histoire à partir de présupposés philosophiques explicites et selon une perspective globalisante.

77. Pour cette citation et les suivantes, L. FEBVRE, art. cit., p. 579, 580.

78. *Larousse du XXe siècle*, 1932, p. 902. Dans le livre précité de B. COMBES DE PATRIS (1932), le racisme hitlérien, innommé comme tel, est ainsi désigné : « Un "nationalisme" raciste » (p. 12) ; le « point capital de la doctrine [...], la thèse qui inspire tout son mouvement [...] cette notion de race... » [p. 36] ; « [...] la théorie des races » (p. 126) ; les « théories hitlériennes » (p. 137) ; « la doctrine hitlérienne » (p. 142) ; le « système d'Hitler » (p. 143) ; « la pensée hitlérienne » (p. 145). Dans l'une des meilleures présentations françaises du national-socialisme, celle d'O. SCHEID (*Les Mémoires de Hitler et le programme nationalsocialiste*, Paris, Perrin, 1932), pour *une* occurrence du mot « racisme », l'on rencontre diverses formulations comportant l'adjectif « raciste » : « une nouvelle conception du monde, le racisme » (p. 129) ; « les idées racistes » *(ibid.)* ; « la philosophie raciste » *(ibid.)* ; « la conception raciste » (p. 135) ; « l'État raciste » (p. 89 ; trad. fr. de *völkisch*) ; « les aspirations racistes » *(ibid.)* ; « les énergies racistes » (p. 125) ; « les forces racistes » (p. 132) ; la « politique raciste » (p. 172), etc.

79. *Larousse*, 1932, p. 362.

80. Droit de domination et d'expansion territoriale décrit dans la définition encyclopédique : « Le dogme de la supériorité de la race germanique fut adopté par les Allemands pour justifier leur pangermanisme exalté jusqu'à la teutomanie » (1953, p. 362). « Pour les chefs du national-socialisme, ensuite, la théorie du surhomme de Nietzsche se muait en celle de supériorité de la race, et pour en assurer la suprématie tout était permis » *(ibid.)*.

81. *Ibid.*

82. « L'idéologie raciste a servi à justifier *l'antisémitisme* et *l'eugénisme* » *(ibid.)*. L'exclusion du Juif était mentionnée dans l'édition de 1932. Que l'antisémitisme soit souvent donné en illustration dans les expositions contemporaines du « racisme » est l'un des effets de la présentation inaugurale et récurrente du racisme par son illustration hitlérienne. Alors que les attaques antijuives dominantes, dans l'histoire occidentale, en ce qu'elles viennent du christianisme (les Juifs déicides), sont étrangères à la stigmatisation biologique, l'antisémitisme hitlérien réalise exemplairement le syncrétisme d'un discours antijuif et d'une idéologie raciale. « Le racisme (c'est-à-dire l'antisémitisme)... », écrivaient en 1933 Brice PARAIN et Georges BLUMBERG (« Documents sur le national-socialisme », *La Nouvelle Revue française*, 21e année, n° 239, 1er août 1933, p. 237). Certes, l'imbrication d'un antijudaïcisme et d'une biologisation raciste de soi et de l'autre est observable, dès les années 1880, dans les effets idéologiques de l'anthropologie physique naissante et du sélectionnisme darwinien. Le *quid proprium* du nazisme est d'en avoir fait une idéologie d'État.

83. 1953, *ibid.* Les noms d'auteurs cités : F. Galton en Grande-Bretagne, Lothrop Stoddard et Madison Grant aux États-Unis, sont ceux d'hommes de science devenus idéologues de « l'amélioration de la race », eugénistes et racistes à la fois. Précisons que les thèses eugénistes peuvent être soutenues sans que soient impliquées celles du racisme : les exemples de Jean Rostand ou de Julian Huxley demeurent pour

nous garder de tout rapide amalgame. On notera qu'en 1931, dans un livre bien informé, l'on ne rencontre nul emploi du mot *racisme,* alors même que la corrélation entre l'eugénisme et « l'orgueil de race » est dénoncée : « L'eugénisme est capable d'inspirer l'orgueil, l'égoïsme et la dureté de race » (Édouard JORDAN, *Eugénisme et Morale*, Paris, Bloud et Gay, 1931, ch. XI : « L'eugénisme et les querelles de races », p. 134).

84. 1953, *ibid.*

85. Je vise par cette dénomination l'idéologie différentialiste qui, dans les milieux européens des « nouvelles droites » intellectuelles, prétend s'étayer sur les résultats des sciences biologiques ou ethnologiques.

86. Cf. A. DE BENOIST, « La "différence", idée antitotalitaire », *in Les Idées à l'endroit, op. cit,*, p. 163-166 ; « Le totalitarisme égalitaire », *op. cit.*, p. 159-162.

87. Peut-être aussi en raison des conduites d'évitement et de tabouages, et des stratégies individuelles (l'étiquette « raciste » étant difficile à porter). Rappelons ici que la délégitimation de la théorie des races a commencé à se mettre en place dans et par la victoire du camp dreyfusard. La lutte antinazie n'a fait que renforcer l'assimilation péjorative de la théorie des races et de l'antisémitisme, et l'identification du rejet scientifique de l'idée de « race » avec la récusation de toute attitude ou conduite antijuive — d'où l'évidence polémique constitutive de l'idéologie antiraciste contemporaine : « lutte contre le racisme *et* l'antisémitisme ».

Chapitre 4

1. « Les multiples visages de ce qu'on nommait du nom popularisé par Hitler le *racisme...* » (P. PARAF, 1981, *op. cit.*, p. 5). « Le terme de *racisme* date de 1930 environ : comme pour *antisémitisme,* il a surgi pour désigner une nouvelle réalité sociale, des campagnes politiques à grande échelle ; mais personne n'hésitera à qualifier rétroactivement Gobineau ou Disraeli de racistes... » (L. POLIAKOV, « Racisme et antisémitisme : bilan provisoire de nos discussions et essai de description », *in L'Idée de race dans la pensée politique française contemporaine*, Paris, Éd. du CNRS, 1977, p. 17). Insistons sur l'assimilation, devenue courante, du racisme nazi à l'antisémitisme, son illustration la plus frappante sinon la seule, mais à laquelle la plupart des premières descriptions du national-socialisme ont réduit le racisme. Cf. ces remarques d'un bon observateur de l'Allemagne nazie : « [...] ce racisme allemand n'est pas tel qu'il s'annonce ; car, en réalité, il se réduit à un assez quelconque antisémitisme. » (Roger BONNARD, *op. cit.*, p. 11 et p. 33 : le racisme se ramène à l'exclusion des Juifs).

2. *Larousse* (*Supplément,* 1953) : « Théorie qui a pour but... » ; *La Grande Encyclopédie*, Paris, 1975 : « Théorie selon laquelle... » ; *Lexis* (Paris, Larousse, 1975) : « Théorie qui attribue... » ; *Logos* (Paris, Bordas, 1976) : « Théorie [...] qui affirme... » ; *Grand Larousse de la langue française*, t. VI, Paris, 1977 : « Théorie établissant... » ; *Polec. Dictionnaire de politique et d'économie* (2e éd., Berlin, 1967) : « *Raciste*, adj. Qui adhère au nationalisme basé sur la théorie raciale » ; *Le Robert* (1962), « art. "racisme" : Théorie [...] fondée sur la croyance que... ». Le *Petit Robert* (1967) court-circuite la croyance fondatrice par la mention de la conclusion : « Théorie [...] qui conclut à... » *Le Robert* est la désignation

économique du *Dictionnaire alphabétique et analogique de la langue française* (1953-1965), Paris.

3. André LALANDE, *Vocabulaire technique et critique de la philosophie*, Paris, 7e éd., PUF, 1956 : « Doctrine qui admet... » ; *Larousse*, 1932 : « Doctrine des racistes » ; Paul FOULQUIÉ, R. SAINT-JEAN, *Dictionnaire de la langue philosophique*, Paris, 1962, 2e éd., 1969 : « Doctrine qui affirme... » ; *Alpha encyclopédie*, t. 12, 1972 : « Ensemble de doctrines et d'attitudes... » ; *Dictionnaire usuel illustré*, Paris, Quillet-Flammarion, 1981 : « *1.* Doctrine qui, née à la fin du XIXe s. [...]. *2.* Auj. Attitude d'hostilité envers des groupes humains [...] différents. »

4. *Larousse*, 1953, etc.

5. Lalande, *op. cit.*

6. *Le Petit Larousse illustré* (1960) : « Système qui affirme... » (désignation reprise dans les éditions suivantes, jusqu'en 1980) ; *Nouveau Larousse universel*, 1969 : *ibid.*

7. *Le Petit Larousse illustré* (1983) : « Idéologie qui affirme... » (depuis l'édition de 1981). De 1946 (année d'entrée du lexème) à 1959 : « Théorie qui cherche à... » ; « Théorie qui tend à... » (1948).

8. Cf., par exemple, ces propos de Jacqueline Marchand : « A l'Union rationaliste, nous pensons que l'usage de la raison permet de chasser les mythes les plus dangereux et de dénoncer les prétentions pseudo-scientifiques [...]. Les méthodes scientifiques permettent de rejeter l'exorbitante prétention à la justification scientifique du racisme. » (Introduction à un entretien avec Albert Jacquard, « L'hérédité de l'intelligence et le racisme », *Les Cahiers rationalistes*, n° 353, septembre-octobre 1979, p. 9).

9. *Le Littré* (1960) : « Théorie politique de... ». L'entrée « racisme » est absente du *Dictionnaire de la langue française* (1863-1877) d'E. Littré. Une édition révisée, mise à jour et abrégée par A. Beaujan a été publiée en 1960 (Paris, Éditions Universitaires). C'est elle que nous citons.

10. *Dictionnaire Hachette juniors* (1980) : « Beaucoup de gens sont victimes du racisme, des préjugés qui affirment faussement qu'une race est... »

11. Rudolf SIEBERT, « Le phénomène du racisme », trad. fr. A. Divault, *Concilium*, 171, janvier 1982, p. 23. Dans un contexte chrétien, le racisme est souvent stigmatisé comme contrefaçon de la loi religieuse : « erreur », « mythe », « mystique », « folie ». Cf. *Racisme et Catholicisme* (P. CHARLES, J. FOLLIET, P. LORSON, E. VAN CAMPENHOUT), Paris-Tournai, Casterman, 1939 ; chanoine L.-Cl. DELFOUR, *Le Mythe du sang et de la race,* Paris, Sorlot, 1939 ; *Racisme et Christianisme* (Mgr BRESSOLES, R. D'HARCOURT, Yves DE LA BRIÈRE, A. DE LAPPARENT, E. SEILLIÈRE), Paris, Flammarion, 1939 (p. 42 : « la mystique de la race élue »).

12. R. SIEBERT, art. cité, p. 17.

13. *Ibid.*, p. 23. L'auteur blâme également « la fausse conscience » (p. 15) du racisme et « la destructivité inconsciente » (p. 18) du raciste, « le narcissisme raciste » (p. 16), « la démence absolue du racisme » (p. 23). Cf. le pamphlet de Georges LAKHOVSKY, *La Civilisation et la folie raciste*, Paris, Éd. S.A.C.L., 1939 : « Le racisme est une dangereuse folie qui menace la civilisation » (p. 140). Comme l'a noté Raymond ARON, l'essentialisme et la diabolisation racistes ont un double antiraciste (*Les Désillusions du progrès*, Paris, Calmann-Lévy, 1969, p. 87).

14. L.S. SENGHOR, « Une maladie infantile des Temps modernes », *La Nef*, n° 19-20, septembre-décembre 1964, p. 7-10.

15. François DE FONTETTE, *Le Racisme*, 4e éd. revue et corrigée, Paris, PUF, 1981, p. 121-122.

16. Cf. par exemple : « Solidaires de toutes les victimes du fléau raciste [...], les antiracistes... » (Charles PALANT, « Printemps de la fraternité », *Droit et liberté*, n° 259, février 1967, p. 5). Le *Petit Robert* distingue trois sens du mot *fléau*, qui sont condensés dans l'usage métaphorique et polémique qu'en font les locuteurs antiracistes : 1°) Personne ou chose qui semble être l'instrument de la colère divine (« Attila, le fléau de Dieu »). 2°) Calamité qui s'abat sur un peuple (« le fléau de la guerre, de la peste »). 3°) Ce qui est nuisible, funeste, redoutable (être « le fléau de la société »). Par une telle qualification, le racisme est érigé en phénomène quasi naturel (voire providentiel, pour les esprits sensibles à la théologie populaire de la culpabilité : « Nous sommes tous responsables » du « fléau »), qu'il s'agit d'éliminer comme on affronte et vainc une catastrophe naturelle.

17. Lucien-Anatole PRÉVOST-PARADOL, *op. cit.*, p. 45.

18. SOS-Racisme, « Manifeste » (condamnant le terrorisme), *Le Monde*, 17 septembre 1986, p. 11.

19. Dans la conclusion d'une étude pourtant très critique sur l'antiracisme, Paul DEHEM reconduisait le stéréotype pathologisant : « Les individus atteints de racisme sont des malades qu'on ne guérit ni par des incantations ni par des reproches, mais par une étude scientifique de leur mal, et surtout en se penchant avec une sollicitude compréhensive sur leur cas » (« De quelques écueils de l'antiracisme », *Esprit*, mars 1965, p. 561). On notera que la métaphore de la lèpre, empruntée à la tradition racisante (la « lèpre juive », etc.), est retournée par les antiracistes contre leur ennemi, les racistes : « Les pouvoirs publics affirmaient leur résolution de combattre contre cette "lèpre". » (M. BAROT, rapport sur « Le racisme et l'antisémitisme », Paris, 1982, p. 7 ; à propos du vote de la loi du 1er juillet 1972.)

20. A. LALANDE : « Doctrine qui admet dans l'espèce humaine l'existence de races... » Une telle définition introduit une présupposition qui fait qu'elle ne s'applique pas à certains exposés du racisme (cf., par exemple, certains textes hitlériens) : l'admission d'une *unité* relative de l'espèce humaine, divisible en races. Célestin BOUGLÉ présentait ainsi le slogan de la raciologie vulgaire : « On sait quelle large place a conquise, dans la littérature du XIXe siècle, la notion de la toute-puissance de l'hérédité [...]. La vulgarisation de pareilles thèses [« Les Sémites ont le crâne monothéiste », etc.] donnait créance à cette opinion, à laquelle le nationalisme de nos jours devait faire une si belle fortune, que "la question de race prime tout"... » (*La Démocratie devant la Science. Études critiques sur l'hérédité, la concurrence et la différenciation*, 3e édition, Paris, F. Alcan, 1923, p. 37-38). C. Bouglé analyse « la philosophie des races » (p. 38 ; telle l'anthroposociologie de Lapouge) comme l'une des « tendances principales » de la « sociologie naturaliste » (p. 36).

21. *Races et Racisme*, « Bulletin du Groupement d'étude et d'information », première année, n° 1, janvier-février 1937, p. 15. Les désignations du phénomène idéologique stigmatisé par le Groupement sont ; « le racisme » (p. 1), « les théories racistes » *(ibid.)*, « ces doctrines [racistes] » *(ibid.)*, « [les] idées racistes » (p. 2), « l'idée raciste » (p. 1), « doctrines racistes » (p. 4).

22. Pierre THUILLIER, *Darwin et C°*, Bruxelles, Éd. Complexe, 1981, p. 133 (l'étude citée,« De Darwin à Konrad Lorenz : les scientifiques et le racisme », a d'abord paru dans *La Recherche*, n° 45, mai 1974).

23. *Le Robert* : « Théorie de la hiérarchie des races... »

24. *Le Petit Larousse illustré* (1960) : « Système qui affirme la supériorité d'un groupe racial sur les autres... »

25. *Le Littré* (1960) : « Théorie politique de la suprématie de la race aryenne. »

26. Cf. Otto KLINEBERG, sur le coup d'œil physiognomonique, rappelant l'importance des inférences « spontanées » (en vérité culturellement modelées) à partir d'indices visuels dans la catégorisation racisante : « S'il faut en croire la sagesse populaire, l'aspect physique d'un individu renseigne assez bien sur ses caractéristiques psychologiques. » (« Race et psychologie », *in Le Racisme devant la science*, Unesco/Gallimard, 1960, p. 478). Sur la préparation physiognomonique au racisme, dans une perspective historique, cf. William B. COHEN, *Français et Africains. Les Noirs dans le regard des Blancs (1530-1880)* (1980), trad. fr. C. Garnier, Paris, Gallimard, 1981, p. 135-140.

27. LAVATER (1741-1801), dans son maître livre sur la physiognomonie, distinguait de celle-ci un sens large et un sens étroit : « La physiognomonie est la science, la connaissance du rapport qui lie l'extérieur à l'intérieur, la surface visible à ce qu'elle couvre d'invisible. Dans une acception étroite, on entend par physionomie l'air, les traits du visage, et par physiognomonie la connaissance des traits du visage et de leur signification. » (*La Physiognomonie ou l'Art de connaître les hommes d'après les traits de leur physionomie, leurs rapports avec les divers animaux, leurs penchants, etc.* (1775-1778), trad. H. Bacharach, Lausanne, L'Age d'Homme, 1979, p. 6). Sur la « physiognomonie humaine » de Jean-Baptiste Della Porta (1538 ?-1615), cf. Gérard SIMON, « Porta, la physiognomonie et la magie : les circularités de la similitude », *in* Margaret JONES-DAVIES (éd.), *La Magie et ses langages*, université de Lille-III, Travaux et Recherches, 1980, p. 95-105 ; M. FOUCAULT, *Les Mots et les Choses*, Paris, Gallimard, 1966, chap. II, p. 32 *sq.* ; F. AZOUVI, « Remarques sur quelques traités de physiognomonie », *Les Études philosophiques*, n° 4, 1978, p. 431-448. La physiognomonie, rêve d'une science universelle et art populaire, se fonde sur une théorie de l'expression dont le principe peut être ainsi formulé : « Pas d'extérieur sans intérieur. » (A. KOYRÉ, *Mystiques, spirituels, alchimistes du XVIe siècle allemand*, Paris, 1971, coll. « Idées », p. 91 ; à propos de Paracelse). Cf. également Patrick DANDREY, « La physiognomonie comparée à l'âge classique », *Revue de synthèse*, IIIe série, janvier-mars 1983, p. 5-27 ; François DAGOGNET, *Faces, surfaces, interfaces*, Paris, Vrin, 1982, chap. III, p. 89-131.

28. C. GUILLAUMIN, 1972, *op. cit.*, p. 77. Une parfaite illustration du postulat de fixité différentielle dans un discours raciste assumé est donnée par ces propos du Dr René Martial, « chargé du cours d'immigration à l'Institut d'hygiène de la faculté de médecine de Paris, professeur du cours libre d'anthropobiologie des races » : « ... qui dit : race, dit durée. Si la race est en proie à de multiples vicissitudes sans cesse renouvelées au long cours des âges, elle demeure fixe dans sa masse comme un roc qui domine toujours les flots oscillants... » (*Vie et constance des races* [Leçons d'anthropobiologie professées à la faculté de médecine de Paris], Paris, Mercure de France, 1939, p. 9 [Introduction].)

29. Carlo GINSBURG, « Signes, traces, pistes. Racines d'un paradigme de l'indice », *Le Débat*, n° 6, novembre 1980, p. 3-44. Les recherches sur l'indice céphalique participent du paradigme de l'indice, mais se situent en outre dans la tradition « métrologique », de tendance soit positiviste soit matérialiste. Sur l'anthropométrie et l'école anthroposociologique : Frank H. HANKINS, *La Race dans la civilisation. Une critique de la doctrine nordique* (1926), trad. fr., Paris,

Payot, 1935, I, chap. v, p. 117-163 ; Pitirim A. SOROKIN, *Les Théories sociologiques contemporaines* (1928), trad. fr. R. Verrier, Paris, Payot, 1938, chap. v, p. 180 *sq*, 207 *sq* ; Jean BOISSEL, « A propos de l'indice céphalique. Lettres de Durand de Gros à Vacher de Lapouge », *Revue d'histoire des sciences*, 1982, XXXV, n° 4, p. 289-319.

30. « Qui a vu un indigène d'Amérique les a tous vus » (formule attribuée à Ulluoa, citée par É. DURKHEIM, *De la division du travail social*, Paris, Alcan, 1893, p. 143, et par A. FOUILLÉE, *in Revue des Deux-Mondes*, 15 mars 1895, p. 393 ; on en trouve des variantes chez P. TOPINARD, *L'Anthropologie*, Paris, Reinwald, 3e éd. 1879, p. 458 (attribuée à Marshall), et *L'Homme dans la nature*, Paris, Alcan, 1891, p. 346 (attribuée à Morton) ; cf. aussi C. BOUGLÉ, *Les Idées égalitaires. Étude sociologique* (1899), 3e éd., Paris, Alcan, 1925, p. 155. Axiome qui sera souvent repris à propos des Juifs, dans le discours antisémite moderne, de type drumontien.

31. J. BENDA, *Exercice d'un enterré vif*, (juin 1940-août 1944), Paris, Gallimard, 1946, p. 107.

32. Marcel PRENANT, *Biologie et Marxisme*, Paris, Éd. Hier et Aujourd'hui, 1946, p. 189. Le biologisme intégral vu comme métaphysique moderne du destin, fatalisme reconstitué au nom de la science.

33. Marc KRAVETZ, « Vive la mort », *Libération*, 2 janvier 1986, p. 13.

34. Max HORKHEIMER, « Esprit juif et esprit allemand » (1961), *Esprit*, mai 1979, p. 26 (trad. fr. J.-L. Schlegel).

35. H. WALLON, « L'étude psychologique et sociologique de l'enfant », *Cahiers internationaux de sociologie*, vol. III, 2e année, 1947, p. 13-14 ; repris *in Enfance*, n° spécial (3-4 mai-octobre 1959 ; 1-2 janvier-avril 1963), 1976, p. 111.

36. H. WALLON, 1976, *op. cit.*

37. Cf. *Racisme et Catholicisme*, Paris-Tournai, Casterman, 1939, avant-propos, p. 9 : « Le racisme : sa préparation chez certains théoriciens du XIXe siècle ; sa synthèse matérialiste dans le IIIe Reich. »

38. Robert D'HARCOURT, « La religion du sang », *in Racisme et Christianisme*, Paris, Flammarion, 1939, p. 15. Le cardinal A. BAUDRILLART, préfaçant l'ouvrage collectif, situe l'apparition du racisme « en un temps de scientisme et de matérialisme » (p. VII).

39. « En Allemagne, le nationalisme s'appuie sur le racisme zoologique », note Gaston BOUTHOUL (« Les doctrines politiques depuis 1914 », *in* G. MOSCA, *Histoire des doctrines politiques depuis l'Antiquité*, trad. fr. G. Bouthoul (1937), nouvelle éd., Paris, Payot, 1955, p. 356).

40. Rappelons que le mot « sociologie » a été créé par Auguste Comte. Il n'apparaît dans son *Cours de philosophie positive* qu'en 1839 (tome IV, leçon XLVII), se substituant à l'expression « physique sociale ».

41. *Le Robert* : « Théorie [...] fondée sur la croyance que l'état social dépend des caractères raciaux... »

42. A. LALANDE, *op. cit.* : « Doctrine [...] qui considère ces différences comme les facteurs essentiels de l'histoire... » On reconnaît le postulat gobinien, énoncé comme tel dans l'*Essai* (1853-1855). Cf. Hannah ARENDT, *L'Impérialisme* (IIe partie de *The Origins of Totalitarianism*, 1951), trad. fr. M. Leiris, Paris, Fayard, 1982, p. 89-96 (chap. II : « Penser la race avant le racisme », III : « La nouvelle clé de l'histoire »). H. Arendt remarque, non sans raisons : « Personne avant Gobineau n'avait eu l'idée de découvrir une raison unique, une force unique selon laquelle, de tout temps et en tout lieu, une civilisation naît et meurt. Les

doctrines de la décadence semblent avoir un rapport étroit avec la pensée raciale » (p. 90). Les travaux de L. POLIAKOV permettent de nuancer un tel jugement : cf. *Le Mythe aryen. Essai sur les sources du racisme et des nationalismes*, Paris, Calmann-Lévy, 1971, p. 229-244 (« La race, moteur de l'histoire »).

43. En 1930, l'usage n'est pas encore pris de désigner la doctrine gobinienne, le « gobinisme », par le mot « racisme » : « En ces débuts du XXe siècle — époque de la grande vogue du "gobinisme" — les travaux de Fustel de Coulanges avaient [...] exclu peu à peu de la science française *la notion de race, en tant que principe du développement historique.* » (Charles SINGEVIN, « Autour de Gobineau », *La Revue universelle*, t. XLII, n° 11, 1er septembre 1930, p. 627 ; je souligne la formule définitionnelle, cataphorique, du « racisme » gobinien).

44. Autodénomination de la science de synthèse néo-darwinienne normalisée par le titre de l'ouvrage-princeps d'Edward O. WILSON, *Sociobiology. The New Synthesis*, Cambridge (Mass.), 1975.

45. Cité par C. BOUGLÉ, 1923, *op. cit.*, p. 38.

46. Le *Petit Larousse illustré* (1983) : « Idéologie qui affirme [...] en préconisant, en particulier, la séparation de ceux-ci [les autres : infériorisés] à l'intérieur d'un pays (ségrégation raciale)... » Cf. Définition de l'édition 1946 : « Théorie qui cherche à fixer la pureté de certaines races. »

47. Le *Littré* (1960) : « Théorie qui tend à préserver l'unité d'une race. » Cf. Le *Petit Larousse illustré* (1948) : « Théorie qui tend à préserver la pureté de la race dans une nation. »

48. Le *Robert* (1962) : « Théorie [...] qui conclut à la nécessité de préserver la "race supérieure" des croisements avec d'autres races... » Le *Petit Robert* (1967) : « Théorie [...] qui conclut à la nécessité de préserver la race dite supérieure de tout croisement... » Cf. le *Larousse du XXe siècle* (1932), art. « raciste » : « Nom donné aux nationaux-socialistes allemands qui prétendent représenter la pure race allemande, en excluant les Juifs... »

49. *Devenir soi-même :* l'identité propre est objet d'acquisition et de création dans la perspective eugénique, projetant la pureté à l'horizon de futur comme finalité d'une volonté maîtrisant une technique de production bio-anthropologique.

50. Alfred ROSENBERG, *Blut und Ehre*, I, *Reden und Aufsätze von 1919-1933*, München, 12e éd., 1937, p. 337 (discours prononcé à Nuremberg, septembre 1933). Cf. E. VERMEIL et P. GÉROME, *L'Hitlérisme en Allemagne et devant l'Europe*, Paris, Comité de vigilance des intellectuels antifascistes, 1937, p. 20, n. 1.

51. A. HITLER, *Mein Kampf*, München, F. Eher, 1933, II, chap. XIII, p. 704-705 (je souligne) ; trad. fr. J. Gaudefroy-Demombynes et A. Calmettes, Paris, NEL, 1934, p. 621. Cf. E. VERMEIL et P. GÉROME, *op. cit.*, p. 59-60. Rappelons que Hitler avait précédemment caractérisé ainsi la France : « L'ennemi mortel, l'ennemi impitoyable du peuple allemand est et reste la France » (trad. fr., p. 616).

52. Chaïm PERELMAN et Lucie OLBRECHTS-TYTECA, *Traité de l'argumentation*, Paris, PUF, 1958, t. II, p. 351.

53. PERELMAN, *op. cit.*, p. 354 *sq.*

54. *Ibid.*, p. 394 *sq.*

55. *Le Petit Robert* (1967) : « Théorie de la hiérarchie des races, qui conclut [...] à son droit de dominer les autres. »

56. *Vocabulaire* d'A. LALANDE (1956) : « Doctrine [...] qui fonde sur elles [les différences entre races] un droit pour les races (ou la race) supérieures de se subordonner les autres. »

57. *Des défenseurs du néo-colonialisme* (à propos de la lettre ouverte du Comité central du PCUS [IV]), Pékin, Éd. en langues étrangères, 1963, p. 30-32.

58. *Dictionnaire du français contemporain illustré*, Larousse, 1980 : « Théorie qui attribue une supériorité à certains groupes ethniques ; comportement qui en résulte. » Le « comportement » est chargé, par simple contiguïté et anaphorisation, des sèmes connotatifs du mot défini : « racisme », en quoi il est péjoré. Cf. Le *Robert* : « Théorie [...] ; comportement en accord avec cette théorie » ; le *Petit Robert* (1967) : « Théorie [...]. Ensemble de réactions qui, consciemment ou non, s'accordent avec cette théorie. »

59. Charles MAURRAS, *Kiel et Tanger, 1895-1905. La République française devant l'Europe*, Paris, Nouvelle Librairie nationale, 1910, appendice XVI, p. 371. Classer, c'est différencier ce qui est par nature différent, et mettre en ordre sur une échelle de valeurs.

60. C. GUILLAUMIN, *in Racisme et Société*, Paris, Maspero, 1969, p. 237.

61. J.-P. DUPUY, « Rôle de la différenciation dans les structures sociales », *Différences et inégalités*, Paris, Éd. Différences, 1984, p. 64.

62. Cf. Albert MEMMI, art. *in Encyclopaedia Universalis* (1972), repris *in Le Racisme*, Paris, Gallimard, 1982, p. 155.

63. Cf. Jeanne HERSCH, « Sur la notion de race », *Diogène*, 59, 1967, p. 127 : « Ainsi se réalise dans la race l'amalgame du fait et de la valeur. »

64. *Ibid.*, p. 127.

65. *Ibid.*

66. *Ibid.*

67. A. MEMMI, *op. cit.*, 1982, p. 154.

68. Cf. H. RAUSCHNING, *Hitler m'a dit* (1939), nouvelle édition revue et complétée, Paris, LGF, coll. « Pluriel », 1979, p. 321-322 : « le Juif » est défini comme « l'anti-homme », ou l'unique exemplaire de la « contre- » ou de l'« anti- » race. Sur « le Juif » comme « anti-race » *(Gegenrasse)* dans la doctrine hitlérienne, cf. S. FRIEDLÄNDER, *L'Antisémitisme nazi, op. cit.*, p. 144-145 ; O. REBOUL, *L'Endoctrinement*, Paris, PUF, 1977, p. 133.

69. Ch. BALLY, *Linguistique générale et linguistique française*, 4e éd., Ed. Franche, Berne, 1965, p. 80.

70. *Ibid.*, p. 78.

71. *Ibid.*, p. 80.

72. G. GUILLAUME, *Le Problème de l'article et sa solution dans la langue française* (1919), Paris, Nizet, 1975, p. 22 *sq.*

73. Ch. BALLY, *op. cit.*, p. 81.

74. L'Autre, dans le processus d'autoracisation, incarne un démon manichéen, c'est-à-dire le Pervers absolu, maître de toute norme et de toute légalité, n'obéissant à aucune règle fixe et repérable. Il est la méchanceté sans limites et l'intelligence stratégique utilisant tous les moyens de détruire son ennemi — ce qui fonde l'impératif éthique de son extermination au nom de la légitime défense contre la violence pure. Sur l'Autre comme « espèce ennemie », cf. L. POLIAKOV, « Racisme et antisémitisme : bilan provisoire de nos discussions et essai de description », *in L'Idée de race dans la pensée politique française contemporaine* (P. GUIRAL, É. TEMIME, éd.), Éditions du CNRS, Paris, 1977, p. 30. Le concept de « démon manichéen » est introduit par Norbert WIENER dans *The Human Use of Human Beings* (1950), trad. fr., *Cybernétique et société*, Paris, Éd. des Deux-Rives, 1952 ; nouv. éd. (Éd. synoptique), Paris, coll. «10/18 », UGE, 1971, p. 92.

75. Gregory BATESON a décrit en 1935 (« Culture Contact et Schismogenesis », *Man*, 35, p. 178-183) un phénomène d'interaction qu'il a dénommé *schismogenèse*, et défini comme « un processus de différenciation des normes du

comportement individuel à la suite d'une interaction cumulative entre individus ». (P. Watzlawick, J. Helmick-Beavin, D. Jackson, *Pragmatics of Human Communication*, New York, 1967, trad. fr. J. Morche, *Une logique de la communication*, Paris, Le Seuil, 1972, p. 67). Deux modèles de schismogenèse peuvent être distingués. L'un, fondé sur la maximisation des différences et l'acceptation d'une complémentarité, aboutit à la mise en place des individus interagissant sur une échelle à deux positions : dominant/dominé (en haut : sujet autoritaire/en bas : sujet soumis) — interaction *complémentaire*. L'autre, fondé sur la compétition et la surenchère entre individus se représentant comme égaux en position de rivalité, implique chez les partenaires un comportement en miroir, définissant une interaction *symétrique*. Celle-ci est au centre de l'anthropologie de René Girard, et développée selon les concepts de « désir mimétique » et de « rivalité mimétique », en rapport avec une théorie générale du mécanisme victimaire. Cf. R. Girard, *Mensonge romantique et vérité romanesque* (1961), nouvelle édition, Paris, collection « Pluriel », 1978, chap. I-III ; *La Violence et le Sacré* (1972), Paris, collection « Pluriel », 1980, chap. VI ; *Des choses cachées depuis la fondation du monde* (en collab.), Paris, Grasset, 1978, liv. I et III.

76. Le *Petit Robert* (1967), art. « génocide » (1944) : « Destruction méthodique d'un groupe ethnique. "L'extermination des Juifs par les nazis est un génocide." »

77. A. Lalande (1956) : « Doctrine [...] qui fonde sur elles [les différences entre races] un droit pour les races (ou la race) supérieures de se subordonner les autres ou même de les éliminer. » Le *Petit Larousse illustré* (1983) : « Idéologie qui affirme [...], en préconisant, en particulier, [...] ou même en visant à leur élimination (génocide, racisme des nazis) ». Le *Robert* (1962) : « Racisme des nazis qui aboutit au génocide. »

78. Max Horkheimer, Theodor W. Adorno, « Éléments de l'antisémitisme. Limites de la raison », *in La Dialectique de la raison* (1944), trad. fr. E. Kaufholz (sur l'éd. de 1969), Paris, Gallimard, 1974, p. 177. Cette démonisation radicale du Juif s'oppose à la dénonciation progressiste-libérale du Juif comme incarnation du particularisme antitypique, ou comme porteur de la différence non conforme au modèle universel : « La présence et l'aspect des Juifs met en question la généralité à laquelle ils ne sont pas suffisamment conformes » (*op. cit.*, p. 178).

79. *Ibid.*, p. 177 : « Ils sont stigmatisés comme mal absolu par ceux qui sont le mal absolu. Et ils sont ainsi, en fait, le peuple élu. »

80. *Le Testament politique de Hitler* (Notes recueillies par Martin Bormann), trad. fr. F. Genoud, Paris, Fayard, 1959, p. 84 (propos datant du 13 février 1945).

81. *Ibid.*

82. *Ibid.*, p. 85

83. J. Sageret, « La "Question des races" et la science », *Revue du mois*, 10 juin 1919, p. 155.

84. *Ibid.*, p. 154.

85. *Ibid.*, p. 155. L'auteur se fonde principalement sur les travaux de Joseph Deniker, « Les races européennes », *Bulletin de la Société d'anthropologie de Paris*, 1897 ; *Les Races et les peuples de la Terre*, Paris, Masson, 1900 (2e éd., 1926).

86. L'expression, standardisée, est objet de mention explicite par l'auteur : « La question, dite des races... » (*ibid.*, p. 167).

87. *Ibid.*, p. 155-156.

88. *Ibid.*, p. 168-169.

89. *Ibid.*, p. 169.

90. Cf., par exemple, Joseph Gabel, « Une pensée non idéologique est-elle

possible ? », *in Sociologie de la connaissance* (études réunies par Jean Duvignaud), Paris, Payot, 1979, p. 13-22. Une certaine lecture de K. Mannheim aboutit à l'éloge du sociologue déraciné, qui serait le meilleur des sociologues. Bien souvent, le type idéal du scientifique « sans attaches » est incarné par la figure de l'intellectuel juif diasporique, Juif agnostique et révolutionnaire, citoyen du vaste monde, représenté en tant qu'individu atomique (non marié, sans enfants). Dans les années trente, il était compréhensible que, face au type « enraciné » incarné par le militant *völkisch* ou nazi, le type du Juif intellectuel détaché de sa tradition, contretype maximal dans l'imaginaire antijuif, ait pu s'ériger en idéal normatif. Mais c'est là une invention de la guerre idéologique totale.

91. Cf. F. NIETZSCHE, *Le Gai Savoir* (1882 ; 2e éd. 1887), trad. fr. A. Vialatte, Paris, Gallimard, 1950, coll. « Idées », 1970, livre V (1887), § 377, p. 352-356 : « Nous, sans-patrie » *(Wir Heimatlosen).*

92. C'est la simple inversion évaluative du statut du Juif comme *heimatlos* chez É. Drumont. Cf. *La Libre Parole*, 12 novembre 1894 : « Ces éternels *heimatlos*, ennemis jurés de tout foyer auquel on leur permet de s'asseoir. » Jean-Paul Honoré rapporte la qualification stigmatisante de *heimatlos* à la « base nationaliste » du vocabulaire antijuif des années 1890 en France : le recours au terme allemand, étranger par excellence, connotant donc l'éloignement maximal, permet d'opérer une condensation polémique des ennemis principaux démonisés dans la figure du « Juif allemand », le sans-patrie qui cache la « bande judéo-allemande » (« Le vocabulaire de l'antisémitisme en France pendant l'affaire Dreyfus », *Mots*, 2, mars 1981, p. 82). C'est le cosmopolite qui est visé : « le Juif — pour employer une expression énergique de l'*Alliance israélite*, — est d'un *inexorable universalisme* » (É. DRUMONT, *La France juive. Essai d'histoire contemporaine* [1886], Paris, C. Marpon et E. Flammarion, 79e éd., s.d., t. I, p. 58).

93. Cf. les critiques formulées par P. BOURDIEU, *Questions de sociologie, op. cit.*, p. 70 ; et aussi : B. DE JOUVENEL, *Les Débuts de l'État moderne. Une histoire des idées politiques au XIXe siècle*, Paris, Fayard, 1976, p. 288-289.

94. Cf. R. RORTY, « Solidarité ou objectivité », *Critique*, 439, décembre 1983, p. 923-940. Le philosophe américain distingue les deux manières principales qu'ont les humains de donner sens à leur vie : « Raconter l'histoire de ce qu'ils ont apporté à une communauté » (désir de solidarité) ou « se décrire eux-mêmes comme ayant une relation immédiate à une réalité non humaine » (désir d'objectivité). Les « réalistes », qui « veulent fonder la solidarité sur l'objectivité », postulent l'existence d'une rationalité universelle et transculturelle. Rorty, qui s'oppose aux « réalistes » en « pragmatiste », récuse un tel postulat, et défend une position « ethnocentriste », laquelle suppose l'« acceptation du fait que nous ne sommes que le moment historique que nous sommes ». Il s'ensuit que « nous ne pouvons justifier nos croyances (en physique ou en éthique) devant tout le monde, mais seulement devant ceux dont les croyances coïncident dans une certaine mesure avec les nôtres ». Telle est la position du relativisme ethnocentrique.

95. Sur le salut éthico-politique (mais intra-littéraire) par la bâtardise, cf. par exemple : J.-P. SARTRE, « Des rats et des hommes » (1958), *in Situations IV*, Paris, Gallimard, 1973, p. 38-81. Le « bâtard » (le traître, le coupable, le colonisé désespéré, etc.) est le type directement opposé à celui du « salaud » (les honnêtes gens). Sur ce point, cf. *Saint Genet, comédien et martyr* (1952), *in* J. GENET, *Œuvres complètes*, I, Paris, Gallimard, 1970.

96. L'idéalisation antiraciste de la victime s'opère soit sur le type du métis soit sur celui de l'immigré : l'archétype commun étant le déplacé, l'inclassable, l'incatégorisable, valorisé absolument (type de l'Innocent).

97. Friedrich VON HAYEK, *Scientisme et sciences sociales* (1952), trad. fr. R. Barre, Paris, Plon, 1953, rééd. coll. « Agora », 1986, p. 144.

98. *Ibid.*

99. Michel et Françoise PANOFF, *L'Ethnologue et son ombre*, Paris, Payot, 1968, p. 13.

100. *Ibid.*, p. 99.

101. Cf. J. FAVRET, « En ethnologie, le crime ne paie plus », *Critique*, 271, décembre 1969, p. 1076.

102. Jean ROSTAND, dans *Hérédité et racisme*, Paris, Gallimard, 1939, distinguait les deux argumentations, et les analysait séparément : d'abord l'argumentation fondée sur la *hiérarchie*, fondant les pratiques de domination (*op. cit.*, p. 57-64) ; ensuite l'argumentation fondée sur la *pureté identitaire* (p. 64-66). Une rigoureuse description abrégée de l'hétéroracisation est donnée par C. GUILLAUMIN, *L'Idéologie raciste. Genèse et langage actuel*, Paris-La Haye, Mouton, 1972, p. 224. On retiendra avec profit la désimplication des analyses concernant respectivement le maintien de la différence (conduite de mise à part) et les manifestations d'hostilité. La différenciation identifiante est « déjà » du racisme (p. 72-79).

103. Jeanne HERSCH a fondé sur leur opposition sa réflexion critique sur les usages « antiracistes » (du type Unesco) des termes « race » et « racisme » (art. cit., 1967, p. 127-128). La distinction entre racisme d'extermination et racisme de colonisation a été reprise par Arthur Kriegel et rapportée, en histoire des idées, à la distinction entre deux traditions scientifiques distinctes : l'anthropologie physique et le darwinisme (A. KRIEGEL, *La Race perdue. Science et racisme*, Paris, PUF, 1983, p. 15-17 (« Deux biologies pour deux racismes »), 145-147). Il est difficile de suivre l'auteur dans son entreprise de « déculpabilisation » radicale du darwinisme dont il affirme l'« innocence » (p. 147), en dépit des réinvestissements massifs de la conceptualité sélectionniste dans les discours racistes, savants et « populaires », d'exploitation comme d'extermination.

104. J. HERSCH, art. cité, p. 127 (je souligne).

105. Lorsque, au nom de la race aryenne, un énonciateur dit devoir combattre « le Juif » (par exemple dans *Mein Kampf*), l'acte de cette exhortation suppose une reconnaissance du danger réel représenté par « le Juif », donc une identification de celui-ci comme puissance supérieure, bien que négative. « Le Juif » est postulé comme ne pouvant être vaincu qu'en étant détruit, et non pas asservi : c'est lui accorder la positivité d'un Maître, celle qu'on projette sur le double, le symétrique inverse.

106. J. HERSCH, art. cité, p. 127-128.

107. Sur le traitement spécifique des « races » proprement « inférieures », des « sous-hommes », tels « les Slaves », pour reprendre la lettre du vocabulaire nazi, cf. Heinrich HIMMLER, *Discours secrets* (1974), trad. fr. M.-M. Husson, Paris, Gallimard, 1978, p. 144 *sq.* Discours du 9 juin 1942, Berlin (à propos de la campagne de Russie) : « Il s'agit ici d'un conflit entre un Reich germanique et les sous-hommes » (p. 145) ; discours du 6 octobre 1943, Posen : « Nous n'avons pas besoin de traiter le Slave — qu'il s'agisse d'un Serbe, d'un Tchèque ou d'un Russe — autrement que l'ont fait ceux qui ont réellement dominé les peuples slaves au cours de l'histoire » (p. 163). Pour une vue d'ensemble des « grands desseins nazis », cf. L. POLIAKOV, *Bréviaire de la haine. Le IIIe Reich et les Juifs*, Paris, Calmann-Lévy, 1951, p. 303-323.

108. Cité par L. POLIAKOV, J. WULF, *Le IIIe Reich et les Juifs*, Paris,

Gallimard, 1959, p. 191-192 ; cf. aussi N. Cohn, 1967, *op. cit.*, p. 185-186. Sur l'endoctrinement des enfants russes, prôné dans la perspective d'esclavagisation, cf. O. Reboul, *L'Endoctrinement*, *op. cit.*, p. 152-159 ; H. Michel, *La Seconde Guerre mondiale*, Paris, PUF, 1968, t. I, p. 235 : Hitler avait ordonné de limiter l'enseignement à une instruction rudimentaire, et à la leçon que « l'ordre divin commande d'obéir aux Allemands, d'être honnête, appliqué et docile » ; D. Pélassy, *op. cit.*, p. 158.

109. Arthur R. Butz, *The Hoax of the Twentieth Century* (1976), 2e éd., Historical Review Press, Brighton (G.-B.), 1977 ; Wilhelm Stäglich, *Der Auschwitz Mythos. Legende oder Wirklichkeit ?*, Tübingen, Grabert, 1979 ; Robert Faurisson, interview à *Storia illustrata* (n° 261, août 1979), repris *in* Serge Thion, *Vérité historique ou vérité politique ?*, Paris, La Vieille Taupe, 1980, p. 171-212.

110. K. Mannheim, *Idéologie et utopie*, 1929.

111. Texte original du document final (« Stratégies d'actions pour l'an 2000 ») discuté (avec âpreté), amendé (la référence au « sionisme » ayant été remplacée par l'expression « [racisme et] toute forme de discrimination »), puis adopté lors de la conférence internationale organisée par les Nations unies, à Nairobi (Kénya), 15-27 juillet 1985 ; cité *in Le Monde*, dimanche 28-lundi 29 juillet 1985, p. 16.

112. Cf. Talcott Parsons, *The Social System*, New York, The Free Press, 1951, chap. vii.

113. Edmund Leach, *L'Unité de l'homme*, trad. fr. M. Luciani, Paris, Gallimard, 1980, préface, p. 20.

IIe PARTIE

Chapitre 5

1. Leo Strauss, *Droit naturel et histoire* (1953), trad. fr. M. Nathan et E. de Dampierre, Paris, Plon, 1954, p. 19.

2. Karl Marx, *Contribution à la critique de la philosophie du droit de Hegel.* Introduction, trad. fr. M. Simon, Paris, Aubier-Montaigne, 1971, p. 59, 61. Nous reprenons tel quel le terme de *Pathos*, qu'il n'est guère possible de traduire ici, au même titre que *Leidenschaft*, par « passion », comme le fait M. Simon. Nous modifions donc sa traduction.

3. Jean Hiernaux, *Égalité ou inégalité des races ?*, Paris, Hachette, 1969, p. 47.

4. Tel est du moins l'un des enseignements de l'*Aufklärung*, que résume bien Kant : « Il est préjudiciable d'inculquer des préjugés parce qu'en fin de compte ils se vengent eux-mêmes de ceux qui en furent les auteurs ou de leurs devanciers. » (« Réponse à la question : qu'est-ce que "les Lumières" ? » (décembre 1784), *in* E. Kant, *La Philosophie de l'histoire (Opuscules)*, trad. fr. St. Piobetta, Paris, Aubier, 1947, p. 85). Être vraiment homme, c'est être un homme vraiment majeur, c'est donc être définitivement sorti de l'état de mineur par la décision courageuse de penser par soi-même (*op. cit.*, p. 83-84). Kant, en ce qu'il est confiant dans le progrès de l'espèce humaine, pensable selon l'analogie du trajet de la minorité (penser par autrui : les tuteurs qui inculquent des préjugés confortables) à la majorité (oser penser par soi-même), est un *Aufklärer* (cf. J.-L. Bruch, *La Philosophie religieuse de Kant*, Paris, Aubier, 1968, p. 56 ; A. Philonenko, *L'Œuvre de Kant*, Paris, Vrin, 1972, t. II, p. 54).

5. Jean HIERNAUX rappelle les deux aspects, synchronique et diachronique si l'on veut, de la notion anthropologique de « race » : « Tel qu'il est habituellement employé, le concept de race humaine comprend [...] à la fois un aspect purement classificatoire : c'est un groupement de populations biologiquement proches, et un aspect phygénétique : c'est un groupe de populations qui descendent d'une population commune. » (*Op. cit.*, p. 52.) Le bioanthropologue précise qu'il s'en tiendra, dans son livre, au premier aspect, lequel déplace le point crucial de la définition de la « race » à la détermination de la « proximité » biologique (et/ou de la « différence biologique ») entre groupements de populations.

6. E. KANT, *Critique de la Raison pure*, préface de la 1re édition (1781), trad. fr. Tremesaygues et Pacaud, nouvelle édition, Paris, PUF, 1950, p. 6.

7. J. HIERNAUX, *op. cit.*, p. 47.

8. Insistons sur cette conversion d'une description du *fait* de la diversité culturelle en principe explicatif.

9. J. HIERNAUX, *op. cit.*, p. 47 (je souligne).

10. Michael LOEWY, *Marxisme et romantisme révolutionnaire*, Paris, Le Sycomore, 1979, p. 9. Le sens de la définition n'est guère modifié si l'on substitue « sociétés prémodernes » à « sociétés précapitalistes ».

11. Carl SCHMITT, *Politische Romantik*, München und Leipzig, Duncker und Humblot, 2e éd., 1925, p. 227 ; trad. fr. (partielle) par P. Linn, *Romantisme politique*, Paris, Valois, 1928, p. 151.

12. M. LOEWY, *op. cit.*, p. 13-15.

13. Karl POPPER a relevé ce paradoxe du rationalisme dogmatique qui, prétendant rompre avec toute forme de tradition — définie comme puissance « irrationnelle » —, s'institue cependant lui-même en tant que tradition (« le rationalisme ») : cf. « Pour une théorie rationaliste de la tradition » (1948), *in Cahiers S.T.S*, n° 8, Paris, CNRS, 1985, p. 10.

14. Cf. Henri LEFEBVRE, *Le Nationalisme contre les nations*, Paris, ESI, 1937, p. 35.

15. M. LOEWY, *op. cit.*, p. 14-15.

16. Lettre de K. Marx à F. Engels, 20 juin 1866, citée par H. LEFEBVRE, *op. cit.*, p. 34.

17. H. LEFEBVRE, *op. cit.*, p. 35-36.

18. Élisabeth DE FONTENAY, « Du singulier et de l'universel », *Cahiers Bernard-Lazare*, n° 114, janvier-mars 1986, p. 9. Le recours au lexique kantien autorise de cette affirmation une interprétation procédant des analyses développées par Claude LEFORT dans son étude sur « Droits de l'homme et politique » (*Libre*, 1980, n° 7, p. 3-42 ; repris *in L'Invention démocratique*, Paris, A. Fayard, 1981, rééd. Le Livre de Poche, 1983, p. 45-86), telle que la présentent J.-F. LYOTARD et J. ROGOZINSKI, dans un commentaire portant sur le sens kantien des « droits de l'homme » : « Cela [le vacillement des repères traditionnels, le différend] interdit à tout sujet déterminé — individu, classe, nation ou même "humanité" empirique — de se poser en auteur souverain ou en référent suprême du droit. L'"Homme" sans nom et sans qualités dont se destinent les droits de l'homme ne ferait que désigner, pauvrement, cette place vide de la Loi, son excès infigurable, qui délégitime par avance l'arrogance du grand Prescripteur. » (« La police de la pensée », *L'Autre Journal*, décembre 1985, p. 33.)

19. P. LEROUX, « Aux philosophes. De la situation actuelle de l'esprit humain », *Revue indépendante*, novembre 1841, p. 38. Pour l'interprétation « actualisée » d'une telle affirmation, cf. Armelle LE BRAS-CHOPARD,

De l'égalité dans la différence : le socialisme de Pierre Leroux, op. cit., p. 251 *sq*.

20. Cf. Léon BRUNSCHVICG, *L'Esprit européen*, Neuchâtel, Éd. de la Baconnière, 1947, p. 87.

21. Cf. E. BOUTROUX, « L'intellectualisme de Malebranche », *Revue de métaphysique et de morale*, t. XXIII, n° 1, 1916, p. 27.

22. *Ibid.*, p. 34.

23. Selon l'expression de L. BRUNSCHVICG, *Les Ages de l'intelligence*, Paris, F. Alcan, 1934 (« Avertissement »).

24. DESCARTES, *Discours de la méthode*, 1re partie, éd. E. Gilson, Paris, Vrin, 4e édition, 1967, p. 9.

25. L. BRUNSCHVICG, *op. cit.*, 1947, p. 101.

26. GOETHE, Max. 331 (*in Maximen und Reflexionen*, édit. Hecker, Goethe-Gessellschaft, 1907) ; cité par G. BIANQUIS, *Études sur Goethe*, Paris, Les Belles Lettres, 1951, p. 53.

27. Cf. VOLTAIRE, *Dictionnaire philosophique*, Paris, Garnier, 1947, art. « Tolérance », p. 401 et 407.

28. E. DURKHEIM, *Les Formes élémentaires de la vie religieuse* (1912), 4e éd., Paris, PUF, 1960, p. 305.

29. Gustave LE BON, *La Vie. Physiologie humaine appliquée à l'hygiène et à la médecine*, Paris, J. Rothschild, 1874, p 910. Cf. également Th. RIBOT, *La psychologie allemande contemporaine*, Paris, F. Alcan, 1879, p. XXXIV. Un siècle plus tard, un historien épistémologue, Camille LIMOGES, termine une importante étude sur la conceptualité darwinienne par cette affirmation : « En histoire des sciences les noms propres ne devraient avoir que valeur d'index. » (*La Sélection naturelle. Étude sur la première constitution d'un concept [1837-1859]*, Paris, PUF, 1970, p. 152.)

30. Anatole LEROY-BEAULIEU, *Les Doctrines de haine, op. cit.* p. 77-78.

31. *Ibid.*, p. 139.

32. J.-J. ROUSSEAU, *Émile ou de l'éducation*, livre IV, Paris, Garnier, 1943, p. 348.

33. *Ibid.*, p. 352.

34. *Ibid.* Cf. HELVÉTIUS, *De l'esprit*, III, 4.

35. Paris, Bibliothèque-Charpentier, Fasquelle éd., s.d.

36. *Ibid.*, respectivement, p. V, VII, IX et VII.

37. *Ibid.* Cf. *Regulae*, règle 3.

38. *Ibid.*, respectivement p. LIV, LIII, LII, LXII.

39. Cité par Cl. NICOLET, *L'Idée républicaine en France (1789-1924). Essai d'histoire critique*, Paris, Gallimard, 1982, p. 54 (je souligne).

40. *Ibid.*, p. 55.

41. J. SIMON, *La Politique radicale* (1868), 2e éd., Paris, 1869, p. 2 (cité par Cl. NICOLET, *op. cit.*). Sur J. Simon, cf. la brève notice de J.-F. BRAUNSTEIN, *in Dictionnaire des philosophes*, Paris, PUF, 1984, t. II, p. 2384-2385 (l'auteur insiste sur les origines éclectiques de la philosophie du républicain et rationaliste intransigeant, dont l'hostilité proclamée à l'égard de Victor Cousin cache mal la filiation).

42. Après avoir rangé parmi les éclectiques mineurs E. Saisset, J. Simon, P. Janet, E. Caro et E. Vacherot, A.-D. Sertillanges remarquait avec quelque ironie : « Tous ces penseurs sont imprégnés d'un christianisme plus ou moins

démarqué, associé à un rationalisme parfois agressif, sans que la filiation puisse jamais se dissimuler, en dépit de prétentions à l'autonomie qui prennent parfois des formes naïves. La Religion naturelle de Jules Simon se croit très émancipée ; elle vient du catéchisme. » (*Le Christianisme et les philosophies*, II : *L'Age moderne*, Paris, Aubier, Éd. Montaigne, 1941, p. 235.) Dans le même sens, E. Caro remarquait, en conclusion d'une étude sur *La Religion naturelle* de J. Simon : « Au fond, ce qui soutient, ce qui anime, ce qui vivifie les pages éloquentes qui terminent ce livre, c'est un christianisme implicite et latent [...]. Le sentiment est chrétien, si le système se refuse à l'être. » (*Philosophie et philosophes*, Paris, Hachette, 1888, p. 185.)

43. Cl. Nicolet, *op. cit.*, p. 55.

44. Pascal, éd. Brunschvicg, fr. 52, p. 339.

45. H. Gouhier, *Essais sur Descartes*, Paris, Vrin, 1949, p. 270.

46. *Ibid.*, p. 271.

47. *Ibid.*

48. R. Descartes, *Discours de la méthode* (1637), *op. cit.*, IIe partie, p. 11-17 ; cf. H. Gouhier, *op. cit.*, p. 37-42.

49. H. Gouhier, *op. cit.*, p. 36.

50. Descartes, *Discours de la méthode*, Ire partie, *op. cit.*, p. 10.

51. H. Gouhier, *op. cit.*, p. 271-272.

52. *Ibid.*, p. 271.

53. Au sens contemporain donné à l'expression par les théoriciens de l'« individualisme méthodologique » : effets ni voulus ni prévus des actions individuelles. Le schème de l'effet pervers peut être appliqué aux dérivations idéologico-politiques de pensées philosophiques, dérivations rarement étudiées pour elles-mêmes, pour l'excellente raison qu'elles sont rejetées comme « impuretés » par les historiens de la philosophie, amateurs soit de systèmes ou de structures théoriques pures soit d'intentions ou d'intuitions profondes authentiques.

54. H. Gouhier note que l'assimilation de la société à l'individu (donc tout recours aux analogies et métaphores de l'organisme) est « contraire à la logique de la vision cartésienne du monde » (*op. cit.*, p. 271).

55. *Ibid.*, p. 272.

56. *Ibid.*

57. Descartes, *Discours de la méthode*, IIIe partie, *op. cit.*, p. 22.

58. H. Gouhier, *op. cit.*, p. 276. Tout programme d'une politique scientiste est ainsi récusé. Il relève du faux cartésianisme dont l'histoire des idéologies politiques doit faire l'analyse, en le situant dans un champ où les contresens et malentendus peuvent engendrer de grands effets.

59. Cf. H. Gouhier, *op. cit.*, p. 241-242.

60. « La morale provisoire est, comme une régence, une solution raisonnable à une situation irrationnelle », dit bien H. Gouhier (*op. cit.*, p. 248).

61. Sur le caractère définitif de la « morale provisoire » (et/ou de la politique), cf. H. Gouhier, *op. cit.*, p. 252.

62. Condorcet, *Vie de Voltaire* (1787), Paris, 1904, p. 3.

63. Voltaire, *Dictionnaire philosophique* (1764), art. « Préjugés », éd. Étiemble, Paris, Garnier, 1947, p. 351. Pour les citations suivantes : p. 352, 351, 351-352.

64. « La plupart des histoires ont été crues sans examen, et cette créance est un préjugé » (*ibid.*, p. 353).

65. *Ibid.*, p. 354. Pour les citations suivantes, *ibid.*, art. « Persécution », p. 342, 341, art. « Fanatisme », p. 197, 198, art. « Tolérance », p. 407, 401.

66. *Ibid.*, p. 401.

67. L'article « Genèse » se termine ainsi : « On doit certainement en conclure que ceux qui entendent parfaitement ce livre doivent tolérer ceux qui ne l'entendent pas ; car si ceux-ci n'y entendent rien, ce n'est pas leur faute ; mais ceux qui n'y comprennent rien doivent tolérer aussi ceux qui comprennent tout. » (*Ibid.*, p. 225.)

68. « La discorde est le grand mal du genre humain, et la tolérance en est le seul remède » (*ibid.*, art. « Tolérance », p. 405).

69. Yvon BELAVAL, « L'héritage leibnizien au Siècle des lumières », *in Leibniz (1646-1716). Aspects de l'homme et de l'œuvre*, Paris, Aubier-Montaigne, 1968, p. 257. L'hypothèse peut être avancée que la destruction totale du sens reçu/donné et corrélativement du système théologique des valeurs est une condition d'établissement du règne sans partage des valeurs marchandes : l'empire ploutocratique devait se préparer et s'accompagner par le travail de sape réalisé par la raison critique et le nouveau culte de la tolérance. Les premiers romantiques ne s'y sont pas trompés : le type du bourgeois, du philistin, c'est le type du citoyen voltairien. Figures de Joseph Prudhomme et de Jérôme Paturot, philistins à l'état pur ou philistins cultivés. On rappellera ici l'évidence que le fanatisme illuministe est la religiosité bourgeoise, propre au monde moderne : « La bourgeoisie, classe sociale dominante, devient [sous la Restauration et la monarchie de Juillet] voltairienne, anticléricale et reprend à son compte les dogmes des Lumières, dont les romantiques ne cessent de faire le procès », note G. GUSDORF (*Fondements du savoir romantique*, Paris, Payot, 1982, p. 45). Le règne des anti-héros mi-pantouflards, mi-prédateurs, le règne de la tolérance cynique et de la rationalité instrumentale était à ses commencements.

70. F. NIETZSCHE, *G.W.*, Nauman, Leipzig, 1899-1913, t. X, p. 307 (cité par Charles ANDLER, *Nietzsche, sa vie et sa pensée, t. I : Les précurseurs de Nietzsche - La jeunesse de Nietzsche*, Paris, Gallimard, 1958, p. 109).

71. « Je crois [...] que l'on comprend mal le *Discours [de la méthode]*, et même Descartes, si l'on ne voit pas s'étendre sur eux l'ombre puissante de Montaigne. Les adversaires de Descartes c'est, sans doute, Aristote et la scolastique [...] ([Mais] ceux-ci, il s'agit de les remplacer et non plus de les combattre) : l'adversaire c'est aussi, et peut-être surtout, Montaigne. Or, Montaigne est en même temps le maître véritable de Descartes. » (*Entretiens sur Descartes* (1937), *in Introduction à la lecture de Platon*, Paris, Gallimard, 1962, p. 182.)

72. *Ibid.*

73. KOYRÉ insiste à juste titre sur ce qu'un tel « radicalisme inflexible et inerrant de sa pensée », Descartes ne le tient pas seulement de qualités intellectuelles, mais de ses qualités de tempérament et de caractère : la radicalité cartésienne est une « vertu qui exige de l'audace, du courage, qui suppose la décision de ne pas se laisser arrêter en route, mais de poursuivre sa voie coûte que coûte, malgré les obstacles, malgré les absurdités apparentes... » (*op. cit.*, p. 182).

74. *Ibid.*

75. Cf. J. VUILLEMIN, « Sur la tolérance », *Revue internationale de philosophie*, 25e année, 95-96, 1971, fasc. 1-2, p. 198-212.

76. *Ibid.*, p. 210.

77. Cité par M. RAT, « Introduction » à : MONTAIGNE, *Essais*, t. I, Paris, Garnier, 1962, p. XXX.

78. Sur le sens de Dionysos dans la dernière philosophie de Nietzsche, cf. E. FINK, *La Philosophie de Nietzsche*, trad. fr. Hildenbrand et A. Lindenberg, Paris, Éd. de Minuit, 1965, p. 232 : « Dionysos est la vie elle-même, la vie à deux visages [...], la vie créatrice et destructrice... »

79. C.H. DE SAINT-SIMON, *Introduction aux travaux scientifiques du XIXe siècle*, 1808.

80. Auguste COMTE, *Cours de philosophie positive*, 1re leçon (1830).

81. PLATON, *République*, VII, 519 a (cité par Léon CHESTOV, « Des sources des vérités métaphysiques », *Revue philosophique*, 55e année, nos 7 et 8, juillet-août 1930, p. 43).

82. Hannah ARENDT, *Condition de l'homme moderne* (1958), trad. fr. G. Fradier, Paris, Calmann-Lévy, 1961, 2e éd., 1983, p. 308 ; E. CASSIRER, *Essai sur l'homme* (1944), trad. fr. N. Massa, Paris, Éd. de Minuit, 1975, p. 32-33.

83. H. ARENDT, *Condition de l'homme moderne, op. cit.*, p. 310.

84. DESCARTES, *Regulae ad directionem ingenii*, règle 4, éd. Adam-Tannery, t. X, p. 378. Cf. J. LAPORTE, *Le Rationalisme de Descartes*, Paris, PUF, Nouvelle édition revue et augmentée, 1950, p. 8.

85. E. CASSIRER, *op. cit.*, p. 302.

86. *Ibid.*, p. 33.

87. A. COMTE, *Cours de philosophie positive*, 58e leçon, Paris, rééd. Anthropos, 1969, t. VI, p. 639. Pour une brève et excellente présentation d'ensemble, cf. A. KREMER-MARIETTI, « La philosophie cartésienne vue par Auguste Comte », *in Recherches sur le XVIIe siècle*, Paris, CNRS, 1976, t. I, p. 140-150.

88. *Ibid.* On n'insistera pas sur l'évidente objection que Descartes ne s'est pas véritablement dégagé de la « prépondérance absolue » accordée au « simple point de vue individuel » (*Cours*, 58e leçon). Cf. également le trait mordant à l'endroit de ceux qui croient « comprendre la méthode positive pour avoir lu les préceptes de Bacon ou le discours de Descartes » (*Cours*, 1re leçon, éd. Ch. Lalo, Paris, Hachette, 1943, p. 43).

89. *Cours*, 1re leçon, *op. cit.*, p. 57. Il s'agit par là de mettre fin à « l'anarchie intellectuelle », au « désordre actuel des intelligences » tenant, « en dernière analyse, à l'emploi simultané des trois philosophies radicalement incompatibles : la philosophie théologique, la philosophie métaphysique et la philosophie positive » (*op. cit.*, p. 55).

90. Ludwig VON MISES, *Le Gouvernement omnipotent* (1944), trad. fr. M. de Hulster, Paris, Librairie de Médicis, 1947, p. 211-216. Par « polylogisme », L. von Mises vise les partisans de la différence absolue de structure logique de l'esprit selon les classes (bourgeois/prolétaires), les races (Aryens/Sémites) ou les nations. On peut élargir l'extension du terme pour désigner la thèse de la pluralité des rationalités incommensurables et irréductibles.

91. A. COMTE, *Cours*, 3e leçon, Paris, Delagrave, s.d., p. 123. Cf. 1re leçon (*op. cit.*, p. 48) : « Cette découverte fondamentale [« l'admirable conception de Descartes relative à la géométrie analytique »] qui a changé la face de la science mathématique, et dans laquelle on doit voir le véritable germe de tous les grands progrès ultérieurs... »

92. *Cours*, 3e leçon, *op. cit.*, p. 118-119.

93. *Ibid.*, p. 128-129.

94. *Ibid.*, p. 124-125.

95. *Ibid.*, p. 108.

96. *Ibid.*

97. *Ibid.*, t. VI, 56e leçon.

98. *Ibid.*, 2e leçon, t. I (éd. Lalo, *op. cit.*, p. 113).

99. Le principe de l'« organisation » définit d'abord un nouveau paradigme du savoir, fondé sur la physiologie comme science générale des corps organisés :

cf. J.-P. FRICK, « Les détours de la problématique sociologique de Saint-Simon », *Revue française de sociologie*, XXIV-2, avril-juin 1983, p. 189-190 ; le programme de réorganisation sociale le suppose et le suit (*ibid.*, p. 199-200).

100. C.-H. DE SAINT-SIMON, *De la réorganisation de la société européenne* (1814), *in La Physiologie sociale* (œuvres choisies par C. Gurvitch), Paris, PUF, 1965, p. 70.

101. M. LEROY, *La Vie véritable du comte Henri de Saint-Simon (1760-1825)*, Paris, Grasset, 1925, p. 9.

102. M. LEROY, *Le Socialisme des producteurs : Henri de Saint-Simon*, Paris, Marcel Rivière, 1924, p. 183, cité par G. GURVITCH, *in La Physiologie sociale, op. cit.*, « Introduction », p. 9. Cf. également G. GURVITCH, *Les Fondateurs français de la sociologie contemporaine, I, Saint-Simon : sociologue*, Paris, CDU, 1961, p. 12 ; P. ANSART, *Sociologie de Saint-Simon*, Paris, PUF, 1970, p. 15. On prendra garde néanmoins de ce que Descartes « est le père ou l'ancêtre d'une foule de doctrines disparates [...] Et de toutes l'on peut dire ce que Leibniz disait [...] de celle de Spinoza : on obtient chacune d'elles en "cultivant certaines semences de la philosophie de Descartes", à condition toutefois de préciser que les semences choisies seront cultivées à l'exclusion des autres » (J. LAPORTE, *Le Rationalisme de Descartes, op. cit.*, p. 475).

103. Tels que : Adolphe LODS, *Histoire de la littérature hébraïque et juive*, Paris, Payot, 1950, p. 89-90 ; Sylvain ZAC, *Spinoza et l'interprétation de l'Écriture*, Paris, PUF, 1965, *passim*.

104. SPINOZA, *Traité théologico-politique*, chap. XV, *in Œuvres complètes*, Paris, Bibliothèque de la Pléiade, 1967, p. 819.

105. S. ZAC, *op. cit.*, p. 13.

106. *Ibid.*, p. 12-13.

107. *Ibid.*, p. 1, 213.

108. SPINOZA, *T.T.-P.*, chap. I, éd. Ch. Appuhn, p. 36.

109. Cf. S. ZAC, « Spinoza, critique de Maïmonide », *Les Études philosophiques*, 3, juillet-septembre 1972, p. 412 ; *T.T.-P.*, éd. Ch. Appuhn, préface, p. 24 ; chap. XV, p. 249-251.

110. S. ZAC, *op. cit.*, p. 8-10 ; p. 19 *sq.*

111. « Cette intolérance [des théologiens] s'explique, d'abord, par l'ambition, désir d'imposer à autrui nos propres manières de penser, de sentir et d'agir et, ensuite, par la force des superstitions qui aveuglent tant de gens. » (S. ZAC, *op. cit.*, p. 8 ; cf. *T.T.-P.*, préface, éd. Ch. Appuhn, *op. cit.*, p. 22-23.)

112. *T.T.-P.*, chap. VII, p. 137.

113. Lettre XLII, *in Œuvres complètes, op. cit.*, p. 1217 ; cf. également la Lettre XXX à H. Oldenburg (*ibid.*, p. 1176) ; *T.T.-P.*, préface, éd. Ch. Appuhn, p. 23-24.

114. *Traité de la réforme de l'entendement*, texte latin, trad. fr. et notes par A. KOYRÉ, Paris, Vrin, 4e éd., 1969, § 1, p. 4 ; § 10, p. 10 ; § 13, p. 12. Dans sa thèse sur *Spinoza et la liberté des hommes* (Paris, Gallimard, 1967, p. 17), Jean PRÉPOSIET rapproche le début du *Traité de la réforme de l'entendement* de la conception du Dieu vivant de la philosophie juive, telle que l'illustre cette adresse de Salomon Ibn Gabirol à l'Éternel : « Tu es vivant, et celui qui pénétrera ton mystère possédera d'éternelles délices ; et il s'en nourrira, et il vivra à tout jamais. » (*La Couronne royale*, trad. fr. P. Vuillaud, Paris, Dervy, 1953, p. 35.)

115. SPINOZA, Lettre XXX à H. Oldenburg (septembre 1665), *in Œuvres complètes, op. cit.*, p. 1175-1176.

116. S. ZAC, *op. cit.*, p. 3.

117. S. ZAC, art. cit., 1972, p. 428.

118. *T.T.-P.*, préface, éd. Ch. Appuhn, p. 21.

119. *Traité politique*, chap. v, § 5, éd. S. Zac, Paris, Vrin, 1968, p. 85. On peut penser qu'ici la *ratio* n'est pas tant la raison absolue et souveraine des stoïciens *(perfecta ratio)* que la *sana ratio*, capable d'apercevoir l'intérêt bien entendu (J. MOREAU, *Spinoza et le spinozisme*, Paris, PUF, 1971, p. 21). La « vie humaine » se confond avec la vie raisonnable (cf. *Traité politique*, chap. III, § 6, p. 61).

120. *T.T.-P.*, chap. XX, *op. cit.*, p. 329.

121. Cf. *T.T.-P.*, préface, p. 21.

122. *T.T.-P.*, préface, *in Œuvres complètes, op. cit.*, p. 610 ; cf. chap. XX, éd. Ch. Appuhn, p. 329.

123. Cf. *Éthique*, I, Appendice (nous nous référerons à la trad. fr. de Charles Appuhn, avec le texte latin en regard, Paris, Garnier, s.d.) ; *Éthique*, II, 35, scolie (« les hommes se trompent en ce qu'ils se croient libres ; et cette opinion consiste en cela seul qu'ils ont conscience de leurs actions et sont ignorants des causes par où ils sont déterminés ») ; *Éthique*, III, préface (les hommes se trompent en croyant qu'ils ont sur leurs propres actions « un pouvoir absolu ») ; *Éthique*, IV, préface (les hommes « croient que la Nature elle-même s'est trouvée en défaut ou a péché, et qu'elle a laissé imparfaite son œuvre. Ainsi voyons-nous les hommes appeler coutumièrement parfaites ou imparfaites les choses naturelles, plus en vertu d'un préjugé *[praejudicio]* que par une vraie connaissance de ces choses *[earum vera cognitione]* [...]. Ce qu'on appelle cause finale n'est d'ailleurs rien que l'appétit humain en tant qu'il est considéré comme le principe ou la cause primitive d'une chose ») ; Lettre LVIII au très savant G.-H. Schuller (*in Œuvres complètes, op. cit.*, p. 1251-1254).

124. *Éthique*, I, Appendice, éd. Appuhn, vol. I, p. 103.

125. Lettre LVIII (au très savant G.H. Schuller), *in Œuvres complètes, op. cit.*, p. 1251.

126. *Ibid.*, p. 1252.

127. *Tractatus de intellectus emendatione*, trad. fr. A. Koyré, *Traité de la réforme de l'entendement*, Paris, Vrin, 4e éd., 1969, p. 16 ; *Court traité*, II, chap. 1 et 2 (*in Œuvres complètes, op. cit.*, p. 45-47).

128. *Éthique*, II, 40, scolie II : la connaissance « par expérience vague » [*ab experientia vaga :* « expérience errrante », traduisait Alain] est celle qui correspond à la représentation des objets singuliers par les sens « d'une manière tronquée, confuse et sans ordre pour l'entendement ». Il s'agit de la simple constatation des événements qui se présentent à nous, et qui dépend donc du hasard (cf. ALAIN, *Spinoza*, Paris, Gallimard, 1968, p. 35).

129. Cf. Jean LACROIX, *Spinoza et le problème du salut*, Paris, PUF, 1970, p. 38.

130. *Éthique*, II, 33.

131. *Éthique*, II, 16, corollaire II.

132. *Éthique*, II, 35.

133. *Éthique*, II, 28, démonstration.

134. Cf. G. DELEUZE, *Spinoza*, Paris, PUF, 1970, p. 68.

135. *Éthique*, I, Appendice, *op. cit.*, p. 105.

136. *Ibid.*, p. 106. Pour les citations suivantes, *ibid.* (je souligne) et p. 111.

137. *Ibid.* Cf. *Traité théologico-politique*, préface (éd. Ch. Appuhn, Paris,

Garnier-Flammarion, 1965, p. 21) : « Le grand secret du régime monarchique et son intérêt majeur est de tromper les hommes et de colorer du nom de religion la crainte qui doit les maîtriser, afin qu'ils combattent pour leur servitude, comme s'il s'agissait de leur salut. » (Le « régime monarchique » étant ici opposé à « une libre république ».)

138. Sur cette interprétation du spinozisme comme critique du système des « passions tristes » à trois personnages (esclave, tyran, prêtre), cf. G. DELEUZE, *Spinoza, op. cit.*, p. 33 *sq.* (Spinoza y apparaît nietzschéisé, mais non point trahi sur l'essentiel de la critique).

139. *Éthique,* I, p. III.

140. SPINOZA, *T.T.-P.*, éd. Charles Appuhn, préface, p. 21. Pour les citations suivantes : *ibid.*, p. 20, 21, chap. VII, p. 138, p. 23 (préface), 27, 22 (préface), chap. XX, p. 329, p. 334, chap. XVI, p. 268.

141. S. ZAC, *op. cit.*, 1965, p. 129.

142. *La vie de Spinoza par un de ses disciples, in Œuvres complètes, op. cit.*, p. 1352 (je souligne « les mères »).

143. « C'est pourquoi il [Spinoza] disait qu'il n'y avait que ceux qui s'étaient dégagés des maximes de leur enfance, qui pussent connaître la vérité » *(ibid.)*.

144. B. CROCE, « Une institution ratée : l'Unesco » (*Il Mondo*, juillet 1950), trad. fr. L. Evrard, *Le Débat*, n° 39, mars-mai 1986, p. 156.

145. Cf. R. BOUDON, « L'intellectuel et ses publics : les singularités françaises », *in Français, qui êtes-vous ?*, sous la direction de Jean-Daniel REYNAUD et Yves GRAFMEYER, Paris, La Documentation française, 1981. L'intellectuel-producteur s'adresse à trois marchés : le marché formé par la communauté des pairs (« communauté scientifique »), un marché plus large comprenant les pairs et un certain nombre de groupes concernés (enseignants, décideurs politiques, etc.), un marché diffus enfin, identifiable au « public » et à son « opinion » présumée (ainsi le romancier, par exemple, ne destine pas en principe ses ouvrages à une communauté de pairs ; mais le phénomène du « nouveau roman », s'il s'agit bien de roman, a démontré le contraire...).

146. L. DE BONALD tend à identifier (à tort, bien sûr) Descartes, prenant « dans la conscience son premier principe », comme le fondateur de l'individualisme sceptique, de sorte que le doute méthodique, parce qu'il engage à chercher plutôt qu'à savoir, apparaît comme le « responsable de la ruine de la France » (L. BRUNSCHVICG, *Le Progrès de la conscience dans la philosophie occidentale* [1re éd. 1927], 2e éd., Paris, PUF, t. II, 1953, p. 495). Bonald, qui affectionne les renversements par chiasme, « se flatte d'anéantir le XVIIe siècle, en opposant l'*évidence de l'autorité à l'autorité de l'évidence*, comme il avait écrasé le XVIIIe en opposant l'*expérience de la philosophie à la philosophie de l'expérience (Recherches philosophiques sur les premiers objets des connaissances morales, in Œuvres*, t. VIII, p. 63-64) » (L. BRUNSCHVICG, *op. cit.*, p. 496).

147. La théorie de l'origine divine du langage humain, du « don primitif du langage » comme « révélation », permet à Bonald de conduire une critique radicale du cartésianisme, et « d'asseoir sur des bases nouvelles [...] sa théorie de la prépondérance du social sur l'individuel, de la tradition sur l'innovation, de l'"évidence de l'autorité" sur "l'autorité de l'évidence" » (Alexandre KOYRÉ, *Louis de Bonald* (1946), repris *in Études d'histoire de la pensée philosophique*, Paris, Gallimard, 1971, p. 140). Pour ce que la parole est un fait social, que « le *je* présuppose le *nous* » (A. KOYRÉ, *op. cit.*, p. 138), alors l'on peut soutenir que

Bonald « n'a pas manqué de perspicacité en reconnaissant [...] en Descartes son adversaire principal » (*ibid.*, p. 145 n. 2).

148. Cf. BONALD : « La parole ne peut être venue à l'homme que par transmission ou révélation : donc la science des personnes et de leurs rapports lui est venue [...] par voie d'autorité. » (*Législation primitive considérée dans les derniers temps par les seules lumières de la Raison, in Œuvres*, vol. III, p. 3 ; cité par A. KOYRÉ, *op. cit.*, p. 140 n. 1).

149. Cf. G. DUMAS, *Traité de psychologie*, t. II, p. 197-198 ; cité par Chaïm PERELMAN, *Traité de l'argumentation*, Paris, PUF, 1958, t. I, p. 42.

150. G. DUMAS, *op. cit.*, p. 200.

Chapitre 6

1. D'ALEMBERT, *Œuvres*, Paris, 1805, I, p. 223.

2. Cf., par exemple : Claude MEILLASSOUX, *Femmes, greniers et capitaux*, Paris, Maspero, 1982 (1re édition, 1975), en particulier p. 116 *sq.*, 185 *sq.* ; du même auteur : *Anthropologie de l'esclavage*, Paris, PUF, 1986, p. 320 (l'esclavage comme système de surexploitation) ; I. WALLERSTEIN, *Le Capitalisme historique* (1983), trad. fr. Ph. Steiner et Ch. Tutin, Paris, La Découverte, 1985, p. 74-79 ; ID., « La construction des peuples : racisme, nationalisme, ethnicité », *Actuel Marx*, n° 1, 1er semestre 1987, p. 25-26.

3. Cf. la synthèse d'Oliver C. Cox, *Caste, Class and Race : A Study in Social Dynamics*, New York, Doubleday, 1948 (N.Y., Monthly Review Press, 1959) ; Gordon W. ALLPORT, *The Nature of Prejudice, op. cit.*, p. 209-210. Sur l'explication historiciste du préjugé racial par les besoins du système capitaliste, cf. Kenneth L. LITTLE, « Race et société », *in Le Racisme devant la science*, Paris, Unesco/Gallimard, 1960, p. 67-70 (cite O.C. Cox). Dans une perspective analogue à celle de Cox : Marvin HARRIS, *Patterns of Race in the Americas*, New York, Walker, 1964, p. 65-89. La théorie des classes de Cox et Harris est discutée par : Michael BANTON, *The Idea of Race*, Londres, Tavistock and Boulder, Col., Westview, 1977, p. 129-134 ; Robert MILES, « Class, Race and Ethnicity : A Critique of Cox's Theory », *Racial and Ethnic Studies*, 1980, 3, p. 169-187 ; M. BANTON, *Racial and Ethnic Competition*, Cambridge-Londres-New York, Cambridge University Press, 1983, p. 85-91.

4. G.W. ALLPORT, *op. cit.*, 1954, ch. 13 (Les théories du préjugé), p. 206-218 (notamment p. 209-210).

5. *Ibid.* (le préjugé racial *[race prejudice]* comme mode de rationalisation des avantages économiques).

6. *Ibid.*, p. 209.

7. *Ibid.*, p. 210. Cf. Hugo TOLENTINO, *Origines du préjugé racial aux Amériques* (1974), trad. fr. V. Pannier et Cl. Couffon, Paris, R. Laffont, 1984, par exemple p. 13, 146, 148, 172.

8. ALLPORT, *op. cit.*, p. 209 ; O.C. COX, *op. cit.*, p. 393. Dans le même sens, cf. I. WALLERSTEIN, *Le Capitalisme historique, op. cit.*, 1985, p. 76-77 (thème récurrent de la justification des inégalités) ; 1987, art. cit., p. 26 (« légitimer la réalité hiérarchique du capitalisme... »).

9. ALLPORT, *op. cit.*, p. 210.

10. M. PRENANT, préface à : Théodore BALK, *Races, Mythe et vérité*, adapté d'après le manuscrit sous la direction de l'auteur par Lydia Staloff, Paris, Éd. sociales internationales, 1935, p. 9-10. Le même type d'argumentation (les hommes d'affaires japonais remplaçant les capitalistes juifs) se retrouve chez I. WALLERSTEIN, 1987, art. cit. (cf. note 2), p. 22. Quelques approches du racisme dans une perspective marxiste : Herbert APTHEKER, « Imperialism and Irrationalism », *Telos*, 4, 1969, p. 168-175, article recensé par Louise MARCIL-LACOSTE dans son précieux répertoire : *La Thématique contemporaine de l'égalité*, Montréal, Les Presses de l'université de Montréal, 1984, p. 9 ; James and Grace BOGGS, *Racism and the Class Struggle*, New York, Monthly Review Press, 1970 (cf. L. MARCIL-LACOSTE, *op. cit.*, p. 22) ; Clarence J. MUNFORD, « Ideology, Racist Mystification and America », *Revolutionary World*, 17, 18, 1976, p. 57-85 (L. MARCIL-LACOSTE, *op. cit.*, p. 136).

11. H. ALLEG, *S.O.S. America*, Paris, Éd. Messidor/Temps Actuels, 1985, p. 172.

12. Pour une orientation bibliographique, on pourra se reporter aux ouvrages et articles suivants, dont certains sont désormais classiques, qui présentent synthétiquement les problématiques, les méthodes et les principaux résultats des recherches :

1) Psychologie sociale (recherches sur les attitudes et les préjugés) : Louis L. THURSTONE, « Attitudes Can Be Measured », *American Journal of Sociology*, 1927-1928, p. 529-554 ; Emory S. BOGARDUS, « Race Friendliness and Social Distance », *Journal of Applied Sociology*, vol. 11, n° 3, janvier-février 1927, p. 272-287 ; Gordon W. ALLPORT, « Attitudes », *in* Carl A. MURCHISON (ed.), *The Handbook of Social Psychology*, Worcester, Mass., Clark University Press, 1935, p. 798-844 ; Harry BONE, *Le Préjugé. Étude objective*, Paris, Hermann, 1935 ; E.L. HOROWITZ, « "Race" Attitudes », *in* O. KLINEBERG (ed.), *Characteristics of the American Negro*, New York, Harper, 1944, part IV, p. 141-248 ; E.L. HARTLEY, *Problems in Prejudice*, New York, King's Crown Press, 1946 ; G.W.A. ALLPORT, B.M. KRAMER, « Some Roots of Prejudice », *Journal of Psychology*, XXII, 1946, p. 9-39 ; James W. WOODARD, « Psychologie sociale », *in La Sociologie au XXe siècle* (sous la dir. de G. GURVITCH et W.E. MOORE), Paris, PUF, 1947, t. I, p. 223-270 (notamment p. 234-239) ; Muzafer SHERIF, *An Outline of Social Psychology*, New York, Harper and Brothers, 1948, chap. 9-13, chap. 14 (Social Distance [Prejudice]) (2e éd. remaniée, 1956) ; G.E. SIMPSON, J.M. YINGER, *Racial and Cultural Minorities : An Analysis of Prejudice and Discrimination*, New York, Harper and Brothers, 1953 ; G.W. ALLPORT, *The Nature of Prejudice*, 1954 *(op. cit.)* ; O. KLINEBERG, *Psychologie sociale*, trad. fr. R. Avigdor-Coryell (sur la 2e éd. amér. révisée), Paris, PUF, 1957-1959 (2 vol.), chap. XVIII et XIX, p. 541-617 ; S. MOSCOVICI, « L'attitude : théories et recherches autour d'un concept et d'un phénomène », *Bulletin du CERP*, 1962, 11, p. 177-191 ; Theodore M. NEWCOMB, R.H. TURNER, P.E. CONVERSE, *Social Psychology. The Study of Human Interaction*, New York, Holt, Rinehart and Winston, 1965 ; trad. fr. H. Touzard et A.-M. Touzard : *Manuel de psychologie sociale*, Paris, PUF, 1970, 1re partie, p. 29-184 (Les attitudes individuelles) et 4e partie, chap. XIV, p. 522-572 (aborde le préjugé racial à travers l'analyse du conflit entre groupes) ; M. JAHODA, N. WARREN (eds.), *Attitudes*, Harmondsworth, Penguin, 1966 ; William J. MC GUIRE, « The Nature of Attitudes and Attitude Change », *in* Gardner LINDZEY, Elliot ARONSON,

The Handbook of Social Psychology (1954), 2e éd., Reading, Mass., Addison-Wesley Publishing Company, 1969, vol. 3, p. 136-314 (importante bibliographie, p. 272-314) ; Dana BRAMEL, « Attrait et hostilité interpersonnels », *in* S. MOSCOVICI (éd.), *Introduction à la psychologie sociale*, Paris, Larousse, 1972, t. I, p. 192-238 ; Jean MAISONNEUVE, *Introduction à la psychosociologie*, Paris, PUF, 5e éd., corrigée, 1985 (1re éd. 1975), chap. v, p. 106-129 ; Michael BILLIG, « Racisme, préjugé et discrimination », *in Psychologie sociale* (sous la dir. de S. MOSCOVICI), Paris, PUF, 1984, p. 449-472.

2) Sur la « psychologie ethnique » et l'étude du « caractère national » : O. KLINEBERG, « Psychologie et caractère national », *Revue de psychologie des peuples,* I, 1, 1948, p. 14-26 ; Margaret MEAD, « L'étude du caractère national », *in Les « Sciences de la politique » aux États-Unis* (sous la direction de H.D. LASSWELL et D. LERNER), Paris, A. Colin, 1951, p. 105-132 (bibliographie, p. 127-132) ; Georges A. HEUSE, *La Psychologie ethnique. Introduction à l'ethnopsychologie générale*, Paris et Bruxelles, J. Vrin et R. Stoops, 1953 ; H.C.J. DUYJKER, N.H. FRIDJDA, *National Character and National Stereotypes*, Amsterdam, North Holland Publ., 1963 ; Alexandre VEXLIARD, « Le caractère national, une structure en profondeur », *Revue de Sociologie de l'université d'Istanbul*, 1970, p. 17-51 ; G. DINGEMANS, *Psychanalyse des peuples et des civilisations,* Paris, A. Colin, 1971 ; Roy PREISWERK, Dominique PERROT, *Ethnocentrisme et histoire,* Paris, Éd. Anthropos, 1975 ; Edmond-Marc LIPIANSKY, *L'Ame française ou le national-libéralisme. Analyse d'une représentation sociale*, Paris, Anthropos, 1979 ; Alex INKELES, Daniel J. LEVINSON, « National Character : The Study of Modal Personality and Sociocultural Systems », *in* G. LINDZEY, E. ARONSON, *The Handbook of Social Psychology*, 2e éd., 1969, vol. 4, p. 418-506 (bibliographie, p. 492-506). Sur la transposition, par Margaret Mead et ses élèves, de la notion de *pattern* culturel en « caractère national », afin d'étudier les sociétés modernes, cf. Claude LÉVI-STRAUSS, « Panorama de l'ethnologie (1950-1952) », *Diogène*, 2 avril 1953, p. 117 *sq.*. La question du « caractère national » a été récemment abordée de façon nouvelle par : Jean STOETZEL, *Les Valeurs du temps présent : une enquête européenne*, Paris, PUF, 1983. Sur les stéréotypes ethniques : Daniel KATZ and Kenneth W. BRALY, « Racial Stereotypes of 100 College Students », *Journal of Abnormal and Social Psychology*, 1933, XXVIII, p. 280-290 ; « Racial Prejudice and Racial Stereotypes », *ibid.*, 1935, XXX, p. 175-193 (articles adaptés et refondus dans : « Verbal Stereotypes and Racial Prejudice », *in* G.E. SWANSON, Th. M. NEWCOMB, E.L. HARTLEY, *Readings in Social Psychology*, éd. révisée, New York, Henry Holt and Co., 1952, p. 67-73 ; sur l'article de 1933, cf. O. KLINEBERG, *Psychologie sociale*, t. II, 1959, p. 547-459).

3) Sur les attitudes politiques (en relation avec les opinions et préjugés) : Th.W. ADORNO, E. FRENKEL-BRUNSWIK, D. J. LEVINSON, R.N. SANFORD, *The Authoritarian Personality*, New York, Harper and Brothers, 1950 ; R. CHRISTIE, M. JAHODA (eds.), *Studies in the Scope and Method of « The Autoritarian Personnality »*, Glencoe, The Free Press, 1954 ; H.J. EYSENCK, *The Psychology of Politics*, Londres, Routledge and Kegan Paul, 1954 (2e éd., 1957) ; H.J. EYSENCK, *Us et abus de la psychologie*, trad. fr. M. Dumonceau, Paris et Neuchâtel, Delachaux et Niestlé, 1956, 4e partie, p. 175-225 ; M. ROKEACH, *The Open and Closed Mind*, New York, Basic Books, 1960 ; J. STOETZEL,

La Psychologie sociale, Paris, Flammarion, 1978 (1re éd. 1963), chap. XI, XII, XVI, XVII, XVIII ; G. MICHELAT, J.-P. H. THOMAS, *Dimensions du nationalisme*, Paris, A. Colin, 1966 ; A. LANCELOT, *Les Attitudes politiques*, Paris, PUF, 4e éd. mise à jour, 1974 (1re éd. 1962) ; M. BILLIG, *Fascists. A Social Psychological View of the National Front*, Londres et New York, Harcourt Brace Jovanovich, 1978 ; Madeleine GRAWITZ, « Psychologie et politique », *in* M. GRAWITZ, J. LECA, *Traité de science politique*, Paris, PUF, 1985, t. 3, p. 1-139 (importante bibliographie, p. 119-139) ; R. BOUDON et F. BOURRICAUD, *Dictionnaire critique de la sociologie*, 2e éd. revue et augmentée, Paris, PUF, 1986, art. « Autorité », notamment p. 35-36 (sur la critique de « l'autorité autoritaire », ou autoritarisme).

4) Dans une perspective politico-économique et comparative : Thomas SOWELL, *Race and Economics*, New York, David Mc Kay Co., 1975 ; *Market and Minorities*, New York, Basic Books, 1981 ; *Ethnic America. A History* (1981), trad. fr. M. Deutsch : *L'Amérique des ethnies*, Paris, L'Age d'Homme, 1983 ; *The Economics and Politics of Race. An International Perspective* (1983), trad. fr. R. Audouin et F. Guillaumat : *Race, politique et économie. Une approche internationale*, Paris, PUF, 1986.

5) Sur la sociologie des relations raciales et des relations interethniques : Edgard T. THOMPSON (ed.), *Race Relations and The Race Problem*, Durham, North Carolina, Duke University Press, 1939 ; M. FREEDMAN, « Some Recent Works on Race Relations : a Critique », *British Journal of Sociology*, V, 4, déc. 1954, p. 342-354 ; H. BLUMER, « États-Unis d'Amérique », *Bulletin international des sciences sociales*, 1958, vol. X (3) ; E. Franklin FRAZIER, *Race and Culture Contacts in the Modern World*, New York, A.A. Knopf, 1957 ; B. BERRY, *Race and Ethnic Relations*, Boston, 1958 ; Andrée MICHEL, « Tendances nouvelles de la sociologie des relations raciales », *Revue française de sociologie*, 3e année, n° 2, avril-juin 1962, p. 181-190 ; Robert E. PARK, *Race and Culture. Essays in the Sociology of Contemporary Man*, New York, The Free Press of Glencoe, 1964, (1re éd. 1950) ; Roger BASTIDE, *Sociologie des maladies mentales*, Paris, Flammarion, 1965, ch. VII, p. 178-195 ; Michael BANTON, *Race Relations*, Londres, Tavistock, and New York, Basic Books, 1967 ; E. Franklin FRAZIER, *On Race Relations*, Chicago-Londres, University of Chicago Press, 1968 ; Pierre J. SIMON, « Ethnisme et racisme ou "l'École de 1492" », *Cahiers internationaux de sociologie*, XLVIII, janvier-juin 1970, p. 119-152 ; P.J. SIMON, « Notes sur la sociologie des relations interethniques et des relations sociales », *Pluriel*, 2, 1975, p. 96-104 (I) ; *ibid.*, 4, 1975, p. 87-96 (II) ; P.J. SIMON, « Propositions pour un lexique des mots clés dans le domaine des études relationnelles », *Pluriel*, 4, 1975, p. 66-76 (I) ; *ibid.*, 6, 1976, p. 77-90 (II) ; E.K. FRANCIS, *Interethnic Relations : An Essay in Sociological Theory*, New York, Elsevier, 1976 ; Anthony H. RICHMOND, « Migration, Ethnicity and Race Relations », *Ethnic and Racial Studies*, vol. I, 1, 1978, p. 1-18 ; William J. WILSON, *The Declining Significance of Race* (1978), 2e éd., Chicago et Londres, The University of Chicago Press, 1980 ; Thomas F. PETTIGREW, « Race and Class in the 1980 s. : An Interactive View », *Daedalus*, printemps 1981, p. 233-255 ; M. BANTON, *Racial and Ethnic Competition*, Cambridge, Cambridge University Press, 1983 ; *Vers des sociétés pluriculturelles : études comparatives et situation en France*, Paris, ORSTOM, 1987.

6) Sur l'ethnicité (ethnie, « groupe ethnique »), la nation et la race : Gunnar MYRDAL, *An American Dilemma : The Negro Problem and Modern Democracy*, New York, Harper and Row, 1944 (1962, 1972) ; Herbert BLUMER, « États-Unis d'Amérique », *Bulletin international des sciences sociales*, 1958, vol. X (3) ;

« Recherches récentes en matière de relations raciales », *Revue internationale des sciences sociales*, vol. XIII, 1961 (2) ; Pierre L. VAN DEN BERGHE, *Race and Racism : A Comparative Perspective*, New York, John Wiley and Sons, 1967 ; Fredrik BARTH (ed.), *Ethnic Group and Boundaries : The Social Organization of Culture Difference*, Bergen-Oslo-Londres, Allen and Unwin, 1969 ; P.L. VAN DEN BERGHE, *Race and Ethnicity : Essays in Comparative Sociology*, New York, Basic Books, 1970 ; S. ZUBAIDA (ed.), *Race and Racialism*, Londres, Tavistock Publications, 1970 ; Wsevolod W. ISAJIW, « Definitions of Ethnicity », *Ethnicity*, vol. 1, n° 2, juillet 1974, p. 111-124 ; N. GLAZER, D.P. MOYNIHAN (eds.), *Ethnicity : Theory and Experience*, Cambridge, Mass., Harvard University Press, 1975 (comprenant : D. BELL, « Ethnicity and Social Change » ; T. PARSONS, « Some Theoretical Considerations on the Nature and Trends of Change of Ethnicity ») ; F. HENRY (ed.), *Ethnicity in the Americas*, La Haye, Mouton, 1976 ; William A. DOUGLASS, Stanford M. LYMAN, « L'ethnie : structure, processus et saillance », *Cahiers internationaux de sociologie*, LXI, juillet-décembre 1976, p. 197-220 ; Françoise MORIN et Guy POUGET, « Langue et identité ethnique : le cas occitan », *Pluriel*, 15, 1978, p. 9-26 ; Guy MICHAUD (éd.), *Identités collectives et relations interculturelles*, Bruxelles, Éd. Complexe, 1978 ; P.L. VAN DEN BERGHE, *The Ethnic Phenomenon*, New York, Elsevier, 1981 ; Roland J.-L. BRETON, *Les Ethnies*, Paris, PUF, 1981 : J. CAZEMAJOU, J.-P. MARTIN, *La Crise du melting-pot. Ethnicité et identité aux États-Unis de Kennedy à Reagan*, Paris, Aubier-Montaigne, 1983 ; Anthony H. RICHMOND, « Le nationalisme ethnique et les paradigmes des sciences sociales », *Revue internationale des sciences sociales*, 111, février 1987, p. 3-19 ; Ulf BJÖRKLUND, « Ethnicité et État-providence », *ibid.*, p. 21-33 ; I. WALLERSTEIN, 1987, art. cit. (cf. ci-dessus, note 2).

7) Dans la perspective de l'analyse du discours : M. EBEL, P. FIALA, *Sous le consensus, la xénophobie. Paroles, arguments, contextes (1961-1981)*, Lausanne, Institut de science politique, Mémoires et Documents 16, 1983 ; Teun A. VAN DIJK, *Prejudice in Discourse. An Analysis of Ethnic Prejudice in Cognition and Conversation*, Amsterdam, Benjamins, 1984 ; ID., « Elite Discourse and Racism », University of Amsterdam, août 1985, 37 p. ; ID., *Communicating Racism. Ethnic Prejudice in Thought and Talk*, Newbury Park, CA : Sage, 1987 ; A. PAQUOT et J. SYLBERBERG, « L'incantation québécoise », *Mots*, n° 4, mars 1982, p. 7-28 ; A. PAQUOT, « Les mécanismes discursifs de l'exclusion et de l'inclusion dans un corpus journalistique québécois », *Langage et Société*, n° 34, décembre 1985, p. 35-55.

8) Approche psychanalytique : John DOLLARD, *Caste and Class in a Southern Town*, New Haven, Yale Univ. Press, 1937 (3e éd., New York, Doubleday [Anchor], 1957) ; « Hostility and Fear in Social Life », *Social Forces*, 1938, 17, p. 15-26 ; Th. W. ADORNO et *al.*, *op. cit.*, 1950 ; N.W. ACKERMAN, M. JAHODA, *op. cit.*, 1950 ; B. BETTELHEIM, M. JANOWITZ, *Dynamics of Prejudice*, New York, Harper and Brothers, 1950 ; R. LOEWENSTEIN, *Psychanalyse de l'antisémitisme*, Paris, PUF, 1952.

13. Cf. G. LEMAINE, B. MATALON, *Hommes supérieurs, hommes inférieurs ? La controverse sur l'hérédité de l'intelligence, op. cit.*, p. 11-19.

14. *Ibid.*, p. 107. Cf. également T. DOBZHANSKY, *L'Homme en évolution, op. cit.*, 1966, p. 20.

15. G. LEMAINE, B. MATALON, *op. cit.*, p. 108 ; J.W. WOODARD, *op. cit.*, p. 227 (sur le parti pris mésologique/éducationnel d'Allport).

16. Michael BANTON, *Race Relations, op. cit.* ; trad. fr. M. Matignon : *Sociologie des relations raciales*, Paris, Payot, 1971 ; cf. également O. KLINEBERG, « Relations entre les groupes ethniques », *Bulletin de Psychologie*, 226, XVII, 8-9, 31 décembre 1963, p. 467. Dans le titre même de sa contribution au traité de psychologie sociale publié sous la direction de S. Moscovici, Michael Billig semble annoncer qu'il va suivre cette tripartition : « racisme, préjugés et discrimination » (*Psychologie sociale*, Paris, PUF, 1984, p. 449 *sq.*). La distinction formelle entre préjugé et discrimination est en effet d'emblée mise en évidence (p. 450). Mais l'auteur semble, par la suite, ne pas différencier strictement le racisme-idéologie (théorie raciste) du racisme-opinion (attitude raciste, préjugé racial), ni distinguer ce qui relève respectivement de l'attitude et des conduites, la discrimination étant pensée comme la conséquence logique des attitudes hostiles. Il reste que M. Billig insiste à juste titre sur les interactions des attitudes/préjugés et des pratiques discriminatoires.

17. M. BANTON, *op. cit.*, 1967, p. 8 (1971, *op. cit.*, p. 18). Cf. la caractérisation des « théories racistes » telle que la suppose une description due à Henri Atlan, en 1975 : « [...] un déterminisme racial génétique, au niveau des individus, avec les notions de supériorité ou d'infériorité qui s'y rattachent... » (H. ATLAN, « Variabilité des cultures et variabilité génétique », *Annales de génétique*, 1975, 18, n° 3, p. 149-152 ; repris *in Entre le cristal et la fumée. Essai sur l'organisation du vivant* (1979), Paris, Le Seuil, coll. « Points », 1986, p. 185-186). Nous retrouvons les deux traits de base des définitions savantes : postulat du déterminisme génétique différentiel ; position d'une échelle unidimensionnelle (et universelle) de valeur, impliquant le schème classificatoire « supérieur/inférieur ». Les mêmes évidences définitionnelles se rencontrent dans Leonard LIEBERMAN, « The Debate Over Race : a Study in the Sociology of Knowledge », *Phylon*, vol. 29, 1968, repris *in* Ashley MONTAGU (ed.), *Race and IQ*, Londres/Oxford/New York, Oxford University Press, 1975, p. 27, où aux traits de déterminisme génétique et d'inégalité entre les races est ajouté très classiquement celui de justification (définition fonctionnelle de l'idéologie).

18. Hannah ARENDT, *Du mensonge à la violence. Essais de politique contemporaine* (1969), trad. fr. Guy Durand, Paris, Calmann-Lévy, 1972, p. 186.

19. « La violence recherche toujours une justification » (H. ARENDT, *op. cit.*, p. 187). C'est l'un des rares points d'accord entre Margaret Mead et James Baldwin dans leur fameuse controverse de 1970 sur la race et le racisme : cf. M. MEAD, J. BALDWIN, *A Rape on Race* (1971), trad. fr., Paris, Calmann-Lévy, 1972 (voir notre chap. 11).

20. H. ARENDT, *op. cit.*, 1972, p. 186.

21. Sur les « variables structurelles de l'action » (universalisme/particularisme, performance/qualité, neutralité affective/affectivité, spécificité/diffusion, orientation vers soi/orientation vers la collectivité), cf. notamment T. PARSONS, E.A. SHILS (eds.), *Toward a General Theory of Action*, Cambridge, Mass., Harvard University Press, 1951, p. 76 *sq.* Sur cette composante fondamentale de la racisation, cf. Vladimir JANKÉLÉVITCH, « Psycho-analyse de l'antisémitisme », art. cité, p. 18.

22. Cf. Carlo GINSBURG, « Signes, traces, pistes. Racines d'un paradigme de l'indice », art. cité, p. 3-44.

23. Max WEBER, communication au deuxième congrès des sociologues allemands, 1912, *in* Léon POLIAKOV, « Max Weber et les théories bioraciales du

XXe siècle » (Introduction), *Cahiers internationaux de sociologie*, LVI, janvier-juin 1974, p. 117. Max Weber était intervenu lors du premier congrès des sociologues allemands, en 1910, pour récuser le monocausalisme raciologique d'A. Ploetz, fondateur, en 1906, de la « Société internationale d'hygiène raciale » : cf. M. WEBER, *Gesammelte Aufsätze zur Soziologie und Sozialpolitik*, Tübingen, Mohr, 1924 ; p. 456-462 (trad. fr. [partielle] L. POLIAKOV, art. cit., p. 118-122). Cf. J. Freund, « Les garde-fous et les miradors », *in* A. BÉJIN et J. FREUND (éd.), *Racismes, antiracismes*, Paris, Méridiens/Klincksieck, 1986, p. 15 ; sur la politique national-socialiste en tant qu'elle se réclame des programmes d'« hygiène héréditaire et raciale », cf. Michael POLLAK, « Utopie et échec d'une science raciale », *in* A. BÉJIN et J. FREUND, *op. cit.*, p. 170 *sq.* ; à compléter par la très utile orientation bibliographique : « Aux origines de la politique raciale nazie : le rôle de la science et du droit », *Bulletin de l'Institut d'histoire du temps présent*, n° 27, mars 1987, p. 31-47.

24. É. DURKHEIM, *Le Suicide : étude de sociologie*, Paris, F. Alcan, 1897, nouvelle éd., Paris, PUF, 1960, p. 58.

25. Jacques NOVICOW, *L'Avenir de la race blanche. Critique du pessimisme contemporain*, Paris, F. Alcan, 1897 ; 2e éd., 1902, p. 75.

26. Jean FINOT, *Le Préjugé des races*, Paris, F. Alcan, 1905, (518 p.), p. 501 (dans cette première somme des arguments dirigés contre les diverses écoles de la théorie des races, somme proto-antiraciste (tr. amér. *Race Prejudice*, New York, Dutton, 1907 ; cf. par exemple A. MONTAGU, 1942, 5e éd., 1974, p. 47), l'extension de l'expression « préjugé des races » recouvre approximativement le domaine de ce qui est couramment appelé « racisme » depuis le milieu des années trente). Pour une réplique ironique à la négation de la réalité des races, cf. E. JOUIN, *Le Péril judéo-maçonnique*, Paris, 1921, t. III, p. 33. Cf. également la position conceptualiste défendue par A.C. HADDON, *Les Races humaines et leur répartition géographique*, éd. corrigée et augmentée par l'auteur, trad. fr. A. Van Gennep, Paris, F. Alcan, 1927, p. 2-3 : « Un type racial n'existe en fait que dans notre esprit [...]. On voit que plus nos connaissances progressent, plus il devient difficile de définir la *race.* » En 1937, Eugène Schreider, alors archiviste-bibliothécaire de la Société de biotypologie (avant de devenir le directeur adjoint du laboratoire d'anthropologie physique de l'École des hautes études, Paris), commentait : « Haddon [...] conclut à un relativisme extrême [...]. Ce scepticisme n'est pas sans fondement : [...] toutes les classifications contiennent quelque chose d'arbitraire et nous savons maintenant que le nombre des races oscille beaucoup suivant les auteurs. » (*Les types humains.* I : *Les types somatiques*, Paris, Hermann, 1937, p. 32.) Mais l'accent mis sur la conventionnalité des classifications raciales ne va pas jusqu'à légitimer le rejet pur et simple de la notion de race.

27. Célestin BOUGLÉ, « Philosophie de l'antisémitisme : l'idée de race », *La Grande Revue*, 1er janvier 1899 ; repris *in Pour la démocratie française*, Paris, Édouard Cornély, s.d. (1900), p. 61. Référence est faite au discours prononcé par A. Darlu au Congrès des Sociétés savantes, Paris, 1898, p. 24. Sur Alphonse Darlu (1849-1921), cf. H. BONNET, *Alphonse Darlu, maître de philosophie de Marcel Proust*, Paris, A.G. Nizet, 1961, 139 p. (l'ouvrage ne mentionne pas l'intervention citée par Bouglé).

28. C. BOUGLÉ, *La Démocratie devant la science. Études critiques sur l'hérédité, la concurrence et la différenciation* (1904), Paris, F. Alcan, 3e éd. augmentée, 1923, p. 38. Le problème est aperçu à travers le paradoxe : la non-scientificité de la notion de race n'est en aucune manière un obstacle à son usage idéologico-politique. Ainsi

la force légitimatoire de l'appel à la scientificité apparaît-elle comme secondaire : ce n'est pas sur le terrain scientifique (celui de la biologie humaine) que se décide la légitimité de la théorie des races. Cf. C. BOUGLÉ, « Castes et Races », *La Grande Revue*, vol. 17, 1er avril 1901, p. 64-92.

29. H. HAUSER, *Le Principe des nationalités, ses origines historiques*, Paris, F. Alcan, 1916 ; cité par Henri LEFEBVRE, *Le Nationalisme contre les nations, op. cit.*, p. 112.

30. La réfutation « française » de la théorie « allemande » des races s'est écrite à l'occasion de la guerre franco-allemande de 1870 : Ernest RENAN, « La guerre entre la France et l'Allemagne », *Revue des Deux-Mondes*, 15 septembre 1870, *in Œuvres complètes (O.C.)*, Paris, Calmann-Lévy, 1947, t. I, p. 434 ; « Lettre à M. Strauss », *Journal des Débats*, 16 septembre 1870, *in O.C.*, t. I, p. 445 ; « Nouvelle lettre à M. Strauss » (15 septembre 1871), *in O.C.*, t. I, p. 456-458 ; « Qu'est-ce qu'une nation ? » (11 mars 1882), *in O.C.*, t. I, p. 895-899 ; FUSTEL DE COULANGES, « L'Alsace est-elle allemande ou française ? » (réponse à M. Mommsen, 27 octobre 1870), *in Questions contemporaines* (1893), Paris, Hachette, 1916, p. 92-95. Cf. la bonne mise en perspective historique de la question des nationalités et de la nation par Hedwig HINTZE, « Nation et humanité dans la pensée des temps modernes », *Revue d'histoire moderne*, nouvelle série, n° 6, janvier-février 1933, p. 1-35 (sur les positions de Renan : p. 33-35). L'ironie et le sarcasme vis-à-vis des prophètes de malheur qui désespèrent la jeunesse ont souvent, depuis la fin du XIXe siècle, tenu lieu d'argument contre la théorie des races. Dans une problématique de type renanien, cf. Georges WEILL, *L'Europe du XIXe siècle et l'idée de nationalité*, Paris, A. Michel, 1938, III, chap. I, p. 297-314.

31. Louis LE FUR, « Race et nationalité », art. cité, p. 22 (l'article est presque tout entier consacré à réfuter la « théorie des races » ou « théorie racique », illustrée par Gobineau (p. 6-9), et surtout par G. Vacher de Lapouge (p. 9-16, 28-41). Les références maîtresses sont, pour deux décennies (1920-1940) au moins : Marcellin BOULE, *Les Hommes fossiles* (qui récuse tout usage de la notion de race dans le domaine des sciences historiques : *op. cit.*, p. 322) ; Jacques DE MORGAN, *L'Humanité préhistorique. Esquisse de préhistoire générale*, Paris, La Renaissance du Livre, 1921 ; Eugène PITTARD, *Les Races et l'histoire, op. cit.* (Albin Michel, 1953, en particulier p. 5-32). Dans la même perspective, quelques années plus tard, Armand CUVILLIER récuse « la théorie de la race ou anthroposociologie » après un examen critique : « la "race" ne saurait nous fournir le "substrat social" que nous cherchons » (*Introduction à la sociologie*, Paris, A. Colin, 1936 ; 7e éd., 1965, p. 169). A la fin de non-recevoir s'articule une inversion d'ordre causal : la race serait « un produit de la vie en société » *(ibid.)*. Après G. TARDE (*Les Lois de l'imitation*, 1890, 2e éd., Paris, 1895, p. XVI-XVII, 21 n. 1, 259), L. Le Fur affirmait en 1922 : « La race est plutôt un effet qu'une cause : elle est du sociologique répété et fixé. » (*Races, Nationalités, États, op. cit.*, p. 33.) Dans le même sens, cf. Jean BRUNHES, *Races*, Paris, Firmin-Didot, 1930 (non paginé), qui relativise l'idée zoologique de race pour ce qui concerne l'homme, et distingue nettement race et nation, nationalité, peuple, langue, religion. Dans la communauté des anthropologues français, l'intervention décisive, qui a délégitimé les recherches sur un fondement bio-anthropologique des sciences sociales, a été faite par Léonce MANOUVRIER, titulaire de la chaire d'anthropologie physiologique à l'École d'anthropologie de Paris : « L'indice céphalique et la pseudo-sociologie », *Revue de l'École d'anthropologie de Paris*, 9e année, t. VIII, 15 août 1899, p. 233-259 ;

t. IX, 15 septembre 1899, p. 280-296 (l'étude restera la référence maîtresse de toutes les réfutations ultérieures d'une « sociologie biologique » se réclamant de la théorie des races). Lorsque la « théorie des races » sera remplacée par le « racisme », l'élimination de celui-ci sera annoncée dans la perspective éducationnelle de l'universalisme rationaliste et optimiste — ce qui suppose que le racisme se réduise à n'être que l'ensemble des préjugés raciaux transmis par la tradition, sans fondement scientifique, ce pourquoi ils doivent pouvoir s'atténuer, jusqu'à leur quasi-abolition, par l'éducation. Cf. par exemple : K.A. BAIRD, « Race Prejudice », *Dalhousie Review*, 38, 1958-1959, p. 281-294.

32. M. PRENANT, préface à Th. BALK, *op. cit.*, p. 7.

33. Th. BALK, *op. cit.*, p. 89-97.

34. Cf. par exemple Th. BALK, *op. cit.*, p. 97-98.

35. Cf. G. LEMAINE, B. MATALON, *op. cit.*, p. 12-13, 17.

36. Th. BALK, *op. cit.*, p. 97 (je souligne).

37. M. PRENANT, *in* Th. BALK, *op. cit.*, p. 7.

38. M. PRENANT, *ibid.*, p. 7-8.

39. *Actuel Marx*, n° 1, septembre 1987, p. 11-27. Pour les citations suivantes : p. 21 (je souligne), p. 20, p. 21-22, p. 20, p. 22.

40. Cf. B. MATALON, « Sociologie de la science et relativisme » *Revue de synthèse*, 4e série, n° 3, juillet-septembre 1986, p. 267-269.

41. Albert JACQUARD, « A la recherche d'un contenu pour le mot "race". La réponse du généticien », *in Le Racisme - Mythes et sciences* (Maurice OLENDER éd.), Bruxelles, Éd. Complexe, 1981, p. 39. A. Jacquard ne fait ici que reprendre, et légitimer à nouveaux frais par recours à la génétique des populations, une proposition avancée par certains scientifiques après 1945. Cf. par exemple la réaction de Lionel S. Penrose à la Déclaration « Race et différences raciales » (juin 1951), rédigée par un groupe d'anthropologues et de généticiens : « Il faut proscrire entièrement l'emploi du mot "race". De la sorte, une grande partie de la déclaration deviendrait automatiquement superflue et le reste n'en aurait que plus de force et de clarté. La notion de race est à la fois inexacte et périmée. » (*Le Concept de race.* Résultat d'une enquête, Paris, Unesco, 1953, p. 25.) Cf. également Ashley MONTAGU, *Man's Most Dangerous Myth : The Fallacy of Race* (1re éd. 1942), Oxford University Press, 5e éd. revue et augmentée, 1974, p. 425. Mais il faut reconnaître que l'élimination du mot « race » du vocabulaire scientifique, au profit de l'expression « groupe ethnique », par exemple, ne fait que masquer le déplacement du problème. Julian S. HUXLEY était partisan d'une telle substitution : cf. « The Concept of Race », *in Man Stands Alone*, p. 126 ; et les remarques de Montagu, *op. cit.*, p. 72, p. 125 *sq.*, 239 *sq.*, 435 *sq.* Sur l'école des scientifiques qui nient l'utilité théorique de la notion de race, cf. Gloria A. MARSHALL, « Racial Classifications : Popular and Scientific », *in Science and the Concept of Races, op. cit.*, 1971, p. 149 *sq.*

42. Jacques RUFFIÉ, *De la biologie à la culture*, Paris, Flammarion, 1976, p. 415. Mais le bio-anthropologue reconnaissait aussitôt : « Beaucoup d'anthropologues renoncent difficilement à ce concept [de race] » *(ibid.)*. Dans le même sens, cf. J. RUFFIÉ, Leçon inaugurale faite le 7 décembre 1972, Collège de France, chaire d'anthropologie physique, Paris, 1973, p. 34-35.

43. F. JACOB, « Biologie et racisme », *Le Genre humain*, n° 1, 1981, (Paris, Fayard), p. 69 (repris sous le titre « Biologie-Racisme-Hiérarchie », dans *Le Racisme - Mythes et sciences*, p. 109).

44. C. BOUGLÉ, « Castes et races », art. cit., p. 64. Aujourd'hui, par exemple,

l'analyse de la distribution des groupes sanguins est avancée à titre d'argument ôtant toute légitimité scientifique au racisme : « Ressemblances ou appartenances aux mêmes groupes ne veut pas dire identité. L'hématologie fait aussi s'écrouler les théories racistes. Le sang pur d'une race n'existe pas. » (Jean BERNARD, « La voix du sang », *Télérama*, n° 1937, 25 février 1987, p. 56). La définition ici présupposée du racisme est centrée sur l'affirmation qu'existent des « races pures », au « sang pur ». Il n'était cependant nul besoin d'attendre les leçons de l'hématologie pour récuser l'idée de « race pure » (cf. par exemple Paul TOPINARD, *L'Homme dans la nature*, Paris, F. Alcan, 1891, p. 42 : « les croisements [...] sont du reste incessants entre toutes les populations du globe et la cause de la grande confusion constatée. Toutes les races sont croisées » ; doutes sur l'idée et le fait des « races pures » : E. SCHREIDER, *Les Types humains*, I : *Les types somatiques*, Paris, Hermann, 1937, p. 12-13 ; E. PATTE, *Race, races, races pures*, Paris, Hermann, 1938, p. 26-38). Sur « le mythe du sang », le diagnostic de Jean Bernard est sans appel concernant le thème de « l'inégalité des sangs, de la valeur inégale des sangs d'hommes différents » : « Le sang, témoin et pilote de l'histoire », Paris, Institut de France, 1984, n° 18, p. 7. Cette belle assurance antiraciste fondée sur la « science du sang » ne saurait faire oublier que l'analyse des groupes sanguins a pu à son heure servir, avec tout autant de vraisemblance scientifique, à légitimer une construction doctrinale de type raciste dans laquelle le métissage était condamné avec la même force de conviction qu'il est aujourd'hui volontiers célébré. On relèvera néanmoins l'accord des racistes scientifiques d'antan et des antiracistes scientifiques récents sur un point : il y a des différences entre les individus et les groupes, marquées par des indicateurs biologiques (ce qu'un biologiste idéologiquement modéré comme Th. DOBZHANSKY n'a cessé d'affirmer : cf. *L'Homme en évolution*, *op. cit.*, 1966, p. 295 *sq.*). Interprétations racistes : Dr. René MARTIAL, *La Race française*, Paris, Mercure de France, 1934, p. 297 *sq.* ; Fernand CHATEAU, « Races et groupements sanguins », *Mercure de France*, 1er mars 1938, p. 274-279 ; Dr R. MARTIAL, *Race, hérédité, folie. Étude d'anthropo-sociologie appliquée à l'immigration*, Paris, Mercure de France, 1938, p. 101-118 ; ID., *Les Métis*, Paris, Flammarion, 1942, p. 14-22, 125-139 ; ID., *Français, qui es-tu ?*, Paris, Mercure de France, 1942, p. 71-78.

45. Cf. O. KLINEBERG, *op. cit.*, 1959, t. II, p. 541 ; J. WOODARD, *op. cit.*, 1947, p. 235-236. Les références premières, pour l'analyse puis la mesure des attitudes, en particulier des attitudes raciales, sont : W.I. THOMAS, F. ZNANIECKI, *The Polish Peasant in Europe and America*, New York, A.A. Knopf, 5 vol., 1918-1920 (1927) (cf. Th. CAPLOW, *L'Enquête sociologique*, Paris, A. Colin, 1970, p. 22-27 : centration sur l'idée de « combinaison de valeur et d'attitude ») ; Emory S. BOGARDUS, *Social Psychology*, 4e éd., 1923 ; ID., « Race Friendliness and Social Distance », art. cité, p. 272-287 ; L.L. THURSTONE, « An Experimental Study of Nationality Preferences », *The Journal of General Psychology*, vol. 1, nos 3 et 4, juin-oct. 1928, p. 405-425. Pour une suggestive vue d'ensemble : G. MYRDAL, *An American Dilemma*, 1972, vol. II, p. 1136-1143 (études sur les attitudes raciales et les préjugés raciaux) ; A. MICHEL, art. cité, 1962, p. 181 *sq.*

46. O. KLINEBERG, *op. cit.*, 1959, t. II, p. 541.

47. J. STOETZEL, *La Psychologie sociale*, *op. cit.*, p. 194.

48. Le modèle en étant les recherches de Th. W. ADORNO et ses collaborateurs sur la « personnalité autoritaire » (*op. cit.*, 1950) et de Hans J. EYSENCK (*op. cit.*, 1954). Sur ce type d'analyse, cf. A. LANCELOT, *op. cit.*, 4e éd. 1974, p. 77-83,

89-98 ; M. LOBROT , *Priorité à l'éducation*, Paris, P.B. Payot, 1973, p. 140-157 ; M. BILLIG, *in* S. MOSCOVICI, *op. cit.*, 1984, p. 453-467 ; M. GRAWITZ, *in* M. GRAWITZ, J. LECA, *op. cit.*, t. 3, p. 21 *sq.* ; Yves CHRISTEN, *Biologie de l'idéologie*, Paris, J.-J. Pauvert/Carrère, 1985, p. 48-55 (discussion des modèles typologiques par le représentant de la tendance « scientiste biologique » du GRECE).

49. J. WOODARD, *op. cit.*, p. 234.

50. *Ibid.*

51. *Ibid.* Cf. également O. KLINEBERG, *op. cit.*, p. 541.

52. J. WOODARD, *op. cit.*

53. G.W. ALLPORT, « Attitudes », art. cité, p. 810 (cité par O. KLINEBERG, *op. cit.*, p. 542 ; G. MICHELAT, J.-P.H. THOMAS, 1966, *op. cit.*, p. 6).

54. G.W. ALLPORT, 1935 (cité par O. KLINEBERG, *op. cit.*).

55. Th. M. NEWCOMB, *Social Psychology*, 1950, p. 118-119 (cité par O. KLINEBERG, *op. cit.*).

56. O. KLINEBERG, *op. cit.*, 1959, p. 542.

57. Cf. O. KLINEBERG *(ibid.)* qui précise : « Puisque ce que nous croyons vrai d'un objet ou d'un groupe contribuera évidemment à déterminer notre disposition à réagir envers lui d'une certaine manière plutôt que d'une autre. » A.-M. ROCHEBLAVE-SPENLÉ rappelle justement que G. TARDE (cf. l'article « La croyance et le désir », *Revue philosophique*, août et septembre 1880 ; repris *in Essais et mélanges sociologiques*, Lyon-Paris, Stock-Masson, 1895, p. 235-308) « peut apparaître en quelque sorte comme un précurseur des études sur les opinions et les attitudes [...]. La relation entre opinion et attitude apparaît très étroite, de telle sorte que les deux sont parfois confondues actuellement et que l'on trouve des études portant sur l'opinion publiées sous le nom "mesure des attitudes" » (« Gabriel Tarde et la psychologie sociale », *in* G. TARDE, *Écrits de psychologie sociale*, Toulouse, Privat, 1973, p. 34-35 ; cf. également Jean MILET, « Gabriel Tarde et la psychologie sociale », *Revue française de sociologie*, XIII-4, octobre-décembre 1972, p. 472-484).

58. O. KLINEBERG, *op. cit.*, p. 542-543.

59. J. STOETZEL, « La conception actuelle de la notion d'attitude en psychologie sociale », *Bulletin de psychologie*, 16 (16), 13 mai 1963, p. 1004-1005 (cf. G. MICHELAT, J.-P.H. THOMAS, *op. cit.*, 1966, p. 6).

60. O. KLINEBERG, *op. cit.*, p. 613-614.

61. *Ibid.*, p. 614.

62. *Ibid.*, p. 593-600.

63. J. WOODARD, *op. cit.*, p. 237-238 (je souligne).

64. Cf. J. MAISONNEUVE, *La Psychologie sociale*, Paris, PUF, 12e éd. mise à jour, 1977, p. 112. G. MYRDAL avait relevé le caractère fonctionnel du préjugé racial, comme légitimant le rejet des « mariages mixtes » par l'invocation d'une « répulsion innée » pour tout contact physique entre Blancs et Noirs ; cf. *An American Dilemma* (1944), *op. cit.*, 1972, vol. II, p. 590 (et note a).

65. J. MAISONNEUVE, *op. cit.*, p. 110-111. Cf. O. KLINEBERG : « Le préjugé est un jugement *a priori*, c'est-à-dire un sentiment ou une réaction envers une personne ou une chose antérieurs à toute expérience réelle et n'étant par conséquent pas fondés sur elle. » (*Op. cit.*, t. II, p. 575.) Il reste que l'on peut étudier le mode de formation des préjugés et stéréotypes nationaux/raciaux à partir du processus de

mythisation de personnages ou d'épisodes : cf. par exemple Robert MINDER, « Mythes et complexes agressifs dans l'Allemagne moderne », *Psyché*, revue internationale des sciences de l'homme et de psychanalyse, 3e année, nos 21-22, juillet-août 1948, p. 783-794. Par ailleurs, une sociologie ou une ethnographie de la science ne peut manquer d'étudier les modes selon lesquels tel stéréotype fait l'objet de légitimations savantes : il en va ainsi du « seuil de tolérance » (aux étrangers) qui vient cautionner d'autorité sociologique l'idée reçue selon laquelle, par exemple, dès qu'un Noir s'installe quelque part, les autres suivent (cf. Véronique DE RUDDER, « La tolérance s'arrête au seuil », *Pluriel*, n° 21, 1980, p. 3-13).

66. J. MAISONNEUVE, *op. cit.*, p. 111. Cf. aussi Sylvaine MARANDON, « Français et Juifs dans la conscience anglaise. I : Stéréotypes nationaux et préjugés raciaux au XIXe siècle. Sources et méthodes à travers l'exemple anglais », *in* Jean PIROTTE (éd.), *Stéréotypes nationaux et préjugés raciaux aux XIXe et XXe siècles*, Louvain. Éd. Nauwelaerts, 1982, p. 5-6. S. Marandon ajoute à son étude une utile « sélection d'ouvrages et d'articles sur les méthodes d'étude des préjugés et stéréotypes » (*op. cit.*, p. 16-18). Notons qu'en règle générale, le préjugé englobe une pluralité de stéréotypes plus ou moins cohérents : J. Maisonneuve en conclut que « le préjugé paraît constituer une sorte de « génotype » dont les stéréotypes seraient les « phénotypes », plus ou moins nombreux et saillants, parfois flous ou absents. Comme tel le préjugé *s'apparente étroitement à l'attitude* et même tend à se confondre avec elle » (*Introduction à la psychosociologie, op. cit.*, 1985, p. 137-138).

67. J. MAISONNEUVE, *La Psychologie sociale, op. cit.*, p. 111.

68. J. WOODARD, *op. cit.*, p. 237-238 ; J. MAISONNEUVE, *op. cit.*, p. 113.

69. J. WOODARD, *op. cit.*, p. 237.

70. *Ibid.*, p. 238.

71. F.A. HAYEK, *Law, Legislation and Liberty*, vol. I : *Rules and Order*, Londres et Henley, 1973 ; trad. fr. R. Audouin : *Droit, législation et liberté*, vol. I : *Règles et ordre*, Paris, PUF, 1980, p. 9-39 (sur l'opposition entre « constructivisme rationaliste » et « évolutionnisme »).

72. Cf. notamment, pour la France, les nouvelles recherches sur la cohabitation pluriethnique : Véronique DE RUDDER et Isabelle TABOADA-LEONETTI, « La cohabitation pluriethnique : espace collectif, phénomènes minoritaires et relations sociales », *Pluriel*, n° 31, 1982, p. 37-54 ; Mustapha SAADI, « Cohabitation et relations interethniques à la Goutte-d'Or », *ibid.*, p. 55-64 ; V. DE RUDDER, « L'exclusion n'est pas le ghetto. Les immigrés dans les HLM », *Projet*, nos 171-172, janvier-février 1983, p. 80-91 ; V. DE RUDDER, « Le logement des Maghrébins (racisme et habitat) », *Les Temps modernes*, nos 452-454, mars-avril-mai 1984, p. 1956-1974 ; Michelle GUILLON, I. TABOADA-LEONETTI, *Le Triangle de Choisy. Un quartier chinois à Paris*, Paris, CIEMI/Éd. L'Harmattan, 1986.

73. Cf. P.-H. MAUCORPS, A. MEMMI, J.-F. HELD, *Les Français et le racisme*, Paris, Payot, 1965, p. 110-135.

74. Cf. Hippolyte TAINE, *Les Origines de la France contemporaine*, I : *L'Ancien Régime*, Paris, Hachette, 1875-1893, vol. II, p. 6 (Taine définit ainsi le « préjugé héréditaire »). On peut considérer que le modèle tainien du préjugé, entre traditionalisme et fonctionnalisme, trouve l'une de ses postérités dans certaines interprétations des préjugés et stéréotypes données par les psychologues de la personnalité. Ainsi lorsque R.B. CATTELL déclare : « Il semble que ce que les sociologues voulaient considérer comme des stéréotypes nationaux imaginaires, voire des calomnies, peuvent avoir un important fonds de vérité. » (*The Scientific*

Analysis of Personality, Penguin, Harmondsworth, 1965, p. 261-262 ; cité par M. Billig, *L'Internationale raciste*, Paris, F. Maspero, 1981, p. 168.) On retrouve l'idée d'une rationalité cachée du préjugé racial chez H.J. Eysenck, dans le cadre de sa « théorie de l'intérêt dans les comportements » : « Il est vrai que les immigrants de couleur créent des problèmes à la classe ouvrière blanche ; les réactions de ces gens sont donc "rationnelles". » (*Psychology is About People*, Allen Lane, Londres, 1972, p. 288 ; cité par M. Billig, *op. cit.*, p. 169). Dès lors le préjugé racial apparaît comme n'étant plus ni irrationnel ni dénué de fonction sociale.

75. Edmund Burke, *Réflexions sur la Révolution de France* (1790), trad. fr., Paris, Londres, Laurent, Edward, 2e éd. revue et corrigée, 1823 ; Genève, Slatkine Reprints, 1980, p. 180-181 (« Avantages résultant de certains préjugés »). Il ne faudrait pas négliger l'influence de l'*Histoire de la Révolution française* (1837) de Thomas Carlyle : cf. H. Taine, *L'Idéalisme anglais. Étude sur Carlyle*, Paris, Germer Baillière, 1864, p. 164 *sq.*

76. Au sens où F.A. Hayek oppose « évolutionnisme » à « constructivisme » (*Droit, législation et liberté, op. cit.*, t. I, chap. I : Raison et évolution, p. 9-39).

77. Cf. John J. Ray, *Conservatism as Heresy*, Sydney, Australian and New Zealand Book Co., 1974, p. 267 : le préjugé racial tient sa rationalité propre de ce qu'il est « simplement fonction des diverses facultés de réagir aux stimuli des groupes concernés » (cf. M. Billig, *op. cit.*, p. 166). Sir Arthur Keith (1866-1955) soutenait, dans une perspective classiquement évolutionniste (au sens « darwinien »), que les préjugés ont une valeur sélective, en ce qu'ils conditionnent l'autoconservation des groupes, et préservent leurs modes spécifiques d'adaptation à l'environnement. Cette défense générale du préjugé s'applique tout particulièrement au préjugé racial, au « sentiment de l'appartenance raciale que la nature a mis en nous », et dont la répugnance « universelle » aux croisements interraciaux serait un indice d'innéité et de fonctionnalité évolutive : « Dans le monde préhistorique, ces "préjugés" [locaux, nationaux et raciaux] avaient une raison d'être pratique [...] Je maintiens que pour le plus grand bien du genre humain, nous devons les entretenir et les conserver » (*The Place of Prejudice in Modern Civilization*, New York, J. Day Co., 1931 ; cité par W.C. Boyd, *Génétique et races humaines* (1950), trad. fr. F. Bourlière et J. Sutter, Paris, Payot, 1952, p. 18 ; cf. également J.-P. Hébert, *Race et intelligence*, Paris, Copernic, 1977, p. 24). F. Boas répliquera sur les deux points, en contestant d'une part l'innéité de l'antipathie raciale, d'autre part l'idée que le maintien d'une souche raciale « pure » doive nécessairement aboutir à une amélioration physique ou morale (*Race, Language and Culture*, New York, Macmillan Co., 1940 ; cf. W.C. Boyd, *op. cit.*, p. 21). Ces critiques n'empêcheront nullement sir A. Keith de revenir sur les vertus évolutives des préjugés nationaux, de race et de classe, dans une synthèse tardive : *A New Theory of Human Evolution*, New York, Philosophical Library, 1949. Keith y procède à une classique légitimation scientiste et naturaliste des haines et des phobies entre groupes humains — au nom de l'anthropologie biologique, une fois de plus. Pour un examen critique du « darwinisme social » à la fois raciste et classiste de Keith, cf. A. Montagu, *Man's Most Dangerous Myth*, 1974, p. 269-272 ; sur les égarements idéologico-politiques du bio-anthropologue, cf. G. Róheim, *Psychanalyse et anthropologie* (1950), trad. fr. M. Moscovici, Paris, Gallimard, 1967, coll. « Tel », 1978, p. 471-473 (Róheim reconnaît la lucidité de Keith qui, avant Bolk, avait esquissé la théorie de la fœtalisation de l'homme : *op. cit.*, p. 467 *sq.*).

78. Claude LÉVI-STRAUSS, *Le Regard éloigné*, Paris, Plon, 1983, Préface, p. 15.
79. *Ibid.*, p. 16. Dans le même sens, Karl POPPER présente la xénophobie, à laquelle il réduit un peu hâtivement l'antisémitisme autrichien, comme un trait fort bien distribué dans l'humanité empirique : *La Quête inachevée* (1974), trad. fr. R. Bouveresse et M. Bouin-Naudin, Paris, Calmann-Lévy, 1981, p. 152-153.
80. Cl. LÉVI-STRAUSS, *op. cit.*, p. 15.
81. *Ibid.*, p. 47.
82. *Ibid.*, p. 15. Cf. Ludwig Ferdinand CLAUSS, cité par Julius EVOLA, *Éléments pour une éducation raciale* (1941), trad. fr. G. Boulanger, Puiseaux, Pardès, 1984, p. 56-57.
83. Cl. LÉVI-STRAUSS, *op. cit.*, p. 15.
84. Cf. Michel GIRAUD, « Le regard égaré : ethnocentrisme, xénophobie ou racisme ? », *Les Temps modernes*, 41e année, n° 459, octobre 1984, p. 737-750 (l'auteur montre comment la distinction, académiquement légitime — ou au moins défendable —, entre ethnocentrisme/xénophobie et racisme, implique une naturalisation de l'ethnocentrisme — dont le corrélat est la xénophobie —, en tant qu'il est défini comme le « produit d'inclinations consubstantielles à l'espèce humaine » ; il est en effet difficile de ne pas apercevoir ici un retour, élégant certes, à la thèse de l'innéité du préjugé racial) ; Emmanuel TERRAY, « Face au racisme », *Magazine littéraire*, n° 223, octobre 1985, p. 54-55 (l'auteur insiste sur le retour d'un « modèle biologique ou organique » dans la pensée récente de Lévi-Strauss, sur son « inspiration biologique ») ; Tzvetan TODOROV, « Lévi-Strauss entre universalisme et relativisme », *Le Débat*, n° 42, novembre-décembre 1986, p. 173-192 (étude centrée sur la critique du déterminisme culturel, comme substitut du déterminisme racial). Colette GUILLAUMIN et Marion GLEAN O' CALLAGHAN avaient réagi vivement peu après la parution de l'étude « Race et culture » (1971) : cf. « Race et race... La mode "naturelle" en sciences humaines », *L'Homme et la Société*, nos 31-32, 1974, p. 195-210 (article rédigé au début de l'année 1972). L'intégration de l'argumentation lévi-straussienne dans le discours de la nouvelle droite serait intéressante à étudier : cf. en particulier A. DE BENOIST, *Europe, Tiers monde, même combat*, Paris, R. Laffont, 1986, p. 216 (la thèse différentialiste se légitime d'une référence aux analyses de Lévi-Strauss [1983]). Pour comparer avec les positions racisantes du Front national, cf. P.-A. TAGUIEFF, « L'identité nationale saisie par les logiques de racisation », *Mots*, 12, mars 1986, p. 91-128.
85. R. PAGÈS, *in* H. PIÉRON, *Vocabulaire de la psychologie* (1951), 6e éd. remaniée et augmentée sous la direction de F. BRESSON et G. DURUP, Paris, PUF, 1979 (art. « Préjugés »). Il est difficile de distinguer formellement le « préjugé » du « stéréotype », si l'on définit celui-ci comme une « opinion toute faite s'imposant, comme un cliché, aux membres d'une collectivité » (H. PIÉRON, *op. cit.*, art. « Stéréotype »).
86. William VICKERY, Morris OPLER, « A Redefinition of Prejudice for Purposes of Social Science Research », *Human Relations*, 1948, 1, p. 419-428 (cité par M. BANTON, *op. cit.*, 1971, p. 18).
87. M. BANTON, *op. cit.*
88. Roger BASTIDE, « Le préjugé racial » (1958), *in Le Prochain et le Lointain*, Paris. Éd. Cujas, 1970, p. 16-17.
89. *Ibid.*, p. 23-24.
90. Cf. John HARDING, H. PROSHANSKY, B. KUTNER, I. CHEIN, « Prejudice and Ethnic Relations », *in* G. LINDZEY, E. ARONSON (ed.), *The Handbook of Social Psychology, op. cit.*, 1969, vol. 5, p. 6. Sur la question des « normes

idéales » impliquées par les définitions du préjugé, les auteurs renvoient (*op. cit.*, p. 3) à R.M. WILLIAMS, Jr., *American Society : A Sociological Interpretation*, New York, A.A. Knopf, 2e éd., 1960.

91. F. BACON, *Novum Organum*, livre I, 46, *in Œuvres philosophiques*, trad. fr. J.-C. Buchon, Paris, 1836, p. 276.

92. Cf. DESCARTES, *Discours de la méthode* (1637), IIe partie, éd. Et. Gilson, Paris, Vrin, 1970, p. 68-69 : la première règle de la méthode revient à « éviter soigneusement la précipitation et la prévention ». On notera avec surprise que le *Vocabulaire technique et critique de la philosophie* d'André LALANDE (et collaborateurs) ne comporte pas d'entrée « préjugé ».

93. F. Bacon demandait que fussent mariées la raison et l'expérience. Sur la position nuancée de cet empirique rationaliste, cf. V. BROCHARD, « La philosophie de Bacon », *in Études de philosophie ancienne et de philosophie moderne*, nouvelle édition, Paris, Vrin, 1966, p. 309-310. Si l'on se place dans une problématique de type cartésien, les origines empiristes (Locke, Hume) du racisme deviennent évidentes. Sur ce point, cf. Harry M. BRACKEN, « Essence, Accident and Race », *Hermathena*, 16, 1973, p. 81-96 ; « Philosophy and Racism », *Philosophia* (Israël), 8, novembre 1978, p. 241-260.

94. DESCARTES, *Les Principes de la philosophie* (1644), I, art. 1, éd. G. Durandin, Paris, Vrin, 1970, p. 49-50 (cf. également les art. 47, 71, 72 : les préjugés viennent de l'enfance et de l'éducation).

95. DESCARTES, *Méditations métaphysiques* (1641), Éd. F. Khodoss, Paris, PUF, 1970, p. 26 (début de la première Méditation).

96. Cf. par exemple : M. BILLIG, *L'Internationale raciste, op. cit.*, p. 163. Le progrès se définit en tant que processus d'élimination indéfinie de l'irrationnel.

97. Cf. par exemple P.-H. MAUCORPS, A. MEMMI, J.-F. HELD, *op. cit.*, 1965, p. 110 *sq*. Pour une critique sociologique de l'hypothèse selon laquelle il y aurait une relation directe de cause à effet entre préjugé ou stéréotype racial et comportement ou politique raciste, cf. Earl RAAB, Seymour Martin LIPSET, « The Prejudiced Society », *in* Earl RAAB (ed.), *American Race Relations Today : Studies of the Problems Beyond Desegregation*, New York, Anchor Books, 1962, p. 29-55 ; G.M. FREDERICKSON, « Le développement du racisme américain : essai d'interprétation sociale » (1971), *in* S.W. MINTZ (ed.), *Esclave=facteur de production. L'économie politique de l'esclavage*, trad. fr. J. Rouah, Paris, Dunod, 1981, p. 55.

98. Sur l'attribution mythique des maux sociaux à des intentions malveillantes et à des actions intentionnelles, censées profiter aux acteurs supposés en être responsables, cf. Kingsley DAVIS, « The Myth of Functional Analysis as a Special Method in Sociology and Anthropology », *American Sociological Review*, 1959, p. 757-773 ; trad. fr. : « Le mythe de l'analyse fonctionnelle », *in* Henri MENDRAS, *Éléments de sociologie. Textes*, Paris, A. Colin, 1978, en particulier p. 168-169 ; Raymond BOUDON, *Effets pervers et ordre social*, Paris, PUF, 1977, 2e éd. mise à jour 1979, p. 46-58 (p. 54-56 : bref résumé des travaux de Thomas C. Schelling sur la ségrégation engendrée par effets pervers ; cf. T.C. SCHELLING, « On the Ecology of Micromotives », *The Public Interest*, 25, automne 1971, p. 59-99, et « Dynamic Models of Segregation », *Journal of Mathematical Sociology*, 1971, p. 143-185 ; cf. également : T.C. SCHELLING, *La Tyrannie des petites décisions* [1978], trad. fr. A. Rivière, Paris, PUF, 1980 [sur l'effet de ségrégation engendré par l'agrégation de demandes individuelles]) ; Philippe BÉNÉTON, *Le Fléau du bien. Essai sur les politiques sociales occidentales (1960-1980)*, Paris, R. Laffont, 1983,

p. 18 *sq.* ; R. BOUDON, *La Place du désordre. Critique des théories du changement social*, Paris, PUF, 1984, p. 162-163 (sur le racisme des syndicalistes américains dans la période qui suit la Première Guerre mondiale, dont les classiques analyses de R.K. Merton ont montré qu'il s'agissait d'un effet d'agrégation ; cf. R.K. MERTON, *Éléments de méthode sociologique*, trad. fr. H. Mendras, Paris, Plon, 1953, chap. IV : La prédiction créatrice, p. 169-197).

99. O. KLINEBERG, « Relations entre les groupes ethniques », *Bulletin de psychologie*, n° 234, t. XVII, 20, 1er juin 1964, p. 1253.

100. G.W. ALLPORT, *op. cit.*, 1954, chap. 4, p. 49 *sq.* Cf. ci-dessus notre chapitre 2.

101. ALLPORT, *op. cit.*, p. 51.

102. *Ibid.*, p. 53.

103. Cf. George M. FREDERICKSON, « Le développement du racisme américain : essai d'interprétation sociale », *in* S. MINTZ (ed.), *op. cit.*, p. 54.

104. Cf. néanmoins H. ARENDT, *op. cit.*, p. 86.

105. Quelques études de référence sur la ségrégation raciale et l'*apartheid* en République sud-africaine (textes en français et en anglais) : I.D. MC CRONE, *Race Attitudes in South Africa*, Londres, Oxford University Press, 1937 (2e éd., Johannesburg, 1957) ; G.M. CARTER, *The Politics of Inequality*, Londres, Thames and Hudson, 1958 ; Pierre L. VAN DEN BERGHE, « Apartheid : une interprétation sociologique de la ségrégation raciale », *Cahiers internationaux de sociologie*, vol. XXVIII, nouvelle série, 7e année, janvier-juin 1960, p. 47-56 ; B. BUNTING, *The Rise of the South African Reich*, Londres, Penguin Books, 1964 ; W.H. HUTT, *The Economics of the Colour Bar*, The Institute of Economics Affairs, 1964 ; P.L. VAN DEN BERGHE, *South Africa : A Study in Conflict*, Middletown, Conn., Wesleyan University Press, 1965 ; Michael BANTON, *Race Relations*, Londres, Tavistock Publications, 1967, trad. fr. M. Matignon : *Sociologie des relations raciales*, Paris, Payot, 1971, chap. VIII (La suprématie blanche en Afrique du Sud), p. 180-210 ; Serge THION, *Le Pouvoir pâle. Essai sur le système sud-africain*, Paris, Le Seuil, 1969 ; H. ADAMS (ed.), *Modernizing Racial Domination : The Dynamics of South African Politics*, Berkeley, University of California Press, 1971 ; Marianne CORNEVIN, *L'Apartheid : pouvoir et falsification historique*, Paris, Unesco, 1979 ; P.L. VAN DEN BERGHE (ed.), *The Liberal Dilemma in South Africa*, Londres, Croom Helm, 1979 ; R.M. PRICE, C.G. ROSBERG (eds.), *The Apartheid Regime*, Berkeley, University of California Press, 1980 ; George M. FREDERICKSON, *White Supremacy : A Comparative Study in American and South African History*, New York, Oxford University Press, 1981 ; Odette GUITARD, *L'Apartheid*, Paris, PUF, 1983 ; M. BANTON, *Racial and Ethnic Competition*, Cambridge University Press, 1983 , chap. 9, p. 209-238 ; G. LORY (sous la dir. de), « Afrique du Sud », n° hors série de la revue *Autrement*, n° 15, novembre 1985 ; « Afrique du Sud : demain le feu », *Les Temps modernes*, juin-juillet-août 1986 ; Thomas SOWELL, *Race, politique et économie* (1983), trad. fr. R. Audouin, Paris, PUF, 1986, I, chap. 4, p. 112-125, et chap. 5, p. 174-177, 194-195 ; Gérard CHALIAND, *Où va l'Afrique du Sud ?*, Paris, Calmann-Lévy, 1986.

106. Sur la ségrégation raciale aux États-Unis (en particulier dans le Sud) : J. DOLLARD, *op. cit.* (1937), édition revue, 1949 ; A. DAVIS et *al.*, *Deep South : A Social Anthropological Study of Caste and Class*, Chicago, University of Chicago Press, 1941 ; G. MYRDAL, *op. cit.*, 1944 ; C. Vann WOODWARD, *The Strange Career of Jim Crow* (1955), New York, Oxford University Press, édition revue, 1957 ; M. BANTON (1967), *op. cit.*, 1971, chap. VII, p. 144-179 ;

E. Franklin FRAZIER, *The Negro in the United States* (1949), New York, The Macmillan Co., 1971 ; R. WASSERSTROM, « Rights, Human Rights, and Racial Discrimination », *Journal of Philosophy*, 61, déc. 1974, p. 628-640 ; H. ADAM, H. GILIOMEE, *Ethnic Power Mobilized : Can South Africa Change ?*, New Haven, Yale University Press, 1979 ; G.M. FREDERICKSON, *op. cit.*, 1981 ; M. BANTON, *op. cit.*, 1983, chap. 10, p. 239-284 ; Th. SOWELL (1981), *op. cit*, 1983, chap. 8, p. 175-212 ; Th. SOWELL (1983), 1986, I, chap. 4, p. 125-139.

107. P.L. VAN DEN BERGHE, *op. cit.*, 1960, p. 47.

108. Arnaud DURBAN (avec la coll. de P. DE COMARMOND et Claude DUCHET), « Apartheid et assimilation en Afrique australe », *in* P. DE COMARMOND et C. DUCHET (sous la dir. de), *Racisme et société*, Paris, Maspero, 1969, p. 56.

109. M. CORNEVIN, *op. cit.*, 1979, p. 18.

110. *Ibid.*, p. 24.

111. G. CHALIAND, *op. cit.*, 1986, p. 111.

112. Cf. par exemple les brochures militantes : *L'Économie politique de l'apartheid*, 15 p. (extrait de *Un monde à gagner*, 3/1985, Londres), qui se termine par : « A mort l'apartheid ! A mort toutes les formes du pouvoir impérialiste en Afrique du Sud ! A mort l'impérialisme ! » (p. 15) ; *Apartheid-non !*, n° spécial 49, février 1983, 9e année : « Afrique du Sud : l'apartheid au programme », 68 p. (journal du Mouvement anti-apartheid, MAA, Paris). Pour un exemple récent de dénonciation de l'anti-impérialisme tiers-mondiste par un néo-conservateur, cf. Jean-Antoine GIANSILY, « L'Afrique du Sud, tiers monde mythique », *in* Michel LEROY et le Club de l'Horloge, *L'Occident sans complexes,* Paris, Carrère, 1987, p. 141-160 (l'auteur a été vice-président du Club de l'Horloge ; il est membre du comité directeur du CNIP).

113. G. CHALIAND, *op. cit.*, 1986, p. 117.

114. P.L. VAN DEN BERGHE, *op cit.*, 1965, p 183-216 ; M. BANTON, *op. cit.*, 1971, p. 208-210.

115. P.L. VAN DEN BERGHE, *op. cit.*, 1960, p. 56. Sur le coût de la discrimination dans un marché concurrentiel, qui « se mesure aux profits certains que l'on perd en refusant des transactions qui auraient été rémunératrices », cf. Th. SOWELL, *op. cit.*, 1986, p. 194-196.

116. Th. SOWELL, *op. cit.*, 1986, p. 127.

117. M. CORNEVIN, *op. cit.*, 1979, p. 149 ; cf. F. GAULME, « Le prix de l'apartheid », *Autrement*, nov. 1985, p. 232-235.

118. Cf. John RAWLS, *A Theory of Justice*, Cambridge, Massachusetts, The Belknap, Harvard University Press, 1971 ; trad. fr. C. Audard, *Théorie de la justice*, Paris, Le Seuil, 1987, p. 129.

119. Insistons sur le fait que, dans la théorie de la justice de Rawls, le « principe de différence » paraît se concentrer sur le sort des plus défavorisés. Cf. Philippe VAN PARIJS, « La double originalité de Rawls », *in* J. LADRIÈRE, Ph. VAN PARIJS (éd.), *Fondements d'une théorie de la justice. Essais critiques sur la philosophie politique de John Rawls*, Louvain, Éd. de l'Institut supérieur de philosophie, 1984, p. 20-23, 25 ; Michel MEYER, « Rawls, les fondements de la justice distributive et l'égalité », *ibid.*, p. 65-66. Plus radical dans la critique est Jean ROY : « Liberté, égalité, fraternité "revisited" : une étude sur Rawls », *in Cahiers de philosophie politique et juridique de l'Université de Caen*, 1982, n° 2, p. 216, 222, 224.

120. J. RAWLS, *op. cit.*, 1987, p. 46.

121. Cf. Christopher JENCKS et *al.*, *L'Inégalité. Influence de la famille et de l'école en Amérique* (1972), trad. fr. J.M. et A.M. Laporte, Paris, PUF, 1979, p. 199.

122. *Ibid.*, p. 246-247.

123. Sur la ségrégation raciale et les programmes compensatoires et contre-discriminatoires aux États-Unis, cf. C. JENCKS et *al.*, *op. cit.*, 1979 (pour éclairer le cadre des débats et dissiper quelques mythes sur le rôle de l'école) ; Nathan GLAZER, *Affirmative Discrimination : Ethnic Inequality and Public Policy*, New York, Basic Books, 1975, 1978 (l'auteur présente des arguments mettant en doute l'efficacité de la discrimination positive, notamment en ce qu'elle risque d'engendrer du ressentiment) ; N . GLAZER, « Les différences culturelles et l'égalité des résultats scolaires », OCDE, Paris, projet « Éducation et pluralisme culturel et linguistique », mars 1985, 25 p. ; Ph. BÉNÉTON, *op. cit.*, 1983, notamment p. 18-46 (bonne synthèse des travaux américains d'obédience néo-conservatrice) ; L. MARCIL-LACOSTE, *op. cit.* (précieux répertoire d'une grande partie des livres et articles constitutifs de la controverse sur les mesures contre-discriminatoires).

124. Th. SOWELL, *Race, politique et économie, op. cit.*, 1986, p. 153. Pour les citations suivantes, cf. p. 154 ; sur les Chinois, p. 19-49 ; sur les Juifs, p. 82-95 ; p. 153-154, p. 174, p. 20-28.

125. Th. SOWELL, *L'Amérique des ethnies, op. cit.*, 1983, chap. 7, p. 151-172.

126. Th. SOWELL, *op. cit.*, 1986, p. 106-107.

127. *Ibid.*, p. 107.

128. *Ibid.*, p. 153.

129. Cf. cette exemplaire déclaration (août 1980) de Louis E. Martin, assistant spécial du président Carter pour les problèmes des minorités : « Le racisme est le problème numéro un pour les Noirs tellement il infecte de domaines dans la société. Il est à la racine du chômage, des mauvaises conditions de logement, des faibles salaires — de tout ce qui affecte la vie des Noirs. » (*US News and World Report*, 4 août 1980, p. 51 ; cité par Ph. BÉNÉTON, *Le Fléau du bien, op. cit.*, 1983, p. 18-19.)

130. Th. SOWELL, *op. cit.*, 1983, p. 280.

131. Th. SOWELL, *op. cit.*, 1986, p. 279.

132. *Ibid.*

133. Th. SOWELL, *Ethnic America. A History*, New York, 1981 ; trad. fr. M. Deutsch : *L'Amérique des ethnies*, Paris, L'Age d'homme, 1983, VI : Bilan général (chap. 11 : Les implications), p. 259-281.

134. *Op. cit.*, 1983, p. 275.

135. *Ibid.*

136. Th. SOWELL, *The Economics and Politics of race. An International Perspective*, New York, 1983 ; trad. fr. R. Audouin et F. Guillaumat, Paris, PUF, 1986. Les citations suivantes de Sowell sont, dans l'ordre *op. cit.*, 1986, p. 171 ; 1983, p. 275 ; 1986, p. 174 ; 1983, p. 275, 276, 277 ; 1986, p. 172 ; 1983, p. 277 ; 1986, p. 171, 172, p. 154-155, p. 173.

137. Cf. P.-A. TAGUIEFF, « L'identité nationale saisie par les logiques de racisation. Aspects, figures et problèmes du racisme différentialiste », *Mots*, 12, mars 1986, p. 122 *sq.*

138. J. MARITAIN, *Lettre à Jean Cocteau* (1926), citée par Ph. BÉNÉTON, *op. cit.*, 1983, p. 8.

139. G.W. ALLPORT, « Prejudice : A Problem in Psychological and Social Causation », *Journal of Social Issues*, Supplement Series, n° 4, 1950, p. 1-25 (repris *in* T. PARSONS, E. SHILS, *Toward a Theory of Social Action*, Cambridge, Harvard University Press, 1951, Part 4, chap. 1) ; *The Nature of Prejudice, op. cit.*, 1954, III, chap. 13 (Les théories du préjugé), p. 206-218.

140. O. KLINEBERG, *Psychologie sociale, op. cit.*, 1959, t. II, chap. XIX (Les préjugés), p. 575-617, p. 605 (je souligne).

141. ALLPORT, *op. cit.*, 1954, p. 209-210 (résume O.C. Cox, 1948).

142. KLINEBERG, *op. cit.*, 1959, p. 593.

143. *Ibid.*, p. 593-597.

144. ALLPORT, *op. cit.*, 1954, p. 212.

145. Cf. A. ROSE (ed.), *Race Prejudice and Discrimination*, New York, Alfred A. Knopf, 1951, chap. 49.

146. KLINEBERG, *op. cit.*, 1959, p. 597-598.

147. ALLPORT, *op. cit.*, 1954, p. 213.

148. *Ibid.*, p. 214.

149. KLINEBERG, *op. cit.*, 1959, p. 584 *sq.*

150. *Ibid.*, p. 585-586. Cf. E.S. BOGARDUS, *Immigration and Race Attitudes*, Boston, D.C. Heath, 1928 ; E.L. HARTLEY, *Problems in Prejudice, op. cit.*, 1946.

151. KLINEBERG, *op. cit.*, 1959, p. 589.

152. Au sens de la « prophétie autoréalisatrice » *(self-fulfilling prophecy)* de Robert K. MERTON : « The Self-Fulfilling Prophecy », *The Antioch Review*, 1948, 8, p. 193-210 ; *Social Theory and Social Structure*, New York, Free Press, 1957, p. 421-436 (trad. fr. partielle [sur la 2e édition, 1951], H. Mendras : *Éléments de méthode sociologique*, Paris, Plon, 1953, chap. IV, p. 169-197).

153. Cf. KLINEBERG, *op. cit.*, 1959, p. 589. Voir aussi H. MALEWSKA, « Crise d'identité, problèmes de déviance chez les jeunes immigrés », *Les Temps modernes*, mars-mai 1984, p. 1794-1811). Le comportement sur-identitaire de l'immigré a été finement étudié par Georges DEVEREUX, « L'identité ethnique : ses bases logiques et ses dysfonctions » (1970), *in Ethnopsychanalyse complémentariste*, trad. fr. T. Jolas et H. Gobard, Paris, Flammarion, 1972, p. 131-168.

154. ALLPORT, art. cité, 1950.

155. KLINEBERG, *op. cit.*, 1959, p. 590.

156. G. MYRDAL, *An American Dilemma, op. cit.*, 1944, t. I, p. 75 (cité par KLINEBERG, p. 590) : « Les préjugés et la discrimination des Blancs à l'égard des Noirs font que le niveau de vie de ces derniers, leur état de santé, leur éducation, leurs mœurs et leur moralité demeurent inférieurs. Ces faits, à leur tour, contribuent à entretenir les préjugés des Blancs. C'est ainsi que les préjugés des Blancs et les normes des Noirs sont mutuellement "causes" les uns des autres. » Ce mécanisme de colégitimation du préjugé et des pratiques discriminatoires, cercle vicieux socialement incarné par lequel les dominés sont maintenus dans leur condition de dominés, relève donc d'un principe de cumulation (cf. Th. CAPLOW, *L'enquête sociologique*, Paris, A. Colin, 1970, p. 73). Cf. également O. KLINEBERG, « Relations entre les groupes ethniques », *Bulletin de psychologie*, 234, XVII, 20, 1er juin 1964, p. 1253.

157. KLINEBERG, art. cité, 1964, p. 1253.

158. KLINEBERG, *op. cit.*, 1959, p. 600.

159. Th. W. ADORNO et *al.*, *op. cit.*, 1950.

160. KLINEBERG, *op. cit.*, 1959, p. 601. Par « patriotisme » il faut entendre ici « attachement aveugle à certaines valeurs culturelles nationales » (ADORNO et *al.*, *op. cit.*, p. 107 ; KLINEBERG, *ibid.*) : nationalisme chauvin plutôt qu'attachement au pays natal ou amour de la patrie.

161. Sur le contexte historique des recherches qui aboutissent à *The Authoritarian Personality*, cf. Martin JAY, *L'Imagination dialectique. Histoire de l'école de Francfort et de l'Institut de recherches sociales (1923-1950)*, trad. fr. E. E. Moreno et A. Spiquel, Paris, Payot, 1977, chap. VII, p. 253-286.

162. Cf., par exemple, Henri BARUK, « Le problème psychologique et psychopathologique de l'antisémitisme », *Bulletin de psychologie*, décembre 1952, p. 80-86 ; S.-A. SHENTOUB, « Le rôle des expériences de la vie quotidienne dans la structuration des préjugés (de l'antisémitisme nazi) », *Les Temps modernes*, n° 92, juillet 1953, extrait, 70 p. Dans une perspective autrement plus nuancée, accompagnée de prudence méthodologique, cf. Nathan W. ACKERMAN, Marie JAHODA, *Antisemitism and Emotional Disorder*, New York, Harper and Brothers, 1950 ; M. JAHODA, « Relations raciales et santé mentale », *in Le Racisme devant la science, op. cit.*, 1960, p. 493-532.

163. Th. HOBBES, *Léviathan* (1651), trad. fr. F. Tricaud, Paris, Sirey, 1971, 1re partie, chap. XIII, p. 123 ; cf. ALLPORT, *op. cit.*, 1954, p. 214.

164. ALLPORT, *op. cit.*, 1954, p. 215.

165. *Ibid.*, p. 216-217.

166. KLINEBERG, *op. cit.*, 1959, p. 605.

167. Klineberg note : « Le fait qu'il existe des stéréotypes [par exemple sur les immigrants] sans aucun fond de vérité ne nous permet pas de conclure qu'ils ne renferment jamais aucune vérité. C'est ce que dit Allport [1950] qui nous propose la tâche importante de chercher à découvrir les caractéristiques réelles des groupes en butte à des préjugés » (*op. cit.*, 1959, p. 589). On peut douter non seulement que ce soit là une « tâche importante », mais qu'elle soit seulement réalisable, et, une fois accomplie, susceptible d'éclairer le jugement des sujets à préjugés.

168. ALLPORT, *op. cit.*, 1954, p. 217.

169. KLINEBERG, *op. cit.*, 1959, p. 614.

170. G.M. FREDERICKSON, art. cité, p. 53.

171. Basil DAVIDSON, propos recueillis par Patricia Loué, *in Le Monde*, supplément n° 12894, dimanche 13-lundi 14 juillet 1986, p. 7. Le contexte immédiat montre que B. Davidson, par les mots « racisme » et « fascisme », vise le même groupe référentiel (les mêmes types de personnalité, d'attitudes, de conduites).

172. Albert JACQUARD, « La science face au racisme », *in Racisme, science et pseudo-science*, Paris, Unesco, 1982, p. 15.

173. *Ibid.*

174. Cf. C. GUILLAUMIN, *L'Idéologie raciste. Genèse et langage actuel*, Paris-La Haye, Mouton, 1972, p. 3.

175. Sir Alan BURNS, *Le Préjugé de race et de couleur*, trad. fr. D.P. Pedrals, Paris, Payot, 1949, p. 14. Le « préjugé de race » équivaut ici à un racisme populaire synthétique.

176. Voltaire, cité par Jean MOLINO, « Singulier Voltaire », *Commentaire*, 4, hiver 1978-1979, p. 529.

177. MONTESQUIEU, *De l'esprit des lois* (1748), préface, *in Œuvres complètes*, Paris, Bibliothèque de la Pléiade, 1951, 1966, t. II, p. 229. Sur la question du préjugé, Montesquieu était aussi un *modéré*. Cf. C. ROSSO, *Montesquieu moraliste* (1965), tr. fr. J. Ehrard, Bordeaux, Éd. Ducros, 1971, p. 75.

178. Louis ALTHUSSER, *Montesquieu. La politique et l'histoire*, Paris, PUF, 4e éd., 1974, p. 27 (1re éd. 1959).

179. *Ibid.*

180. ROUSSEAU, *Émile ou de l'éducation*, livre V, Paris, Garnier, 1943, p. 585.

181. Cf. Allan BLOOM, « L'éducation de l'homme démocratique : Émile », *Commentaire*, 4, hiver 1978-79, p. 457.

182. *Ibid.*, p. 458 ; cf. *Émile, in Œuvres complètes*, Paris, Gallimard, Bibliothèque de la Pléiade, vol. IV, 1969, p. 777.

183. BLOOM, art. cité, p. 459.

184. *Ibid.*, p. 458.
185. *Ibid.*, p. 459.
186. A. VINET, *Histoire de la littérature française au XVIIIe siècle*, Lausanne, 1960, t. II, p. 299 (cité par C. ROSSO, *op. cit.*, p. 74 n. 2).
187. G.M. FREDERICKSON, art. cité, p. 54. Pour les citations suivantes, *ibid.*, p. 53, 53-54, 54.
188. Cf. Pierre TAP, Introduction à : *Identité individuelle et personnalisation*, Toulouse, Privat, 1980, p. 8.
189. Paul VALÉRY, « Des partis », *in Regards sur le monde actuel* (1945), Paris, Gallimard, 1962, p. 61.
190. A. COMTE, *Cours de philosophie positive*, 58e leçon, Paris, 1842, t. VI. Dans le *Système de politique positive*, Comte précisera une fois de plus : « La société humaine se compose de familles, et non d'individus. » (Paris, t. II, 1852, p. 181.) Sur l'anti-individualisme sociologique de Comte, cf. J. LACROIX, *La Sociologie d'Auguste Comte*, Paris, PUF, 3e éd., 1967, p. 64-67 ; E.E. EVANS-PRITCHARD, *The Sociology of Comte : An Appreciation* (1968), Manchester University Press, 1970, p. 5 ; R.A. NISBET, *La Tradition sociologique* (1966), trad. fr. M. Azuelos, Paris, PUF, 1984, p. 79-85.
191. Sociologiste, et non pas simplement sociologique, dans la mesure où il apparaît rétrospectivement qu'il existe une contre-tradition sociologique qui relève de l'individualisme méthodologique, hérité de la pensée économique libérale. Cf. R. BOUDON, « L'individualisme méthodologique en sociologie », *Commentaire*, été 1984, vol. 7/ n° 26, p. 268-277.
192. W. DILTHEY, « L'essence de la philosophie » (1907), *in Le Monde de l'esprit* (1911), trad. fr. M. Rémy, Paris, Aubier, 1947, t. I, p. 375.
193. W. DILTHEY, *op. cit.*, p. 145-245. Pour les citations suivantes, cf. p. 240.
194. « Contribution à l'étude de l'individualité » (1895-1896), *op. cit.*, p. 263.
195. *Op. cit.*, 1894, p. 240.
196. *Ibid.*, p. 240-241.
197. Paris, Éd. de Minuit, 1969, t. 1, *Économie, parenté, société*, livre 3, chap. 2 : Les quatre cercles de l'appartenance sociale. Pour les citations suivantes, p. 294, 295-319.
198. A. CUVILLIER, préface à : Pitirim A. SOROKIN, *Comment la civilisation se transforme*, trad. fr. P. Rollet, Paris, M. Rivière, 1964, p. 33. Cf. P.A. SOROKIN, *Society, Culture and Personality*, New York, 1947, 5e partie, § 19.
199. *Ibid.*
200. E. DUPRÉEL, « Démesure et pluralisme » (1947), repris *in Essais pluralistes*, Paris, PUF, 1949, p. 363.
201. Chaïm PERELMAN, « La philosophie du pluralisme et la Nouvelle Rhétorique », *Revue internationale de philosophie*, 33e année, 1979, nos 127-128, p. 8.
202. Alex MUCCHIELLI, *L'Identité*, Paris, PUF, 1986, p. 79.
203. G.W. ALLPORT, *The Nature of Prejudice, op. cit.*, 1954, p. 43. L'intensité de l'appartenance, et donc le sentiment de solidarité, varie en raison inverse de l'extension du cercle d'appartenance, comme Tarde l'avait noté, dans le cadre d'un exposé de sa théorie de l'adaptation. (*Les Lois sociales* [1898], Paris, Alcan, 7e éd., 1913, p. 127).
204. Chaïm PERELMAN, *Justice et raison*, Bruxelles, Éd. de l'université de Bruxelles, 2e éd., 1972, p. 42. Sur la « justice formelle », cf. *op. cit.*, p. 21-41. Pour les citations suivantes, cf. p. 42-43, 43, 44, 44-45.

205. M. JAHODA, « Relations raciales et santé mentale », *in Le Racisme devant la science* , Paris, Unesco/Gallimard, 1960, p. 507. Cette importante étude a été reprise dans : H. MENDRAS, *Éléments de sociologie. Textes*, Paris, A. Colin, 1978, p. 81-112 (sous le titre : « La fonction psychologique du préjugé racial »).

206. M. JAHODA, *op. cit.*, développant une hypothèse d'Adorno (« Types and Syndroms », *in* Th.W. ADORNO, E. FRENKEL-BRUNSWIK, D.J. LEVINSON, R.N. SANFORD, *The Authoritarian Personality*, New York, Harper and Row, 1950, p. 744-783).

207. *Ibid.*, p. 508 (référence à Th. W. Adorno et *al.*, 1950).

208. R. PAGÈS, « Du reportage psycho-sociologique et du racisme : à propos de la marche civique sur Washington », *Revue française de sociologie*, IV, 4, octobre-décembre 1963, p. 436.

209. Cf. E. FRENKEL-BRUNSWIK, D.J. LEVINSON, R. N. SANFORD, « The Antidemocratic Personality », *in* G.E. SWANSON, Th. M. NEWCOMB, E.L. HARTLEY, *Readings in Social Psychology* (1947), éd. révisée, New York, Henri Holt and Co., 1952, p. 612-622. La personnalité antidémocratique est construite à partir de corrélations entre des attitudes hostiles et des opinions négatives (avec des valeurs légitimatoires) telles que : antisémitisme, ethnocentrisme, disposition réactionnaire, profascisme, auxquelles s'ajouteront la rigidité morale, la soumission au pouvoir, la référence aux valeurs conventionnelles, etc. L'étude précitée a été traduite en français dans : *Psychologie sociale, textes fondamentaux anglais et américains* (choisis, présentés et traduits par André Lévy), Paris, Dunod, 1965, p. 8-21. Cf. également : R.N. SANFORD, « Genetic Aspects of the Authoritarian Personality : Case Studies of Two Contrasting Individuals », *in* Th.W. ADORNO et *al.*, *op. cit.*, p. 787-816.

210. La théorie de la « personnalité autoritaire » a été notamment soumise à une critique fondée sur l'indépendance des attitudes racistes par rapport à la personnalité (Arnold ROSE, *Theory and Method in the Social Science*, Minneapolis, Univ. of Minnesota Press, 1954, p. 116-127). Sur les limites de la problématique adornienne, cf. M. ADAM, art. cité, 1984, p. 80.

Chapitre 7

1. S. TCHAKHOTINE, *Le Viol des foules par la propagande politique*, Paris, Gallimard, 7e éd., 1939, p. 9. Pour les citations suivantes, cf. *ibid.*, p. 11 (je souligne), p. 261.

2. On sait que Max Müller faisait du mythe un simple sous-produit pathologique du langage, « une sorte de maladie de l'esprit humain dont il faut rechercher les causes dans la faculté de parler » (Ernst CASSIRER, *Essai sur l'homme, op. cit.*, p. 159). Mais cette « maladie du langage » était à ses yeux inéliminable. Car, continue Cassirer, si le langage est, « par nature et par essence, métaphorique [...], il a recours aux modes indirects de description, aux termes ambigus et équivoques. C'est à cette ambiguïté inhérente au langage que le mythe, selon Max Müller, doit son origine » *(ibid.)*. La théorie du mythe comme « maladie du langage » est exposée par M. MÜLLER dans : *La Science et la religion*, Paris, Germer Baillière, 1873, p. 161-162 ; *Contributions to the Science of Mythology*, Londres, Longmans, Green and Co., 1897, I, p. 68 *sq.* (cf. E. CASSIRER, *op. cit.*, p. 160 n. 1).

3. A. KORZYBSKI, *Science and Sanity : An Introduction to Non-Aristotelian Systems and General Semantics*, Lancaster, 1933 ; 2e éd. augmentée, 1941. Un exposé commode de la sémantique générale se trouve dans diverses études du philosophe polonais Adam SCHAFF. Cf. par exemple : *Introduction à la sémantique* (1960), trad. fr. G. Lisowski, Paris, Anthropos, 1968, I, chap. IV : La sémantique générale *(General Semantics)*, p. 83-101.

4. Alfred TARSKI, « The Semantic Conception of Truth », *in* L. LINSKY (ed.), *Semantics and the Philosophy of Language*, University of Illinois Press, Urbana, 1952, p. 17 (cité par A. SCHAFF, *op. cit.*, 1968, p. 83 ; cf. Max BLACK, « Korzybski's General Semantics », *in Language and Philosophy*, New York, 1949).

5. Cf. A. SCHAFF, *op. cit.*, 1968, p. 89.

6. Cf. G. BACHELARD, *La Philosophie du non*, Paris, PUF, 1940, chap. V : La logique non-aristotélicienne, p. 105-134.

7. Cf. A. SCHAFF, *op. cit.*, 1968, p. 90-91, 333 ; *Essais sur la philosophie du langage* (1967), trad. fr. Cl. Brendel, *in Langage et connaissance*, Paris, Anthropos, 1969, p. 265.

8. Cf. A. SCHAFF, *op. cit.*, 1968, p. 91 ; *op. cit.*, 1969, p. 265.

9. Cf. A. SCHAFF, *op. cit.*, 1968, p. 91 ; *op. cit.*, 1969, p. 265. On reconnaît ici, généralisée et simplifiée, la « théorie des types logiques » du premier Russell. Cf. A.N. WHITEHEAD, B. RUSSELL, *Principia Mathematica*, Cambridge, Cambridge University Press, 1910, Introduction, chap. III (rééd. 1973, p. 37 *sq.*) ; « La théorie des types logiques », *Revue de métaphysique et de morale*, 18, 1910, p. 263-301. Mais l'on trouve, dès les *Principles of Mathematics* (1903), une ébauche de la théorie des types (cf. J. VUILLEMIN, *Leçons sur la première philosophie de Russell*, Paris, A. Colin, 1968, p. 142 *sq.*).

10. A. SCHAFF, *op. cit.*, 1968, p. 332.

11. L'élimination des termes singuliers (noms propres, particuliers égocentriques) d'une langue logiquement parfaite avait notamment pour fin d'éviter la postulation de « subtances premières » au sens aristotélicien, sur lesquelles devait d'abord se porter le rasoir d'Occam. Cf. par exemple : B. RUSSELL, « The Philosophy of Logical Atomism » (1918), *in Logic and Knowledge. Essays 1901-1950*, R. Ch. MARCH (ed.), Londres, George Allen and Unwin Ltd, 1956, p. 177-281.

12. A. SCHAFF, *op. cit.*, 1968, p. 91 ; *op. cit.*, 1969, p. 265.

13. Cf. A. SCHAFF, *op cit.*, 1968, p. 91-92, 332-333 ; *op. cit.*, 1969, p. 265, 271.

14. A. SCHAFF, *op. cit.*, 1968, p. 92.

15. A. SCHAFF, *op. cit.*, 1969, p. 265-266 (et *op. cit.*, 1968, p. 92).

16. A. SCHAFF cite ici Stuart CHASE, *The Tyranny of Words*, New York, 1938 ; *The Power of Words*, New York, 1954 (1968, p. 93).

17. S.I. HAYAKAWA, *Language in Thought and Action*, New York, 1949 ; cité par A. SCHAFF, *op. cit.*, 1968, p. 97.

18. Michel LEIRIS, « Race et civilisation » (1950), *in op. cit.*, 1960, p. 199 (je souligne).

19. *Ibid.* La caractérisation critique du racisme par la « confusion » ou le syncrétisme du biologique et du sociohistorique (culturel) se retrouve dans la plupart des analyses savantes : cf. C. GUILLAUMIN : le gobinisme illustre de façon paradigmatique « *la confusion entre le fait sociologique et le fait biologique*, qui marque les XIXe et XXe siècles » (*L'Idéologie raciste, op. cit.*, p. 24) ; Freddy RAPHAËL : « Le racisme remet en cause "l'arrachement de la société à la nature" (L. Sebag) et établit une filiation entre l'ordre physique, l'ordre psychique et l'ordre social » (*Judaïsme et capitalisme, op. cit.*, p. 334).

20. M. LEIRIS, *op. cit.*
21. *Ibid.*, p. 199-200 (je souligne).
22. Les marqueurs d'idéologie scientiste (il y a des vérités scientifiques ; le racisme est faux parce qu'il les contredit) sont nombreux dans l'étude de M. Leiris. Cf. *op. cit.*, p. 199, 200, 210, 212-213. L'argument d'autorité est bien passé, depuis 1945, du côté de l'antiracisme des scientifiques, qui tend à se présenter comme antiracisme scientifique, noyau d'une nouvelle gnose.
23. *Op. cit.*, p. 200.
24. La supposition de l'apparition *récente* du préjugé racial constitue un argument contre une éventuelle éternité qu'il tiendrait d'une origine instinctuelle : « Le préjugé racial n'a rien de général et [...] son origine est récente » (*op. cit.*, p. 235). Telle serait « la première constatation à laquelle on est amené par l'examen des données que nous fournissent l'ethnographie et l'histoire » *(ibid.)*. C. GUILLAUMIN recourt également à l'argument historiciste : cf. *op. cit.*, p. 8 (le racisme « a pris son sens et son départ dans un contexte idéologique et concret qui est propre au XIXe siècle occidental »). Il est clair que la valeur de connaissance de tels énoncés est indiscernable de leur valeur légitimatoire.
25. *Op. cit.*, p. 235 *sq.*
26. « La morale, la religion, la métaphysique et tout le reste de l'idéologie, ainsi que les formes de conscience qui leur correspondent, perdent aussitôt toute apparence d'autonomie. Elles n'ont pas d'histoire, elles n'ont pas de développement. » (K. MARX, F. ENGELS, *L'Idéologie allemande*, I, trad. fr. R. Cartelle et G. Badia, Paris, Éd. Sociales, 1965, p. 26.) Sur cette conception de l'« idéologie », cf. L. ALTHUSSER, « Idéologie et appareils idéologiques d'État (Notes pour une recherche) », *La Pensée*, n° 151, juin 1970, p. 22-24.
27. M. LEIRIS, *op. cit.*, p. 236.
28. *Ibid.*, p. 238.
29. *Ibid.*
30. Cf. Leo STRAUSS, *Droit naturel et histoire* (1953), trad. fr. M. Nathan et E. de Dampierre, Paris, Plon, 1954, p. 25 *sq.*, p. 39 *sq.* On se reportera à l'excellent commentaire de Terence MARSHALL, « Leo Strauss, la philosophie et la science politique », *Revue française de science politique*, vol. 35, n° 4, août 1985, p. 616-619.
31. L. STRAUSS, *op. cit.*, p. 39-40.
32. *Ibid.*, p. 19 : « Utilité et vérité sont deux choses entièrement différentes. »
33. L. Strauss, cité par Michel-Pierre EDMOND, « Persécution et politique de la philosophie », *Libre*, 1979-6, p. 70.
34. L'*Appel*, 5 février 1942 (je souligne).
35. *Journal des tribunaux*, 1899, n° 1514, p. 1179 (je souligne).
36. G. VACHER DE LAPOUGE, préface à : Madison GRANT, *Le Déclin de la grande race* (1916), trad. fr. E. Assire, Paris, Payot, 1926, p. 17-18 (je souligne).
37. G. VACHER DE LAPOUGE, *Race et milieu social. Essais d'anthroposociologie*, Paris, M. Rivière, 1909, Introduction, p. XXX.
38. *Ibid.*
39. G. VACHER DE LAPOUGE, « L'anthropologie et la science politique » (Leçon d'ouverture du cours libre d'anthropologie de 1886-1887, faculté des sciences de Montpellier, 2 décembre 1886), *Revue d'anthropologie*, 15 mars 1887, p. 6 (je souligne).
40. *Ibid.*
41. Julius EVOLA, *Indirizzi per una educazione razziale*, Napoli, Conte, 1941 ;

Éléments pour une éducation raciale, op. cit., p. 13 ; *Sintesi di dottrina della razza*, Milano, U. Hoepli, 1941 ; 2e éd., Padova, Ed. di Ar, 1978, notamment p. 44 *sq.* ; *Il Cammino del Cinabro*, Milano, Vanni Scheiwiller, 1963, trad. fr. Ph. Baillet, *Le Chemin du Cinabre*, Milano-Carmagnola, Arché-Arktos, 1982, p. 145-148.

42. *Éléments..., op. cit.*, p. 14.

43. *Le Chemin, op. cit.*, p. 159 : « Ces contributions à la rectification du racisme. »

44. *Éléments..., op. cit.*, p. 15. Les citations suivantes se trouvent *ibid.*, p. 71.

45. Sur le présupposé antirationaliste du racisme bien entendu, c'est-à-dire « rectifié », cf. *Sintesi..., op. cit.*, p. 18-22.

46. *Éléments..., op. cit.*, p. 72. Contre « la religion superstitieuse de la vie, du devenir et du naturalisme », dont « le nordisme » devrait être « libéré », cf. J. Evola, « Restauration de l'Occident dans l'esprit aryen originel » (Conférence au Studienkreis, Berlin, 10 décembre 1937), trad. fr., *Totalité*, nos 21/22, octobre 1985, p. 25 ; dénonciation de « la caricature nietzschéenne et darwinienne de la belle bête blonde » : *ibid.*, p. 33. Pour une critique globale de l'évolutionnisme, cf. J. Evola, *Révolte contre le monde moderne* (1934), trad. fr. P. Pascal (sur la 3e éd., Rome, 1969), IIe partie, chap. 1, Montréal, Éd. de l'Homme, 1972, p. 247-252. Pour éclairer la critique « traditionaliste » de l'évolutionnisme, il faut signaler le n° spécial de la revue évolienne *Totalité*, consacré à la question : « Un crime contre l'humanité : le darwinisme » (n° 15, automne 1982).

47. *Éléments..., op. cit.*, p. 97.

48. *Ibid.*, p. 73. Pour une défense systématique, appuyée sur une importante littérature scientifique, de l'hypothèse d'une évolution régressive présentée comme conforme à l'enseignement de l'Église, et opposée à celle de l'évolution progressive (« dogme du progrès continu », indéfini, etc.), cf. Georges Salet, Louis Lafont, *L'Évolution régressive*, Paris, Éd. Franciscaines, 1943, 313 p. (cf. notamment les p. 93 *sq.*, 157 *sq.*, où référence est faite au livre, allant dans le même sens — « montrer que la nature vivante est en dégénérescence » — de H. Decugis, *Le Vieillissement du monde vivant*, Paris, Plon, 1941).

49. Cf. *Éléments..., op. cit.*, p. 74-79. Pour les citations suivantes, *ibid.*, p. 79, 30, 31, 30, 32.

50. Houston Stewart Chamberlain, « Dilettantisme, race, monothéisme, Rome » (octobre 1902), Annexe II à : *La Genèse du XIXe siècle* (1899), trad. fr. R. Godet, Paris, Payot, 1913, t. II, p. 1413-1414.

51. L. Thomas, *op. cit.* Sur L. Thomas, directeur du *Cri du jour* (hebdomadaire parisien) depuis le 1er février 1934, cf. Jean Drault, *Histoire de l'antisémitisme*, Paris, Éd. C.-L., 1942, p. 182-184.

52. L. Thomas, *op. cit.*, 1941, p. 45-50.

53. *Ibid.*, p. 45.

54. J. Boulenger, *Le Sang français*, Paris, Denoël, 1943, p. 329. Précisons ici que J. Boulenger, collaborateur du bimensuel maurrassien *La Revue universelle* (directeur : Henri Massis), ne manifestait en 1940 nulle sympathie pour Hitler et le nazisme, conformément à la ligne anti-germanique de l'Action française : cf. J. Boulenger, « Le "Moral" », *La Revue universelle*, t. LXXX, n° 1, 1er avril 1940, p. 6-22 (ainsi que les « Lettres du Front », *Le Temps*, 3 novembre 1939).

55. Descartes, *Discours de la méthode* (1637), texte et commentaire par É. Gilson, Paris, Vrin, 4e éd., 1966 (1925), IIe partie, p. 15.

IIIe PARTIE

Chapitre 8

1. L. KOLAKOWSKI, *L'Esprit révolutionnaire*, tr. fr. J. Dewitte, Paris, Denoël, 1985, p. 125 (1re éd. 1972).

2. V. PARETO, *Traité de sociologie générale*, édition française par Pierre Boven (revue par l'auteur), Paris, Payot, vol. II, 1932, § 2031 (1re éd. 1917).

3. V. BRØNDAL, *Les Parties du discours. Partes Orationis. Études sur les catégories linguistiques* (1928), trad. fr. P. Naert, Copenhague, Einar Munksgaard, 1948, p. 81.

4. *Op. cit.*, p. 82. Rappelons que la neutralité du savoir théorique n'implique pas une neutralité du jugement éthique et politique. Ainsi, dans la perspective brondalienne, le traditionnel concept de substance est-il repris sans ses implications philosophiques sédimentées : « Il est, du point de vue de la langue, indifférent que les objets avec lesquels elle opère soient réels ou imaginaires, personnels ou impersonnels, corporels ou incorporels. » A un niveau d'abstraction moins élevé, on pourrait en dire autant de la « race » — que les groupes d'appartenance perçus comme des « races » en soient ou non au regard du savoir biologique. C'est la perception sociale de la qualité raciale qui fait la race. Et les manières de dire l'élément racial. D'où le fonctionnement d'un lexique pararacial, comprenant les dérivations d'un ensemble ouvert de termes tels que : ethnie, culture, tradition, mentalité, peuple, nation, religion, etc.

5. De la nouvelle droite au sens restreint : le GRECE. Pour simplifier la question, disons que la position dite « nominaliste » (non sans risque d'équivoque) par Armin Mohler et Alain de Benoist s'inscrit dans la filiation des ironiques remarques sur l'homme en général telles que Joseph DE MAISTRE les formule en 1797 dans ses *Considérations sur la France* (chap. VI, fin). L'idéal est celui d'une communauté organique (ni individu séparé ni humanitarisme abstrait) et la norme celle de l'enracinement. Cette problématique communautariste, non dénuée d'éléments traditionalistes (voire de nostalgisme *völkisch*), doit être distinguée des positions d'un Guillaume Faye, néo-conservatrices et post-modernes, et dont l'européanisme impérial se double d'un enthousiasme technophile. Cf. A. MOHLER, « Le tournant nominaliste : un essai de clarification », *Nouvelle École*, n° 33, été 1979, p. 13-21 (trad. fr. H. Plard) ; A. DE BENOIST, « Fondements nominalistes d'une attitude devant la vie », *Nouvelle École*, n° 33, p. 22-30 (repris *in Les Idées à l'endroit*, Paris, Éd. Libres/Hallier, 1979, p. 31-48) ; G. FAYE, *Nouveau Discours à la nation européenne*, Paris, Albatros, 1985, p. 58 *sq.* (récusation de « l'enracinement passéiste ») ; G. FAYE, *Europe et Modernité*, Esneux, Eurograf, 1985, p. 51 *sq.* (concilier enracinement et « désinstallation »). Sur l'idée de « peuple », opposée à l'universalité abstraite de l'homme, cf. *La Cause des peuples*, Actes du XVe colloque national du GRECE (Versailles, 17 mai 1981), Paris, Le Labyrinthe, 1982. Sur la question du « nominalisme » comme doctrine anti-universaliste, cf. P.-A. TAGUIEFF, « Alain de Benoist philosophe », *Les Temps modernes*, n° 451, février 1984, p. 1440 *sq.*

6. Cf. Léon HUSSON, « Contenu et signification des notions de morale naturelle et de droit naturel », *Archives de philosophie*, oct.-déc. 1982, t. 45, cahier 4, p. 529-530.

7. Cf. P.-A. TAGUIEFF, « L'identité nationale saisie par les logiques de racisation », *Mots*, n° 12, mars 1986, p. 111.

8. Cf. par exemple Henry COSTON, *La Fortune anonyme et vagabonde*, Paris, Publications H. Coston, La Librairie française, 1984, 279 p.

9. Cf. J.-G. MALLIARAKIS, « Rapatrions les immigrés », *Troisième Voie*, nos 202-203, sept.-oct. 1985, p. 11. Le dirigeant « nationaliste révolutionnaire » fustige le « désir de faire par métissage massif de la France un nouveau Brésil ». On rencontre la même hantise du métissage, non moins liée à l'imaginaire du complot anti-Français (et/ou anti-Blanc) dans les publications du Parti nationaliste français (fondé le 10 décembre 1983), et notamment dans le mensuel *Militant* (cf. par exemple l'éditorial « Demain il sera trop tard », n° 153, novembre 1983, p. 2, 5).

10. Alain BRENIER, « Esotérisme et mondialisme », *Jeune Nation solidariste* (organe du MNR : Mouvement nationaliste révolutionnaire), nos 178-179, juillet-août 1983, p. 24.

11. Dr BÉRILLON, « Le métissage ; son rôle dans la production d'enfants anormaux », *Revue de psychologie appliquée*, 36e année, 4e série, n° 1, janvier 1927, p. 4.

12. Indivisible en lui-même, divisible à l'égard de tout autre. Sur les débats médiévaux autour de l'individuel *(individuum, singulare)*, cf. Camille BÉRUBÉ, *La Connaissance de l'individuel au Moyen Age*, Paris/Montréal, PUF/Presses de l'université de Montréal, 1964. Sur l'individuel dans le nominalisme ockhamien, cf. Paul VIGNAUX, *Nominalisme au XIVe siècle*, Paris, Vrin, 1981, 97 p. (reprise de l'éd. de 1948, Montréal) ; Claude PANACCIO, « Guillaume d'Occam : signification et supposition », communication au colloque sur « la théorie du signe au Moyen Age », Cerisy-la-Salle, juillet 1977, 41 p. Sur les aventures du terme *individu* dans le vocabulaire sociopolitique moderne (XVIIe-XVIIIe siècle), cf. Anne VIGUIER, « Enfances de l'*Individu*, entre l'école, la nature et la police », *Mots*, 9, octobre 1984, p. 33-56.

13. Cf. Louis DUMONT, *Essais sur l'individualisme, op. cit.*, p. 119 : « Les cultures sont vues comme autant d'individus [...] : *les cultures sont des individus collectifs*. En d'autres termes, Herder transfère l'individualisme [...] au plan d'entités collectives. »

14. E. HUSSERL, « La crise de l'humanité européenne et la philosophie », conférence faite à Vienne le 7 mai 1935 ; trad. fr. P. Ricœur, Paris, Aubier-Montaigne, 1977, p. 83.

15. Cf. Uli WINDISCH (en collab. avec J.-M. JAEGGI et G. DE RHAM), *Xénophobie ? Logique de la pensée populaire*, Lausanne, L'Age d'Homme, 1978, p. 173.

16. G. VACHER DE LAPOUGE, *L'Aryen, op. cit.*, 1899, p. 511. Nous ne citons ici Lapouge, dont l'œuvre ne se réduit en aucune manière à une somme d'énoncés « racistes », que pour autant que ses propos illustrent des représentations et évaluations courantes dans l'espace idéologique complexe où la science anthropologique naissante est entrée en syncrétisme avec les projets politiques de réforme, de révolution et de refonte sociale. Ainsi, dans la proposition citée, Lapouge semble assumer une confusion conceptuelle qu'il n'a cessé de dénoncer : l'amalgame entre « race » et « nation ». La proposition est dès lors moins lapougienne qu'un fidèle (et malheureux) reflet de l'idéologisation dominante de la question dans une période donnée.

17. Note de Vacher de Lapouge, sans date (Fonds Lapouge déposé à l'université Paul-Valéry de Montpellier, sous la responsabilité du professeur Jean Boissel).

18. VACHER DE LAPOUGE, « L'anthropologie et la science politique » (leçon d'ouverture, 2 décembre 1886), *in op. cit.*,, p. 166.

19. Cf. René Zazzo, « La comparaison », *Enfance*, n° 4, 1982, p. 233-234.

20. Cf. Henry DE LESQUEN et le Club de l'Horloge, *La Politique du vivant*, Paris, Albin Michel, 1979, p. 150-151.

21. Houston Stewart CHAMBERLAIN, *op. cit.*, 1913, t. I, chap. IV, p. 351-434 : « Le chaos ethnique » (1re édit. allemande, 1899).

22. Pierre CHAUNU, *Histoire et décadence*, Paris, Librairie Académique Perrin, 1981, p. 199, 259.

23. Dr BÉRILLON, « Le métissage ; son rôle dans la production des enfants anormaux », *op. cit.*, p. 4-5. L'immigration a été abordée dans la même perspective psychopathologique, en tant que « greffe interraciale », par le Dr René MARTIAL. Cf. son *Traité de l'immigration et de la greffe interraciale*, Paris, Larose, 1931 ; et en particulier : « Étude de l'aliénation mentale dans ses rapports avec l'immigration », *L'Hygiène mentale* (Journal de psychiatrie appliquée), 28e année, nos 2 et 3, février-mars 1933, p. 29-71.

24. Cf. Paul BROCA, « Histoire des travaux de la Société d'anthropologie de Paris (1859-1863) », Paris, V. Masson, 1863, p. 39.

25. Cf. P. BROCA, art. cité, p. 38.

26. BROCA, art. cit., p. 36 (Broca résumant la position défendue par « quelques auteurs modernes »).

27. *Ibid.* (Broca résumant la position défendue par Perier).

28. La biologisation des différences implique le *postulat héréditariste*, lui-même élément central dans toute définition du concept de « race humaine ». Cf. KANT : « Le concept de race est donc la différence entre classes d'animaux à l'intérieur d'une seule et même souche, dans la mesure où cette différence est infailliblement héréditaire. » (« Définition du concept de race humaine » (1785), *in La Philosophie de l'histoire*, trad. fr. St. Piobetta, Paris, Aubier, 1947, p. 142.) La définition du racisme théorique la plus courante se construit autour du postulat du déterminisme génétique. Cf. par exemple, Raymond RUYER, *Les Nuisances idéologiques*, Paris, Calmann-Lévy, 1972, p. 95. Il est vrai que la thèse de la production, sur un modèle causal simple, de la culture par les facteurs de race (au sens strictement zoologique) est depuis 1945 devenue une rareté idéologique. Peu d'énoncés relevant du racisme « caractérisé » sont aujourd'hui trouvables dans les écrits publics, telle cette note d'une étude sur la « métaphysique du sang » publiée dans une revue « traditionaliste-révolutionnaire » (autodésignation des disciples de Julius Evola) : « La proportion de gènes provenant de la population blanche et faisant partie du génotype des Noirs américains actuels est de l'ordre de 31 %. *De là vient* la supériorité reconnue du Noir américain parmi les autres Noirs. » (Bruno BRUNEAU-PIAUD, « A rebours [complément à "Métaphysique du sang"] », *Totalité* [Pour la révolution culturelle européenne], n° 23, automne 1985, p. 78 n. 4.)

29. J.-P. DURAND (DE GROS), *Questions de philosophie morale et sociale*, Paris, F. Alcan, 1901, p. 41.

30. G. VACHER DE LAPOUGE, *op. cit.*, 1899, p. 503.

31. *Ibid.*, p. 501.

32. G. VACHER DE LAPOUGE, *Les Sélections sociales*, Paris, A. Fontemoing, 1896, p. 192. On doit aux importants travaux d'André Béjin d'avoir attiré l'attention sur ces aspects de la problématique lapougienne : Cf. « Le sang, le sens et le travail :

Georges Vacher de Lapouge, darwiniste social, fondateur de l'anthroposociologie », *Cahiers internationaux de sociologie*, vol. LXXIII, p. 323-343 ; « De Malthus à la sociobiologie. Les formes de prise en considération des liens du sang », *Revue européenne des sciences sociales*, tome XXIII, 1985, n° 69, p. 129-130.

33. G. Vacher de Lapouge, *op. cit.*, 1896, p. 306. Dans une note non datée du Fonds Lapouge conservé à l'université Paul-Valéry de Montpellier, on lit : « La Science contre la Démocratie. L'individu est la synthèse de ses ancêtres, modifiée par un milieu particulier. » Dans son essai de « biopolitologie », Y. Christen ne manque pas d'insister sur l'idéal de pérennité génétique, tel qu'on en trouve des formulations variées tant chez Lapouge que chez G. Le Bon : *Biologie de l'idéologie*, J.-J. Pauvert/Carrère, Paris, 1985, p. 104-105 (l'auteur cite vraisemblablement Lapouge d'après A. Béjin, art. cité, 1982, p. 338).

34. Lapouge, *op. cit.*, p. 307.

35. Sur les deux modèles, différentialiste et inégalitariste, du racisme, cf. P.-A. Taguieff, « Les présuppositions définitionnelles d'un indéfinissable : "le racisme" », *Mots*, 8, mars 1984, p. 71-107 ; « Le néo-racisme différentialiste. Sur l'ambiguïté d'une évidence commune et ses effets pervers : l'éloge de la différence », *Langage et Société*, 34, décembre 1985, p. 69-98.

36. Cf. par exemple Guillaume Faye, *Les Nouveaux Enjeux idéologiques*, Paris, Le Labyrinthe, 1985, p. 45.

37. E. Todd, *La Troisième Planète, op. cit.*, 1983 ; cf. ci-dessus chap. 2.

38. Sur l'histoire définie comme lutte entre les peuples, cf. G. Ratzenhofer, *Wesen und Zweck der Politik*, Leipzig, 1893. Le thème de la « lutte des races », en langue française, a été à la fois vulgarisé et intégré dans la rhétorique des sciences sociales à partir de l'ouvrage de Ludwig Gumplowicz portant ce titre : *La Lutte des races. Recherches sociologiques (Der Rassenkampf*, 1883), trad. fr. Charles Baye, Paris, Guillaumin, 1893, 381 p. La théorie de Gumplowicz, intéressant paradoxe, ne saurait être sommairement qualifiée de « raciste », pour autant que les races n'y apparaissent pas comme ontologiquement premières, mais comme engendrées par la lutte entre groupes et collectivités en vue de la domination, moteur de l'histoire : la relation polémique, présumée éternelle, a la puissance de former des races, elle représente un procès de racisation des groupes. Ainsi, dans son *Précis de sociologie* (*Grundriss der Soziologie*, 1885), L. Gumplowicz affirme-t-il qu'« un cercle social procède à l'égard d'un autre avec la même logique impitoyable qu'une horde à l'égard d'une autre horde, qu'un État à l'égard d'un autre État. Le point de départ de cette logique, le voici : l'intérêt personnel. Voilà pourquoi [...] nous avons représenté comme une "lutte de races" la lutte entre les éléments sociaux de l'État : c'est que, par l'effet de l'animosité et de l'impitoyabilité avec laquelle on se combat, chaque cercle puissant tend à devenir une caste fermée, de consanguinité exclusive, bref une race. » (*Op. cit.*, trad. fr. Charles Baye, Paris, M. Rivière, 1896, p. 247). Dans son ouvrage précédent, L. Gumplowicz avait posé les définitions suivantes : « Nous désignerons sous le nom de "luttes de races" les luttes des unités, des groupes et des communautés ethniques et sociaux hétérogènes les plus variés. Ces luttes *constituent l'essence du processus historique.* » (*La Lutte des races, op. cit.*, p. 193.) Sur la théorie de L. Gumplowicz, cf. surtout P.A. Sorokin, *Les Théories sociologiques contemporaines* (1928), trad. fr. René Verrier, Paris, Payot, 1938, p. 345-352. J. Freund ne manque pas de reconnaître une certaine pertinence à la conception gumplowiczienne de la politique (J. Freund, *L'Essence du politique*, Paris, Sirey, 1965, p. 538).

39. La meilleure illustration en est fournie par la somme polémique publiée en

1910 par J. Novicow, *La Critique du darwinisme social*, Paris, F. Alcan, 407 p. Le premier chapitre de l'ouvrage s'ouvre par une « définition » du « darwinisme social » : « La doctrine qui considère l'homicide collectif comme la cause des progrès du genre humain. » (*Op. cit.*, p. 3.) De 1880 à 1914, trois caractéristiques récurrentes entrent dans les définitions du « darwinisme social » :
— le déterminisme biologique : le principe matérialiste de l'hérédité déterminatrice ;
— la théorie des races, fondée sur le postulat des facultés et aptitudes différentielles, interprétées selon une échelle hiérarchique ;
— le principe de la lutte pour l'existence et l'idée de sélection naturelle.

C'est sur le troisième trait que se greffe l'idéologie du progrès dans l'histoire : la lutte pour la vie et la sélection sont définies en tant que moteurs de l'évolution du moins bien vers le mieux, soit comme facteurs essentiels du « progrès ». D'où les éloges croisés de la force, du combat, de la guerre, de la survie ou de la victoire des « meilleurs », en tant que principes producteurs de la « civilisation » ou instruments privilégiés d'amélioration de l'humain (l'idéal mélioriste se réinvestit ainsi dans l'eugénique).

La critique de Novicow porte précisément sur la thèse du progrès par la lutte à mort et la sélection des « plus aptes ». Le « darwinisme social » se réduit selon lui au dogme que la guerre sous toutes ses formes engendre nécessairement du progrès dans l'histoire humaine. Et il en examine les postulats, à commencer par la thèse que la force prime le droit, jusqu'à être identifiée au droit (divinisation de la force). Certains propos de Lester Ward (*Pure Sociology*, New York, 1903, p. 238, cité par J. Novicow, p. 375) articulent expressément la thématique de la lutte progressiste et celle de la lutte des races.

40. Louis Dumont, *Essais sur l'individualisme, op. cit.*, p. 260.

41. *Ibid.*, p. 28, 262. Pour les citations suivantes : *ibid.*, p. 161, 163, 154 *sq.*, 115, 69 (sur les deux sens de l'« individu »), 129, 130.

42. *Ibid.*, p. 259. Cf. par exemple l'interprétation proposée par Henri Giordan, dans « Le droit à la différence : pour un nouveau dynamisme en France » : « Notre action trouve son sens de progrès dans l'affirmation du droit pour tous à une égale dignité. [...] Le droit à la différence doit être compris comme la traduction culturelle du droit pour tous à une égale dignité. Il précise et concrétise le principe de l'égalité entre les êtres humains » (*Nouvelle Revue socialiste*, n° 74, mars-avril 1985, p. 17, 21).

43. L. Dumont, *op. cit.*, p. 259.

44. *Ibid.*, p. 260. (Je paraphrase Léon Tolstoï reformulant l'exigence christique : « aime ton prochain comme lui-même ».) Pour les citations suivantes, *ibid.*, p. 260.

45. Rappelons que le GRECE a produit l'un des rares discours néo-racistes qui incarnent à peu près parfaitement l'idéaltype du différentialisme. Cf. notamment A. de Benoist, « Le totalitarisme raciste », *Éléments*, n° 33, février-mars 1980, p. 13-20 (le droit à la différence collective présenté comme l'arme antitotalitaire par excellence).

46. Cf. *De l'ethnocide*, textes réunis par Robert Jaulin, Paris, 10/18, 1970. Par ethnocide, R. Jaulin propose d'entendre « l'acte de destruction d'une civilisation, l'acte de décivilisation », ou encore « les assassinats collectifs perpétrés contre des races ou des ethnies et leurs cultures » (*La Décivilisation, politique et pratique de l'ethnocide*, Bruxelles, Éd. Complexe, 1974, p. 9).

47. La description identifiante polémique vient du pamphlet de Guillaume

FAYE, *Le Système à tuer les peuples*, Paris, Copernic, 1981. L'ouvrage s'applique à démontrer que « le système » techno-économique issu de « l'ordre marchand américain » domestique, détruit et homogénéise les « entités ethno-culturelles et nationales » (p. 22), en bref tue les peuples. C'est la version droitiste de l'idéologie anti-ethnocidaire diffusée par R. Jaulin et ses amis dans les années soixante-dix. Cf. dans le même sens : *Éléments*, n° 34, avril-mai 1980, « Pour en finir avec la civilisation occidentale » (déclaration nette de rupture avec l'occidentalisme). On notera au passage la circulation du syntagme indéterminé « X à tuer les peuples », marquant l'influence diffuse du GRECE : « L'immigration est une machine à tuer les peuples », lit-on par exemple dans un récent ouvrage de Jean-Yves LE GALLOU et le Club de l'Horloge (*La Préférence nationale : réponse à l'immigration*, Paris, A. Michel, 1985, p. 56).

48. Alain DE BENOIST soutient parfois une thèse relevant d'un racisme à la fois différentialiste et relativiste : « *Toutes* les races sont supérieures. Toutes ont leur génie propre. [...] On peut donc dire que chaque race est supérieure aux autres dans la mise en œuvre des réalisations qui lui sont propres. » (« Contre tous les racismes », *Éléments*, n°s 8-9, nov. 1974-fév. 1975, p. 13, 14.) Reformulation du racisme dans une problématique nominaliste (*i.e.* anti-universaliste).

49. Tel pourrait se formuler l'axiome qui fonde l'analyse de L. Dumont. C'est en tant qu'elle ne permet pas d'envisager *aussi* un racisme différentialiste « pur » que nous nous séparons d'elle.

50. Cf. par exemple Jean-Marie LE PEN, *op. cit.*, 1984, p. 167 *sq.*

51. « L'idéologie raciste [...] est la théorie selon laquelle les caractères biologiques génétiques sont déterminants, surtout par le médium du niveau de l'intelligence, des types de comportement et des caractères culturels. Telle race, telle culture. L'éducation n'aurait qu'une faible importance en face de la puissance de l'hérédité » (R. RUYER, *Les Nuisances idéologiques, op. cit.*, p. 95).

52. *Ibid.*

53. Notons au passage que l'affligeante pauvreté des écrits français sur le racisme depuis le début des années soixante-dix (soit après la publication des travaux importants de L. Poliakov, C. Guillaumin, L. Dumont, etc.), n'est guère comparable qu'à la régulière et intarissable médiocrité des ouvrages hâtifs sur le « néo-nazisme », le « néo-fascisme » ou l'« extrême droite » contemporaine. Dans les deux cas, l'effet pathétique et l'effet polémique (pour ne pas compter les passions morbides) se conjuguent pour interdire la réflexion.

54. Parmi les textes les plus explicites, cf. *Éléments pour la civilisation européenne*, n°s 48-49, hiver 1983-1984, p. 5-49 (dossier : « Tiers-mondisme et cause des peuples ») et 69-82 (« Une critique fondamentale de la société multiraciale »). C'est en 1974, au sein du GRECE, qu'a été définie la nouvelle stratégie « antiraciste » de droite : cf. *Éléments*, n°s 8-9, nov. 1974-février 1975, « Contre tous les racismes » (entretien avec A. de Benoist), p. 13-23. La référence à certaines remarques de R. RUYER (1972, *op. cit.*, p. 118, 124) remplit depuis lors une fonction légitimatoire dans la littérature « antiraciste » du GRECE. Pour une justification sémantique du terme, cf. Albert MEMMI, « Racisme et hétérophobie », *in Le Racisme*, Paris, Gallimard, 1982, p. 205-210.

55. Rappelons les exposés les plus caractéristiques du différentialisme par LE PEN : *op. cit.*, p. 167-170 ; *in* Jean MARCILLY, *Le Pen sans bandeau, op. cit.*, p. 192 ; interview *In National Hebdo*, n° 44, 19 avril 1985, p. 6-8.

56. Cf. surtout Alain GRIOTTERAY, *Les Immigrés : le choc*, Paris, Plon, 1984

(on notera que Jean-Yves Le Gallou, remercié pour avoir joué le rôle de documentaliste, n'a vraisemblablement pas dû s'en tenir là). Au sein du Parti républicain, la fraction « nationale-libérale » de la nouvelle droite a constitué un groupe de pression idéologique, dont l'une des expressions médiatiques est assurée par le *Figaro-Magazine*, lieu de respectabilisation des diverses familles dites d'extrême droite depuis 1977.

57. J.-Y. Le Gallou et le Club de l'Horloge, *La Préférence nationale : réponse à l'immigration, op. cit.* Il n'est pas dénué de signification que *Rivarol* reproche à Le Gallou de plagier Le Pen, tant dans l'ouvrage précité que dans certains dossiers publiés çà et là (cf. *Le Figaro-Magazine*, 20 avril 1985) : « celui-ci [le livre signé Le Gallou] ne fait que reprendre les principaux arguments lancés — et popularisés par Jean-Marie Le Pen (jamais cité évidemment)... » (*Rivarol*, 3 mai 1985, p. 2 : « Pas sérieux s'abstenir »). Depuis lors, J.-Y Le Gallou a choisi de rejoindre le Front national, raccordant ainsi orientations idéologiques et choix politiques.

58. Cf. le projet des CAR, *Demain le chêne. Pour la France contre le socialisme*, Paris, Albatros, 1982, p. 52-59, 102-121.

59. *Militant* (« Revue nationaliste populaire d'action européenne »), n° 153, novembre 1983, p. 2, 5 (éditorial).

60. Cf. notamment la synthèse publiée par Jérôme Jaffré sur « L'effet Le Pen », *in SOFRES. Opinion publique 1985*, Paris, Gallimard, 1985, p. 177 *sq.* (28 % des Français approuvent les prises de position de Le Pen sur l'immigration). Le sondage SOFRES-*Différences* sur « L'Insertion des immigrés » (*Différences*, n° 32, mars 1984, p. 6-11) révèle que 58 % de la population jugent que les immigrés sont trop nombreux en France. Le sondage réalisé du 9 au 14 novembre 1984 par la SOFRES pour la LICRA, et rendu publique le 25 novembre 1984 (XXXVe congrès national), confirme la tendance xénophobe dirigée contre les immigrés d'origine africaine et nord-africaine (*Le Droit de vivre*, décembre 1984, n° 506, p. 13-15) : 26 % des Français sont « plutôt d'accord » ou « tout à fait d'accord » avec les idées défendues par J.-M. Le Pen. Il en va de même pour le sondage SOFRES effectué dans la même période pour le *Nouvel Observateur* (30 nov.-6 déc. 1984, p. 60-61) : 27 % des Français sont « plutôt d'accord » ou « tout à fait d'accord » avec la campagne menée par J.-M. Le Pen sur le thème de l'immigration.

61. J. Evola, *Éléments pour une éducation raciale* (1941), *op. cit.*, p. 29.

62. Cité dans *Présent* (27 mars 1985, p. 3), le quotidien du catholicisme intégriste et contre-révolutionnaire devenu l'un des organes du mouvement lepénien.

63. F. Brigneau, *in Minute*, 5-12 avril 1985, p. 7 (je souligne).

64. Cf. P.-A. Taguieff, in *Mots*, 8, 1984, art. cité.

65. La plupart des auteurs fondent leur dénégation d'allégeance raciste sur le rejet du trait de « supériorité de la race aryenne ». Comme si le racisme en général s'identifiait avec la conception nazie du monde.

66. J. Ploncard d'Assac, « La politique » (chronique), *Lectures françaises*, n° 337, mai 1985, p. 6.

67. On peut voir dans cette allusion une relative concession à l'argumentation vulgarisée par l'antiracisme des scientifiques. L'important est pour nous de relever qu'à l'extrême limite, l'argument de l'inexistence de races scientifiquement définissables est intégrable, donc recevable, par une doctrine nationaliste d'obédience contre-révolutionnaire. On pourrait même soutenir que ce n'est que par un « accident de parcours » historique que le nationalisme réactionnaire a cru pouvoir se fonder sur une théorie des races.

68. J. Ploncard d'Assac, art. cité, p. 6.

69. J.-Y. LE GALLOU et le Club de l'Horloge, *La Préférence nationale : Réponse à l'immigration, op. cit.*, p. 13.

70. *Op. cit.*, p. 4 de couverture ; et p. 61 : « La distinction entre le national et l'étranger est légitime dès lors que la nation l'est. Elle ne peut s'exprimer que par des droits et des devoirs inégaux, c'est-à-dire en termes de *préférences.* »

71. J. PLONCARD D'ASSAC, art. cité, p. 6. On relèvera le schème usuel de la vision conspirationniste du monde : « on veut *imposer...* ». « On » : référence aux puissances occultes, anonymes, qui visent la domination absolue.

72. *Ibid.*

73. Louis JEAN-CHARLES, « Le racisme, c'est l'entente cordiale », *Notre Europe* (organe de la FANE : Fédération d'action nationale européenne), n° 25, juillet 1980, p. 10. De tels textes appellent une confrontation avec les logiques de légitimation de l'*apartheid* en Afrique du Sud. Elles comportent nécessairement un acte de *naturalisation* de la « désintrication » des populations de « races » (couleurs) différentes, comme l'indique cette proposition du jeune Alain de Benoist : « L'attitude spontanée de la population qui l'a amenée à pratiquer une politique ségrégationniste a montré que le code législatif de l'apartheid répondait en fait à une attitude *naturelle* au plein sens du terme, à un réflexe instinctif des organismes pour se survivre et se perpétuer dans leur identité. » (F. Laroche [pseudonyme d'A. de Benoist], *in* Gilles FOURNIER, Fabrice LAROCHE, *Vérité pour l'Afrique du Sud*, supplément au n° de mai 1965 du mensuel *Europe-Action*, Paris, Éd. Saint-Just, p. 15.)

74. Guillaume FAYE, « La société multiraciale en question », *Éléments*, nos 48-49, hiver 1983-1984, p. 76.

75. Robert DE HERTE (A. de Benoist), « Pour un autre tiers-mondisme », *Éléments*, art. cité, p. 21-25.

76. *Ibid.*, p. 3.

77. G. FAYE, art. cité, p. 76.

78. Cf. Gérard DUPUY, « Il faut banaliser l'antiracisme », *Libération*, 27 mars 1985, p. 3. Double erreur : car, d'une part, le « racisme » n'est nullement « banalisé », il s'est métamorphosé ; et, d'autre part, l'« antiracisme » est déjà bien et suffisamment banalisé : sa dégradation en pensée-slogan ne devrait guère engager à souhaiter qu'on la prône à titre de bréviaire humaniste quotidien. Mais le pathétique, voire le pathologique, domine aujourd'hui en France la position même des problèmes, et les idées reçues font barrage à toute tentative d'analyse froide des *réalités idéologiques* (car l'idéologie n'est pas du rêve !).

79. Jean-Marie LE PEN, propos tenus le 19 septembre 1982, cités par Alain Rollat, *Le Monde*, 21 septembre 1982.

Chapitre 9

1. E. FINCH, *in Mémoires sur le contact des races* (publiés par G. Spiller), Londres, P.S. King and Son, 1911, p. 122.

2. Théodule RIBOT, *L'Hérédité psychologique* (1873), Paris, F. Alcan, 8e éd., 1906, p. 346-347.

3. Frank H. HANKINS, *La Race dans la civilisation. Critique de la doctrine nordique* (1926), trad. fr., Paris, Payot, 1935, p. 274-303 (II, chap. VII : Le problème du mélange des races).

4. Arthur DE GOBINEAU, *Essai sur l'inégalité des races humaines* (1853-1855), *in Œuvres*, vol. I, Paris, Gallimard, Bibliothèque de la Pléiade, 1983, p. 161-162.
5. *Ibid.*, p. 345.
6. *Ibid.*, p. 1162-1166 (dernières pages de la conclusion de l'*Essai*). Dans la même perspective, cf. G. VACHER DE LAPOUGE, « *Dies irae.* La fin du monde civilisé », *Europe*, n° 9, 1er oct. 1923, p. 59-61.
7. E. FINCH, *op. cit*, p. 127. Cf. G. VACHER DE LAPOUGE, art. cité, 1923, p. 65-67 ; « La race chez les populations mélangées », *Eugenics in Race and State*, New York, vol. II, 1923, p. 6. Le pessimisme mixophobe de Lapouge était partagé par C. B. DAVENPORT (avec qui il était en correspondance) : cf. « The Effects of Race Intermingling », *Proc. Amer. Phil. Soc.*, t. 56, 1917, p. 364-368 (cité par F.H. HANKINS, *op. cit.*, p. 287-288).
8. G. VACHER DE LAPOUGE, « L'anthropologie et la science politique » (leçon d'ouverture, 2 décembre 1886), *Revue d'anthropologie*, 15 mars 1887, extrait, p. 10. Sur la dépopulation en tant qu'effet du métissage, cf. G. VACHER DE LAPOUGE, *Les Sélections sociales, op. cit.*, p. 188 *sq.* Sur la dysharmonie somatique et psychique du métis, *ibid.*, p. 178 *sq.* ; Dr René MARTIAL, *Les Métis*, Paris, Flammarion, 1942, p. 43 *sq.* Sur le « choc des hérédités », *ibid.*, p. 60 *sq.*
9. Cf. Madison GRANT, *Le Déclin de la grande race* (1916), trad. fr. E. Assire, Paris, Payot, 1926, p. 103 *sq.* (sur le métissage en tant que « honte affreuse pour la race dominante »).
10. Cf. Houston Stewart CHAMBERLAIN, *La Genèse du XIXe siècle* (1889), *op. cit.*, 1913, t. I, p. 353 *sq.* Le Dr R. Martial, fidèle à cette tradition gobinienne, parlera d'« anarchie raciale » (*Les Métis, op. cit.*, p. 61) ou de « métissage anarchique » (*Race, hérédité, folie. Étude d'anthropologie appliquée à l'immigration*, Paris, Mercure de France, 1938, p. 188).
11. Cf. par exemple les analyses de « l'abâtardissement » de la France par Alfred ROSENBERG, *Le Mythe du XXe siècle* (1930), trad. fr. Adler von Scholle, Paris, Avalon, 1986, livre I, chap. I, § 4, p. 94-96 ; livre III, chap. VI, § 2, p. 603-604.
12. *Ibid.*, p. 96.
13. E. FINCH, *op. cit.*, p. 123. Rappelons que l'antiracisme contemporain, si l'on s'en tient à ses déclarations explicites, relève de la mixophilie inconditionnelle.
14. E. FINCH, *op. cit.*
15. E. FINCH cite ici (*op. cit.*, p. 126) G. Stanley HALL, *Adolescence*, vol. II, p. 723.
16. E. FINCH, *op. cit.*, p. 127.
17. F. VON LUSCHAN, « La race au point de vue anthropologique », *in Mémoires sur le contact des races, op. cit.*, p. 26. Sur la théorie de « l'apport de sang neuf », cf. les remarques d'A. J. TOYNBEE, *L'Histoire. Un essai d'interprétation* (1933-1939 ; 1946), trad. fr. E. Julia, Paris, Gallimard, 1951, p. 276-277.
18. GOBINEAU, *op. cit.*, p. 342-344.
19. F. VON LUSCHAN, *op. cit.*, p. 26-27. Dans le même sens, cf. G. VACHER DE LAPOUGE, *Les Sélections sociales, op. cit.*, p. 162 *sq.* ; *L'Aryen. Son rôle social, op. cit.*, p. 488-489. Et les réflexions d'Abel BONNARD sur le racisme comme expression de la répugnance « naturelle » au mélange : « La question juive », *in Inédits politiques*, Paris, Avalon, 1987, p. 116 *sq.* Pour une discussion anthropologique sur la fécondité du métis, cf. Carl VOGT, *Leçons sur l'homme* (1865), trad. fr. J.-J. Moulinié, 2e éd. revue par E. Barbier, Paris, Reinwald, 1878, p. 586-595.

20. Cf. Dr R. MARTIAL, *Race, hérédité, folie, op. cit.*, p. 131 *sq.*

21. G. LE BON, *Lois psychologiques de l'évolution des peuples* (1894), Paris, F. Alcan, 15e éd., 1919, p. 59.

22. « Il n'y a rien de plus *fixe* que les divisions ethniques de l'humanité » (Lothrop STODDARD, *Le Flot montant des peuples de couleur contre la suprématie mondiale des Blancs* [1920], trad. fr. A. Doysié, Paris, Payot, 1925, p. 220). Sur la « grande stabilité » des « différences de races », cf. Carl VOGT, *op. cit.*, 1878, p. 255-256.

23. Le « sang » est donc ce dont il faut préserver à tout prix la pureté : « Il existe un élément qui doit être à la base de la pharmacie sociale, et cet élément, c'est le *sang*. C'est le sang sain, viril, porteur de génie, coulant à travers les âges grâce à l'action infaillible de l'hérédité... » (L. STODDARD, *op. cit.*, p. 265.)

24. Cf. G. VACHER DE LAPOUGE, « La race... », art. cité, 1923, p. 4.

25. Dr R. MARTIAL, *Race, hérédité, folie, op. cit.*, p. 138 ; *Les Métis, op. cit.*, p. 61.

26. Dr R. Martial, *op. cit.*, 1938, p. 140 (et p. 101).

27. Dr R. MARTIAL, « Étrangers et métis », *Mercure de France,* n° 990, 50e année, t. CCXCIV, 15 sept.-1er oct. 1939, p. 517 *sq.* Les notions de « greffe interraciale » et de « transfusion sanguine ethnique » avaient été présentées en détail par le Dr R. Martial dans son livre : *La Race française*, Paris, Mercure de France, 1934, IIIe partie, p. 245 *sq.* Cf. également, du même : *Français, qui es-tu ?*, Paris, Mercure de France, 1942, notamment, p. 94 *sq.*, 188 *sq.*

28. Dr R. Martial, *Race, hérédité, folie, op. cit.*, p. 135 : « D'une façon générale, au point de vue des groupes sanguins et de l'indice biochimique, le métissage profite davantage à la race la moins belle, la moins intelligente, la moins cultivée, la moins forte ; il déprécie, au contraire, celle des deux races qui est supérieure. » Le Dr Charles RICHET affirmait le même avis, avec l'autorité de la science « nobelisée » : cf. *La Sélection humaine*, Paris, F. Alcan, 1919, chap. X, p. 82 *sq.* ; chap. XI, p. 88 *sq.*

29. L. AGASSIZ, cité par Th. RIBOT (1873), 1906, p. 346 n. 1. Le même texte est cité approximativement par G. LE BON, *Lois psychologiques..., op. cit.*, p. 59 n. 1 ; cf. également H.S. CHAMBERLAIN, *op. cit.*, t. I, p. 388-389, n. 2.

30. Dr R. MARTIAL, *Race, hérédité, folie, op. cit.*, p. 105.

31. M. GRANT, *Le Déclin de la grande race, op. cit.*, p. 30.

32. A. BONNARD, *op. cit.*, 1987, p. 116.

33. *Ibid.*

34. Charles RICHET, *op. cit.*, 1916, p. 89.

35. A. BONNARD, *op. cit.*, 1987, p. 143.

36. *Ibid.*, p. 131.

37. *Ibid.*, p. 140.

38. F. BOAS, *in Mémoires sur le contact des races*, p. 117 (article également paru in *The Sociological Review*, oct. 1912). Pour plus de précisions, cf. F. BOAS, *Changes in Bodily Form of Descendants of Immigrants*, Senate Documents, Washington, 1910-1911. Sur la question, cf. Georges W. STOCKING Jr., *Race, Culture, and Evolution. Essays in the History of Anthropology*, Chicago et Londres, The University of Chicago Press, 1982 (1re éd. 1968), chap. 8, p. 161-194. Sur le rôle de F. Boas, cf. le témoignage de G. FREYRE, *Maîtres et esclaves* (1933), trad. fr. R. Bastide, Paris, nouvelle édition, Gallimard, 1974, p. 435-436.

39. Cf. Julian HUXLEY, « La "race" en Europe », *in La Révolution actuelle*, trad. fr. A. Bonvallet et A.G. Ritchie, Londres, Heinemann and Zsolnay, 1946,

p. 195-198 (extraits de J. HUXLEY, *Nous Européens* [1935], trad. fr. J. Castier, Paris, Éd de Minuit, 1947, p. 28-32) ; Juan COMAS, « Les mythes raciaux », *in Le Racisme devant la science*, Paris, Unesco/Gallimard, 1960, p. 24-27. Sur l'origine de l'axiome de la continuité du sang entre les parents et leur descendance, qui réside dans l'idée fausse que le sang de la mère est *causa materialis* du corps de l'enfant (donc que c'est la mère qui détermine la race), cf. ARISTOTE, *De generatione animalium*, I, 20 ; sur cette conception de la génération, cf. J. MOREAU, *Aristote et son école*, Paris, PUF, 1962, p. 104-105 ; D. ROSS, *Aristote* (1923), trad. fr. J. Samuel, Paris-Londres-New York, Gordon and Breach, 1971, p. 167 *sq.* ; L. BOURGEY, *Observation et expérience chez Aristote*, Paris, Vrin, 1955, p. 86 ; E. GUYÉNOT, *Les Sciences de la vie aux XVII*e *et XVIII*e *siècles. L'idée d'évolution*, Paris, A. Michel, 1957, p. 233.

40. Dr BÉRILLON, « Le métissage ; son rôle dans la production des enfants anormaux », *Revue de psychologie appliquée*, 36e année, 4e série, n° 1, janvier 1927, p. 3-5.

41. Sur le « choc des hérédités » en tant que « cause profonde, antique et principale de la folie héréditaire », cf. Dr R. MARTIAL, *Les Métis, op. cit.*, p. 60-61, 198 *sq.* ; *Race, hérédité, folie, op. cit.*, p. 105 *sq.* Cf. les remarques passablement ironiques d'E. GUYÉNOT sur les exemples, donnés par Martial, de production de l'aliénation par le métissage, *in Les Problèmes de la vie*, Genève, Les Éditions du Cheval Ailé, 1946, p. 139. Sur la persistance des croyances assimilant « sang » et « hérédité », cf. W. C. BOYD, *Génétique et races humaines* (1950), trad. fr. F. Bourlière et J. Sutter, Paris, Payot, 1952, p. 45 (le biologiste soumet ensuite à une analyse critique l'idée fausse corrélative du « mélange héréditaire », ou du « mélange des sangs », au regard de la nature particulaire de l'hérédité : *op. cit.*, p. 45-50).

42. Cf. G. VACHER DE LAPOUGE, *Les Sélections sociales, op. cit.*, p. 184-185 (Lapouge cite le Dr CORRE, *Ethnographie criminelle*, Paris, Reinwald, 1894) ; G. LE BON, *Lois psychologiques de l'évolution des peuples*, préface de la 12e éd. (1916), 15e éd., Paris, Alcan, 1919, p. 8.

43. Cf. R. MARTIAL, *op. cit.*, 1938, 1939 et 1942, *passim*.

44. Cf. Mary DOUGLASS, *De la souillure. Essai sur les notions de pollution et de tabou* (1967), trad. fr. A. Guérin, Paris, Maspero, 1971, p. 189 : « De temps à autre, une espèce ou un individu bizarre n'entre pas dans les catégories ; les humains réagissent alors en l'évitant d'une façon ou d'une autre. » Le métis, incarnant l'ambiguïté dans le cadre d'un système d'attentes dominé par une logique identitaire et taxinomique, ne peut qu'être objet d'évitement. (Nous remercions Gérard Lemaine qui, dans son enseignement à l'EHESS, nous a suggéré l'application de cette hypothèse à la question du métissage.) Le métis devient l'objet d'une phobie de répulsion, s'accompagnant le plus souvent de réactions de peur, alors même que le thème phobique ne comporte aucun danger (cf. Dr Léon MICHAUX, *Les Phobies*, Paris, Hachette, 1968, p. 9-10). On retrouve la dominance de l'élément de répulsion dans les anthropophobies ethniques (*ibid.*, p. 43).

45. Cf. Jacques BOULENGER, *Le Sang français, op. cit.*, p. 156.

46. G. VACHER DE LAPOUGE, *Les Sélections sociales, op. cit.*, p. 190-192. Sur l'explication lapougienne de la dénatalité par le métissage, cf. Hervé LE BRAS, « Histoire secrète de la fécondité », *Le Débat*, 8, janvier 1981, p. 83-84 ; André BÉJIN, « De Malthus à la sociobiologie. Les formes de prise en considération des liens du sang », *Revue européenne des sciences sociales*, t. XXIII, 1985, n° 69, p. 130.

47. L'ensemble de ces griefs est exposé par LAPOUGE dans *Les Sélections sociales, op. cit.*, chap. VI, p. 155-196.

48. J. COMAS, « Les Mythes raciaux », *in op. cit.*, p. 27.

49. Cf. déjà F.H. HANKINS, *op. cit.*, p. 297-298.

50. Cf. Robert KING MERTON, « La prédiction créatrice » *(The Self-Fulfilling Prophecy), in Éléments de méthode sociologique*, trad. fr. H. Mendras, Paris, Plon, 1953, p. 169-197. On sait que la prédiction autoréalisatrice « transforme les craintes en réalité » (p. 196).

51. O. KLINEBERG, *op. cit.*, 1957, t. I, p. 360. Même thèse chez J. Huxley : « La désapprobation du métissage est avant tout sociale, et non biologique » (*op. cit.*, 1947, p. 308). Il reste alors à expliquer la quasi-universalité de fait de la mixophobie (en tant qu'attitude).

52. C. BOUGLÉ, *op. cit.*, 1904, 1923, p. 80.

53. J. RUFFIÉ, *op. cit.*, 1976, p. 467.

54. La tradition de l'anticolonialisme différentialiste a été notamment illustrée par les analyses de G. LE BON présentées dans son article : « Influence de l'éducation et des institutions européennes sur les populations indigènes des colonies », *Revue scientifique*, 28, 24 août 1889, p. 225-237. Pour une critique de la conception assimilationniste du colonialisme (c'est-à-dire du modèle français, universaliste et missionnaire), cf. G. LE BON, « L'Inde moderne. Comment on fonde une colonie, comment on la garde, et comment on la perd », *Revue scientifique*, 22, 20 novembre 1886, p. 648-657, où l'accent est mis sur le danger du métissage comme facteur d'instabilité raciale et d'anarchie. La question de l'Algérie est abordée dans l'article : « L'Algérie et les idées régnantes en France en matière de colonisation », *Revue scientifique*, 23, 8 octobre 1887, p. 448-457. Sur ces textes, cf. les (trop) brèves remarques de Norbert A. NYE, *The Origins of Crowd Psychology*, Londres, Sage Publications Ltd., 1975, p. 50-51.

55. A. BONNARD, *Inédits politiques, op. cit.*, p. 117. Bel exemple d'énoncé tolérantiel du racisme.

56. L'approche racio-eugéniste de l'immigration a été formulée de façon quasi définitive par VACHER DE LAPOUGE dans *Les Sélections sociales* (1896), suivi par Richet (qui ne le cite pas en 1919) et par Martial ou Montandon (qui le citent comme un maître). Sur la position anglo-saxonne, cf. E.G. CONKLIN, *L'Hérédité et le milieu* (1915), trad. fr. Dr Herlant, Paris, Flammarion, 1920, p. 234, 246-247.

57. *Lettre d'information du Club de l'Horloge*, n° 20, 1er trimestre 1985, p. 3.

58. *Ibid.*, p. 1.

59. L. AGASSIZ, « The Diversity of Origin of the Human Races », *Christian Examiner*, 49, 1850, p. 145 (cité par St. J. GOULD, *op. cit.*, 1983, p. 45).

60. G. BOUTHOUL, *Traité de sociologie*, Paris, Payot, 1946, p. 272-273.

61. Dr BÉRILLON, *Les Caractères nationaux. Leurs facteurs biologiques et psychologiques*, Paris, Amédée Legrand, 1920, p. 59.

62. *Ibid.*, p. 61.

63. *Aurore. Pensées sur les préjugés moraux* (1881), trad. fr. J. Hervier, Paris, Gallimard, 1970, livre IV, § 272 (« La purification de la race »), p. 190. Mais la position de Nietzsche varie sur la question. Dans *Par-delà le bien et le mal* (1886), il rend grâce au « mélange des sangs » d'avoir engendré « le sens historique » : « Ce sens historique que nous revendiquons, nous Européens, comme notre don particulier, nous est venu à la suite du mélange démocratique des classes et des races *(die demokratische Vermengung der Stände und Rassen)* » (VII, § 224, trad. fr. G. Bianquis, Paris, Aubier-Montaigne, 1951, 1963, p. 267). En outre, si le mélange

racial produit des êtres plus cruels, ces derniers constituent une matière première idéale pour la création d'une « civilisation supérieure », s'il est vrai que « presque tout ce que nous appelons une "civilisation supérieure" repose sur la spiritualisation et l'approfondissement de la cruauté » (*ibid.*, § 229, p. 281). Est-ce là l'occasion d'un éloge du métissage ? Rien n'est moins sûr. L'ironie nietzschéenne retient l'obscurité sur son message dernier, s'il existe. Sur la question des races chez Nietzsche, replacée dans son contexte historique, cf. Walter KAUFMANN, *Nietzsche. Philosopher, Psychologist, Antichrist* (1950), 4e éd., Princeton, New Jersey, Princeton University Press, 1974, chap. 10 (*The Master Race*), p. 284-306 (cf. également p. 40-41, 225-226).

64. Claire RICHTER, *Nietzsche et les théories biologiques contemporaines*, Paris, Mercure de France, 1911, p. 184-185. Le naturaliste néo-lamarckien Rütimeyer, que ses choix scientifiques n'empêchaient point de se sentir proche de Darwin, et qui admirait Carl-Ernst von Baer (lui-même admiré par Nietzsche), avait été rencontré par Nietzsche en 1869 à l'université de Bâle, où ils étaient collègues (Cl. RICHTER, *op. cit.*, p. 14 *sq.*). Nietzsche partageait l'aversion de Rütimeyer pour Ernst Haeckel (*ibid.*, p. 15-17 ; Charles ANDLER, *La Jeunesse de Nietzsche, in op. cit.*, 5e éd., 1958, t. I, p. 468). C'est sous l'influence de Rütimeyer que Nietzsche, d'abord darwinien (notamment à travers la lecture de l'*Histoire du matérialisme* de Lange, dès 1868), inclinera de plus en plus au lamarckisme (Ch. ANDLER, *op. cit.*, p. 474). En référence à de nombreux textes (cf. par exemple *La Volonté de puissance*, trad. fr. G. Bianquis, Paris, Gallimard, 1947-1948, t. I, l. I, § 395, p. 181-182), l'on peut classer Nietzsche parmi les sélectionnistes pessimistes (cf. J. GRANIER, *Le Problème de la Vérité dans la philosophie de Nietzsche*, Paris, Le Seuil, 1966, p. 407).

65. R. PAGÈS, « Du reportage psycho-sociologique et du racisme : à propos de la marche civique sur Washington », *Revue française de sociologie*, 1963, 4e année, n° 4, oct.-déc. 1963, p. 424-437 ; « Abus racistes de la psychologie et psychologie sociale du racisme », *Droit et Liberté*, 1979, supplément au n° 382, p. 50-52.

66. Gérard LEMAINE, *in* G. LEMAINE, B. MATALON, *Hommes supérieurs, hommes inférieurs ? La controverse sur l'hérédité de l'intelligence*, Paris, A. Colin, 1985, p. 46.

67. R. PAGÈS, 1963, *op. cit.*, p. 433.

68. G. LEMAINE, B. MATALON, 1985, *op. cit.*, p. 150 (qui renvoient à I.D. MC CRONE, *Race attitudes in South Africa*, Londres, Oxford University Press, 1937).

69. G. LEMAINE, B. MATALON, 1985, *op. cit*, p. 47. Sur les interactions (et les paradoxes induits) de la parenté sociale et de la parenté physique, cf. Ernest GELLNER, « Nature and Society in Social Anthropology », *Philosophy of Science*, 1963, 30, p. 236-251 ; Michael BANTON, *Sociologie des relations raciales* (1967), trad. fr. M. Matignon, Paris, Payot, 1971, chap. IV, p. 66 *sq.*

70. D. AARON, « The "inky curse" : Miscegenation in the White American Literary Imagination », *Social Science. Information sur les sciences sociales*, 1983, 22, p. 169-190 (cité par G. LEMAINE, B. MATALON, *op. cit.*, 1985, p. 47).

71. G. LEMAINE, B. MATALON, 1985, *op. cit,*, p. 47.

72. E.S. BOGARDUS, « Measuring Social Distance », *Journal of Applied Sociology*, 1925, 9, p. 299-308 ; « A Social Distance Scale », *Sociology and Social Research*, 1933, 17, p. 265-271. Sur l'échelle de distance sociale de Bogardus, destinée notamment à mesurer les attitudes ethniques, cf. O. KLINEBERG, *Psychologie sociale* (1940), trad. fr. R. Avigdor-Coryell (sur la 2e éd. amér. revue, 1954), Paris, PUF, 1959, t. II, p. 555 *sq.* ; M. BANTON, 1971, *op. cit.*, p. 337 *sq.* ;

Dana BRAMEL, « Attrait et hostilité interpersonnels », *in* S. MOSCOVICI (éd.), *Introduction à la psychologie sociale*, Paris, Larousse, 1972, t. I, p. 194-195.

73. R. PAGÈS, 1963, *op. cit.*, p. 431.

74. *Ibid.*

75. Gwendolen CARTER, *The Politics of Inequality : South Africa since 1948*, Londres, Thames and Hudson, 1958 (citée par R. PAGÈS, 1963, *op. cit.*, p. 431).

76. Cf. R. PAGÈS, 1963, *op. cit.*, p. 432.

77. R. Pagès en donne pour preuve que la paternité non reconnue du garçon tend à être tolérée *(ibid.)*.

78. *Ibid.*

79. *Ibid.* Le psychosociologue, après avoir rappelé le proverbe parisien « il vaut mieux ressembler à son père qu'au concierge » (art. cité, p. 432, n. 15), renvoie à un passage fort éclairant de Charles FOURIER : « Refus d'analyser la civilisation », *in La Fausse Industrie morcelée, répugnante, mensongère, et l'antidote, l'industrie naturelle, combinée, attrayante, véridique...*, Paris Bossange, 1836, réimpression anastatique, Paris, Anthropos, 1967 (*Œuvres complètes de Charles Fourier*, t. IX), p. 551.

80. Sur la valeur signalétique ou discriminative, pour le rejet, de la pigmentation parmi les traits dotés de relief, d'une bonne visibilité et d'une haute stabilité (d'autant plus garantie qu'elle est héréditaire), cf. R. PAGÈS, 1963, *op. cit.*, p. 434-435 ; du même, cf. également : « La perception d'autrui », *in* Paul FRAISSE, Jean PIAGET, *Traité de psychologie expérimentale*, t. IX : *Psychologie sociale*, Paris, PUF, 2e éd. mise à jour, 1969, p. 164-165. Il faut cependant préciser que ces indices signalétiques induisent autant les ralliements que les exclusions, certaines expériences montrant la surprenante ressemblance dans les réactions perceptives entre « racistes » et « antiracistes » déclarés. Ainsi, dans l'expérience de P.F. Secord, W. Bevan et B. Katz, les juges favorables et défavorables aux Noirs perçoivent les uns et les autres le Noir comme plus négroïde quant aux traits physionomiques que ne font les juges neutres : la racialisation de la perception d'autrui est commune aux favorables et aux défavorables (« The Negro Stereotype and Perceptual Accentuation », *Journal of Abnormal and Social Psychology*, 1956, 53, p. 78-83 ; cf. R. PAGÈS, 1969, *op. cit.*, p. 164 ; Henri TAJFEL, « La catégorisation sociale », in S. MOSCOVICI (éd.), 1972, *op. cit.*, p. 286-287). La tendance à accentuer les différences (concernant des traits de personnalité ou des traits somatiques) étant imputable aux « sujets qui ont des préjugés », elle fonctionne autant du côté des porteurs de préjugés « racistes » que du côté des porteurs de préjugés « antiracistes ».

81. G. LEMAINE, B. MATALON, 1985, *op. cit.*, p. 34-45.

82. *Ibid.*, p. 35.

83. Louis DUMONT, Préface à Karl POLANYI, *La Grande Transformation* (New York, 1944), trad. fr. C. Malamoud et M. Angeno, Paris, Gallimard, 1983, p. XIV, Cf. également, de L. DUMONT : *Homo hierarchicus. Le système des castes et ses implications*, Paris, Gallimard, 1966, coll. « Tel », 1979, Introduction, p. 17-18, 22-25 ; *La Civilisation indienne et nous*, Paris, A. Colin, 1975, p. 17, 22-23 ; *Homo aequalis I. Genèse et épanouissement de l'idéologie économique*, Paris, Gallimard, 1977, p. 12 *sq.*

84. L. DUMONT, 1975, *op. cit.*, p. 16.

85. *Ibid.*, p. 17.

86. R. PAGÈS, 1969, *op. cit.*, p. 164.

87. R. PAGÈS, 1963, *op. cit.*, p. 433.

88. Cf. par exemple : Arnold M. ROSE, « L'origine des préjugés », *in Le Racisme devant la science*, Paris, Unesco/Gallimard, 1960, p. 429-457. L'auteur décrit et réfute la théorie de « l'horreur des différences » (p. 447-448), car les différences ne sont elles-mêmes sensibles que si l'on a déjà des préjugés (p. 453).

89. G. Tarde était sur ce point fort optimiste : « L'opposition-lutte ne joue dans le monde social, comme dans le monde vivant ou le monde inorganique, que le rôle de moyen terme, destiné à disparaître progressivement, à s'épuiser et s'éliminer par ses propres agrandissements, qui sont une course après sa propre destruction. » (*Les Lois sociales* [1898], Paris, Alcan, 7e éd., 1913, p. 104). Différences et oppositions n'ont de rôle qu'en tant qu'auxiliaires et intermédiaires. Une problématique du même type se retrouve chez André Lalande (cf. C. BOUGLÉ, *Les Maîtres de la philosophie universitaire en France*, Paris, Maloine, 1938, notamment p. 42-45).

90. Cf. A.M. ROSE, 1960, *op. cit.*, p. 448-451 ; A. MONTAGU, *Man's Most Dangerous Myth : The Fallacy of Race* (1942), 5e éd. revue et augmentée, Oxford University Press, 1974, p. 146-149. La théorie de la frustration-agression a été formulée dans le cours des recherches influencées par la psychanalyse : cf. notamment John DOLLARD, « Hostility and Fear in Social Life », *Social Forces*, 1938, 17, p. 15-26 ; J. DOLLARD et *al.*, *Frustration and Aggression*, New Haven, Yale University Press, 1939. Dans la même perspective, cf. Muzafer SHERIF, Carolyn W. SHERIF, *Groups in Harmony and Tension*, New York, Harper, 1953. Discussion des hypothèses de J. Dollard : O. KLINEBERG, *Psychologie sociale*, 1959, *op. cit.*, t. II, p. 581-584 ; M. BANTON, *Sociologie des relations raciales*, 1971, *op. cit.*, p. 316-321 ; M. BANTON, *Racial and Ethnic Competition*, Cambridge University Press, 1983, p. 82-84.

91. R.E. PARK, « The Concept of Social Distance » (1924), *in* R.E. PARK, *Race and Culture. Essays in the Sociology of Contemporary Man*, Londres, The Free Press of Glencoe, 1950, p. 257.

92. Dans son beau livre sur *La Synthèse en histoire. Essai critique et théorique* (Paris, F. Alcan, 1911), Henri BERR récusait les deux « erreurs » opposées : d'une part, la théorie des races (il n'y a que des individualités collectives d'ordre zoologique : les races humaines), d'autre part, l'individualisme sociologique radical (il n'y a que des individus singuliers) (*op. cit.*, p. 81-85). Il faut partir du fait historique et social qu'il y a des « caractères collectifs », impliquant l'existence de telle ou telle « réalité de groupe », et dont l'étude relève de « l'éthologie collective » (p. 84-85). Une éthologie politique comparée se justifie (p. 86-87). Elle montrera notamment « jusqu'à quel point ce qu'on peut appeler la *race psychologique* ou historique, sous la seule action des contingences secondaires, échappe aux fatalités originelles, comme on dit communément, c'est-à-dire aux contingences primaires de race et de milieu » (p. 87).

Chapitre 10

1. K. MARX, *Le Dix-Huit Brumaire de Louis-Bonaparte* (1852), I.

2. N. PODHORETZ, « My Negro Problems — and Ours », *Commentary*, févr. 1963, 2, 35, p. 100-101.

3. Pierre MANENT, « La politique et le sacré », *Commentaire*, n° 30, été 1985, p. 554. L'auteur montre que Péguy a singulièrement bien aperçu ce sacré du politique, à travers ce qui fut son expérience fondamentale : l'affaire Dreyfus.

4. *Ibid.*
5. D. Hume, « Superstition et enthousiasme » (1741), trad. fr. M. Malherbe, *in L'Histoire naturelle de la religion et autres essais sur la religion*, Paris, Vrin, 1971, p. 33. Pour les citations suivantes, *ibid.*, p. 33-34, 35, 37, 36, 38, 34, 36.
6. Hume, *L'Histoire naturelle de la religion* (1749-1751), *in op. cit.*, p. 104.
7. B. Pascal, *Pensées*, Brunschvicg, § 249, p. 449.
8. N. Berdiaeff, *Au seuil de la nouvelle époque*, Neuchâtel, 1947, p. 6.
9. L'idéologisation de la philosophie humaniste est un processus homologue à « l'idéologisation de la tradition » étudiée par Daryush Shayegan sur le cas de la « révolution islamique » iranienne, dans son ouvrage fondamental, *Qu'est-ce qu'une révolution religieuse ?*, Paris, Les Presses d'Aujourd'hui, 1982, p. 179-238.
10. J'entends par idéaltype *(Idealtypus)* une construction théorique jouant le rôle d'un schéma d'interprétation d'une réalité sociale déterminée (ici d'ordre idéologique), très exactement au sens wéberien du terme : « On obtient un idéaltype *en accentuant* unilatéralement *un ou plusieurs* points de vue et en enchaînant une multitude de phénomènes donnés *isolément*, diffus et discrets, que l'on trouve tantôt en grand nombre, tantôt en petit nombre et par endroits pas du tout, qu'on ordonne selon les précédents points de vue choisis unilatéralement, pour former un *tableau de pensée homogène.* On ne trouvera nulle part empiriquement un pareil tableau dans sa pureté conceptuelle : *il est une utopie.* » (Max Weber, *Essais sur la théorie de la science*, trad. fr. J. Freund, Paris, Plon, 1965, p. 181.)
11. Pour une analyse critique du fonctionnement contemporain du couple fascisme/antifascisme, en grande partie transposable à celui du couple racisme/antiracisme, cf. Edgar Morin, *Pour sortir du vingtième siècle*, Paris, Nathan, 1981, p. 61-64. La projection hors de l'histoire du « fascisme » ou du « nazisme », devenus des repoussoirs exemplaires et des objets de condamnation morale rituelle, ne peut que nourrir un nouvel obscurantisme : l'horreur légitime est alors mise au service du refus de comprendre. D'où la fuite en avant dans l'imprécation et la conjuration, en dépit de leur inefficacité.
12. Déplacement qui n'implique pas une substitution, mais la production de formes transitionnelles, tel ce slogan illustrant une condensation courante : « L'apartheid, nouveau visage du nazisme » (communiqué du MRAP, 26 mars 1985). La rhétorique antiraciste y greffe le plus souvent, filant la métaphore, le motif de la « libération » : « Les peuples sud-africain et namibien sauront conquérir leur liberté ; l'apartheid, autre visage du nazisme, sera éliminé d'Afrique du Sud » *(ibid.)*.
13. La paradoxale racisation « antiraciste » de l'État d'Israël, et du sionisme en général, a trouvé son aboutissement international lors de l'Assemblée générale de l'ONU, le 10 novembre 1975, où fut votée une résolution considérant que « le sionisme est une forme de racisme et de discrimination raciale ».
14. Dans un livre aux analyses fines et aux thèses discutables, *L'Antisémitisme français aujourd'hui et demain* (Paris, Belfond, 1984), Simon Epstein a notamment montré avec force comment certains amalgames de propagande (antisémitisme = racisme = fascisme, etc.) se couplaient avec des confusions mythiques à usage interne (à la communauté juive) pour engendrer un système d'illusions sécurisantes. D'où la nécessité de distinguer clairement trois catégories d'actes, ordinairement confondues sous et par l'étiquette polémique d'« antisémitisme » (et/ou « racisme »), dont l'effet principal est d'aveuglement aux réalités stratégiques : 1°) ce qui est phénomène international, et relève du terrorisme déstabilisateur visant les États occidentaux (attentats dits « aveugles ») ;

2°) ce qui relève de la guerre israélo-arabe, poursuivie en France (attentats à la bombe, sur des lieux symboliques) ; 3°) ce qui est proprement manifestation de l'« antisémitisme » français : les petits actes et incidents antijuifs, les actions d'intimidation, etc., qui font masse dès lors qu'ils sont inventoriés. Une quatrième catégorie serait illustrée par les meurtres de personnes « d'origine juive » commis par des individus isolés, psychopathes ou « néo-nazis » fanatiques.

15. A titre d'exemple, on se reportera aux *Cahiers de la LICRA* (novembre 1981, n° 3 : « Si tu diffères de moi, loin de me léser, tu m'enrichis »), qui présente l'action générale de la Ligue internationale contre le racisme et l'antisémitisme. L'analyse du chapitre IV, consacré à « l'action internationale de la LICRA », illustre de façon frappante la centration de l'antiracisme anticommuniste sur les diverses manifestations de l'antisémitisme, survivances symboliques (nazisme) ou réalités sociopolitiques (URSS, pays arabes, Argentine). Les grandes articulations du chapitre sont en effet : « La chasse aux criminels nazis » (p. 33-37) ; « L'URSS, pays des libertés bafouées » (p. 37-43) ; « Le droit à la vie de l'État d'Israël » (p. 43-46) ; « L'apartheid en Afrique du Sud » (p. 47-49) ; « Quelques autres points chauds dans le monde » (p. 49-57 : « A) La ségrégation raciale aux États-Unis / B) Le sort des Juifs dans les pays arabes / C) Le génocide du peuple kurde / D) Le drame cambodgien / E) L'antisémitisme en Argentine / F) L'extinction des Indiens d'Amazonie. ») L'important corpus des textes antiracistes français depuis le début des années trente attend toujours son analyste, qui devra se faire historien autant que sémanticien, politologue et sociologue autant que psychologue.

16. Cf. ARISTOTE, *Rhétorique*, liv. I, chap. 3, 1358 b (2-7 ; 20-29). On sait que le Stagyrite distinguait trois genres de discours, impliquant autant de valeurs et de fins différentes à réaliser : le délibératif, conseillant l'utile, c'est-à-dire le meilleur ; le judiciaire, plaidant le juste ; l'épidictique, qui traite de l'éloge et du blâme, et n'a à s'occuper que de ce qui est beau ou laid. L'argumentation du discours épidictique se propose « d'accroître l'intensité de l'adhésion à certaines valeurs », ou encore de « créer une communion autour de certaines valeurs reconnues par l'auditoire, en se servant de l'ensemble des moyens dont dispose la rhétorique pour amplifier et valoriser » (Chaïm PERELMAN et L. OLBRECHTS-TYTECA, *Traité de l'argumentation*, Paris, PUF, 1958, t. 1, p. 67). Le discours épidictique est essentiellement un stimulant d'une disposition à l'action. Mais, comme le notait TARDE (*La Logique sociale*, Paris, Alcan, 1895, p. 439), il rappelle plus une procession qu'une lutte, ce qui le fait « pratiquer de préférence par ceux qui, dans une société, défendent les valeurs traditionnelles, les valeurs admises, celles qui sont l'objet de l'éducation, et non les valeurs révolutionnaires, les valeurs nouvelles qui suscitent des polémiques et des controverses » (PERELMAN, *op. cit.*, p. 67). S'il est vrai qu'il y a un « côté optimiste, un côté bénisseur dans l'épidictique » *(ibid.)*, on le retrouve sans mal dans l'antiracisme commémoratif, dont les fins politiques réelles sont masquées par l'appel aux valeurs unanimistes, voire universelles, et le spectacle déclamatoire. En bref, sa force (idéologique) et sa faiblesse (analytique) tiennent à ce que l'épidictique tend à se réduire à l'usage exclusif des techniques qui favorisent la *communion* de l'auditoire.

17. Formule récurrente dans les communiqués du MRAP qui suivent les agressions et attentats racistes. On en trouve des mises en discours variées : « Tant que la crise, le chômage et son corollaire, le racisme, continueront d'exister, le mouvement Le Pen aura de beaux jours devant lui » (André CHAMBRAUD, *in L'Événement du jeudi*, cité par Olivier MALENTRAIDE, « L'effet Le Pen, c'est désormais le fait Le Pen », *Écrits de Paris*, mars 1985, p. 16-17).

18. Rappelons au passage que René GIRARD a tenté de construire une théorie générale d'un tel processus, dans son livre : *Le Bouc émissaire*, Paris, Grasset, 1982.

19. *Latitudes*, n° 1, novembre 1984, p. 1 (Éditorial). Directeur de la publication : Philippe Farine.

20. Madeleine BAROT, *Rapport sur « Le racisme et l'antisémitisme »*, Paris, 1982, p. 8.

21. Dans la vulgate révolutionnariste, le couple standard est : la crise/la transformation (nécessaire et désirable) ; habillage référentiel : « cette société », avec « ses contradictions », qui appellent « le changement » (la révolution). L'archi-évidence de « la crise » est la représentation d'un état de fait toujours présupposé. Cf. par exemple la Présentation de *Société française*, Cahiers de l'Institut de recherches marxistes (directeur : Serge Wolikow), n° 17, oct.-nov.-déc. 1985, p. 2 de couverture.

22. Cf. *Les Cahiers rationalistes*, n° 353, sept.-oct. 1979, p. 9.

23. La formule crisologique est un idéologème dont on pourrait aisément montrer la force d'évidence dans des contextes très différents. Illustrant la corrélation entre crise économique et émergence d'un type illégitime de pratique ou de conviction (extrémisme, fascisme, racisme, etc.). Ce début de phrase de G. GUY-GRAND manifeste la montée spontanée du stéréotype : « L'aggravation de la crise économique, les progrès des extrémismes qui en sont la conséquence... » (« *Problèmes franco-allemands d'après-guerre.* Entretiens tenus au siège de l'« Union pour la vérité » de décembre 1930 à juin 1931, Paris, Valois, 1932, p. 14 [Avant-propos]).

24. Françoise JOUET, *Le Bon Usage du mot crise*, Grenoble, Institut d'études politiques, 1984 ; cité par F. BON, *in* M. GRAWITZ, J. LECA, *Traité de science politique*, Paris, PUF, 1985, t. 3, p. 564. Cf. les remarques de Maurice TOURNIER, *in Mots*, 10 mars 1985, p. 231-235.

25. J.-Cl. MILNER, *Les Noms indistincts*, Paris, Le Seuil, 1983, p.80-93. Le noyau commun aux argumentations de droite et de gauche est l'évidence économiste de « la crise ».

26. Max WEBER, « L'objectivité de la connaissance dans les sciences et la politiques sociales » (1904), trad. fr. J. Freund, *in Essais sur la théorie de la science*, Paris, Plon, 1965, p. 147-148. Le pronom « ils » renvoie à l'évidence aux partisans du matérialisme historique.

27. *Ibid.*, p. 148.

28. *Ibid.*

29. *Ibid.*, p. 149.

30. J'entends par théorie conspirationniste de la société, à la suite de Karl R. POPPER, « la conception selon laquelle tout ce qui se produit dans la société — y compris les choses qu'en règle générale les gens n'aiment pas, telles que la guerre, le chômage, la misère, la pénurie — sont les résultats directs des desseins de certains individus ou groupes puissants (« Prediction and Prophecy in the Social Sciences », 1948, repris *in op. cit.*, 5e éd., 1974, p. 341). Sur la hantise des complots, en tant que « causes » des événements historiques, cf. Léon POLIAKOV, *La Causalité diabolique. Essai sur l'origine des persécutions, op. cit.*, 1980, qui part notamment de l'analyse popperienne (p. 13-27, 241).

31. On notera le paradoxe suivant : seuls les « racistes » apparents, les « braves » ou « pauvres » gens manipulés, sont poursuivis en justice, alors que les manipulateurs, les « gros bonnets » si l'on peut ainsi dire, les vrais responsables,

ne peuvent être poursuivis et condamnés. D'où la fuite en avant dans la dénonciation mythique, appelée par l'impuissance juridique, stimulée et justifiée par le sens du scandale.

32. Publié dans le mensuel du Mouvement contre le racisme et pour l'amitié entre les peuples, *Droit et liberté*, n° 436, février 1985, p. 4 et 5.

33. On reconnaîtra ici un type d'interprétation lancé sur le marché idéologique par certains dirigeants des droites conservatrices, « libérales » ou « gaullistes », dans la perspective d'une récupération à moyen terme de l'électorat du Front national. Si la figure de la puissance mystificatrice est différente (ce serait par exemple la gauche au pouvoir qui « inventerait » la montée du racisme), l'image du « raciste » est ici encore celle du Français honnête qui se trompe, du patriote que sa légitime colère égare... (cf. R. Barre, P. Baas, etc.).

34. *In Refusé par la presse*, Paris, A. Redier, 1931, p. 183-230.

35. Précisons : du « racisme » au singulier, en général, en tant qu'évidence idéologique. En bref, du « racisme » comme opérateur d'amalgame. Un exemple d'usage diversif de l'antiracisme, permettant d'effacer la vraie nature de l'Union soviétique dans un antinazisme unanimiste : « Mardi 7 mai 1985 : toute la France contre le racisme. Rassemblements du souvenir, de la solidarité et de l'espoir. 40 ans après la victoire *des peuples libres* sur le nazisme, la France est confrontée à une montée de l'idéologie et des violences racistes. » (Tract du MRAP, avril 1985 ; je souligne la désignation qui réalise l'amalgame entre les vainqueurs du nazisme : le totalitarisme stalinien et les démocraties pluralistes.)

36. F. BRIGNEAU, *Minute*, 5-12 avril 1985, p. 7. Pour les citations suivantes, *ibid.* et p. 6.

37. F. BRIGNEAU, « La France aux Français », *Présent*, n° 807, 1er/2 avril 1985, p. 1.

38. Annie KRIEGEL, « Le slogan nouveau est arrivé », *Information juive*, avril 1985, p. 5.

39. Annie KRIEGEL, *Israël est-il coupable ?*, Paris, R. Laffont, 1982, p. 36-37.

40. *Ibid.*, p. 37-38.

41. Le paradoxe de l'égalitarisme a été formulé par Julien Freund dans sa communication au XVIIIe colloque national du GRECE (Versailles, 11 novembre 1984) : l'égalitarisme « a paradoxalement pour base une hiérarchie, du fait qu'il accorde le rang de valeur suprême ou du moins supérieure à l'égalité. Autrement dit, l'égalité elle-même n'a de valeur que par la place qu'on lui assigne dans un système hiérarchique de valeurs » (« Le pluralisme des valeurs », p. 5).

42. Sur la distinction entre « race inférieure » et « contre-race » dans l'idéologie nazie, cf. P. A. TAGUIEFF, art. cité, *Mots*, 8, mars 1984, p. 101-102.

43. *Ibid.*, p. 71 *sq*, 104-105. Toute racisation est inscription d'une catégorie d'altérisés/exclus dans une humanité douteuse ou une subhumanité (inférieure), mais il faut tenir compte d'un autre type de racisation, qui peut soit s'ajouter soit se substituer au premier : l'inscription de l'Autre dans une contre-humanité (rivale). L'ambivalence du racisé maximal, mi-inférieur mi-rival, à la fois bestial (le sous-homme) et dangereux (l'ennemi mortel), caractérisait le Juif dans l'antijudaïcisme nazi, et tend aujourd'hui à s'investir dans le type diabolisé du Maghrébin, dans l'imaginaire nationaliste (l'Algérien, notamment, viole, tue, parasite, mais aussi bien prépare la destruction de la France). Cf. ci-dessus, chap. 4.

44. Dans une perspective intellectualiste, supposant que nul n'est méchant volontairement mais seulement par ignorance (simple manque de connaissance), les deux premiers types distingués n'en font qu'un, le second étant rabattu sur le

premier. Cf. par exemple ces remarques spinozistes : « La haine enfin vient aussi du ouï-dire seul, comme nous le voyons chez les Turcs contre les Juifs et les Chrétiens, chez les Juifs contre les Turcs et les Chrétiens et chez les Chrétiens contre les Juifs et les Turcs ; combien ignorante en effet est la masse d'entre eux en ce qui touche le culte et les mœurs des autres ! » (SPINOZA, *Court Traité de Dieu, de l'homme et de la santé de son âme*, II, chap. III [écrit entre 1554 et 1560].) La haine intercommunautaire dériverait ainsi de la connaissance du premier genre, par signe et par ouï-dire — domaine de la rumeur.

45. B.-H. LÉVY, cité par *Présent*, 22 février 1985.

46. B.-H. LÉVY, in *Globe*, n° 1, novembre 1985, p. 13 (Bloc-notes). Toute l'argumentation, qui développe expressément une intolérance affichée comme antiraciste, repose sur la norme de défense de « l'ordre démocratique ». Le système démocratique, pour les humanitaristes athées ou agnostiques (ces esprits religieux inaptes au religieux), représente un niveau de sacralité substitutive accessible. Aussi est-il érigé en valeur transcendante suprême : les défenseurs inconditionnels de la démocratie rendent à leur manière un culte à un ordre supra-empirique. Ils transmuent le parti de l'ordre en l'Ordre de la mystique démocratique. Il faut donc, pour que Le Pen soit un ennemi authentique, digne de ce nom, qu'il soit un « danger » réel garanti pour la démocratie. C'est précisément ce qu'est Le Pen dans la rhétorique de B.-H. Lévy, parce qu'il doit l'être : un « phénomène » qui risque d'entraîner le « délitement de l'ordre démocratique ».

47. L. KOLAKOWSKI, « La dictature de la vérité : un cercle carré » (1972), repris *in L'Esprit révolutionnaire* (1974), trad. fr. J. Dewitte, Bruxelles, Éd. Complexe, 1978 ; rééd., Paris, Denoël, 1985, p. 110 *sq*. Pour les citations suivantes, *ibid.*, p. 104, 110, 124, 125, 126.

48. Roger IKOR, « La grande question », *La Nef*, n° 19-20, sept.-déc. 1964, p. 33. L'argumentation de R. Ikor présuppose les évidences de base de l'univers individuo-universaliste. D'une part, l'affirmation d'un universalisme immodéré, enveloppant une intolérance proclamée vis-à-vis de tout particularisme, attitude se représentant comme progressiste : « Tout ce qui est *particulier* me trouve hostile, ou du moins sur mes gardes [...] Je ne rêve que de briser les frontières qui les séparent (les hommes), les artificielles et même les naturelles [...] tout ce qui sépare me paraît réactionnaire. » (*Lettre ouverte aux Juifs*, Paris, A. Michel, 1970, p. 16). D'autre part, l'opposition de l'individualisme au racisme interprétée comme celle du bien au mal : « C'est le racisme qui nous menace : c'est donc vers l'individualisme qu'il faut délibérément pencher » (1964), *op. cit.*, art. cité, p. 39).

49. R. IKOR, 1964, *op. cit.*, p. 34. Pour les deux citations suivantes, *ibid.*, p. 34, 39.

50. Il y a un pathos antiraciste de la distance : il s'agit de tenir loin de soi le raciste. Le mépris ne peut pourtant se déclarer tel, il lui faut des raisons : le raciste sera défini par l'ignorance jointe à la vulgarité prétentieuse, la stupidité mêlée de grossièreté ou de brutalité. D'où l'usage courant, par exemple dans la classe intellectuelle suivie partiellement par la classe politique (installée), des motifs antipopulistes réinscrits dans la vulgate antifasciste-antiraciste. On méprise les propos du « café du Commerce » et les attitudes « poujadistes » : avatars contemporains du mépris pour la vulgarité du « petit caporal » de basse extraction, mépris qui, détournant de l'analyse (on ne va pas « perdre son temps » à « se salir les mains »), engendre une méconnaissance du danger réel. L'aveuglement face au national-socialisme a longtemps été nourri par un tel mépris. Certes, parfois Hitler devient un Poujade, mais parfois il devient un Hitler.

51. Le raciste doit être rééduqué pour autant qu'on le suppose atteint d'un mal profond, doté de racines, à savoir son « préjugé » raciste. Il ne s'agit pas seulement de l'enseigner, il s'agit de le transformer, de déraciner son préjugé, en agissant sur les structures non conscientes du sujet. La rééducation implique un mouvement double et simultané : désapprendre en apprenant. Un entretien réunissant, le 17 décembre 1967 à *France-Inter*, quatre représentants des divers courants de la militance antiraciste, illustre l'argumentation type de l'antiraciste rééducateur : « Les mécanismes du préjugé », entretien avec S. Agblemagnon, A. Memmi, P. Paraf, le R.P. Aubert, in *Droit et liberté*, n° 259, février 1967, p. 24. La vision du thérapeute social se greffe sur la conception juridico-policière des conduites sociales et des attitudes idéologiques. Mais qui va rééduquer les rééducateurs ? Et comment éviter la police des esprits, comment limiter le développement des germes d'autoritarisme contenus dans la volonté de soumettre les opinions et les croyances à un système de valeurs posé comme un absolu ?

52. D. COHN-BENDIT, interview *in L'Arche*, juin 1978, cité par Simon EPSTEIN, *L'Antisémitisme français aujourd'hui et demain*, Paris, Belfond, 1984, p. 178.

53. Cf. les remarques d'E. APFELBAUM et A. VASQUEZ sur le réductionnisme identitaire : « Dans le contexte socio-politique où une personne se trouve réduite à n'être plus, par exemple, que "le Portugais", une étiquette à connotation négative, dévalorisée et dévalorisante, l'"identité culturelle" n'est rien d'autre qu'un stigmate assigné pour l'épingler à une place déterminée, l'exclure et le paralyser dans ses tentatives d'être tout ensemble un homme, un père, un travailleur, qui aime aimer, qui sait aussi danser, etc. » (« Les réalités changeantes de l'identité », *Peuples méditerranéens,* n° 24, juillet-septembre 1983, p. 98.)

54. Sur ce slogan, caractéristique de l'antiracisme différentialiste et dialogique de gauche, cf. mon étude : « Le néo-racisme différentialiste », *in Langage et Société*, n° 34, décembre 1985, p. 69-98.

55. A. KRIEGEL, art. cité, *in Information juive*, avril 1985, p. 1.

56. « Vivre ensemble avec nos différences », *Appel pour la tenue des assises nationales contre le racisme* (tract), 17-18 mars 1984, Paris, Maison de l'Unesco.

57. Cf. *La Ruée vers l'égalité (mélanges)*, Paris, « Convergence 84 pour l'égalité », 1985, p. 42. Rappelons que la première Marche a eu lieu à la fin de 1983, et que la seconde Marche (novembre 1984), a été baptisée « Convergence 84 pour l'égalité ». En novembre 1985, une troisième marche a eu lieu, la « Marche pour les droits civiques ».

58. *La Ruée vers l'égalité, op. cit.*, p. 8, 28, etc. L'origine du slogan est une affiche manuscrite tenue par un manifestant lors de la marche de 1983. Cf. Jean-Michel OLLÉ, « Deux marches, c'est beaucoup », *Différence*, n° 51, décembre 1985, p. 7.

59. Cf. Dominique GARCETTE, « Super, la France marche au mélange ! », repris *in La Ruée..., op. cit.*, p. 29.

60. *Op. cit.*, p. 8. Cf. aussi p. 68 : « Pour beaucoup l'idée du *"mélange"* a fait fonction d'idée neuve. Mais, comme disait F.B. [Farida Belghoul] [le] *"mélange ne se revendique pas, il se constate"*. Et puis il est déjà à l'œuvre. Mais nous voulons des nouvelles conditions du mélange. L'augmentation inévitable du "mélange" va dans ce sens. Mais on ne peut pas s'en contenter. Il se tarira si on ne l'alimente par des sources externes ou internes. La *"source interne"* est la reconnaissance

de la diversité d'apports, la stabilisation en France des foyers culturels et linguistiques autres que français. » (Albano CORDEIRO, « Grandeurs et misères de Convergence », *in La Ruée vers l'Égalité, op. cit.*, p. 68). D'une telle rhapsodie de clichés militants, trois valeurs dominantes se dégagent : le « mélange » vaut en lui-même, il doit être voulu (ou désiré) pour lui-même ; le « nouveau » représente également une valeur en soi : le mélange doit être de type nouveau pour être pleinement désirable ; enfin la « diversité » est bonne, mais pour autant qu'elle alimente le mélange : il faut de la différence pour faire du mélange. La valeur des valeurs demeure ici le mélange, espèce de cause finale de l'action antiraciste.

61. *Op. cit.*, p. 11.

62. *Ibid.*

63. *Ibid.*. « Tel est le slogan qui peut résumer notre démarche », commente le « texte d'appel » de « Convergence 84 pour l'égalité » *(ibid.)*.

64. *Ibid.*, p. 17. Le mélange, que métaphorise la mise en « carrefour » des individus, est ici finalisé par « l'égalité » : le mélange est à l'égalité ce que le moyen est à la fin.

65. Nous n'insisterons pas sur la confusion ordinairement faite entre le motif strictement bio-anthropologique de « multi*racial* » et l'appel au « pluri*culturel* ». Mais l'interchangeabilité des emplois lexicaux indique suffisamment que le vocabulaire « culturaliste » intervient pour *euphémiser* le vocabulaire de la race. Dans l'imaginaire social ordinaire, en deçà des niveaux de langage distincts où ils se distribuent, le champ de la « race » et celui de la « culture » ont les mêmes effets connotatifs.

66. « Nous, on voudrait un échange réciproque multiculturel », déclare Jérôme, marcheur de Convergence (cité par Dominique GARCETTE, *in op. cit.*, p. 29). Couplage paradoxal de la ressemblance, de la réciprocité et de l'égalité avec un tel idéal « multiculturel » : « Oui, il existe des différences, mais les ressemblances sont bien plus grandes que les différences », précise de son côté Tarek *(ibid.)*. La ressemblance semble mesurer la proximité vécue : « Je me sens plus proche de Jérôme que d'un jeune qui vit au Maghrèbe *(sic)* », déclare encore Tarek *(ibid.)*.

67. Cf. P. GUIRAL, « Vue d'ensemble sur l'idée de race et la gauche française », *in L'Idée de race dans la pensée politique française contemporaine* (sous la dir. de P. GUIRAL et d'É. TEMIME), Paris, Éd. du CNRS, 1977, p. 44 ; le texte cité est extrait d'Élie FAURE, *Les Trois Gouttes de sang*, Paris, E. Malfère, 1929, p. 105 (et non pas p. 36, comme l'indique à tort P. Guiral).

68. Éditorial, *in Latitudes*, n° 2, décembre 1984, p. 1 (je souligne).

69. Les adversaires différentialistes de la vulgate antiraciste dominante n'ont pas manqué de relever une telle inconséquence. Alain de Benoist note ainsi : « Si l'on entend pousser à son terme la logique de l'assimilation, il est évident que cela reviendra à supprimer la pluralité inhérente aux notions de "France multiraciale" ou "multiculturelle". » (« Réflexions sur l'identité nationale », *in Une certaine idée de la France*, actes du XIXe colloque du GRECE, 24 novembre 1985, Paris, Le Labyrinthe, 1985, p. 81.) Une variante de l'énoncé paradoxal est relevée par Guillaume Faye : tel biologiste antiraciste « s'évertue [...] à expliquer aux Français que les races n'existent pas, mais ne cesse, pour démontrer cette contre-évidence, de se faire l'apologiste de la société multiraciale. Ou bien elles existent, ou bien elles n'existent pas... » (*Les Nouveaux Enjeux idéologiques*, Paris, Le Labyrinthe, 1985, p. 38 note 10).

70. Norman PODHORETZ, « My Negro Problem — And Ours », art. cité, p. 100-101. Dans une conférence faite en 1931, sir Arthur Keith, qui croyait à

la valeur biosociale de la mixophobie, avait bien aperçu la voie logiquement inférable de l'antiracisme assimilationniste appelant à « ne pas tenir compte de la race » : « Pour obtenir une paix universelle et durable nous devons aussi connaître de quel prix nous aurons à la payer. Ce prix est le sentiment de l'appartenance raciale que la nature a mis en nous. Pour atteindre à ce monde idéal, les peuples de tous les pays doivent mettre tout en commun. Noirs, bruns, jaunes et blancs doivent se marier les uns avec les autres et éparpiller dans leur progéniture commune l'héritage que chaque groupe s'est constitué tout au cours des temps, de la préhistoire à nos jours. Si ce programme de déracialisation universelle nous apparaît comme un sujet de politique pratique — comme la seule façon d'établir la paix et le bien dans toutes les parties du monde, je suis certain que le cerveau et le cœur s'élèveront ensemble contre lui. Nous nous sentirons envahis d'une insurmontable répugnance à assurer la paix à ce prix. Cette répugnance, ou préjugé racial, la nature nous l'a donnée pour arriver à ses propres fins — l'amélioration du genre humain au moyen de la différenciation raciale. » (*The Place of Prejudice in Modern Civilization*, New York, J. Day Co., 1931 ; cité par W.C. BOYD, *Génétique et races humaines* [1950], trad. fr. F. Bourlière et J. Sutter, Paris, Payot, 1952, p. 19-20.) Nous n'insisterons pas sur l'évidente réinterprétation finaliste du processus de sélection naturelle, non plus que sur la conception évolutionniste du progrès fondée sur la loi de différenciation, montrant la filiation spencérienne de Keith.

71. Jusqu'en 1978, le MRAP désignait le « Mouvement contre le racisme, l'antisémitisme et pour la paix » (modifié en : « Mouvement contre le racisme et pour l'amitié entre les peuples »). La transformation du contenu sémantique du sigle s'est faite selon deux objectifs : effacer la spécificité de l'« antisémitisme » en le présupposant comme une forme parmi d'autres de « racisme » (soit le racisme visant les Juifs), recentrer la formule autodésignative sur la nomination d'un ennemi unique auquel est opposée la prescription de la paix, définie elle-même par « l'amitié entre les peuples ». L'antiraciste s'identifie au parti du pacifisme et de la fraternité universelle tout en s'attribuant la qualité éthique par excellence (le respect de la personne humaine), face au raciste identifié au parti du bellicisme qu'accompagne (voire fonde) le non-respect de la personne humaine. L'évidence absolue, fondatrice de l'antiracisme commémoratif, est que *le racisme est violence*, ne peut être que violence, est essentiellement violence. Mais la violence dont il s'agit se réduit le plus souvent à « la "triste réalité quotidienne" des nombreuses agressions » racistes. L'antiracisme ritualisé ne peut dépasser une vision juridico-policière de la violence. Il ne fait que projeter ainsi sur son Autre, le raciste, la caractéristique dominante de ses conceptions et de ses pratiques : pister, débusquer, dénoncer et condamner les hors-la-loi. Vision juridico-policière du monde social.

72. R. ARON, *Paix et guerre entre les nations*, Paris, Calmann-Lévy, 1962, p. 693 ; J. FREUND, *L'Essence du politique*, Paris, Sirey, 1965, p. 598.

73. R. ARON, *op. cit.*

74. J. FREUND, *op. cit.*, p. 598 à 599.

75. Cf. Max SCHELER, *Vom Ressentiment im Aufbau der Moralen* (1912, remanié en 1915), trad. fr., Paris, *L'Homme du ressentiment*, Gallimard, coll. « Idées », 1970, chap. IV (« Ressentiment et humanitarisme »), p. 109 *sq.* ; *Wesen und Formen der Sympathie* (1913, remanié et publié sous ce titre en 1923), trad. fr. M. Lefebvre (1928), *Nature et formes de la sympathie*, Petite Bibliothèque Payot, 1971, p. 141-147 (où l'auteur reconnaît avoir été « trop absolu » dans sa réduction de l'« amour de l'humanité » au ressentiment, telle qu'il la présentait en 1915).

76. J. FREUND, *op. cit.*, p. 599-600.

77. Max WEBER, *Le Savant et le politique* (1919), trad. fr., J. Freund, Paris, Plon, 1959, p. 185-187 (rééd. UGE, coll. 10/18, 1963, p. 170-172) ; J. FREUND, *op. cit.*, p. 599.

78. J. FREUND, *op. cit.*, p. 499. Dans tous les cas de non-reconnaissance de l'ennemi, celui-ci, une fois rencontré, perd sa valeur proprement humaine : « On se donne le droit de l'exterminer comme un malfaiteur, un criminel, un pervers ou un être indigne. » *(Ibid.)* La « race supérieure » se confond dès lors, implicitement, avec les représentants de l'humanitarisme, qui se posent en seuls humains authentiques, dignes de ce nom.

79. J. FREUND, *op. cit.*, p. 600.

80. Si l'accord se fait sur la réalisation de la paix définitive, le désaccord apparaît sur les moyens : leçons de l'histoire relayées par une éducation appropriée (censée conduire de l'horreur des effets de la guerre à la volonté de paix), réalisation juridique d'une fédération universelle, passage de l'âge militaire à l'âge du commerce, instauration de la société sans classes ouvrant l'ère de la fraternité universelle (cf. J. FREUND, *op. cit.*, p. 601). Cf. la typologie des pacifismes proposés par M. SCHELER en 1927 (*Die Idee des ewigen Friedens und der Pazifismus*, Berlin, Neue Geist-Verlag, 1931 ; trad. fr. R. Tantonnet, *L'Idée de paix et le pacifisme*, Paris, Aubier-Montaigne, 1953) : héroïque et individuel, chrétien, économique, juridique (pacifisme du droit), communiste (socialiste marxiste), impérialiste (l'empire universel), capitaliste (pacifisme international de la grande bourgeoisie capitaliste), cosmopolitisme des élites culturelles (cf. R. ARON, 1962, *op. cit.*, p. 492 ; J. FREUND, *op. cit.*, p. 598).

81. J. FREUND, *op. cit*, p. 482.

82. *Ibid.*

83. Cf. M. SCHELER, *L'Homme du ressentiment, op. cit.*, p. 110.

84. « L'antiracisme n'a de sens que parce qu'il y a un racisme et les deux doctrines cultivent également l'ennemi, sans compter que l'antiracisme est parfois du racisme à rebours. » (J. FREUND, *op. cit.*, p. 482.)

85. J. FREUND, *op. cit.*, p. 394.

86. *Ibid.*, p. 499.

87. M. SCHELER, *L'Homme du ressentiment, op. cit.*, p. 121-122 ; *Nature et formes de la sympathie* (1923), *op. cit.*, p. 143.

88. *Nature et formes..., op. cit.*, p. 143.

89. Max SCHELER, *L'Idée de paix et le pacifisme* (1927), *op. cit.*, p. 139.

Chapitre 11

1. P.A. SOROKIN, *Social and Culture Dynamics*, IV, New York, 1941.

2. E. DUPRÉEL, *Essais pluralistes,* Paris, PUF, 1949, p. 373.

3. M. MEAD, J. BALDWIN, *A Rap on Race* (1971), trad. fr., *Le Racisme en question*, préface de Roger Bastide, Paris, Calmann-Lévy, 1972.

4. *Op. cit.*, p. 40-41. Colette Guillaumin renvoie à ce fragment de conversation en ce qu'il serait exemplaire de la réintroduction de la « race » dans le champ du

réel et du concret, des faits perceptifs indubitables, dans l'ordre des évidences les plus ordinaires : cf. « The idea of race and its elevation to autonomous, scientific and legal status », *in Sociological Theories : Race and Colonialism*, Unesco Press, 1980, p. 41.

5. *The Autobiographie of Malcolm X* (avec la collaboration d'Alex HALEY), New York, Grove Press, 1966, p. 338-340 (cité par Bernard LEWIS, *Race et couleur en pays d'Islam*, trad. fr. A. Iteanu et F. Briand revue par l'auteur (avec additions et remaniements), Paris, Payot, 1982, p. 13 ; 1re éd., New York, 1971).

6. *Ibid.*, p. 344 (cité par B. LEWIS, *op. cit.*, p. 13-14).

7. B. LEWIS, *op. cit.*, p. 14.

8. *Malcolm X, op. cit.*, p. 344 (cité par B. LEWIS, *ibid.* ; je modifie légèrement la construction de la phrase pour en faciliter la compréhension).

9. R. BASTIDE, « Le conflit dans le dialogue », *in* M. MEAD, J. BALDWIN, *op. cit.*, p. 19-20.

10. L'expression fameuse « le fardeau de l'Homme blanc » tient son sens ordinaire de Kipling, qui entendait par là évoquer la responsabilité « écrasante » des Occidentaux (supérieurs) à l'égard des peuples (inférieurs) qu'ils gouvernaient. Cf. B. LEWIS, *op. cit.*, p. 124.

11. R. BASTIDE, *op. cit.*, p. 24.

12. *Ibid.*

13. *Ibid.*, p. 26. L'infidélité à la culture communautaire est un éloignement qui fait perdre l'authenticité, et engendre l'état de dépossession de soi que l'influence marxiste a engagé à baptiser « aliénation ». Pour une généalogie et une problématisation du terme d'*« aliénation »*, cf. Paul SIBLOT, « Le praxème "aliénation". Jeux de mots et histoires de fous », à paraître *in Questions sur les mots. Analyses sociolinguistiques*, Paris, Didier, 1987, p. 83-113.

14. *Ibid.*, p. 24.

15. Cf. Francis JACQUES : « Tous les conflits ne se résolvent pas dans le questionnement. Il s'en faut. Du moins sont-ils suspendus par ceux qui prennent le temps de se mettre d'accord sur la nature du désaccord. » (*L'Espace logique de l'interlocution*, Paris, PUF, 1985, p. 583.)

16. *Ibid.*

17. *Ibid.*, p. 574 *sq.*

IVe PARTIE

1. P.-J. PROUDHON, *La Fédération et l'unité en Italie*, 1862.

2. Léon CHESTOV, *Le Pouvoir des clefs* (1923), tr. fr. B. de Schloezer, Paris, Flammarion, 1967.

3. *Éthique*, L. IV, prop. XXII, cor. : « L'effort pour se conserver est la première et unique origine de la vertu. »

4. Max HORKHEIMER, Theodor W. ADORNO, *La Dialectique de la Raison. Fragments philosophiques* (1944), trad. fr. E. Kaufholz (sur la nouv. éd., 1969), Paris, Gallimard, 1974, p. 45.

5. E. LÉVINAS, *Éthique et infini*, Paris, Fayard/France Culture, 1982 ; Le Livre de Poche, 1986, p. 121.

Chapitre 12

1. F. Nietzsche, *Fragment posthume*, automne 1887.

2. N. Berdiaeff, *Essai d'autobiographie spirituelle*, 1940.

3. B. Pascal, *Pensées, in Pensées et opuscules*, éd. Léon Brunschvicg, Paris, Hachette (1re éd. 1897), 1968 (nouvelle éd. mise à jour par G. Lewis et D. Anzieu, 1946), fr. 452, p. 399.

5. *Ibid.*, fr. 453, p. 541.

6. *Ibid.*, fr. 451, p. 540.

7. D.-H. Lawrence, « Le cercle vicieux », *in Fantaisie de l'inconscient*, tr. fr. Charles Mauron, Paris, Stock, 1932, pp. 175-176.

8. P.-J. Proudhon, *Correspondance*, t. VI, p. 155-156 ; cité par G. Guy-Grand, *Proudhon*, Paris, Bordas, 1947, p. 182.

9. Proudhon, Lettre à Madier-Montjau, 11 décembre 1852, *in op. cit.*, t. V, p. 111. Cf. Henri de Lubac, *Proudhon et le christianisme*, Paris, Le Seuil, 1945, p. 74.

10. Proudhon, Lettre à Buzon, 1er juin 1863, *in op. cit.*, t. XIII, p. 91.

11. Les songe-creux publics de l'humanitarisme se reconnaissent à deux traits : ils sont hautement visibles dans l'espace de l'opinion et de la culture médiatique (ils s'expriment et agissent « en direct » dans la mesure du possible) ; ils ne s'engagent qu'en faveur de « causes » faisant l'objet d'un consensus conjoncturel, quitte à les dénoncer plus tard, lorsque la mode idéologique s'est déplacée sur un autre objet (du communisme au libéralisme, de l'antisionnisme gauchiste au pro-israélisme absolu, de l'exotisme politique [maoïsme, castrisme, etc.] à la défense de l'Occident, du tiers-mondisme militant à l'anti-tiersmondisme arrogant, de l'antisexisme à l'antiracisme, etc.).

12. Léon Chestov, *Sur les confins de la vie (L'apothéose du déracinement)*, trad. fr. B. de Schloezer, Paris, Flammarion, 1966, p. 274.

13. Oswald Spengler, *Der Mensch und die Technik* (1931), trad. fr. A.A. Petrowsky, Paris, Gallimard, 1958 ; coll. « Idées », 1969, p. 56.

14. *Ibid.*, p. 179. Cf. H. de Montherlant : « L'espérance est la volonté des faibles. » (Cité par F. Laroche, *Cahiers universitaires*, 11, décembre 1962, p. 26.)

15. « Le scepticisme, la dernière attitude philosophique et la seule tenable à notre époque — que dis-je, la seule qui en soit *digne* —, interdit dorénavant tout recours à de telles échappatoires. » (O. Spengler, *op. cit.*, p. 56.) Le scepticisme est la méthode de connaissance qui, débarrassant le regard de ses lunettes sublimantes et idéalisantes, place l'homme devant la « nature essentiellement prédatrice de l'homme » *(ibid.)*.

16. L'attitude prônée par Spengler, ou plutôt le style d'existence qu'il prescrit est d'ordre esthétique : « Un seul parti pris vital est digne de nous, celui qui a déjà été mentionné sous le nom du "choix d'Achille" : mieux vaut une vie brève, pleine d'action et d'éclat, plutôt qu'une existence prolongée mais vide » (*op. cit.*, p. 178-179). Esthétisation de l'idéal soldatique : mourir à son poste ; tenir, quoi qu'il advienne, jusqu'à la mort. La valeur des valeurs est le « noble », lequel se métaphorise par le « grand » — l'attitude est belle jusqu'au sublime quand elle est héroïque, incarne la valeur cardinale de l'« honneur ».

17. E. Jabès, *Du désert au livre*, Paris, Belfond, 1980, p. 99.

18. Cf. Spinoza, *Éthique*, IV, prop. 50, sc. ; *Traité politique*, chap. I, § 4, texte, trad., introduction et notes par Sylvain Zac, Paris, Vrin, 1968, p. 32-33.

19. Léon CHESTOV, *La Nuit de Gethsémani. Essai sur la philosophie de Pascal*, trad. fr. Exempliarsky, Paris, Grasset, 1923, p. 93. Autour de la même question, cf. L. CHESTOV, « Dans le taureau de Phalaris (Savoir et liberté) », *Revue philosophique*, 58e année, n° 3 et 4, mars-avril 1933, en particulier p. 293-308.

20. Chestov commente avec profondeur ce fragment pascalien. Cf. L. CHESTOV, 1923, *op. cit.*, p. 41-43.

21. PASCAL, *op. cit.*, n° 553, p. 575.

22. L. CHESTOV, *Sur les confins de la vie, op. cit.*, p. 248.

23. PASCAL, *op. cit.*, n° 253, p. 451.

24. C'est un monde régi par la formule de Leibniz : « Je ne méprise presque rien. » Sur les raisons métaphysiques de ce peu de mépris, cf. par exemple le § 69 de *La Monadologie* (1714) : « Ainsi il n'y a rien d'inculte, de stérile, de mort dans l'univers, point de chaos, point de confusion qu'en apparence. » (Éd. E. Boutroux Paris, Delagrave, 3e éd., 1892, p. 180.)

25. Paul RICŒUR, « Meurt le personnalisme, revient la personne... », *Esprit*, janvier 1983, p. 116-117. Pour les citations suivantes, *ibid.*

26. Sur la mobilisation des énergies narcissiques dans le type de société régi par les subtiles « tyrannies de l'intimité », cf. le livre déjà classique de Richard SENNETT, *Les Tyrannies de l'intimité*, trad. fr. A. Berman et R. Folkman, Paris Le Seuil, 1979 (1re éd., New York, 1974 : *The Fall of Public Man*).

27. PASCAL, *op. cit.*, n° 556, p. 580. Cf. aussi n° 527 : « La connaissance de Dieu sans celle de sa misère fait l'orgueil. La connaissance de sa misère sans celle de Dieu fait le désespoir. La connaissance de Jésus-Christ fait le milieu, parce que nous y trouvons et Dieu et notre misère. » (p. 567.)

28. L. CHESTOV, *L'Idée de Bien chez Tolstoï et Nietzsche (Philosophie et prédication)*, trad. fr. T. Rageot-Chestov et G. Bataille, Paris, Vrin, 1949, p. 254. Boris de Schloezer rapporte que Chestov, qui n'avait pas la foi, lui avoua : « C'est ce qu'il y a de plus mauvais en moi qui ne croit pas. » (« Lecture de Chestov », *in* L. CHESTOV, *La Philosophie de la tragédie [Dostoïevsky et Nietzsche]. Sur les confins de la vie [L'Apothéose du déracinement], op. cit.*, p. 16.) Le Dieu qu'il faut chercher est « un Dieu désiré, attendu » *(ibid.)*.

29. Cf. LESZEK KOLAKOWSKI, « Comment une vérité sans Dieu est-elle possible ? Réponse : en aucune manière », *in Le Genre humain*, n°s 7-8, 1983, p. 75-80.

30. Cf. Ernst BLOCH, *Spuren*, Frankfurt-a.-M., 1962 ; trad. fr. P. Quillet et H. Hildenbrand, *Traces*, Paris, Gallimard, 1959.

31. F. NIETZSCHE, *Œuvres posthumes*, trad. fr. H.J. Bolle, Paris, Mercure de France, 1934, p. 309, n° 858 (Musarion Ausgabe, XVI, p. 374).

32. Max HORKHEIMER, « La théorie critique hier et aujourd'hui » (1970), trad. fr. Luc Ferry, *in Théorie critique*, Paris, Payot, 1978, p. 369.

33. *Ibid.*

34. Cf. Léon CHESTOV : « Nos vérités les plus incontestables, les plus solides, les plus évidentes, ces *veritates aeternae*, ainsi qu'avant Pascal aimait à les appeler Descartes ; ces "vérités de raison" ainsi que s'exprimera, après Pascal, Leibniz, et après ce dernier, jusqu'à nous, d'autres gardiens légitimes des idées héritées de la Renaissance, ne lui en imposèrent jamais. » (*La Nuit de Gethsémani, op. cit.*, p. 36-37.)

35. Cf. E. LÉVINAS : « Essentiellement dégagé, l'art constitue, dans un monde de l'initiative et de la responsabilité, une dimension d'évasion [...]. Il apporte dans le monde l'obscurité du fatum, mais surtout l'irresponsabilité qui flatte comme la légèreté et la grâce [...]. Ce n'est pas le désintéressement de la contemplation, mais

de l'irresponsabilité. Le poète s'exile lui-même de la cité. A ce point de vue, la valeur du beau est relative. Il y a quelque chose de méchant et d'égoïste et de lâche dans la jouissance artistique. Il y a des époques où l'on peut en avoir honte, comme de festoyer en pleine peste. » (« La réalité et son ombre », *Les Temps modernes*, 4e année, n° 38, novembre 1948, p. 787). Il faut dès lors déclarer, dans une époque d'« hypertrophie de l'art » où celui-ci « s'identifie avec la vie spirituelle » (*ibid.*, p. 788), que l'éthique est au-dessus de l'esthétique. Mais c'est là une proposition dont le sens ne peut être entendu que par-delà le nihilisme, *notre* nihilisme.

36. Cf. Jacques MARITAIN : « Est-ce que l'homme ne peut se savoir lui-même qu'en renonçant du même coup à se sacrifier à quelque chose de plus grand que soi ? [...] Il se pourrait que certaines formes d'héroïsme permissent de résoudre cette apparente contrariété [...]. Un humanisme dégagé pour lui-même et conscient de soi, qui mène l'homme au sacrifice et à une grandeur véritablement surhumaine, parce qu'alors la douleur humaine ouvre les yeux, et est supportée en amour [...]. Peut-il y avoir un humanisme héroïque ? Pour moi, je réponds oui. » (*Humanisme intégral*, Paris, F. Aubier, 1936, p. 11-12).

37. André MALRAUX, *L'Espoir* (1937) 1re partie, II, chap. VII, coll. « Folio », 1986, p. 268.

38. Cf. le beau livre de Michaël WALZER, *De l'exode à la liberté. Essai sur la sortie d'Égypte*, trad. fr. M. Pouteau, Paris, Calmann-Lévy, 1986 (1re éd. amér., New York, 1985, *Exodus and Revolution*), p. 9.

39. *Ibid.*, p. 176.

40. W.D. DAVIES, *The Territorial Dimension of Judaïsm*, Berkeley, University of California Press, 1982, p. 60 (cité par M. WALZER, *op. cit.*, p. 177).

41. M. WALZER, *op. cit.*, p. 177.

42. Étude qui ouvre le recueil publié sous le titre : *Être un peuple en diaspora*, préface de P. Vidal-Naquet, Paris, F. Maspero, 1975, p. 9-39. Pour les citations suivantes, *ibid.*, p. 21, 9, 12, 19, 21, 9, 35, 60.

43. *Ibid.*, P. Vidal-Naquet conclut sa préface (p. XIII) par la citation de ces propos.

44. *Ibid.*, p. 61. Pour les citations suivantes, *ibid.*, p. 61, 35 et 61.

Chapitre 13

1. Jean-Richard BLOCH, *Destin du siècle*, Paris, Rieder, 1931, p. 19.

2. *Ibid.*

3. Cf. M. SCHELER, *Nature et formes..., op. cit.*, p. 141, 144-145. Pour les citations suivantes : *ibid.*, p. 144, 141, 142 ; *L'Homme du ressentiment, op. cit.*, p. 110 ; *Nature et formes..., op. cit.*, p. 142, 145.

4. Claude LÉVI-STRAUSS, « Jean-Jacques Rousseau, fondateur des sciences de l'homme » (1962), *in Anthropologie structurale deux*, Paris, Plon, 1973, p. 50.

5. L'animal incarne à vrai dire le « plus "autrui" de tous les autrui » (Cl. LÉVI-STRAUSS, *op. cit.*, p. 51). L'ethnologue reprend à son compte l'idéal d'un tel « humanisme généralisé », qui « appelle à la réconciliation de l'homme et de la nature » (« Les trois humanismes » [1956], *in op. cit.*, p. 322). Mais il s'agit d'un rousseauisme post-darwinien (cf. S.J. Gould), *La mal-mesure de l'homme* (1981), tr. fr. J. Chabert, Paris, Ramsay, 1983, p. 365.

6. SCHELER, *op. cit.*, p. 147, 227-228. Pour les citations suivantes, *ibid.*, p. 298, 326.

7. E. KANT, « Sur un prétendu droit de mentir par humanité » (1797), trad. fr. L. Guillermit, Paris, Vrin, 1967, p. 68.

8. E. KANT, « Annonce de la proche conclusion d'un traité de paix perpétuelle en philosophie » (1796), trad. fr. L. Guillermit, Paris, Vrin, 1968, p. 123.
9. *Ibid.*, p. 124.
10. « Sur un prétendu droit... », *op. cit.*, p. 69.
11. *Ibid.* Sur la question du devoir de véracité conçu comme sélectif (selon la qualité humaine supposée de l'interlocuteur), V. DELBOS renvoie à Benjamin Constant, *in La France*, année 1797, 6ᵉ partie, n° 1 : *Des réactions politiques* (cf. *La Philosophie pratique de Kant*, Paris, PUF, 3ᵉ éd., 1969, p. 584, n. 1).
12. E. KANT, « Annonce de la proche conclusion... », *op. cit.*, p. 124.
13. Si, comme le note F. Courtès, « la condamnation du mensonge [...] joue un grand rôle dans la pensée de Kant », il faut relever que les textes où elle est portée sont relativement tardifs, le premier étant l'opuscule de 1791 : *Sur l'insuccès de tous les essais philosophiques de théodicée* (cf. F. COURTÈS, *La Raison et la vie*, Paris, Vrin, 1972, p. 306-308 : l'auteur mentionne les textes importants sur la question).
14. KANT, *Métaphysique des mœurs*, II : *Doctrine de la vertu*, trad. fr. A. Philonenko, Paris, Vrin, 1968, p. 92.
15. *Ibid.* C'est par sa dignité de personne que l'homme « s'élève au-dessus de toutes les fins qui sont l'objet de penchants sensibles » (V. DELBOS, *op. cit.*, p. 583).
16. *Ibid.* Kant énumère les vices : le *mensonge*, l'*avarice* et la *fausse humilité* (bassesse) *(ibid.)*. Pour les citations suivantes, *ibid.*, p. 103, 92, 92-93, 103.
17. Cf. les « questions casuistiques » examinées aux p. 105-106. Sur la controverse implicite avec Benjamin Constant, cf. V. DELBOS, *op. cit.*, p. 584, n. 1. Sur la « véracité souple » de Kant en tant qu'homme, cf. les fines remarques de J.-L. BRUCH, « Kant et sa correspondance », Introduction aux *Lettres de Kant sur la morale et la religion*, trad. fr. J.-L. Bruch, Paris, Aubier-Montaigne, 1969, p. 15-16.
18. *Doctrine de la vertu, op. cit.*, p. 104.
19. *Ibid.*, p. 103. V. Delbos insiste à juste titre sur l'idée que, le mensonge étant « condamnable absolument », il l'est « en dehors du dommage qu'il cause à autrui ou des imprudences qu'il nous fait commettre » (*op. cit.*, p. 583). Pour les citations suivantes, *ibid.*, p. 104, 103-104.
20. *Ibid.*, p. 105. Dans *La Religion dans les limites de la simple raison* (1793), Kant faisait une remarque analogue : « La Bible (en sa partie chrétienne) appelle le fauteur du mal (qui se trouve en nous-mêmes) le menteur dès le commencement, caractérisant ainsi l'homme par rapport à ce qui paraît être en lui le fondement capital du mal » (tr. fr. J. Gibelin, Paris, Vrin, 4ᵉ éd., 1968, p. 64 n. 1). Sur le mensonge, défini comme étant « proprement le point de corruption de la nature humaine », cf. E. KANT, « Annonce de la proche conclusion d'un traité de paix perpétuelle en philosophie » (1796), *in Première introduction à la critique de la faculté de juger* (et autres textes), *op. cit.*, p. 124 (et p. 136 n. 6, sur les deux références au Nouveau Testament, que Kant semble avoir télescopées).
21. Dans une note additionnelle à la 2ᵉ éd. de *La Religion... op. cit.*, Kant précise : « La franchise (qui consiste à dire *toute* la vérité que l'on sait) ne se rencontre pas dans la nature humaine. Mais la sincérité (consistant à dire avec véracité *tout ce que l'on dit*) doit pouvoir s'exiger de chacun. » (p. 247, n. 1.)
22. E. WEIL, *Problèmes kantiens*, Paris, Vrin, 1970, 2ᵉ éd. revue et augmentée, p. 155.
23. *Doctrine de la vertu, op. cit.*, p. 105.
24. Cf. P. RICŒUR, *Histoire et vérité*, Paris, Le Seuil, 1955, p. 263.

25. KANT, *La Religion..., op. cit.*, p. 58. C'est pourquoi il faut distinguer la liberté proprement dite du libre arbitre. Si la liberté comme telle, étant indissolublement liée à la raison, ne peut être mauvaise, le libre arbitre, qui est choix de la maxime inspiratrice de notre action, peut errer (cf. J. LACROIX, *Kant et le kantisme*, Paris, PUF, 1966, p. 89).

26. Cf. A. PHILONENKO, *L'Œuvre de Kant*, Paris, Vrin, t. II, 1972, p. 226-227. Sur la conception leibnizienne d'une « limitation nécessaire en toute nature finie », ses conséquences philosophiques et leur destin chez les kantiens et post-kantiens, cf. M. GUÉROULT, *Leibniz. Dynamique et métaphysique*, Paris, Aubier-Montaigne, 1967, p. 169.

27. P. RICŒUR, *op. cit.*, p. 262. Kant exclut qu'il y ait chez l'homme rébellion diabolique, ouverte contre la loi : « L'homme, même le plus méchant, quelles que soient les maximes dont il s'agit, ne renonce pas à la loi morale, en quelque sorte en rebelle (en refusant l'obéissance). » (*La Religion..., op. cit.*, p. 57). Sur ce point, cf. G. KRÜGER, *Critique et morale chez Kant* (1931), trad. fr. M. Régnier, Paris, Beauchesne, 1961, p. 246 ; A. PHILONENKO, *L'Œuvre de Kant, op. cit.*, t. II, p. 230 : Kant écarte le troisième degré du penchant au mal (*La Religion..., op. cit.*, p. 49-50 : la méchanceté ou la corruption du cœur humain, ou encore sa perversité) en lequel l'homme serait diabolique. S'il n'est pas absolument interdit (n'étant pas sans motifs), le désespoir n'a pas de fondement abolument sûr.

28. PASCAL, *Pensées*, éd. Brunschvicg, n° 590, p. 595.

29. L. BRUNSCHVICG, *Blaise Pascal*, Paris, Vrin, 1953, p. 228.

30. MONTESQUIEU, *Cahiers (1716-1755)*, Paris, B. Grasset, 1941, p. 9-10.

31. Cf. Reinhard LAUTH, « Le problème de l'interpersonnalité chez J.G. Fichte », *Archives de philosophie*, t. XXV, Cahiers III-IV, juillet-décembre 1962, p. 325-344.

32. Cf. A. PHILONENKO, *La Liberté humaine dans la philosophie de Fichte*, Paris, Vrin, 2e éd. rev. et aug., 1980, p. 34-47. Fichte l'affirme avec insistance : « Vivre ensemble est pour les hommes la condition *sine qua non* du développement de la raison de l'humanité. » (Cité par A. PHILONENKO, *op. cit.*, p. 36.) C'est que « l'activité réciproque médiatisée des signes est la condition de l'humanité ; seul, l'homme n'est rien ; l'homme en fait constitue une communauté » (cité p. 37).

33. Cf. J. HABERMAS, *Connaissance et intérêt* (1968 et 1973 [Postface]), trad. fr. G. Clémençon et J.-M. Brohm, Paris, Gallimard, 1976 ; coll. « Tel », 1979, p. 370-371. Jacques RIVELAYGUE a mis en lumière la filiation fichtéenne d'une telle problématique de la constitution de l'intersubjectivité par la communication : cf. « Habermas et le maintien de la philosophie », *Archives de philosophie*, t. 45, cahier 2, avril-juin 1982, p. 292-294.

34. J. HABERMAS, *La Technique et la science comme « idéologie »* (1968), trad. fr. J.-R. Ladmiral, Paris, Gallimard, 1973, p. 156 (trad. légèrement modifiée).

35. J. HABERMAS, *Profils philosophiques et politiques* (1971), trad. fr. F. Dastur, J.-R. Ladmiral, Marc B. de Launay, Paris, Gallimard, 1974, p. 275.

36. J. HABERMAS, *Raison et légitimité. Problèmes de légitimation dans le capitalisme avancé* (1973), trad. fr. J. Lacoste, Paris, Payot, 1978, p. 193 (cf. également p. 153, 204-205 n. 160).

37. E. HUSSERL, « La crise de l'humanité européenne et la philosophie » (conférence, Vienne, 7 mai 1935), trad. fr. P. Ricœur, Paris, Aubier Montaigne, 1977, p. 43. Pour les citations suivantes, *ibid.*, p. 47, 53, 45, 55, 33, 61, 55.

38. La raison universelle ici postulée ne saurait être confondue ni avec la raison

théorique, dogmatique ou critique, architectonique ou polémique, ni avec la raison instrumentale, pragmatico-technique. Elle définit l'essence pure de l'humanité en tant que communauté culturelle universelle. On ne la confondra pas non plus avec l'interculturel ou le transculturel, le croisement des cultures ou les « lieux communs » des cultures : la raison universelle en définit précisément la condition de possibilité.

39. E. HUSSERL, *op. cit.*, p. 33.

40. Le passage (cf. *Husserliana*, t. VI, éd. W. Biemel, La Haye, 1954, p. 318) est gommé dans la version du texte publié par S. Strasser et traduite par P. Ricœur, comme l'a relevé Marcel DÉTIENNE dans un bel article : « Au commencement était le corps des dieux », *Critique*, 378, nov. 1978, p. 1054-1055.

41. L'humanisme idéaliste défendu par Léon Brunschvicg est fondé sur la même représentation de soi que le grand rationalisme dévoilé par HUSSERL : « L'homme occidental, l'homme suivant Socrate et suivant Descartes, dont l'Occident n'a jamais produit, d'ailleurs, que de bien rares exemplaires, est celui qui enveloppe l'humanité dans son idéal de réflexion intellectuelle et d'unité morale [...] La raison occidentale [...] est la raison tout court. » (« Le rôle de l'homme occidental » [1925], *in Écrits philosophiques*, Paris, PUF, t. I, 1951, p. 304.) La pensée occidentale, telle qu'elle a été inaugurée par Socrate et Platon et dont Descartes aurait refait les chemins, est fondée sur la distinction du surnaturel et du spirituel : que l'humanisme occidental suppose la rupture de la philosophie avec la mythologie, cela signifie qu'il interdit « la confusion des valeurs *surnaturelles* et des valeurs *spirituelles* » (« L'humanisme de l'Occident » [1926-1927], *in Écrits philosophiques, op. cit.*, p. 9-10). Le rationalisme idéaliste a le mérite d'énoncer le postulat universaliste en clair, enveloppant un pari qui est un beau rêve (auto-identification de la raison occidentale « purifiée » ou « réduite » avec la raison même).

42. K.O. APEL, *L'Éthique à l'âge de la science. L'a priori de la communauté communicationnelle et les fondements de l'éthique* (1967), trad. fr. R. Lellouche et I. Mittmann (avec le concours de Ch. Bouchindhomme et d'A. Laks), Presses universitaires de Lille, 1987. Pour les citations suivantes : *ibid.*, p. 129, 131, 132, 131, 131-132, 134.

43. *Ibid.* Apel renvoie ici à J. HABERMAS, « Vorbereitende Bemerkungen zu einer Theorie der kommunikativen Kompetenz », *in* J. HABERMAS et N. LUHMANN, *Theorie der Gesellschaft oder Sozialtechnologie ?*, Francfort, Suhrkamp, 1971, p. 101-141.

44. E. KANT, *Anthropologie du point de vue pragmatique* (1798), trad. fr. M. Foucault, Paris, Vrin, 1964, 2e éd., 1970, § 59, p. 91 ; *Critique de la faculté de juger* (1790), trad. fr. A. Philonenko, Paris, Vrin, 1965, 2e éd., 1968, § 40, p. 127. Sur les « implications politiques et morales » de la découverte de Kant, au-delà des seuls jugements esthétique et téléologique, cf. H. ARENDT, « Vérité et politique », *in La Crise de la culture*, trad. fr. sous la direction de P. Lévy, Paris, Gallimard, 1972, p. 307-308 ; R. LELLOUCHE, « Karl Otto Apel ou l'autonomie de la philosophie », *in* K.O. APEL, *op. cit.*, p. 39.

45. Cf. H. ARENDT, *op. cit.*, p. 298-299.

46. K.O. APEL, *op. cit.*, p. 93. Cf. L. WITTGENSTEIN, *Investigations philosophiques*, trad. fr. P. Klossowski, Paris, Gallimard, 1961, § 199, p. 202.

47. K.O. APEL, *op. cit.*, p. 93, n. 56.

48. *Ibid.*, p. 136.

49. T. PARSONS, *Sociétés : essai sur leur évolution comparée* (1966), trad. fr. G. Prunier, Paris, Dunod, 1973, p. 143. Des modèles culturels universalisables (par

diffusion indéfinie) pourraient être considérés comme des universaux de comportements, sans faire l'hypothèse forcée qu'ils reposeraient sur un même programme génétique. Les éthologues ont bien aperçu les problèmes posés par la diffusabilité des formes culturelles (les rituels de salutation, par exemple) : « Des hommes d'origines très différentes peuvent rapidement assimiler les pratiques d'une culture autre que la leur : un éthologue qui se placerait à l'entrée de la basilique Saint-Pierre à Rome y observerait des gens de toutes les races et de tous les continents faire le signe de la croix, sans qu'il puisse en conclure que ce geste est universel, ni, *a fortiori*, déterminé génétiquement. » (Jacques-D. DE LANNOY, Pierre FEYEREISEN, *L'Éthologie humaine*, Paris, PUF, 1987, p. 20.) Dans la perspective du dernier NIETZSCHE (cf. *Par-delà le bien et le mal*, 1886, VII, §§ 233 et 234 sur le « métis européen » et les effets du « mélange » des sangs et des cultures : « Le sens et l'instinct de toutes choses, le goût de toutes choses, le langage pour toutes choses »), on pourrait avancer que le comparatisme, qui présuppose la comparabilité des cultures, est le propre des « métis », tant au sens ethnique qu'au sens culturel. Vincent DESCOMBES note à juste titre : « Ce qui permet le comparatisme, c'est que chacun de nous appartient en réalité à plusieurs "tribus", participe à plusieurs traditions et reçoit plusieurs héritages. » (« Les mots de la tribu », *Critique*, 456, mai 1985, p. 444.) Mais ce métissage généralisé ne caractérise d'abord que le moderne occidental, inventeur du mélange ethno-culturel, aussi bien qu'inventé par celui-ci. Et la mise à égalité des « cultures », qui se traduit axiologiquement par l'éloge soit de la différence, soit du mélange, est l'invention moderne-occidentale en cours d'extension planétaire. Un certain pessimisme antimoderne peut alors apparaître : « Il n'est pas acquis d'avance que ce mélange donne un résultat harmonieux. On parle volontiers du dialogue des cultures. Mais dans le même temps, règne le *choc des cultures*, dans une rivalité dont se nourrit l'"*hybris* de l'homme moderne" (Louis Dumont). » *(Ibid.)*

50. T. PARSONS, *ibid.* Parallèlement, la recherche d'universaux en éthologie humaine bute sur « les observations [qui] montrent qu'il est presque toujours des exceptions à ce qu'on pense être universel » (J.-D. DE LANNOY, P. FEYEREISEN, *op. cit.*). Certains éthologues ont cru pouvoir parler de « quasi-universaux » pour caractériser la variabilité du sens social des comportements humains — l'abaissement des sourcils est ainsi interprétable soit comme signe de dominance, soit comme expression de soumission. La difficulté est par là simplement désignée. Dans une autre perspective, celle d'une théorie critique du sens commun située dans la filiation de Peirce, l'on peut récuser les positions relativistes ou sceptiques dérivées de la supposée « incommensurabilité » des paradigmes (sens non partageable, croyances non intercompréhensibles) par le simple constat que « l'intelligibilité *pour nous* des croyances étrangères est un fait constitutif de l'expérience humaine : nous sommes capables d'interpréter et de traduire nos croyances réciproques de façon qu'elles *fassent sens* » (R. LELLOUCHE, Introduction à K.O. Apel (1967), 1987, p. 33 ; cf. H. PUTNAM, *Raison, vérité et histoire* (1981), trad. fr. A. Gerschenfeld, Paris, Éd. de Minuit, 1984, chap. IX, p. 238-239). Les deux exemples allégués par Parsons sont très significatifs : ils renvoient à deux « sources » essentielles de la civilisation occidentale comme civilisation universelle (ou ayant vocation à l'universalisation) et/ou « moderne », opposée aux cultures particulières et/ou « traditionnelles », destinées à survivre, disparaître ou se moderniser selon le modèle évolutionniste de l'acculturation, à savoir « la transformation du dominé qui doit, sous la pression du dominant, se moderniser ou périr » (V. DESCOMBES, « Les mots de la tribu », art. cité, p. 444). Et il est vrai, comme le note V. Descombes, que les peuples soumis

à la « modernisation », qui les déterritorialise culturellement, « produisent des *formes culturelles hybrides* où les éléments traditionnels entrent dans une combinaison explosive avec les éléments individualistes empruntés à l'Occident. Ces formes *ultra-modernes* (et non pas du tout post-modernes) passent facilement dans la culture mondiale : ainsi, la « théorie ethnique de la nation », ou la « théorie léniniste de la transition directe au socialisme » *(ibid.)*. On pourrait ajouter l'exemple des « droits de l'homme », sous la forme de l'invocation universellement ritualisée de leur « défense ».

51. Cf. Paul RICŒUR, *Du texte à l'action. Essais d'herméneutique, II*, Paris, Le Seuil, 1986, p. 335-351. Ricœur y analyse « l'herméneutique des traditions » de Gadamer, centrée sur une « ontologie de l'entente langagière » postulant « le dialogue que nous sommes » ; à quoi s'oppose « la critique des idéologies », conduite par Habermas (avant et après le « tournant linguistique »), centrée sur « l'intérêt pour l'émancipation » (*op. cit.*, p. 351-361).

52. Cf. Jean-Marc FERRY, « Habermas critique de Hannah Arendt », *Esprit*, 42, juin 1980, p. 109-124 ; Jean LECA, « La théorie politique », *in* M. GRAWITZ, J. LECA, *Traité de science politique*, Paris, PUF, 1985, t. I, p. 78-79 ; P. RICŒUR, *op. cit.*, p. 352-356 (sur le concept d'« intérêt » et ses trois sphères : technique ou instrumental, pratique ou communicationnel, critique ou « pour l'émancipation »).

53. J. LECA, *op. cit.*, respectivement, p. 135 et p. 78-79.

54. *Ibid.*, p. 136.

55. Cf. T.A. MC CARTHY, « A Theory of Communicative Competence », *Philosophy of the Social Sciences*, 3, 1973, p. 135-156. Cf. P. RICŒUR, *op. cit.*, p. 360.

56. J. LECA, *op. cit.*, p. 137.

57. *Ibid.*, p. 136. En 1967, K.O. APEL insistait sur la distinction réelle entre « communauté des sujets argumentants » et « communauté des savants », bien que celle-ci présuppose celle-là : car « dans l'*a priori* de l'argumentation réside la *prétention de justifier* non pas seulement toutes les "assertions" de la science, mais, au-delà, toutes les *prétentions* humaines » (« L'*a priori* de la communauté communicationnelle et les fondements de l'éthique » [1967], trad. fr. R. Lellouche et I. Mittmann, Presses Universitaires de Lille, 1987, p. 124).

58. P. RICŒUR, *op. cit.*, p. 361. Il faut préciser que, dans la « théorie de l'agir communicationnel » d'Habermas, le programme d'une « pragmatique transcendantale » d'Apel est repris, et retravaillé, sous le nom de « pragmatique universelle ».

59. P.-L. ASSOUN, *L'École de Francfort*, Paris, PUF, 1987, p. 121.

60. Cf. Hans Georg GADAMER, *L'Art de comprendre. Écrits I : Herméneutique et tradition philosophique*, trad. fr. M. Simon, Paris, Aubier-Montaigne, 1982, p. 162-163, 172. Pour les citations suivantes : *ibid.*, p. 172, 106, 172.

61. *Ibid.*, p. 171 (« Aristote déjà appelle la rhétorique, non pas une *technê*, mais une *dynamis*, tant elle appartient au *Zôon, Lógon, échon* ») ; *ibid.*, p. 108.

62. *Ibid.*, p. 172.

63. *Ibid.* ; cf. également p. 106. Pour les citations suivantes : *ibid.*, p. 170, 24, 107.

64. H. G. GADAMER, *Vérité et méthode. Les grandes lignes d'une herméneutique philosophique*, trad. fr. (partielle) E. Sacre (sur la 2e éd. allemande, Tübingen, 1965), Paris, Le Seuil, 1976, p. 106-107.

65. *L'Art de comprendre, op. cit.*, p. 25. L'universalité de l'herméneutique s'appuie, chez Gadamer, sur un sens « réaliste » de la pluralité des formes culturelles et doxiques.

66. Cf. *Vérité et méthode, op. cit.*, p. 109. Pour les citations suivantes, *ibid.*, p. 206, 347, 346.

67. *L'Art de comprendre, op. cit.*, p. 108. Gadamer, après Perelman, insiste sur la légitimité de la rhétorique comme dimension de la pratique sociale en général, irréductible par là même à sa commune réduction « manipulatoire » issue de la tradition « rationaliste ». Dans la même perspective, O. Reboul répond au reproche éthique de « manipulation », ordinairement fait à la rhétorique comme art et théorie de la persuasion par le discours : cf. O. REBOUL, *La Rhétorique*, Paris, PUF, 1984, p. 119-120.

68. *L'Art de comprendre, op. cit.*, p. 173.

69. *Ibid.*

70. *Ibid.*, p. 46. Les remarques critiques formulées par Jean Leca vont dans le même sens (*op. cit.*, p. 136).

71. *Ibid.*, p. 82 : « Au nombre des leçons que nous pouvons tirer d'eux [''les classiques''], je mets aussi l'opposition irréductible qui existe entre *politikê technè* et *politikê phronêsis.* » Sur les rapports problématiques, chez Aristote, du « faire » guidé par un savoir (la *technè*) et de la vertu de la réflexion prudente (la *phronêsis*), dans l'ordre éthique, cf. H.G. GADAMER, *Vérité et méthode, op. cit.*, p. 156-166. Dans sa tentative de rapprocher Platon d'Aristote, Gadamer insistera sur leur commune opposition au modèle de la *technè* appliqué par les sophistes à la vertu qui, étant selon ces derniers un savoir (que nous dirions d'ordre stratégico-instrumental), pourrait être enseignée — possibilité que récuse Socrate. Gadamer montre également la proximité de cette « sagesse » nommée par Platon *phronêsis* et de la « prudence » qu'Aristote désignait du même nom (cf. GADAMER, *Die Idee des Guten zwischen Platon und Aristoteles*, Heidelberg, Carl Winter Universitätsverlag, 1978, p. 26, 39).

72. *L'Art de comprendre, op. cit.*, p. 107. Pour les citations suivantes : *ibid.*, p. 107, 108, 171.

73. *Ibid.*, p. 173. Mais Gadamer ne développe pas suffisamment les « raisons » de sa défense de la dimension rhétorique qu'il attribue à la pratique sociale.

74. ARISTOTE, *Topiques*, livre I, chap. 11, 105 a 5 et 55.

75. G. BERKELEY, *Commonplace Book* (1707-1708), éd. G.-A. Johnston, 1930, 938.

76. L. WITTGENSTEIN, *De la certitude* (1969), trad. fr. J. Faure, Paris, Gallimard, 1976.

77. PASCAL, *Pensées, op. cit.*, n° 335, p. 484.

78. Cf. *ibid.*, n° 328, p. 482. Le commentaire cité est de Louis MARIN, *La Critique du discours. Sur la « Logique de Port-Royal » et les « Pensées » de Pascal*, Paris, Éd. de Minuit, 1975, p. 373.

79. L. MARIN, *op. cit.*, p. 375.

80. De Thomas REID (1710-1796), chef de file de l'école écossaise du sens commun, cf. *Œuvres complètes*, publiées par Th. Jouffroy, Paris, 6 vol. (V. Masson, puis A. Sautelet) ; et plus particulièrement : *Essai sur les facultés intellectuelles de l'homme*, éd. P.-H. Mabire, Paris, Périsse frères, 1844 ; *Essai sur les facultés actives de l'homme*, éd. P.-H. Mabire, Paris, J. Lecoffre, 1846. Reid concevait le sens commun à la fois comme la faculté commune à tous les hommes de discerner des vérités premières, antérieures à la raison discursive et déductive, et comme l'ensemble de ces vérités, croyances naturelles de tout homme raisonnable, qui assurent notre connaissance et orientent nos actions. Par exemple : croyances à l'existence d'un monde extérieur indépendant de nos perceptions, à l'identité du moi, à l'existence d'autrui, etc., que l'empirisme sceptique (Hume, par excellence)

avait cru pouvoir mettre en doute. Il y aurait donc des « lois fondamentales de croyance » (Dugald Stewart) et des cadres de référence universels. Le sens commun, troisième faculté de l'esprit humain après l'induction et la déduction, loin de s'opposer à la raison entendue comme puissance de raisonner, s'y ajoute pour former avec elle la rationalité humaine. Sur l'école écossaise, en langue française, on se reportera par exemple à : Victor COUSIN, *Philosophie écossaise*, Paris, Librairie nouvelle, 3e éd., 1857 ; Lionel DAURIAC, *Le Réalisme de Reid* (extrait du compte rendu de l'Académie des sciences morales et politiques), Paris, F. Alcan, 1889 ; André-Louis LEROY et Emmanuel LEROUX, *La Philosophie anglaise classique*, Paris, A. Colin, 1951 ; Maxime CHASTAING, « Reid, la philosophie du sens commun et le problème de la connaissance d'autrui », *Revue philosophique*, nos 7-9, 1954, juillet-septembre, p. 352-399 (cf. du même : « Berkeley, défenseur du sens commun et théoricien de la connaissance d'autrui », *Revue philosophique*, nos 4-6, 1953, avril-juin, p. 219-243) ; Évelyne GRIFFIN-COLLART, « L'argumentation et le raisonnable dans une philosophie du sens commun », *Revue internationale de philosophie*, 33e année, 127-128, 1979, p. 202-215 (l'auteur montre en quoi et comment la conception perelmanienne de l'argumentation et du raisonnable rejoint la philosophie écossaise du sens commun) ; E. GRIFFIN-COLLART, *La Philosophie écossaise du sens commun : Thomas Reid et Dugald Stewart*, Bruxelles, 1980 ; Daniel SCHULTHESS, *Philosophie et sens commun chez Thomas Reid*, Berne, P. Lang, 1983 ; ID., « Antoine Arnauld et Thomas Reid, défenseurs des certitudes perceptives communes et critiques des entités représentatives », *Revue internationale de philosophie*, 40e année, 158, 1986, fasc. 3, p. 276-291. On sait que George Edward MOORE (Cambridge) a réactivé la philosophie du sens commun en Grande-Bretagne, notamment par sa conférence vite célèbre, « A Defence of Common Sense », *Contemporary British Philosophy* : Second Series, ed. by J.H. Muirhead, Macmillan, 1925, II, p. 193-223 ; trad. fr. Fr. Armengaud, *in G.E. Moore et la genèse de la philosophie analytique*, Paris, Klincksieck, 1985, p. 135-160 (« Apologie du sens commun »). Pour situer l'intervention de Moore et évaluer son importance, cf. par exemple : J.O. URMSON, *Philosophical Analysis*, Oxford University Press, 1967 (1re éd. 1956), p. 48-49 ; A. MURPHY, « Moore's Defence of Common Sense », *in* P.A. SCHILPP (ed.), *The Philosophy of G.E. Moore*, Northwestern Univ. Press, 1942 ; E.D. KLEMKE, *The Epistemology of G.E. Moore*, Evanston, Northwestern University Press, 1969, p. 13-30 ; A.R. WHITE, « Moore's Appel to Common Sense », *Philosophy*, XXXIII (1958), p. 221-239. On peut lire, en langue française, sur « la vue du monde du sens commun » *(the common-sense view of the world)* selon Moore : A.J. AYER, *Les Grands Domaines de la philosophie* (1973), trad. fr. M. Goutallier, Paris, Seghers, 1976, p. 46 *sq.* ; « Aux origines de la philosophie analytique », *Critique*, août-septembre 1980, 399-400, p. 677 *sq.* (pour plus de précision, cf. A.J. AYER, *Russell and Moore, The Analytical Heritage*, Londres, Macmillan, 1971) ; J. BOUVERESSE, *La Parole malheureuse*, Paris, Éd. de Minuit, 1971, p. 321-323 (Moore et Wittgenstein) ; Fr. ARMENGAUD, « Moore et Wittgenstein ; "Je crois que"/"Je sais que" », *in* H. PARRET (éd.), *De la croyance*, New York, W. de Gruyter, 1983, p. 31-47 ; « Moore et le sens commun. Don Quichotte au secours de Sancho Pança ? », *Revue internationale de philosophie*, 40e année, n° 158, 1986, fasc. 3, p. 304-312 (nous aurons l'occasion de citer certains articles de ce numéro consacré au « Sens commun »). Enfin, le fait n'est nullement négligeable que l'école phénoménologique française, si l'on privilégie le Merleau-Ponty de la *Phénoménologie de la perception*, s'inscrit autant dans la tradition d'un Reid que dans celle d'un Malebranche.

81. Kant distingue, dans la *Critique de la faculté de juger*, entre *Gemeinsinn* (sens commun) et *Gemeiner Verstand* (entendement commun), lequel ne juge pas « d'après le sentiment, mais toujours par concepts » (trad. fr. A. Philonenko, Paris, Vrin, 1965, § 20, p. 78). Plus loin, Kant précise et justifie les termes employés pour caractériser le jugement de goût en tant qu'il « prétend obtenir l'adhésion de tous » (§ 19, p. 77), et partant suppose la possession d'un « principe qui est commun à tous » *(ibid.)*, c'est-à-dire l'existence d'un « sens commun » (cf. § 40, p. 128-129).

82. FÉNELON, *Traité de l'existence et des attributs de Dieu* (1718), *In Œuvres*, Versailles, Lebel, 1720, p. 183 (cité par Chaïm PERELMAN, « Les conceptions concrète et abstraite de la raison et de la justice » [1981], *in Fondements d'une théorie de la justice. Essais critiques sur la philosophie politique de John Rawls* [publié sous la direction de Jean LADRIÈRE et Philippe VAN PARIJS], Louvain-la-Neuve, Éd. de l'Institut supérieur de philosophie, 1984, p. 197-198.)

83. Ch. PERELMAN, art. cité, p. 198.

84. *Ibid.*, p. 205.

85. *Ibid.*, p. 202.

86. Sur l'opposition entre conception objectiviste et conception subjectiviste ou relativiste, et ses implications, cf. notamment : R. RORTY, « Solidarité ou objectivité ? », *Critique*, 439, décembre 1983, p. 923-940 (qui défend une position pragmatiste « ethnocentriste ») ; H. PUTNAM, *Raison, vérité et histoire* (1981), trad. fr. A. Gerschenfeld, Paris, Éd. de Minuit, 1984, p. 8, 239 (qui récuse le dilemme impliqué par la querelle philosophique). Sur les « vérités pragmatiques » dans la perspective conversationnelle ou dialogique de R. Rorty, cf. J. POULAIN, « Richard Rorty ou la boîte blanche de la communication », *Critique*, 417, février 1982, p. 138-139 (excellent exemple de ce que peut être la « philosophie du sens commun » après le « linguistic turn » des années soixante).

87. Cf. Chaïm PERELMAN et L. OLBRECHTS-TYTECA, *Traité de l'argumentation*, Paris, PUF, 1958, t. I, § 7, p. 40-46 ; Ch. PERELMAN, *L'Empire rhétorique*, Paris, Vrin, 1977, p. 30-31 ; *Droit, morale et philosophie*, Paris, LGDJ, 2e éd. revue et augmentée, 1976, p. 202.

88. PERELMAN, *op. cit.*, 1984, p. 202.

89. *Ibid.*, p. 195-198.

90. G.E. MOORE, « A Defence of Common Sense » (1925), trad. fr. Fr. Armengaud : « Apologie du sens commun », *in op. cit.*, Paris, Klincksieck, 1985, p. 136.

91. G.E. MOORE, « Proof of an External World » (1939), *in op. cit.*, p. 195.

92. G.E. MOORE (1925), *in op. cit.*, p. 154.

93. *Ibid.*

94. Cf. Fr. ARMENGAUD, 1985, *op. cit.*, p. 17.

95. L. WITTGENSTEIN, *The Blue and Brown Books*, Oxford, Basic Blackwell, 1958, 2e éd., 1969, p. 58 ; *Le Cahier bleu et le cahier brun*, trad. fr. G. Durand, Paris, Gallimard, 1965, p. 113 (modifiée) ; cf. F. JACQUES, « Sens commun, lieu commun, sens communicable », *Revue internationale de philosophie*, 40e année, n° 158, 1986, fasc. 3, p. 214.

96. Nous ne pouvons ici faire qu'allusion à la théorie du questionnement, la « problématologie », telle que l'a constituée Michel Meyer depuis la fin des années soixante-dix. Cf. M. MEYER, *De la problématologie. Philosophie, science et langage*, Bruxelles, P. Mardaga, 1986.

97. K.R. POPPER, *Objective Knowledge*, 1972, chap. 2, § 12 ; trad. fr. C. Bastyns, *La Connaissance objective*, Bruxelles, Éd. Complexe, 1978, p. 71.

98. Fr. ARMENGAUD, 1985, *op. cit.*, p. 12.

99. L. WITTGENSTEIN, *Über Gewissheit*, trad. fr. J. Fauve : *De la certitude*, Paris, Gallimard, 1976, § 103, p. 50. Sur la défense du sens commun par Moore et Wittgenstein, cf. Fr. ARMENGAUD, *op. cit.*, p. 37-40 ; « Moore et le sens commun. Don Quichotte au secours de Sancho Pança ? », *Revue internationale de philosophie*, 158, 1986, fasc. 3, p. 304-312 ; Alan R. WHITE, « Common sense : Moore and Wittgenstein », *ibid.*, p. 313-330. Pour un rapprochement (un peu hâtif) de Wittgenstein avec G.E. Moore et A. Schutz, cf. J. HABERMAS, *Théorie de l'agir communicationnel* (1981 ; 3e éd. 1985), trad. fr. J.-M. Ferry, Paris, Fayard, 1987, t. I, p. 344.

100. G.E. MOORE, 1925, *in* Fr. ARMENGAUD, *op. cit.*, p. 135.

101. F. JACQUES, art. cité, p. 218.

102. *Ibid.*, p. 209.

103. A.J. AYER, « Aux origines de la philosophie analytique », *Critique*, août-septembre 1980, 399-400, p. 677-678.

104. *Ibid.*, p. 678.

105. Scott ATRAN, « Rendons au sens commun... », *Le Genre humain*, 7-8, 1983, p. 81. A suivre Bertrand Russell, on posera que les verbes « croire », « désirer », « douter », « savoir », « penser », « regretter », « souhaiter », « espérer », etc., sont des verbes d'« attitude propositionnelle » : ils ont typiquement pour objet une phrase introduite par « que », et indiquent l'attitude mentale du sujet envers la proposition exprimée par la phrase objet. Cf. B. RUSSELL, *An Inquiry into Meaning and Truth*, Londres, George Allen and Unwin, 1966 (1re éd. 1940), p. 21, 65, 84, 94, 163-165, 167 *sq.*, 259, 262, 291. W.V.O. QUINE a repris et développé la notion d'« attitude propositionnelle » dans la perspective d'une logique de la croyance : cf. notamment *Word and Object* (1960), trad. fr. Paul Gochet, *Le Mot et la chose*, Paris, Flammarion, 1977, p. 217-225, 275 *sq.*, 294 *sq.*, 299 *sq.* ; *Philosophy of Logic* (1970), trad. fr. Jean Largeault, *La Philosophie de la logique*, Paris, Aubier, 1975, p. 53 *sq.*, 115-117 ; *From a Logical Point of View* (1953), 2e éd. révisée, New York, Harper Torchbooks, 1961, p. 141-144, 147 *sq.* Cf. également J. HINTIKKA, « Semantics for Propositionnal Attitudes », *Models for Modalities*, Dordrecht, Reidel, 1969, p. 87-111. Sur les « verbes propositionnels », cf. Paul GOCHET, *Esquisse d'une théorie nominaliste de la proposition*, Paris, A. Colin, 1972, p. 101 *sq.*, 205 *sq.* Dan SPERBER a proposé une reformulation de la question dans *Le Savoir des anthropologues*, Paris, Hermann, 1982, p. 69 *sq.* (distinction entre représentations propositionnelles et représentations semi-propositionnelles).

106. S. ATRAN, *op. cit.*, p. 82.

107. Cf. Pierre JACOB, « Voit-on ce qu'on croit ? », *Philosophie*, 7, été 1985, p. 58.

108. Cf. J. POULAIN, « Richard Rorty ou la boîte blanche de la communication », art. cité, p. 138-139.

109. S. ATRAN, *op. cit.*, p. 81.

110. *Ibid.*, p. 82.

111. *Ibid.*, p. 94.

112. *Ibid.* Par l'hypothèse anthropo-naturaliste forte, on rompt avec le pragmatisme dialogique de R. Rorty.

113. G. RÓHEIM, *Psychanalyse et anthropologie* (1950), trad. fr. M. Moscovici, Paris, Gallimard, 1967 ; coll. « Tel », 1978, p. 447-448.

114. P. BERGER, Th. LUCKMANN, *The Social Construction of Reality* (1966), trad. fr. P. Taminiaux, Paris, Méridiens Klincksieck, 1986, p. 8.

115. *Ibid.*

116. L'universalisme limité ou relativisé du sens commun, dont nous ne faisons ici qu'indiquer la possibilité, ne doit pas être confondu avec le pluralisme relativiste de type moderne/universaliste, lié au scepticisme vis-à-vis de tout sens donné (traditions, croyances communes, etc.) et à la valorisation exclusive de l'innovatior (sur les conditions sociologiques d'un tel pluralisme : P. BERGER, Th. LUCKMANN, *op. cit.*, p. 170-171). Ces deux variantes de l'universalisme se situent aux antipodes l'une de l'autre : d'une part, une philosophie « douce » de la croyance ; d'autre part, une philosophie « agressive » du doute, du soupçon, avançant par critiques, ruptures, destructions théoriques.

117. John LOCKE, *Essay concerning Human Understanding*, livre IV, chap. III, § 27, éd. Alexander Campbell Fraser, New York, Dover, 1959, (1re éd.), vol. II, p. 219. Cf. les remarques de M. CHASTAING (art. cité [*in* note 80 ci-dessus], 1953, p. 242) : Berkeley, sur la connaissance d'autrui, renoue avec la tradition cartésienne par Arnauld, qu'il rejoint, et, à travers Locke, avec la tradition médiévale ; Reid hérite de ces diverses filiations.

118. Cf. Ludwig VON MISES, *Le Gouvernement omnipotent* (1944), trad. fr. M. de Hulster, Paris, Librairie de Médicis, 1947, p. 211-216.

119. Cf. les textes cités ci-dessus, note 81. Et les commentaires de Herman PARRET, centrés sur l'exigence de « reconnaissance », *in Les Passions. Essai sur la mise en discours de la subjectivité*, Bruxelles, P. Mardaga, 1986, p. 192-193.

120. H. PARRET, *op. cit.*, p. 193.

121. Jean BERNARD, *Le Sang des hommes*, Paris, Buchet/Chastel, 1981, p. 195.

122. Cité par David KRECH et R.S. CRUTCHFIELD, *Théorie et problèmes de psychologie sociale* (New York, 1948), trad. fr. H. Lesage, Paris, PUF, 1952, t. I, p. 3.

123. Th. DOBZHANSKY, « The Myths of Genetic Predestination and of Tabula Rasa », *Perspectives in Biology and Medicine*, hiver 1976, p. 156-170 (cité par L. MARCIL-LACOSTE, *La Thématique contemporaine de l'égalité*, Les Presses de l'université de Montréal, 1984, p. 49).

124. C'est la thèse de Harry M. BRACKEN, qui voit dans l'anthropologie impliquée par l'empirisme de Locke et de Hume l'origine intellectuelle du racisme (« Philosophy and Racism », *Philosophia* [Israël], 8, novembre 1978, p. 241-260 ; cité par L. MARCIL-LACOSTE, *op. cit.*, p. 25-26).

125. L. WITTGENSTEIN, cité par Allan S. JANIK et Stephen E. TOULMIN, *Wittgenstein, Vienne et la modernité* (1973), trad. fr. J. Bernard, Paris, PUF, 1978, p. 218.

126. *Ibid.*.

127. M. MAUSS, « Catégories collectives et catégories pures » (1934), repris *in Œuvres - 2. Représentations collectives et diversité des civilisations*, Paris, Éd. de Minuit, 1974, p. 152.

128. *Ibid.* Cf. l'exposé présenté à la Première semaine internationale de synthèse : « Civilisation. Le mot et l'idée » (Paris, 20-25 mai 1929) : « Il est certain que des perméations inouïes jusqu'à nous s'établissent ; que, les nations et les civilisations subsistant, le nombre de leurs traits communs augmentera, les formes de chacune ressembleront davantage à celles des autres parce que le fond commun s'accroît chaque jour en nombre, en poids et en qualité, s'étend chaque jour davantage avec une progression accélérée. » (« Les civilisations. Éléments et formes », *in Civilisation : le mot et l'idée*, Paris, La Renaissance du Livre, 1930, p. 105 ; repris *in Œuvres - 2*, p. 477.)

129. M. MAUSS, art. cité (1934), *Œuvres - 2*, p. 152.

130. Cf. M. MAUSS, art. cité (1929), *Œuvres - 2*, p. 478 (le rationnel en tant que moyen de communion entre les hommes, et peut-être condition de possibilité de toute communion par-delà la fusion affective). Le « capital raison », qui fait partie de « l'acquis général » des civilisations, en ce qu'il s'accroît, relève du progrès.

131. *Ibid.*

132. M. MAUSS, *in Civilisation : le mot et l'idée, op. cit.*, p. 143 : « La civilisation c'est tout l'acquis humain ; il faut se garder de la définir par rapport à nous seuls. » (*Œuvres - 2*, p. 482.)

133. *Ibid.*, p. 105 (*Œuvres - 2*, p. 478).

134. M. MAUSS (1922), *in Œuvres - 2*, p. 483.

135. Art. cité (1929) *in Œuvres - 2*, p. 478 (1930, p. 106). Mauss ajoute : « Et ce *plus* est évidemment de plus en plus répandu, mieux compris et surtout définitivement retenu par des nombres d'hommes de plus en plus grands. » *(Ibid.)* La communicabilité du « fond commun », s'accroissant en extension et en qualité, définit le noyau du « progrès général ».

136. *Œuvres - 2*, p. 483.

137. Dans sa *Confession* (1879), Tolstoï note : « Le spectacle de l'exécution capitale m'a révélé la fragilité de ma superstition du progrès. En voyant la tête se séparer du corps, en entendant le double choc dans la caisse, je compris, non par la seule raison, mais avec tout mon être, que nulle théorie des fondements du progrès ne pouvait justifier cela. » (Cité *in* Léon TOLSTOÏ, *Socialisme et christianisme. Correspondance Tolstoï-Birioukof*, trad. fr. M. Semenoff, Paris, Grasset, 1957, p. 382 n. 1.) Tolstoï avait, lors de son séjour à Paris, le 6 avril 1857, assisté à une exécution capitale (cf. Lettre du 15 avril 1904, *in op. cit.*, p. 381-382). La protestation morale pure, ce propre de la conscience individuelle, est mise en lumière par la suite de la remarque : « Même si tous les hommes du monde, quelles que soient les théories sur lesquelles ils s'appuyent, trouvaient, depuis la création du monde, que c'est nécessaire, je sais que ce n'est pas nécessaires, que c'est mal. » (Sur ce passage, cf. les belles analyses de Léon CHESTOV, *L'Homme pris au piège*, trad. fr. B. de Schloezer et S. Luneau, Paris, UGE (10/18), 1966, p. 29 *sq.*)

138. Karl POPPER, *Misère de l'historicisme* (1944-1945), trad. fr. H. Rousseau, Paris, Plon, 1956, p. 154.

139. Cf. par exemple l'intervention de Max Weber à la deuxième Conférence des sociologues allemands (1912), citée et trad. par Léon POLIAKOV, « Max Weber et les théories bioraciales du XXe siècle » (Introduction), *Cahiers internationaux de sociologie*, vol. LXI, janvier-juin 1974, p. 117 ; Theodosius DOBZHANSKY, *Heredity and the nature of man*, Londres, 1964, p. 143.

140. Cf. E. LÉVINAS, *Difficile liberté. Essais sur le judaïsme*, 3e éd. revue et corrigée, Paris, A. Michel, 1976, p. 232. Cf. également p. 38 *sq.*, 228, 231.

141. Cf. Dominique PARODI, *Traditionalisme et démocratie*, Paris, A. Colin, 1909, p. 238 (sur l'idée d'une religion universaliste, d'un catholicisme, comme préparation d'une « législation universelle, identique pour tous ses membres ou même pour l'espèce entière »).

142. E. KANT, « Annonce de la proche conclusion d'un traité de paix perpétuelle en philosophie », *op. cit.*, p. 122.

143. E. KANT, *Métaphysique des mœurs. I : Doctrine du droit* (1796), trad. fr. A. Philonenko, Paris, Vrin, 1971, p. 255 : « Ainsi une *constitution juridique* parfaite entre les hommes, c'est la chose en soi elle-même » ; et p. 237-238 : « Nous devons agir comme si la chose qui peut-être ne sera pas devait être. » Philonenko

commente : « Comme si ! *Als ob.* Le vrai discours critique qui place dans les Idées le sens ultime des concepts apparaît au terme de l'ouvrage. » (*Op. cit.*, Introduction, p. 76.)

144. É. WEIL, *Philosophie politique*, Paris, Vrin, 3e éd., 1971, p. 20.

145. J. MARITAIN, *Primauté du spirituel*, Paris, Plon, 1927, p. 152 (autocitation, extraite des Chroniques du *Roseau d'Or*, n° 1, 1925 : *Trois Réformateurs*).

146. Cf. A. PHILONENKO, *La Théorie kantienne de l'histoire*, Paris, Vrin, 1986, p. 174.

147. B. DE SCHLOEZER, « Lecture de Chestov », *in* L. CHESTOV, *La Philosophie de la tragédie*, trad. fr. B. de Schloezer, Paris, Flammarion, 1966, p. 16-17.

148. Cf. A. PHILONENKO, *op. cit.*, 1986, p. 226.

149. M. HORKHEIMER, T.W. ADORNO, *La Dialectique de la raison* (1944), trad. fr. E. Kaufholz, Paris, Gallimard, 1974, Préface à la nouvelle éd. allemande (1969), p. 10.

Chapitre 14

1. PASCAL, *Pensées, op. cit.*, n° 98, p. 374-375.

2. E. KANT, *Métaphysique des mœurs, op. cit.*.

3. J. WAHL, *Traité de métaphysique*, Paris, Payot, 1968, p. 524.

4. E. KANT, *Fondements de la métaphysique des mœurs* (1785), trad. fr. V. Delbos, Paris, Delagrave, 1965, IIe section, p. 150.

5. Cf. Éric WEIL : « Plus exactement : *universabilité*, car l'universalité est une puissance, en puissance, dans tout homme, même le plus primitif... » (*Problèmes kantiens*, 2e éd. revue et augmentée, Paris, Vrin, 1970, p. 33.)

6. Cf. V. DELBOS, *La Philosophie pratique de Kant*, Paris, PUF, 3e éd., 1969, p. 285-286 (1re éd. 1926). Rappelons la loi fondamentale de la raison pure pratique : « Agis de telle sorte que la maxime de ta volonté puisse toujours valoir en même temps comme principe d'une législation universelle. » (KANT, *Critique de la raison pratique* (1788), trad. fr. F. Picavet, Paris, PUF, 2e éd. 1949, p. 30.)

7. KANT, *Fondements..., op. cit.*, p. 148.

8. Cf. V. DELBOS, *op. cit.*, 1969, p. 302.

9. KANT, *Fondements..., op. cit.*, p. 148.

10. *Ibid.* Sur ce point, cf. Gérard LEBRUN, *Kant et la fin de la métaphysique*, Paris, A. Colin, 1970, p. 492 (dont je reprends la traduction).

11. KANT, *op. cit.*, p. 144 (je respecte ici la traduction d'É. Weil) ; cf. les autres passages principaux sur la question dans les *Fondements* : p. 118-119, 120-121, 144. V. GOLDSCHMIDT, renvoyant au texte des *Fondements* (p. 118-119), a fortement marqué la différence entre l'axiologie stoïcienne, qui s'ordonne à l'ontologie qu'elle suppose, et l'axiologie des Modernes qui, « surtout à partir de Kant », tend à conférer aux valeurs une dignité normative, en isolant la « métaphysique des mœurs » de toute anthropologie et de toute physique : *Le Système stoïcien et l'idée de temps*, 2e éd., revue et augmentée, Paris, Vrin, 1969, p. 69. On se souvient d'une parole de Marc-Aurèle : « Monde, je ne veux que ce que tu veux. » (Cf. A. BRIDOUX, *Le Stoïcisme et son influence*, Paris, Vrin, 1966, p. 27.)

12. É. WEIL, *op. cit.*, 1970, p. 150. Alors que le *je pense* et le système formel

de la construction théorique n'est pas une valeur absolue pour tout être raisonnable, ne concernant « que la constitution particulière d'un entendement dont le rôle est d'unifier un divers qui n'émane point de sa spontanéité », la loi morale est, au contraire, valable « non seulement pour l'homme, mais pour tout être raisonnable et même pour Dieu » (Pierre LACHIÈZE-REY, *L'Idéalisme kantien*, 2e éd., Paris, Vrin, 1950, p. 198). C'est cet éloignement du monde des hommes réels qui engage, plutôt qu'à reprocher à l'éthique formelle son universalité abstraite ou son « anti-humanisme », à considérer qu'elle ne peut s'accomplir que dans l'ordre du juridico-politique, qui seul lui permet de se donner une concrétion, de rejoindre les hommes réellement vivants.

13. Kant distingue clairement le sujet raisonnable comme noumène et le sujet humain empirique comme phénomène. Cf. *Critique de la faculté de juger* (1790), Introduction, IX, trad. fr. A. Philonenko, Paris, Vrin, 1965, p. 41, n. 1 (cf. également : *Fondements...*, p. 199-200, 208). Sur la double autoreprésentation (ou la double « nature ») de l'homme, qui est à la fois *phaenomenon* et *noumenon*, doté d'une existence sensible *et* intelligible, cf. V. DELBOS, *op. cit.*, p. 315 *sq.* ; G. MARTIN, *Science moderne et ontologie traditionnelle chez Kant* (1951), trad. fr. J.-Cl. Piguet, Paris, PUF, 1963, p. 207 *sq.* (la solution kantienne, présentée comme « purement aporétique », est confrontée aux principales solutions philosophiques traditionnelles : platonicienne, aristotélicienne, nominaliste).

14. Daniel CHRISTOFF, *Le Temps et les valeurs*, Neuchâtel, Éd. de la Baconnière, 1945, p. 66-67. Dans le même sens, cf. Jean-François LYOTARD et Jacob ROGOZINSKI, « La police de la pensée », *L'Autre Journal*, décembre 1985, p. 32-33, dont il est difficile de ne pas suivre l'interprétation, au moins jusqu'au point où la lecture rigoureuse des textes kantiens laisse place à une reconstruction de style néo-nietzschéen d'une pensée qui penserait par là l'humain et le « trop humain ». Citons ici l'essentiel de la mise au point, jusqu'à son dérapage provoqué par la volonté polémique de trop prouver. Selon L. Ferry et A. Renaut, les droits de l'homme « exigeraient [...] d'être fondés sur une Idée de l'Homme, du Sujet libre et autonome : sur cet "humanisme non métaphysique" que nos censeurs croient trouver chez Kant et Fichte. [...] devant tant de présomption, l'analyse serait nécessaire. [...] Lorsque celui-ci [Kant] se propose de situer le principe du devoir moral, il souligne qu'"il est de la plus haute importance" de ne pas chercher à "dériver la réalité de ce principe de la constitution particulière de la nature humaine" [*Fondements, op. cit.*, p. 144]. [...] Kant y revient sans cesse, "l'Homme" n'est pas le destinataire de l'impératif catégorique : ce dernier s'adresse à tous les "êtres raisonnables finis". Comme principe pur de la raison pratique, la Loi morale est, au sens strict, *inhumaine*. Ce que nous prescrit l'impératif, c'est de transcender notre "humanité" empirique, et ce que Kant nomme une "volonté pathologiquement affectée" [...]. Ce qu'il y a d'"humain" dans l'Homme, ce serait cet écart, cette torsion fautive qui nous détourne de la Loi. Être un homme, c'est être en tort : tout humanisme est pathologique [...]. La pensée de Kant n'est pas un "humanisme" (ni un "rationalisme", d'ailleurs). Elle n'est pas davantage un "anti-humanisme" [...] parce que la neutralisation de toute donnée anthropologique est requise pour conférer leur sens aux droits de l'homme. Dans la perspective de Kant, ce qui *donne droit* aux droits de l'homme, ce qui garantit leur caractère universel, inconditionné — qui fait défaut aux « droits » et aux privilèges des communautés empiriques — c'est leur déduction à partir de l'impératif éthique, comme mode de donation "extérieur" de la Loi. Afin de légitimer les droits de l'homme, il aura fallu dégager l'instance in-humaine de la Loi, *faire son droit à l'inhumain*. De ce

point de vue, l'Homme n'est jamais, pour Kant, le pur sujet du Droit. » Cette longue citation montre l'insensibilité des auteurs à l'ambiguïté des textes kantiens sur les rapports entre principes de la moralité et anthropologie : s'il est indéniable qu'un certain humanisme empirique ou « pathologique » est récusé par Kant, un « inhumanisme » ou un « sur-humanisme » ne semble pas moins exclu. Car, de la classe des purs êtres raisonnables, nous ne connaissons que les êtres raisonnables terrestres, et c'est bien en eux, en leur personne, que « l'humanité » doit être respectée absolument, ce qui fonde la dignité de la personne, et un « personnalisme » métempirique. La hâte polémique des anti-néo-kantiens est mise en lumière par leur appréciation surprenante — car strictement injustifiée, sauf à faire intervenir l'amitié ou la solidarité institutionnelle — de la compréhension du kantisme par J. Derrida. Après avoir renvoyé à une note du texte de la conférence sur « les fins de l'homme » (1968, reprise *in Marges*, Paris, Éd. de Minuit, 1979, p. 120-164 ; note 11, p. 144-146), dans laquelle J. Derrida se contente pour l'essentiel de citer les principaux passages des *Fondements* sur la question du statut de l'homme par rapport à la fin en soi comme principe inconditionné de la moralité, J.-F. Lyotard et J. Rogozinski croient pouvoir ajouter : « Cette brève note suffirait à prouver que Derrida a mieux compris Kant que des générations d'humanistes néo-kantiens. » (Art. cité, p. 32, n. 6.) Mais ce n'est pas chez les précieux spéculatifs contemporains que l'on trouvera la compréhension la plus profonde de la pensée kantienne enveloppée par la critique la plus aiguë de ce qu'il conviendrait de nommer son « philonomisme », symétrique inverse de l'« antinomisme » d'Emerson, critique liée au dévoilement de son attitude métaphysique première : la soumission, l'obéissance à la loi. Dans l'une de ses plus belles méditations, « La lutte contre les évidences (Dostoïevsky) », Léon CHESTOV notait : « Dès que Kant entend prononcer le mot "loi", il enlève son chapeau : il n'ose et ne veut discuter. Qui dit "lois", dit "pouvoir" ; qui dit "pouvoir", dit "soumission", car la vertu suprême de l'homme est la soumission. Mais ce n'est évidemment pas l'individu vivant qui dicte ses lois à la nature. Cet individu appartient lui-même à la nature et doit donc se soumettre. Le pouvoir suprême, ultime, définitif appartient à l'"homme en général", c'est-à-dire à un principe aussi distant de l'individu vivant que de la nature inanimée. Autrement dit : le principe, la règle, la loi règnent sur toutes choses. La pensée de Kant aurait pu être exprimée ainsi, d'une façon plus adéquate, mais aussi moins frappante : ce n'est ni la nature, ni l'homme qui dicte les lois, mais les lois sont dictées à l'homme, à la nature, par les lois mêmes. Autrement dit : au commencement fut la loi. [...] Kant n'a pas inventé cela lui-même ; il a simplement formulé plus clairement les tendances de la pensée scientifique. Les chœurs d'esprits libres, invisibles, capricieux, individuels dont la mythologie avait peuplé le monde furent détrônés par la science et remplacés par d'autres fantômes, par des principes immuables, et ceci fut proclamé comme la défaite des antiques superstitions. Telle est l'essence de l'idéalisme ; voilà ce que la pensée contemporaine considère comme son plus beau triomphe. » (*Les Révélations de la mort* (1922), trad. fr. B. de Schloezer, Paris, Plon, 1958, p. 33-35.)

15. E. KANT, *Fondements..., op. cit.*, p. 149. Pour les citations suivantes, *ibid.*, p. 149, 150, 149.

16. *Ibid.*, p. 158 ; plus précisément, un être raisonnable « ne doit *jamais* se traiter soi-même et traiter tous les autres *simplement comme des moyens*, mais toujours en *même temps comme des fins en soi* ». Ce qui ménage la possibilité d'une vie économique et sociale, laquelle implique que les êtres raisonnables puissent se traiter *aussi* les uns les autres comme des moyens.

17. *Ibid.*, p. 157.

18. *Ibid.*

19. Sur la rationalité instrumentale, utilitaire et téléologique (la *Zweckrationalität* de Max Weber) et ses limites, cf. la pénétrante étude d'Ernest GELLNER, « L'animal qui évite les gaffes, ou un faisceau d'hypothèses », *in* P. BIRNBAUM et J. LECA (éd.), *Sur l'individualisme*, Paris, Presses de la Fondation nationale des sciences politiques, 1986, p. 27-44. Dans cette perspective, « une conduite est rationnelle si elle permet d'atteindre un but spécifique donné avec une efficacité optimale » (*op. cit.*, p. 27). Cf. également R. BOUDON, *L'Idéologie ou l'origine des idées reçues*, Paris, Fayard, 1986, p. 24-25, 294-295 n. 14.

20. Cf. D. CHRISTOFF, *op. cit.*, 1945, p. 66.

21. *Ibid.*, p. 67.

22. V. DELBOS, « La morale de Kant », *in* E. KANT, *Fondements..., op. cit.*, p. 47.

23. KANT, *Fondements..., op. cit.*, p. 158.

24. *Ibid.*

25. V. DELBOS, art. cité, *in Fondements..., op. cit.*, p. 47 ; *op. cit.*, 1969, p. 307.

26. KANT, *Fondements..., op. cit.*, p. 160.

27. V. DELBOS voit dans cette distinction une « réminiscence du stoïcisme, appropriée par Kant à sa doctrine » (*op. cit.*, p. 160 n. 148), et renvoie à SÉNÈQUE, *Lettres à Lucilius*, 71, 33, où est introduite la différence entre le prix *(pretium)* et la dignité *(dignitas)*. Notons au passage, après E. Bréhier, qu'il n'existe dans la philosophie antique « qu'une seule "théorie des valeurs" présentée expressément comme telle, c'est la théorie stoïcienne (nous traduisons par "valeur" le mot ἀξία que Cicéron rendait par *aestimatio*) ». (« Sur une théorie des valeurs dans la philosophie antique », *in Actes du III*[e] *Congrès des Sociétés de philosophie de langue française*, « Les valeurs » [Bruxelles-Louvain, 2-6 septembre 1947], Paris-Louvain, Vrin-Nauwelaerts, s.d., p. 229.)

28. KANT, *Fondements..., op. cit.*, p. 159-160. Pour les citations suivantes, *ibid.*, p. 160.

29. *Ibid.*. Il s'agit bien entendu de la satisfaction engendrée par le jeu libre et désintéressé des facultés : plaisir désintéressé dans la contemplation du beau.

30. *Ibid.*

31. *Ibid.*

32. *Ibid.*, p. 160-161 ; cf. KANT, *Anthropologie du point de vue pragmatique* (1798), trad. fr. M. Foucault, 2e éd., Paris, Vrin, 1970, p. 140.

33. V. DELBOS, *op. cit.*, 1969, p. 308.

34. KANT, *Fondements..., op. cit.*, p. 160. Pour les citations suivantes : *ibid.*, p. 88, 89, 160, 161, 162.

35. J. WAHL, *Traité de métaphysique*, 2e éd., Paris, Payot, 1968, p. 513.

36. *Ibid.*, p. 513-514.

37. *Ibid.*, p. 514.

38. V. DELBOS, *op. cit.*, 1969, p. 308 (qui renvoie [p. 308 n. 3] à Herman COHEN, *Ethik des reinen Willens*, Berlin, 1904, p. 302-306).

39. KANT, *Métaphysique des mœurs*, II : *Doctrine de la vertu* (1797), trad. fr. A. Philonenko, Paris, Vrin, 1968, p. 56.

40. Et non pas d'« exiger la perfection des *autres* », comme l'interprète à tort Lucien GOLDMANN, *Introduction à la philosophie de Kant* (1948), 2e éd., Paris, Gallimard, 1967, p. 236.

41. E. Lévinas, « Judaïsme et révolution », Colloque des intellectuels juifs de langue française, Paris, 1969 ; repris *in Du sacré au saint. Cinq nouvelles lectures talmudiques*, Paris, Éd. de Minuit, 1977, p. 19. Sur ce texte important, cf. J. Halperin, « Liberté et Responsabilité », *in Textes pour Emmanuel Lévinas* (F. Laruelle éd.), Paris, Jean-Michel Place, 1980, p. 67.

42. *Ibid.*

43. *Ibid.*

44. Cf. E. Lévinas, *Totalité et infini. Essai sur l'extériorité*, La Haye, M. Nijhoff, 1961, p. 189 ; *Autrement qu'être, ou au-delà de l'essence*, La Haye, M. Nijhoff, 1974, p. 115-116.

45. E. Lévinas, *Éthique et infini*, Paris, Fayard/Radio-France, 1982, p. 91-92.

46. E. Lévinas, *op. cit.*, 1977, p. 20. Cf. E. Lévinas, *Noms propres*, Montpellier, Fata Morgana, 1976, p. 53 : « Je n'ai jamais pensé que l'acte mécanique de nourrir et d'habiller constitue par lui-même le fait de la rencontre entre Je et Tu. » (Lettre du 11 mars 1963 à Martin Buber.)

47. Cf. V. Jankélévitch, *Le Je-ne-sais-quoi et le Presque-rien*, Paris, 2e éd. augmentée et remaniée, Le Seuil, 1980, vol. II, p. 193, 210 : « La manière est tout. » Sur ce point, cf. P.-A. Taguieff, « Vladimir Jankélévitch : les apories de l'éthique et la musique de la métaphysique », *Cahiers Bernard-Lazare*, n° 113, octobre-décembre 1985, p. 81 *sq.*

48. E. Lévinas, *Noms propres, op. cit.*, p. 47 (« Martin Buber et la théorie de la connaissance », rédigé en 1958). Une philosophie du dialogue, comme telle, suppose une relativisation de l'*ego*, de sa position souveraine, voire une décentration du sujet. En posant la relation interlocutive comme transcendantale, Francis Jacques rejoint la pensée lévinassienne du primat absolu d'autrui. Mais en un sens seulement, car l'accent est mis sur la corrélation du *je* et du *tu*, sur la relation d'interlocution plutôt que sur autrui comme tel. Le présupposé commun est néanmoins la reconnaissance d'autrui dans la situation dialogique, où l'allocutaire reçoit le statut de *personne* en même temps qu'un statut *personnel* : s'instaure ainsi une « *dissymétrie sans privilège* décisif entre les personnes » (F. Jacques, « Les conditions dialogiques de la référence », *Les Études philosophiques*, n° 3, juillet-septembre 1977, p. 287). Cette philosophie dialogique a été développée par F. Jacques dans deux importants ouvrages : *Dialogiques. Recherches logiques sur le dialogue*, Paris, PUF, 1979, 423 p. ; *L'Espace logique de l'interlocution. Dialogiques II*, Paris, PUF, 1985, 640 p.

49. E. Lévinas, *op. cit.*, p. 46. Pour les citations suivantes, *ibid.*, p. 47, 48.

50. *Ibid.* Jacques Rolland, l'un des plus sûrs commentateurs d'E. Lévinas, insiste à juste titre sur la centralité de la mise en question du Moi par l'Autre qui s'accomplit dans et comme « l'éclatement du système à partir d'Autrui » (*Noms propres, op. cit.*, p. 107) : cf. J. Rolland, « Penser au-delà (notes de lecture) », *in Exercices de la patience*, n° 1, 1980 : *Lévinas*, p. 12-14.

51. E. Lévinas, *Noms propres, op. cit.*, p. 53.

52. *Ibid.*

53. *Ibid.*, p. 107 (« Existence et éthique », paru en allemand en 1963). Pour les citations suivantes, *ibid.*

54. E. Lévinas, « La trace de l'autre » (1963), repris *in En découvrant l'existence avec Husserl et Heidegger*, 2e éd. augmentée, Paris, Vrin, 1967, p. 196 ; cf. également *Noms propres, op. cit.*, p. 107-108.

55. *Noms propres, op. cit.*, p. 108.

56. *Ibid.*

57. *En découvrant l'existence..., op. cit.*, p. 196.

58. E. Lévinas, « Un Dieu homme ? » (avril 1968, conférence prononcée à Paris lors de la Semaine des intellectuels catholiques), *in Exercices de la patience*, 1, 1980, p. 72. Pour les citations suivantes, *ibid.*

59. E. Lévinas, *Difficile liberté. Essais sur le judaïsme*, 3e éd. revue et corrigée, Paris, A. Michel, 1976, p. 39. Pour les citations suivantes, *ibid.*, p. 23, 38-39, 39, 231 (et p. 216), 373.

60. A. Finkielkraut, « L'esprit et les racines », *in L'Identité française*, Paris, Éd. Tierce, 1985, p. 41.

61. R. Bultmann, « L'idée de Dieu et l'homme moderne » (1963), trad. fr. André Malet, *in* A. Malet, *Bultmann et la mort de Dieu*, Paris, Seghers, 1968, p. 185. Pour les citations suivantes, *ibid.*, p. 185, 186-187.

62. M. Scheler, *La Situation de l'homme dans le monde* (1927), trad. fr. M. Dupuy, Paris, Aubier, 1951, p. 75.

63. *Ibid.*, p. 85.

64. *Ibid.*, p. 87-88. La « théorie classique » est fondée sur la thèse que « l'idée a *par elle-même* de la puissance, [qu'] elle possède originairement force, activité et capacité d'agir » (p. 82). Et Scheler précise que ladite théorie classique « domine *presque toute la philosophie occidentale* » *(ibid.)*. On ne peut manquer de rapprocher la critique schelérienne de la position spinoziste sur la fiction idéaliste d'une « volonté libre ». Chez Spinoza, les êtres finis étant déterminés par des causes étrangères dans leur existence et leur agir, leur volonté ne peut être appelée une cause libre. Cf. Spinoza, *Éthique*, I, prop. 32, corollaire II, qui tire les conséquences de la prop. 32 (la volonté ne peut être dite une cause libre, mais seulement une cause nécessaire) relativement à Dieu. Sur ce point, cf. M. Guéroult, *Spinoza, I : Dieu (Éthique, I)*, Paris, Aubier-Montaigne, 1968, p. 365 : dire que Dieu agit par la liberté de sa volonté est une absurdité car Dieu ne saurait « créer » l'univers par sa volonté *libre*, puisque aucune volonté n'est libre ; et il ne saurait le créer par *sa volonté*, puisque celle-ci appartient à la sphère des choses créées. Il s'ensuit que les hommes qui croient agir par libre décret de l'âme « rêvent les yeux ouverts ».

65. M. Scheler, *op. cit.*, p. 87.

66. *Ibid.* Une telle perspective n'exclut nullement la possibilité d'un accroissement du « pouvoir de la raison » dans l'histoire : mais cet accroissement n'est pas dû à une énergie propre de la raison, il est rendu possible par « l'*assimilation croissante* » des idées et valeurs par les intérêts et les passions. Pour les citations suivantes, *ibid.*, p. 81, 88, 81, 88.

67. *Ibid.*, p. 105-106. Cette interprétation du spinozisme est bien entendu contestable, mais néanmoins fondée dans le texte de l'*Éthique* (cf. livre IV, prop. 1-4, 14 (Dém.), 15 ; livre V, préf.). La position spinoziste est qu'il est inutile de s'insurger contre les passions, car l'on ne peut faire que l'homme, étant une partie de la nature, n'ait pas de passions. Il ne suffit pas de nier la puissance des passions pour s'en affranchir : les passions ne sont nullement détruites par la naïve prétention des esprits qui, par ignorance des causes, se croient libres. Il y a donc une « vérité » des passions, et une irréductibilité de la servitude humaine (à suivre le seul livre IV de l'*Éthique*). Sur cette question, L. Brunschvicg a dit en quelques mots l'essentiel : « Pour que la connaissance vraie du bien et du mal puisse agir sur nos passions, il faut qu'elle se tourne elle-même en passion, qu'elle devienne une passion plus forte, capable par suite de les modérer et de les réprimer [*Éth.* IV, 1, sch.]. A ce prix seulement, la vérité triomphera de nos passions ; mais ce n'est pas de la connaissance du premier genre que sortira jamais un pareil triomphe. »

(*Spinoza et ses contemporains*, Paris, PUF, 4e éd., 1951, p. 91.) Sur cette argumentation spinoziste, cf. ALAIN, *Spinoza* (1949), Paris Gallimard, 1968, p. 125-126 ; V. DELBOS, *Le Spinozisme*, Paris, Société française d'imprimerie et de librairie, 1916, rééd., Paris, Vrin, 1968, p. 137 *sq.* ; F. ALQUIÉ, *Servitude et liberté selon Spinoza*, Paris, CDU, 1969, p. 45 *sq.* ; A. MATHERON, *Individu et communauté chez Spinoza*, Paris, Éd. de Minuit, 1969, p. 223 *sq.* (chap. VI : « L'impuissance relative de la raison »).

68. M. SCHELER, *op. cit.*, p. 88.

69. *Ibid.*

70. Max SCHELER, *Die Idee des Friedens und der Pazifismus* (1927), trad. fr. R. Tantonnet, *L'Idée de paix et le pacifisme*, Paris, Aubier, 1953, p. 140 (cf. également : *Der Formalismus in der Ethik und die materiale Wertethik* (1913), Halle, Niemeyer, 3e éd., 1927, p. 513).

71. C. KINTZLER, *Condorcet. L'instruction publique et la naissance du citoyen*, Paris, Le Sycomore, 1984 (2e éd., coll. « Folio/Essais », 1987).

72. Guy PLANTY-BONJOUR, « Le droit naturel selon Aristote », *Les Études philosophiques*, 2, avril-juin 1986, p. 153.

73. Jacques D'HONDT, « Le refus des droits de l'homme », *Les Études philosophiques*, 2, avril-juin 1986, p. 217.

74. *Ibid.*

75. *Ibid.*

76. Cf. C. BOUGLÉ, « Le citoyen moderne », *in Du sage antique au citoyen moderne*, Paris, A. Colin, 1921, p. 215.

77. Wolfgang HUBER, « Les droits de l'homme. Un concept et son histoire », *Concilium*, 144, avril 1979, p. 24-25.

78. Nicolas BERDIAEFF, *Cinq méditations sur l'existence*, trad. fr. I. Vildé-Lot, Paris, Éd. Montaigne, 1936, p. 199.

79. Cf. Michel VILLEY, « Polémique sur les "droits de l'homme" », *Les Études philosophiques*, 2, avril-juin 1986, p. 199. M. Villey reconnaît néanmoins aux diverses « Déclarations des droits de l'homme » la valeur d'une « arme défensive » (*Le Droit et les droits de l'homme*, Paris, PUF, 1983, p. 9).

80. La « religion des droits de l'homme » exige, comme telle, un médiateur pour l'obtention du salut : les organisations spécialisées dans la défense des droits de l'homme se présentent comme des médiateurs obligés. Rappelons, après Berdiaeff, que Plotin était hostile à la religion précisément du fait de cette exigence de médiateurs légitimes qu'elle impliquait selon lui, à la différence de la sagesse philosophique, qui obtient le salut sans médiation (N. BERDIAEFF, *op. cit.*, p. 13).

81. M. VILLEY, art. cité, 1986, p. 191-192 ; « Correspondance », *Droits*, 2, 1985, p. 35.

82. Cf. Catherine KINTZLER, *op. cit.*, 1984, p. 249-250. Sur l'utopie contemporaine d'une religion universelle qui rassemblerait sans exclure, c'est-à-dire sur l'idée d'une communauté de fidèles sans infidèles, telle que la suggère l'éthique des droits de l'homme, cf. P.-A. TAGUIEFF : « Une religion douce », *Légende du siècle*, 19 mai 1987, n° 3, p. 1-2.

83. M. VILLEY, art. cité, 1986, p. 199.

84. *Ibid.* ; art. cité, 1985, p. 39-40.

85. Jan PATOČKA, *Essais hérétiques sur la philosophie de l'histoire* (1975), trad. fr. E. Abrams, Lagrasse, Éd. Verdier, 1981, p. 123.

86. *Ibid.*

87. *Ibid.*

88. Jean-Pierre DECONCHY, « Psychologie sociale expérimentale et exégèse biblique », *Recherches de psychologie sociale*, 1982, 4e année, p. 116 (à propos de Robert P. CARROLL, *When Prophecy Failed. Cognitive Dissonance in the Prophetic Traditions of the Old Testament*, New York, The Seabury Press, 1979).

89. *Ibid.*

90. *Ibid.* La théorie de la dissonance cognitive supposant que la situation de dissonance, étant psychologiquement intenable du fait que les divers éléments du champ ne concordent (ou ne s'accordent) plus entre eux, implique la visée du rétablissement d'une consonance (réduction de la dissonance), c'est-à-dire un effort pour faire, d'une façon ou d'une autre, mieux s'accorder lesdits éléments. Cf. L. FESTINGER et E. ARONSON, « Éveil et réduction de la dissonance dans des contextes sociaux » (1960), *in Psychologie sociale. Textes fondamentaux anglais et américains*, choisis, présentés et traduits par A. Lévy, Paris, Dunod, 1965, t. I, p. 193-211 ; et le bon exposé d'ensemble de J.-P. POITOU, *La Dissonance cognitive*, Paris, A. Colin, 1974.

Chapitre 15

1. T.W. ADORNO, *Minima Moralia*, trad. fr., Paris, Payot, 1980, p. 130-131.

2. Michael IGNATIEFF, *La Liberté d'être humain. Essai sur le désir et le besoin*, trad. fr. M. Sissung, Paris, La Découverte, 1986, p. 9-10 (1re éd., Londres, 1984).

3. Paul RICŒUR, « Éthique et politique » (1983), *in* P. RICŒUR, *Du texte à l'action*, Paris, Le Seuil, 1986, p. 406.

4. La redécouverte vient des travaux historiographiques illustrés par le beau livre de Claude NICOLET, *L'Idée républicaine en France. Essai d'histoire critique*, Paris, Gallimard, 1982. Le débat s'est ensuite déplacé et développé sur le terrain de la philosophie politique, ponctué notamment par les études critiques de Philippe RAYNAUD (« Destin de l'idéologie républicaine », *Esprit*, décembre 1983, p. 27-39) et de Joël ROMAN, (« L'idée républicaine », *Intervention*, n° 7, novembre-décembre 1983/janvier 1984, p. 59-64).

5. L'initiateur de la redécouverte des philosophies politico-juridiques de Kant et Fichte est en France Alexis PHILONENKO : cf. *La Liberté humaine dans la philosophie de Fichte*, Paris, Vrin, 1966 (2e éd. revue et augmentée, 1980) ; *Théorie et praxis dans la pensée morale et politique de Kant et de Fichte en 1793*, Paris, Vrin, 1968. Dans les années soixante-dix, le Collège de philosophie, autour de Luc Ferry et Alain Renaut, a permis la constitution en école du courant initié par A. Philonenko : cf. L. FERRY, A. RENAUT, « D'un retour à Kant », *Ornicar*, nos 20-21, été 1980, p. 191-205.

6. Luc FERRY, Alain RENAUT, *Philosophie politique. 3. Des droits de l'homme à l'idée républicaine*, Paris, PUF, 1985, p. 174-181.

7. Shmuel TRIGANO, *La République et les Juifs après Copernic*, Paris, Les Presses d'Aujourd'hui, 1982, p. 245.

8. S. Trigano lui-même reconnaît l'importance de la distinction : « C'est le simulacre de l'universel qui s'effondre, non l'universel... » (*Op. cit.*, p. 263.) Mais il ne fournit guère les moyens philosophiques de penser l'universel recherché qui ne serait pas du simulacre d'universalité.

9. Jeanne HERSCH, *Idéologies et réalité. Essai d'orientation politique*, Paris, Plon, 1956, p. 61.

10. Jacques ELLUL, *Trahison de l'Occident*, Paris, Calmann-Lévy, 1975, p. 142-144.

11. Robert Brasillach, *Les Sept Couleurs*, Paris, Plon, 1970, p. 162-164 (1re éd. 1939). André Reszler n'a pas manqué de relever la centralité de la mythologie composite du pur, de l'unitaire et de l'homogène dans l'idéologie nazie : cf. *Mythes politiques modernes*, Paris, PUF, 1981, p. 149-151. Sur les relations entre « confusionnisme », « maximalisme », « purisme » et violence, cf. les belles analyses de V. Jankélévitch, *Le Pur et l'Impur*, Paris, Flammarion, 1978, coll. « Champs », p. 164 *sq.* (1re éd. 1960).

12. Sur la confusion contemporaine des deux concepts de communauté et de société, cf. Annie Kriegel, « Une communauté à double foyer » (1979), *in Réflexion sur les questions juives*, Paris, Hachette, coll. « Pluriel », 1984, p. 128-136.

13. Nous présupposons qu'« il ne peut pas y avoir de société qui ne *soit* pas quelque chose pour elle-même ; qui ne se *représente* pas *comme* étant quelque chose », que nulle société ne peut se passer d'une *autoreprésentation* sans entrer en « crise », sans qu'il y ait « crise des significations imaginaires sociales » (Cornelius Castoriadis, « La crise des sociétés occidentales », *Politique internationale*, n° 15, printemps 1982, p. 131-147).

14. Cf. A. Kriegel, *op. cit.*, p. 633 : « Tout homme, tout groupe humain ne saurait atteindre à l'universel, au général, bref à l'humain dans sa plénitude, que par le détour de ce qui le fait singulier et unique. Nul n'est capable, sans médiation, d'être tout à fait au monde : cette médiation, c'est pour moi le judaïsme. »

15. De récents textes du GRECE marquent une tentative d'intégration de l'idée de communauté organique dans le concept de démocratie, impliquant la distinction entre démocratie libérale et démocratie organique. Cf. Alain de Benoist, « Vers une démocratie organique », *Éléments*, hiver 1985, n° 52, p. 33-35. La démocratie comme pouvoir du peuple suppose ici l'existence d'une collectivité organique, d'une « communauté nationale et populaire » ou d'une « communauté des citoyens » formellement opposée à l'entité non organique qu'est la « société » (A. de Benoist, « Huit thèses sur la démocratie », *Éléments*, n° 52, p. 36). La « démocratie organique serait fondée « en référence au *peuple* conçu comme un organisme collectif et comme l'acteur privilégié de toute destinée historique. » (Art. cité, p. 35.)

16. Sur l'idée de « démocratie culturelle », cf. Henri Giordan, *Démocratie culturelle et droit à la différence*, Paris, La Documentation française, 1982. Une telle présentation historique et politique de la démocratie culturelle requiert d'être repensée philosophiquement. C'est l'une des tâches théoriques que nous nous proposons dans le prolongement de la présente étude.

17. A. Lalande, « Valeur indirecte de la différence » (*Revue philosophique*, avril 1955), *in* A. Lalande, *La Raison et les normes. Essai sur le principe et la logique des jugements de valeur*, 2e éd. révisée et augmentée, Paris, Hachette, 1963, p. 235-260.

18. Au sens précis donné à cette expression par G. Canguilhem, à propos notamment de l'évolutionnisme spencérien qui, fondé sur la loi de différenciation, est strictement renversé dans la philosophie « involutionniste » de Lalande, fondée sur la loi d'assimilation : « Les idéologies scientifiques seraient plutôt des idéologies de philosophes, des discours à prétention scientifique. » (*Idéologie et rationalité dans l'histoire des sciences de la vie*, Paris, Vrin, 1977, p. 44.)

19. A. Lalande, *La Raison et les normes*, p. 236. Pour les citations suivantes, *ibid.*, p. 237, 243, 245, 256, 259.

20. M. Horkheimer, « Esprit juif et esprit allemand », *Esprit*, mai 1979, 5,

p. 26 (extraits de la postface à : T. KOCH, *Porträts zur deutschjüdischen Geistesgeschichte*, Verlag M. Dumont Schanberg, Köln, 1961 ; trad. fr. J.-L. Schlegel).

21. Cf. A. PHILONENKO : « Il faut un néo-kantisme qui ne soit pas un retour à Kant... (*L'Œuvre de Kant*, Paris, Vrin, 1972, t. II, p. 273). A considérer leur autoprésentation philosophique (« retour à »), on peut se demander si L. Ferry et A. Renaut ne sont pas restés à mi-chemin d'un tel programme.

22. E. KANT, « Sur l'expression courante : il se peut que ce soit juste en théorie, mais en pratique, cela ne vaut rien » (1793), trad. fr. L. Guillermit, Paris, Vrin, 1967, p. 29.

23. E. KANT, *Idée d'une histoire universelle au point de vue cosmopolite* (1784), *in La Philosophie de l'histoire*, trad. fr. S. Piobetta, Paris, Aubier, 1947, p. 70 ; et les commentaires de C.J. FRIEDRICH, « L'Essai sur la paix. Sa position centrale dans la philosophie politique de Kant », *in La Philosophie politique de Kant*, Paris, PUF, 1962, p. 141-142.

24. É. WEIL, *Problèmes kantiens, op. cit.*, p. 135.

25. C.J. FRIEDRICH, *op. cit.*, p. 161.

26. E. KANT, *Projet de paix perpétuelle* (1795), trad. fr. J. Gibelin, Paris, Vrin, 1948, 2e section, premier article définitif pour la paix perpétuelle, p. 15 : « Dans tout État la constitution civile doit être républicaine. » Kant appelle républicaine la « constitution qui sert de base à tous les genres de constitutions civiles » (p. 16), et « est issue de la source pure qu'est la notion de droit » *(ibid.)*. En d'autres termes, le caractère républicain ne s'applique pas à telle ou telle forme de l'État — selon la forme de domination : autocratique, aristocratique, démocratique : souveraineté du prince, de la noblesse, du peuple (*Projet*, p. 18). Est républicain tout État qui fonctionne bien (*Métaphysique des mœurs*, I : *Doctrine du droit*, trad. fr. A Philonenko, Paris, Vrin, 1971, p. 222), qui manifeste de la sagesse dans son administration *(ibid.)*. Car les formes d'un État ne sont que « la *lettre (littera)* de la législation originaire dans l'état civil » (*ibid.*, p. 223). Aussi faut-il se garder de confondre la constitution républicaine avec la constitution démocratique (*Projet*, p. 18). Plus précisément, selon le mode adopté par le souverain pour gouverner le peuple (la forme de gouvernement), l'État est soit républicain soit despotique : « Le *républicanisme* est le principe politique qui admet la séparation du pouvoir exécutif (gouvernement) et du pouvoir législatif ; le despotisme exécute de sa propre autorité les lois qu'il a édictées lui-même, c'est donc la volonté générale en tant qu'exercée par le souverain comme sa volonté privée. — Parmi ces trois formes d'État, la forme *démocratique* [...] est nécessairement *despotique*, parce qu'elle fonde un pouvoir exécutif, où tous prononcent sur un seul et en tous cas contre un seul. » (*Projet*, p. 19.) Ce qui est sûr, c'est que « l'état de paix entre les hommes vivant côte à côte n'est pas un état de nature *(status naturalis)* ; celui-ci est bien plutôt un état de guerre... Cet état de paix doit donc être *institué* » (*op. cit.*, p. 13) : l'opposition à Rousseau est sur ce point sans équivoque (cf. A. PHILONENKO, *Théorie et praxis dans la pensée morale et politique de Kant et de Fichte en 1793*, Paris, Vrin, 1968, p. 39). Sur les dangers de la démocratie selon Kant, cf. É. WEIL, *Problèmes kantiens*, 2e éd. revue et augmentée, Paris, Vrin, 1970, p. 121-122 (et note 21) ; sur l'idée kantienne de république, cf. É. WEIL, *op. cit.*, p. 133 *sq.*, et Carl J. FRIEDRICH, « L'Essai sur la paix. Sa position centrale dans la philosophie politique de Kant », *in La Philosophie politique de Kant*, Paris, PUF, 1962, p. 152 *sq.*

27. Usage régulateur de l'Idée républicaine, par opposition à son éventuel usage

constitutif, nécessairement producteur d'illusion. Les Idées étant construites par la raison, elles sont dépourvues du pouvoir de déterminer la Nature, et n'ont plus, dans le domaine spéculatif, qu'un rôle régulateur. Dans leur usage théorique légitime, les Idées dessinent l'idéal de systématisation à réaliser, en indiquant la voie dans laquelle les objets de l'expérience pourront être ramenés à la plus grande unité possible. Sur la distinction kantienne entre usages régulateur et constitutif : E. KANT, *Critique de la raison pure*, trad. fr. A. Tremesaygues et B. Pacaud, Paris, PUF, nouv. éd., 1950, p. 452 *sq.* (Appendice à la Dialectique transcendantale : De l'usage régulateur des idées de la Raison pure) ; parmi les commentaires : A. PHILONENKO, *L'Œuvre de Kant, op. cit.*, t. I, p. 138, 318 *sq.* ; G. LEBRUN, *Kant et la fin de la métaphysique*, Paris, A. Colin, 1970, p. 154-155 ; G. DELEUZE, *La Philosophie critique de Kant*, 2e éd., Paris, PUF, 1967, p. 33 *sq.* L'usage illégitime de l'Idée républicaine revient à croire que l'on peut « réaliser *hic et nunc* une constitution politique parfaite et engendrer ainsi une société intégralement rationnelle » (FERRY, RENAUT, *op. cit.*, p. 176). Autre figure du même type d'illusion métaphysique, où le philosophe précritique et l'enfant, comme eût dit Platon, « veulent les deux » : vouloir réaliser une société où régnerait à la fois la justice sociale et le bonheur de chacun.

28. FERRY, RENAUT, *op. cit.*, p. 177.

29. *Ibid.*, p. 178.

30. *Ibid.*, p. 179. Cf. ci-dessus, le trait 3 de l'idéaltype du racisme, p. 318.

31. FERRY, RENAUT, *op. cit.*, p. 179.

32. *Ibid.*, p. 178-179.

33. *Ibid.*, p. 56-57.

34. Exemplaire de la vulgate anti-universaliste qui a dominé dans le champ philosophique français des années soixante et soixante-dix est cette déclaration de Michel Foucault : « La recherche d'une forme morale qui serait acceptable par tout le monde — en ce sens que tout le monde devrait s'y soumettre — me paraît catastrophique. » (*Les Nouvelles*, 28 juin 1984, cité par FERRY et RENAUT, *op. cit.*, p. 180.) Du même genre, témoignage d'un conformisme d'époque, cet énoncé aussi péremptoire qu'allusif de Michel SERRES : « La seule philosophie possible, c'est-à-dire vitale [?], consiste à répudier l'universel. Le pluralisme et le polymorphisme.» (« Estime », *in Politiques de la philosophie*, Paris, Grasset, 1976, p. 120.)

35. FERRY, RENAUT, *ibid.*

36. A.J. HESCHEL, *Les Bâtisseurs du temps*, Paris, Éd. de Minuit, 1957, p. 44.

37. Dans un texte important, « Pour une sociologie de la démocratie » (1966), Claude LEFORT pose le problème (cf. *Éléments d'une critique de la bureaucratie* (1971), 2e éd., Paris, Gallimard, coll. « Tel », 1979, p. 343).

38. Claude LEFORT, *op. cit.*, p. 344.

39. Cf. Jacques RANCIÈRE, « La pensee de l'égalité », séminaire du Collège international de philosophie, Paris, 1986-1987.

40. Cl. LEFORT, *op. cit.*

41. Cl. LEFORT, *Essais sur le politique (XIXe-XXe siècles)*, Paris, Le Seuil, 1986, p. 27-29 : la démocratie comme dissolution des repères de la certitude, provoquant des tentatives indéfinies pour restituer ladite certitude, ce qui définit le travail de l'idéologie ; p. 299 : la désincorporation du pouvoir engendre parallèlement des efforts en vue de resubstantialiser le pouvoir, de le réincorporer, etc.

42. Nous visons le pseudo-platonisme maximaliste, bien défini par Vladimir JANKÉLÉVITCH, *Le Pur et l'Impur*, *op. cit.*, p. 173 *sq.*. Le maximaliste est sourd aux intermédiaires dont Platon, dans le *Philèbe* (17 a), rappelait la fonction

dialectique : « Les sages de notre temps font l'un et le multiple à l'aventure plus vite ou plus lentement qu'il ne faudrait et ils passent tout de suite de l'unité à l'infini ; les nombres intermédiaires leur échappent, et c'est ce qui distingue la dialectique de l'éristique... » (Trad. E. Chambry, Paris, Garnier, 1950 : PLATON, *O.C.*, t. V, p. 305-306.)

43. Un bon exemple d'inversion simple de la célébration « raciste » de la pureté raciale différentielle est représenté par cette note de NIETZSCHE (qui en est coutumier), et que les antiracistes citent volontiers en tant que « preuve » du non-racisme du philosophe : « Contre la distinction entre aryens et sémites : où les races se mélangent jaillit la source de la civilisation. » (*Œuvres posthumes*, trad. fr. H.J. Bolle, Paris, Mercure de France, 1934, p. 309, n° 857 ; G.W., Musarionausgabe, Munich, 1920-1929, vol. XVI, p. 373). Léon MIS, après avoir cité ce fragment (« Nietzsche et Stefan George, précurseurs du "Troisième Reich" », *Revue d'histoire de la philosophie et d'histoire générale de la civilisation*, nouvelle série, fasc. 11, 15 juillet 1935, p. 203-226 ; p. 225), croit pouvoir conclure : « L'Allemagne d'aujourd'hui suit des chemins dans lesquels eux-mêmes [Nietzsche et George] ne se seraient jamais engagés » (p. 226). Dans la même perspective : Walter KAUFMANN, *Nietzsche. Philosopher, Psychologist, Antichrist*, Princeton, Princeton University Press, 4e éd., 1974 (1re éd., 1950), p. 303 ; Éric BLONDEL, *Nietzsche : le « cinquième "Évangile" » ?*, Paris, Les Bergers et les Mages, 1980, p. 59-70 ; Jean GRANIER, *Le Problème de la vérité dans la philosophie de Nietzsche*, Paris, Le Seuil, 1966, p. 397 n. 3 ; Léon POLIAKOV, *Histoire de l'antisémitisme*, t. IV : *L'Europe suicidaire 1870-1933*, Paris, Calmann-Lévy, 1977, p. 20-23 ; L. POLIAKOV, *Le Mythe aryen*, Paris, Calmann-Lévy, 1971, p. 316-317. Nous ferons simplement remarquer qu'un certain éloge d'un certain métissage ne saurait suffire à fournir un critère absolu de non-racisme. En outre, nous sommes déjà prévenus de la facilité rhétorique des jeux indéfinis de renversement dans le contraire : de la mixophobie à la mixophilie et de celle-ci à celle-là. Les « révolutions » idéologiques sont en grande partie constituées par de telles opérations. Aller et retour dans le même élément, celui des évidences pour ou contre. Alfred Rosenberg n'était nullement gêné par les fragments nietzschéens chers aux antiracistes : « La Bourse devint l'idole de l'épidémie matérialiste de l'époque. Friedrich Nietzsche incarnait le cri du désespoir de millions d'opprimés. [...] Les étendards rouges et les prédicateurs marxistes itinérants se rangèrent alors sous la bannière de Nietzsche alors que celui-ci est précisément le seul à avoir démasqué, avec autant de raillerie, l'aspect démentiel de leur doctrine. En son nom, les sémites et les nègres *[Syrier und Nigros]* infectèrent la race, alors qu'il aspirait au redressement racial. Il avait été récupéré par les rêves d'ardents admirateurs politiques. » *(Der Mythus des 20.Jahrhunderts*, Munich, 1930, p. 530-531 ; trad. fr. A. von Scholle, Paris, Avalon, 1986, p. 499.) Sur la mauvaise connaissance de Nietzsche par Rosenberg à l'époque du *Mythe*, cf. Yves GUÉNEAU, « Les idéologues et le philosophe », *Revue d'Allemagne*, t. XVI, n° 3, juillet-septembre 1984, p. 355-356.

44. S. WEIL, *Écrits de Londres et dernières lettres*, Paris, Gallimard, 1957, p. 146.

45. S. WEIL, *La Pesanteur et la Grâce*, Paris, Plon, 1948, p. 201 ; coll. 10/18, 1963, p. 176.

46. J. MARITAIN, *Christianisme et démocratie* (1943), Paris, Paul Hartmann, 1945, p. 23.

47. *Ibid.*, p. 89.

48. *Ibid.*, p. 93. Cf. p. 92 : « Ce qu'on demande c'est [...] que le climat et

l'inspiration de la vie commune soient une inspiration de générosité et un climat d'*espérance héroïque.* » (Je souligne.)

49. Cf. Henri GOUHIER, *Blaise Pascal. Commentaires*, 2e éd. mise à jour, Paris, Vrin, 1971, p. 254.

50. F. SCOTT FITZGERALD, *La Fêlure* (1936), tr. fr. D. Aury, Paris, Gallimard, 1963, p. 341.

Index

(Les chiffres en italique concernent les notes)

Table

Ouvrage reproduit
par procédé photomécanique.
Impression Bussière Camedan Imprimeries
à Saint-Amand (Cher), le 22 juin 1999.
Dépôt légal : juin 1999.
1er dépôt légal dans la collection : avril 1990.
Numéro d'imprimeur : 992723/1.
ISBN 2-07-071977-4./Imprimé en France.

92072